La grande histoire des Français après l'occupation.

Plan général

La grande histoire des Français sous l'occupation.
1939-1945

1

LE PEUPLE DU DÉSASTRE

2

QUARANTE MILLIONS DE PÉTAINISTES

3

LES BEAUX JOURS DES COLLABOS

4

LE PEUPLE RÉVEILLÉ

5

LES PASSIONS ET LES HAINES

6

L'IMPITOYABLE GUERRE CIVILE

7

UN PRINTEMPS DE MORT ET D'ESPOIR

8

JOIES ET DOULEURS DU PEUPLE LIBÉRÉ

La grande histoire des Français après l'occupation.

9

LES RÈGLEMENTS DE COMPTES

10

LA PAGE N'EST PAS ENCORE TOURNÉE

DU MÊME AUTEUR

Histoire

LA GRANDE HISTOIRE DES FRANÇAIS SOUS L'OCCUPATION
1. Le peuple du désastre, 1939-1940 (Robert Laffont).
2. Quarante millions de pétainistes, juin 1940-juin 1941 (Robert Laffont)
3. Les beaux jours des collabos, juin 1941-juin 1942 (Robert Laffont)
4. Le peuple réveillé, juin 1940-avril 1942 (Robert Laffont).
5. Les passions et les haines, avril-décembre 1942 (Robert Laffont).
6. L'impitoyable guerre civile, décembre 1942-décembre 1943 (Robert Laffont).
7. Un printemps de mort et d'espoir, novembre 1943-6 juin 1944 (Robert Laffont).
8. Joies et douleurs du peuple libéré, 6 juin-1er septembre 1944 (Robert Laffont).
9. Les règlements de comptes, septembre 1944-janvier 1945 (Robert Laffont).

La vie des Français sous l'occupation (Fayard).
Le 18 juin 1940 (Fayard).
Pétain avant Vichy (Fayard).

Politique

Ce que vivent les roses (Robert Laffont).
Monsieur Barre (Robert Laffont).

Romans

Une fille de Tel-Aviv (Del Duca).
Le ghetto de la victoire (Grasset).

Reportages

Israël... Israël (Domat).
Croix sur l'Indochine (Domat).
Le monde de long en large (Domat).
J'ai vu vivre Israël (Fayard).

Critique littéraire

Louis Émié (Seghers)
(en collaboration avec Albert Loranquin).

Albums

Quatre ans d'histoire de France (Hachette).
Aquitaine (Réalités, Hachette).

Théâtre

Et ça leur faisait très mal ? (Robert Laffont).

HENRI AMOUROUX

La grande histoire des Français après l'occupation.

X

la page n'est pas encore tournée

Janvier-octobre 1945

ROBERT LAFFONT

Couverture : photo Keystone.

© Éditions Robert Laffont, S.A., Paris, 1993

ISBN 2-221-00130-3 (édition complète)
ISBN 2-221-07692-3 (vol. 10)

SOMMAIRE

Voici ce livre, dernier tome d'une série de dix.

Après dix-sept années de recherches, il avoue, et j'avoue, que la page n'est pas encore tournée. Jamais les années de guerre et d'occupation n'ont été aussi présentes, jamais les années noires n'ont été aussi noires.

Il est vrai que nous sommes un peuple à la mémoire longue; un peuple qui n'en finit pas de se libérer de ses guerres civiles puisque, presque deux siècles après le drame, Alexandre Soljenitsyne vient inaugurer, en Vendée, le monument élevé à la mémoire de 564 hommes, femmes et enfants massacrés dans l'église des Lucs-sur-Boulogne par l'une de ces « colonnes infernales » qui parcouraient une terre déjà maquisarde.

Alors comment serait-il possible que la page des années 40, déjà, fût tournée? Mémoire des uns et des autres, mémoire des uns contre mémoire des autres. Douleurs, secrets de famille. Douleurs clamées aux médias.

La page ne peut être tournée dès l'instant où les fils ont pris le relais des conflits et des souffrances des pères.

J'ai reçu, en dix-sept ans, bien des confidences d'hommes et de femmes qui s'estimaient injustement blessés dans leurs affections, leur chair, leur honneur, par les lendemains de la libération.

Certains me demandaient de ne pas divulguer leur drame. D'autres, au contraire, voulaient qu'il fût rendu public, à l'image du Dr Jean Marissal, qui, chaque année, depuis que l'on rendait hommage à Raoul Batany, l'assassin de son père, le Dr Arthur Marissal, qui jamais n'avait

11

collaboré, écrivait aux autorités municipales comme aux journalistes, afin que la vérité fût réalisée sur ce qui avait été un crime et non un acte d'héroïsme. Le 26 août 1965, las de ne pas être entendu, il martèlera le nom de Batany sur la plaque commémorant, caserne de Lauwe, la mort de six résistants, massacrés par la Milice avant la libération de Montpellier.

La page ne peut être tournée dès l'instant où, au nom du devoir d'éternelle mémoire, se produit un glissement, non de l'histoire telle qu'elle fut, mais du regard porté sur l'Histoire et du choix des priorités dans son étude.

Dans Le Monde *du 5 mai 1993, l'historien Henry Rousso a d'ailleurs établi le constat de ce phénomène. « La question de Vichy et des juifs, écrit-il, est devenue si centrale dans l'actualité que beaucoup d'historiens estiment qu'il y a un danger à ne plus considérer cette période de notre histoire que sous l'angle de l'antisémitisme. Le risque, ajoute-t-il, serait de donner l'impression aux jeunes générations que l'antisémitisme occupait à Vichy la même place qu'il a pu occuper dans le régime nazi, ce qui est complètement faux. »*

Qu'il s'agisse des livres, des articles des hebdomadaires, des débats et des films, le « glissement » est évident. Aujourd'hui, la nécessité de l'armistice n'est pratiquement pas remise en question, ce qui bouleverserait de Gaulle ; la tentative de destruction des valeurs de la République n'est plus guère évoquée ; la collaboration avec l'Allemagne, qui frôla parfois la collaboration militaire, n'est pas un sujet de vigoureuse critique. Et si des principes on passe aux hommes, les combattants de 1940 et ceux de 1945, les prisonniers de guerre — ils furent près de deux millions — et même les internés et déportés politiques s'éloignent des mémoires... ou en sont éloignés.

Que l'on consulte la filmographie puisque, avec le cinéma, assuré du relais des télévisions, comme des débats qui précèdent et qui suivent les émissions, l'image, en s'imposant, impose une forme de « vérité historique ».

C'est dans l'immédiate après-guerre, en tout cas avant 1970 — avec, date charnière, 1969 pour Le Chagrin et la Pitié *qui bouscule tant d'idées reçues —, qu'ont été tournés les films sur la résistance, les prisonniers, la vie quotidienne. Depuis 1970, la majeure partie des films consacrés aux Français sous l'occupation a pour thème les persécutions et la déportation des juifs de France.*

A ceux qui s'étonnent, Serge Klarsfeld, l'un des hommes médiatique-

ment les plus influents de France, l'un de ceux qui, s'immergeant dans plus de quatre-vingt mille destins d'hommes, de femmes et d'enfants disparus dans les fosses et les crématoires, ont le plus fait pour cette évolution du regard, répond qu'au début de sa révolte — une révolte assez forte et assez efficacement relayée pour que le président de la République soit amené à renoncer au traditionnel dépôt d'une gerbe sur la tombe du maréchal Pétain — il y eut la prise de conscience d'une lente évolution des esprits en faveur du Maréchal et de sa politique. « Je me suis dit : " On va arriver à un moment où on risque fort d'avoir le portrait de Pétain à côté de celui de De Gaulle." Cela me paraissait inévitable si l'on ne mettait pas en cause la mauvaise action de Vichy contre les juifs, la mauvaise action de juillet, août, septembre 1942, car, à ce moment-là, Vichy avait les atouts pour maintenir la question juive entre parenthèses. »

Klarsfeld ne nie pas que les juifs vivant en France ont, collectivement, moins souffert que les juifs des Pays-Bas, dont 85 % seront déportés ; moins souffert que les juifs vivant en Belgique. Il ne nie même pas qu'à la fin de septembre 1942 la réprobation du haut clergé et l'émotion populaire, reflétée par tous les rapports préfectoraux, conduisirent Vichy à résister, avec un relatif succès, aux exigences allemandes.

Mais, pour lui, comme pour tous ceux qui entretiennent la mémoire, le crime absolu demeure la décisive participation française à ces rafles qui, de juillet à septembre 1942, en moins de trois mois, allaient conduire à l'arrestation puis à la déportation de 33 000 juifs. Trente-trois mille sur soixante-seize mille déportés.

Parce que Vichy a dit « oui » là ou le petit Danemark, qui a sauvé 93 % de ses juifs, a dit « non », parce qu'il existe trop d'âmes inapaisées, trop de douleurs inconsolées, c'est aujourd'hui toute l'histoire des années 40 qui est en voie de réécriture.

La page n'est pas encore tournée. Le sera-t-elle un jour ?

Je voudrais que le travail accompli, immense labeur de presque tous les instants, réalisé en partie grâce à l'aide de milliers de lecteurs soucieux de m'informer, permette, dans la mesure où il ne néglige aucun moment de la vie des Français, aucune étape de leur évolution, aux

13

LA PAGE N'EST PAS ENCORE TOURNÉE

Français, qui l'ont vécue, de retrouver la complexité de l'époque, à ceux qui ne l'ont pas vécue, de la découvrir.

Le psychiatre autrichien Viktor Frankl, déporté en même temps que sa femme, qui périt à vingt-quatre ans, aurait voulu que l'on élevât une statue à la Responsabilité.

Cela vaut pour les dirigeants.

Pourquoi cela ne vaudrait-il pas pour les historiens ?

Je me suis efforcé d'être responsable.

Janvier 1992 - septembre 1993

PREMIÈRE PARTIE

JANVIER

1

LA CRISE DE JANVIER

Le 2 janvier 1945, à Versailles, Américains et Français frôlent le drame.

Les premiers menacent de priver la Ire armée française de munitions et d'essence, les seconds d'interdire aux forces américaines l'usage des chemins de fer et des moyens de transmissions français.

Si l'on passait des mots aux actes, ce serait la rupture de l'alliance et, pour les Allemands, une victoire remportée à bon compte.

En pleine bataille, la chose est inconcevable.

Il n'en est pas moins vrai qu'il faut prendre au sérieux l'affrontement entre le général Bedell Smith, chef d'état-major d'Eisenhower, et le général Juin, chef d'état-major de la Défense nationale, accompagné d'Alexandre de Marenches, qui fait fonction d'interprète.

Il a pour cadre la chambre des opérations du grand quartier général des Forces alliées.

Il a Strasbourg pour enjeu.

De Gaulle et Juin, en effet, ont appris quelques heures plus tôt que, devant l'attaque allemande lancée dans la nuit du 31 décembre en direction de Saverne, Eisenhower venait de confirmer au VIe groupe d'armées un ordre de repli qui entraînerait obligatoirement l'abandon de Strasbourg, l'abandon de Mulhouse et d'une partie importante de la basse Alsace.

Pour tenter de faire revenir les Américains sur une décision inacceptable, de Gaulle, qui a écrit le 1er janvier à Eisenhower ainsi

17

qu'à de Lattre, commandant la Ire armée française, a donc envoyé Juin plaider auprès de Bedell Smith la cause de Strasbourg[1].

Après avoir souligné l'importance sentimentale de la ville, ainsi que les conséquences militaires d'un repli de cinquante kilomètres, après avoir évoqué les communiqués triomphaux que ne manquerait pas de publier Hitler et leurs conséquences psychologiques sur le moral allemand, Juin finit par « avouer[2] » à Bedell Smith que de Gaulle a donné l'ordre au général de Lattre de prendre à son compte la défense de Strasbourg.

— En ce cas, qui relève de la désobéissance pure et simple, réplique Bedell Smith, la Ire armée française n'aura plus une cartouche ni un litre d'essence.

— Bien ! Alors, le général de Gaulle interdira aux forces américaines l'usage des chemins de fer et des transmissions français.

Juin ne cède ni à la colère ni à l'inspiration en annonçant cette mesure extrême. Il a été effectivement autorisé par de Gaulle[3], qui prévoyait le déroulement de la rencontre, à tendre la corde jusqu'au point de rupture. Interrompre les communications ferroviaires d'une armée américaine qui, elle-même, aurait interrompu les livraisons de munitions et de carburant à l'armée française constituerait, on l'imagine, une rupture aux conséquences militaires et politiques insoupçonnables.

Ainsi, on en est là ?

Non.

En ordonnant à Juin de répliquer au chantage de Bedell Smith par un chantage encore plus redoutable, de Gaulle savait qu'il avait toutes les chances, vraiment toutes les chances, d'ébranler Eisenhower.

Bedell Smith, qui avait « blêmi[4] » sous la menace, mais n'était pas maître de la décision, affirma, du moins à Juin, qu'il s'efforcerait de convaincre Eisenhower du bien-fondé de la position française et, qu'en

---

1. Juin a déjà rencontré Bedell Smith le 28 décembre, mais il s'est entendu affirmer qu'aucune décision n'avait été prise en ce qui concernait un repli en Alsace, qu'il s'agissait simplement d'une étude « comme les états-majors ont l'habitude d'en faire fréquemment, surtout en position défensive » (Maréchal Juin, *Mémoires,* t. II).

2. C'est le mot employé par Juin dans ses *Mémoires.*

3. *Cf.* Maréchal Juin, *op. cit.,* t. II, note p. 81.

4. *Ibid.,* t. II.

tout cas, le commandant en chef recevrait, le lendemain 3 janvier, le général de Gaulle.

La crise approchait de son point culminant, mais aussi de son dénouement.

Pour de Lattre, tout avait commencé à Montbéliard[1], le 24 décembre. Au milieu du repas précédant la messe de minuit, le lieutenant Roland Cadet lui avait remis un télégramme du VIe groupe d'armées, réclamant une accélération immédiate des mesures défensives. Après avoir pris connaissance du télégramme, de Lattre a d'abord poursuivi la conversation avec ses invités. Cependant, l'esprit préoccupé, il s'est très vite excusé et a gagné son bureau où se trouve le lieutenant-colonel du Souzy qui arrive de Phalsbourg, P.C. avancé du général Devers, commandant le VIe groupe d'armées, dont dépendent la Ire armée française et la VIIe armée américaine. Souzy se fait immédiatement l'écho de l'inquiétude qui règne à l'état-major américain de Phalsbourg.

Pour freiner, arrêter, puis repousser — et c'est loin d'être encore fait — les vingt-quatre divisions de Rundstedt, lancées, depuis le 16 décembre, dans cette contre-offensive des Ardennes dont Hitler espérait un succès comparable au succès décisif obtenu, en mai 1940, sur les armées franco-britanniques par le même von Rundstedt[2], le général Eisenhower, raccourcissant le front des armées attaquées (la Ire de Hodges, la IIIe de Patton), a naturellement allongé et affaibli le front relativement calme de la VIIe armée, commandée par le général Patch. Entre Plobsheim, au sud de Strasbourg, et Saint-Avold, elle tient, avec une seule division blindée, six divisions d'infanterie et quelques éléments non aguerris, une ligne de cent quarante kilomètres qui passe par Wissembourg et Bitche. Or, de multiples signes laissent penser que les Allemands, afin de faire diversion en attirant en Lorraine des forces alors engagées dans la contre-offensive alliée des

---

1. Où il avait son P.C. à l'hôtel de La Balance.
2. C'est le même von Rundstedt, mais ses dispositions d'esprit sont bien différentes de celles de mai 1940. Il ne croit pas au succès d'une offensive qu'il patronne « nominalement ».

Ardennes, préparent logiquement une vigoureuse contre-attaque dans la région de Bitche. Mais, avant même le déclenchement de l'offensive, Eisenhower a ordonné à la VIIe armée de ne pas s'opposer « pied à pied » à l'assaut allemand, d'opérer à temps le repli qui lui évitera de se laisser enfoncer et peut-être détruire.

Voici l'information que Souzy apporte à de Lattre.

Menacé d'être attaqué, de Lattre veut immédiatement prendre les devants. Et c'est à un plan visant à libérer Colmar, dont il s'est approché le 18 décembre, sans pouvoir s'en emparer, tant la réaction allemande a été violente[1], qu'il travaillera pendant toute la nuit de Noël. Ce plan, il l'expose le 26 au général Devers. Mais, pendant que Devers se trouve à Montbéliard, chez de Lattre, Eisenhower, alerté et inquiet, a déjà pris la décision de ramener en position défensive, sur les pentes des Vosges, tout le VIe groupe d'armées. Il s'agit d'un recul délibéré de cinquante à soixante kilomètres. Informé dès son retour à Phalsbourg, Devers transfère immédiatement son P.C. à Vittel où il convoque de Lattre pour la matinée du 27. Au chef de la Ire armée française, il dit non seulement que l'opération contre Colmar est reportée à des jours meilleurs, mais encore qu'il lui enlève la 2e division blindée de Leclerc, Leclerc qui, n'ayant pour de Lattre « ni estime ni confiance[2] », préfère d'ailleurs — il l'a manifesté à plusieurs reprises — combattre sous commandement américain.

Au sein de la Ire armée française, la 2e D.B. sera remplacée par la 1re division française libre, rappelée du centre de la France où elle avait été envoyée dans la perspective de la libération de la poche de Royan.

Le 28 décembre, de Lattre reçoit une lettre d'instruction dans laquelle Devers précise que « le VIe groupe d'armées reste sur la défensive, prêt à céder du terrain plutôt qu'à compromettre l'intégrité de ses forces ». Suit l'énumération des trois « positions intermédiaires », destinées à être évacuées en cas d'attaques, l'ennemi ne devant être résolument attendu et stoppé qu'au moment où il abordera les pentes des Vosges.

La lettre d'instruction de Devers comprend ce passage : « S'effor-

---

1. Le 15 décembre, les Français de Monsabert ont libéré Orbey, les Américains ont pris Kaysersberg et, le 18, c'est Ammerschwihr (à dix kilomètres de Colmar) qui tombe entre les mains de la Ire armée.
2. Lettre au général Juin. *Cf. Les Règlements de comptes,* p. 637.

cer, tout en conservant l'intégrité de ses forces, de tenir Strasbourg et Mulhouse. *Cette prescription est valable tant que l'intégrité des forces n'est pas compromise pour le retrait sur une position arrière*[1]. »

Pour de Lattre, la chose est tristement évidente. Strasbourg et Mulhouse sont menacées d'abandon. Et d'abandon rapide. Méfiant devant cette « psychose de retraite[2] », de Lattre, « se refusant à donner de la consistance à des hypothèses, concevables en tant que vues de l'esprit, mais sacrilèges pour des cœurs français[2] », se gardera de « communiquer quoi que ce soit de la lettre d'instruction[2] » du général Devers.

Aussi, pour concilier sa volonté de se battre sur la position qu'il occupe et « le respect dû aux préoccupations stratégiques du haut commandement », rédige-t-il, le 30 décembre, un ordre général dans lequel il n'est nulle part fait allusion à un quelconque repli volontaire.

Donnant à son armée mission de maintenir l'intégrité du front, en couvrant, d'une part, la trouée de Belfort et, d'autre part, Strasbourg, il lui ordonne également d'« établir des lignes de défense successives ayant pour but de retarder au maximum l'adversaire au cas où il parviendrait à rompre [le] dispositif initial ».

Ainsi paré, du moins le croit-il, du côté américain, et n'imaginant pas la proximité de l'offensive allemande, de Lattre propose à nouveau, dans une lettre au général Devers, de liquider la poche de Colmar, contre-mesure qui lui paraît la plus efficace pour détourner les Allemands de leurs possibles projets en direction de Bitche.

Mais, le 31 décembre, à 23 heures, six divisions d'infanterie allemandes et une *Panzer* attaquent, en direction de la trouée de Saverne, le front Sarreguemines-Bitche-Bannstein-Benhoffen et créent l'événement.

Dans l'après-midi du 1er janvier, Eisenhower téléphone au général Devers et lui donne l'ordre de se replier « promptement », c'est-à-dire avant le 5 janvier à l'aube, sur « la position principale des Vosges[3] ».

---

1. Souligné intentionnellement.
2. Général de Lattre, *Histoire de la première armée française*.
3. *Id.* A Vittel, c'est-à-dire au quartier général de Devers, le lieutenant-colonel du Souzy, chef de la mission française de liaison, ne sera informé de rien. Tout juste pourra-t-il faire état, auprès de De Lattre, de la fébrilité inhabituelle qui règne dans certains bureaux.

« Chose incroyable, écrira plus tard de Lattre, près de trente heures vont s'écouler avant que je sois informé de ces décisions capitales[1]. »

Ce n'est, en effet, que le 2 janvier, à 21 h 47, qu'il recevra un télégramme de Devers l'informant de l'ordre de repli donné par le commandement suprême allié et lui enjoignant d'accepter, sur sa gauche, « la perte du territoire à l'est des Vosges ».

> « Les positions avancées actuelles de votre aile gauche, précise le télégramme, seront tenues avec des forces légères ultra-mobiles disposées de telle façon et pourvues de tels moyens de transport automobile qu'elles puissent se replier rapidement devant toute forte action offensive allemande, en détruisant tous leurs emplacements dans leur retraite. »

« Ça, non.

« *Non possumus,* écrira de Lattre dans son *Histoire de la première armée française.* Il est des circonstances où joue moins la raison raisonnante que la raison instinctive dictée par les réflexes de l'être. Je ne calcule pas : non seulement je ne replierai pas l'aile gauche de mon armée, mais je prendrai à ma charge la défense de Strasbourg. »

Ce qui suppose qu'il puisse rapidement remplacer les Américains dans les secteurs qu'ils évacueront. Dans la matinée du 2 janvier, encore ignorant des ordres d'Eisenhower, il a écrit à Devers que, la Ire armée française n'étant pas « actuellement » en mesure de « défendre directement Strasbourg, mais [...] décidée à faire tout ce qui [était] en son pouvoir pour couvrir la ville au sud », il demandait instamment à la VIIe armée américaine de « faire l'impossible pour protéger la ville ».

Le 2 janvier, à 22 heures, le voici réduit à ses seuls moyens. Pour défendre Strasbourg, son choix va se porter sur la 3e division d'infanterie algérienne du général Guillaume, dont Bernard Simiot, qui appartenait au cabinet de De Lattre, a écrit qu'elle était « la division incontestablement la plus glorieuse et la plus solide de la Ire armée française[2] ».

— C'est ta division qui défendra Strasbourg, dit de Lattre à Guillaume, convoqué dans la nuit à Montbéliard.

---

1. Général de Lattre, *op. cit.*
2. Bernard Simiot, *De Lattre.*

— Quand il y a un coup dur, c'est toujours sur la 3ᵉ D.I.A. qu'il tombe. C'est entendu. Mais sais-tu, mon général, que, depuis l'Italie, nous n'avons pas eu un seul jour de repos ? La division est à bout de souffle. C'est mon devoir de te le dire. Les hommes n'en peuvent plus.

— Je le sais, mon vieux, mais c'est ta division qui défendra Strasbourg !... Avec toi ou sans toi ! Choisis ! As-tu des réserves [1] ?

Guillaume ne dispose que d'un seul bataillon du 4ᵉ tunisiens. Qu'il le jette immédiatement dans Strasbourg où il sera rejoint, dans deux jours, par toutes les unités de la division engagées pour l'heure sur la partie ouest de la poche de Colmar [2].

Et que Guillaume défende Strasbourg sans esprit de recul. Qu'il en fasse, au besoin, « un nouveau Stalingrad » !

Dans cette nuit fiévreuse, de Lattre est conforté dans sa décision de tenir Strasbourg par une lettre manuscrite du général de Gaulle que lui apporte, vers minuit, le commandant Allix. Lettre écrite le 1ᵉʳ janvier. Elle parvient avec vingt-quatre heures de retard, le messager ayant été considérablement contrarié par l'abominable état des routes [3].

De Gaulle n'a pas encore de certitudes [4], mais, « dans l'éventualité où les forces alliées se retireraient de leurs positions [...] au nord du dispositif de la Iʳᵉ armée française », il prescrit à de Lattre « de prendre à [son] compte et d'assurer la défense de Strasbourg ».

A sa lettre, de Gaulle a joint copie d'une lettre au général Eisenhower. Lettre « explicite », écrira-t-il dans ses *Mémoires,* dans laquelle il indique au commandant en chef que, si les raisons stratégiques d'un repli ne lui échappent pas, « le gouvernement français, quant à lui, ne peut évidemment laisser Strasbourg retomber aux mains de l'ennemi sans faire tout ce qui est possible pour le défendre ». Après avoir proposé une solution militaire (Strasbourg défendu par des unités s'appuyant sur le canal de la Marne au Rhin) et

---

1. Récit de Bernard Simiot.
2. Leur départ sera masqué par l'arrivée de quelques bataillons F.F.I. et par l'étirement des ailes des unités voisines.
3. Le télégramme du 2 janvier, par lequel de Gaulle confirme à de Lattre sa lettre du 1ᵉʳ, expédié de Paris à 12 h 27, mettra, lui, vingt-sept heures à parvenir à Montbéliard, ce qui est « sans équivalent, écrira de Lattre, dans l'histoire des transmissions de cette guerre ».
4. « Il n'est pas impensable, écrit-il, que le commandant allié, redoutant d'exposer des moyens importants dans le saillant de Wissembourg, décide de replier la ligne de combat sur les Vosges, à hauteur de Saverne. Un tel repli reviendrait à abandonner Strasbourg. »

s'être déclaré prêt à pousser vers la ville « toutes les forces françaises en voie de formation » et, en premier lieu, la 10e division du général Billotte, de Gaulle achève sur cette affirmation : « Quoi qu'il advienne, les Français défendront Strasbourg. »

Désormais, l'initiative lui revient. « Il était temps que j'intervienne », écrira-t-il d'ailleurs, sans fausse modestie, dans ses *Mémoires de guerre*. Mais le temps pour agir lui est mesuré puisque, aussi forte que soit sa volonté, il peut être gagné de vitesse par une rapide progression allemande précipitant le repli américain et condamnant au désastre les faibles forces françaises maintenues autour de Strasbourg[1].

C'est en moins de quarante-huit heures qu'il va remporter la victoire diplomatique qui sauvera la ville.

Dès le premier instant, il a vu que, si Eisenhower « voulait maintenir sous son commandement l'unité militaire de la coalition[2] », il lui faudrait adopter le changement fondamental que lui, de Gaulle, apportait à ses projets en s'opposant à tout abandon de Strasbourg.

Faire renoncer à son plan le commandant suprême des forces extraordinaires alliées, alors que la poursuite de la bataille des Ardennes et le déclenchement de l'offensive en direction de Saverne justifient des décisions stratégiques urgentes, n'est cependant pas chose facile, même si de Gaulle estime que le gouvernement français, en confiant ses forces à un commandement étranger, s'était réservé le droit de les reprendre, s'il leur était assigné une mission contraire aux intérêts de la France.

Aussi le chef du gouvernement provisoire fait-il, dans la nuit du 2 janvier, appel à Roosevelt et à Churchill. A Roosevelt, il expose la situation dans un télégramme d'une dizaine de lignes qui s'achève par ces mots : « Je vous demande avec confiance d'intervenir dans cette affaire qui risque d'avoir, à tous égards, de graves conséquences. » A Churchill, prévenu d'ailleurs de la gravité de la situation par sir Duff Cooper, ambassadeur de Grande-Bretagne à Paris, moins de trois lignes pour lui dire : « Je vous communique le texte d'un télégramme

---

1. Le 30 décembre, au cas où le pire se produirait, de Gaulle avait prescrit au général Dooly, gouverneur de Metz et commandant la région Nord-Est, de faire tenir par des forces françaises venues de l'intérieur et sommairement armées les passages de la Meuse vers Givet, Mézières et Sedan.
2. *Mémoires de guerre.*

que j'adresse au président Roosevelt. Je vous demande de m'appuyer dans cette grave affaire. »

A Eisenhower, qu'il va rencontrer quelques heures plus tard, il adresse, le 3 au matin, une lettre longue et particulièrement sévère qui ne figure pas dans la partie « Documents » des *Mémoires de guerre* et à laquelle le Général ne fait qu'une très brève allusion — une ligne et demie — dans son récit des événements[1].

Après avoir indiqué que, lorsqu'il lui avait écrit, le 1ᵉʳ janvier, il ignorait « toute l'étendue de l'ordre de repli donné [...] au général Devers », de Gaulle ajoute :

> « Mais rien de ce qui vous a été dit de ma part et rien de ce que j'ai écrit ne peut vous donner à penser que, du point de vue militaire, " j'approuve vos vues " telles qu'elles me sont connues, je dois vous dire franchement que c'est le contraire qui est vrai
>
> En tout cas, je suis obligé de vous confirmer que le gouvernement français ne peut accepter que l'Alsace et une partie de la Lorraine soient évacuées délibérément, et pour ainsi dire sans combat, alors surtout que l'armée française en occupe une plus grande partie. Consentir à une telle évacuation et dans de telles conditions *serait une erreur au point de vue de la conduite générale de la guerre qui, au-dessus du commandement militaire, relève des gouvernements alliés, comme, au point de vue national français, elle relève du gouvernement français*[2].
>
> Je me vois donc amené à prescrire de nouveau au général de Lattre de défendre avec les forces françaises dont il dispose la position qu'il occupe actuellement et de défendre Strasbourg, même si les forces américaines se repliaient à sa gauche. »

La lettre à Eisenhower est d'autant plus hautainement désagréable que de Gaulle a reçu, dans la matinée du 3 janvier, un télégramme chiffré et une lettre de De Lattre qui l'irritent profondément. Commandant d'armée, de Lattre occupe, dans le cadre d'une coalition, « une place stratégiquement essentielle, celle de pivot droit de tout le front[3] ».

---

1. Le maréchal Juin a publié l'intégralité de cette lettre dans ses *Mémoires*, p. 82-83.
2. Souligné intentionnellement.
3. Général de Lattre, *op. cit.*

Il ne lui vient donc pas à l'esprit — il l'écrira plus tard[1] — qu'il puisse faire la guerre en « isolé ». Encore moins en franc-tireur, sous peine non seulement de placer dans « une situation intenable[1] » les troupes françaises enfermées dans Strasbourg, mais encore de « mettre en péril la solidarité militaire des Nations unies[1] ».

Bien décidé à défendre Strasbourg, ayant déjà pris, pour le faire, les premières décisions militaires, de Lattre demande toutefois à de Gaulle d'« obtenir d'urgence et avant toute chose » l'accord d'Eisenhower à un ralentissement du repli américain afin que la totalité de la 3e division d'infanterie nord-africaine (celle de Guillaume) ait la possibilité de gagner Strasbourg à temps.

Mais de Lattre a des mots qui, pour de Gaulle, représentent une inadmissible intrusion dans son « domaine réservé ». Par exemple, lorsqu'il écrit[2], en évoquant le rôle de couverture de toutes les communications avec la Méditerranée qu'assume la Ire armée, que, la décision de défendre Strasbourg pouvant avoir de graves incidences pour la manœuvre d'ensemble, « elle doit être prise *d'extrême urgence, en accord entre le gouvernement français et le commandement suprême allié[3]* ».

Par exemple, encore et surtout, lorsque, insistant[4] sur le nécessaire accord du commandant suprême allié au ralentissement du repli en cours de la VIIe armée américaine, il écrit à de Gaulle : « *Cet accord me permettrait en plus de concilier mon devoir de général français à l'égard de mon pays, de l'honneur de mon armée et de vous, mon chef politique et militaire — devoir que je ferai passer avant tout — avec mon devoir de soldat, mon devoir de discipline à l'égard du commandement suprême des armées alliées, parmi lesquelles la Ire armée française tient une place stratégique essentielle[5].* »

De Lattre ajoute — quel conseilleur ! — que c'est à Eisenhower qu'« il faut s'adresser pour avoir le temps de prendre les mesures qui permettront à l'armée française de défendre Strasbourg et de le sauver ».

Comme si de Gaulle l'ignorait !

---

1. Général de Lattre, *op. cit.*
2. Dans son télégramme du 3 janvier.
3. Souligné intentionnellement.
4. Dans sa lettre du 3 janvier.
5. Souligné intentionnellement.

La suggestion de De Lattre « n'eut pas l'heur de plaire à de Gaulle », se souvient le maréchal Juin[1]. Effectivement, dès réception du télégramme et de la lettre de De Lattre, de Gaulle répliqua par ce sévère télégramme de mise au point qui troublera et peinera de Lattre, d'ailleurs affaibli par une menace de congestion pulmonaire qui l'obligera bientôt à commander depuis son lit

> « J'ai peu apprécié vos dernières communications, qui paraissent faire dépendre de l'accord du haut commandement allié l'exécution de la mission de défendre Strasbourg fixée à votre armée par lettre du 1er janvier.
>
> La Ire armée et vous-même faites partie du dispositif allié, *pour cette unique raison que le gouvernement français l'a ordonné et seulement jusqu'au moment où il en décide autrement*[2]. Si vous aviez été amené, ou si vous étiez amené, à évacuer l'Alsace, le gouvernement ne pourrait admettre que ce fût sans une grande bataille, même — et je le répète — si votre gauche s'était trouvée, ou se trouvait, découverte par le retrait de vos voisins. »

Évoquant dans ses *Mémoires de guerre* cet incident, ce choc entre hommes de caractère ayant de la même situation une vue nécessairement différente, de Gaulle écrira que de Lattre, dans « le conflit des devoirs » auquel il était confronté, devait être amené à reconnaître que « celui de servir directement la France, autrement dit de m'obéir, l'emportait de beaucoup sur l'autre[3] »... L'autre devoir étant l'obéissance aux ordres d'Eisenhower.

De Gaulle peut feindre de négliger les observations de De Lattre, il sait qu'elles sont justifiées, et que le général Eisenhower demeure « l'homme à convaincre ».

Au cours de la matinée du 3 janvier, si encombrée en angoissants

---

1. *Mémoires*, t. II, p. 84.
2. Souligné intentionnellement.
3. Dans les mêmes pages, de Gaulle rend hommage à la façon dont de Lattre accomplit tout ce qu'il attendait de lui.

échanges de messages, il a d'ailleurs reçu la réponse de Roosevelt à son télégramme — son « S.O.S. », selon le mot de Juin — envoyé la veille.

Éloigné du théâtre d'opérations, le président des États-Unis déclare s'en remettre aux décisions du commandant suprême — Eisenhower — et faire confiance à sa sagesse.

Au prix d'une crise grave dans l'alliance, de Gaulle peut certes ordonner et obtenir que Strasbourg-« Stalingrad » soit défendu par la seule armée française. Dieu et le courage des combattants feront alors pencher la balance.

Mais Eisenhower a encore la possibilité d'éviter le pire en revenant sur sa décision et en modifiant ses instructions.

Que s'est-il exactement passé dans cet après-midi du 3 janvier où de Gaulle, en compagnie du général Juin, se rend au Trianon Palace, de Versailles, ancienne résidence de Goering lorsqu'il séjournait à Paris et, désormais, quartier général d'Eisenhower ?

De Gaulle et Juin, voici les deux acteurs français du débat avec Eisenhower, qui a eu pour témoins Bedell Smith et Churchill, accouru de Londres [1]. Deux acteurs français, deux témoignages différents.

Si l'on suit les *Mémoires de guerre* de De Gaulle, le général, après avoir entendu Eisenhower plaider la nécessaire reconstitution de ses réserves, donc d'un raccourcissement du front, reprend les arguments militaires sentimentaux et politiques utilisés déjà dans ses lettres, mis en avant par de Lattre auprès de Devers, par Juin auprès de Bedell Smith.

« ... Pour la France, ce serait un désastre national. Car l'Alsace lui est sacrée. Comme, d'autre part, les Allemands prétendent que cette province leur appartient, ils ne manqueront pas, s'ils la reprennent, de se venger du patriotisme dont les habitants ont prodigué les preuves. Le gouvernement français ne veut pas laisser l'ennemi y revenir. Pour le moment, il s'agit de Strasbourg. J'ai donné à la Ire armée française l'ordre de défendre la ville. Elle va donc le faire de toute façon. Mais il serait déplorable qu'il y eût, en cette occasion, dispersion des forces alliées, peut-être même rupture du système de commandement

---

1. Churchill a déjeuné avec Eisenhower.

pratiqué par la coalition. C'est pourquoi je vous demande de reconsidérer votre plan et de prescrire vous-même au général Devers de tenir ferme en Alsace. »

C'est à ce moment que de Gaulle, chef du gouvernement, à qui Eisenhower venait de dire : « Pour que je change mes ordres militaires, vous invoquez des raisons politiques », a répliqué par cette phrase sans appel : « Les armées sont faites pour servir la politique des États. »

Comme l'avaient fait la veille Juin et Bedell Smith, de Gaulle et Eisenhower, avec moins d'âpreté, car ils savaient ne pouvoir mettre leurs menaces à exécution, jouèrent à s'intimider mutuellement. « Que se passerait-il, dit en substance l'Américain, si nous ne ravitaillions plus l'armée française en carburant et munitions ? »

Préparé à entendre ce langage et sachant que le vocabulaire « est un riche pâturage de mots [1] » qui n'engraisse pas fatalement l'action, de Gaulle répliqua qu'en privant les forces françaises des moyens de combattre, en les laissant écraser par l'ennemi, le haut commandement s'exposerait « à voir le peuple français lui retirer, dans sa fureur, l'utilisation des chemins de fer et des transmissions indispensables aux opérations ».

S'il est vrai que de Gaulle a évoqué, devant Eisenhower, la « fureur du peuple français », si l'image, qui est forte, ne lui est pas venue à l'heure des *Mémoires* pour donner plus de pathétique à la phrase, peut-être a-t-il rêvé, un instant, à ce que pourrait être, cette fois, sous son étroit contrôle, la très provisoire réanimation de ces réseaux de résistance qui, il n'y a guère, avaient si efficacement gêné l'ennemi allemand.

Mais, finalement, ces menaces agitées mais vite oubliées tant leur outrance les rend inapplicables, le commandant en chef se range aux arguments de De Gaulle. « Il le fit, écrivit le Général, avec la franchise qui était l'un des meilleurs côtés de son sympathique caractère, téléphonant au général Devers que le mouvement de retraite devait être, à l'instant, suspendu et que de nouveaux ordres allaient lui parvenir. » Ces ordres lui seraient portés, dès le lendemain, par le général Bedell Smith accompagné de Juin, « ce qui serait pour moi — note de Gaulle — une garantie supplémentaire et, pour les exécutants, la preuve que l'accord était fait »..., mais ce qui ne laissait pas d'être fort désobligeant pour Eisenhower.

---

1. Homère *L'Iliade.*

Churchill, présent, ne serait intervenu, si l'on en croit de Gaulle, que pour dire à Eisenhower : « Toute ma vie, j'ai pu voir quelle place l'Alsace tient dans le sentiment des Français. Je crois donc, comme le général de Gaulle, que le fait doit entrer dans le jeu. »

Lit-on les *Mémoires* du maréchal Juin, présent à Versailles dans l'après-midi du 3 janvier, le scénario est bien différent. Selon Juin, en effet, Churchill aurait convaincu Eisenhower, avant même l'arrivée des Français [1]. « Dès notre entrée, il fit savoir que tout était arrangé, qu'on n'abandonnerait pas Strasbourg, ce qu'Eisenhower confirma. *Il n'y eut même pas de débat.* »

Ayant frustré de Gaulle d'un morceau de bravoure, Juin écrit seulement qu'il reçut mission de partir le lendemain pour Vittel en compagnie du général Bedell Smith, afin de confirmer à Devers l'abandon d'une opération d'évacuation à laquelle il se résignait en soldat obéissant mais qu'il jugeait, comme Patch et plusieurs de ses subordonnés, trop précipitée.

Toujours selon Juin, témoin de la scène, Churchill, ayant prié de Gaulle de passer dans une pièce voisine du bureau du commandant suprême, lui avait expliqué longuement les mérites d'Eisenhower, sans cependant réussir à obtenir du Français, muet, un signe d'assentiment ou de désapprobation.

Churchill eut beau se mettre en frais, évoquer le départ de Syrie du général Spears, bête noire de De Gaulle, il ne provoqua aucune réaction, de Gaulle n'ouvrant la bouche que pour demander au Premier ministre britannique des nouvelles du difficile voyage qu'il venait d'effectuer dans une Grèce soulevée contre les Britanniques.

— *Oh ! Yes, very interesting, it was a good sport indeed.*

— Mais on vous a tiré dessus ?

— Oui et, le plus fort, c'est qu'ils m'ont tiré dessus avec les armes que je leur avais données.

— Ce sont là des choses qui arrivent, conclut de Gaulle.

C'est sur ce mot que les deux hommes se séparèrent.

Revenant à Paris avec de Gaulle, Juin ne put s'empêcher de lui dire que l'intervention de Churchill aurait mérité au moins quelque remerciement.

---

1. Ce qui est confirmé, dans son journal, par sir Alan Brooke, chef de l'état-major général britannique, présent à la réunion.

« Bah ! » se contenta de répondre le Général et « il se replongea d'un air sombre dans ses méditations[1] ».

La crise alsacienne conjurée en intention, il s'agissait qu'elle le fût dans les faits.

Le 4 janvier, de bonne heure, Juin et Bedell Smith quittèrent donc Paris pour porter à Vittel, où ils ne parvinrent que fort tard, des ordres de résistance et pour étudier, avec le général Devers, différentes hypothèses capables de protéger Strasbourg, de couvrir Saverne, enfin de permettre, à bref délai, l'élimination de la poche de Colmar.

Dans l'après-midi du 5 janvier, voici Juin chez de Lattre, qu'il trouve alité, mécontent d'avoir été « court-circuité » la veille auprès de Devers, encore indigné du télégramme par lequel de Gaulle lui a signifié qu'il avait « peu apprécié ses dernières communications » alors qu'il s'était affairé pour presser l'arrivée de la 3e division d'infanterie nord-africaine à Strasbourg et que, dès le 4 janvier, il avait averti, par lettre, le commissaire de la République Blondel, le préfet Haelling, le maire Charles Frey[2], l'évêque et le gouverneur provisoire, le général Schwartz[3], de son intention de tenir jusqu'au bout la capitale de l'Alsace.

---

1. Maréchal Juin, *op. cit.,* t. II. Dans un bref communiqué de la présidence du gouvernement en date du 4 janvier, communiqué évoquant la conférence « relative aux opérations militaires sur le front Ouest », il est cependant précisé qu'à l'issue de la conférence « le président du gouvernement français et le Premier ministre britannique se sont longuement entretenus ».
Dans leurs Mémoires, Churchill et Eisenhower n'insistent guère sur la journée du 3 janvier. Churchill écrit qu'il se serait trouvé à Versailles « par hasard » et il ne commente pas son intervention, peut-être — c'est la thèse défendue par Jacques Nobécourt (*Le Dernier Coup de dés de Hitler*) — afin de ne pas ternir l'image d'Eisenhower, à l'instant où celui-ci vient d'être appelé à la tête des forces de l'Alliance atlantique.
Eisenhower expliqua de façon différente les raisons pour lesquelles il avait annulé sa décision initiale.
A Churchill, il écrivit, en novembre 1945, qu'il avait été convaincu par de Gaulle, mais, dans ses *Mémoires,* il devait préciser qu'il avait réagi dans la mesure où « l'affaire des Ardennes était réglée ».
2. Le 3 janvier, il avait télégraphié au général de Gaulle pour protester contre les mesures de repliement projetées par le commandement américain et demandé que sa ville soit défendue par des troupes françaises.
3. Qui n'avait à sa disposition que la « brigade indépendante d'Alsace-Lorraine » du colonel *Berger*-Malraux, les F.F.I. strasbourgeois du commandant François et le groupe d'escadrons de la garde du commandant Daucourt.

Le 6 janvier, par voie d'affiches, c'est la population tout entière qui est informée de la volonté du général de Gaulle, « président du gouvernement provisoire de la République, chef des armées françaises », de voir la Ire armée défendre Strasbourg. Sur la même affiche, le général de Lattre de Tassigny assure aux Strasbourgeois que son armée saurait se montrer digne de la mission reçue.

Il était temps.

Lorsque, le 4 janvier, en fin d'après-midi, arrivèrent les camions transportant les éléments de pointe du 4e régiment de tirailleurs tunisiens du colonel Guillebaud, la *Task Force* du général américain Linden, qui avait tenu jusqu'alors le secteur, n'avait laissé derrière elle qu'une compagnie installée au port fluvial... et l'officier du courrier.

Le 1er janvier 1945, on dénombrait environ 70 000 habitants à Strasbourg, qui en avait compté 200 000 avant la guerre.

Comment l'inquiétude n'aurait-elle pas régné parmi ces hommes et ces femmes que l'Allemagne, après sa victoire de 1940 et l'annexion du territoire, considérait comme des nationaux ?

Chef de la mission militaire auprès de la VIIe armée américaine, le lieutenant-colonel Quignard écrivait dans son rapport du 31 décembre :

> « La population ne cache pas la terreur profonde qu'elle ressent à l'idée de la possibilité d'un recul de nos lignes. Elle ne doute nullement de la victoire finale, mais craint que les vicissitudes des combats puissent momentanément permettre aux Allemands de réoccuper des fractions de territoire libéré. Elle suppose que, dans ce cas, l'armée allemande considérerait les populations autochtones comme des citoyens allemands traîtres envers leur pays et que les représailles seraient impitoyables. »

Représailles facilitées par les informations que ne manqueraient pas de fournir les fonctionnaires et civils allemands qui, lors de l'entrée en trombe de Leclerc dans la ville, n'avaient pas eu le temps de franchir le Rhin[1] et qui n'étaient pas tous internés, bien loin de là, pas plus que

---

1. De façon exagérée, une note de l'état-major de la Défense nationale fixera à 30 000 le nombre des Allemands toujours présents à Strasbourg après la libération de la ville.

n'étaient tous internés les Strasbourgeois qui avaient écouté les sirènes nazies.

Représailles encouragées peut-être par le souvenir de ces affiches du 25 novembre annonçant, d'ordre du général Leclerc, que, « pour chaque soldat français tué dans la ville, cinq otages allemands pris parmi ceux qui ont été constitués par le général » seraient exécutés, affiches précisant également que tout franc-tireur « serait immédiatement fusillé », ainsi que « toute personne donnant abri à des francs-tireurs ou [les aidant] d'une manière quelconque[1] ».

Les Allemands, qui avaient semé la terreur dans tous les pays occupés et fusillé, en France, des milliers d'otages, avaient immédiatement réagi par une note invoquant le droit international et rappelant qu'il se trouvait en Allemagne « des centaines de milliers de prisonniers ainsi que des civils français » parmi lesquels il serait aisé de choisir les victimes des contre-représailles[2].

Les mesures décidées par Leclerc, après avoir été tacitement approuvées par le général américain O'Daniel, dont la 3e division d'infanterie venait, le 1er décembre, de relever la 2e D.B., avaient été rapidement annulées par le haut commandement allié, alerté par les correspondants de guerre américains.

Il n'était pas moins vrai que de nombreux Strasbourgeois pouvaient tout craindre d'un retour de la Wehrmacht, de la Gestapo ainsi que des Allemands et des collaborateurs qui sortiraient des camps d'internement pour sévir rudement contre ceux qui avaient non seulement manifesté leur joie de redevenir français, mais aussi implicitement approuvé des mesures de représailles[3].

---

1. Affiches signées : « Le commissaire de police Eichler ».
2. Il faut signaler que, d'après un rapport de la préfecture du Bas-Rhin, les armées « se sentaient entourées d'un réseau d'espions » et que « les F.F.I. procédèrent à quelques centaines d'arrestations parmi ceux qu'ils jugeaient susceptibles de devenir des dénonciateurs de bons Français aux futures autorités occupantes ».
3. Le conflit entre Américains et Français à propos des otages allemands ne fut résolu que le 11 décembre par l'approbation du texte d'une « Adresse du général américain commandant en chef les troupes de la région à la population strasbourgeoise ». Cette adresse s'achevait sur ce paragraphe qui mettait les choses au point sans désavouer formellement Leclerc : « Les autorités militaires, constamment attachées au respect des lois internationales, des conventions de La Haye et de Genève, à l'égard même d'un ennemi qui ne les respecte pas

Aussi le général Schwartz, gouverneur provisoire de Strasbourg, avait-il préparé un plan d'évacuation de la ville et des régions limitrophes de la plaine du Rhin. Tandis que le commissaire militaire des chemins de fer Botheron mettait à sa disposition plusieurs navettes d'une capacité de 1 000 passagers, le général américain Winn promettait non seulement d'évacuer chaque nuit 5 000 personnes, mais encore de les abriter et de les ravitailler [1]. L'ordre de priorité des partants était ainsi établi : 1 000 fonctionnaires suivis, trois heures trente plus tard, par les bataillons de sécurité et les F.F.I. de la région de Haguenau, puis par le personnel de l'administration, les membres de la région militaire, 2 500 F.F.I. et leur famille [2].

Tôt dans la matinée du 3 janvier, la population s'émut à la vue de la file des voitures du commissariat de la République venant faire le plein d'essence. Ce spectacle devait provoquer « une panique générale [3] », des milliers de personnes [4] — et particulièrement les hommes mobilisa-

---

toujours, ne peuvent apporter dans les régions libérées que l'esprit de fraternité des Nations unies. »

Y a-t-il eu des attentats contre les soldats français dans Strasbourg délivré ? Dans un rapport du commandant de Panafieu, chef de la Mission militaire auprès du VIe groupe d'armées (rapport daté du 25 décembre), on peut lire : « L'effet de cette menace [l'exécution d'otages] est immédiat ; à partir de ce moment, plus un coup de feu ne sera tiré dans la ville. »

En revanche paraît dans la presse, le 7 décembre (*cf. Le Progrès*), une dépêche contrôlée par la censure, selon laquelle « à la suite de l'activité des francs-tireurs restés dans Strasbourg, qui tirent sur les soldats français et continuent à renseigner par signaux l'artillerie allemande en batterie de l'autre côté du Rhin, le général Leclerc a lancé, comme on le sait, une proclamation spécifiant que cinq otages civils seraient fusillés pour chaque soldat français tué »...

Après avoir rappelé qu'il existait « en Alsace et notamment à Strasbourg des dizaines de milliers de civils allemands envoyés depuis 1940 par le gouvernement du Reich pour intensifier la nazification du pays », la dépêche s'achevait sur cette phrase : « Lorsque le général Leclerc parle d'otages ou d'habitants, il ne s'agit évidemment pas d'Alsaciens dont le patriotisme n'a jamais été mis en doute. » Roger Vailland, correspondant de guerre, a publié dans *Action* [15 décembre 1944] un article dans lequel il a cette formule : « à Strasbourg, la cinquième colonne est un corps d'armée ».

1. D'après les rapports de la préfecture du Bas-Rhin, lors du repli du 3 janvier l'armée américaine ne procéda à aucune évacuation, ce qui provoqua « dans la population un ressentiment indescriptible ». A l'occasion du repli du 27 janvier, l'aide américaine se manifesta sous la forme de camions et de trains.

2. Précisions apportées par Franklin L. Curley, « La défense de Strasbourg en décembre 1944 » (in *Guerres mondiales et conflits contemporains*, n° 166).

3. Franklin L. Curley citant le rapport du lieutenant Darmstetter.

4. 10 000 environ d'après un rapport du général Guillaume en date du 11 janvier ; 12 000 selon la préfecture.

bles — s'efforçant de quitter Strasbourg, ce que le défaut des laissez-passer réglementaires rendait parfois difficile.

Cependant, apprenant par les Américains que la ville ne serait pas abandonnée, le général Schwartz décida d'ajourner le départ de la première navette, ainsi que l'évacuation des officiels et de leur famille. Tandis que Charles Frey, maire de Strasbourg, parcourait les rues de sa ville pour rassurer les passants, le capitaine Galitzine, de la VIIe armée, lançait, à l'aide d'un camion haut-parleur, des appels au calme et se faisait l'écho de la résolution du commandement américain.

Toutefois, le principe d'une évacuation au moins partielle de la population de Strasbourg allait demeurer à l'ordre du jour puisque le général Guillaume, commandant la 3e division d'infanterie algérienne, en recommandait l'étude dans une note du 11 janvier[1].

On avait, il est vrai, frôlé la catastrophe.

Le 5 janvier, au matin, le général Schwartz était informé par les F.F.I. locaux du sergent Jung que des forces importantes de la Wehrmacht, après avoir franchi le Rhin, avaient réoccupé Gambsheim, à vingt-quatre kilomètres au nord de Strasbourg.

Pour avoir une vue exacte de la situation, Schwartz donnait immédiatement une mission de reconnaissance au commandant Daucourt, responsable de quatre escadrons de la Garde qui, après avoir participé à la libération de Lyon et de Metz, étaient arrivés le 14 décembre à Strasbourg[2].

Sous les ordres du capitaine Chapon, un groupement de combat, constitué des 4e et 8e escadrons, ainsi que d'un peloton de mitrailleuses du 5e escadron et de cinquante F.F.I., se mit en route vers 13 heures.

---

1. Il faut signaler que, si les évacuations au départ de Strasbourg furent relativement peu nombreuses, 70 000 personnes durent, au plus fort de l'offensive allemande, quitter Haguenau et Mulhouse.

Le ministère des Prisonniers, Déportés et Réfugiés estima avoir mis à l'abri, en décembre 1944 et janvier 1945, 150 000 personnes en provenance des régions menacées.

2. Où ils avaient initialement pour mission de rechercher, en collaboration avec la gendarmerie, les soldats et civils allemands toujours cachés dans la ville.

A 15 h 30, sans préparation ni appui d'artillerie, les gardes, soutenus par une compagnie américaine, partaient, depuis Kilstett, à l'assaut de Bettenhoffen, faubourg de Gambsheim. Le lieutenant Cambours, commandant le 4ᵉ escadron, tué, plusieurs gardes hors de combat[1] et la compagnie américaine s'étant repliée, les Français durent décrocher en direction de Kilstett d'où les Américains, cependant appuyés par les chars et l'artillerie, repartirent vainement à l'assaut le 6 janvier. Dans la soirée, le 3ᵉ bataillon du 3ᵉ régiment de tirailleurs algériens, aux ordres du commandant de Reyniès, rejoint par le 1ᵉʳ bataillon du régiment de marche de la Légion étrangère du commandant Daigny, prenait position à Kilstett qu'il organisait en point d'appui cerclé, en môle défensif et offensif, qui devait jouer, dans la bataille menée au nord de Strasbourg, entre le 5 et le 30 janvier, un rôle capital.

Dans son *Histoire de la première armée française,* le général de Lattre, après avoir évoqué la mort du lieutenant Cambours et le combat du 5 janvier, insiste longuement sur les assauts conduits, à partir du 7 janvier, par Américains et Français pour réduire la poche de Gambsheim. Tandis que le 314ᵉ régiment d'infanterie américain s'élançait de Bischwiller, les Français débouchaient de Kilstett. A la chute du jour, les deux offensives avaient échoué. Le 16 janvier, Français et Américains — qui n'avaient cessé d'attaquer et avaient perdu jusqu'à la moitié de leurs chars — s'engageront dans une nouvelle opération combinée. Le bataillon de Reyniès a toujours le même objectif : Bettenhoffen, faubourg de Gambsheim. Mais, « partout, la réaction allemande[2] est infernale. Sur notre front, les tirailleurs de la première vague sont littéralement cloués à la hauteur d'un ruisseau[3] dont le lit forme le seul et dérisoire accident de la plaine nue et glacée. Le moindre mouvement provoque un déchaînement de tirs exactement ajustés ». Ces lignes sont du général de Lattre[4]. Elles disent l'âpreté et les difficultés d'un engagement qu'il fallut rompre pour se replier dans la soirée sur Kilstett. En apparence, au nord de la poche, les Américains avaient mieux réussi. Mais, ayant perdu en un seul point et en trois jours plus de cinquante de leurs chars, il leur

---

1. Les gardes perdirent quatre tués et vingt blessés dans l'opération du 5 janvier. Témoignage du colonel René Chapon.
2. La tête de pont est tenue par la 553ᵉ division de grenadiers.
3. Le Giessen.
4. *Histoire de la première armée française.*

fallait revenir, dans la nuit du 18 au 19 janvier, sur leurs bases de départ.

Kilstett allait être amené à jouer un rôle infiniment plus important.

Le 7 janvier, les Allemands, avec pour objectif Saverne, avaient en effet lancé, en direction de Haguenau, la 21e et la 25e *Panzer*. Bousculés mais se défendant avec héroïsme, les Américains de la 79e et de la 14e division d'infanterie avaient préservé l'intégrité de leur ligne principale. Le commandement allemand, déplaçant alors le centre de la bataille, dirigeait ses deux divisions blindées, appuyées par la 10e *SS Panzerdivision*, par une partie de la 7e division de parachutistes et deux brigades de canons d'assaut, en direction de la poche de Gambsheim, qui « cessait d'être une tête de pont pour devenir la pointe du front allemand en Basse-Alsace [1] ».

Si le plan du général von Maur, responsable de l'attaque allemande, avait réussi, les forces américaines stationnées au nord d'Haguenau auraient été prises à revers et la gauche de l'armée française découverte. Mais vingt-sept chars de la 10e *SS Panzerdivision* ayant été détruits aussi bien par les tirs du 67e régiment d'artillerie commandés, depuis Kilstett, à l'initiative de l'aspirant Fontaine, que par les chars de la 12e division blindée américaine et par les bombardements d'appareils américains et français, von Maur allait, une fois de plus, changer de direction.

« La porte de l'ouest » — selon la formule de De Lattre — lui étant interdite, il va frapper à celle du sud. Forcée, elle l'aurait conduit directement à Strasbourg.

« Devant cette porte, écrira de Lattre, un gardien : Kilstett. » Et ce sont de furieux combats qui, entre le 21 et le 25 janvier, mirent aux prises Français, enfermés dans Kilstett, et Allemands qui avaient poussé jusqu'à treize kilomètres seulement de la place Kléber.

La 2e D.B. de Leclerc venant d'être « rendue » à la Ire armée française dans la perspective de la réduction de la poche de Colmar, c'est grâce à une vigoureuse contre-attaque du *Combat Command* du colonel de Langlade que les soldats du commandant de Reyniès, qui avait perdu 180 hommes, le tiers de son effectif, allaient être dégagés le 23 janvier.

Après une dernière tentative, en pleine tempête de neige, dans la

---

1. Général de Lattre, *op. cit.*

nuit du 24 au 25 janvier, les Allemands évacueront Gambsheim le 30 janvier.

La décision du général Schwartz d'envoyer sans retard des forces légères le 5 janvier en direction de ce village que les Allemands venaient d'occuper, la résolution des soldats de la Garde, d'une poignée de F.F.I. et d'une compagnie américaine, en inquiétant suffisamment les grenadiers de la 553e division allemande, avaient certainement permis de gagner le temps nécessaire à l'arrivée des tirailleurs algériens et des légionnaires qui, sur la route de Strasbourg, dresseraient un infranchissable barrage.

Ainsi, une fois de plus, quelques hommes de courage avaient-ils orienté le destin.

Au sud de Strasbourg, les combats, qui se déroulèrent par un froid polaire, n'avaient pas été moins violents, la menace moins grande même si, pour les Allemands, l'offensive par le sud n'était que le complément de l'action principale déclenchée au nord.

Dans le cadre de l'opération *Sonnenwende* (Solstice)[1], dirigée contre la division française libre du général Garbay, deux colonnes avaient progressé, le 7 janvier, entre le canal du Rhône au Rhin et le bras de l'Ill. Malgré la résistance du bataillon d'infanterie du Pacifique et du bataillon de marche n° 21, elles étaient arrivées à proximité de Krafft, à quinze kilomètres de Strasbourg, et leurs blindés n'avaient été stoppés que par la destruction d'un pont sur le canal de décharge de l'Ill. Dans leur avance, elles avaient coupé de leurs arrières le bataillon de marche n° 24[2] du commandant Coffinier installé à Boofzheim et à Obenheim, ainsi que les commandos Monti et Dubourg de la brigade Alsace-Lorraine, qui tenaient Daubensand et Gerstheim.

Dans la journée du 8, les premières contre-attaques françaises, pour dégager le B.M. 24, démarrent. Selon Paul Rigoulot, qui a étudié l'opération *Sonnenwende*[3], ces contre-attaques ne bénéficiant ni de

---

1. L'une des quatre opérations regroupées sous le terme *Nordwind*.
2. Formé en grande partie de maquisards du Charolais, de l'Ain, de l'Aisne et de la région lyonnaise.
3. *Guerres mondiales et conflits contemporains*, n° 166.

moyens suffisants ni d'une assez grande conviction chez les exécutants, ne pouvaient réussir.

En ordonnant au bataillon de marche 24 de résister « sans esprit de recul » à Obenheim, le commandement français le condamnait[1]. Autour du village, d'ailleurs, les forces allemandes s'étaient épaissies. Sentant la victoire proche, elles lançaient, par obus et avions, des tracts invitant les défenseurs à se rendre.

Ce n'est qu'après avoir perdu sous le feu 2 canons de 57, 16 mitrailleuses et 10 fusils-mitrailleurs ; ce n'est qu'après avoir été privé de son dernier poste radio, que le commandant Coffinier, dont les points d'appui isolés résistent de plus en plus difficilement aux assauts des fantassins de la 198e division d'infanterie, appuyés par neuf chars, se résoudra, dans la soirée du 10 janvier, à demander l'arrêt du combat[2].

Quelques hommes lutteront cependant jusqu'au matin du 11, mais les Allemands regrouperont finalement 569 prisonniers dont 80 blessés. Il y a eu vingt tués[3].

Le général de Lattre écrit que le sacrifice du bataillon de marche 24 « n'aura pas été vain car, par leur résistance héroïque, Coffinier et ses hommes ont brisé l'étau de la 198e division et l'ont empêchée de fournir de nouveaux efforts contre la ligne de l'Ill[4] », opinion qui ne sera pas unanimement partagée dans le camp français où certains reprocheront à de Lattre de s'être tenu trop éloigné de la bataille[5], d'avoir passivement obéi à l'ordre gouvernemental de ne céder aucun pouce du territoire alsacien et de n'avoir pas laissé le général Garbay, commandant la 1re division française libre, maître de sa manœuvre[6].

---

1. Dans la nuit du 9 au 10 janvier, les commandos de la brigade Alsace-Lorraine ont réussi à rejoindre les lignes amies à Kraft.
2. Le fanion du bataillon a été confié à M. Gerber qui le cachera sous les langes de son nouveau-né.
3. Il existe une fondation « BM/24 Obenheim », 1, place Château-Joly, 13002 Marseille.
4. *Histoire de la première armée française.*
5. *Cf.* Rigoulot, *L'Opération « Sonnenwende »*, qui cite cette phrase inscrite au *Journal de marche* du commandant de la 1re D.M.I. : « Le général de Lattre n'est pas encore venu ni à Strasbourg, ni voir le secteur de la D.M.I. »
6. Yves Gros (*La 1re D.F.L.*), après avoir rappelé les pertes de la division entre le 1er et le 17 janvier : 1337 hommes, 99 tués, 588 blessés, 50 disparus, auxquels il faut ajouter environ 400 « pieds gelés » et malades évacués, écrit : « Toute la 1re D.F.L. considérait Obenheim comme un revers qui aurait pu être

Libérés par la chute d'Obenheim, les Allemands se feront plus pressants autour de Rossfeld et d'Herbsheim où les légionnaires du commandant de Sairigné[1] ont, le 10 janvier, relevé le bataillon du Pacifique arrivé à épuisement. Le général de Monsabert mesurera fort heureusement très vite la vanité qu'il y aurait à vouloir résister coûte que coûte, car le bataillon Sairigné, isolé à l'est de l'Ill, pourrait se trouver rapidement placé dans la situation dramatique qu'a connue le B.M. 24. Et il ordonnera son évacuation immédiate.

Après la chute d'Obenheim, de Rossfeld et d'Herbsheim, tous les combattants attendaient un nouvel assaut allemand. Il ne se produira pas, la presque totalité des forces blindées allemandes ayant été dirigées, le 16 janvier, au nord de Fribourg. Ainsi, avant même d'être barrée au nord, la route de Strasbourg était interdite au sud.

Alors qu'il ignore encore ces heureuses nouvelles, de Lattre met au point, depuis le 8 janvier — en pleine crise de Strasbourg, faut-il le rappeler —, son plan pour réduire la poche de Colmar où les Allemands de la 63e et de la 64e *Armée Korps*[2] s'incrustent toujours.

Le jeudi 11 janvier, il écrit au général Béthouart, commandant du 1er corps d'armée, sur qui, dans les premiers jours, va reposer l'essentiel de l'effort, pour lui recommander de se préparer à l'offensive dans « l'absolu silence ».

Le 15 janvier, ayant convoqué à son P.C. de Montbéliard ses principaux collaborateurs et tous les responsables du front Sud, celui d'où partira l'assaut initial : Béthouart ; Carpentier, commandant la 2e division d'infanterie marocaine ; Sudre, patron de la 1re division

---

évité si Garbay avait été laissé libre de sa manœuvre. Son état d'esprit à l'égard du commandement, et notamment du général de Lattre, devait s'en ressentir durablement. »

1. 1er bataillon de la Légion étrangère.
2. Soit sept divisions auxquelles il faut ajouter une division réservée : la 2e division de montagne qui arrive de Finlande.

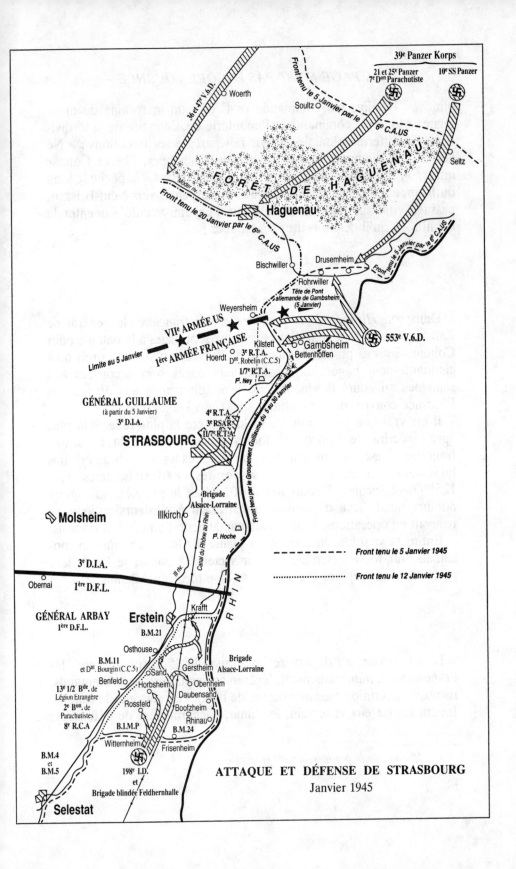

ATTAQUE ET DÉFENSE DE STRASBOURG
Janvier 1945

blindée ; Hesdin, qui commande la 4ᵉ division marocaine de montagne ; Morlière, commandant l'infanterie divisionnaire de la 9ᵉ division d'infanterie coloniale, il leur fait part de ses intentions : « Ne laisser à l'Allemand aucune chance de s'échapper, libérer Colmar intact[1] », ce qui ne sera possible qu'en « étranglant » la poche le long du Rhin, et en lançant deux attaques convergentes vers Neuf-Brisach, passage vital sur le Rhin et cela que l'ennemi veuille alimenter la bataille ou qu'il désire retirer ses troupes.

Dans son *Histoire de la première armée française,* le général de Lattre consacre sept chapitres et cent dix-sept pages à la bataille pour Colmar. Sous sa plume, la victoire de Provence n'avait eu droit qu'à cinquante-neuf pages, et soixante-deux pages sont accordées aux semaines au cours desquelles, de la Méditerranée aux Vosges, la Iʳᵉ armée couvrit, en combattant, sept cents kilomètres.

Il est vrai que la bataille de Colmar a été la plus rude, « la plus âpre », écrira de Lattre, de toutes celles que livra la Iʳᵉ armée française ; il est vrai que son chef, lorsque tous les renforts américains lui furent confiés, avait, sous ses ordres, 400 000 hommes dont 125 000 Américains. Depuis juin 1940, c'était la première fois qu'un nombre aussi élevé d'hommes, appartenant à plusieurs nations, se trouvait en opérations, sous le commandement d'un général français.

Enfin, la victoire, en libérant la plaine d'Alsace, en amenant nos soldats, sur toute l'étendue de leur secteur, à border le Rhin, leur permettait de préparer leur entrée de vive force en Allemagne.

Le 20 janvier, au départ de l'offensive du 1ᵉʳ corps d'armée, les Français sont, numériquement, légèrement supérieurs aux Allemands. Ils possèdent un plus grand nombre de blindés et, surtout, de canons. Jouent contre eux le terrain, le climat, l'acharnement de défenseurs

---

1 *Histoire de la première armée française.*

bénéficiant d'ailleurs de mines en bakélite d'un modèle encore indétectable. Rivières aux bras multiples, bois nombreux, villages, cités ouvrières, puits de mines, anciennes casemates de 1914, ouvrages de la ligne Maginot, autant de centres de résistance ou de bases de contre-attaque que les Allemands, « ramassés dans une sorte de place d'armes propice à la manœuvre en lignes intérieures[1] », utiliseront avec intelligence tactique et courage.

Quant au temps, le général de Lattre écrira qu'il était « impossible de l'imaginer plus affreux[1] » et que la plaine d'Alsace — par 20° au-dessous de zéro — ressemblait « à une immense nécropole recouverte par la neige d'un épais drap de mort[1] ». « Celui qui dispose de l'abri d'une maison, ajoutera-t-il, et ce n'est pas l'assaillant, possède dans le combat un atout maître[1]. » Son adversaire direct, le général Wiese, le sait parfaitement qui, dans un message à ses cadres, leur dit : « Le courrier, les permissions, Noël, tout cela reviendra lorsque l'issue de la bataille aura été décidée et que l'ennemi sera battu. Ce qui ne reviendra pas, c'est la chance que nous offre l'hiver... Qui gagnera cet hiver gagnera la guerre. »

Français ou Allemands, les généraux demeurent toutefois privilégiés. Ils rapportent ce que d'autres ont vécu. Mais les fantassins rescapés de la bataille de Colmar n'oublieront jamais les souffrances imposées par l'hiver.

« Nous étions au sud (5e tirailleurs marocains, 2e division d'infanterie marocaine), m'écrit l'un de mes lecteurs, M. Daniel Binaud, et nous avons attaqué le matin du 20 janvier en rentrant dans la forêt de Nonnenbruck en direction des cités de potasse qu'il aurait fallu prendre et contrôler.

Par un temps couvert, donc sans appui aérien, nous avons mené une sorte de combat aveugle dans un univers blanc et gris par −20° la nuit. La neige partout, aucun abri. Il a fallu bivouaquer trois nuits de suite dans les bois. Plus de liaison directe avec l'arrière, d'où aucun ravitaillement autre que les rations individuelles de la première journée.

Au matin du 4e jour, on nous a relevés. Le 5e R.T.M., déjà étrillé et réformé après Cassino, en Italie, puis encore réformé

---

1. *Histoire de la première armée française.*

après la bataille pour Belfort, est sorti de cette bataille pour Colmar avec 1/3 de son effectif valide. Sur 130 hommes environ de ma compagnie, nous n'étions plus, le 24 au matin, que 40 à peine. Tous les autres : tués, blessés, disparus ou pieds gelés. Nos malheureux Marocains ont terriblement souffert de ce froid. »

Un froid qui fera des ravages parmi les troupes. A l'heure des bilans, de Lattre précisera que 7 115 hommes durent être hospitalisés entre le 20 janvier et le 8 février pour accidents, maladies et, surtout, pour gelures.

Le 20 janvier, sur un front de rupture de treize kilomètres, la 4ᵉ division de montagne marocaine et la 2ᵉ division d'infanterie marocaine, appuyées par 102 batteries, prendront l'offensive dans une épouvantable tempête de neige qui réduit la visibilité et rend pratiquement impossible l'utilisation des véhicules comme des mulets.

Les succès des deux divisions d'assaut, qui atteignent et dépassent la route de Thann à Mulhouse, sont, pour la journée, de l'ordre de cinq à six kilomètres. Le 9ᵉ division d'infanterie coloniale du général Salan a bien réalisé des progrès plus importants, mais, le 21, tout paraît remis en cause par le temps détestable et par la violence des contre-attaques allemandes appuyées par des chars dont les chenilles, plus larges que celles des chars américains, favorisent considérablement les déplacements.

Dans la soirée, sensible à l'épuisement de ses soldats, le général Béthouart demandera à de Lattre que l'offensive du 1ᵉʳ corps d'armée soit suspendue jusqu'au retour du beau temps. Prendre une telle décision conduirait à surseoir à l'imminente attaque du 2ᵉ corps. De Lattre, qui a déjà averti de Gaulle que des renforts seraient nécessaires et va écrire dans le même sens à Devers[1], n'a pas de peine à

---

1. Inquiet par l'intensité de combats qui, selon son expression, sont de « très gros mangeurs d'infanterie », de Lattre a, en effet, écrit à de Gaulle. Au chef du gouvernement, il a demandé le renfort de deux divisions américaines. A Devers, le 22 janvier, il suggérera que l'attaque du 2ᵉ corps d'armée soit « largement alimentée en infanterie » ; le général américain lui répondra en lui disant qu'il lui fait confiance pour réduire la poche de Colmar avec les forces dont il dispose.

convaincre Béthouart. Dans la nuit et jusqu'au petit matin, il fera le tour de ses divisionnaires pour redire à des chefs, souvent pessimistes et parfois découragés, ses « raisons de croire ».

On se battra donc durement pour de vastes cités ouvrières et industrielles qui offrent mille possibilités aux défenseurs : la cité Anna[1], la cité Kulhmann[1], la cité I Else[2], la cité Grassaergerste[2] ; pour le puits Amélie qui sera pris et repris, pour le bois de Rosengarten[3]. Des noms oubliés par les communiqués, mais qui, avec leur poids de souffrances et le souvenir des morts, demeurent dans la mémoire de ceux qui ont vécu le terrible hiver alsacien.

Trois jours après l'attaque de Béthouart, Monsabert, qui commande le 2e corps d'armée, a lancé ce que de Lattre appelle « le direct du gauche ». En vérité, l'assaut a débuté, le 22 janvier, à 22 h 30, par l'avance silencieuse des 7e et 30e régiments d'infanterie américains qui appartiennent à la 3e division du tenace général O'Daniel. Surprenant tout d'abord l'ennemi, les Américains, qui menaçaient déjà Riedwihr et Holtzwihr, ont été forcés au repli par une contre-attaque de dix chars lourds allemands.

De son côté, la division française libre n'a progressé que lentement sur un terrain bourré de mines et défendu par des blindés qui surclassent les chars légers du *Combat Command* Vésinet.

La journée du 24 janvier n'ayant pas été « payante », un « certain pessimisme » — le mot est de De Lattre — ayant régné lors de la conférence tenue à Ribeauvillé, P.C. de la 3e division américaine, le commandant en chef de la Ire armée sollicite du général Barr, chef d'état-major du général Devers, des moyens supplémentaires.

— Si l'on vous accorde ce que vous demandez, questionne Barr, quand l'affaire sera-t-elle finie ?

— Le 10 février au plus tard.

— Bien...

---

1. 6e, 23e R.I. de la 9e D.I.C. et 6e R.I.C. La cité Anna tombera le 26 janvier, la cité Kulhmann le 24.
2. 8e R.T.M. de la 2e D.I.M.
3. 3e commando de choc (Bouvet).

Dans la soirée, de Lattre recevra de Devers un télégramme lui annonçant la mise immédiate à ses ordres du 21ᵉ corps d'armée américain du général Milburn, ainsi que de la 75ᵉ division d'infanterie.

En attendant l'arrivée de divisions qui bénéficieront en munitions[1] et en carburant d'une richesse de moyens qui contraste avec la relative pauvreté française, il faut alimenter la bataille avec des troupes fatiguées par une guerre qui ressemble chaque jour davantage à « l'autre », lorsque cinq cents mètres représentaient une avance considérable.

A quinze ou vingt kilomètres au nord-est de Colmar, qu'il s'agit de contourner largement sans tenter un assaut frontal destructeur, des combats se dérouleront pour la prise de villages âprement défendus et notamment pour la prise de Grussenheim et de Jebsheim que les Allemands défendront avec acharnement, perdant 250 tués dans le premier village, 500 dans le second.

Mais, à Jebsheim, Français et Américains ont eu plus de 600 hommes hors de combat. « Rien, écrira de Lattre, ne donne une idée de ce qu'est alors ce malheureux village » aux rues transformées en un véritable charnier[2].

La prise de Grussenheim et de Jebsheim a ouvert une brèche dans le dispositif allemand. Dans cette brèche s'engouffrera, en direction du Rhin, le 21ᵉ corps d'armée du général Milburn[3].

N'ayant bientôt plus à craindre d'attaques venant du nord, les Allemands commençant à retirer ces troupes que l'on avait vues lutter dans la région d'Obenheim au moment de leur offensive vers Strasbourg, Milburn peut foncer en direction de Neuf-Brisach pour tenter de saisir des ponts sur le Rhin camouflés sous une permanente fumée artificielle.

---

1. C'est ainsi que, le 29 janvier, à partir de 18 heures, une seule artillerie divisionnaire U.S. (3ᵉ D.I.) expédiera 16 438 obus en direction de l'ennemi.
2. La prise de Grussenheim a coûté 180 hommes aux légionnaires et sapeurs de la division française libre et 207 tués et blessés au *Combat Command* Vésinet.
3. Composé des 3ᵉ, 18ᵉ et 75ᵉ divisions d'infanterie ainsi que la 5ᵉ D.B., auxquelles sont rattachés le 1ᵉʳ régiment de parachutistes et le 1ᵉʳ groupement de choc.

Dans le même temps, le débordement par l'est de Colmar est assez prononcé pour que l'on « cueille » la ville. Ce sera fait le 2 février en coopération parfaite entre les unités américaines et françaises, le général James E. Rudder poussant la « galanterie » jusqu'à arrêter son 109e régiment d'infanterie pour laisser aux chars du colonel Schlesser la gloire de pénétrer les premiers dans Colmar[1].

Dans son message aux habitants de Colmar, rédigé dans la hâte et la fièvre de la victoire, de Lattre évoque la manœuvre qui a épargné à la ville les destructions de la bataille.

Mais ce succès ne saurait faire oublier qu'il a été payé cher en destructions de modestes villages[2], ainsi qu'en hommes tombés victimes de la violence des combats, comme à Durrenentzen où, dans la seule journée du 31 janvier, les commandos de France de d'Astier de La Vigerie perdront 45 tués dont 5 officiers et 110 blessés[3].

---

1. A 11 h 30, le char de tête du groupement de Préval (*Combat Command* 4 de la 5e D.B.) arrivera place Rapp et poussera jusqu'à la lisière sud-ouest de la ville. Le groupement Préval sera suivi par les groupements de Chambost et du Breuil.

2. Parmi les villages détruits par la bataille, on peut citer, près de Ribeauvillé, Ammerschwihr, Sigelsheim, Benwihr, Mittelwihr.

3. Dans son *Histoire de la première armée française*, le général de Lattre publiera un bilan des pertes : 2 137 tués dont 1 595 pour les unités françaises et 542 pour les unités américaines.

Chez les Français, la 9e division d'infanterie coloniale a le plus souffert (400 morts). Chez les Américains, la 3e division d'infanterie (317 morts). Le nombre des blessés s'est élevé à 11 253, auxquels il faut ajouter 7 155 hommes hospitalisés. De Lattre signale avec raison que les pertes au feu des fantassins ont représenté (morts et blessés) 12,5 % des effectifs engagés.

Mais, insistant sur les conditions, les résultats et la durée (21 jours) de la bataille, il précise que ces chiffres sont « assez faibles ». Le 22 janvier 1945, dans une lettre à René Payot, directeur du *Journal de Genève*, il demandera à son ami de l'aider à lutter, sous la forme qu'il jugera la plus « adéquate », contre « la campagne de jalousie, assez sournoise du reste, où, à mots couverts, on insinue que le chiffre des tués, blessés et disparus a été considérable ». « Rien n'est plus faux », ajoute-t-il.

Les pertes allemandes, précise de Lattre, ont été deux à trois fois supérieures aux pertes franco-américaines. Les Alliés ont capturé 22 000 prisonniers.

De Lattre, en évoquant la « campagne de jalousie », songe vraisemblablement à l'article publié en janvier par le journal *Patrie* (article qui a échappé à la censure). Dans ce texte, la 1re division française libre était présentée à la fois comme sacrifiée par le haut commandement et comme ayant « sauvé l'armée française du désastre et libéré Belfort et Mulhouse ». Thèse accréditée par l'ordre du jour de son chef, le général Garbay, contre lequel s'élèveront Béthouart et de Lattre.

Le commandant Arnault et le commandant de Sairigné viendront le 7 février à Paris se plaindre au ministère de la Guerre du traitement infligé à leur unité et

Le 11 février, après une halte à Mulhouse, et avant de se rendre dans la soirée à Strasbourg où Mgr Ruch entonnera le *Te Deum* dans cette cathédrale devant laquelle, après ses victoires de juin 1940, Hitler avait demandé à ses troupes : « Qu'en pensez-vous ? Devons-nous rendre ce bijou aux Français ? », de Gaulle passera quelques heures exaltantes à Colmar.

Acclamé, place Rapp, par la foule alsacienne, « la plus sensible qui soit, écrira-t-il, aux spectacles militaires et la plus apte à saisir le sens des événements », il remettra à de Lattre la grand-croix de la Légion d'honneur ; à Leclerc, la plaque de grand officier ; aux généraux Milburn et O'Daniel, la cravate de commandeur [1].

Entre la libération de Colmar, le 2 février, et la visite du général de Gaulle, la guerre s'est poursuivie en Alsace. Aux troupes franco-américaines, de Lattre a fixé trois objectifs : Chalampé, par Neuf-Brisach, Ensisheim et Rouffach. Si, au nord, les hommes du 21e corps de Milburn sont initialement bloqués sur un terrain où le dégel rend les opérations encore plus difficiles que ne les rendait le gel, au sud, ceux du 1er corps d'armée de Béthouart obtiennent, dès les 3 et 4 février, de notables succès en s'emparant de Cernay, Soultz, Issenheim, Guebwiller et même de Rouffach où le détachement Loth pénètre hardiment en pleine nuit. Il sera rejoint, le 5, par les Américains de la 12e D.B. qui ont bousculé deux barrages allemands. La poche de Colmar ainsi tronçonnée, c'est un filet, aux mailles assez serrées pour qu'aucun Allemand du secteur des Vosges ne puisse le franchir, qui est tendu à l'ouest de l'Ill.

C'est donc à la seule poussée vers le Rhin que de Lattre va consacrer tous ses moyens. A la lumière de nombreux et puissants projecteurs se reflétant sur les nuages, la 3e D.B. du général O'Daniel s'est infiltrée jusqu'au voisinage du pont routier et du pont ferroviaire de Vogelsheim [2], l'un et l'autre détruits.

L'ancienne poche de Colmar est réduite à un rectangle de trente-cinq kilomètres sur vingt. Pour s'en évader, les Allemands ne

---

rappeler ses pertes importantes. Les deux officiers iront demander au général de Gaulle de « venir voir sa division en visite amicale et non officielle lorsqu'elle sera regroupée ». Mais, lors de sa visite à Colmar, de Gaulle s'abstiendra de rencontrer la 1re D.F.L. qui, quelques semaines plus tard, sera envoyée sur le front des Alpes.

1. A Mulhouse, il avait élevé le général Béthouart à la dignité de grand officier. Le 12 février, à Saverne, il fera de même pour le général Devers.

2. Dans la banlieue de Neuf-Brisach.

disposent plus, sur le Rhin, que de passages improvisés et des deux ponts de Chalampé.

En quarante-huit heures, les fantassins de Milburn, le détachement de la 2ᵉ D.B. aux ordres du chef d'escadron Gribius, la 1ʳᵉ D.B., la 2ᵉ division d'infanterie marocaine réduiront le rectangle à un tout petit triangle. Enfin, dans la nuit du 8 au 9 février, sous la pression d'éléments du 1ᵉʳ corps d'armée [1], la Wehrmacht évacuera, par le pont de Chalampé, les quatre villages alsaciens qu'elle tenait encore.

Dans son communiqué de victoire, de Lattre peut, à bon escient. rappeler que ses soldats — au nombre desquels comptent des Américains — ont tenu la parole de Turenne : « Il ne doit pas y avoir d'homme de guerre en repos tant qu'il restera un Allemand en deçà du Rhin ! »

Cependant, indépendamment des positions toujours occupées par la Wehrmacht sur le front de l'Atlantique et sur les Alpes, quelques villes lorraines demeurent encore, à la fin de février 1945, entre les mains des Allemands : Forbach est du nombre [2].

A Forbach, sur ce que fut la « vie quotidienne » de civils qui, à la fin de novembre 1944, en apprenant la libération de Metz, avaient le droit d'espérer l'arrivée des Américains, nous possédons, grâce au journal tenu par l'abbé Tirbisch, des renseignements d'autant plus précieux que l'Histoire passe généralement sous silence les souffrances de la ville et de ses habitants.

Dès le 28 novembre, les tirs de l'artillerie américaine se rapprochant, les Forbachois vont, les uns, renforcer leurs caves, les autres se mettre à la recherche d'abris sûrs.

Le 29, les premiers obus tombent sur une ville aux rues désertes. Ils ne cesseront de tomber.

---

1. 2ᵉ division d'infanterie marocaine, 9ᵉ division d'infanterie coloniale, brigade de spahis à cheval Brunot, 151ᵉ R.I.
2. Bitche également. Après les violentes batailles de décembre, le front devait rester passif du 16 janvier au 16 mars, jour où la 100ᵉ division américaine prit la ville. Les bombardements américains firent 35 morts, 119 blessés, et détruisirent 104 maisons, en endommageant 696.

Au fil des notes prises par l'abbé Tirbisch, on peut lire, à la date du 3 décembre : « Nuit tragique ! Le presbytère semble avoir été visé systématiquement. Nous avons évacué trois fois la cave. » Ce même 3 décembre, un obus a surpris cinq habitants ; un civil a été tué, un autre, un grand éclat dans la cuisse, a été sauvé par une femme intrépide qui, abandonnant l'abri le plus proche, a sectionné à l'aide d'un couteau de poche le lambeau auquel pendait la jambe et traîné le blessé dans l'abri.

Chaque jour, des civils meurent. On les enterre de plus en plus difficilement, malgré les efforts du menuisier Martin, et l'abbé Tirbisch indique, le 7 décembre, qu'en haut de la rue Nationale le cadavre d'un étranger à la ville a été dévoré par les chiens. Lorsque des obus éclatent devant les boulangeries à l'heure où patientent des files d'attente, c'est une tragédie : 14 morts, 8 blessés graves, le 8 décembre, sur le trottoir de la boulangerie Greff.

Comme elle est longue à venir cette délivrance que tout, pourtant, laissait croire prochaine puisque les Américains ont envoyé, le 15 décembre, des patrouilles à proximité de la rue Félix-Barth.

Tout espoir paraît s'éloigner le 19 décembre avec la réapparition, à Forbach, d'Imig, le maire « allemand », qui, l'œil brillant, la voix impérieuse, se félicite de l'offensive allemande en Belgique et au Luxembourg. « Selon lui, note Tirbisch, les Allemands ont avancé de plusieurs centaines de kilomètres et les Alliés fuient vers la mer. »

Très exagérée, la nouvelle n'en comportait pas moins une part de vérité, puisque les Allemands, après avoir bousculé les faibles divisions américaines qui leur étaient primitivement opposées, avançaient maintenant en direction de la Meuse.

Forbach demeurait sous le feu de l'artillerie américaine, mais, ayant repris confiance, les dignitaires nazis, ceux que les populations appelaient, en faisant allusion à leur uniforme de parade, les « faisans dorés », étaient revenus. Ils affirmaient qu'avant deux mois la Wehrmacht aurait à nouveau atteint l'Atlantique. Les mesures prises par Eisenhower et le retour dans le ciel de l'aviation alliée devaient bientôt atténuer leur assurance. Elle redoublait leurs exigences. « La neige est tombée comme un linceul sur la ville moribonde, écrit, le 30 décembre, l'abbé Tirbisch. La population torturée est frappée de terreur. Les autorités exigent la déportation dans le Reich de tous les hommes de 16 à 60 ans. Personne n'obéit. »

Personne n'obéit, certes, mais les SS se livrent, jusque dans les caves, à la chasse à l'homme. Ceux qui sont capturés sont conduits à Sarrebruck d'où ils partent pour des chantiers de fortifications et de barrages antichars. Quelques-uns échapperont à leurs geôliers en franchissant la Sarre à la nage ; d'autres — à travers les lignes — pourront rejoindre les Américains que l'on voit, les jours de calme, se livrer aux joies du patinage à Morsbach et sur les pentes d'Emmersweiler.

Car il y a des jours de calme, le dimanche 7 janvier, par exemple. Mais les jours terribles sont infiniment plus nombreux. Privée de distribution d'eau et de vivres par la neige, qui paralyse la circulation ; littéralement traquée par les obus, la population désespère.

Le 17 janvier, cependant, la libération a semblé proche. La présence d'une colonne américaine n'a-t-elle pas été annoncée à l'entrée même de la ville ? Fausse joie. Fausse joie encore, le 27, lorsque les Allemands, qui tenaient les carrefours, se replient à l'aube. Sans doute leur moral est-il au plus bas, sans doute beaucoup apprennent-ils à prononcer « *I surrender* » (« Je me rends ») pour la rencontre avec le premier *ami* (Américain). Mais les Américains se font attendre et, dans l'abri secoué par les explosions, où l'abbé Tirbisch dit la messe, c'est à la Mère du Christ que les Forbachois se confient.

Pourtant, la situation devrait maintenant évoluer très vite. N'a-t-on pas élevé des barrages antichars dans la rue du Château et dans la rue Nationale ? Des tracts demandant aux Allemands de se rendre n'ont-ils pas été lancés le 5 février ? N'a-t-on pas entendu le tir des armes légères ?

Sans doute, mais le supplice de Forbach est loin d'être terminé. A la neige a succédé la pluie qui pénètre dans les caves ; les habitants mangent des épluchures et du pain vieux de deux semaines ; des enfants, partis puiser de l'eau dans le ruisseau d'Oeting, sont tués ; les malades de l'hôpital, qui a été touché quinze fois en un seul aprèsmidi, ne sont sauvés que grâce au dévouement du personnel.

Le 19 février, les premiers combats ont bien lieu dans Forbach, mais les Américains mettront trois semaines avant de libérer, rue après rue, une ville exposée désormais aux tirs des deux adversaires. C'est le 21, vers 18 heures, que le presbytère, où vivait l'abbé Tirbisch, mais où campaient quelques Allemands, est atteint par les Américains.

« Soudain, écrit l'abbé Tirbisch, des grenades éclatent dans le presbytère au milieu des salves de mitrailleuses. Les Américains sont là ! Nous crions : " *I surrender !* " Les Américains nous traînent dehors et, pendant un quart d'heure, les mains levées, nous posent la question : " Lequel d'entre vous est le lieutenant, où est le revolver ? " Ils savaient donc qu'il y avait un poste de commandement au presbytère. Enfin, notre vieil archiprêtre, qui ne pouvait presque plus marcher, s'était traîné jusqu'à nous pour nous délivrer ; les soldats, déçus, se retirent. A 20 heures, nouveau bruit, 28 Américains viennent prendre leurs quartiers et nous fraternisons joyeusement. »

Alors commencent pour ceux qui sont délivrés des jours de joie. Une joie qui doit tout à des signes modestes : la distribution gratuite de « beau pain blanc » ; la montée du drapeau tricolore sur le plus haut clocher de la ville ; l'arrivée du sous-préfet Ruscher ; la première messe dite en français.

Alors commencent, pour ceux qui sont délivrés, de nouveaux jours d'angoisse. En effet, les Allemands tiennent toujours le quartier Bellevue d'où ils tirent ce que les Forbachois appellent des « chiens hurlants », projectiles qui arrivent avec un vacarme infernal et explosent en faisant des ravages épouvantables [1].

C'est seulement le 5 mars que les Allemands abandonneront Bellevue.

Dans les rues de Forbach [2] définitivement libéré, les habitants saluent des « malgré nous » sortis de leur cachette, quelques expulsés de 1940 déjà de retour, les premières patrouilles F.F.I. et les Américains de l'armée Patch qui, toujours plus nombreux, s'éloignent en direction de l'Allemagne proche.

---

1. Il s'agit vraisemblablement de projectiles tirés depuis des *Nebelwerfer* à six tubes de 150 mm montés sur des véhicultes semi-chenillés Opel ou sur des *Panzerwagen S.D.K.F. 251.*

2. Sur Forbach, *cf.* également Louis Jacobi, *La Bataille de Forbach,* et René Caboz, *La Bataille de la Moselle.*

Le *Tagebuch* (Journal) de l'abbé Tirbisch avait été confié à M. Henri Wilmin.

DEUXIÈME PARTIE

LE PRINTEMPS DES CAPTIFS

Tous le savaient, dans les camps, et se le disaient entre eux : il n'existe pas de bonheur sur terre qui pourra compenser ce que nous souffrons.

Victor FRANKL,
Un psychiatre déporté témoigne.

Quel est le fil qui peut soutenir si longtemps la vie ?

Ma pensée n'ose l'effleurer... Dieu! Est-ce **le** nom que tous donnent à leur « hasard » personnel ?

Anna NOVAC,
Les Beaux Jours de ma jeunesse.

2

LES ROUTES D'AVRIL

Comment et par qui l'évacuation des camps fut-elle décidée ? Selon Annette Wievorka [1], un seul document serait aujourd'hui à la disposition des historiens. Il s'agit d'un texte signé par le commandant du camp de Stutthof, à l'embouchure de la Vistule. Ce texte fait référence à un ordre du commandant supérieur des SS d'après lequel l'ensemble des détenus devait être évacué à pied à partir du 25 janvier 1945 à 6 heures, les malades ou les inaptes demeurant seuls au camp.

C'est en colonnes de mille, hommes et femmes séparés, marchant en « rangs serrés par cinq », que les déportés, encadrés par une escorte chargée de réprimer « sans ménagement » toutes les tentatives de fuite ou de mutinerie, devaient gagner, en sept jours, une région à l'abri de l'avance russe.

Les détenus « totalement incapables de poursuivre la marche [seraient] remis aux postes de police des localités isolées, puis emmenés par la dernière colonne traversant la localité sur un traîneau emporté à cet effet ».

Bien peu de détenus feront allusion à ce traîneau qui eût sauvé la vie de ceux qui ne pouvaient plus avancer [2]. En revanche, tous parleront des malades, des traînards exécutés par de petites équipes de SS chargées du « nettoyage ». Laisser derrière soi un détenu, n'était-ce pas lui offrir une chance de fuite ?

---

1. *Déportation et Génocide.*
2. Jules Hostein écrit cependant qu'il obtint, lors de l'évacuation du camp de Bismarkshütte, que les plus faibles des détenus fussent mis sur la voiture chargée du ravitaillement des SS *(De l'Université aux camps de concentration).*

Le traîneau existait bien. Il était avant tout destiné au transport des bagages des SS et des pelles et pioches nécessaires à l'enfouissement des détenus morts ou tués en route.

Comme ce fut le cas en France, à partir du 6 juin 1944, pour les prisons et pour les camps, les évacuations seront commandées par l'évolution de la situation militaire.

Elles débutent, à l'est, en novembre 1944 et vont s'intensifiant dans l'hiver, Auschwitz-Birkenau étant évacué dans des conditions dramatiques le 19 janvier 1945 [1]. Elles iront s'accélérant au fur et à mesure que se précisera l'avance des armées de la coalition antinazie. Très vite, elles manqueront de cohérence et même de simple et cruelle logique. Livrées aux décisions des anciens chefs de camp, les colonnes de déportés vont en zigzag d'une ville bombardée à une ville bombardée. Il leur arrivera même, ce sera le cas pour des colonnes évacuées de Mauthausen, après une dizaine de jours d'une marche épuisante, de se retrouver dans le camp d'où elles sont parties [2].

Dans un monde de malheurs car, l'Allemagne s'effondrant, les évacuations des camps coïncident avec la fuite de millions d'hommes, de femmes et d'enfants de toutes nationalités, les déportés sont naturellement « la lie de la terre », les plus misérables des misérables.

Qu'ils vivent ou qu'ils meurent, ils comptent pour rien. L'évacuation est une autre forme de l'extermination.

Il faut dire le calvaire de ces hommes et de ces femmes. Il succède au calvaire vécu dans les camps. Aussi est-ce dans un état d'épuisement psychologique et physique presque total qu'ils sont lancés sur les routes de Pologne, de Tchécoslovaquie, d'Autriche, d'Allemagne, alors que le bruit du canon leur laissait espérer une prochaine libération [3].

---

1. *Cf. Les Règlements de comptes*, p. 735 et suiv.
2. Témoignage de Georges Loustaunau-Lacau dont le convoi erra douze jours entre Vienne et Linz, avant de revenir à Mauthausen. *Cf. Chiens maudits, Souvenirs d'un rescapé des bagnes hitlériens.*
3. Pour des raisons compréhensibles, il sera essentiellement question, dans ce chapitre et dans le chapitre suivant, des déportés venus de France.

De quoi vivront-ils pendant un voyage dont ils savent bien qu'il durera des jours et des nuits?

Le plus souvent, de trois quarts de boule de pain[1]. Pour un déporté, c'est un morceau énorme que trois quarts de « boule »!

« Jamais, écrit Robert Antelme, on n'en avait eu d'aussi gros[2]. »

Avec le pain, parfois, un saucisson pour quatre, parfois une boîte de « singe ».

« C'est la première fois, dira Bramoullé, déporté à Dora, que nous voyions de la viande au camp. »

Ce pain, ce saucisson, il faut, le plus souvent, l'arracher à d'autres détenus.

Le 4 avril, les 25 000 prisonniers de Dora ont reçu l'ordre de se présenter en file indienne devant la cuisine pour toucher les vivres du voyage, puis de regagner leur emplacement.

Immédiatement, la bousculade tourne à la bagarre, la bagarre à l'émeute. C'est à qui passera parmi les premiers. C'est à qui tentera d'obtenir une double ration.

Étudiant en sciences, arrêté le 25 juin 1943 à Clermont-Ferrand, Paul Hagenmuller a vu ceux qui tombaient foulés aux pieds par des milliers d'affamés montant à l'assaut des cuisines. Il a vu également de véritables bandes attaquer ceux qui ont réussi à toucher leur ration, la leur arracher et se disputer ensuite leur butin. Il a vu enfin des « droit commun » armés par les Allemands tirer sur les détenus dont beaucoup repartiront les mains vides[3].

Parmi ceux qui ont réussi à s'emparer d'un pain, Léon Delarbre. Le 5 avril 1945, ce conservateur du musée de peinture de Belfort, arrêté pour résistance le 3 janvier 1944 et qui a déjà connu Auschwitz et Buchenwald, fera partie de la colonne d'évacuation. Sous son bras, il serre le pain. Sur son cœur, cinquante dessins faits au péril de sa vie[4]

---

1. On dit « boule », mais il s'agit d'un pain de forme rectangulaire.

2. Dans un livre remarquable, *L'Espèce humaine*.
Robert Antelme, qui a épousé Marguerite Donnadieu (Duras) en 1939, a été arrêté le 1er juin 1944 chez sa sœur Marie-Louise qui succombera des suites de sa déportation à Ravensbrück.

3. Le récit de Paul Hagenmuller se trouve dans le livre de témoignages *De l'Université aux camps de concentration*.

4. Rapportés à Paris, ils ont été publiés par les éditions Michel de Romilly avec une préface de P. Maho, avocat à la cour d'appel, également déporté à Dora.

Écrire, il faut le dire immédiatement puisqu'il sera fait allusion dans ce chapitre à plusieurs témoignages écrits ramenés des camps, écrire constituait le plus souvent un délit grave. « Du papier, raconte Joseph Rovan [1], à propos de l'un de ses codétenus de Dachau qui avait volé une feuille pour reconstituer de mémoire un poème de Baudelaire, du papier, personne n'avait le droit d'en posséder, c'était donc le produit d'un vol et le vol, en cette ultime période de guerre, était assimilé au sabotage. On était pendu pour moins que cela. »

Or, Delarbre ne s'est pas contenté d'écrire, il a dessiné. Dessiné ses misérables camarades de déportation et aussi, avec d'autres *Kapos*, « le grand Georges, Kapo général, une des plus belles brutes au service des Allemands ».

Pour se procurer crayon et papier indispensables, Léon Delarbre a d'abord offert aux secrétaires du camp de faire leur portrait. Puis il a volé le papier, souillé de boue, taché de soupe, qui pouvait traîner et même le papier entourant l'amiante des tuyaux de chauffage. Jusqu'à l'évacuation de Dora, il a caché ses croquis sous les planches d'un établi.

Il n'a jamais été question pour lui de les abandonner, fût-ce dans les moments les plus affreux de ce voyage de cinq jours effectué, après le départ de Dora, dans un wagon sans toit, au milieu de cent compagnons affamés, hargneux, malades et chiasseux.

Les dessins de Delarbre ne sont pas les seules images des camps « en fonctionnement » et des déportés « en action », puisque les Allemands ont pris des photos. Mais, dans leur nudité et leur absence de recherche, car tout devait être fait, très vite, d'un jet, grâce à la protection qu'offrait. pour un instant, un camarade, ces cinquante croquis de déportés réduits à une enveloppe humaine flétrie constituent un document exceptionnel [2].

---

1. Dans un livre remarquable, *Contes de Dachau*.
2. D'autres dessins ont pu être réalisés dans les camps. C'est ainsi que Boris Taslitzky fit, à Buchenwald, le portrait du musicien Maurice Hewitt et celui de Christian Pineau. Mais, à ma connaissance, il n'existe pas de documents de l'importance des dessins de Delarbre.

Il n'y a que des cas d'espèce. Entre lesquels, avec déchirement, il faut faire des choix.

Ainsi peut-on parler d'André Courvoisier qui découvrira dans une baraque du camp d'Oranienburg-Sachsenhausen une quantité relativement importante de sel dont il se servira comme monnaie d'échange. Le 28 avril — il a quitté le camp le 21 —, il obtiendra deux pommes de terre contre un peu de sel. Le 30 avril, c'est la panse d'un veau que les SS viennent de tuer qui lui sera donnée, toujours en échange de sel.

L'opération était très risquée. Il s'agissait de discuter « d'égal à égal » avec les SS en sollicitant de la nourriture contre le sel qui fait alors totalement défaut à la roulante des gardiens. Un coup de feu suffirait à déposséder Courvoisier de son trésor. Mais, comme il vient d'abattre un veau, le cuisinier SS accepte le troc. Courvoisier peut librement s'emparer des tripailles étalées dans la boue du bivouac.

> « Je m'empressais de prendre la totalité à bras-le-corps, raconte-t-il, et me voilà revenant vers mes camarades avec boyaux et intestins qui traînaient à ma suite sur le sol.
>
> Nous nous sommes mis à une dizaine pour laver consciencieusement cette tripaille toute verte, puis nous l'avons découpée et cuite dans l'eau ; de plus, les Allemands nous font une distribution de deux pommes de terre par personne. C'est leur deuxième distribution depuis huit jours et 130 kilomètres de marche [1]. »

Courvoisier a eu une chance supplémentaire. Il a trouvé une paire de chaussures à tiges montantes dont il pensera toujours que, seules, elles lui ont permis de suivre la colonne.

La plupart des déportés n'ont, il est vrai, que de mauvaises chaussures déformées, crevées, percées par les cailloux de la route, ou même de simples « claquettes », dans lesquelles les pieds gelés saignent, suppurent [2], enflent et, parfois, pourrissent.

Aussi la lutte pour les chaussures sera-t-elle aussi ardente que la lutte pour le pain. Louis Maury, déporté à Neuengamme, raconte [3]

---

1. André Courvoisier, *Un aller et retour en enfer.*
2. Marcel Dolmaire, quand il pourra se déchausser, trouvera quatorze plaies ouvertes aux pieds. Lorsque, en février, on lui volera ses chaussures, Dolmaire touchera des « espèces de sandales à semelles de bois ». « J'aime mieux ça d'ailleurs, écrira-t-il, car de vraies chaussures ne seraient plus supportables. »
3. *Quand la Haine élève ses Temples.*

avoir guetté pendant plusieurs heures l'agonie d'un Letton porteur de souliers bas. Dans la nuit, il tâte son poignet. Le pouls bat encore faiblement. Maury attend. Il attend que le Letton se vide doucement. L'odeur est effroyable. Mais enfin, conscient de ne voler qu'un mort, il peut prendre les souliers. « Ils sont un peu grands », notera-t-il dans ses souvenirs. Pendant les semaines qui le séparent de la libération, il devra défendre les chaussures du Letton contre la convoitise de ses codétenus.

A Langenstein, le 9 avril, avant l'évacuation du camp, c'est de son pantalon, qui gardait, malgré la crasse, une allure civile, qu'un juif mourant sera dépouillé, les voleurs se disputant ensuite férocement la possession de cette loque.

De Sachsenhausen, qui se trouve au nord de Berlin, ce sont soixante-dix colonnes de 500 déportés chacune qui, sous une pluie battante, ont pris le départ, le 21 avril, en direction de la Baltique.

Trempés de pluie, transis de froid, une couverture enveloppant leur visage qui est déjà leur visage d'après la mort, recouvrant leur crâne partagé en deux par une bande de deux centimètres tondue au plus ras afin de les rendre immédiatement identifiables[1], les déportés-clochards arrivent au terme de leur première étape : un petit bois près de Hobenbrück. Au matin, il faut repartir. La colonne s'étire et les SS se montrent impitoyables pour les traînards, pour ceux qui implorent un moment de repos, ces quelques minutes qui leur permettraient de rejoindre leurs camarades, cette heure de répit qu'ils réclament à genoux, comme Albert Dufaye, ingénieur chimiste en tissage dans le Nord, que Marcel Doureham et Alphonse Siméone ont longtemps soutenu.

L'encourageant : « Ne t'arrête pas, marche, il faut continuer », l'entendant murmurer : « Je ne peux plus... plus », essayant, en le soutenant, que ses jambes, qui sont maintenant comme les jambes d'un pantin de son, le portent encore un peu, ils seront finalement obligés de l'abandonner à l'un de ces deux SS placés en fin de colonne qui achèvent mécaniquement tous les déportés hors d'état d'avancer.

1. Les déportés appellent ce signe distinctif la *Strasse,* la « rue ».

Comme Courvoisier, Marcel Houdart fait partie de l'un des convois qui ont quitté Oranienburg-Sachsenhausen le 21 avril.

Sa première nuit, il l'a passée dans les flaques et le purin d'une cour de ferme ; il a entendu les coups de feu « liquidant » les traînards ; dévoré des trognons de chou et de rutabaga dédaignés par les moutons ; assisté au massacre des prisonniers qui se glissaient dans un hangar où se trouvaient en abondance des pommes de terre ; dans le bois de Below enfin, il a mâché l'écorce des arbres et reçu « sa part » d'un colis de la Croix-Rouge : un pruneau, une cuiller de lait en poudre.

Le 29 avril, voici huit jours qu'il marche sans autre nourriture que le kilo de pain, les deux cents grammes de pâté touchés au moment du départ du camp, une soupe faite avec les orties ramassées dans les fossés, quelques morceaux d'écorce... et le pruneau de la Croix-Rouge.

Le 1er mai, soutenu par son frère Jean et par son ami Raymond Bailleul, Marcel Houdart, les pieds en sang, se traîne en direction de Lübeck, sur une route rendue glissante par la grêle qui tombe dru. C'est alors qu'il promet d'aller à la messe tous les dimanches... s'il s'en « tire ». Il s'en tirera. Mais bien peu (200 sur 1 250) de ceux qui ont fait, avec lui, partie du dernier train de la déportation, celui qui a quitté la gare de Tourcoing le 1er septembre 1944, retrouveront la terre de France [1].

L'un des derniers morts sera son camarade Jean Povoa, tué et enterré près de Bergade le 2 mai, à quelques heures de la libération.

Il a été de ceux à qui les SS ordonnent de s'arrêter pour se reposer, mais qu'ils tuent impitoyablement.

Jean de Montangon, qui appartient à l'une des colonnes évacuées de Buchenwald, a aidé son voisin à marcher. Il a entendu ses derniers

---

1. Les détenus ont été extraits des prisons de Béthune, Arras, Douai et Loos-lès-Lille. Pour l'histoire, ce train deviendra *le train de Loos*.

mots, dits dans un souffle : « Je suis avocat... à Lyon... Tu diras à ma famille que je n'en pouvais plus, je m'appelle [1] ... Tu te souviendras. »

« Je lui pris le bras et nous fîmes ensemble quelques dizaines de mètres, très péniblement, nous appuyant l'un sur l'autre. Puis, tout à coup, sans même me prévenir, il s'écroula. Comme j'essayais de le faire relever et de le convaincre de tenir jusqu'à la pause, le SS intervint, me menaça de son arme et lui tira une balle dans la tête alors que je lui tenais encore la main.

... Une heure plus tard, peut-être, je vis apparaître, régressant peu à peu, un étrange équipage. C'étaient deux Russes portant un de leurs camarades sur leurs bras entrecroisés. Ce spectacle, qui me rappelait mes jeux d'enfant, me bouleversa. Ils tinrent assez longtemps à ma hauteur, peut-être quelques centaines de mètres, jusqu'à ce que, épuisés ou par suite d'un faux pas, ils s'écroulèrent tous les trois presque à mes pieds. Comme les porteurs encourageaient leur camarade à se relever, le SS les menaça sur-le-champ de son pistolet et c'est littéralement dans leurs bras que le troisième fut assassiné, répétition de ce que je venais de vivre moi-même [2]. »

Il existe cependant des hommes épargnés.

Lorsque Jacques Mesnard, déporté à Dora où il travaillait à l'usine de montage de V2, entend les SS demander à ceux qui ne peuvent plus suivre la colonne d'évacuation de sortir des rangs, il s'efforce de persuader son ami Claude de ne pas se résigner. Il sait, ils savent tous le sort qui attend ceux qui abandonnent. Claude ne répond pas, mais il offre ses dernières cigarettes à Mesnard, lui serre la main, s'éloigne en direction du petit groupe de ceux qui se croient — et que l'on croit — condamnés.

Or, Claude sera confié à la Croix-Rouge suédoise. Mais comment Mesnard n'aurait-il pas imaginé le pire ? Après le départ de Claude, il verra un déporté soviétique quitter la colonne pour s'abreuver à un ruisseau. Le SS qui s'approche le tuera d'une balle dans la nuque alors que, béatement, le visage baigné, il lapait la merveilleuse eau glacée.

---

1. Jean de Montangon écrira n'avoir pas compris le nom du malheureux.
2. Jean de Montangon, *Un saint-cyrien des années quarante*.

Avant de tuer ceux qui sont dans l'incapacité de suivre les colonnes, il arrive que les SS se soient débarrassés, la veille du départ, des hommes qui avouaient ne pas pouvoir marcher.

Au camp de Gandersheim, un « Kommando ordinaire », selon Robert Antelme[1], les Kapos polonais et roumains, à qui les SS ont donné, avec un uniforme et un fusil, une autorité encore accrue, font brutalement sortir des blocks ceux qui se sont inscrits sur la liste des malades. Parmi les Français, voici André Valtier, qui n'a plus que la peau et les os ; Pelava, un Toulousain aux jambes incapables de le porter ; Félix, au crâne fendu par la pelle d'un policier ; les frères Mathieu, d'anciens soldats de 1914, quelques autres encore. On leur a dit qu'ils iraient à l'hôpital. La route de gauche conduit à Gandersheim. Or, on les pousse sur la route de droite qui conduit à un petit bois.

Qu'ont-ils compris ? Ont-ils su qu'ils allaient alors à la mort ? « Personne ne leur avait rien dit, écrira Antelme. Il fallait qu'ils comprennent seuls. Mais c'était la première fois que cela arrivait ici. »

Ils ont donc pris la route de droite. En sortant du camp, quelques-uns souriaient. Ils pensaient à l'hôpital de Gandersheim, aux Alliés qui approchaient. Venu de quarante kilomètres, on entendait le « *baoumm, baoumm* » du canon, de centaines, de milliers de canons, ne faisant plus qu'un seul grondement, un énorme « *baoumm-baoumm* » dans lequel ils plaçaient tous leurs espoirs.

Ils n'auraient pas à marcher longtemps.

Ils n'auraient plus à marcher.

Jamais.

Deux rafales de mitraillettes. Des coups de feu isolés. On a su plus tard que Félix, l'homme au crâne fendu, s'était enfui et que deux balles, l'une dans une épaule, l'autre dans le crâne, précisément, l'avaient définitivement rattrapé.

Une corvée de Soviétiques est montée dans le bois. Elle est redescendue après avoir enfoui les corps. L'évacuation peut commencer.

---

1. « Il n'y avait à Gandersheim ni chambre à gaz ni crématoire. L'horreur y est obscurité, manque absolu de repère, solitude, oppression incessante, anéantissement lent » (Robert Antelme, *op. cit.*).

Quatre cent cinquante déportés prendront la route : Polonais d'abord, Russes ensuite, Français puis Italiens Ils traversent des villages aux maisons basses où les femmes et les gosses sont devant leurs portes. Peu d'hommes. Mobilisés, les hommes s'arc-boutent et luttent encore à l'Est et à l'Ouest pour retenir les deux mâchoires de l'étau qui broie l'Allemagne ou, dans les rangs du *Volksturm,* ils s'apprêtent à mourir sur des barricades dérisoires qui rappellent aux déportés français les barricades de juin 1940 lorsque, en France, tout était perdu.

Des chiens aboient.

Dans les forêts, parfois, on fait halte.

Au cœur du cercle que forment les SS, fusil couché le long de la jambe droite, les déportés.

Les SS mangent un pain de bien meilleure qualité que celui des déportés.

Les SS calculent peu. Ils coupent et engloutissent des tranches épaisses.

Les déportés découpent de petits cubes qu'ils mâchonneront longuement.

Ils calculent. Après deux jours de route, deux jours seulement, et combien en faudra-t-il encore avant la délivrance, ou avant la halte d'un nouveau camp, ils ont déjà dévoré le quart ou le tiers de leurs « provisions ».

Faim. Tous et toutes disent la faim.

Pierre Maurange a fait partie des déportés qui sont partis dans la soirée du 7 avril du camp de Fallersleban [1]. A la gare de Walsburg ils embarquent dans une cinquantaine de wagons dans lesquels, toutes portes closes et vasistas bardés de barbelés, ils écoutent des bruits qui ne leur apprennent rien. Ils regardent et ne voient que le mur du wagon, le grouillement de camarades de misère que la faim et la promiscuité transforment en autant d'ennemis.

Le 9 avril, les portes s'entrouvrent pour la première fois. On

---

1. A partir du 1er avril, le camp a été envahi par des Kommandos de déportés venant des camps voisins, mais aussi par des déserteurs de toutes les armes.

descend les morts : un père et son fils, les Fabre, qui habitaient Libourne ; les Allemands font distribuer cent grammes de pain et une rondelle de saucisson. Le lendemain, cent grammes de pain encore, une nouvelle rondelle de saucisson, un peu de miel synthétique. Dans le wagon, les déportés dissimulent les morts qu'ils ont déjà fouillés, leur prenant pain, tabac, bottes, chaussures, alors qu'ils étaient en train de crever. Il s'agit maintenant de toucher leur part. Mais, le 11 avril, la chaleur est trop forte : les morts puent, il faut les débarquer. De station en station, ils vont ainsi, vivants, survivants, au milieu des mourants et des fous.

Le 13 avril, les portes s'ouvrent enfin.

— *Aufstehen!*

Tout le monde descend. Les déportés sont conduits jusqu'au camp misérable de Wobbelin où un officier leur annonce qu'ils périront dans l'incendie des baraques.

Le camp se gonfle de Polonais, de Russes et de juifs. L'énorme fosse d'aisances déborde. Elle engloutit des cadavres. Le 24 avril, il n'y a plus aucune distribution : ni soupe ni pain. Le 25, les hommes se ruent sur les betteraves crues et souillées que les gardiens jettent dans les travées des Blocks. Ils les dissimulent sous leur veste pour les dévorer sous leur couverture. Le 30 avril, Maurange assiste à des scènes de cannibalisme.

« Les Russes du camp se poursuivent et se battent avec acharnement. Ils s'entre-tuent sauvagement, cherchant à s'emparer d'un morceau de viande — morceau de chair humaine — que certains viennent de prélever sur les cadavres à la morgue. Durant quelques minutes, le combat se poursuit, terrible et sanglant, causant de nombreuses victimes.

Loin d'intervenir, les Allemands se passionnent au match qui se joue. Avec une joie sadique, ils marquent les points par des applaudissements nourris. »

Les cas de cannibalisme, qui mettaient généralement en cause les plus misérables et les plus affamés des déportés, les Soviétiques, ont été vraisemblablement plus nombreux que cela n'a été rapporté par les survivants.

Mais Pierre Durand signale que, dans « le petit camp » de Buchenwald où, dans 17 baraques prévues *chacune* pour 300 à 400 personnes, se trouvaient 1 200 déportés à qui l'on distribuait quotidiennement cent vingt grammes de pain et une soupe claire, il y eut « des scènes affreuses et même des cas de cannibalisme[1] ».

Paul Hagenmuller raconte avoir appris à Bergen-Belsen qu'une série de cadavres « volés eux aussi », au même titre que des navets et des rutabagas, avaient disparu de l'infirmerie. « Ils sont dépecés, les parties grasses coupées en fines tranches, grillées sur une poêle et mangées[2]. »

Marcel Dolmaire, dans des souvenirs inédits, après avoir évoqué l'un de ses rêves : « Je me trouvais dans un pré de montagne où il y avait des moutons, j'en avais trucidé un et j'en avais mangé la plus grande partie, crue », ajoute : « Nous avions une obsession de viande crue et les cas de cannibalisme constatés dans les camps viennent peut-être de là. En tout cas, pour ma part, j'ai vu des morts auxquels il manquait des morceaux. »

Dans son récit de l'évacuation d'Oranienburg-Sachsenhausen, Marcel Houdard note que des scènes de cannibalisme ont été constatées : « Des cadavres ont [eu] leurs fesses découpées au couteau. Les hommes sont devenus des loups. »

Des cuisses humaines ayant été découvertes devant la cuisine du camp de Neuengamme, Bernard Morey est certain d'avoir été « anthropophage sans le savoir ».

« Nous n'avons pas mangé beaucoup d'" homme ", peut-être 10 grammes en plusieurs fois mais, multipliés par l'effectif, environ 1 500, cela fait beaucoup. Aux cuisines, tous les responsables furent pendus. »

Dans *L'Univers concentrationnaire*, David Rousset confirme :

> « Robert B... me conte l'histoire suivante. En novembre 1944, Robert Darnan *(sic)*[3], le neveu résistant du trop célèbre milicien, travaillait à Neuengamme. Un jour, il trouva dans sa soupe une mâchoire humaine. Surpris malgré tout, il montra l'objet à Jacob. Jacob était un Allemand social-démocrate fort sympathique et

---

1. Pierre Durand, *Les Français à Buchenwald et à Dora.*
2. *De l'Université aux camps de concentration. Témoignages strasbourgeois.*
3. Et non Darnan*d*.

qui parlait assez bien le français. Il trouva la découverte curieuse et fit un rapport à l'Obersturmbannführer[1]

L'enquête révéla que le Küche Kapo[2] et le Kapo du Kremato-rium[3] s'étaient entendus pour vendre la viande de la cuisine aux civils et nourrir de macchabées les concentrationnaires. L'opéra-tion profitait à tout le monde. La viande disparaissait au plus grand bénéfice des deux compères et, comme de toute façon les concentrationnaires n'en auraient pas vu la couleur, c'était une charité rare que de leur donner du cadavre. Chair morte est toujours de la viande. Les deux Kapos furent pendus sur la Grand-Place de Neuengamme. Je jurerais que beaucoup regrettè-rent la découverte de Robert Darnan. L'affaire avait, paraît-il, duré un mois. »

Est-ce pour éviter la répétition de pareils actes que, dans certains camps — à Wobbelin par exemple —, il faudra monter la garde des morts et tuer — David Rousset l'écrit également — « ceux qui mangent cette chair misérable et fétide[4] ».

Faim.
Jean de Montangon[5] se souviendra avoir croisé des prisonniers de guerre français qui regardent les déportés comme s'ils tombaient d'une « autre planète ». Aucune réaction charitable lorsque Montangon sollicite de l'eau. A peine quelques questions.
— Mais qui êtes-vous donc?
— Nous sommes français comme vous, donnez-nous à boire par pitié, nous mourons de soif.

___

1. Lieutenant-colonel.
2. Kapo de la cuisine. Il est à peine besoin d'insister sur l'importance d'un tel personnage dans un camp de concentration. Maître des vivres et de leur répartition, ayant des contacts avec les civils, disposant d'une « clientèle » nombreuse et variée, il jouit d'une influence considérable.
3. D'après David Rousset, le Kapo du Krematorium bénéficie, grâce au dépouillement des cadavres et, notamment, à l'arrachage des dents en or, d'une monnaie d'échange de grande valeur.
4. A Dora, les Russes mangèrent la cuisse du Kapo Gärtner, « une immonde brute ».
5. *Cf.* p. 61.

Les prisonniers passent, indifférents, ignorant que Montangon, dans son costume rayé, est un saint-cyrien qui appartient à la même armée qu'eux.

Le soir venu, épuisé par une marche accomplie mécaniquement et dans une semi-inconscience, n'ayant rien mangé ni bu, Montangon s'allonge sous un jeune sapin de façon à pouvoir se relever en s'agrippant aux branches. C'est alors qu'il découvre qu'*il n'a plus de fesses*.

> « A leur place, deux cavités bien dessinées par des os tout à fait inconnus. Ma main venait d'en délimiter le contour. J'avais donc consommé mes fesses ! Ma dernière réserve[1] ! »

Pour ne pas consommer « leur dernière réserve », ils dévorent ce qui leur tombe sous la main, arrachent des pissenlits et des orties qu'ils font cuire à l'étape, dérobent au péril de leur vie des pommes de terre dans les silos, découpent des biftecks dans la croupe de chevaux morts[2], rongent les betteraves qu'un vieux SS, « l'un de ceux qui appartenaient peu de temps auparavant à la Wehrmacht », leur a jetées depuis un wagon voisin[3] ou qu'un prisonnier français a volontairement fait tomber de son chariot[4].

Ils mangent aussi — et les conséquences en seront redoutables — du blé ou de la fécule qu'ils « font passer » avec de l'eau souillée.

Pour boire — car la soif est plus terrible encore que la faim —, pour boire, à chaque halte, les déportés se précipitent, en effet, sur les fossés qui bordent la route et absorbent autant d'eau que leur estomac en peut contenir. Joie d'un moment susceptible de provoquer des dysenteries mortelles.

---

1. « La faim et l'épuisement, écrit Sylvain Kaufmann *(Au-delà de l'enfer)*, n'ont pas raison des corps de la même façon. Il n'y a que les fesses, les fesses squelettiques, qui apportent une indication sur la fin prochaine d'un homme. »
2. Témoignage inédit de M. Jacques Mesnard. Il s'agit de chevaux appartenant à des civils allemands en fuite. « Combien de chevaux crevés trouvons-nous le long du chemin ? Vingt, trente, je ne sais plus. Certains d'entre nous entreprennent de découper les croupes des chevaux morts. A l'aide de couteaux de fortune, ils taillent quelques biftecks. Le SS n'intervient pas. »
3. En gare d'Altenberg, témoignage de Richard Ledoux.
4. André Courvoisier raconte que, le 25 avril, un prisonnier français qui passait, juché sur un tombereau de betteraves, les sauva sans doute de la mort par la faim en faisant verser d'un coup de pied une partie de son chargement sur la route.

Évacué de Dora le 5 avril par un train de déportés, Bramoullé, chaque fois que les SS ouvrent les portes des wagons, se rendra jusqu'à la locomotive. Sous l'œil rigolard du cheminot allemand, il recueillera dans une boîte l'eau qui suinte des pistons de la machine. Grâce à cette eau chaude, graisseuse, écœurante mais qu'ils espèrent exempte de microbes, Bramoullé et quelques-uns de ses camarades avalent péniblement une grossière poudre de charbon obtenue en écrasant entre leurs doigts des débris de broussailles calcinées, abondantes le long des voies [1].

Ils savent en effet que, si le corps peut résister à la faim, il ne résiste pas à la dysenterie qui, en deux ou trois jours, emporte un organisme affaibli. Tous ont vu des camarades mourir de dysenterie, mais comment résister lorsque, par miracle, se présente l'« occasion » d'apaiser momentanément sa faim, de calmer momentanément sa soif ?

Ainsi, avant même la libération des camps, qui se traduira dans les premiers jours, et alors qu'aucun contrôle médical n'est encore établi, par des indigestions mortelles, des déportés, aussi paradoxal que cela paraisse, mourront d'avoir trop mangé ou trop bu.

Deux rations de soupe rendront Marcel Dolmaire affreusement malade et il lui faudra, pour guérir sa dysenterie, ne manger, neuf jours durant, que quelques cuillers de soupe à midi et vingt grammes de pain le soir.

A Neuengamme, Bernard Morey a vu, le 21 avril, partir ses camarades vers Lübeck. Conduits dans un hangar derrière le *Revier* (l'infirmerie), les deux à trois cents hommes qui restent au camp découvriront des milliers de colis de la Croix-Rouge qui n'ont jamais été distribués. Car des colis, envoyés par les familles françaises, jusqu'au moment où l'avance alliée interdira toute expédition en direction de l'Allemagne, ou par la Croix-Rouge internationale, arrivèrent bien, en effet, sinon dans tous les camps, du moins dans plusieurs d'entre eux et particulièrement à Dachau.

Joseph Rovan, déporté à Dachau, écrira que, pesant trente-cinq

---

1. Bramoullé ne sera pas seul à profiter de l'eau des locomotives. Jules Hofstein raconte *(De l'Université aux camps de concentration)* qu'une locomotive ayant été atteinte par la mitraille et l'eau s'échappant à grands flots du réservoir, les déportés, qui n'avaient rien à boire depuis quatre jours, avaient supplié leurs gardiens de les laisser aller jusqu'à la machine. Tout en prenant une douche, ils avaient goulûment bu à même le jet.

kilos à Noël 1944, il aura, grâce aux colis, regagné vingt kilos le jour de la libération. Le « miracle des colis » se renouvela plusieurs fois puisque le petit groupe de dix Français auxquels il appartenait reçut douze colis de cinq kilos au cours des trois premiers mois de 1945.

Cette relative abondance avait une raison.

C'est à Dachau que la Croix-Rouge internationale avait reçu l'ordre d'expédier les colis destinés aux détenus français de tous les camps. Depuis Dachau, plaque tournante, les colis devaient être répartis vers les autres camps. Le mauvais temps et surtout le pitoyable état des voies de communication ayant rapidement empêché cette redistribution, les Français « sans l'avoir su ni voulu, écrit Rovan, se nourrirent de la faim des autres » puisque la présence de délégués de la Croix-Rouge empêcha l'habituel pillage des SS.

Rovan écrit également qu'au sein de la communauté française des voix s'élevèrent en faveur d'un partage au bénéfice des affamés dont les regards suivaient chacun des gestes des mains, chacun des mouvements des bouches de ceux qui se rassasiaient de sardines envoyées par boîtes de cent.

Mais les Allemands, mais les Polonais n'avaient jamais partagé. Et d'ailleurs, poursuit Rovan, « qu'auraient reçu 70 000 prisonniers par une répartition de 5 000 colis français ? Chacun restait libre, individuellement, de partager avec ses voisins de chambrée ou de Kommando. Eussions-nous procédé autrement, le nombre des morts français eût été le double, le triple. Je ne suis pas fier de la position que nous prîmes alors, mais je ne la regrette pas et je pense que j'agirais de même si c'était à refaire[1] ».

A Buchenwald cependant, les responsables des déportés français firent accepter une répartition égalitaire, quoique, écrit Pierre Durand[2], « cela n'allait pas de soi, et, dans les conditions du camp, on peut le comprendre ». « Égalitaire », Eugen Kogon, déporté lui aussi à Buchenwald, affirmera[3] cependant qu'elle l'était bien peu. Il accusera, en effet, les Français chargés de la distribution des vivres et « le chef communiste du camp » d'avoir réservé « pour eux des monceaux de colis » ou de les avoir utilisés « en faveur de leurs amis de marque ».

---

1. Joseph Rovan, *Contes de Dachau*.
2. Pierre Durand, *Les Français à Buchenwald et à Dora*.
3. Eugen Kogon, *L'Enfer organisé*.

Chaque colis contient lait en poudre, jambon, salami, chocolat, sardines, fabuleuses richesses qui, englouties trop hâtivement, provoquent d'effroyables, d'épuisantes diarrhées. « J'ai une indigestion formidable qui se transforme, écrit Morey, en *Scheisserei* (chiasse), j'ai littéralement englouti une boîte de 4/4 de lait en poudre. Je passe la nuit à rendre mon lait par tous les orifices. »

Il en faut beaucoup moins pour que Victor Odent arrive au bout de ses faibles forces. Évacué du camp de Langenstein le 7 avril, ayant accompli cent huit kilomètres à pied en trois jours, le 12 avril, en supplément des deux cents grammes de pain de sa ration, il avale du blé moisi et boit l'eau puisée dans un marais. Odent, qui a réussi à tenir — et à rapporter — son carnet de route, note alors : « Jeudi 12 avril, je mange du blé moisi, des orties, de l'herbe ; ça remplit l'estomac. J'ai failli crever avec ce blé. Quarante et un kilomètres. Le canon tonne de plus en plus[1]... »

Plus tard, se souvenant des effets du blé sur son organisme, Odent écrira : « Je me rappellerai toujours ce jour-là. J'ai failli mourir... De grosses gouttes de sueur perlaient à mon front, mais je m'accrochais, je serrais les poings en me disant intérieurement : " Tu ne vas pas crever, bon Dieu (excusez-moi), il faut ramener tes os pour raconter ce que tu as vu. " »

Robert Antelme et ses camarades de route ont découvert dans une briqueterie, près de Wernigerod, des sacs de fécule de betterave. Des montagnes de sacs vers lesquels les déportés se dirigent silencieusement, prudemment, dos courbé. Lorsqu'ils les ont atteints, ils crèvent les sacs en papier et font glisser la fécule dans leur musette. « Ça ressemble à de petits bouts de vermicelle durs, bruns ou blancs[2]. »

---

1. Le carnet de route de Victor Odent donne scrupuleusement le décompte du pain touché par chaque déporté pendant l'évacuation : 1/6 de boule (200 grammes) le 7 avril, jour du départ du camp de Langenstein ; 1/6 le 10, 1/6 le 12, 1/8 le 14, 1/6 le 15, 1/6 le 16, 1/8 (soit 150 grammes de pain) le 17. Ce jour-là, Odent ajoute : « J'ai mangé de l'herbe et des feuilles d'arbre. » Les 18, 19, 20 et 21 avril, Odent touchera quotidiennement 150 grammes de pain (1/8 de boule). Entre le 7 et le 21 avril, Odent a donc touché 1 900 grammes de pain.
2. Robert Antelme, *L'Espèce humaine*.

Antelme dévore une poignée de fécule. « C'est une matière gommée, dure et souple, sucrée, avec une arrière-saveur de betterave, et qui se mâche mal. Après en avoir absorbé quelques poignées, on est écœuré[1]. » Faire cuire longuement la fécule sur un petit feu, allumé entre deux pierres, ne change rien à son goût. « C'est infect et cela augmentera notre diarrhée », note Antelme.

Cette diarrhée, il faut en parler. En parler avec les mots des déportés.

Elle tord les boyaux, vide un homme, peut le condamner à mort en quelques jours ou même en quelques minutes lorsque, pantalon baissé, le malade accroupi s'attarde trop longtemps sur le bord du fossé et que le SS impatient l'exécute.

Dans une colonne d'évacuation, « faire ses besoins », on dit le plus souvent, sinon toujours, « chier », réclame une stratégie.

Puisque s'attarder provoque presque automatiquement le coup de feu mortel, il faut se porter en tête de la colonne, s'accroupir au bord de la route et, dès le passage des traînards, courir se replacer au milieu d'un groupe de déportés. Dans les wagons, la situation n'est pas moins tragique.

> « Il faut quand même, écrit Jacques Mesnard[2], que je relate les circonstances de la diarrhée qui affecte la moitié d'entre nous. Le wagon transformé en latrines ambulatoires, l'odeur écœurante et les vociférations du SS de garde condamné à respirer la pestilence de boyaux déchaînés, voici un début de voyage qui semble bien augurer des jours suivants. Avec mon ami Claude, nous n'avons pas cet inconvénient car nous économisons les vivres en mangeant modérément. Par contre, ceux qui se sont jetés sur le singe et le pain et ont tout consommé subissent les conséquences d'une pénible digestion à laquelle ils n'étaient plus habitués. »

Que cent vingt grammes de pain et une boîte de viande puissent provoquer des diarrhées mortelles paraîtra aujourd'hui inimaginable. Et, cependant, après quatre jours d'un voyage ralenti par la rupture et l'encombrement des voies, ce sont de nombreux cadavres qui seront

---

1. Robert Antelme, *L'Espèce humaine*.
2. Témoignage inédit de Jacques Mesnard, initialement interné à Dora.

jetés hors des wagons et placés, jambes, bras, têtes pendants, sur des charrettes qui font songer à ces charrettes débordant de morts dont parle Daniel Defoe dans son *Journal de l'année de la peste*[1].

Diarrhée des hommes, diarrhée des femmes, plus humiliante encore. Suzanne Birnbaum, arrêtée à Paris le 6 janvier 1944 par deux miliciens, déportée à Auschwitz, à Belsen, puis à Raghun, a été malade, « malade à crever », pendant tout le voyage qui conduit les déportées de Raghun à Theresienstadt, leur dernière étape avant la libération.

Dans le wagon, elle a trouvé une vieille boîte de conserve. Ce n'est pas très pratique, mais c'est préférable à l'inaccessible grand seau placé, loin, dans un coin du wagon. Lorsqu'elle sent la diarrhée lui tordre le ventre, Suzanne place la boîte sous elle, mais « elle vise pas toujours bien », écrira-t-elle[2]. Ça sent très mauvais et les Polonaises, ses voisines, la traitent de cochonne. Voulant jeter le contenu de la boîte par la lucarne du wagon, elle n'y réussit pas et arrose le plus souvent celles qui sont proches d'elle. « Mais [les femmes] sont dans un tel état que personne ne réagit. »

Chier, pisser, ce qui, dans la vie civilisée, demeure dissimulé, comment en garder le secret dans ce wagon où cent hommes sont entassés, dans cette église où les Allemands ont fait entrer les déportés

---

1. « La charrette portait seize ou dix-sept cadavres. Certains étaient enveloppés de draps de toile, certains de chiffons, d'autres étaient à peu près nus ou si mal voilés que le peu d'enveloppement avait glissé au moment de la projection hors de la charrette et qu'ils tombèrent complètement nus au milieu des autres ; mais peu importait, l'indécence ne gênait personne... » Publié en 1722.
2. *Une Française juive est revenue.* Le convoi dont fait partie Suzanne Birnbaum a quitté Raghun le 12 avril. Il arrivera le 20 près de Prague, à Theresienstadt, que les Allemands ont abandonné la veille. Theresienstadt était un « ghetto modèle » que les nazis faisaient visiter à quelques commissions neutres.
Suzanne Birnbaum restera dans le coma du 20 avril au 4 mai.

en leur disant : « Vous allez dormir dans cette église. C'est un monument classé : ne vous conduisez pas comme des bandits, sinon il y aura des sanctions. »

Antelme raconte :

« Pour chier, il faudra sortir un par un... Pour pisser, on a amené une tinette dans l'église. Les biscuits de chien ont provoqué la diarrhée. Il y a queue près de la sentinelle. Les types tapent des pieds, ils ne peuvent plus attendre. Alors, ils se cachent et chient dans les coins de l'église, près des confessionnaux, derrière l'autel. Ceux qui ont la force d'attendre geignent près de la porte. D'autres chient dans la tinette réservée à l'urine. Le toubib espagnol s'amène.

— Qu'est-cé qué tou fous là, dégueulasse ? Fous-moi lé camp !

Le type reste assis sur la tinette. La sentinelle vient, le bouscule. Le type s'en va en tenant son pantalon. Des Italiens se tordent le ventre près de la porte, ils ne peuvent plus tenir. Maintenant, presque tout le monde chie dans l'église. Dans le noir, on croise des ombres rapides qui se cachent derrière les piliers. Ma couverture est trempée et je ne peux pas vaincre le froid. Ça me prend le ventre aussi ; je ne peux plus attendre, la queue est trop longue : je vais sur la tinette. Un autre fait comme moi, sur le bord opposé ; je sens sa peau froide. On va vite, personne ne nous a vus. »

La déportation, c'est aussi cela. Les biscuits de chien, diarrhée ; la fécule de betterave, diarrhée ; le pain, diarrhée ; l'eau glacée, diarrhée ; l'eau croupie, diarrhée.

Dans le train qui a quitté Dresde, Antelme a lui aussi mal au ventre.

« C'est venu brusquement. Je ne peux plus me retenir, attendre le jour. Je déchire un morceau de ma couverture, je baisse mon pantalon... Je replie mon morceau de couverture, je le tiens dans la main, je me lève et j'essaie d'enjamber les copains pour aller à la lucarne. Je tombe sur le ventre d'un type qui gueule. J'ai toujours mon morceau de couverture. Je me relève. Je suis pris dans les jambes, je tâtonne ; où que je place le pied, c'est une figure, un ventre et des types qui gueulent. La honte. Je vise le trou bleu. Quand je suis assez près, je me laisse aller en avant, je m'appuie d'une main contre la paroi, je jette le morceau de couverture. »

« Je tombe sur le ventre d'un type qui gueule, écrit Antelme. Je tâtonne... Où que je place le pied, c'est une figure, un ventre et des types qui gueulent. »

Des types qui gueulent, se battent et parfois s'entre-tuent pour une place, un morceau de pain, une betterave, une couverture.

Le récit — inédit — du déporté Marcel Dolmaire résonne du tumultueux écho de farouches batailles.

« La journée, écrit-il pour parler de la journée du 27 janvier, se passera en bagarres et en vols divers. »

Le 28, à la suite d'une « minute d'inattention », les six couvertures dont son frère, son ami Robert et lui-même disposaient — et qui les protégeaient du froid car il fait −25 pendant la nuit — leur sont volées. Ils en « récupéreront » immédiatement quatre... en les volant naturellement. Conclusion de Dolmaire, dont je dirai les scrupules : « On ne pouvait, hélas ! que s'attaquer aux plus faibles dont on hâtait ainsi presque sûrement la fin. »

Bagarres les jours suivants pour la soupe. Les SS y mettent un terme en renversant les marmites de cinquante litres.

Bagarres pour des guenilles abandonnées dans une ferme de Silésie, bagarre qui s'achève par la mort d'un Juif polonais tué par un SS qui, gravement, explique ensuite aux déportés qu'il est très mal de voler son prochain !

> « Le cadavre reste sur le fumier.
> Le soir, un Juif français en qui je pensais avoir confiance me vole ma dernière betterave. Écœuré, j'essaie de lui voler la margarine qui lui reste encore, mais il se méfie et je n'y arrive pas [1]. »

En protégeant sa gamelle, en protégeant sa musette contre certains détenus munis de rasoirs, il faut se battre pour se hisser dans une grange jusqu'à la douce promesse d'un lit de foin ou d'avoine.

---

1. Bien que n'étant pas juif, Dolmaire, arrêté dans un maquis des Vosges, a été déporté à Auschwitz avec ses camarades. Sur les 80 Français qui se trouvaient avec lui, seuls 30 survivront le 7 février 1945 et 10 le 13 février à l'arrivée à Flossenburg. Quatre rentreront en France.

Dolmaire dira avoir vécu ainsi une nuit qui battra des « records d'horreur » lorsque, les SS n'arrivant pas à remettre de l'ordre à coups de gueule, de poing, de crosse, les détenus, parmi lesquels des Polonais « frais » qui arrivent de Breslau, s'entre-déchireront « comme des loups enragés ». Dolmaire sera de ceux qui réussiront à conquérir une place sur de l'avoine dont il sera chassé, avec les autres vainqueurs de la bataille, lorsque les SS découvriront qu'il s'agit d'avoine non battue. Alors, ils lâcheront les chiens et tireront quelques coups de pistolet dans le tas que forment cinq cents déportés rassemblés sur quatre-vingts mètres carrés.

Pour éviter de se faire voler, Dolmaire a mangé les huit cents grammes de pain qui se trouvaient en sa possession. Au petit matin, il aura la satisfaction de découvrir qu'il aura été l'un des seuls Français à qui — et pour cause — sa nourriture n'a pas été dérobée [1].

Avant le départ de la colonne, chiens, droit commun et SS débusquent les hommes qui se sont cachés dans un grenier à étage de six mètres de haut.

Ceux qui sont découverts — mais tous le seront —, précipités sans ménagement du haut de l'escalier, roulent tête la première jusqu'au sol et se hâtent de disparaître dans la masse des captifs.

L'un des déportés n'aura pas cette chance.

« Vidé encore plus vite que les autres du grenier, [il] est passé par-dessus la rampe et se raccroche désespérément au-dessus du sol. Un droit commun s'en approche et, rageusement, avec des imprécations et de grosses blagues, il lui écrase les doigts sous les fers en fer à cheval des talons de ses bottes jusqu'à ce que le malheureux lâche prise et tombe en bas où il se brise les reins. Les chiens se précipitent alors pour le mordre et lécher le sang en aboyant furieusement.

Nous sommes là, silencieux et impuissants, en nous demandant tout de même s'il ne vaudrait pas mieux ne pas se faire tuer carrément dans un sursaut d'indignation et de rébellion.

---

1. André Rogerie lui aussi choisit de manger immédiatement la nourriture qu'il reçoit. Cela pour deux raisons, écrit-il dans *Vivre c'est vaincre* : « La première, c'est que la privation est d'autant plus grande qu'on sait pouvoir la réduire par un seul geste, et la souffrance est bien plus forte quand on peut soi-même l'apaiser ; la deuxième, c'est que j'ai rarement vu un prisonnier faire des réserves sans qu'elles lui soient volées. »

Nous démarrons sans rien dire, car il n'y a rien à dire et parce que nos propres blessures nous causent bien des tourments. »

La marche reprend. Les détenus ont obligation de rester en rangs par cinq. Dolmaire est précédé d'un garçon de son âge, un Français d'une vingtaine d'années, qui traîne, se traîne, trébuche, casse le rythme de la marche, ne répond pas aux objurgations mille fois répétées : « Avance, s'il te plaît ; avance, s'il te plaît, avance... », et finit par s'écrouler en pleurant.

« Chaque fois qu'un *Häftling* [détenu] tombe, il y a bagarre si ses chaussures valent la peine. Il est rapidement fouillé en même temps. Car il ne faut rien perdre... Pas de sentiment.

Mais ça glace quand même ceux qui conservent un peu de leurs réflexes de civilisés. »

Marcel Dolmaire est de ceux-là, assez rares.

Dans des souvenirs écrits pendant les mois qui ont suivi sa libération, souvent il fait allusion et référence au Christ.

En prison et dans les camps, non seulement il récitera son chapelet, mais il invitera ses camarades à le réciter avec lui. Presque jusqu'à la fin, il réussira à conserver son ceinturon scout : symbole, mémoire, bouclier. A Dachau, la confession de ses « petites et grosses lâchetés » et l'hostie reçue d'un prêtre que l'on croise constitueront ses deux consolations [1].

---

1. Dans le journal de Dolmaire, cette notation : « Mais, un matin, au réveil, malgré tous mes efforts, les larmes sortent, le vase déborde, une immense tristesse s'empare de moi. J'ai 20 ans aujourd'hui. Mon Dieu, j'ai 20 ans et je ne pourrai recevoir le Christ en ce jour. »

Dans *Un printemps de mort et d'espoir,* publié en 1985, j'ai signalé à plusieurs reprises (*cf. Le Peuple de l'abîme,* p. 307-360) le rôle et l'importance de la foi religieuse dans les camps de concentration. Joseph Rovan, qui fut déporté à Dachau, a évoqué à plusieurs reprises ce thème dans *Contes de Dachau,* livre paru en 1987.

Au chevet de son ami François Vernet, Rovan songe : « Faut-il demander pour l'ami qui meurt qu'il ne meure pas ? Cela se peut mais, avant tout et pour lui et pour moi, il faut, par la prière, adhérer à l'œuvre qui s'accomplit de vie ou de mort et l'accompagner. Je n'osais pas dire : " Seigneur, sauvez-le ", mais l'important était de dire : " Seigneur ". »

Et, cependant, un soir de désespoir où il n'a plus rien à manger, il lui arrivera de voler du pain « à un autre pauvre type, un déporté inconnu, juif sans doute ».

Pris de remords, Dolmaire estime alors que les coups de pied et de poing qu'il reçoit à l'entrée de la grange qui doit abriter pour la nuit les détenus sont la juste sanction de son vol.

> « Je ne veux pas me battre, écrit-il, je resterai ainsi toute la nuit dehors à philosopher sur les absolus de cette vie : inhumanité absolue dans laquelle nous vivons, insécurité absolue et la foi absolue également que cette vie requiert, et dont j'ai manqué en volant comme si le problème était de seulement manger.
>
> Même dans cette atmosphère de vol généralisé, alors que manger était une question de vie ou de mort, je n'ai jamais pu voler tranquillement les autres déportés, j'estimais que c'était un manque de foi, j'avais des remords qui m'empoisonnaient le peu de vie qui me restait ; ma dignité d'homme et ma conscience de chrétien passaient avant ma faim, ce qui ne veut pas dire que je résistais toujours à cette tentation extrêmement forte. »

Bien peu ont les scrupules de Dolmaire.

Lorsque cent grammes de pain peuvent décider de la survie ou de la mort, on comprend l'effondrement de certaines valeurs.

Il existe une autre raison.

Et qui n'est guère dite aujourd'hui où les détenus de droit commun sont pratiquement absents du discours et de la littérature [1].

Criminels, voleurs, maquereaux — et, chez les femmes, prostituées —, voyous arrêtés pour avoir « roulé » les Allemands, passeurs de frontières qui ne « passaient » que pour l'argent, tous ceux dont David Rousset écrivait, dans l'été 1945, alors que sa mémoire était fraîche [2], qu'ils n'avaient qu'« étonnement et mépris pour les politiques », tous ceux-là ont, comme par enchantement, disparu.

---

1. Sur les droit commun, *cf.*, dans *Un printemps de mort et d'espoir*, le chapitre « Le peuple de l'abîme ».
2. *L'Univers concentrationnaire* paraît en 1946, mais sa rédaction était achevée en août 1945.

Alors que, selon David Rousset, « ce serait une truculente méprise que de tenir les camps pour une concentration de détenus politiques », la méprise aujourd'hui est TOTALE. Toute mémoire gommée par des récits plus ou moins romancés, déformés, rewrités, qui ont succédé aux témoignages authentiques, par les films, les émissions, les interviews, les conférences, il est admis, reconnu, proclamé aujourd'hui que les camps, au contraire de ce qu'affirment Rousset et bien d'autres, parmi lesquels le professeur Richet[1], étaient bien des « concentrations de détenus politiques » et que la couleur dominante était « rouge », rouge, couleur affectée aux politiques, et non pas « verte », couleur des droit commun. Les droit commun se sont tout simplement volatilisés.

Or, David Rousset est formel. « Les politiques (et faut-il encore entendre ce mot dans sa plus grande extension) ne sont qu'une poignée dans la horde des autres. La couleur dominante est verte. Le peuple des camps est droit commun... Le ton, la mode des camps, leur climat, tout est déterminé par le droit commun. Les politiques sont la plèbe taillable et corvéable à merci[2]. »

A l'exception des déportés, qui sait, qui veut savoir aujourd'hui que le « peuple des camps », étant « droit commun », imposait ses contre-valeurs, ses violences, ses rapines, qu'il fournissait, *en général*[3], toute l'administration, plaçant ses hommes au bureau de l'état civil *(Schreibstube)* comme au bureau chargé de la répartition du travail et de l'envoi en Kommandos *(Arbeitsstatistik),* occupant, des Kapos de la cuisine aux Kapos de l'infirmerie, en passant par les chefs de Block et de chambre, les contremaîtres, les policiers, les bourreaux chargés des pendaisons, occupant ces postes qui permettaient à leurs titulaires de toucher des suppléments de soupe et de trancher, par leur vigueur, sur la misère physiologique de la plèbe ?

Pour décrire l'accueil à Birkenau, André Rogerie aura ces phrases d'une cruelle authenticité : « Le chef [de Block] est un Allemand

---

1. Selon le professeur Richet — qui écrit en 1945 —, il n'y aurait eu dans les camps que 25 % de résistants parmi les déportés, mais peut-être ne compte-t-il pas les femmes et les hommes raflés dans les villages et villes lors d'opérations policières.
2. David Rousset, *L'Univers concentrationnaire.*
3. Il existe évidemment des camps (Buchenwald, Dachau) où les politiques ont finalement pris le dessus sur les droit commun.

jeune, grand et fort. Il porte le triangle vert. C'est donc un voleur ou un assassin. De toute façon, s'il n'était pas un assassin avant son incarcération, il l'est devenu depuis. Sa main, continuellement armée d'une énorme canne, tue son homme par jour, et bien joli encore si elle n'en tue pas plusieurs. Car il faut bien comprendre que, un homme mort, c'est une ration de pain qui lui revient[1]. »

Qui sait, à l'exception des déportés survivants, que des droit commun allemands — et certains polonais — revêtiront l'uniforme et seront armés pour aider les SS à contrôler et, parfois, à tuer les déportés lancés sur les routes d'avril ?

A ma connaissance, la guerre finie, nul droit commun n'a pris la plume pour raconter les mœurs et méthodes de la masse dirigeante. Ce que nous savons des droit commun nous a été transmis par l'intermédiaire de narrateurs : médecins, fonctionnaires, universitaires, prêtres, mal préparés à pénétrer un univers secret.

Par ailleurs, ni les réponses faites par le ministère des Anciens Combattants aux questions posées par des parlementaires soucieux de connaître le chiffre des déportés et les raisons de leur déportation, ni les chiffres des livres et des encyclopédies, ni les statistiques du Comité d'histoire de la Deuxième Guerre mondiale ne permettent d'avoir une idée du nombre des déportés français de droit commun auxquels les Allemands avaient d'ailleurs imposé le triangle rouge des politiques.

Dans le tome I de *La France de la Quatrième République*, Jean-Pierre Rioux écrit : « 200 000 déportés environ ont quitté la France : 75 000 " déportés raciaux ", juifs en quasi-totalité, 63 000 politiques " non raciaux ", parmi lesquels 41 000 au titre de la Résistance, " *plus de 50 000 pour délits de droit commun*[2] ". »

Cinquante mille... Ce qui signifie que les droit commun français auraient été *presque aussi nombreux* que les déportés résistants et politiques dont Rioux fixe le nombre à 63 000.

L'auteur de *La France de la Quatrième République* n'ayant pas indiqué ses sources, il est difficile de se prononcer sur la validité d'un chiffre qui paraîtra très élevé à ceux qui n'ont pas lu David Rousset comme à ceux qui se satisfont de statistiques officielles dont il faut savoir — s'agissant de celles qui ont pour origine le ministère des

---

1. *Vivre, c'est vaincre.*
2. Je souligne intentionnellement.

Anciens Combattants — qu'elles ne prennent pas en compte les droit commun.

En juin 1962, le ministère des Anciens Combattants et Victimes de la guerre, en réponse à une question du député Pierre Villon, précisait que le nombre des cartes délivrées au 31 décembre 1961 [1] s'élevait — *les déportés raciaux n'étant pas compris dans ce chiffre* — à 91 052 dont 35 661 pour les déportés résistants et 55 391 pour les déportés politiques [2].

Plusieurs mois plus tard — en février 1964 —, la Commission d'histoire de la déportation du Comité d'histoire de la Deuxième Guerre mondiale faisait le point d'une importante enquête ayant pour but de « *recenser tous les déportés* [3], quelle que soit la raison de leur incarcération ; [car] c'était en effet un des traits caractéristiques de la société concentrationnaire... que le mélange dans le même camp de repris de justice et de déportés pour des motifs " nobles " ».

Tandis que le ministère des Anciens Combattants avait pour tâche d'« accorder des cartes de déportés (politiques ou résistants) aux personnes ou aux " ayants droit ", qui lui en [faisaient] la demande et qui [étaient] jugés dignes de les recevoir », la Commission d'histoire de la déportation entendait, en effet, n'oublier personne. Mais elle ne s'était pas interdit de distinguer l'impur du pur. Aussi le tableau concernant les motifs d'arrestation que ses correspondants devaient

---

1. Les cartes peuvent être attribuées à titre posthume à des ayants droit.

2. La différence est d'importance. Les « déportés résistants » sont ceux qui ont été arrêtés et transférés dans des camps de concentration pour sabotages, attentats, émissions clandestines, aide aux aviateurs alliés, actions d'espionnage, de renseignements, de propagande, et pour détention d'armes.

Un bulletin spécial du Comité d'histoire de la Deuxième Guerre mondiale, en date de février 1964, précisait qu'étaient considérés comme détenteurs d'armes « le résistant avec sa mitraillette jusqu'au braconnier qui a caché son fusil de chasse ».

Parmi les « déportés politiques », on compte d'assez nombreux communistes internés par le gouvernement Daladier après le pacte germano-soviétique, c'est-à-dire avant la défaite de juin 1940, et toutes les personnes arrêtées dans des rafles.

Au fil des années, on allait assister au « glissement » d'une catégorie vers l'autre, le nombre des déportés résistants augmentant dans la proportion où diminuait le nombre des déportés politiques. C'est qu'avoir vécu les mêmes drames, avoir traversé les mêmes épreuves ne donne pas les mêmes droits moraux et, s'agissant des retraites, financiers.

3. Souligné dans le Bulletin spécial du Comité d'histoire de la Deuxième Guerre mondiale, rendant compte des travaux de la Commission d'histoire de la déportation.

remplir comportait-il, à côté des rubriques *résistance — otages, rafles — raciaux — motifs politiques,* une rubrique *droit commun* et une rubrique *indéterminé.*

Il était précisé que la catégorie « droit commun » était « la plus difficile à identifier, " tel " règlement de comptes [étant] présenté comme une manifestation de la Résistance et tel vol crapuleux [comme] exécuté au profit des réfractaires ».

En février 1964, la statistique de la déportation était achevée pour une quarantaine de départements. De cette collecte, on était en droit d'attendre des informations utiles sur le nombre des déportés de droit commun. Or, le résultat allait se révéler décevant. Pour 38 départements, les enquêteurs de la Commission de la déportation recensaient, en effet, seulement 327 déportés de droit commun dont moins de 10 pour 22 départements. En Charente, il n'y aurait eu aucun déporté de droit commun, mais 60 en Charente-Maritime ; un seul dans les Ardennes, le Gers, l'Indre, le Lot-et-Garonne, la Savoie ; 2 dans le Nord, mais 17 dans le Vaucluse et 20 en Seine-Maritime. Il est vrai que la rubrique « *indéterminé* » se révélait plus fournie : 116 cas en Seine-Maritime, 40 dans le Vaucluse, 23 en Savoie... et 181 dans les Ardennes, au total un peu plus de 1 150 personnes pour les 38 départements étudiés. Peut-on toutefois affirmer que ceux et celles qui se retrouvaient classés dans la rubrique « indéterminé » aient été des « droit commun » camouflés ? Assurément pas.

Les difficultés de la recherche avaient été plus fortes que la bonne volonté des correspondants de la Commission d'histoire de la déportation. S'agissant cette fois de *tous* les déportés, les chiffres de la Commission s'écartaient, également *par sous-estimation,* « si nettement des chiffres si souvent avancés », des chiffres auxquels on était « habitué dans les amicales[1] », que les participants à la réunion du 4 février 1974, afin de ne pas « risquer une polémique sur la déportation utilisée dans un but de propagande politique », décidaient qu'aucune étude *d'ensemble* chiffrée ne serait publiée[2].

---

1. Compte rendu de la séance du 4 février 1974.
2. C'est en ce qui concerne les déportés raciaux que la sous-estimation des correspondants de la Commission de la déportation se révélera particulièrement forte.
En 1975, l'addition des statistiques départementales de la Commission atteignait en effet 63 085 déportés non raciaux et seulement 28 162 déportés raciaux.
Avant que Serge Klarsfeld ait estimé à 76 000 le nombre des déportés raciaux,

S'il n'est pas possible de donner, avec les références nécessaires, le chiffre des détenus français de droit commun, on ne peut nier leur présence ni sous-estimer leur influence.

Leur proportion dans les camps diminuera toutefois à partir de 1943, lorsque, de France, arriveront en nombre maquisards, militants communistes, militaires giraudistes ou gaullistes, fonctionnaires, enseignants, ingénieurs, prêtres résistants et les « innocents » raflés dans des villages après un attentat.

Leur rôle cependant a été secondaire et même négligeable comparé à celui des droit commun allemands, et les Français ne sont qu'une minorité parmi la foule des paysans ukrainiens et russses « dressés au fouet par les maîtres et ne sachant rien d'autre que la force et les ruses [1] », parmi la foule des Polonais qui haïssent les Allemands mais savent, lorsqu'il le faut, faire preuve de souplesse et de servilité, parmi la foule des Grecs organisée en bandes astucieuses et pillardes.

Le poids des droit commun dans les camps de concentration joint au poids de la propagande nazie qui présente tous les déportés non seulement comme des « terroristes », mais aussi comme des malfaiteurs, n'est sans doute pas étranger au regard généralement hostile de la population lorsque, sur les routes, défilent ou stationnent de longues colonnes de prisonniers loqueteux.

Il est vrai qu'en avril 1945 les Allemands sont rompus par la guerre qui s'achève. Villes en ruine, foyers détruits, familles dispersées ou anéanties, bruit du canon qui annonce l'arrivée des Russes et jette les uns dans un monstrueux exode ; bruit des escadres anglo-américaines qui fait courir les autres au plus profond des abris, quel intérêt pourraient-ils donc avoir pour ces misérables dont l'escorte SS dit assez éloquemment que ce sont des ennemis ?

Les approcher, leur parler, à plus forte raison oser un geste de pitié

---

les chiffres variaient entre 120 000 *(Dictionnaire de la Deuxième Guerre mondiale)* et 80 000 *(Le Monde juif,* 1966, n° 7).

Dans sa séance du 12 mars 1975, la Commission d'histoire de la déportation reconnaissait que sa statistique était « très inférieure à la réalité en ce qui concerne les déportés raciaux, cette sous-estimation étant liée au caractère local de [la] recherche ; très souvent, en effet, des familles entières, arrêtées en un lieu qui n'était pas celui de leur domicile habituel, ont disparu sans laisser de trace ».

1. David Rousset, *op. cit.*

constituerait une rupture avec l'ordre établi et qui, malgré tout, demeure.

Les rapports ne sauraient être encore que des rapports de maîtres à esclaves même si le canon qui approche laisse soupçonner qu'ils peuvent brutalement se trouver modifiés.

Et, parce que, de la population, ils n'attendent que sarcasmes — cette fille qui lance aux déportés épuisés arrivant en vue de Grossrosen : « Là-haut, c'est de première qualité » —, les déportés ne font que peu souvent allusion à de rares et décevantes rencontres d'exode.

Il arrive cependant que, pour la même petite ville, les témoignages divergent. Voici l'exemple de Tachau, qu'il ne faut pas confondre avec Dachau.

Paul Noirot, dont le convoi a quitté Buchenwald, arrive à Tachau après être passé par Leipzig, Zeitz, Chemnitz, Karlsbad[1]. Lorsque le train s'arrête et qu'accroupis les détenus se laissent glisser en tentant d'éviter le croc des chiens et le « gummi » des Kapos, voici cinq jours qu'ils roulent avec, dans le ventre, une soupe et mille deux cents grammes de pain.

Massée sur le bord de la route — une route qui traverse un village intact avec épicerie, boulangerie, café —, la population se montre tout à la fois hostile et curieuse.

Comment imaginer qu'elle puisse ne pas entendre le bruit des coups de feu qui, dès la sortie du village, font éclater le crâne des traînards ? Elle entend. Il faut alors imaginer le pire : ces jeunes filles escortant les SS chargés du « nettoyage », ces gamins jouant, selon Noirot, « à désigner du doigt ceux que la balle n'a pas achevés ».

Ces gamins cruels, Richard Ledoux, l'un des vingt mille déportés qui partirent de Buchenwald, le 8 avril, les a également rencontrés. De Tachau et de sa population, il gardera, lui aussi, un souvenir détestable. Il parlera notamment de ce garçon de quatorze ans qui sollicitera la permission d'achever, à l'aide d'un pistolet emprunté, un déporté effondré sur le bord de la route.

Tachau. Le même village. Jeanne Kahn, évacuée d'Auschwitz, y passe également. Évadée de sa colonne, elle a dormi deux nuits sur la terre glacée et s'est nourrie d'oseille sauvage. Épuisée, cette femme de trente-cinq ans, qui en paraît soixante, se hasarde donc à gagner le

---

1. Aujourd'hui Karlovy Vary, en Tchécoslovaquie.

petit village de Tachau. Dans l'église où elle s'est glissée, elle sera réconfortée par un prêtre qui, l'ayant fait entrer dans un confession-nal, lui portera du pain et lui glissera quelques marks. Plus tard, alors qu'elle dort blottie dans le foin d'une grange, un fermier, fourche pointée, viendra la réveiller.

— Qui est là ? Les mains sur la tête, pas un geste, sortez.

— Je suis une femme, dit Jeanne qui croit sa dernière heure venue. Ne tirez pas, je ne suis pas dangereuse.

Face à face : Jeanne qui émerge du foin, sa tête de vieillarde « rétrécie comme une pomme de l'hiver dernier, enveloppée d'un chiffon sale [1] », et le fermier, escorté de sa famille, des gens du village et même des jeunesses hitlériennes du cru, armes à la main. Malgré la présence des gamins (peut-être ceux qui tuaient ou ceux qui tueront), Jeanne est conduite jusqu'à la ferme et, dans un grand baquet d'eau chaude, lavée de toutes les souillures du camp. Plus tard, libérée, rentrée à Lyon, elle racontera à sa fille Annette que trois femmes s'étaient empressées, « comme si elle était devenue un bien très précieux », l'avaient habillée, installée à la table de la cuisine devant des tartines, des œufs, une pomme, un grand bol de lait.

Réconfortée, nourrie, habillée, chaussée de sabots à sa pointure, et ce n'est pas le moindre miracle, Jeanne sera conduite par ses sauveurs jusqu'au poste de police. Il est question de régulariser sa situation, nullement de la livrer.

Les fermiers, « soutenus par tout le village, écrit Annette Kahn [1], ont décidé de prendre en main sa destinée... Ils n'accepteront pas n'importe quoi : ils ne l'ont pas sauvée *in extremis* pour rien ». Le lieutenant de la Wehrmacht, qui dirige l'antenne de police du secteur, la rend à ceux qui l'ont sauvée. Jeanne dormira dans le lit de la grand-mère, un coffre de bois à l'ancienne garni de couettes de duvet. Le lendemain, Régis Dégremont, prisonnier de guerre qui, avec sept camarades, vit dans un baraquement proche de Tachau, viendra la chercher. Ils ont su son histoire. Ils veulent Jeanne en leur compagnie. C'est dans la carriole d'un forestier de Tachau que Jeanne et Dégremont gagneront donc la baraque où les prisonniers ont installé, pour leur compatriote, une chambrette dans laquelle table de toilette, rideaux, fauteuil, vêtements féminins sur des patères, rien ne fait défaut.

_____

1. Annette Kahn, *Robert et Jeanne.*

Jeanne découvrira bientôt que tous ses nouveaux amis ont des maîtresses dans les fermes voisines. « D'où les rideaux, le fauteuil et les vêtements », explique Dégremont.

Lise Lesèvre, qui travaillait dans une usine de Leipzig dépendant de Ravensbrück, vivra une aventure assez proche. Ayant réussi une première évasion, reprise et intégrée à une colonne en route pour aller construire des fortifications sur l'Elbe, elle s'évadera à nouveau près du village de Stenchutz où, sous la direction d'un « Meister » allemand, sont employés de nombreux Polonais. L'Allemand fera preuve d'abord de multiples attentions. Jouant la carte du proche avenir, s'efforçant de mériter un certificat de bonne conduite, il acceptera qu'une famille polonaise, les Kulasunski, héberge et nourrisse Lise Lesèvre et ses compagnes. Nourriture abondante et délicieuse qui pourrait se révéler mortelle. « C'est un ragoût d'oie qui nous réveille après notre première nuit dans la grange, écrit Lise Lesèvre. Premier " repas " depuis quatorze mois. L'oie était grasse. Ce festin trop vite englouti eut bien du mal à passer. »

Lorsque le Meister prétendra cependant livrer les Françaises aux SS qui font la chasse aux fuyards, la famille Kulasunski s'interposera avec succès et le fera céder.

Il ne faut pas généraliser. Mais il y eut, hélas ! assez de cruautés pour que l'on relève des actes de charité d'autant plus remarquables et méritoires qu'ils étaient susceptibles d'entraîner, pour leurs auteurs, des peines redoutables.

Si, à Bitterfeld, les SS renversent à coups de bottes les seaux d'eau que la population a placés devant les maisons [1], ils laissent, à Pleystein, une vieille femme et une jeune fille lancer du pain aux affamés qui passent.

La géographie commande d'ailleurs les réactions de la population.

En Tchécoslovaquie — territoire occupé —, la solidarité se manifesta immédiatement.

Robert Darsonville jette ces quelques mots sur du papier d'emballage :

---

1. Serge Saudmont, qui rapporte ce fait, précise : « C'était la première fois que la population manifestait un signe de pitié pour les déportés. »

« 16 avril. Tchécoslovaquie... Accueil stupéfiant de la population du village — il s'agit de Klentch-Oberff. Ravitaillement par elle. Bagarres avec les SS. Attitude de nos sentinelles qui laissent faire... Le soir, les femmes nous servent de la soupe chaude...

17 avril. Toujours à Klentch-Oberff. La population jette du pain dans les wagons. Toujours des morts en quantité... Nous restons un petit mille en tout... Des jeunes filles nous acclament. Quelle leçon politique et morale !... Arrivons dans l'après-midi à Janowitz. Toujours le même accueil de la population. »

Mais la soupe chaude et le pain d'un jour ne peuvent satisfaire la faim des déportés. Dans le wagon-tombereau, qui suit le wagon chargé des mourants et des morts à l'odeur effroyable, Darsonville note encore : « Rien à manger. Je ne sais plus si j'ai faim... Parfois, le SS de notre wagon distribue " par pitié " une balle à un malheureux qui crie trop... J'ai l'impression que tout ce qui reste de ce convoi est touché par la dysenterie[1]. »

Serge Jounier et ses trois camarades, qui se sont évadés le 11 avril du train qui conduisait les déportés du Kommando de Malkenrode[2] en direction de Magdebourg, seront découverts à Weteritz par une jeune Allemande. « Tout étonnée de voir ces quatre rayés », elle alertera son père. L'homme — il s'appelle Karl Stegert — cachera les déportés dans la grange surplombant son étable. N'hésitant pas à braver un terrible danger, puisque des soldats occupent sa ferme, il leur portera pain et lait, leur procurera des vêtements civils et leur permettra d'échapper au massacre de Gardelegen[3], petite ville vers laquelle se dirigeait la colonne qu'ils viennent de fuir.

Au cimetière de Gardelegen se dressent aujourd'hui 1 016 croix

---

1. Ces survivants, ces moribonds, les Allemands les feront travailler, à partir du 22 avril, à la réfection de la gare de triage d'Auberbach, totalement ravagée par les bombardements, avant de les employer à boucher des trous de bombes dans une petite gare proche de Salzbourg.

2. Ce commando dépendait de Dora.

3. En 1973, Georges Jouhier, revenu en pèlerinage à Gardelegen, retrouvera Karl Stegert, son sauveur.

blanches. Sur presque toutes, un seul mot : « Inconnu ». Il tient de passeport pour l'au-delà.

A Gardelegen s'est achevée l'existence de 1 016 déportés. Leur train ayant été mitraillé, la locomotive inutilisable, ils arrivaient à pied de la gare de Mietze. Après deux nuits passées dans l'école de cavalerie de Gardelegen, ils seront rassemblés, le vendredi 13 avril, par des SS et des droit commun allemands et polonais, ici comme ailleurs, équipés et armés au dernier moment. De ce qui suivit, seuls huit hommes — cinq Russes, un Polonais, deux Français, Georges Crétin et Guy Chamaillard — pourront dire l'horreur[1].

Les détenus, qui ont quitté la caserne pour une destination inconnue, sont d'abord heureux d'apercevoir la très vaste grange vers laquelle les SS les dirigent. Ils ont froid. La nuit tombe. Ils espèrent nourriture et repos. Les malades viennent les rejoindre dans deux chariots tirés par de forts chevaux. Tous sont poussés dans la grange remplie de paille.

Cette paille était-elle imbibée d'essence, comme le dira plus tard Guy Chamaillard ? Trois SS porteurs de torches — témoignage de Chamaillard — ou un seul — témoignage de Georges Crétin — se présenteront-ils à l'unique porte de la grange qui n'ait pas été bloquée par des pierres ? Qu'il ait été allumé par trois hommes ou par un seul, le feu prend très vite. Repoussant la paille enflammée, les prisonniers luttent dans la fumée. Ceux qui s'efforcent d'enfoncer les portes sont fauchés par le tir d'un fusil-mitrailleur et des mitraillettes. C'est en se dissimulant derrière une file de morts que Chamaillard et Crétin seront épargnés[2]. Ils assistent à la tragédie, entendent les cris de blessés qui ne peuvent ni ramper ni bouger, que le feu ronge et que la fumée asphyxie.

Chamaillard s'est dépouillé de tous ses vêtements. Pour expliquer son geste, il dira, plus tard, qu'il avait trop chaud, que ses guenilles lui servaient à éteindre les flammes rampantes et que, déshabillé, il sentait mieux l'approche du feu qui aurait pu insidieusement gagner sa veste ou son pantalon.

Inondé du sang de ses camarades tués près de lui, les yeux brûlés, la gorge sèche, la faim au ventre, Chamaillard se couche entre deux

---

1. Selon un rapport américain, *The Dora Nordhausen War Crimes Trial,* 14 à 20 prisonniers auraient survécu.
2. Georges Crétin sera toutefois blessé à la cuisse gauche.

cadavres. A-t-il dormi ? Dans le récit qu'il fera plus tard du drame, il n'en dira rien. Mais Georges Crétin, lui, s'est assoupi, et c'est un bruit de pelles et de pioches qui, au petit matin, l'éveille. Dehors, les soldats allemands du *Volksturm* et des civils réquisitionnés creusent plusieurs fosses pour ensevelir des cadavres qu'ils tirent de la grange à l'aide de crochets, indifféremment plantés dans les morts et dans les blessés. Harponnés à l'extérieur, les blessés sont achevés. « J'entendais les malheureux qui criaient, le rire des SS, une détonation, encore le rire des SS et c'est tout », écrira Chamaillard, qui s'attend à partager le sort de ses camarades.

Le silence se fait. Chamaillard, qui se déplace en rampant dans la grange, découvre et mange quelques pommes de terre à moitié cuites par le feu. Il attend. Et, comme il a froid, il se rapproche de cadavres qui brûlent encore. Aussi stupéfiant qu'il paraisse à qui n'a pas vécu d'heures dramatiques, son témoignage est formel.

> « Dans un coin, des cadavres brûlent toujours ; j'y vais pour me réchauffer mais, à côté du feu, je vois une couverture et je suis étonné qu'elle ne soit pas brûlée ; je la tire et j'aperçois deux Russes vivants. Ils avaient échappé aux balles en faisant un trou le long du mur. Nous nous sommes assis près du feu et nous avons parlé dans un mélange d'allemand et de russe [1]. »

Encore quelques heures et Chamaillard sortira de la grange en compagnie des deux Russes. C'est lui qui découvrira Georges Crétin et le fera transporter jusqu'à un poste de la 102ᵉ division d'infanterie américaine qui a occupé Gardelegen le 14 avril à 19 heures...

574 corps seront exhumés des tranchées creusées par les Allemands, 442 seront découverts dans la grange.

Il faut citer, dans leur émouvante et pudique concision, les lignes par lesquelles Crétin et Chamaillard achèvent le récit de leur retour de l'enfer [2].

Georges Crétin : « Au bout d'un mois et demi (à l'hôpital), après récupération de mon poids, je fus rapatrié par la Belgique, pour arriver chez moi le 14 juin 1945. »

---

1. Sur les 1 016 morts (Russes, Polonais, Belges, Hollandais, Hongrois, Tchèques, Grecs), 305 seulement pourront être identifiés. L'enterrement des victimes aura lieu le 25 avril 1945.
2. Témoignages publiés en 1973 dans *Le Serment,* nᵒ 94.

Guy Chamaillard : « Avec mes deux camarades russes, nous sommes descendus à pied à la caserne et les blessés furent transportés dans un chariot par les prisonniers russes. Tous les huit, nous fûmes dirigés sur l'hôpital où un mois et demi de bon régime a, pour ma part, remis ma santé d'aplomb. »

Les déportés de Gardelegen périrent dans le feu et sous les balles quelques heures seulement avant l'arrivée de la 102ᵉ division d'infanterie américaine.

Les déportés transportés près de Lübeck vont mourir noyés quelques minutes seulement avant l'arrivée des troupes britanniques. Et ce sont les Anglais qui, bien involontairement, seront les artisans de leur perte.

Dans la baie de Lübeck, les Allemands ont rassemblé navires de guerre et vaisseaux marchands. Entre le 19 avril et le 3 mai, quatre de ces navires serviront de prison flottante à environ 20 000 déportés évacués de Neuengamme.

François Hochenauer, Louis Maury, André Migdal, Michel Hollard sont du nombre. Ils s'ignoraient. Quatre Français parmi des centaines d'autres Français et des milliers de Russes, d'Allemands, de Polonais. Leur témoignage concorde cependant et permet de reconstituer la tragédie [1].

François Hochenauer, qui travaillait près de Brême, a tout d'abord été évacué en compagnie des 800 Français de son Kommando en direction de Neuengamme. Après quatre jours d'une marche épuisante, où les déportés n'ont eu souvent à manger que l'herbe arrachée aux fossés, les voici le 14 avril à Neuengamme. C'est pour en repartir le 17, les avant-gardes britanniques se trouvant à quinze kilomètres du camp. Des wagons à bestiaux les transportent jusqu'au port de Lübeck.

---

1. Celui de François Hochenauer, étudiant à la faculté des lettres de Strasbourg, arrêté le 20 mai 1944 à Clermont-Ferrand, a été intégralement publié dans *De l'Université aux camps de concentration*. On en trouve un extrait dans *Tragédie de la déportation*.
   Celui de Louis Maury, professeur d'histoire à Évreux, arrêté le 19 mai 1944, a paru dans *Quand la Haine élève ses Temples*.

A coups de crosse et de botte, les détenus sont jetés à fond de cale de plusieurs navires. Perdant pied, entraînant dans leur chute les camarades qui les précédaient, ils s'écrasent au fond « comme du charbon » — l'expression est de Louis Maury. Il leur faut alors lutter pour conquérir et pour conserver une place.

> « Accroupis sur le plancher, mi-assis, mi-couchés, nous passions les jours et les nuits sans sommeil, dira Hochenauer.
>
> Le bonheur suprême eût été de se coucher, au moins quelques minutes, de tout son long. Il semblait que ces quelques minutes auraient suffi pour reposer nos membres. Mais l'un de nous essayait-il de s'allonger à bout de forces et de souffle ? Aussitôt, une demi-douzaine de bras et de jambes venaient s'appuyer sur sa tête, sur son ventre, sur sa poitrine, si bien qu'il lui fallait se redresser en toute hâte pour ne pas être étouffé. »

Michel Hollard, venu lui aussi dans un convoi de Neuengamme, dira que l'emplacement que lui avait donné le hasard lui interdisait de s'asseoir et qu'il dut rester plusieurs jours « appuyé sur une échelle, les bras passés entre deux barreaux[1] ».

L'air fait défaut, les ouvertures des cales demeurent fermées la plus grande partie de la journée par des madriers. La soif, une soif comme ils n'en ont jamais connu, tourmente les déportés qui survivent, à demi nus, appuyés sur un coude, la poitrine haletante. La soupe que les Allemands font descendre dans des bouteillons suspendus à des cordes ne profite qu'aux plus habiles et aux plus forts. Des scènes affreuses se produisent alors. A l'aide d'une boîte de conserve, un Belge tue un Hollandais qui s'obstinait à s'appuyer sur sa tête[2]. Des hommes

---

1. Michel Hollard a été arrêté le 6 février 1944. Il avait transmis aux Anglais des renseignements sur les V1 d'une telle importance que son biographe, Martinelli, l'appellera « l'homme qui a sauvé Londres ».
C'est en effet grâce aux informations et aux plans transmis par Hollard que, prenant conscience du péril représenté par cette arme nouvelle, les Britanniques entamèrent, dès le 25 décembre 1943, une campagne de bombardement des bases de lancement situés sur le sol français.
J'ai évoqué Hollard dans *Un printemps de mort et d'espoir*, p. 346.
2. Rapporté par André Migdal, arrêté comme communiste le 26 janvier 1941. Ses deux frères et ses parents périront en déportation. Le père et le grand-père de sa femme, Édouard et Jean Rodde, seront fusillés au Mont-Valérien le 11 août 1942. Déporté comme communiste, et non comme juif, Migdal, envoyé à

boivent leur urine. « Comme il n'y a pas de tinette, écrit Louis Maury, il faut uriner sur la culotte du voisin et effectuer l'autre opération sur ses propres talons... cinq cents hommes par cale... En plusieurs jours le niveau d'excréments monte vite[1]... » C'est avec des mains immondes que les prisonniers grattent leur poitrine et leur sexe dévorés de poux. C'est avec des mains immondes qu'ils arrachent un morceau à la boule de pain jetée par les Posten. Pas d'eau avant le cinquième jour, à l'exception de ces gouttelettes venues du ciel et qui ont filtré à travers les madriers mal assemblés qui ferment les cales.

Avec leurs ongles ou de rudimentaires couteaux, des hommes s'efforcent alors puérilement de creuser des trous dans le plancher avec l'ambition d'atteindre l'eau qui pourrait stagner dans les fonds. Sur l'un des navires, un Russe réussira à démonter la bordure du water-ballast et à trouver de l'eau croupie, mais non salée, qui sera avalée par ses camarades comme le plus merveilleux nectar.

Les cordes servent à descendre la soupe. Elles servent également à remonter les morts de plus en plus nombreux, car la dysenterie fait des ravages. A la vue de ces morts que l'on extrait parfois d'un bain d'excréments avant de les balancer par-dessus le bastingage, François Hochenauer avouera avoir, pour la première fois depuis son arrestation, songé au suicide.

Grimper à l'une de ces échelles gluantes de la merde déposée par les galoches des déportés, bousculer tous les obstacles, arriver jusqu'au pont, humer à pleins poumons l'air pur du large, se jeter dans la mer « et puis mourir à la face de Dieu, en homme libre, et non pas mourir de soif et d'asphyxie au fond de cette lugubre fosse flottante où partout régnait déjà l'odeur de la pourriture ; tel était le rêve fou qui m'obsédait », écrira Hochenauer.

Le 27 avril[2], les survivants sont extraits des cales et transférés sur un navire qui, après une nuit en mer, les conduira dans l'avant-port de Neustadt où se trouve ancré le *Cap-Arcona,* grand transatlantique de la ligne Hambourg-Amérique du Sud sur lequel ils se retrouveront bientôt six mille environ, non pas cette fois dans les cales, mais quinze

---

Neuengamme, puis en Kommando à Brême, a fait partie de la colonne dirigée sur Lübeck en avril 1945. Migdal a rassemblé quelques-uns de ses souvenirs en un émouvant volume de poésie, *Souvenirs d'un autre monde* (Seghers).
1. *Quand la Haine élève ses Temples.*
2. Hochenauer écrit ne pas être certain de la date.

à vingt par cabine. Russes et Français en seront bientôt chassés pour céder la place à des droit commun allemands et abandonnés sur le pont à la pluie et au froid.

Le jour suivant, la plupart des Français abandonneront sur ordre des Allemands, qui craignent peut-être un soulèvement, le *Cap-Arcona* pour l'*Athen*.

Leur sort ne s'en trouve nullement amélioré. Étendus sur d'épaisses plaques de tôle, c'est avec peine qu'ils se lèvent à l'instant de la distribution d'une soupe « faite avec des rutabagas en conserve et un peu de viande à moitié pourrie[1] ».

Les jours passent dans l'espoir de la délivrance et dans l'attente de la mort. Tous ceux qui ont encore la force de penser se demandent avec angoisse s'ils tiendront jusqu'à l'arrivée des libérateurs dont ils entendent le canon et dont la présence constante dans le ciel est saluée par une D.C.A. agressive qui attire de foudroyantes répliques.

Le 2 mai, ils apprennent la mort de Hitler dont on répète, de déporté à déporté, qu'il a été tué dans les combats pour Berlin[2]. Accoutumés au flux et au reflux des bobards, ils n'en croient rien. Peut-être accordèrent-ils cependant crédit à l'information en entendant, quelques heures plus tard, un officier SS donner des ordres pour que « tous les hommes[3] soient bien traités ». Le lendemain, ceux qui voulaient obtenir un peu de poudre de charbon pour traiter leur dysenterie recevaient gifle ou coup de botte de ce Kapo à qui le SS avait commandé l'indulgence.

3 mai, avant midi. L'aviation anglaise, qui n'avait cessé de se manifester, bombarde plusieurs des navires qui se trouvent en rade de Neustadt et ont refusé, comme le demandait par radio le commandement allié, de rejoindre le port.

---

1. François Hochenauer.
2. Hitler s'est suicidé le 30 avril.
3. Que les détenus soient appelés des « hommes » par l'officier allemand provoque cette réflexion de Hochenauer : « Quels égards ! Ne voilà-t-il pas qu'ils nous appelaient des hommes (*Leute*). Mais nous nous trouvions tous dans un tel état d'exténuation et d'abrutissement, nous étions tellement habitués par ailleurs aux discours mensongers, à l'hypocrisie et à la duplicité allemandes que c'est à peine si nous prêtâmes l'oreille. »

Bombardement inutile puisque les avant-gardes anglaises sont à moins d'une heure de la ville. Mais ces bateaux armés ouvrent le feu sur les avions et, légitimement, il est possible d'imaginer qu'ils transportent des troupes alors que quatre d'entre eux sont bourrés de déportés.

Le *Thielbeck* coule en une demi-heure. Le *Cap-Arcona* brûle pendant quatre heures et, dans les cales, brûlent ou meurent noyés environ 7 000 déportés. Le chiffre exact des victimes ne sera jamais connu.

Le chiffre des rescapés ne sera pas davantage connu. Il est estimé initialement à 300. Parmi eux, quelques Français, dont Raymond Logez, de Labourse, dans le Pas-de-Calais, qui se dissimulera sous le pilotis du port, Raymond Brissy, de Liévin, qui sera recueilli par un petit bateau suédois.

Mais, sur ces 300 rescapés, plus d'une centaine seront mitraillés par les SS alors qu'à la nage — car marins et soldats allemands hissés dans les canots de sauvetage ont refusé de les embarquer — ils viennent d'atteindre le rivage.

De l'*Athen,* qui se trouvait dans le port de Neustadt, la plupart des détenus ont réussi à se sauver, mais, sur ces dernières heures, les souvenirs de François Hochenauer et de Louis Maury ne coïncident pas.

A fond de cale, François Hochenauer et ses camarades, « dans l'engourdissement profond » provoqué par leur détresse, n'ont pas entendu le bruit des explosions. C'est vers 12 h 30, en suivant des détenus dont il ignorait quelle force les poussait à gravir les échelles, que François Hochenauer découvrira, en arrivant sur le pont, et l'absence des gardiens et la présence des premiers soldats anglais.

« Quelques bruits » de la catastrophe du *Cap-Arcona* et du *Thielbeck* parvinrent dans l'après-midi au groupe d'anciens détenus de l'*Athen,* dont faisait partie Hochenauer. Tout à leur joie d'être libres, ils n'y prêtèrent cependant guère attention et c'est seulement dans la soirée qu'ils eurent conscience de l'ampleur du drame.

Louis Maury a été, lui, alerté par les tirs de la Flak et par une forte secousse qui a ébranlé l'avant du navire. Proche des prisonniers russes lorsque ceux-ci montent à l'assaut de l'échelle, soulèvent avec leurs épaules les énormes madriers qui ferment la cale et jaillissent sur le pont « comme projetés par une force inusitée », il les suit sur le pont.

Quelques minutes plus tard, se servant d'un cordage, Maury se laissera tomber dans l'eau glacée. Il ne saura jamais comment il a réussi à atteindre la jetée.

Sur les huit cents Français qui, en août 1944, étaient arrivés à Brême dans le convoi auquel appartenait François Hochenauer, une quinzaine seulement seront sauvés.

D'autres auront plus de chance. Une chance, si l'on en croit Michel Hollard, qui tient de l'intervention divine.

Alors qu'il se trouve bloqué à fond de cale, Michel Hollard, qu'habite une foi profonde, élève la voix pour rappeler aux malheureux qui l'entourent la promesse faite par le Christ à ses disciples : « Là où deux ou trois d'entre vous invoqueront mon nom, je serai au milieu d'eux et leur donnerai mon appui. » Puis il demande à chacun de prendre la main de son voisin et annonce qu'il va prier le Seigneur pour les femmes, les enfants des présents et pour l'âme des camarades morts. Voici la suite de son étonnant récit, qu'il devait me confirmer bien des années plus tard[1] :

« Dans notre groupe hétérogène, un soulagement inexpliqué est descendu. Sans doute, parce que le seul fait d'avoir exprimé l'angoisse qui nous obsédait constituait un soulagement. En fait, chacun de nous, au fond de cet antre sombre, est demeuré dans une sorte d'euphorie. Et c'est presque sans surprise qu'il a entendu crier, venant de tout en haut : " Les Français et ceux des groupes français, tout de suite sur le pont ! "

Après que cette injonction eut été comprise, plusieurs camarades sont venus à l'échelle. Certains d'entre eux avaient à peine la force de la gravir. J'ai dû renouveler l'appel qui venait de jaillir et pousser beaucoup de ces miséreux pour les faire monter avant

---

1. Michel Hollard est décédé en juillet 1993.

d'y aller moi-même. Nous nous trouvions là, une centaine d'appelés pour lesquels c'était le salut inattendu.

Un bateau suédois, dont le capitaine avait pris, avec le chef des gardiens, un arrangement inconnu, était à proximité, prêt à accueillir la partie de notre effectif se réclamant de la France. Grâce à cette faveur demeurée inexpliquée les élus en question eurent la vie sauve... »

De son évasion de l'*Athen*, André Migdal garde des souvenirs plus pathétiques et plus réalistes. Le 3 mai, la chance — sa chance — a voulu qu'il se trouve, « dans le carré des morts », proche d'une échelle. Alors que les déportés, pris de panique, tourbillonnaient à la recherche d'une issue, il a réussi à sortir sur le pont. Il se souvient avoir vu des Russes, indifférents au mitraillage des avions britanniques, se précipiter pour éventrer des sacs et se gaver de farine et d'oignons séchés. Lui s'est jeté à l'eau. S'accrochant à un câble du navire, il a pu gagner le quai alors qu'arrivait le premier blindé anglais. Après avoir erré au milieu d'une foule aux nationalités mêlées, il s'est retrouvé seul, la nuit venue. Les Anglais, qui avaient investi la ville, l'ont fait entrer dans une maison où campaient des Polonais. Il a dormi sur le tapis d'un salon au mur duquel pendait, déchiqueté, un portrait de Hitler.

Ce qui le surprendra le plus, peut-être, c'est qu'on lui demande à quelle heure il veut prendre son petit déjeuner !

Comme l'on passe vite d'un monde à l'autre !

Mais, dans l'hôpital où les Anglais le transporteront le lendemain, Migdal verra mourir 83 déportés Français. La liberté n'est nullement synonyme de vie sauve [1].

> *Survivre à l'hécatombe,*
> *Est-ce si consolant?*

se demandera plus tard Migdal dans l'un de ses poèmes.

---

1. Témoignage inédit de M. André Migdal.

3

LORSQUE LES PORTES FURENT OUVERTES...

Je suis parti comme on s'endort
Et ne suis jamais revenu
Et depuis lors
Ma vie
N'est qu'un reflet
Qui joue et rit
Comme celui d'un enfant qui chante
Au bord de la rivière.

Pierre MACAIRE,
déporté à Mauthausen,
mort d'épuisement après sa libération
le 15 mai 1945.

En dix-huit jours d'avril, du 11 au 29, Buchenwald, Bergen-Belsen, Flossenburg, Dachau, quatre des plus grands camps de concentration, sont libérés par les Anglais ou par les Américains.

Mais tout commence le 5 avril lorsque le journaliste américain Meyer Levin pénètre, en compagnie d'hommes de la 4e division blindée, à Ohrdruf, Kommando dépendant de Buchenwald où les déportés (7 337 à la fin de 1944) devaient construire pour Hitler un Q.G. souterrain. C'est avec difficulté que, parmi les morts au crâne troué, les Américains découvrent quelques survivants, un jeune fossoyeur russe notamment, qui, en se faufilant sous une baraque, a pu échapper au massacre organisé par le capitaine SS Olderburhuis [1].

---

1. Qui avait reçu de Himmler l'ordre d'éliminer les « droit commun » et les « politiques considérés comme particulièrement dangereux ». Les déportés res-

L'émotion est si grande, le choc si brutal, que le général Patton alerte le général Eisenhower qui, le 12, va parcourir, en compagnie de Patton et d'Omar Bradley[1], des allées où les morts — les photos en portent témoignage — sont couchés les uns sur les autres.

L'odeur est effroyable.

Tandis que Patton vomit et se retire, Eisenhower, silencieux, blême, poursuit sa marche. Devant ces cadavres, il prend trois décisions qui, toutes, ont le même but : *faire savoir*. Des civils allemands devront donc se rendre sur les lieux des crimes nazis et participer parfois à l'ensevelissement des morts ; le plus grand nombre possible de ces soldats américains, dont on affirme qu'ils ne savent pas pourquoi ils se battent, visitera les camps[2] ; Washington, alerté, devra envoyer des missions d'officiels et de journalistes qui pourront témoigner et crier la vérité à un monde ignorant encore.

Du quartier général de la IIIe armée, Eisenhower câble donc à Londres et à Washington : « Nous ne cessons de trouver des camps allemands où vivent des prisonniers dans des conditions effroyables. Mes propres observations me conduisent à affirmer avec certitude qu'aucun texte jusqu'aujourd'hui ne dépeint l'horreur dans sa brutalité. »

Officiels et journalistes arriveront bientôt en nombre.

Le 11 avril, veille de la visite d'Eisenhower à Ohrdruf, les Américains ont libéré à Nordhausen 700 déportés. Mais ils ont découvert 3 000 cadavres qu'ils obligeront les habitants de la ville proche à enterrer dans les fosses qu'ils ont auparavant creusées.

Le 11 avril, ils sont aussi à Buchenwald.

En libérateurs ou accueillis par des déportés qui se sont libérés eux-mêmes ?

---

tants — la majorité — furent transférés en avril vers Buchenwald. Selon Kogon (*L'État SS*), « des milliers d'hommes furent abattus le long du trajet ». Seuls 1 989 déportés arrivèrent en effet à Buchenwald.

1. Commandant le XXIe groupe d'armées sous les ordres directs d'Eisenhower.

2. Selon le général Bradley, Eisenhower dira : « On nous dit que le soldat américain ne sait pas pourquoi il se bat. Maintenant, au moins, il saura contre qui il se bat. »

La question mérite d'être posée puisque le débat entre anciens déportés n'est toujours pas clos, que les thèses s'affrontent avec rudesse et que Buchenwald, camp où les communistes sont sinon numériquement, du moins politiquement majoritaires, vaut d'être étudié dans la mesure où les communistes auront l'ambition, selon le mot d'Annette Wievorka, de créer un « modèle buchenwaldien [1] » qui donnerait à tous les déportés libérés le statut de résistant et la mission de « détecter en France, comme partout dans le monde, les rémanences et les résurgences du fascisme [1] ».

A Buchenwald, plus que dans tout autre camp, les communistes ont, en effet, scrupuleusement appliqué des méthodes de cloisonnement et de secret qui avaient fait leur preuve.

Déportés souvent en groupe lorsqu'ils étaient extraits des prisons où Daladier les avait enfermés après le pacte germano-soviétique, ils ont maintenu les liens existants ; retrouvé des camarades ; établi, plus ou moins difficilement, des rapports avec les responsables communistes des autres nationalités ; conquis des postes d'influence au sein de l'administration et jeté les bases d'un pouvoir tout à la fois souterrain et particulièrement efficace.

Sans qu'il soit systématiquement possible d'affirmer, comme le fera Eugen Kogon, qu'à Buchenwald un communiste était a priori « un homme tiré d'affaire », il est évident qu'il rejoint, dès son arrivée, une « famille » qui ne l'abandonnera pas si son passé est garant de sa fidélité, lui donnera des responsabilités clandestines proportionnelles à son dévouement et lui permettra d'obtenir l'un de ces postes administratifs qui, à défaut d'une garantie absolue, offrent une protection temporaire.

Sur les 37 025 déportés *non raciaux* qui revinrent en France — il n'y eut, il faut le rappeler, que 2 566 *raciaux* [2] rescapés —, combien durent leur survie à un « privilège » de hasard et combien à des amitiés vigilantes et à des interventions constantes, nul ne le saura jamais. Mais on peut écrire qu'à Buchenwald, dans la mesure où, détrônant les droit commun, les communistes avaient notamment pris le contrôle de l'*Arbeitsstatistik,* où étaient décidées les affectations aux différents transports, ils avaient option sur la vie et sur la mort.

Dans sa préface au livre de Pierre Durand, *Les Français à*

---

1. *Déportation et Génocide.*
2. Soit respectivement 59 % et 3 % des déportés.

Buchenwald et à Dora, le communiste Marcel Paul n'a fardé ni la réalité ni la vérité.

« Si les SS, écrit-il, étaient fondamentalement et absolument les responsables du système concentrationnaire, ce que l'on ne saurait oublier, la répartition des forces de travail était la conséquence de la loi de la jungle régnant dans le camp. C'était là, comme dans les autres circonstances, question de rapport de forces. Lorsque les SS décidaient qu'un convoi devait partir pour Dora, ils en fixaient l'effectif sans se soucier de la nationalité des déportés concernés (sauf exceptions). Alors s'engageait une lutte, évidemment invisible, mais terrible, entre les organisations nationales de résistance du camp. Les responsables de chaque collectif utilisaient tous les moyens, toutes les pressions pour faire rayer des listes de départ... tous ceux des leurs qu'ils pouvaient sauver.

L'effectif fixé par les SS ne pouvant varier, c'étaient, hélas ! les déportés dont l'organisation était la moins influente, la moins active, la moins audacieuse qui comblaient les vides créés du fait des retraits obtenus par les autres.

Il n'était évidemment pas question en la matière de règles d'équité. Chaque organisation nationale avait la volonté — et le devoir — de sauver les siens[1]. »

Un rapport clandestin de la Commission d'enquête du collectif des intérêts français, rapport signé le 31 mars 1945 par cinq détenus, dont trois étaient acquis aux thèses communistes[2], se révèle d'ailleurs du plus haut intérêt pour l'intelligence de la situation en avril 1945.

---

1. Marcel Conversy, dans *Quinze mois à Buchenwald,* sera encore plus net : « Les éléments communistes du camp, écrit-il, toujours très disciplinés et solidaires, comptaient des hommes à eux dans les principaux services et parvenaient souvent à sauver la mise de leurs camarades ou des sympathisants. Un numéro est bien vite changé sur une liste de départ. Un inconnu est sacrifié à la place de celui que l'on veut préserver. »
J'ai déjà évoqué l'action des communistes à l'intérieur des camps dans *Un printemps de mort et d'espoir.*
2. Simonin, président de la commission ; Jean Lloubes, délégué du parti communiste ; Jacquemard, représentant du Front national.

Ces pages décrivent la conquête d'une notable partie de la hiérarchie interne du camp par le Comité des intérêts français, et surtout par le parti communiste, dont, au fil des lignes, le rôle est précisé, loué, défini enfin comme le plus actif et le plus efficace.

C'est après l'arrivée, au printemps de 1944, de deux convois, l'un venant d'Auschwitz, l'autre de Compiègne, convois comprenant de nombreux communistes, c'est surtout après l'arrivée, le 14 mai, de Marcel Paul[1], immédiatement reconnu comme responsable des communistes français, et après la décision de porter le colonel Manhès — arrivé, lui, le 24 janvier 1944 — à la tête du Comité clandestin des intérêts français[2] que l'action s'intensifiera.

Elle aura pour objectif de lutter contre les détestables conditions de détention qui se traduisent, pour les Français, par la brutalité des chefs de Block et des Kapos, la désignation systématique pour de mauvais « transports » et de mauvais Kommandos, le vol des colis, le mépris affiché des importants et redoutables détenus politiques allemands pour une « race inférieure [qu'il était] juste [après la débâcle de 40] de tenir en esclavage[3] ».

Le rapport du 31 mars 1945 s'achève par l'évocation du rôle que Comité des intérêts français et parti communiste auront à jouer bientôt en France « pour l'œuvre de reconstruction à entreprendre dans le cadre de l'action définie par le Conseil national de la Résistance,

---

Ont également signé : Fleurey, président pour la zone Sud du mouvement Confrérie Notre-Dame, et Chalvron, consul de France, président du Noyautage des administrations publiques.

Ce texte, chiffré par Roger Arnould, a d'abord été enterré sous le Block 51, puis scellé dans une bouteille et enfoui en un lieu connu seulement de dix déportés « absolument sûrs ». Il sera publié par Pierre Durand, *op. cit.,* p. 266 et suiv., sous le titre « Un document exceptionnel ». Il l'est effectivement.

1. Le convoi de déportation dans lequel se trouvait Marcel Paul a quitté Compiègne le 27 avril 1944 pour Auschwitz où les déportés ne feront qu'un bref passage.

2. Héros de la Grande Guerre, homme de gauche, très proche des communistes, Frédéric Henri Manhès avait été appelé avant la guerre au cabinet de Pierre Cot, ministre de l'Air, par Jean Moulin. Avant de devenir le délégué du général de Gaulle pour la zone Nord, Manhès avait créé le réseau « *Frédéric* ». Après la libération des camps, il deviendra chef de cabinet de Marcel Paul, ministre de la Production industrielle. En octobre 1945, Manhès sera porté à la tête de la Fédération nationale des déportés et internés patriotes. Marcel Paul et Frédéric Manhès sont enterrés dans la même tombe au cimetière du Père-Lachaise.

3. Extrait du texte du rapport de la Commission clandestine du Comité des intérêts français.

véritable expression des désirs et des volontés du peuple français ».

L'image de Buchenwald revêtira avec le temps une valeur symbolique d'autant plus grande qu'il aura été acquis et admis que, *sans attendre l'arrivée des soldats américains,* le camp a été libéré de l'intérieur.

A Paris, libéré en août 1944 par les F.F.I., répondra ainsi Buchenwald libéré en avril 1945 par les déportés.

Dans un cas comme dans l'autre, les captifs auraient brisé leurs chaînes avant toute intervention extérieure, intervention qui n'est pas niée, mais dont on laisse entendre qu'elle a recueilli les lauriers de batailles menées par d'autres.

Or, les conditions de la libération de Buchenwald sont aujourd'hui encore occasion de débat — et de débat violent — entre anciens déportés ayant traversé les mêmes épreuves, connu les mêmes souffrances et que l'on pourrait croire unis par les mêmes souvenirs.

Les anciens de Buchenwald divergent sur un problème horaire aux durables répercussions politiques.

Les uns, adhérant le plus souvent à la Fédération nationale des internés et résistants patriotes, affirment[1] que, le 11 avril 1945, ce sont des déportés en armes qui ont chassé les SS de Buchenwald où se trouvaient encore 21 000 détenus dont 2 900 Français.

Les autres, membres de la Fédération nationale des déportés et internés de la Résistance, portent[2] au crédit des Américains la libération du camp sans nier toutefois qu'il y eut bien — et depuis de longs mois — préparation d'un soulèvement armé[3].

---

1. Dans la publication *Le Serment.*
2. Dans *Le Déporté,* mais aussi dans plusieurs ouvrages.
3. Pierre Durand *(op. cit.)* expose les plans des communistes allemands internés. Ils visaient non seulement à la prise du camp, mais aussi à « la création d'une armée de partisans appuyés sur les masses ouvrières travaillant dans les grandes villes de Thuringe », partisans qui devaient se saisir de l'usine d'armes Gustloff où une partie des déportés travaillaient au réglage des fusils.
L'usine ayant été détruite par le bombardement du 24 août 1944, ce plan ambitieux fut partiellement abandonné. Les responsables de la résistance, parmi lesquels plusieurs Français, mirent au point l'intervention des trois groupes (slave-germain-latin) qui devaient s'emparer des principaux objectifs du camp.

Il faut exposer les thèses et leurs contradictions.

Sous la menace des Américains qui viennent, depuis Gotha, de reprendre leur marche en avant, les SS ont, depuis le 5 avril, partiellement abandonné Buchenwald. Ceux qui sont partis ont tenté d'entraîner avec eux le plus grand nombre possible de déportés dans une terrible marche à la mort évoquée dans le chapitre précédent[1].

Mais leur volonté s'est heurtée à la résistance passive (et active) de la direction clandestine du camp qui, malgré les menaces planant sur elle[2], réussit à éviter le départ en convoi d'un certain nombre de déportés[3].

S'engage alors une tragique partie de cache-cache entre les SS et les déportés qui ont reçu l'ordre de la direction clandestine de changer constamment de Block.

Certains seront sauvés au dernier instant. Marcel Bloch (Dassault) sera du nombre. Il se trouve déjà au milieu d'une colonne d'évacuation lorsqu'un homme, porteur d'un brassard « qui indiquait sa qualité de policier du camp[4] », vint lui dire : « Suivez-moi, vous êtes sous la

---

Dans *Le Serment* (n° 87, 2ᵉ trimestre 1972), Karl Madiot, notaire à Saint-Brieuc, lieutenant au 35ᵉ bataillon de chars de combat lors de la bataille de France, commandant adjoint de la compagnie de choc de la brigade française d'action libératrice de Buchenwald, évoque le rôle qui, dès septembre 1944, lui avait été assigné. A la tête d'une compagnie de choc de 120 hommes, il devait s'emparer de trois miradors « pour permettre au collectif français de s'évader du camp, puis de tenter de regagner les forces alliées sous la protection de nos unités ».

1. *Cf.* p. 55 et suiv.

2. Le 5 avril, les SS convoquèrent pour interrogatoire 46 détenus parmi lesquels se trouvaient plusieurs responsables du Comité international, ainsi que de la direction clandestine allemande et autrichienne. « Les détenus menacés furent immédiatement cachés en lieu sûr » (Pierre Durand).

3. Ce qui ne constituait absolument pas un gage de sécurité, le général Waldeck-Pyrmont, chef supérieur de la police de la IXᵉ région militaire, s'étant rendu le 8 avril à Buchenwald pour superviser une opération qui devait conduire à la destruction totale du camp (opération qui ne put avoir lieu faute d'avions sur la base de Nora et les SS de la division Das Reich ayant été menacés par l'avance américaine).

4. Marcel Dassault, *Le Talisman*. La protection dont bénéficia Marcel Dassault, protection qu'il saura reconnaître après la Libération, n'était peut-être pas étrangère à la position qu'il avait prise au moment de la guerre d'Espagne en favorisant l'envoi d'avions aux républicains espagnols.

protection du parti communiste. » Le chef de Block ne s'étant pas opposé à son départ, le policier, « évidemment un homme du groupe créé par Manhès et Marcel Paul pour protéger les déportés français », écrira plus tard Marcel Bloch-Dassault[1], le conduira jusqu'à un Block où, le tri pour l'évacuation ayant déjà eu lieu, il lui sera possible de demeurer caché jusqu'à la libération.

Le 11 avril, au matin, si 23 000 déportés ont quitté Buchenwald depuis le 6[2], 21 000 se trouvent toujours dans le camp et nombre d'entre eux se sont préparés à une action militaire. Plusieurs témoignages en apportent la preuve.

Jacques Moallic[3], s'il porte, on le verra, sur les conditions de la libération un jugement nuancé, est formel s'agissant des préparatifs du soulèvement.

> « Beaucoup, écrit-il, ont improvisé, bricolé des armes ; avec d'autres, j'ai aiguisé sur une pierre, longuement, patiemment, un morceau de métal pour en faire un couteau tranchant. Dérisoire et réconfortant. »

Joppey de Mirebel dit avoir eu droit, « à titre de commandant de compagnie », à une lame de baïonnette et il s'est confectionné, avec un

---

1. Marcel Dassault, *Le Talisman.* La protection dont bénéficia Marcel Dassault, protection qu'il saura reconnaître après la Libération, n'était peut-être pas étrangère à la position qu'il avait prise au moment de la guerre d'Espagne en favorisant l'envoi d'avions aux républicains espagnols.

2. Dont, le mardi 10 avril, selon le professeur Léon Mazeaud *(Visages dans la tourmente),* tous les invalides (soit près de 10 000) enfermés dans le petit camp. Mazeaud, lui-même déporté, est très sévère pour la direction interne du camp. « Dans l'espoir de sauver leurs propres existences, écrit-il — très précieuses en vérité ! —, les chefs du grand camp envoient à une mort certaine les malheureux du petit camp, incapables de se traîner, sûrs d'être abattus à la première marche. » Sur les évacuations, voici les chiffres : le 6 avril, 3 000 juifs ; le 7, 6 000 ; le 9, 4 810 ; dans la matinée du 10, 9 280.

3. Jacques Moallic (matricule 38348), arrêté pour résistance, est arrivé à Buchenwald le 16 décembre 1943. Après la libération, il deviendra journaliste à l'A.F.P. Son témoignage, *40 ans après,* a été publié.

morceau de tissu bleu, une « tarte de chasseur alpin » ornée d'un cor de chasse découpé dans une boîte de conserve[1].

Maurice Gault aura à sa disposition une grenade à manche et une hache.

Mais il existe des armes plus modernes qui, depuis des mois, avaient été introduites, souvent par pièces détachées, et dissimulées depuis plusieurs mois dans le camp.

Le 11 avril, vers 13 heures, l'ordre de mobilisation ayant été donné une heure plus tôt, les Français de la compagnie de choc commandés par Simon Lagunas recevront 28 fusils, 1 fusil-mitrailleur, 2 caisses de grenades cachées sous du charbon. Ceux de la section d'assaut de Raoul Floris et Charles Roth toucheront, eux, une mitrailleuse lourde, une quinzaine de fusils, une trentaine de grenades à manche et des munitions extraites d'une autre cache. Et ce sont les Français[2] qui, après avoir manœuvré en direction de la porte principale, remplaceront sur la tour le drapeau nazi par un sac de couchage qui fera office de drapeau blanc[3].

Le récit des tenants de la thèse de la libération de Buchenwald par les seuls déportés est conforté par cette phrase du catholique autrichien Eugen Kogon dans son remarquable témoignage *L'État SS* : « C'est ainsi que les premiers chars américains venant du nord-ouest trouvèrent Buchenwald libéré. »

Y a-t-il eu combat ?
Tous les témoignages dont il m'a été donné de prendre connaissance

---

1. Joppey de Mirebel appartenait au Kommando Mouna qui fut replié en janvier 1945 sur Buchenwald ; Mirebel logea successivement au bloc 8 et au bloc 37. Son nom ne se trouve pas cité, par Yves Durand, parmi les membres homologués de la brigade française d'action libératrice. J'ajoute que Mirebel — seul dans son cas — place le début de l'assaut par les déportés dans la nuit du 9 au 10 avril. « Le 10 au matin, écrit-il dans un texte dactylographié, le camp était pratiquement libre, à part 2 SS que nous avions abattus " au couteau ", l'ennemi n'avait pu résister. »

2. La brigade française d'action libératrice comprenait environ 1 100 membres dont, selon Roger Arnould (*Le Serment,* juillet-août 1976), environ 200 auraient été engagés. Au total, ce sont 900 déportés qui auraient pris part à l'action militaire.

3. Le drapeau nazi a été arraché par R. Philippon.

sont formels : aucun engagement n'a eu lieu, à l'intérieur du camp, entre déportés et SS dont, malgré leur petit nombre et le fait que beaucoup soient hongrois, l'attitude demeure étrange, à moins que l'on n'accepte la thèse selon laquelle Pister, le commandant du camp, ait, pour ménager son avenir, comme le lui avaient suggéré par lettre certains déportés [1], accepté de tergiverser et de retirer la garnison dans la matinée du 11 avril après le signal « Alerte à l'ennemi, alerte aux blindés ».

Ce qu'écrit le déporté et responsable communiste Roger Arnould est d'ailleurs sans ambiguïté.

> « Retenez ceci : rien de spectaculaire, aucun engagement, aucun tir ne s'est produit à l'intérieur du camp proprement dit. C'est ensuite, au-delà du camp, de plus en plus loin, que les groupes, les sections, les compagnies, déployés en tirailleurs, engagèrent des actions, usèrent de leurs armes, capturèrent de nombreux prisonniers jusqu'à cinq à six kilomètres du camp. Ils continuèrent ainsi à battre la campagne, sur tout le périmètre avoisinant le camp lorsque surgit, un peu après 16 heures, une formation blindée américaine. »

« Lorsque surgit, un peu après 16 heures, une formation blindée américaine... »

C'est autour de cette formation blindée, de l'heure précise de son arrivée, de son rôle, qu'allaient s'opposer, souvent avec grande violence dans le ton, anciens déportés communistes (pour la plupart) et non communistes.

Les Américains n'ont-ils fait que « passer à belle allure » sur une

---

1. A côté du groupe communiste qui préparait le soulèvement, un groupe non communiste, comprenant le capitaine anglais Burney, le ministre belge Soudan, le député français André Marie, l'officier de marine hollandais Cool, s'efforçait de convaincre Pister, général SS et commandant du camp, de modérer son attitude. Une lettre, à laquelle Pister fut temporairement sensible, annonça ainsi au SS la prochaine arrivée des troupes alliées et le mit en garde, au nom des déportés, sur les terribles responsabilités qu'il encourait.

route proche du camp? Se sont-ils contentés de regarder « sans réaction dans la direction » des déportés qui venaient de capturer des SS, comme l'écrit Jean-Marie Fossier[1]? Alors, indiscutablement, la gloire morale et le bénéfice politique de la libération de Buchenwald appartiennent aux déportés et au parti communiste, organisateur de la révolte.

Loin d'être indifférents, les Américains ont-ils, le 11 avril, engagé un combat victorieux et rapide contre les SS en train de prendre la fuite? Ont-ils pénétré dans l'enceinte du camp? Alors, c'est à eux que revient l'honneur d'avoir libéré Buchenwald.

Les témoignages en faveur de cette thèse ne manquent pas.

Dans *Le Déporté,* organe de la Fédération nationale des déportés et internés de la Résistance, le professeur Léon Mazeaud[2]; le docteur Odic, médecin-chef du *Revier;* le général Ganeval; Maurice Braun, qui commandait une brigade formée de détenus des Blocks 40 et 41[3]; le professeur Balachowsky, d'autres encore ont, à plusieurs reprises, accusé leurs anciens camarades de déportation d'avoir truqué la réalité.

Ce qui aurait dû rester un dialogue devint une querelle dépassant la politique pour concerner des intérêts matériels et moraux puisque, selon *Le Déporté* des mois d'août et septembre 1976, en se présentant en libérateurs de Buchenwald, les communistes espéraient changer de statut et, de « déportés politiques » — ce qui était le cas de nombre d'entre eux, arrêtés en 1939 à la suite du pacte germano-soviétique —, devenir « déportés résistants[4] ».

Qu'écrit Balachowsky[5], membre du Comité clandestin du Buchenwald?

---

1. *Le Serment,* mars-avril 1976. Jean-Marie Fossier était commandant adjoint du bataillon Hoche. Dans le cours de son récit, il évoque la capture (hors du camp) d'une douzaine de SS par des patrouilles appartenant à son unité.

2. Et dans son livre *Visages dans la tourmente.*

3. Maurice Braun ayant jugé scandaleux (dans *Le Déporté* de mai 1976) l'article de Jean-Marie Fossier, qui faisait allusion à l'indifférence de soldats américains longeant le camp « à belle allure » et se libérait ainsi de « toute espèce de reconnaissance envers l'armée américaine », se vit notamment reprocher, dans un article du *Serment,* d'avoir insulté « ceux qui sont partis en fumée ».

4. *Le Serment,* juillet-août 1976. *Le Serment* publiera un numéro exceptionnel de 20 pages exclusivement consacré à la thèse favorable à la libération de Buchenwald par les déportés et à la réfutation des arguments présentés dans *Le Déporté,* et tout particulièrement au texte de Maurice Braun.

5. *Le Déporté,* août-septembre 1976.

Qu'après qu'eut retenti, vers 14 heures, la sirène de l'alarme aux chars, qu'après que les SS eurent reçu la consigne d'évacuer le camp, ce qu'ils firent « dans l'ordre et la discipline », les sentinelles des miradors restant seules en place, tous les déportés furent « impérativement » consignés dans leurs blocs respectifs avec « interdiction absolue d'en sortir ». Il était alors 14 h 45. Balachowsky et plusieurs de ses camarades se réfugièrent au premier étage du bloc 50 d'où ils dominaient la campagne de Thuringe vers le nord et le nord-est.

De cet excellent observatoire, Balachowsky a vu une colonne de l'armée Patton aux prises avec un détachement d'infanterie allemande. Ce détachement mis en fuite, les Américains ouvrirent le feu contre les miradors du camp et, vers 15 h 45, Balachowsky aperçut « le premier soldat américain, sans doute un éclaireur ou un tireur d'élite, qui longeait en courant les barbelés de l'enclos de Buchenwald ». Soldat acclamé par une foule « déchaînée » de déportés. C'est à ce moment seulement, toujours selon Balachowsky, qu'Aristopher Wagner aurait donné les premiers coups de pelle dans le tas de charbon qui abritait environ 150 fusils, immédiatement distribués à des déportés allemands et russes.

> « Les déportés sortirent [alors] de tous les Blocks et ce fut à travers le camp une immense clameur de joie [...]. Le gros des forces américaines arrivait maintenant de tous côtés et une première jeep pénétra dans l'intérieur du camp avec deux officiers français de l'armée Leclerc qui faisaient partie de la colonne Patton[1]. »

On le voit, le témoignage du professeur Balachowsky diffère des témoignages recueillis par *Le Serment,* puisqu'il signale :
— les tirs des blindés américains en direction des miradors ;

---

1. Il s'agit vraisemblablement du lieutenant Emmanuel Desard, qui s'était engagé, lors de la libération, dans la 4ᵉ division blindée US. Avec lui se trouvait le sergent Paul Bodot.

Dans leurs témoignages au *Serment,* les deux hommes disent avoir été informés, le 11 avril, par un détenu belge que les déportés de Buchenwald « s'étaient libérés en attaquant leurs gardiens et avaient mis sur pied des groupes armés ». Desard et Bodot, arrivés au camp, y demeureront environ trois heures. Ils écriront que les occupants des véhicules américains circulant sur la route proche de Buchenwald ne se doutaient pas de ce qui se passait à quelques kilomètres d'eux.

— l'apparition d'un soldat américain vers 15 h 45, apparition responsable de la ruée des déportés ;
— le retrait tardif (vers 15 h 45 et non vers 13 heures) des armes de leurs caches ;
— l'arrivée « de tous côtés » du gros des forces américaines.

Christian Pineau, dans son livre *La Simple Vérité,* signale, lui aussi, qu'à 16 heures le drapeau blanc fut hissé sur la tour et qu'à 16 h 25 les blindés américains pénétrèrent dans le camp par une brèche faite du côté de la porcherie. Debout dans leurs tourelles, les soldats dévisageaient avec stupeur les déportés. Obligés de poursuivre et leur route et leur combat, ils leur laissaient le soin, en attendant l'arrivée de l'infanterie, qui sera présente le lendemain, d'assurer leur défense, ce qu'ils feront en poussant en direction de la forêt proche des « corps francs bien armés » qui captureront un certain nombre de SS.

Jacques Moallic — que l'on a vu aiguiser un morceau de métal pour en faire un couteau — ne dit pas autre chose dans son témoignage. Aux déportés qui « essayent de rassembler quelques mots d'anglais pour expliquer leur détresse aux équipages » des deux chars qui ont pénétré dans le camp, les chefs de bord répondent : « Allez, *boys.* Tout va bien maintenant. Mais nous sommes pressés. Nous allons à Berlin. »

La bataille pour la libération de Buchenwald est terminée.
Qui l'a gagnée ?
Il semble — et il pouvait difficilement en aller autrement — qu'il y ait eu concordance entre l'arrivée des Américains et la manifestation

encadrée, disciplinée, de déportés dont les responsables, à majorité communiste, avaient longuement préparé le soulèvement armé[1].

Sans la présence, à quelques kilomètres, puis à quelques centaines de mètres, des blindés de la 4e division US, ce soulèvement aurait été voué à l'échec. Aurait-il même été décidé? Écrire que chacun tint sa partie dans la libération de Buchenwald, ce n'est pas rendre un jugement de Salomon.

Même s'ils n'ont fait qu'un rapide passage à l'intérieur du camp, les chars américains ont rendu possible la prise en main de Buchenwald par des déportés qui, s'ils n'avaient pas été résolument commandés, clandestinement armés, n'auraient joué aucun rôle et se seraient d'ailleurs trouvés dans l'impossibilité d'assurer pendant vingt-quatre heures leur protection contre tout retour des SS.

« Première soirée de liberté, écrit Pineau, le 11 avril, nous n'avons rien à manger, mais nous sommes trop soulagés pour en souffrir. »

Et Jacques Moallic, le 12 avril : « Le petit déjeuner ramène à la dure réalité. Une boule de pain pour cinq, un peu plus de 200 grammes. L'intendance ne suit pas. »

Il a été décidé, entre les autorités américaines et les responsables de ceux qui ne sont plus des prisonniers mais toujours des affamés et des assoiffés, car les Allemands ont saboté les installations d'eau potable, il a été décidé que le camp serait ravitaillé « tant bien que mal[2] » par

---

1. Avant avril 1945, d'autres soulèvements ont eu lieu. Mais il s'agissait de « soulèvements de désespoir ». C'est ainsi qu'à Auschwitz les déportés juifs chargés du crématoire se révoltèrent le 7 octobre 1944 et le détruisirent. Cette révolte s'acheva par le massacre de ses auteurs.

Le conseil militaire du camp avait prévu de déclencher — en liaison avec les résistants polonais — une insurrection générale, mais le transfert, à la fin de 1944 et au début de 1945, de milliers de détenus en direction des camps situés à l'intérieur du IIIe Reich désorganisa l'activité du mouvement de résistance.

A Mauthausen, dans la nuit du 2 au 3 février 1945, environ 400 officiers soviétiques, qui se savaient promis à la mort, se révoltèrent et certains d'entre eux réussirent leur évasion. Par mesure de représailles, 400 malades furent, deux semaines plus tard, mis nus sur la place d'appel — la température était de moins 10° —, aspergés d'eau, puis achevés à coups de gourdin et de hache.

2. Pineau, *La Simple Vérité.* Christian Pineau fait partie du Comité français. A ce titre, il participe aux débats, est informé, et son témoignage nous est précieux.

l'armée Patton qui n'avait pas prévu pareille mission. Liberté toutefois est donnée aux déportés d'aller « chercher dans la campagne ce [qu'ils] pourront y trouver, ce qui équivaut presque, écrit Pineau, à une autorisation de pillage ».

Tous en profitent-ils de façon si « courtoise » que Moallic et quelques-uns de ses copains ? Après être passés par « le petit camp » — celui de la quarantaine —, où des centaines de détenus, dont le visage creusé est déjà celui de la mort, agonisent, les voici devant une ferme dont les propriétaires les voient arriver avec terreur. Mais quoi, malgré leurs traits tirés, leurs crânes rasés, leurs barbes de plusieurs jours, leurs vestes rayées, ils parlent poliment, ne sollicitent que quelques œufs. C'est une énorme omelette qu'on leur offre. Ils remercient « en regrettant de ne pas pouvoir payer... Pour l'honneur des détenus, on n'enregistre[ra], à ma connaissance, conclut Moallic, ni exaction ni violence dans la région ».

A l'égard de la population civile, l'attitude des déportés français libérés ne sera pas partout identique, et l'on pourrait rapporter de nombreux cas de pillage plus ou moins explicables. Mais le souci de trouver un moyen de rapatriement comme le dégoût devant les excès commis, le plus souvent, par des détenus russes l'emporteront généralement sur le désir de prendre une revanche sur des civils qui, tous, affirment avoir ignoré ce qui se passait dans les camps et dont les déportés se demandent ce qu'ils savaient vraiment.

Qu'il faille toutefois rompre ce cercle d'ignorance ou de mensonges, d'ignorance et de mensonges, c'est l'évidence.

Aussi, à l'initiative des Américains, qui obéissent aux ordres récents d'Eisenhower, au moins mille habitants de Weimar seront-ils « invités », le 16 avril, à se rendre au camp de Buchenwald. Le maire informa ses administrés en ces termes :

> « Doivent prendre part à cette visite des hommes et des femmes de dix-huit à quarante-cinq ans [...] parmi lesquels deux tiers appartenant aux couches les plus aisées et un tiers aux couches de la population les moins favorisées. Ils doivent être suffisamment forts pour supporter la marche et la visite (durée : environ six heures ; marche, en gros, vingt-cinq kilomètres). De la nourriture doit être apportée avec soi, mais elle doit être consommée avant la visite. Il n'arrivera rien aux participants. La marche sera accompagnée de véhicules de la Croix-Rouge

111

allemande et de médecins, de façon qu'il puisse être porté secours à ceux qui ne supporteraient pas ces efforts [1]. »

Pour voir défiler le « Tout-Weimar », des déportés se sont installés près du four crématoire ouvert et plein encore de crânes et d'ossements. « Les hommes âgés regardent avec horreur, certains avec honte. Beaucoup de femmes pleurent. Les jeunes, ceux d'une vingtaine d'années, les plus intoxiqués, détournent la tête, indiquant ainsi qu'ils ne veulent pas voir [2]. »

Comme l'un d'eux ricane en passant devant le four, le sergent américain de garde lui assène une gifle magistrale. Le gamin fond en larmes et reprend sa place dans la colonne qui traversera, sous les sarcasmes et les injures, les baraques des dysentériques et l'infirmerie, avant de reprendre en silence la route de Weimar.

Aucune brutalité contre la population civile proche de Buchenwald? Pas même de brutalités contre les SS et les auxiliaires des Allemands capturés?

Tous les déportés français l'affirment et se font honneur d'avoir su garder leur dignité, de « n'avoir pas fait ce qu'on leur a fait ».

En va-t-il de même dans tous les camps?

A Mauthausen, l'un des camps les plus effroyables [3], où chaque pierre extraite de la carrière de granit représentait la vie d'un homme, René Gille participera à la sévère correction donnée à Franz Waltruscher, l'un des Kapos dont ses camarades français ont eu le plus à souffrir. Autrichien naturalisé, arrêté en France, déporté, Waltruscher s'était montré impitoyable envers ceux dont il disait qu'ils appartenaient à une « race dégénérée ». Aujourd'hui, sous les coups de pied, sous les coups de poing de Gille, Ané, Bellec et Bernard, il change naturellement de tactique et crie : « Je suis aussi français que vous! »

Les quatre Français, qui n'ont même plus la force de lever les pieds, l'abandonnent. Que Franz aille se faire pendre ailleurs! C'est vers un

---

1. Ce texte tiré des archives de Buchenwald (7672-3) est cité par Pierre Durand.

2. Christian Pineau, *op. cit.*

3. Mauthausen, sur la rive gauche du Danube, à vingt-cinq kilomètres en aval de Linz, a été abandonné par les SS à la fin du mois d'avril. Des *Schupos,* venus de Vienne, prendront leur suite, mais, le 5 mai, le Comité international de résistance mis en place par des communistes autrichiens et tchèques s'emparera du camp, définitivement délivré le 7 par la IIIe armée américaine.

Block d'Allemands et de Polonais qu'en titubant le Kapo se dirige. Mais les occupants le refoulent, et les Français, qui n'ont pas oublié les morts dont Waltruscher est responsable, le reprennent, le bourrent de coups, refusant de l'écouter lorsqu'il crie : « Gille, tu es commissaire de police, tu es là pour empêcher les crimes [1] », ne l'abandonnent, loque humaine, que parce qu'ils sont exténués.

D'autres détenus n'abandonneront pas ces Kapos qui s'approchent naïvement ou cyniquement des blindés américains, applaudissent les soldats alliés, se mêlent à ces cortèges que précèdent des porteurs de drapeaux, imaginent follement qu'en un jour aussi beau ils pourront se fondre dans la foule, être oubliés, peut-être pardonnés.

Voici le *Schusterkapo* (cordonnier) de Melk, un Kommando de Mauthausen. Reconnu, l'homme est assailli par une meute hurlante.

> « En cinq minutes, il n'y en a pas pour tout le monde, écrit Gille qui a assisté à la scène. Il est écharpé, la tête en sang, à demi scalpé, un morceau de cuir chevelu rabattu sur l'oreille. Il demande pitié et secours aux Américains. Placides et impassibles, vrais chasseurs d'images, ceux-ci filment et photographient la scène jusqu'au moment où, la gorge ouverte d'une oreille à l'autre, l'homme sera jeté dans la piscine. »

La foule est en train de se disperser, de regagner les Blocks, lorsque Gille est appelé par l'un de ses camarades.

— Gille, voilà Louis !

Il s'agit d'un Vosgien, ancien caporal au 151e d'infanterie, à qui sa connaissance de l'allemand a donné une parcelle d'autorité. Ceux qui ont souffert de lui à Amstetten [2] se précipitent, lui arrachent ses vêtements, le rouent de coups, le lardent de coups de poignard, l'abandonnent à un Russe qui demande : « *Was ist das ?* » et, dès qu'il a entendu la réponse : « *Ein grosse bandit* », lui écrase le visage d'un coup de gourdin avant de s'éloigner à la recherche d'un autre gibier.

Tiré par les jambes jusqu'au Block des anciens d'Amstetten, Louis

---

1. Gille, au moment de son arrestation, était effectivement commissaire de police à Périgueux. Inédit.
2. Kommando à une trentaine de kilomètres de Mauthausen où 25 000 détenus sont employés au déblaiement.

se traînera à quatre pattes pour aller mourir dans un coin écarté. Le lendemain, son cadavre sera retrouvé dans un fossé [1].

Franz sera tué, lui, par une douzaine de Français qui se relaient, Marcel Pérochon [2] l'achevant à l'aide de la crosse d'un fusil. Quant à ce Kapo, un droit commun allemand, que tous connaissent sous le surnom du « Chien », il est assailli par ses anciennes victimes alors que seul sur la place d'appel il regardait la porte largement ouverte. Comprend-il pourquoi ? René Gille — acteur d'un drame sanctionnant tant de drames — s'est longtemps demandé si onze ans de captivité n'avaient pas fait perdre à cet assassin, avec toute conscience du bien et du mal, jusqu'au goût de la liberté.

Avant de le précipiter dans la piscine, ses victimes d'hier le délestent de ses chaussures, bien entre tous précieux. Dans l'eau, le « Chien » nage sous les pierres qui pleuvent. Tout d'abord, il ne s'agit que de petites pierres. Comme l'homme nage toujours et qu'il faut en finir, Gille se saisit d'un énorme pavé.

> « Il est atteint à la tête, plonge dans une mare de sang qui se dilue dans l'eau, puis reparaît au bout de quelques instants. Je lui lance alors un second pavé qui l'atteint au sommet du crâne. Il disparaît définitivement au milieu des hourras. Nous le reverrons quelques jours après, avec de nombreux autres noyés, quand les Américains videront la piscine. »

Aussi insupportables qu'elles soient, ces scènes ne sont pas exceptionnelles et elles ont leur logique.

Avoir vécu le martyre quotidien de la faim, des coups et des humiliations, avoir vu mourir des dizaines d'amis, des centaines, des milliers de déportés, a fait lever des moissons de haine.

Sans doute existe-t-il des hommes comme Edmond Michelet qui, à

---

1. Dans ses souvenirs inédits, Gille écrit : « Il nous avait fait à Amstetten de dures conditions de travail. Sans doute n'avait-il directement aucune mort sur la conscience, mais il était complice de cette somme de persécutions permanentes qui entraînaient mort d'hommes. »
2. Le neveu du prix Goncourt Ernest Pérochon, couronné en 1920 pour son roman *Nêne*.

Dachau, refuse la pierre qu'on lui tend pour qu'il la lance à la face de Mensarian, l'ancien *Lagerkapo,* tiré de sa cachette. Mais Edmond Michelet, qui fera davantage, puisqu'il s'opposera à l'exécution d'un certain nombre de Waffen SS français détenus à Dachau pour vols ou désobéissance, « a du mal à se dégager de la foule furieuse [1] » qui, tout en l'aimant et en le respectant, ne comprend pas son abstention [2].

Les premières heures de la libération sont souvent vouées à la vengeance.

A Bergen-Belsen, les Russes se sont emparés de l'ignoble « Folette », Kapo inverti qui avait matraqué à mort plusieurs de leurs camarades. Battu, le crâne défoncé, pissant le sang, « Folette » sera empalé, puis jeté sur un tas de cadavres squelettiques auprès desquels fait contraste son corps blanc et bien nourri dans lequel un Russe a découpé un morceau de fesse.

« Tout bascule au camp de Bergen-Belsen, écrit Georges Pescadère. On ne travaille pas, on ne bouffe pas, mais on tue... Les tueries continuent sans discrimination, tuer pour un simple mot échangé, un mot dit de travers, ou pas compris. »

Les déportés ont eu, il est vrai, la triste surprise, le 15 avril, de constater qu'à Bergen-Belsen libéré rien encore ne changeait et que les Anglais non seulement laissaient en place les SS hongrois, auxquels les Allemands avaient confié les miradors, mais encore que Kramer, une heure plus tôt encore chef du camp, se pavanait, revolver au côté, sur le marchepied de la voiture haut-parleur britannique qui, dans toutes les langues, clamait : « *Vous êtes libres !* »

Il est vrai que ce « *Vous êtes libres* » a provoqué le déferlement en direction non seulement des cuisines de tous ceux qui peuvent encore marcher, mais encore d'un magasin où les Russes mettront la main sur la réserve d'alcool méthylique et sembleront « fort bien supporter cette vodka improvisée [3] ».

Michel Flieck, qui fait partie d'un convoi arrivé de Dora, assiste

---

1. Joseph Rovan, *Contes de Dachau.*
2. Mensarian sera achevé d'un coup de feu.
3. Jean Michel, *De l'enfer aux étoiles.*

alors à une scène incroyable. Toujours sur le marchepied de la voiture anglaise, le Hauptsturmführer Joseph Kramer, qui s'est placé immédiatement au service de ses nouveaux maîtres, tire sur la foule des moribonds. Le Kapo de la cuisine ainsi que les soldats hongrois ouvrent également le feu. Ils se croient hier... Mais un Anglais, descendu de voiture et pour qui ces déportés hallucinés, titubants, ces squelettes en guenilles, ces « clowns à l'horrible costume bigarré[1] », appartiennent à un monde qui n'existait sans doute même pas dans ses cauchemars, hésite, lui, à se servir de son arme. Il faut qu'il aille au fond du camp, où se trouvent les cinq fosses emplies de cadavres, pour comprendre.

Sur le spectacle qu'offre alors le camp, nous avons le texte hallucinant de Martin-Chauffier qui a fait partie d'un convoi évacué en avril de Neuengamme.

« Vingt-deux mille cadavres nus pourrissaient entre les Blocks délabrés. Séchaient serait mieux dire, car de ces corps tordus ne restait que la peau sur les os. Piétinant ce tapis funèbre, un troupeau d'êtres hagards, hirsutes, déguenillés, se rua sur nos camions, dans l'espoir de nous arracher de problématiques provisions. [...] Dans l'air empuanti, butant sur les cadavres, nous gagnâmes notre Block, entourés par la horde en quête de rapine. [...] Il n'y avait plus de carreaux aux fenêtres, pas de châlits, pas de paillasses. Rien qu'une salle nue où grouillaient des millions de poux[2]. »

Nous possédons aussi le rapport — concordant — du général Glyn Hughes, officier du service de santé britannique, présent à Bergen-Belsen le 15 avril.

« Partout, il y avait des cadavres entassés sur différentes hauteurs. Quelques-uns de ces tas de cadavres se trouvaient de l'autre côté des barbelés, d'autres à l'intérieur, entre les baraquements. Le camp était jonché de corps humains en décomposition. Les fossés des canalisations étaient remplis de cadavres et, dans

---

1. D'après Derrick Sington, l'un des premiers à être entrés dans le camp de Bergen-Belsen.
2. Louis Martin-Chauffier, *L'Homme et la Bête*.

les baraques elles-mêmes, les morts étaient restés là, parfois enchevêtrés avec les vivants, dans le même lit. Près du crématoire, l'on voyait encore les traces de fosses communes hâtivement remplies. Au bout du camp, il y avait une fosse ouverte, à moitié remplie de cadavres ; on venait juste de commencer les travaux d'ensevelissement. »

Cette vision aura du moins pour conséquence de faire désarmer Kramer. Mais il ne sera arrêté que le 18 avril en compagnie de deux Kapos. Et ce n'est que le 22 avril que le major Hay, responsable britannique du camp, demandera que soient recherchés les SS qui se trouvaient encore à Bergen-Belsen [1].

Sous la présidence de François Émile Bollaërt, le Comité international des déportés, où siègent un Russe, un Polonais, un Tchèque, un Belge, un Hollandais, un Norvégien, un Hollandais et un représentant des minorités juives, a bien attiré l'attention des libérateurs sur l'étrange et scandaleuse liberté de mouvement dont jouissent, avec Kramer, une cinquantaine de SS ainsi que tous les anciens gardiens hongrois, mais les Anglais ont donné ordre aux détenus de ne pas sortir de leurs baraques en attendant ravitaillement et médicaments, et, apparemment, ils continuent à faire confiance à l'administration en place.

Leur lenteur à gérer les problèmes de nourriture et de santé qui se posent aux 40 000 détenus, dont seulement 1 241 Français et Françaises, déconcerte d'autant plus que, malgré les difficultés de communication, les camps de prisonniers de guerre voisins sont assez normalement ravitaillés.

Olga Wormser-Migot fait partie d'une mission à destination de Bergen-Belsen. Répartis dans trois camions, des officiers de rapatriement généreusement galonnés, des médecins militaires, des sœurs

---

1. Jugé le 8 octobre 1945, Joseph Kramer sera condamné à mort. Il sera pendu le 14 décembre 1945 en compagnie de dix autres responsables du camp. Kramer, libraire à Ausbourg, puis volontaire dans les SS et chargé de garder les détenus des camps de concentration, fut envoyé à Auschwitz en avril 1942 avant de prendre le commandement du camp de Bergen-Belsen.

hospitalières de Versailles en robe grise, quelques jeunes filles attachées à l'aumônerie des prisonniers de guerre, deux cheminots de « Résistance-Fer », deux prêtres et Olga Wormser-Migot quittent Paris le 3 mai.

A Bruxelles, leur attente dure cinq jours. Le 8 mai, les Français participent à la liesse d'une ville qui fête dans les chants, la bière et sous les confettis la chute de l'Allemagne.

Le convoi français, qui a pris enfin la route, traverse Kassel, Xanthen, Münster, Hambourg, autant de villes squelettes, aux ruines fleuries des draps sales de la reddition, aux tranchées ouvertes dans le magma des maisons effondrées, rues improvisées parcourues de foules misérables où vaincus et vainqueurs, bourreaux et victimes d'hier se côtoient, tous en quête d'informations et de nourriture.

C'est par petites étapes que les Français atteignent Bergen-Belsen, à une date qu'Olga Wormser-Migot ne précise pas, vraisemblablement après le 25 mai[1].

— Pourquoi Belsen vous tient-il tant à cœur ? leur ont demandé les officiers anglais. Ce n'est pas beau à voir.

En effet, plus de cinq semaines après la libération, ce n'est toujours pas beau à voir.

Dans les Blocks enfin désinfectés, des chiffres sur une ardoise : le nombre des morts de la journée. Olga Wormser-Migot en compte 132 le jour de son arrivée. « On en emportait un sur un brancard et l'odeur lourde planait, la terrible odeur de Belsen, révélation pour moi de ce que fut le camp... Deux petites Françaises nous expliquent, en pleurant, qu'après avoir connu Auschwitz, Ravensbrück et avoir survécu à Belsen elles ne peuvent plus supporter d'être soignées par des Allemands, de voir des Allemands déambuler en bottes dans la cour pendant que les convalescents marchent pieds nus, une couverture sur le dos, comme les musulmans[2] d'hier[3]. »

A l'un de ceux qui compteront demain au nombre des cadavres de l'ardoise, Olga Wormser-Migot offre ce qu'il demande : un peigne et de l'eau de Cologne.

---

1. Ils ont appris à une fermière allemande dont l'habitation se trouvait à cinq kilomètres du camp que Himmler vient de s'empoisonner à Lüneburg. Le suicide de Himmler est du 24 mai.

2. Déportés squelettiques et misérables que toute espérance et toute volonté ont abandonnés.

3. Olga Wormser-Migot, *Quand les Alliés ouvriront les portes.*

A ceux qui vont survivre, elle offre aussi ce qu'ils demandent et il semble que la brosse à dents ait été l'un des biens de civilisation les plus souvent réclamés.

Avec du pain blanc. Mais, du pain blanc, il n'y en a pas pour tout le monde.

Lorsque Olga Wormser-Migot a pénétré à Bergen-Belsen, « ce n'est pas beau », pour reprendre l'expression des officiers britanniques, mais ce fut pire.

C'est, en effet, le 15 mai — un mois donc après la libération du camp — que l'épidémie de typhus atteignit son apogée. Le docteur Fréjafon, dont le dévouement se heurtait aux mesures d'ordre des Britanniques qui imposaient une utile mais implacable quarantaine, note que les décès survinrent alors « par centaines » et que l'angoisse se lisait sur chaque visage [1].

Pour décrire la situation à Bergen-Belsen libéré, Annette Wievorka, dans *Déportation et Génocide,* livre dont il faut souligner la qualité, emploie les mots les plus forts. Elle dit que la misère, malgré la fin des violences dues aux SS, demeurait « semblable à celle des pires jours du camp », que l'hospitalisation des typhiques avait lieu dans « des conditions inhumaines » et que le rapatriement de Bergen-Belsen fut de tous « le plus dramatique », celui qui « prit le plus de temps », ce qui eut des « conséquences tragiques pour les détenus qui moururent massivement ».

Ainsi que le déclarera Simone Jacob (Simone Veil), déportée à dix-sept ans, « nous avons eu le sentiment que nos vies ne comptaient pas alors que, pourtant, il y avait déjà si peu de survivants [2] ».

Quant à Martin Chauffier, il se montrera justement impitoyable pour les Britanniques. « Nos libérateurs n'avaient rien prévu. Ils étaient épouvantés par ce qu'ils découvraient. Ils nous laissèrent trois

---

1. *Cf.* Annette Wievorka qui, dans *Déportation et Génocide,* cite longuement l'action du docteur Fréjafon dont il est juste de signaler qu'il refusa d'être rapatrié alors que des malades attendaient toujours ses soins.

2. Entretien avec Annette Wievorka. Simone Jacob a été déportée à Birkenau, puis à Bergen-Belsen, en compagnie de sa mère (qui mourra du typhus) et de sa sœur.

semaines dans l'état où ils nous avaient trouvés, sans paillasses, couchés sur nos poux, avec ce tapis de morts qui s'épaississait. Il leur fallut dix jours pour inventer de faire enlever ces morts par les SS mâles et femelles, pris au piège. »

Il est difficile de chiffrer le nombre de ceux qui succombèrent après la libération de Bergen-Belsen. On connaît mal d'ailleurs le nombre des cadavres *non inhumés* découverts par les Anglais lorsqu'ils pénétrèrent dans le camp : 5 000 selon le déporté Michel Fliek, 13 000 si l'on en croit la pancarte que les Anglais placèrent à l'entrée du camp.

Cette pancarte dit aussi que « le typhus et la dysenterie ont encore causé 13 000 morts *après* leur arrivée ».

Des 1 241 Français et Françaises survivants le 15 avril, 334 hommes et 175 femmes auront disparu à la fin de mai sans laisser de traces. Il se peut qu'une trentaine aient quitté le camp malgré les interdictions britanniques, tous les autres — 480, c'est-à-dire plus du tiers — ont péri et leurs corps ont été jetés dans des fosses communes...

Ce n'est que le 5 juin que les derniers Français quitteront Bergen-Belsen avec le souvenir amer d'avoir *à peine* été mieux traités par les Britanniques que par les Allemands.

A Flossenburg[1], libéré le 23 avril par la IIIᵉ armée américaine, et d'où les Allemands sont partis trois jours plus tôt en clouant l'écriteau « typhus » à la porte d'un camp, qui ne contient plus que 1 600 déportés dont 112 Français, la situation est presque aussi tragique qu'à Bergen-Belsen.

Les Américains ont certes pris des mesures sanitaires : inoculations antityphiques, poudrage au D.D.T., mais les cuisines fonctionnent comme du temps des Allemands avec les mêmes responsables arro-

---

1. Créé en 1938 à l'est de Nuremberg, le camp a été ouvert en avril 1940. Il « accueille » alors des déportés autrichiens et tchèques. Deux mille Français y seront par la suite recensés. Flossenburg fournit de la main-d'œuvre à 77 Kommandos.

C'est à Flossenburg que seront exécutés des parachutistes anglais et français, et que l'amiral Canaris et quatre membres du complot contre Hitler seront pendus le 9 avril 1945.

gants et voleurs ; les « libérés » couchent toujours sur les mêmes paillasses souillées, ils n'ont pu quitter leurs habits rayés, les civils allemands s'étant emparés de leurs vêtements stockés au greffe du camp, et, surtout, les morts, jetés nus les uns sur les autres, sont toujours brûlés dans le four crématoire.

Il faudra la protestation des Français pour que le docteur Armingas, héros de la Résistance, soit inhumé décemment et pour que, à partir du 1er mai, cessent les incinérations.

Mais, lorsque le docteur Crouzet, président du Comité français, demande le transfert des malades dans des locaux salubres et des bien-portants dans des baraques non contaminées, les Américains exigent que les anciens détenus remplissent le document que doivent remplir tous les prisonniers et fonctionnaires allemands ! On verra donc des résistants français penchés sur un questionnaire dans lequel il leur est demandé d'indiquer les postes qu'ils ont occupés dans le parti nazi[1] !

Le 29 avril, vers 15 heures, le premier soldat américain franchit le portail en fer forgé du camp de Dachau où se trouvent 4 800 Français[2].

C'est un juif.

Il en a le type, constate Edmond Michelet : « Lèvres épaisses, nez en banane, cheveux crépus[3]. » Aux déportés vers lesquels il court, il crie son nom : Samuel Kahn.

Commentaire de Michelet : « Après tout, les juifs avaient bien droit à cette préséance... Le coup est régulier[3]. »

Le second Américain est une femme. « Minois gracieux, maquillage discret[4]. Ce qui l'intéresse avant tout, c'est de connaître les noms des " personnalités importantes " qui se trouvent dans le camp, pour les câbler illico à son journal[5]. » Elle s'appelle Margaret Higgins et c'est

---

1. Cité par Annette Wievorka, d'après un rapport du commandant Blum.
2. Il s'agit de la plus forte concentration de Français dans un camp.
3. Edmond Michelet, *Rue de la Liberté*.
4. D'autres l'ont vue essuyant « la poussière mêlée de cambouis qui recouvrait son visage », sortant de sa poche-revolver un étui de cuir dans lequel se trouvaient un bâton de rouge et un miroir, puis se faisant « un magnifique make-up ».
Témoignage de Mgr Jules Jost, *La Ligne de démarcation*, cité par Ch. Bernadac, *Les Sorciers du ciel*.
5. Edmond Michelet, *op. cit.*

l'une des plus célèbres correspondantes de guerre de la presse américaine.

Comme les symboles doivent être respectés jusqu'au bout, le troisième personnage est un grand Noir, le conducteur de la jeep. Et le quatrième un aumônier militaire qui invite les premiers déportés accourus à se rassembler, monte sur le belvédère du mirador et, depuis cette chaire improvisée, lance des mots que nul ne pensait devoir entendre un jour. « *Let us thank the Lord for this day of delivery. Once more, He has guided Israel, his people, out of Pharao's Egypt.* »

> « Parmi ceux qui l'écoutaient avec stupéfaction, écrit Rovan, bien peu étaient capables de comprendre l'anglais et peu nombreux étaient aussi ceux qui, dans l'enfer, n'avaient cessé de croire au ciel. Cette prière inattendue me fit venir les larmes aux yeux, elle était incongrue et merveilleuse, trop belle pour être vraie[1]. »

Elle était vraie. Comme étaient vrais le juif et le Noir, représentants de tous les persécutés et de tous les méprisés ; la femme et l'aumônier militaire qui ne tenaient qu'un rôle mineur dans le système nazi et que le hasard et la justice plaçaient au premier rang : la femme pour dire au monde l'horreur des camps, l'aumônier pour appeler les déportés à remercier le ciel.

Les hommes qui remerciaient le Seigneur et ceux qui, sans comprendre les pensées et les mots, reprenaient lentement ou goulûment confiance n'en avaient pas fini cependant avec la mort.

Une fusillade vint les jeter dans « une terreur incontrôlable[2] ». Alors que tout semblait fini, tout paraissait recommencer. « Des milliers de gens se laissèrent tomber par terre, les uns sur les autres, se pressant corps contre corps, enfouissant leur figure dans la masse mouvante et hurlante[3]. » Dissimulés dans un mirador, des soldats allemands auraient[4], par peur plus que par bravade, ouvert le feu et voulu tuer avant d'être tués.

Cette manifestation sur la place d'appel, beaucoup, n'allaient pas la vivre.

---

1. Joseph Rovan, *op. cit.*
2. *Id.*
3. *Id.*
4. Rovan écrit que le renseignement ne pourra être confirmé.

Sur cette même journée du 29 avril, il faut lire Robert Antelme, dont le convoi est arrivé à Dachau trois jours plus tôt. Alors que, se traînant, il allait chercher la soupe, il a vu le drapeau blanc hissé sur le camp, les miradors vides et les morts dans le caniveau. Il est rentré pour dire à son voisin de paillasse, un « vieux » à la tête bandée qui agonise :

— On va être libres.

Quelqu'un, à l'extérieur, a crié :

— Ils sont là !

Antelme se relève. Un casque rond passe devant les fenêtres. Et puis d'autres casques ronds encore. « Une espèce de *Marseillaise* de voix folles gonfle le bloc. » Un type hurle :

— Mais vous ne vous rendez pas compte ! On est libres, libres...

Cette liberté ne saurait être la liberté si l'on n'en avait pas une preuve visuelle. Antelme frappe de toutes ses forces le pied du « vieux » à la tête bandée, un vieux qui habitait Paris autrefois, et qui avait été journaliste, autrefois...

— On est libres, regardez ! Regardez !

Les casques ronds ont disparu.

Le « vieux » à la tête bandée n'a rien vu. Il meurt.

« La libération est passée », écrit Antelme[1].

A Dachau comme à Bergen-Belsen, comme à Buchenwald, les conditions sanitaires se sont considérablement aggravées après la libération.

Dans un rapport destiné à de Gaulle et au gouvernement français, et qu'ils confieront à Roger Stéphane[2], rapport rédigé dix jours après la libération de Dachau, quelques responsables écriront notamment que « l'épidémie de typhus s'est amplifiée, le nombre des cas augment[ant] tous les jours à la suite du désordre qui a succédé dans tous les services administratifs du camp à l'hypertension de l'ordre allemand »

---

1. *L'Espèce humaine.*
2. Membre du cabinet d'Adrien Tixier, ministre de l'Intérieur, Roger Stéphane appartient à la première délégation politique qui vint à Dachau deux ou trois jours après la libération du camp.

Ils décriront un camp dont la population dépasse 30 000 hommes alors qu'il était fait pour 9 000 ; des chambres où s'entassent 600 malades et mourants[1] ; ils diront surtout que la tentative de désinfection de l'armée américaine paraît vouée à l'échec. Il est vrai, comme le note un déporté, que de la poudre D.D.T. on en reçoit « en pleine gueule, dans nos gueules, notre falzar, dans les oreilles, le pif... tout y passe. [...] De la poudre D.D.T., on en bouffe, ils nous en inondent », mais les individus les plus sales et les plus pouilleux ne se présentent pas à la désinfection. Rien ni personne ne s'opposant à leur libre circulation, ils « passent » leurs poux à ceux qui ont été traités. Les paillasses, d'ailleurs, restent ce qu'elles sont : des foyers de contagion puisque se sont succédé là — à deux ou trois par paillasse — des « générations » de typhiques.

Le rapport français dit encore que l'abondance de nourriture peut tuer plus sûrement que le manque de nourriture. Que l'on ne se trompe surtout pas sur le sens des mots. « Abondance » serait pour nous synonyme de pénurie, voire de famine. Même pour ceux qui n'appartiennent pas à cette catégorie de déportés, dont l'état d'épuisement est tel qu'ils ne peuvent plus « assimiler de l'Ovomaltine liquide et chaude[2] », « un peu » de nourriture est « trop » de nourriture. On l'a vu dans le chapitre précédent à travers le témoignage de déportés aux frontières de la mort pour avoir dévoré la double ration de pain donnée par les Allemands avant le départ d'une colonne.

Aussi, lorsque les Américains distribuent sans compter leurs rations de viande, comment leur « générosité [ne serait-elle] pas cause de malheur », selon le mot de Pierre d'Harcourt, déporté à Buchenwald ?

François Guérif, lui aussi déporté à Buchenwald, ne dit pas autre chose lorsqu'il évoque le souvenir des dysentériques : « Je suis persuadé qu'une très grosse partie de nos camarades sont morts en

---

1. « Non seulement, écrit Antelme, sur deux étages de planches, nous sommes écrasés les uns contre les autres mais, sur la même planche, deux rangées de types se font face, et les jambes sont encastrées les unes dans les autres... On s'écrase dans ce Block et on suffoque. Les jambes qui se frottent les unes contre les autres s'écorchent leurs plaies... Les poux se réveillent avec la chaleur. La fièvre vient, on étouffe, on crie, on appelle " De l'eau ! De l'eau ! ". »
2. Rapport en date du 8 mai 1945. Il est signé par Gaston Gosselin, Gilbert Lazard, Jean Lorenceau *(Centre national Maquis),* Joseph Rovan (chef du Bureau régional de documentation des *Mouvements unis de Résistance*), Jean-Pierre Sussel, chef régional de *Combat,* de Montpellier.

mangeant le produit des boîtes de conserve et le chocolat qui était si tentant après tant de privations. »

Et quel a été le destin de ces hommes que Noirot a vus, dans le petit village de Wetterfeld, conquis par la 90ᵉ division américaine, se jeter sur un camion de vivres abandonné par l'armée allemande ?

« Les pains, les cubes de margarine, les sacs de sucre volent. Les caisses de conserve sont enfoncées à coups de hache... Sur la route, nous croisons des copains, la face enfouie dans un gros cube de margarine. »

Bientôt, six villages autour de Wetterfeld seront occupés par d'anciens déportés qui y régneront en maîtres... mais mourront lentement de dysenterie, de typhus, d'épuisement ou de « trop brutale abondance ».

Reprenons le rapport des responsables français de Dachau. En voici la conclusion : « Devant un tel état de choses (typhus à la suite d'une imparfaite désinfection et dysenterie aggravée par la trop grande richesse de la nourriture), l'on ne s'étonnera pas d'apprendre que la mortalité, loin de décroître depuis la libération, a augmenté assez sensiblement. »

Les chiffres font foi. Le 25 avril, quatre jours *avant* la libération, mais au lendemain des arrivées massives des déportés en provenance de Buchenwald, « jour exceptionnel » donc, le chiffre des morts s'est élevé à 101. Le 1ᵉʳ mai, alors que le camp est libéré depuis vingt-quatre heures, il s'élève à 135, il est de 121 le 2 mai et, avant le 8 mai, ne descendra jamais au-dessous de 110.

Les signataires du rapport s'indignent aussi de l'abandon du crématoire, *dix jours après la libération*. L'accusation est nette.

« Des centaines de cadavre restent sans sépulture dans un état de putréfaction et de liquéfaction accentuées, afin d'offrir un spectacle suggestif aux visiteurs autorisés ou, le plus souvent, non autorisés qui viennent faire le tour du camp.

« Ces cadavres empestent aux alentours du camp ; vers le soir, on les sent dans toutes les baraques ; d'autant plus que le même fait se produit à la chambre des morts du *Revier* (infirmerie). »

Que les morts aient été mis trop longtemps au service du voyeurisme des soldats américains et des correspondants de guerre, en voici donc une preuve.

> « Peu à peu, écrit d'ailleurs Annette Wievorka, s'institue un rituel de la visite, une manière de tourisme de l'horreur. Des guides montrent aux soldats, aux journalistes les fosses communes, à Dachau la chambre à gaz sans indiquer que, si elle a été construite, rien n'atteste qu'elle eût fonctionné. »

Mais pouvait-il en aller autrement ?

Les milliers de corps amoncelés, enchevêtrés, têtes sur les ventres, jambes repliées, rotules crevant l'enveloppe de peau terreuse, mains squelettiques griffant l'air, sexes flétris, seins vides, auraient-ils pu être ensevelis en trois ou quatre jours ? Et par qui ? Les déportés, dont beaucoup ne pesaient que trente-cinq kilos, se trouvaient dans l'incapacité physique, et plus encore morale, d'effectuer ce travail. La vision quotidienne de la mort, sa désacralisation, le coudoiement des mourants et des morts dans les wagons de la déportation, dans les Blocks, sur les chantiers, au *Revier,* n'était pas étrangère à une indifférence aujourd'hui incompréhensible.

Les voisins de lit d'André Chrétien, déporté à Dachau, ayant « organisé [1] » une superbe poule, le volatile, une fois bouilli, sera dévoré à quatre à proximité de cadavres momifiés entassés le long des murs des Blocks. « Nous sommes tout près d'un " tas ", écrit Chrétien [2], l'un d'eux me tombe sur le dos... pain et cuisse de poule posés, le cadavre est repoussé, simple gêneur, et pain et poule ingurgités sans répulsion. »

C'est seulement après quelques jours de réflexion que les Alliés, que rien n'avait préparé à de si terribles découvertes et qui n'avaient rien prévu pour y faire face, imaginèrent de condamner les Allemands à creuser des fosses pour y ensevelir les victimes d'un système concentrationnaire dont le régime nazi portait la responsabilité.

Ces cadavres, qui par milliers jonchent les rues des Blocks, auraient-ils été dérobés à la curiosité des photographes, sans doute saurions-nous ce qui s'était passé dans les camps. Mais nous l'apprendrions par

---

1. Dérobé, volé.
2. Inédit.

des récits et des témoignages toujours discutables. Le regard effrayé se détourne des photos. La mémoire ne peut les oublier.

A Buchenwald, qui sera, avec Dachau, le camp le plus visité, la Commission de démocrates et de républicains formée à Washington, à l'appel du général Eisenhower, est arrivée le 24 avril[1], en compagnie de journalistes conduits par Joseph Pulitzer. Elle sera reçue par un bureau international de presse créé à l'initiative de Maurice Nègre, qui appartenait à l'Agence Havas. Aux correspondants de guerre, aux officiels, aux militaires, tous horrifiés mais tous ignorants[2], Nègre et ses amis apprendront ainsi l'histoire de Buchenwald « en la dépouillant de ses mesquineries, car le monde, écrit Pineau qui a fait partie de ce bureau de presse, a-t-il besoin de savoir trop vite... que les martyrs se déchirent entre eux ? »

Soviétiques, Britanniques, Américains délivrent des déportés. Et les Français ? Les zones dans lesquelles ils combattent ne comprennent pas de grands ensembles concentrationnaires. Cependant, le dimanche 8 avril, le 1er bataillon du 3e régiment de tirailleurs algériens arrive dans le village de Vainingen. Si les civils ont disparu, en revanche quelques misérables affreusement maigres, aux yeux hagards, aux tenues rayées de bleu et de blanc, approchent à petits pas des deux jeeps de commandement. Il y a là un Belge, deux Polonais, un Oranais, un Marseillais et trois ou quatre loqueteux qui ne répondront à aucune question.

Deux Juifs polonais guideront cependant les soldats jusqu'au camp où les attend le spectacle, pour eux nouveau et bouleversant, qu'offrent tous les camps de concentration, même s'il est vrai, comme

---

1. Elle sera le 2 mai à Dachau.
2. Ils croyaient, écrit Pineau, que les déportés « étaient traités comme des travailleurs libres, à la rigueur comme des prisonniers de guerre » *(La Simple Vérité).*

l'écrira Georges Wellers, que « la libération des camps présente une infinie variété de situations et d'imprévisibles événements différents selon les lieux, les époques, les improvisations et les mouvements des armées alliées[1] ».

Depuis quarante-huit heures, les SS sont partis, entraînant dans leur fuite les déportés qui pouvaient encore marcher, abandonnant huit cents malades ou mourants, dont une centaine de Français.

René Guenz a été l'un de ces déportés que le rapport du 3ᵉ R.T.A. décrit pénétrant dans des maisons « presque toutes désertées par les habitants dans la crainte des représailles[2] ». A Kleinglattbach il découvre une étable et « une quarantaine de vaches bien propres ». Il frappe à la porte de l'habitation voisine.

— Entrez.

— Je suis français. Bonjour, madame. Donnez-moi un peu de lait s'il vous plaît.

— Pas de lait *(Keine Milch)*. Foutez le camp et vite.

« Je sors et avise un soldat français. C'est en fait un légionnaire de nationalité espagnole.

« Il me dit : " Suis-moi, petit ", et là pas de formule de politesse, coup de pied dans la porte, entrée pistolet au poing et en moins de temps qu'il n'en faut pour le dire je sors avec un pot de lait de deux litres. »

Guenz et l'un de ses camarades, « propriétaire », lui, de pain et de chocolat, après s'être installés dans une cuisine déserte, engloutiront deux litres de chocolat au lait et 800 grammes de pain, puis s'étendront sur un lit où ils perdront connaissance. Revenu au camp, Guenz se rendra près du grabat de son ami Ronceray afin de lui administrer ce qu'il appelle un « médicament miracle » : dans du vermouth un jaune d'œuf et beaucoup de sucre, cocktail auquel il ajoute deux pilules destinées à stopper la dysenterie, pilules qui lui ont été offertes par des ambulanciers de la Croix-Rouge internationale.

« Foutu pour foutu, j'avale », dit Ronceray. Il avale les pilules, déguste la potion et sombre « dans un vide total de quarante-huit heures », dont il ne gardera aucun souvenir.

---

1. *Yod*, nº 21, 1985.
2. Dans le texte inédit qu'il m'a adressé, M. Guenz écrit que la libération de Vainingen a eu lieu le 7 avril.

Pendant toute la nuit du 8 au 9 avril, le 1er bataillon du 3e R.T.A. passera « message sur message » au P.C. du régiment pour alerter le service social de la division qui, d'après le rapport du bataillon, « n'enverra un détachement que le lendemain dans le courant de la journée : quelques camions (très peu), des journalistes, un officier américain, un commandant français ».

Cependant Guenz, qui, le 12 avril, a été transporté à Spire où il est baigné, lavé, couché dans des draps blancs, sera réveillé dans la nuit par le général de Lattre de Tassigny venu rendre visite aux premiers déportés libérés par l'armée française.

A la supérieure allemande de l'hôpital le général, horrifié par l'état des déportés, aurait dit : « On devrait rendre stériles toutes les femmes allemandes afin qu'elles ne puissent plus enfanter des bourreaux et des monstres. — Nous sommes des religieuses, répliquera la supérieure. — C'est la grâce de Dieu[1]. »

Si l'armée française n'a libéré qu'un petit nombre de concentrationnaires, de Lattre n'admettra pas la « quarantaine » imposée par les Américains aux Français qu'ils ont libérés. Maurice Schumann a dit à son ami Edmond Michelet, retrouvé à Dachau le 6 mai, que le chef de l'armée Rhin-et-Danube avait chargé plusieurs missions de découvrir la trace de déportés français, et il est vrai que le général Devinck[2], chargé d'organiser l'évacuation et la réception des déportés, opéra avec célérité et dévouement pour qu'ils soient conduits, accueillis, soignés dans deux îles du lac de Constance : Reichnau et Mainau.

A Mainau trois pavillons : *Général Brosset,*[3] *D'Estienne d'Orves, Gabriel Péri,* accueillent les déportés de Dachau et d'Allach les plus sérieusement atteints (1 500 environ). Ils sont soignés par quatre médecins français et vingt-cinq infirmières, secondés par un radiologue

---

1. Témoignage de M. Guenz.
2. Qui avait été chef d'état-major du général Giraud puis avait commandé l'artillerie de la Ire armée.
3. Général de division, commandant la 1re division française libre, Brosset devait périr dans un accident le 20 novembre 1944. On le voit, de Lattre a voulu symboliquement unir toutes les familles de la Résistance : l'armée (Brosset), la première résistance gaulliste (d'Estienne d'Orves), les communistes (Péri).

autrichien, un pharmacien allemand et vingt-cinq infirmières allemandes, faisant office de filles de salle. Le 27 mai, de Lattre, dressant un premier bilan de son action, proposera d'ailleurs au général de Gaulle que les femmes et les enfants des déportés, dont le séjour doit être médicalement prolongé, puissent les rejoindre à Constance. Ce qui sera fait pour beaucoup.

Quant aux 2 500 hommes dont le rapatriement n'est plus qu'une question de jours, ils sont physiquement « retapés » grâce à de copieux repas, mais Jean-Marie Darracq, envoyé spécial du journal *Libres,* remarquera que, lorsqu'on leur parle, « ils se lèvent, se mettent au garde-à-vous et se découvrent » comme s'ils n'avaient pas encore parfaitement compris que « la Gestapo n'existait plus ».

Darracq écrit également que, pendant son séjour à Mainau, et alors qu'il bavardait avec un déporté, deux cercueils ceints d'un drap tricolore sont passés. Il a salué. « Le déporté n'a pas bronché... la mort pour eux, ajoute-t-il, n'a pas d'importance. »

Il est vrai que, si dans les hôpitaux on revit, dans les hôpitaux on meurt.

Des hommes que l'on pouvait croire sauvés s'éteignent comme autant de flammes privées d'huile. Il faudrait citer des milliers de cas. L'Histoire ne peut en retenir que quelques-uns.

Voici celui de Louis Bunel, en religion père Jacques de Jésus.

Le père Jacques [1] a été arrêté par la Gestapo le 15 janvier 1944 alors qu'il faisait la classe aux élèves de première du collège Sainte-Thérèse d'Avon. Avant lui, trois jeunes élèves juifs ont été arrêtés. Les Allemands reprochent au père Jacques — n'est-il pas le directeur de l'établissement ? — d'avoir caché ces enfants, protégé leurs familles. A 11 h 35, le chef de la Gestapo interrompt la récréation et donne l'ordre aux élèves, aux professeurs, aux membres du personnel de se rassembler au bas des marches. Lorsque l'appel est terminé, une porte s'ouvre et le père Jacques apparaît suivi de deux policiers allemands. Il

---

1. Louis Bunel était entré au noviciat des Carmes en septembre 1931. Il avait eu pour maître des novices le père Louis de la Trinité (Georges Thierry d'Argenlieu).

s'avance tranquillement, s'arrête, regarde les enfants, souriant, presque radieux, et leur crie joyeusement[1] ces mots qui donneront, bien plus tard, son titre au beau film de Louis Malle :

— Au revoir, les enfants, à bientôt. Continuez sans moi.

— Au revoir, mon père...

Il n'y aura pas de « revoir ».

Incarcéré d'abord à Fontainebleau, transféré à Compiègne le 6 mars 1944, puis envoyé à Mauthausen, le père Jacques restera enfermé au camp de concentration de Güsen de mai 1944 au 27 avril 1945. Pour lui cet enfer sera, selon le mot de l'un de ses camarades de déportation Louis Deblé, « un cadre idéal pour l'épanouissement de ses qualités et le rayonnement de sa pensée ». Ne pliant ni sous les coups ni sous les injures, partageant son maigre repas avec de plus malheureux, consolant, confessant, le père Jacques verra la libération mais n'en bénéficiera pas.

Comme tous les survivants de Güsen[2], il fera partie le 28 avril des colonnes d'évacuation en direction de Mauthausen. Le 5 mai, après l'arrivée des Américains à Mauthausen, il est transporté à l'infirmerie du camp. Le 10 mai, son état s'aggravant, il est conduit en Autriche, à l'hôpital de Linz, où il meurt le 2 juin, après avoir reçu le sacrement des malades et demandé modestement : « Pour les derniers instants, qu'on me laisse seul[3]. »

Lorsque, le 9 juin 1985, le consul général d'Israël remettra à titre posthume la médaille des Justes au père Jacques, il la remettra

---

1. Témoignage de Jean-Marie Petitetienne, curé d'Avon, qui, élève de philosophie, était présent lors de l'arrestation du père Jacques.

2. Le pasteur Paul Buchsenschutz, de Montbéliard, parlera de Güsen (camp proche de Mauthausen où 30 000 détenus travaillaient à la construction de galeries souterraines destinées à abriter des usines d'armement) comme d'un « enfer » dont il put échapper après un long séjour à l'infirmerie et grâce à un emploi de dactylographe dans un bureau. En février 1945, d'après son témoignage, SS et chefs de blocs massacrèrent, à Güsen II, « cinq à six cents prisonniers à coups de hache, de pelle, de pioche et de bâton ». L'évacuation en direction de Mauthausen (elle eut lieu le 28 avril) fut précédée de nouvelles exécutions. Le pasteur Paul Buchsenschutz devait mourir en 1946 des suites de la déportation.

3. Le corps du père Jacques, ramené en France, a été inhumé au cimetière conventuel d'Avon le 26 juin 1946.

également à Rémy Dumoncel, ancien maire d'Avon, mort à Neuengamme le 15 mars 1945.

Le grand éditeur[1] et le prêtre avaient tous deux protégé les persécutés : juifs, prisonniers évadés, réfractaires du S.T.O., Alsaciens, Lorrains, et le maire d'Avon, héroïque soldat des premières batailles de 1914, avait défendu, sans malheureusement pouvoir les sauver, sept hommes de sa commune, condamnés à mort pour délit de braconnage et de port d'armes.

En 1943, alors que les Allemands lui avaient demandé une liste de vingt otages, il se rendra à la Kommandantur avec une feuille de papier sur laquelle, après le sien, il a inscrit les noms de trois volontaires : ceux de Paul Mathery, secrétaire de mairie, du père Jacques Bunel (déjà) et du père Philippe Rambaud.

M. Mathery et le père Jacques seront arrêtés le 15 janvier 1944. Le tour du maire d'Avon ne tardera guère. Le 4 mai, alors que Rémy Dumoncel se trouve à Paris, on lui téléphone depuis Avon que les Allemands viennent de procéder à l'arrestation de plusieurs fonctionnaires municipaux et qu'ils le recherchent. Pour ne pas abandonner « ses adjoints et ses subordonnés de la mairie » — ce sera sa réponse à ceux qui le pressent de fuir —, Rémy Dumoncel regagnera Avon en sachant que son heure est venue mais en espérant, grâce à sa maîtrise de l'allemand, pouvoir intercéder en faveur de ses collaborateurs.

Le train qui menait de Paris à Fontainebleau-Avon passait alors par Corbeil ; le trajet était long ; les stations nombreuses. A chaque station, Dumoncel éprouva peut-être la tentation de descendre et de disparaître dans l'anonymat de la foule. Il n'y céda pas. C'est dans la foule des déportés de Neuengamme qu'il allait disparaître le 15 mars, emporté par la dysenterie. Avant de mourir, il avait prédit à ses compagnons de misère que la guerre serait finie le 10 mai. Et le 10 mai, la guerre finie depuis deux jours, sa famille le croyait sauvé.

Cet espoir — on le verra dans un prochain chapitre[2] — demeura longtemps présent au cœur de celles et de ceux qui, malgré tout ce qu'ils lisaient, tout ce qu'ils entendaient, et le silence qui succédait à la publication des listes de survivants, ne voulaient pas renoncer.

C'est ainsi que Galtier-Boissière notera dans son *Journal* à la date

---

1. Rémy Dumoncel était marié à Germaine Tallandier.
2. *Cf.* « Hôtel Lutétia », p. 219.

du 5 juillet 1945 : « Youki Desnos a eu des nouvelles de Robert par un prisonnier rapatrié. Il était l'as de son camp... Les Allemands eux-mêmes lui marquaient de la considération... Il était très affaibli par le typhus, mais il est chez les Russes, vivant. Quelle joie pour ses amis ! »

Le 5 juillet, lorsque Galtier-Boissière écrit ces phrases, le poète Robert Desnos est mort depuis près d'un mois.

Arrêté le 22 février 1944, enfermé à Fresnes, puis à Compiègne, Robert Desnos, malgré les démarches de sa femme Youki, de ses amis, et l'intervention du journaliste collaborationniste Georges Suarez[1], a été déporté à Buchenwald. Au moment de l'avance alliée, le convoi dont il faisait partie fut dirigé vers la forteresse de Terezine, en Tchécoslovaquie. Le 3 mai 1945, les SS s'enfuirent, laissant la place aux premiers soldats soviétiques et aux partisans tchèques. Ces derniers amenaient avec eux quelques médecins et des infirmiers.

L'étudiant Josef Stuna, infirmier d'occasion, ayant découvert le nom de Desnos sur la liste des 240 malades, des 240 squelettes de la baraque n° 1 dont il avait la garde dans la nuit du 3 au 4 juin, vint demander à un homme, « dont le regard presque éteint s'abritait derrière de grosses lunettes[2] » :

— Est-ce que vous ne connaissez pas le poète français Robert Desnos ?

Poète... le mot souleva Desnos de son grabat.

— Le poète français... c'est moi.

Quelle résurrection ! Lentement, péniblement, Desnos allait pouvoir parler avec un ami, et avec l'infirmière Alena Tesarova, qui, mieux que Stuna, connaissait le français, de tous les bonheurs de sa vie : la poésie ; Paris et l'amitié ; Youki et l'amour ; la liberté, la liberté.

Alena Tesarova lui avait apporté une fleur d'églantier. Elle se fana très vite. Il dépérissait aussi vite, entra dans le coma trois jours après sa « résurrection » et mourut le 8 juin, à 5 heures du matin.

Mais parce que le destin avait placé au bout de sa route, dans le mouroir de la baraque n° 1, un étudiant qui avait lu Éluard, André

---

1. Directeur du quotidien *Aujourd'hui,* où Desnos était courriériste littéraire, il sera condamné à mort le 24 octobre 1944. Youki Desnos témoigna à décharge à son procès. Roger Vailland, qui avait rencontré Desnos trois jours avant son arrestation, écrira (*Action,* novembre 1949) qu'il « croyait à sa chance, qu'il avait toujours eu la superstition de sa chance ».
2. Pierre Berger, *Desnos.*

Breton, et s'était passionné pour le surréalisme, le dernier poème de Desnos, poème testamentaire, en n'étant pas brûlé avec d'autres pauvres papiers, est parvenu jusqu'à nous.

> *J'ai rêvé tellement fort de toi,*
> *J'ai tellement marché, tellement parlé,*
> *Tellement aimé ton ombre,*
> *Qu'il ne me reste plus rien de toi.*
> *Il me reste d'être l'ombre parmi les ombres*
> *D'être cent fois plus ombre que l'ombre*
> *D'être l'ombre qui viendra et reviendra*
> *Dans ta vie ensoleillée.*

Ceux des déportés qui ne sont pas à l'agonie se préoccupent avant tout de mettre à l'épreuve ce mot neuf « liberté », dont les Alliés, devant l'expansion du typhus, limitent bientôt l'usage en imposant de sévères quarantaines. Mais la liberté serait-elle la liberté si elle ressuscitait l'ordre allemand ? La liberté, c'est de pouvoir dire « oui » ou « non » à tout quand on le veut[1], de ne pas sortir du Block lorsque le *Stubendienst* ordonne de sortir, de ne plus accepter l'intervention de « fonctionnaires » demeurés en place, mais dont le pouvoir fond dès l'instant où l'on peut, sans risque, leur crier : « Salauds ! On est libres ! »

La liberté, c'est donc aussi de promener ses poux partout.

Un minimum de discipline serait indispensable.

Discipline... Le mot pue un passé trop affreux pour être adopté.

La liberté, c'est surtout la liberté d'afficher son patriotisme, de clamer sa nationalité autrement que par cette lettre « F » ou « P » cousue au vêtement du bagnard. Comment ne hisserait-on pas les couleurs ? Mais les libérés découvrent que la chose n'est pas simple.

---

1. Antelme insiste sur cette notion. *Cf. L'Espèce humaine*, p. 302-304.

Le 30 avril, plusieurs de ses camarades viennent réveiller Michelet pour lui dire leur émotion. Le drapeau français ne flotte pas à côté des drapeaux britannique, américain, russe... et chinois. Ils ignorent que la France n'est pas (encore) le Quatrième Grand. Et qu'importe au général américain commandant le camp qu'aucun Chinois n'ait été interné à Dachau. Si le drapeau français ne flotte pas immédiatement sur Dachau, en revanche des centaines, des milliers d'oriflammes, d'étendards et de fanions rouge et blanc, confectionnés clandestinement dans les Kommandos où les Polonais travaillaient, noient très vite les emblèmes des autres pays.

La joie peut être mise en scène et récupérée. Michelet, évoquant le défilé monstre qui se déroula sur l'Appelplatz de Dachau, le 1ᵉʳ mai, ne dissimule nullement que les slogans de certaines banderoles « publicitaires » — c'est son mot — des groupes communistes avaient été « soigneusement choisis par l'appareil clandestin qui cherchait dès ce moment à reprendre le camp en main ».

A Buchenwald, le 12 avril, lendemain de la libération du camp, l'heure du réveil n'a pas été modifiée. Block par Block, les déportés se sont mis en marche en direction de la place où, dans le froid et la nuit, sous la neige et la pluie, avaient lieu les appels, supplice avant le supplice du travail. C'est le Block 26 qui ouvre la marche. Il comprend majoritairement des Français.

> « Alors, l'orchestre du camp, celui qui jouait pour les pendaisons, pour les départs au travail, pour les interminables appels, cet orchestre de cirque qui, d'une musique de foire, martelait toutes les souffrances, cet orchestre aux musiciens vêtus comme des singes savants, brusquement, solennellement, attaque *La Marseillaise*. Pour la première fois, les prisonniers du bloc 26 marchent au pas. Puis, quand suivent les blocs russes, l'orchestre joue *L'Internationale*.
>
> Du haut de la tour s'envolent des discours. Dans toutes les langues, cela fait beaucoup de discours. Les libérés rompent enfin leur dernier rassemblement, leur dernier appel. »

Profondément chrétien, le professeur Léon Mazeaud, qui décrit cette scène[1], a été plus sensible encore à la messe de la Libération. Messe « triomphale » après tant de messes secrètes, elle a été célébrée le dimanche 15 avril au *Kino,* « vaste salle, où tantôt se triaient les prisonniers comme un bétail, pour les " transports ", tantôt se donnaient quelques concerts avec ces dames du bordel au premier rang[1] ».

> « La salle est pleine. Mille hommes, privés depuis des mois et des années du divin sacrifice, prient de toute leur âme avec le prêtre belge, un Père Blanc, qui officie. Les SS avaient, en février, transporté les prêtres à Dachau. Lui était resté, niant son sacerdoce au péril de sa vie, avec trois autres, un Tchèque et deux Français. Il parle à l'Évangile ; action de grâces des survivants ; imploration pour les deux cent mille morts. Puis il donne l'absolution générale. Le Christ descend sur l'autel, de là sur les lèvres libérées. La paix universelle. »

Quatre jours plus tard — le 19 avril —, une autre cérémonie a lieu, la dernière.

Dans toutes les langues du camp, le texte du Serment de Buchenwald, rédigé par le communiste allemand Walter Bartel et par Marcel Paul, est lu sur la place d'appel.

C'est Pierre Durand qui, pour les Français, en donnera lecture au nom de 51 000 déportés « fusillés, pendus, écrasés, frappés à mort, étouffés, noyés, empoisonnés et tués par piqûres ».

> « Une pensée nous anime :
>
> NOTRE CAUSE EST JUSTE, LA VICTOIRE SERA NÔTRE.
>
> Nous avons mené en beaucoup de langues la même lutte dure et impitoyable. Cette lutte exigeait beaucoup de victimes et elle n'est pas encore terminée. Les drapeaux flottent encore et les assassins de nos camarades sont encore en vie. Nos tortionnaires sadiques sont encore en liberté. C'est pour ça que nous jurons, sur ces lieux de crimes fascistes, devant le monde entier, que nous

------

1. *Visage dans la tourmente.*

abandonnerons seulement la lutte quand le dernier des responsables sera condamné devant le tribunal de toutes les nations. L'écrasement définitif du nazisme est notre tâche [1]. »

A Ravensbrück, où en janvier 1945 se trouvent 25 000 femmes dont 10 000 Russes, 6 000 Polonaises et 3 000 Françaises, Germaine Tillion réussit à prendre quotidiennement note des faits les plus dramatiques. La dernière période du camp, « période de l'extermination méthodique qui a dépassé en horreur tout ce que l'on peut imaginer », débute le 2 mars lorsque les condamnées ne partent plus en groupe de 50 pour être tuées deux par deux au revolver, mais en groupe de 170 ou 180 [2] pour la chambre à gaz, située derrière le mur du camp, à côté du four crématoire [3].

Le vendredi 16 mars, Germaine Tillion écrit ce simple mot. « *Chasse* ». Mot qui demeurerait incompréhensible sans l'explication qu'elle devait en donner plus tard.

« Cette chasse, c'était ce qu'on appelait à Auschwitz " sélection ", de véritables battues faites à travers le camp pendant les heures de travail et au cours desquelles les SS ramassaient pour la chambre à gaz toutes les femmes qui, comme moi, n'étaient pas dans un atelier. Quand on était prévenue à temps, on se cachait. »

Le 17 mars, « *chasse* » encore.
Le 19 mars, cette notation : « *Camion en face (Block 23)* ».

---

1. Le texte a tout d'abord rendu hommage au président Roosevelt qui vient de mourir. C'est en souvenir de la manifestation du 19 avril que les dirigeants de la Fédération nationale des internés et résistants patriotes appelleront leur bulletin *Le Serment*.
2. Germaine Tillion écrit *(Ravensbrück)* avoir noté chaque soir le chiffre qui lui était donné par les prisonnières autrichiennes contraintes de relever les numéros des condamnées.
3. Témoignage de Marie-Claude Vaillant-Couturier au procès de Nuremberg. *Cf.* également G. Tillion *(Ravensbrück)*, p. 181, selon laquelle la chambre à gaz de 9 mètres sur 4,50 mètres pouvait contenir 150 personnes, mais qui n'exclut pas soit un « excès de zèle » de subalternes faisant entrer 170 personnes dans une pièce conçue pour 150, soit la poursuite d'exécutions au revolver.

Ce camion vient chercher chaque jour un chargement de femmes, « quelques-unes hurlantes de terreur, car les deux Krematorium se trouvaient juste derrière le grand mur du camp et on pouvait suivre le camion à l'oreille [...]. Personne, dans le camp, n'ignorait plus sa destination ».

Le 29 mars, au retour du travail, des déportées croisent un camion rempli de femmes âgées. C'est ce soir-là que Germaine Tillion note : « Une petite vieille nous fait signe de la main en passant. Elle a un air français, des yeux si tragiques, mais essayant encore d'être brave, de regarder droit... Et si vieille. »

Le lendemain, vendredi 30 mars, vendredi saint, c'est une scène plus affreuse encore qui se déroule. Ce jour-là, elles auraient été 350 femmes à être conduites, en sept voyages, du petit camp aux chambres à gaz. Afin de s'en saisir plus à leur aise, les SS les ont fait entrer dans un cachot où elles ont dû se déshabiller[1]. Pour les inciter à monter dans le camion, ils leur auraient ensuite tendu du pain pour bientôt le reprendre.

C'est ce même jour que, dans sa Ford peinte en blanc, le médecin suisse, chef de la mission de la Croix-Rouge internationale, commence ses démarches en vue de l'échange de 300 détenues françaises. Mais la chambre à gaz fonctionne toujours — elle ne sera partiellement détruite que le 2 avril — et les détenues ignorent tout des transactions menées entre Himmler, la Croix-Rouge et le comte Bernadotte.

Aussi, le 1er avril — dimanche de Pâques —, après avoir pris note du dérisoire « menu » du jour, « pain en cinq. Demi-margarine. Pas de soupe », Germaine Tillion poursuit : « Pas d'appel. On dit que, demain, nous ne travaillons pas. Le soir, on annonce que toutes les Françaises doivent être sur la Lagerstrasse à 9 heures [...]. On se demande pourquoi. »

Le 2 avril, le mystère est levé, même si la terreur persiste, car 500 femmes ont été assassinées en deux jours. On sait maintenant qu'il est « question d'échange ».

---

1. Les Allemands ont, la plupart du temps, fait déshabiller leurs victimes avant de les tuer. C'est par le retour des vêtements (qui étaient récupérés) qu'il était possible d'avoir la preuve de leur mort.

Himmler, chef des armées de l'intérieur et maître des SS, l'homme sans doute le plus puissant après Hitler, avait, depuis la fin de 1943, perdu toute confiance dans une possible victoire des armées du Reich.

Ses doutes qu'il conservait soigneusement secrets ne l'inclinèrent nullement à la clémence. Après l'attentat du 20 juillet 1944 contre Hitler, il se montrera impitoyable dans la répression. Mais, en février 1945, plaçant son dernier espoir dans un accord avec les Anglais et les Américains, il fera prendre, à Stockholm, des contacts avec Gilel Storch, membre éminent du Congrès juif mondial.

Son envoyé, Peter Kleist, homme de Ribbentrop, avait joué un rôle en 1939 lors de la signature du pacte germano-soviétique et sa bonne connaissance des milieux soviétiques lui permettait de faire des tentatives de la dernière chance aussi bien en direction des Russes que des Anglo-Saxons.

A ces derniers, Himmler, dans le même temps où il donne ordre que les femmes malades ou incapables de marcher soient tuées[1], fera miroiter la possible libération d'une grande partie des juifs internés dans les camps.

Bientôt, les négociateurs seront d'une tout autre « pointure » que Kleist et Storch puisque le comte Folke Bernadotte, vice-président de la Croix-Rouge internationale, rencontrera Ribbentrop et Himmler à Berlin.

Sans doute les conversations entre des hommes que tout séparait, et d'abord leur conception de la vie humaine, du droit, de la morale et de la justice, ne pouvaient-elles aboutir rapidement. Ribbentrop et Himmler avançaient d'ailleurs masqués. Convaincus, certes, de la proche défaite allemande, ils ne voulaient en aucun cas que Hitler pût soupçonner leur défection. Leur vie dépendait de l'excellence de leur camouflage, et Himmler, après avoir fait de légères concessions à Bernadotte, s'écriera : « Je ne peux rien faire qui soit contraire aux souhaits et aux projets du Führer. »

Il évoluera cependant tant dans ses entretiens avec Bernadotte qu'avec Norbert Masur qui remplaçait Storch comme représentant du Congrès juif mondial. Il est vrai que, le 20 avril, lorsque Himmler, après avoir offert ses vœux au Führer, dont on « fêtait » l'anniversaire,

---

1. Déclaration lors du procès de Hambourg (août 1946) de Suhren, ancien commandant de Ravensbrück, qui dit avoir reçu cet ordre à la fin de février. *Cf.* Germaine Tillion, *Ravensbrück.*

rencontre Masur, l'Allemagne se trouve à dix-huit jours de la capitulation et du désastre absolu. Aussi Himmler propose-t-il à Masur de libérer sur-le-champ mille femmes de Ravensbrück, à condition que leur arrivée en Suède soit gardée secrète. Le lendemain, c'est au comte Bernadotte qu'il affirmera vouloir remettre *toutes* les femmes de Ravensbrück à la Croix-Rouge[1].

Quelques heures plus tard, rencontrant pour la dernière fois Bernadotte à Lübeck, Himmler se dira délié de son serment à Hitler. Le comte veut-il faire savoir aux puissances occidentales qu'il est prêt à ordonner la capitulation du front Ouest[2] ?

Comment les femmes misérables de Ravensbrück pourraient-elles deviner, le 2 avril, loqueteuses, squelettiques, qu'elles sont l'objet de « transactions » entre des personnages si haut placés que Himmler et Bernadotte ?

Les optimistes parlent de libération, mais les pessimistes, à qui le passé si souvent a donné raison, évoquent la chambre à gaz. Toute l'histoire des camps n'a-t-elle pas été faite, écrira Pierre Daix à propos de Mauthausen, « de convois bidon qui camouflaient des entreprises de liquidation » ?

Pour une fois cependant les optimistes vont gagner.

A Ravensbrück, les derniers jours ont été des jours de déception et d'espoir. Dans un petit carnet[3], Marie-Claude Vaillant-Couturier signale, le 1er avril, que les malades sont « parties » la veille pour la chambre à gaz mais que les Allemands distribuent à l'infirmerie la part d'Ovomaltine qui leur revenait à l'occasion de Pâques ! Le 17 avril, elle

---

1. Himmler dira à Masur qu'il avait « ouvert aux Alliés » les portes des camps de Bergen-Belsen et de Buchenwald.

2. Himmler espérait être reçu par Eisenhower et s'inquiéta de savoir s'il devrait, ou non, tendre la main au chef de la coalition alliée. Les Alliés ne donnèrent aucune suite à la proposition de Himmler, transmise par le comte Bernadotte le 23 avril.

C'est le 28 avril que Hitler apprit la trahison de Himmler. Selon le général Burgdorf, qui se trouvait à la Chancellerie, Hitler aurait rédigé son testament « sous l'influence de la terrible nouvelle de la trahison de Himmler ».

3. Mme Marie-Claude Vaillant-Couturier a fait don de ce carnet au musée de la Résistance de Champigny.

note cette stupéfiante conversation entre le chef de camp et une chef de chambre.

— Pourquoi cette femme a-t-elle si mauvaise mine ?

— Parce qu'elle revient du *Jugendlager*[1] et qu'elle travaille tous les jours.

— Où travaille-t-elle ?

— Au sable.

— Mais c'est un scandale de faire travailler une femme dans un état pareil. A partir de demain cette femme doit rester au bloc.

« Vraiment les temps ont changé », écrit Marie-Claude Vaillant-Couturier.

Oui, ils ont changé puisque, le 20 avril, l'*Oberschewester* arbore un brassard de la Croix-Rouge et que, le 21, un soldat « demande à des prisonnières si elles n'avaient pas un peu de soupe à lui donner ». Car, ne touchant plus qu'un cinquième de sa ration de pain, il était affamé !

Les temps ont changé. Le 22 avril, une colonne de quinze ambulances danoises vient charger deux cents Françaises malades et, dans la soirée, vingt autobus de la Croix-Rouge suédoise arrivent au camp[2].

Les temps ont changé. Puisque, le même 22 avril, celles qui franchissent, presque libres enfin, la porte du camp croisent une colonne de misérables allemandes qui, venant de la voie de chemin de fer, sont dirigées vers les chambres à gaz.

Les Françaises qui n'avaient pas encore quitté le camp espéraient,

---

1. Petit camp attenant au camp de Ravensbrück où étaient mises celles que les SS voulaient faire mourir rapidement.

2. Marie-Claude Vaillant-Couturier sera au nombre de celles qui, volontairement, ne quitteront pas le camp. Le 28 avril — alors que les Russes ne sont pas encore là (ils arriveront le 30 à 11 h 30) — elle prendra, avec quelques déportées, la « direction » de Ravensbrück, faisant transporter de grandes malades à l'infirmerie, répartissant la nourriture, s'occupant du camp des hommes où « ils sont 800 dont 400 morts et mourants couchés pêle-mêle et le reste ne vaut guère mieux ».

Peu à peu la vie s'organise. « Nous avons de l'eau, écrit Marie-Claude Vaillant-Couturier, des chevaux, 30 vaches et 100 poules », et, le 15 mai : « Je suis contente d'être restée parmi les Français, cela leur fait plaisir de pouvoir ronchonner et se plaindre en français. » Marie-Claude Vaillant-Couturier ne rentrera en France, avec un convoi de grands malades, que le 23 juin. Certains des rapatriés mourront en route. Les derniers mots sur le carnet de Marie-Claude Vaillant-Couturier : « C'est affreux de mourir maintenant après avoir tant souffert. »

priaient. « Ce furent les journées les plus inquiétantes mais aussi les plus douces », écrit Béatrix de Toulouse-Lautrec, déportée sous son nom de jeune fille, Gontaut-Biron[1]. Avec plusieurs de ses compagnes, elle est désignée — joie — pour passer sous la douche, échanger ses haillons contre des vêtements à peu près convenables avant — tristesse et peur — d'être retirée du groupe des femmes destinées à être transférées en Suède[2].

Enfin vint le jour. C'était le 25 avril, à soixante-douze heures de la prise du camp par les Russes dont le canon approchait. Les Belges et les Hollandaises étaient parties dans la matinée. La police du camp fit savoir que les Françaises devaient se rassembler sur la Lagerstrasse. Sous les ordres d'une gardienne SS, leur colonne prit alors la direction de la grande porte de fer.

> « Nous n'osions parler mais, lorsqu'on nous fit tourner dans la direction de la chambre à gaz, chacune pâlit légèrement et, malgré le sourire, on sentait que le combat qui se livrait dans les cœurs était violent.
>
> — *Recht,* droite, hurle notre gardienne.
>
> Et nous tournâmes le dos au crématoire. Là-bas, sur la route, une colonne de femmes attendait. C'étaient les Belges et les Hollandaises qui attendaient les camions libérateurs.
>
> C'était enfin notre tour[3] ! »

Elles sont entassées dans les camions suédois, mais comme cette promiscuité soudain est douce, comme les querelles pour une jambe ou un bras gênant tournent vite à la plaisanterie !

> « Nous sommes parties.
> Est-ce de la joie ?
> Est-ce de la tristesse ?
> L'émotion est profonde et trop forte pour être assimilée.
> Maman[4] a sangloté, elle n'était pas la seule.

---

1. *J'ai eu vingt ans à Ravensbrück.*
2. Parmi les Françaises provisoirement retirées du convoi pour la Suède, Jeanne de Bertier de Sauvigny, Yvonne de La Rochefoucauld, Maisie et Isabelle Renault, sœurs du colonel « Remy ».
3. Béatrix de Toulouse-Lautrec, *op. cit.*
4. Béatrix a été arrêtée et déportée en compagnie de sa mère, qui sera libérée en même temps qu'elle.

D'autres riaient aux larmes.

Moi, j'ai pleuré, et l'image de mes amies et camarades restées derrière les murs me serrait le cœur. Je ne voyais que la haute cheminée grise, et je pensais à Nicole, Anne, à toutes nos sœurs d'armes [1]. »

Passé la frontière qui sépare le Reich du Danemark — le Danemark est occupé, mais les Danois n'ont cessé de manifester leur hostilité au nazisme —, la peur s'évanouit. On peut se coucher, se laver, se reposer, manger ces nourritures d'un monde oublié, un petit pain, du beurre, de la confiture, du porridge dont Béatrix dévorera cinq assiettes accompagnées de sept petits pains jusqu'à ce qu'un malaise intestinal la forçât à arrêter.

L'annonce que des avions alliés ont atteint un des cars de leur convoi et que le chauffeur canadien et douze déportées ont été tués n'émeut aucune de ces femmes familières de la mort. Comme l'un des responsables a demandé une minute de silence et que l'on a joué les hymnes patriotiques, la voisine de Béatrix murmure : « Que de chichis pour treize morts », et Béatrix, qui pense à des centaines de camarades disparues, approuve.

La mémoire des peuples retient Ravensbrück, Dachau, Mauthausen, Buchenwald, Auschwitz, Auschwitz surtout. Comme cette sélection, qui rétrécit avec le temps, peut sembler injuste à tous ceux et toutes celles qui furent projetés dans d'inhumains Kommandos dont le nom ne dit rien à personne.

A partir d'une liste de 959 femmes françaises déportées de France le 30 janvier 1944, arrivées le 3 février à Ravensbrück, Germaine Tillion a pu reconstituer, au terme d'un complexe travail, 959 destins [2]. De ces 959 femmes, 122 furent envoyées à Hollenchein le 13 ou le 14 avril 1944 ; d'autres à Hannover-Limmer le 22 juin ; à Brunschwig le 7 juillet ; à Schlieben le 22 juillet, dans sept autres camps ou

---

1. Sur 250 Françaises déportées par le même convoi que Béatrix de Toulouse-Lautrec, seules 15 revinrent en France.
2. *Ravensbrück,* p. 139 et suiv.

Kommandos encore, Ravensbrück jouant « le rôle de plaque tournante dans la déportation des femmes de toute l'Europe et dans leur exploitation industrielle[1] ».

Il y eut donc autant de libérations différentes que de Kommandos, et les exemples cités par Germaine Tillion donnent une image de la diversité des destins. A Leipzig, les Françaises venues de Ravensbrück s'évadèrent sur les routes de l'évacuation ou furent délivrées par les chars russes ; à Schlieben, les SS ayant pris la fuite, le directeur de l'usine offrit à qui le voudrait la possibilité d'aller à pied rejoindre les Américains, « avec deux charrettes à chevaux pour les bagages et une garde de dix soldats débonnaires[2] » ; à Hollenchein, abandonné par les SS, les détenues furent libérées par des francs-tireurs polonais et, tout d'abord, nourries par des prisonniers de guerre français.

Brigitte Friang, après un court passage à Ravensbrück, a été envoyée en juillet 1944, dans les Sudètes, au Kommando de Zwodau. Avec 1 500 autres détenues, elle en partira le 16 avril 1945 en direction de Dachau et survivra à la dramatique aventure de son convoi qui « perdra » en route 1 300 femmes assassinées ou mortes de fatigue, de faim (Brigitte pèse 28 kilos, « galoches comprises »), d'épuisement.

C'est le 8 mai que Brigitte Friang s'évadera. Le jour de la capitulation allemande. Mais, ce jour-là, les SS, qui ne savent rien encore, même si la réalité de la défaite s'étale sous leurs yeux, se montrent plus cruels que les autres jours. Avec deux Françaises de ses amies, Brigitte passera une partie de la journée enfoncée dans des bottes de paille qui lui font une vivante, envahissante, étouffante prison[3]. Lorsque les SS, qui n'ont pas leur compte de moribondes et de mortes, finiront par se lasser de gueuler et de frapper et

---

1. Germaine Tillion, *op. cit.* Six prisonnières du convoi furent libérées dans le courant de l'année 1944. Soixante-huit firent partie de l'échange des 300 Françaises qui eut lieu le 2 avril 1945 ; d'après le document allemand, 92 prisonnières seraient mortes, chiffre très inférieur à la réalité. *Cf.* Germaine Tillion.
2. Une trentaine de Françaises et quelques Tziganes profitèrent de cette offre. Germaine Tillion, *op. cit.*
3. En lisant *Regarde-toi qui meurs,* on découvre combien, en certaines circonstances, la paille peut être un cercueil plutôt qu'un berceau.

s'éloigneront enfin avec leurs prisonnières trébuchantes, les trois Françaises gagneront la campagne allemande.

Elles ont camouflé autant que possible leurs vêtements de bagnards, mais ne peuvent dissimuler leur effroyable maigreur. Mais qui songerait à faire attention à elles dans cette Allemagne qui « grouille de fantômes[1] » : civils en fuite à l'approche des Russes, sinistrés s'éloignant des villes bombardées, troupes épuisées, et ces hommes et ces femmes de quinze nations que, depuis 1939, les Allemands ont capturés pour leurs stalags ou requis pour leurs usines ?

C'est dans la soirée, en arrivant au village de Plochat, que Brigitte Friang et ses deux amies apprendront, de la bouche de prisonniers de guerre français, la capitulation allemande. Que demandent-elles alors à ces hommes « confortablement installés depuis cinq ans dans leur petit village à l'heure française[1] » ? De l'eau, un peu de pain. Elles recevront l'aumône d'une unique tranche de pain pour trois et le conseil d'avoir à poursuivre jusqu'à Morawes — trois kilomètres encore — où se trouvent d'autres prisonniers français.

A la ladrerie des uns succédera d'ailleurs la générosité des autres qui feront étalage de victuailles et de cochonnailles, richesses auxquelles, avertie, Brigitte Friang se gardera de toucher, se contentant d'une tartine de pain beurré et d'un verre de lait.

Heureuse d'être libre, Brigitte Friang ? Comment ne le serait-elle pas ? Mais sa joie est immédiatement ternie par l'attitude de prisonniers exhibant avec impudeur les photos de leurs petites amies allemandes. « Ils ne comprennent pas plus nos réticences polies, écrira-t-elle, que nous ne comprenons leur manque de tact. Qu'ils ne perçoivent pas de quel univers nous émergeons nous paraît inadmissible. Ce n'est que le début d'un malentendu qui, des années durant, provoquera notre malaise[1]. »

Plus tard, elle parlera des « prisonniers bêlants, à 90 % volontaires », qui se retirent, par habitude, « sur des positions préparées à l'avance », lorsque paraissent les premiers soldats soviétiques amateurs de bicyclettes, de montres... et de femmes, et n'osent pas sortir les fusils, trop soigneusement dissimulés au fond de la charrette qui porte leur barda, pour capturer un SS en qui Brigitte Friang et ses amies viennent de découvrir, au hasard de la route, l'un de leurs tortionnaires.

---

1. *Regarde-toi qui meurs.*

Trop faibles, trop démunies, désireuses de marcher vers l'ouest des Américains pour échapper à des Russes qui ne se laissent plus arrêter dans leurs entreprises galantes par leur condition de « partisanes françaises », Brigitte Friang et ses amies accepteront cependant « les désagréments » du « compagnonnage obligatoire [1] » avec les prisonniers. Mais la jonction avec les Américains sera, elle aussi, source de désillusions.

A Karlsbad, point de rencontre entre l'Est et l'Ouest, le premier poste américain refuse, en effet, aux déportés le droit d'emprunter la même route que les anciens prisonniers de guerre.

> « Les soldats, même prisonniers quasi volontaires, n'en font pas moins partie de l'élite des porteurs d'uniforme guerrier. De l'autre côté, la racaille des civils, travailleurs volontaires, requis et déportés. A pied, bien sûr. Nous en pleurerions d'humiliation. Rien ne fléchit le policier. Comme j'insiste trop, il met la main à son colt et me l'agite sous le nez [1]. »

La « racaille des civils... requis et déportés » ? Non, mais voici les priorités pour le rapatriement telles qu'elles existent d'après un document officiel en date du 7 juin : 1) Prisonniers et transformés. 2) Déportés politiques. 3) Requis. 4) Travailleurs volontaires. 5) Collaborationnistes (sous escorte).

Si, aujourd'hui, presque plus personne ne fait mention des prisonniers de guerre, il est vrai qu'en 1945 ils sont « le peuple des captifs », des hommes, près d'un million, attendus depuis cinq ans, auxquels chaque village de France se prépare à faire accueil.

---

1. *Regarde-toi qui meurs.*

4

LES PRISONNIERS DE L'AN 40

Le 25 juin 1940, à 0 h 25, lorsque les clairons sonnent le cessez-le-feu, les Allemands ont toujours des prisonniers à saisir : ces hommes qui tiennent encore les forts de la ligne Maginot et ceux qui errent dans la campagne française ou se dissimulent dans les bois.

Tous comptes faits, ils annonceront avoir finalement capturé 1 900 000 sous-officiers et soldats, ainsi que 29 000 officiers[1]. Dans une lettre du 26 novembre 1940, Hitler, écrivant au maréchal Pétain, parlera même de 1 960 000 captifs. C'est le chiffre le plus élevé qui ait été donné.

Dans les premières semaines de l'Occupation, le gouvernement français, soucieux de remettre en marche l'économie du pays, obtient de Berlin, à qui cette reprise est nécessaire, la libération de nombreux soldats. Voient ainsi s'ouvrir rapidement la porte des camps une grande partie du personnel sanitaire et la plupart des grands blessés ; les hommes indispensables au maintien de l'ordre, les ouvriers de la S.N.C.F., le personnel des houillères, du gaz et de l'électricité, les fonctionnaires de l'administration centrale, les agents des ponts et chaussées, un certain nombre d'agriculteurs[2].

A ces hommes s'ajoutent quelques dizaines de milliers de soldats,

---

1. D'après les services du secrétariat d'État aux Anciens Combattants, ce chiffre devrait être ramené à 1 850 000. La Croix-Rouge internationale a constitué un fichier de 1 605 000 noms, ce qui correspond à peu près au nombre des prisonniers captifs en Allemagne (1 580 000) à la fin de 1940.
2. Ces catégories sont mises « en congé de captivité ». Le prisonnier qui bénéficie de cette clause peut, à chaque moment, recevoir l'ordre des autorités allemandes de rejoindre un camp de prisonniers de guerre. Cette mesure ne fut que très rarement appliquée.

sans illusions sur les chances d'une paix prochaine qui les rendraient à leurs foyers et qui, pour s'évader, mettent alors à profit les relatives facilités qu'offre le séjour en France.

Ainsi estime-t-on à 250 000 environ les prisonniers qui, par libération presque immédiate ou évasion rapide, ne connaîtront qu'une captivité de quelques semaines. Ce sont donc environ 1 580 000 officiers, sous-officiers et soldats qui iront dans les 13 oflags et les 59 stalags d'Allemagne [1].

Combien sont-ils à la fin de 1944 lorsque la bataille à l'ouest rend impossible tout retour ? Selon les archives allemandes, 920 598 ; selon le secrétariat d'État français aux Prisonniers, 940 000. La différence est négligeable.

Ce sont donc environ 940 000 prisonniers qui ont été libérés.

On discutera de la part prise par Vichy dans ces libérations.

Pour Du Moulin de La Barthète, familier et défenseur du Maréchal, ce sont 472 000 hommes que Vichy aurait arrachés aux camps d'Allemagne. Dans une enquête, achevée le 17 novembre 1947, le ministère des Anciens Combattants ramènera ce chiffre à 222 841 [2].

On ignorera toujours quelle est la version digne d'être retenue, mais l'on ne peut nier l'intérêt porté par le maréchal Pétain et, à travers lui, par le gouvernement de Vichy, au sort des prisonniers. Lorsque le Maréchal s'adresse aux prisonniers, et il le fait à de très nombreuses reprises [3], c'est toujours avec une émotion non feinte. Ils sont « ses amis », voire « ses enfants [4] » ; leur pensée, dit-il en s'adressant aux mères et aux femmes, ne le « quitte pas », il affirme lutter « chaque jour pour améliorer leur sort [5] » et Du Moulin de La Barthète estime qu'un tiers de son activité allait aux prisonniers.

---

1. Ces chiffres sont ceux de juin 1943. Les soldats coloniaux resteront pour la plupart dans des camps de France *(Frontstalags)*, à la fois pour des raisons climatiques et pour des raisons raciales, les nazis manifestant mépris et haine pour les « nègres ». Entre juillet 1940 et décembre 1941, l'effectif des Frontstalags évoluera entre 80 000 et 60 000 prisonniers.
2. Au crédit de Vichy, le ministère des Anciens Combattants porte les rapatriés anciens combattants (59 359) ; les pères et soutiens de famille (18 731) ; les militaires de carrière libérés notamment pour encadrer les troupes coloniales d'Afrique (1 422) ; les spécialistes (14 490) ; les prisonniers libérés à la suite de la relève (90 747) ; les fonctionnaires (17 751) ; les veufs (123) ; les cultivateurs (18 127) ; les cheminots (1 710) ; les ingénieurs agronomes (381).
3. *Cf.* in *Quarante millions de pétainistes,* le chapitre « Le peuple des captifs ».
4. 24 octobre 1941.
5. Message du 9 octobre 1940.

Dans son message du 13 août 1940, le chef de l'État précise que le gouvernement s'efforce d'adoucir la rigueur du sort des prisonniers « par des négociations avec les autorités allemandes », ce qui laisse prévoir l'entrevue de Montoire voulue par Pétain dans l'espoir de trouver avec Hitler des « arrangements » portant certes sur la diminution des frais d'occupation comme sur l'assouplissement de la ligne de démarcation, mais particulièrement sur la libération d'un nombre appréciable de prisonniers.

Espoir déçu, les Allemands n'étant décidés à accorder à Pétain et à Laval que de *petites* concessions en paiement de *grands* abandons[1], mais espoir partagé par les prisonniers.

Le père Victor Dillard, qui mourra en déportation, mais qui se trouve dans un camp de prisonniers en octobre 1940, résume, sans aucun doute, l'opinion de la majorité de ses camarades de captivité lorsqu'il écrit au Maréchal : « Vous ne vous êtes pas résigné à notre captivité... Si vous êtes venu à Montoire, si vous avez noblement " surmonté notre défaite " comme vous dites, pour tendre la main au vainqueur, c'est en pensant à nous que vous l'avez fait... »

Attentifs et sensibles, dans leurs camps, à tout ce qui vient de France — et ce qui vient, à l'exception de lettres familiales brèves et surveillées, émane de Vichy, porte la marque, la signature et l'image du Maréchal, qu'il s'agisse de colis, de messages ou de littérature —, les prisonniers, que leur pétainisme soit « actif » ou « passif », accorderont presque tous, au moins jusqu'à la fin de 1943[2], leur confiance à la personne de Philippe Pétain plus qu'à sa politique dont ils ne savent pas grand-chose[3].

---

1. Sur ce point, *cf.* la note d'Abetz, *Quarante millions de pétainistes,* p. 103 et suiv.

2. Un rapatrié du Stalag XIII A précise, en octobre 1942, qu'il y a « 70 % d'adhérents au mouvement Pétain, dont 55 à 40 % de " vraiment purs ". Le reste suit le mouvement et est convaincu selon les fluctuations des événements ». (*Cf.* Y. Durand, d'après lequel c'est en 1942 que les « Cercles Pétain » connurent leur apogée.)
Si les prisonniers sont majoritairement favorables au Maréchal, ils sont globalement hostiles à la collaboration. C'est en octobre 1944 seulement que l'homme de confiance du Stalag XVIII B fera détruire les portraits du Maréchal.

3. Dans les camps, les questions de politique extérieure sont exclues des causeries et conférences ; une note pour le Commissariat général aux prisonniers de guerre le précise le 18 janvier 1943. Cette note ajoute que « les P.G. doivent, sans réserve, sans chercher à juger, être aveuglément derrière le Maréchal et derrière le chef du gouvernement ».

Du Maréchal, ils attendent une amélioration de leur sort et, surtout, une accélération de leur libération.

Leurs familles entretiennent le même espoir. Dans son livre sur la captivité, Yves Durand a fort bien vu et dit que l'histoire de la captivité représentait « un grand phénomène social ».

La France — et non seulement la France officielle — vit « à l'heure P.G. ». Les prisonniers servent, certes, d'illustration « à l'un des thèmes favoris de la Révolution nationale : celui de la rédemption par la souffrance [1] », ils doivent être « l'aile marchante du grand mouvement de redressement national » et leur possible libération justifie, pour le pouvoir, des sacrifices de souveraineté et de dignité, mais que le Maréchal parle des prisonniers, qu'il tente en leur faveur des gestes politiques, paroles et gestes sont approuvés par des millions de Français et de Françaises, épouses, mères et pères des « absents [2] », qui jugent Montoire et la relève à l'aune de leur chagrin et de leurs espérances.

Que « leur » prisonnier soit le centre d'un monde économiquement et affectivement déstabilisé est parfaitement compris entre 1940 et 1944. La libération de la France ne met pas fin aux angoisses des familles. Tous les liens épistolaires avec l'Allemagne rompus, l'incertitude planera longtemps sur le sort d'êtres chers que l'on devine soumis à la terreur des bombardements comme au sanglant désordre des combats.

A ces inquiétudes correspondent les inquiétudes des prisonniers.

Heureux des victoires alliées qui laissent prévoir avec la fin de la guerre la fin de leur capitivité, ils ne peuvent que craindre pour les leurs dans les régions soumises aux bombardements, et les dernières lettres qui passeront la frontière solliciteront avec angoisse des nouvelles.

Ils savent que, pour eux, le plus dur est peut-être à venir : arrêt des envois familiaux et des « colis Pétain », difficultés de ravitaillement, fréquents bombardements des usines dans lesquelles ils travaillent, transfert de camp en camp dans des conditions chaotiques, libération

---

1. Yves Durand, *La Captivité*.
2. Plus de la moitié des prisonniers sont mariés ; plus de 30 % ont des enfants, d'après les chiffres fournis par des enquêtes menées dans le Loiret et les Alpes-Maritimes (*Cf.* Y. Durand, *op. cit.*, p. 27).

qui précédera de quelques jours ou de plusieurs mois le retour en France.

Leur tristesse s'exprime dans des messages qui n'arriveront jamais à leurs destinataires mais sont comme autant de bouteilles à la mer. « Une vie pareille ne mérite pas la peine d'être vécue. Je me dis où peut bien être ma pauvre femme si elle a été évacuée, et puis je me demande si notre logis est encore debout ou s'il a été détruit ou pillé [1]. » « Nous sommes vraiment séparés du monde ; plus de nouvelles, plus de colis ; des bêtes, de vraies bêtes, le moral est de plus en plus à zéro [2]. » « J'en ai soupé de la captivité et même quelquefois de la vie [3]. »

Les 920 000 ou 940 000 prisonniers français qui se trouvent encore en Allemagne au début de 1945 ne vivront la libération ni au même moment ni de la même façon.

Leur histoire peut être collective lorsque, dans les jours qui précèdent l'arrivée des libérateurs, ils sont encore rassemblés en petit nombre dans des stalags, employés dans des usines où la convention de Genève autorise qu'ils soient utilisés [4]. Elle est individuelle lorsqu'ils

---

1. Stalag II A, 30 novembre 1944.
2. Stalag VII A, 27 janvier 1945.
3. Stalag II C, 21 février 1945. Ces lettres sont citées par Yves Durand.
4. La convention de Genève autorise, en effet, la puissance détentrice des prisonniers à les utiliser au service de son économie. Les entreprises de guerre sont exclues de cette autorisation, mais, en guerre, tout sert à la guerre. Les prisonniers français seront majoritairement employés dans l'agriculture, mais il s'en trouvera dans les mines, les carrières, les aciéries, les services municipaux des villes, les entreprises de transport, les théâtres, etc.

Certains d'entre eux seront affectés aux *Bauarbeit-Bataillons,* unités volantes chargées de construire (ou réparer) des abris de défense passive. Aux prisonniers qui protestent lorsqu'on les emploie aux fortifications de Königsberg, les Allemands répondront que, faisant travailler leurs femmes et leurs enfants, ils ne peuvent laisser les étrangers sans rien faire.

Le 14 mars 1942, le gouvernement français se dira d'accord avec M. Scapini (aveugle de la Première Guerre, député de Paris, chargé par le maréchal Pétain de traiter avec le gouvernement allemand des problèmes des prisonniers de guerre) « pour ne pas adresser de protestation au cas où les P.G. seraient employés dans des industries de guerre ». Scapini était chargé de prendre « toutes précautions utiles pour informer les Allemands de cette décision sans engager le gouvernement ».

se trouvent dispersés dans des fermes, des Kommandos de ville, des chantiers forestiers, de petites entreprises.

Plus de 900 000 prisonniers de guerre, près de 800 000 travailleurs [1] partis pour l'Allemagne au titre de la Relève, de cette loi du 4 septembre 1942 qui organise un véritable « volontariat » forcé, ou encore du S.T.O. [2].

Un million sept cent mille destins entre lesquels il faut choisir quelques destins.

Le destin du P.G. Depoux, capturé en 1940 dans les Vosges, qui, le 21 janvier 1945, évacue avec ses employeurs la région de Friedland, en Prusse-Orientale. Il fait − 28° et leur charrette, mêlée à beaucoup d'autres, n'avance que lentement sur des routes mises sommairement en état de défense.

Dans la nuit du 22 janvier, Depoux, deux autres prisonniers français et les deux familles allemandes qu'ils accompagnent gagnent la petite ville de Wilten, où ils camperont jusqu'au 28. Ils en seront chassés précipitamment par le bruit rapproché de la canonnade et par les coups de feu qu'échangent arrière-gardes allemandes et éclaireurs russes. Leur convoi avance péniblement dans les tourbillons de neige. Le 29 janvier, c'est en vain qu'ils tentent leur chance dans une ferme où il n'y a place ni pour les enfants ni pour les chevaux.

Les jours se ressemblent. Ils sont d'inquiétude, car jamais le gîte n'est assuré. Ils sont de peur. Il arrive que l'avance des foules sur les troupes russes ne dépasse pas cinq, voire deux kilomètres, et l'exode se déroule sous le contrôle de l'aviation soviétique. Sur les routes verglacées qu'il leur faut souvent abandonner pour céder la place aux

---

1. 785 000, chiffre d'ailleurs discutable car certains permissionnaires ont oublié de revenir.

2. A la date du 19 décembre 1942, ce sont 239 763 Français qui ont gagné l'Allemagne, soit volontairement dans le cadre de la relève, soit à la suite de la loi du 4 septembre 1942 (175 763). L'Allemagne réclamera 1 575 000 travailleurs français ; elle en obtiendra environ 785 000, un sur deux.

convois militaires qui montent vers le front, les fuyards côtoient les épaves et les déchets de la débâcle : voitures de ferme renversées dont les débris servent à alimenter quelque feu, ballots de linge, landaus, cadavres de chevaux, d'hommes, de femmes, d'enfants, toujours attachés sur le traîneau où ils sont morts de froid. Celui qui tombe est perdu, celui qui s'arrête est condamné.

Depoux vit la tragédie de la population allemande. Ce qui est vrai pour lui l'est, ou le sera, pour des dizaines, peut-être pour des centaines de milliers de prisonniers et de travailleurs français emportés eux aussi par l'exode de 1945. Le Reich n'est plus, selon le mot de Francis Ambrière, qu' « un gigantesque grouillement de vagabonds qui erraient sur les routes [1] ». Prisonniers et S.T.O. sont au nombre des vagabonds, éprouvant les mêmes faims, les mêmes morsures du gel, les mêmes terreurs lorsque les avions russes surgissent en rase-mottes, alors qu'il leur faut, comme les autres, se sauver dans les champs, se coucher dans les fossés, se coller aux arbres, tandis que « chaque impact écharpe la masse en de longs sillons ignobles et que le vent porte un moment l'odeur tiède des corps éventrés [2] ».

Seuls leurs sentiments diffèrent. Depoux dira n'avoir éprouvé « aucune pitié [3] » pour ses compagnons de misère, leur drame étant le prix qu'ils devaient payer pour leur nécessaire défaite.

Le 11 février, pour atteindre Kolberg, la colonne dans laquelle il se trouve doit franchir le Frisches Haff gelé [4]. Des kilomètres et des kilomètres sur la glace dont l'épaisseur n'atteint pas trente centimètres. « Les voitures [5], écrit Depoux, tournent et retournent, cherchant une direction pour accoster ou pour éviter d'être groupées. » En de nombreux points, en effet, la glace — que les Russes bombardent pour la briser — a cédé sous le poids de voitures surchargées ou trop proches les unes des autres. Elles émergent encore de leur prison de glace, à moins qu'un grand trou ne signale qu'elles ont été englouties

---

1. *Les Grandes Vacances.*
2. Guy Sager, *Le Soldat oublié.* Engagé dans la L.V.F., Sager a vécu la retraite de Prusse-Orientale.
3. Le témoignage du P.G. Depoux se trouve publié dans *La Captivité,* d'Yves Durand.
4. Le Frisches Haff est une lagune d'environ 8 kilomètres de largeur longeant la côte sur 60 kilomètres à partir de Pillau. Elle est séparée de la mer par une bande de terre dénommée Frische Nehrung.
5. Il s'agit de voitures hippomobiles.

parfois avec leur chargement humain. Lorsque le temps leur en est laissé, les hommes détellent les chevaux ou coupent les traits, les femmes arrachent à la cargaison les enfants et quelques vêtements, mais il arrive, le drame ayant été trop rapide, qu'une famille entière ait disparu.

Depoux et ses employeurs finissent par atteindre Kolberg le 13 février, Kolberg où une audacieuse patrouille russe a déjà pénétré avant d'être repoussée en abandonnant quelques cadavres. Le 15 février, ils sont à Oliva. Le 17, dans l'après-midi, les voici à Dantzig. L'eau et l'électricité font défaut. Les cadavres des maisons encombrent les rues. La population qui n'a pas fui se terre dans les caves [1].

Le 19 février, Depoux quitte Dantzig pour aller toujours plus à l'ouest. « Beaucoup rouler pour ne guère avancer », note-t-il le 22 et, le 28 : « Départ à 8 h 30, route encombrée, affolement général, conquête de la route, mètre par mètre. Arrêt à 21 heures. Nous avons parcouru 9 kilomètres. » Bientôt, le cercle se ferme sur des milliers de réfugiés qui se trouvent pris entre le feu des chars russes et le feu de six navires de guerre allemands. Rejetés par les débris de l'armée allemande qui tentent de contenir la poussée soviétique et veulent des routes libres ; affamés, allant de ferme abandonnée en ferme abandonnée à la recherche de quelque nourriture oubliée par les pillards ; se terrant lorsque des avions surgissent ou lorsque éclatent des fusillades, ils finissent par tomber dans la nasse.

C'est dans la nuit du 11 mars, dans le petit village de Lousin occupé quelques instants plus tôt par les Russes, que Depoux décide d'abandonner ceux qui, depuis longtemps, ne sont plus des patrons mais des compagnons de malheur.

En prévision d'une brusque rencontre avec des soldats soviétiques, il a, comme beaucoup, appris quelques mots de russe et répète : « *Tovarichis franzouskis* », aux hommes de la patrouille qui, pour

---

1. Les défenseurs de Dantzig, ville-prétexte au déclenchement de la Seconde Guerre mondiale, résisteront jusqu'au 28 mars aux assauts de la Iʳᵉ armée blindée du maréchal Rokossovski et d'une brigade de chars polonaise. Les derniers soldats qui pourront quitter la ville seront précédés du cercueil du général Betzel, ancien commandant de la 4ᵉ D.B., que ses hommes ont recouvert du pavillon de guerre du Reich et arrimé sur l'un de leurs derniers chars.

l'intercepter, ont tiré une rafale. « *Tovarichis franzouskis* », en voilà assez pour préserver sa vie — c'est l'essentiel, mais la formule magique ne sauvera pas sa montre[1].

Le 12 mars, Depoux et les deux prisonniers qui ont fait route avec lui depuis le 21 janvier rejoignent, sans escorte, Greiffenberg, l'un des anciens centres d'instruction de la Légion des volontaires français contre le bolchevisme où, déjà, sont rassemblés de nombreux Français, Anglais, Belges, Polonais... Ni ravitaillement ni matériel de couchage, mais la liberté retrouvée. Le 18 mars, transférés à Neuweddel où le drapeau tricolore flotte à côté du drapeau britannique[2], Depoux et ses camarades connaîtront quelques semaines dégrisantes. Ne doivent-ils pas travailler sous la surveillance de sentinelles russes armées ? Voilà qui leur rappelle les plus mauvais moments de la captivité et ils se rebellent, comme se rebelleront généralement les Français que les Russes voudraient utiliser pendant quelques jours et qui usent de mille astuces, parfois avec un irritant cynisme, pour échapper à toutes les contraintes. Finalement, le 22 avril, les Français obtiendront non seulement d'assurer la garde nocturne du village, mais encore de faire travailler à leur place — et sous leur surveillance — les civils allemands. « L'esprit français s'est imposé à l'autorité russe », écrit Depoux qui ajoute, glorieux : « Nous sommes les véritables maîtres du village[3]. »

Depoux travaillait dans une ferme, Georges Verdaine — prisonnier transformé du Stalag[4] — était employé dans une scierie de Saalfeld

---

1. Le nom de De Gaulle sert également de sésame.
2. Il y a 1 500 Français (prisonniers, déportés, S.T.O. et même L.V.F. camouflés en travailleurs civils) dans la ville.
3. Il s'agit du village de Klosterfelde où Depoux et ses camarades ont été transférés depuis Neuweddel.
4. En janvier 1943, Sauckel ayant exigé 250 000 travailleurs français, Laval demanda en contrepartie la « transformation » de 250 000 prisonniers de guerre en travailleurs. Les « transformés », même s'ils demeuraient sur les mêmes lieux de travail, cessaient de porter l'uniforme, touchaient un salaire équivalent à celui des ouvriers allemands accomplissant les mêmes tâches, avaient la possibilité de

lorsque l'ordre d'évacuation le touche le 20 janvier. Il part avec un convoi de carrioles bâchées où s'abritent les femmes et les enfants, cependant que les hommes suivent à pied. Le vent qui souffle en tempête les empêche d'avancer. En quinze heures, ils franchiront moins de treize kilomètres.

> « J'ai vu un peu l'exode en Belgique, celui de France, écrit Georges Verdaine[1], mais celui de Prusse fut horrible, l'effroi remontant les colonnes, de bouche à oreille, avec le récit de ceux qui avaient assisté aux incursions des blindés russes, avec l'impossibilité de soigner les malades, d'ensevelir les morts, les vieillards, et souvent les enfants qu'on abandonnait dans les fossés, une nourriture froide et insuffisante. »

Avec une dizaine de ses camarades prisonniers de guerre, Verdaine abandonnera rapidement le convoi pour errer dans le no man's land, entre la côte que suit la population et l'intérieur du territoire où se déplacent les chars russes fonçant en direction de Berlin.

Ces Français vivront « en sauvages », pillant les fermes et y trouvant confitures et salaisons qui leur permettront de subsister ; ils échapperont aux défenseurs d'un barrage antichar qui voudraient les embaucher ; ils se dissimuleront dans un wagon de femmes allemandes évacuées de Saalfeld qui, les reconnaissant, les feront profiter des boissons chaudes et des vivres distribués à chaque halte dans les gares.

A Hambourg, leur troupe s'étant dispersée, Verdaine sera pris et affecté dans une usine de la ville où il travaillera alternativement comme fraiseur de 7 heures du matin à 7 heures du soir et de 7 heures du soir à 7 heures du matin avec deux pauses, l'une de trois quarts d'heure à midi ou minuit, l'autre de quinze minutes, de 15 h 45 à 16 heures.

Les marks de pacotille qu'il reçoit ne lui servant pas à grand-chose dans une ville où seule reste en vente libre une fade pâte de poissons, il

---

circuler à peu près librement, mais ne bénéficiaient pas des garanties de la convention de Genève.

La transformation était en principe volontaire ; les chiffres des « transformés » atteignirent 221 443 en juin 1944, soit près d'un prisonnier sur quatre (*Cf.* Yves Durand, *op. cit.*).

1. Témoignage inédit.

se procurera cependant grâce à eux un Boileau, imprimé en 1697 à Amsterdam.

Verdaine sera libéré par les Anglais, et c'est rapidement qu'il regagnera la France mais, pour bon nombre des prisonniers et S.T.O. libérés par l'armée soviétique, Odessa est le but.

On ne l'atteint que lentement.

Avant de monter sur le bateau qui le ramènera en France, René Crespy — employé de banque, envoyé au titre du S.T.O. dans un chantier près de Katowice où il accomplira des tâches dégradantes et rudes — va vivre (et ses camarades avec lui) des aventures chaotiques qui paraîtront banales à ceux qui se sont trouvés dans cette Allemagne désespérée du début de l'année 1945.

Aventures sur fond de pillages. Pillage, le 23 janvier, d'un train de la Wehrmacht abandonné entre le camp et la gare de Morgenroth. Chacun s'empare d'une caisse comme, à la loterie foraine, on peut le faire d'un paquet surprise. Le hasard rend les uns propriétaires de conserves, les autres de cigarettes, de papier hygiénique, de mouchoirs ou de poignards d'officier.

Pillage du camp français par une horde de Russes, de Baltes, de Polonais, accourus d'un camp de prisonniers voisin. « Il faut, écrit Crespy dans ses souvenirs inédits, se battre, cogner, vivre pour soi, pour son ventre. Au plus fort de la mêlée, nous avons ainsi réussi à sortir deux sacs de sucre et un sac de pois cassés. Le plus dur était de les transporter sans se les faire " faucher ". Deux gars portaient le sac et les autres encadraient les porteurs. Le système se révéla excellent. Au bout d'une heure ou deux, l'effervescence se calma : il n'y avait plus rien à prendre. »

Pillage par les premières unités russes qui mettent à sac Katowice, par les Polonais qui se vengent de leurs souffrances, tandis que les Français du camp pillent les magasins de l'usine, certains s'emparant de lourdes machines à écrire qui ne leur seront d'aucun usage, d'autres des lunettes des contremaîtres, du gibus du *Lagerführer* qui ne serviront qu'à la mascarade d'un instant.

Aventures sur fond de peur. Les premiers soldats soviétiques ont, sous la menace de leur mitraillette, dépouillé tous ceux qu'ils rencontrent de leurs bijoux, de leurs portefeuilles ; de leurs montres.

Il faut beaucoup de naïveté à MM. Claude et Guérimand, qui habitaient respectivement Montbard et Villeurbanne, mais que les hasards de la guerre ont jetés en Allemagne, pour aller se plaindre, le 21 mai, au service des renseignements du Centre français d'Enns, de s'être fait dérober leur montre par un soldat russe qui leur demandait l'heure !...

Il faut plus encore de naïveté aux responsables du Centre français pour enregistrer pareilles plaintes.

L'aspirant Guy Dubesset, à qui, en Prusse-Orientale, le 1er avril, deux soldats russes ont volé sa vareuse, sa culotte et son alliance, est allé protester à la Kommandantur de Guttstadt qui a mis à sa disposition une voiture à cheval et trois soldats « à mine peu rassurante ».

Voilà son récit [1] : « Coups de mitraillette dans la nature, vols dans les fermes encore habitées par des Allemands, ordres impératifs pour des besognes de domestique que j'étais bien obligé d'exécuter. Je dois dire que ces messieurs m'ont offert du pain et du lard puis, dans une des fermes habitées par des Russes, une sorte de préparation de porc très gras où chacun puisait avec sa cuillère. Résultat nul : voleurs partis sans doute depuis hier soir. M..., qui m'attendait quelque part sur la route, a été giflé et a reçu des coups de pied au cul par une sorte de brute. Décidément, le contact avec l'Armée rouge est de moins en moins sympathique. »

René Crespy a vu l'avant-garde de cette armée redoutable, mais « déconcertante », qui arrive par groupes de cinq ou six soldats, semblant agir « pour leur propre compte tant ils paraissaient autonomes et indépendants ». Soldats qui arrêtent les passants qui « ne leur reviennent pas, fouillant et dépouillant les uns, interpellant les autres tantôt brutalement, tantôt avec une jovialité inattendue », et qui, surtout, boivent et exigent tout ce qui peut, de près ou de fort loin, ressembler à de l'alcool.

_____

1. Témoignage inédit.

René Crespy : « Ils avaient soif. En général, tous les Français, avec un ensemble touchant, déclaraient qu'ils n'avaient rien à boire. Certains poussèrent l'innocence jusqu'à offrir de l'ersatz de café, mais cette plaisanterie fut fort mal goûtée... Le scénario était alors merveilleusement réglé : le tovaritch armait ostensiblement sa mitraillette ou empoignait son revolver. Parfois, il collait son arme sur le ventre du premier venu et se mettait à gueuler... Nous ne comprenions évidemment rien et nous répétions : " *Nie po nie maï* " (" Je ne comprends pas "), avec beaucoup de conviction, mais non sans inquiétude, car une balle est vite partie. Je dois à la vérité de reconnaître qu'ils n'ont jamais tiré, mais je dois également à la vérité de confesser qu'il y eut des moments très pénibles où, comme nous le disions alors, " nous les avions en dessous de zéro[1] ". »

Le 8 février, à pied et dans la neige, Crespy et ses camarades arriveront à Cracovie où ils vivront difficilement dans une caserne délabrée, repoussante de saleté, occupée par des milliers de prisonniers et travailleurs de toutes nationalités[2]. Comme ils ne touchent quotidiennement que quatre-vingt-dix grammes de pain et une soupe au millet, ils devront fréquenter l'ancien ghetto où se tient, sous l'œil de la police, le plus invraisemblable marché noir. Crespy vendra successivement une chemise (pour le prix de laquelle il obtiendra trois kilos de pain), un pantalon, un blouson, une paire de souliers, un pull-over, une paire de gants. C'est en vain qu'il tentera de monnayer son dernier bien : un stylo, mais, ce jour-là, jour de famine, un vieux Polonais, le prenant par le bras, lui offrit au restaurant un bon repas.

Un repas et le logement. C'est également ce qu'offre à Marcel Jablanowicz une famille polonaise en échange de deux heures de leçon de français données à l'une des filles de la maison.

D'autres, ce sera le cas d'Henri Bulawko, gagneront de quoi acheter un supplément de nourriture en proposant aux passants de faire leur

---

1. Marcel Jalier raconte, dans ses souvenirs inédits, que ceux des soldats russes « qui absorbaient le café en poudre des colis américains " à la petite cuiller " tombaient comme des mouches et sans rémission. Sous l'effet de la caféine concentrée, le cœur surexcité craquait inexorablement ».
2. Primo Levi écrit dans *La Trêve* qu'elle « offrait le spectacle d'une affreuse pagaille ».

portrait, mais, le plus souvent, c'est en échangeant ou en vendant tout ce qu'ils ont réussi à emporter du camp : couvertures, édredons, vestes, capotes, qu'ils se procureront pain, œufs et lard.

Le 22 avril, au chant de *La Marseillaise* et devant des Polonais au garde-à-vous, les Français quittent Cracovie pour Odessa où ils resteront jusqu'au 2 mai, ce qui leur permettra d'assister, le 1er mai, sur la place des Héros, à une grandiose manifestation militaire et populaire, ponctuée du vacarme de la D.C.A. qui participe à la fête, pour le plus grand dommage des vitres des immeubles voisins.

L'embarquement de 3 000 hommes environ : Anglais prioritaires, Français, Italiens, Américains, déportés politiques, prisonniers de guerre ou S.T.O., mais aussi l'embarquement de quelques femmes déguisées en militaires, a lieu sans problème à bord du *Bergensfjord,* transport de troupes norvégien battant pavillon britannique. En rade de Naples, le 8 mai, toutes les sirènes des navires se mettent soudain à hurler. Il est 17 h 22. La guerre est finie. Réunis sur les ponts et la plage avant, les hommes observent une minute de silence puis entonnent *La Marseillaise.* La nuit venue, tandis que champagne et whisky coulent à flots, des fusées multicolores montent au ciel. C'est seulement dans la soirée du 9 mai que le *Bergensfjord* quittera Naples.

Le 10, longue bande noire sur l'horizon, la côte de France est en vue. Peu à peu, les détails se précisent : îles de Lérins, château d'If et, au loin, minuscule, Notre-Dame-de-la-Garde.

Crespy se souvient : « Par-delà ces rochers et cette ville sous le soleil, chacun voit une maison, un village, des visages aimés. Une émotion sourde étreint les cœurs. »

Les Français, qui avaient longtemps rêvé à cet instant, imaginaient le vivre dans une explosion de joie, de cris et de chants. C'est en silence, la gorge nouée, qu'ils regardent le navire accomplir les dernières manœuvres.

La terre de France est enfin à eux.

Si 31 000 Français seront rapatriés par mer depuis Odessa[1], 15 676 ne pourront embarquer. Arrivés dans ce port au terme d'un épuisant

---

1. D'après le rapport établi par Raymond Marquié, ancien chef de la Mission militaire française de rapatriement.

voyage en train, ils devront le quitter, toujours en train, et toujours pour un aussi long voyage. Car certains parviendront à Metz cent trente-six jours seulement après leur libération par les Russes.

C'est au début de l'année 1945 que, reprenant son avance en Pologne, l'armée russe libère des camps de déportés[1], puis de nombreux camps de prisonniers de guerre et de travailleurs dans lesquels se trouvaient des Français que les Allemands n'avaient pas entraînés dans leur retraite.

Les victoires soviétiques en Pologne mais aussi en Hongrie et en Roumanie ont été rapides depuis l'automne 1944, mais Henri Frenay, ministre des Prisonniers, ignore toujours, en janvier 1945, le chiffre approximatif des Français délivrés par l'Armée rouge. De Moscou, le général Catroux, ambassadeur de France, et le général Petit, chef de la mission militaire, ne sachant rien, se trouvent dans l'incapacité d'informer Paris. Le 24 septembre 1944, des négociations engagées entre les deux capitales avaient bien jeté les bases d'un accord sur un rapatriement réciproque. Il existait, en effet, en France, plusieurs dizaines de milliers de Soviétiques (50 000, 70 000 ou plus, le chiffre demeurera toujours incertain) qu'il était nécessaire de regrouper dans l'attente de leur retour en Russie, la victoire une fois acquise. Il s'agissait de requis civils et, surtout, de soldats de l'armée Vlassov[2] dont certains, au dernier moment, avaient changé de camp pour se battre dans les rangs du maquis.

Mais, alors que les Français ont accepté, dès le 12 janvier 1945, que les centres d'hébergement soviétiques, dotés d'un statut d'extraterritorialité, soient gérés par 400 officiers soviétiques, placés sous la seule autorité de l'ambassadeur Bogomolov et du général Dragoun, les Russes interdisent tout contact des officiels français en poste à Moscou avec leurs compatriotes et retardent l'arrivée de nos missions de

---

1. Sur la libération d'Auschwitz, *cf. Les Règlements de comptes*, p. 735 et suiv. L'offensive contre la Pologne, défendue par 30 divisions d'infanterie et 5 divisions blindées allemandes, est menée à partir du 12 janvier par les forces de Joukov et de Koniev qui totalisent 160 divisions d'infanterie.
2. *Cf. Les Règlements de comptes*, p. 171-173.

rapatriement à qui ils n'accordent les visas qu'avec retard, extrême parcimonie et évidente mauvaise volonté.

Ce n'est pas avant le 8 mars qu'ils signaleront au général Petit la présence à Odessa de 2 000 Français.

Ce n'est pas avant le 17 mai que le général Keller pourra prendre ses fonctions de chef de la mission de rapatriement française en U.R.S.S. La tâche qui lui est assignée est vaste. Il lui faut identifier tous les Français et les classer par catégories en distinguant les déportés des prisonniers, des travailleurs et des enrôlés de force dans la Wehrmacht ; il lui faut non seulement recenser les disparus et les morts, mais encore obtenir le maximum de précisions sur l'emplacement des tombes ; il doit veiller à la satisfaction des « besoins matériels et moraux » des libérés et, enfin, organiser leur rapatriement.

Il estime à 550 officiers, dont 450 seraient recrutés sur place, le personnel indispensable. Il obtiendra... deux visas : le sien et celui de son aide de camp[1] !

Pareil dénuement, aggravé par le manque de moyens financiers[2], rend naturellement tout travail impossible. Les Russes l'ont voulu ainsi et, lorsque Catroux proteste, Molotov lui répond que les Français montrent vraiment beaucoup d'ingratitude envers une armée qui les a libérés et qui les traite presque comme les siens... mais qui est susceptible et jalouse de ses secrets.

A la suite du voyage de De Gaulle à Moscou, il a bien été décidé qu'un délégué français (ce sera le capitaine Christian Fouchet) irait à Lublin, où s'est installé le Comité polonais de libération nationale, et qu'un délégué polonais serait accrédité à Paris.

Mais cet échange de diplomates, qui ne s'est pas fait sans tiraillements[3], car reconnaître le gouvernement communiste de Lublin (ce que Staline voulait et a finalement obtenu de De Gaulle) a pour

---

1. Le général Keller sera remplacé le 1ᵉʳ août 1945 par le communiste Raymond Marquié, sergent-chef de 1939, prisonnier en juin 1940, libéré en 1943, promu lieutenant-colonel et chef de la mission de rapatriement des Français en U.R.S.S., mission qu'il assumera en trouvant toujours des excuses aux Soviétiques, notamment à l'occasion des problèmes concernant les « malgré nous ».
2. A Katowice, selon Bulawko, les Français recevront la visite d'un envoyé du général de Gaulle, mais ils seront déçus de ne recevoir de lui que de bonnes paroles alors qu'ils attendaient cigarettes et chocolat. Au contraire des Britanniques, les représentants français ne disposent d'ailleurs d'aucun crédit.
3. *Cf. Les Règlements de comptes.*

conséquence de nier la représentativité de ce gouvernement polonais de Londres qui, dès l'origine, avait été l'un des plus fidèles alliés de la France libre, restera longtemps sans incidence sur le sort des libérés français qui devront « se débrouiller » par leurs propres moyens.

L'accord réciproque de rapatriement signé le 29 juin 1945 entre Paris et Moscou prévoit bien, dans son article 2, que les « autorités compétentes signale[ront] immédiatement aux autorités compétentes de l'autre partie contractante les citoyens de l'autre partie contractante trouvés par elle et prendront toutes mesures » pour leur rapatriement, mais les Soviétiques tarderont souvent à remplir leurs engagements.

En ce qui concerne les « malgré nous », on sait qu'ils les enfermeront dans des camps où la mortalité est parfois aussi élevée qu'à Auschwitz, souvent plus élevée qu'à Buchenwald ou Dachau[1], et qu'ils ne les rendront aux autorités françaises qu'avec un retard qui, dans un cas au moins, dépassera dix années[2].

Plusieurs raisons expliquent et les négligences et la mauvaise volonté des Soviétiques.

Les libérations des camps — il faut s'en souvenir — se déroulent pendant la bataille. Les unités de l'avant ont d'autres soucis que de recenser et d'organiser des masses humaines, confondues d'ailleurs avec une population indigène qui pose d'immenses problèmes de ravitaillement et d'ordre.

Pas plus que les Américains ou les Anglais, les Russes n'étaient préparés à découvrir les horreurs des camps de concentration. Lorsqu'ils libéreront Auschwitz, ils ravitailleront les déportés, mais les laisseront libres de circuler à leur guise en dépit des risques d'épidémie et ne s'intéresseront pas plus à eux qu'aux autres étrangers.

---

1. Ce fut le cas pour le camp de Sevan, en Arménie. Sur 144 Alsaciens et Lorrains internés au début de février 1945, 49 survivront au mois d'août et 5 lorsque le rapatriement sera effectif. *Cf. Un printemps de mort et d'espoir*, p. 387.

A Tanbow, camp où étaient regroupés majoritairement les Français d'Alsace et de Lorraine incorporés dans l'armée allemande, on dénombra 17 000 décès pour 31 000 internés.

2. *Cf.* p. 240.

N'ayant aucune estime pour leurs prisonniers de guerre qu'ils considèrent presque systématiquement comme des déserteurs, rapatriés pour être jugés et châtiés, les Soviétiques ne comprennent ni l'intérêt paternaliste des gouvernements occidentaux ni l'impatience d'hommes, anciens prisonniers, anciens travailleurs, que devraient combler leur liberté relative de mouvement, l'absence de travail, un ravitaillement médiocre mais suffisant et la perspective d'un retour plus ou moins lointain, mais certain, dans la mère patrie. Que les Occidentaux ne soient pas ces êtres qui s'« habituent à tout », dont parle Dostoïevski, voilà qui les surprendra toujours.

Aux raisons d'ordres militaire et psychologique s'ajoutent des raisons politiques.

La Russie de Staline est un pays clos qui ne supporte pas le regard et encore moins l'enquête de l'étranger. Des missions militaires d'officiers chargés du recensement et du rapatriement de millions de libérés de toutes nationalités pourraient, en questionnant habilement, obtenir et rassembler une masse considérable de renseignements sur une nation qui s'est déjà mise (a-t-elle jamais cessé de l'être !) en état de guerre froide vis-à-vis de ses alliés.

C'est le 1er avril que Churchill, ému par ce qui se passe en Pologne, où les communistes ont immédiatement fait coïncider libération et élimination des éléments « bourgeois », demande à Staline de « ne pas repousser la main [tendue], en esprit de camaraderie, en vue de la future conduite du monde ».

C'est le 3 avril que Staline se plaint, dans un télégramme à Roosevelt, que des négociations germano-américaines soient engagées sur le front italien, négociations qui, une fois conclues, permettraient au maréchal Kesselring d'« ouvrir son front afin de laisser aux troupes anglo-américaines toute latitude de marcher en direction de l'Est », tandis que les Allemands, soudainement renforcés, s'efforceraient de contenir la poussée soviétique[1].

---

1. Le 3 avril, le maréchal Kesselring avait quitté l'Italie, où il commandait en chef, depuis trois semaines pour prendre la responsabilité du sud de l'ancien front de l'Ouest. Le 24 avril, les différents théâtres d'opérations ne pouvant plus être dirigés par l'O.K.W., il assumera le commandement des troupes allemandes qui se battent en Italie, en Yougoslavie et sur la partie sud du front de l'Est. C'est à partir de cette date qu'il tentera de négocier — à Berne —, avec Eisenhower, la reddition de ses hommes face aux Américains.

Les reproches que Staline adresse à Roosevelt n'étaient pas sans fonde-

Dans la perspective de rapports difficiles et sans doute conflictuels avec l'Ouest, Staline estime donc que, moins nombreux seront les enquêteurs venus de l'extérieur, mieux seront gardés les secrets et les mensonges d'État.

Chaque fois qu'ils le peuvent, prisonniers et S.T.O. libérés par les Soviétiques, pour raccourcir les jours qui les séparent du retour au pays, tentent donc de gagner les zones où avancent armées américaine, anglaise, française.

Ils ne le peuvent pas toujours, on l'a vu, on le verra. Alors, impuissants, ils assistent aux drames dont les femmes sont les premières victimes.

Dans son journal de prisonnier de guerre « transformé en travailleur libre », Georges Leclerc fait alterner banales remarques quotidiennes et horribles détails.

Il note ce qu'il voit, ce qu'il vit et ce qu'il entend dire.

Ainsi, le 3 mai 1945 : « Nous apprenons les nouvelles [de la ville de] Tessin. Toutes les habitations ont été vidées. Un pâté de maisons flambe et il n'y a pas d'eau pour éteindre le feu. Beaucoup de femmes ont été violées 10 à 15 fois. Les femmes, affolées, se cachent dans les bois en demandant notre protection. »

Le fait n'est pas rare. La propagande allemande avait largement fait écho aux horreurs commises par les troupes soviétiques entrées à Gumbinnen, première ville de Prusse-Orientale tombée en leur possession. Reprenant la ville, les Allemands avaient découvert des hommes crucifiés aux portes des granges, des enfants écrasés par les chars, des femmes violées. Par la photo, par le cinéma, ils avaient diffusé des images dont ils attendaient qu'elles durcissent la résistance de la troupe aussi bien que des vieillards et des gamins enrôlés dans le *Volkssturm* pour la défense du village, des femmes, des mères et des sœurs.

---

ment. Au début d'avril, les Allemands avaient, sur leur front Ouest (1 850 kilomètres), 59 divisions et demie, 14 étant en formation, et, sur leur front Est (1950 kilomètres), 176 divisions, 3 étant en formation. Sur le théâtre italien d'opérations (630 kilomètres), les Allemands mettaient en ligne 22 divisions.

Les Russes ont beaucoup de morts, beaucoup de morts à venger. Les atrocités accompagnent donc presque systématiquement la victoire. Elles en sont parfois le symbole.

> « Violence et tumulte, le Chaos jubile, et l'âme se déchaîne. Ce que des siècles ont créé, les flammes le consument, tout n'est plus que décombres [...]. Je trouve la mère encore en vie. Ils étaient combien à passer sur le matelas ? Une compagnie ? Une section ? Qu'est-ce que ça fait ? La fille, presque encore une enfant, tuée aussitôt. »

Ce texte, intitulé *Nuits de Prusse-Orientale,* n'a pas été écrit par un Allemand, mais par Alexandre Soljenitsyne, capitaine dans l'armée soviétique victorieuse en Prusse-Orientale.

Sachant le sort qui peut être le leur et que se vêtir de haillons, se barbouiller le visage de fécule, se dissimuler dans la plus reculée des caves ne les protègera pas de la rapacité des vainqueurs, des millions d'Allemandes, malgré les rigueurs de l'hiver, les difficultés du ravitaillement, la terreur des avions, ont pris la route et les chemins de l'exode.

Que certaines, surtout parmi les paysannes, habituées à vivre dans la compagnie, et parfois en compagnie, des prisonniers, aient imaginé que les Français sauraient les protéger pendant les premiers jours de pillage et de viols, c'est d'autant plus évident qu'avec le temps et les circonstances des liens sentimentaux se sont créés.

Dans *Le Figaro* du 10 avril, James de Coquet, correspondant de guerre, parle en ces termes de ceux qu'il appelle « les libérés malgré eux ».

> « Ceux-là, en général, étaient placés isolément. Ils avaient fini par être comme s'ils étaient de la maison, une maison où ils avaient pris d'autant plus d'autorité que l'élément féminin y dominait.
>
> ... La victoire, pour eux, cela veut dire qu'ils vont être renvoyés à des restrictions qu'ils avaient oubliées, à leur patron s'ils en avaient un et, s'ils n'en avaient pas, qu'ils vont être obligés de se créer une situation alors qu'ils en avaient une très acceptable. Dans le secteur de l'armée de De Lattre, il y en a qui ne se sont même pas dérangés pour accueillir leurs libérateurs. »

L'article de James de Coquet avait scandalisé la rédaction du journal *Libres*[1] (journal de prisonniers) qui estimait qu'il pouvait « créer un certain malaise dans beaucoup d'esprits ».

Ce qui était pudiquement dissimulé en 1945 n'a plus de raison de l'être aujourd'hui.

Malgré la propagande sur « le sang nègre » des Français, malgré les menaces de sanctions contre l'un et l'autre partenaire, mais plus sévèrement contre le prisonnier, envoyé purger sa peine en Pologne annexée, dans la sinistre prison de Graudenz[2], la solitude sentimentale de nombreuses fermières dont le mari avait été tué ou capturé à l'Est; l'importance toujours plus grande prise par un prisonnier compétent dans la marche de l'exploitation; les repas et le travail en commun, occasions de frôlements; la vie des saisons et les amours des animaux; la longue continence de jeunes hommes créaient les conditions propices à des rapprochements amoureux occasionnels ou habituels.

Entre 73 et 80 % des condamnations infligées dans la dernière année de la guerre aux prisonniers français par des conseils de guerre et tribunaux allemands le seront pour « relations sexuelles avec des femmes allemandes ».

Numériquement, les sanctions sont certes peu nombreuses : 147 en une année[3], pour le tribunal du Stalag XVII B; 88, dans le même temps, pour le tribunal de Nuremberg, mais ces chiffres ne traduisent sans doute qu'une faible partie de la vérité. La maîtresse allemande et l'amant français ont tout intérêt à dissimuler leurs amours et ils bénéficient parfois, dans leur entourage, d'un efficace réseau de complicités.

Comment s'étonner alors qu'à la fin de la guerre, et devant la menace que représentent les vainqueurs, des Allemandes aient pensé que, mieux que tous les autres, ces Français, dont la guerre faisait des alliés des Soviétiques, étaient à même de les protéger? Il arrivera même qu'elles veuillent leur donner leur virginité.

Une délégation des filles des Jeunesses hitlériennes rendra visite à

---

1. Numéro du 11 avril 1945.
2. Pour les prisonniers de guerre, les sanctions pouvaient aller — elles n'iront pas — jusqu'à la peine de mort. Il est vrai qu'entrer à Graudenz équivalait parfois à une condamnation à mort tant y étaient rudes les conditions de vie.
3. Avril 1944-avril 1945.

Devaux, responsable des Chantiers de jeunesse, qui commande l'une des trois colonnes parties d'un camp de travail voisin du sinistre camp de concentration d'Auschwitz. Quelle est sa requête ? Que Devaux désigne un certain nombre de Français pour, en couchant avec elles, leur épargner d'être violées par les Russes. Proposition que Devaux refusera[1].

Reprenons le journal de Georges Leclerc. Le 5 mai, il note : « On a repêché encore 52 personnes. Derrière le camp, dans une mare, deux femmes noyées et un jeune bébé de un an... En ville, une fille a aidé sa mère à se pendre, puis s'est pendue après. On a également sorti le cadavre d'une femme de la mare. Nous dînons : lapin, jambon, haricots, fromage. Après le dîner, j'écris. »

Et le dimanche 6 mai : « Au cimetière, il y a déjà 53 cadavres dans la fosse commune. Une seconde va être remplie. Nous faisons des crêpes. »

Les Allemandes n'ont pas été épargnées.

Les Françaises qui se trouvent en Allemagne ne le seront pas toujours.

A Berlin, où la population prie pour que les ennemis venant de l'Ouest gagnent de vitesse les Russes, les histoires les plus atroces circulent. Elles disent que les femmes de dix à quatre-vingts ans ont été violées, que certaines ont été pendues par les pieds, jambes écartées, une bougie plantée dans le sexe. Les hommes qui tentaient de s'interposer, après avoir été ligotés afin de ne rien perdre du supplice infligé à leurs femmes et à leurs filles, avaient été massacrés.

---

1. Rapport de Toupet, responsable du camp de travail d'Auschwitz. Dans *Les places étaient chères,* Éric Labat, ancien de la L.V.F. et ancien Waffen SS, raconte qu'une Allemande « offrit » sa fille de quinze ans à l'un de ses camarades. Les deux femmes avaient décidé de se suicider avant l'entrée des Soviétiques attendue pour le lendemain.

La Française Lucette X..., fiancée à un lieutenant allemand, tué en 1944 sur le front de l'Est, croit-elle à ces terrifiantes histoires[1] ? Prise au piège de la guerre comme tous ceux qui survivent dans Berlin, mais prise également au piège de son amour pour un ennemi, elle partage un appartement déserté par les Allemands avec son amie Claire et un Français, Jean M..., qui travaillait comme elle à la Délégation française, dépendant de ce qui restait encore des services jadis mis en place par Vichy.

Un obus ayant éclaté à la hauteur de la cuisine, ils se résignent à gagner une cave moins robuste et moins vaste que la cave où s'entassent les Allemands.

Comme tous les habitants de Berlin, Jean, Lucette et Claire se mettent chaque jour, à tour de rôle, en quête d'une boulangerie ouverte. Le 1er mai, Jean sera tué à 13 heures par l'explosion d'un obus alors qu'il tentait une sortie. Pour Lucette et pour Claire, qui, par le soupirail, aperçoivent le visage éclaté et le corps mutilé de leur ami, la soirée s'écoule dans les larmes et la peur.

Alors qu'elles dorment enfin, les voici brusquement réveillées par le silence. Un silence total, absolu, plus inquiétant peut-être que le fracas des tirs.

Les caves de Berlin ayant été aménagées pour communiquer (un piolet se trouvait à côté de la portion du mur mitoyen rendu volontairement fragile), deux soldats allemands font soudain irruption « chez elles ».

— Attention ! Les Russes arrivent, ils sont là... tout près, dans les caves... à côté.

Les deux hommes abandonnent rapidement les tenues militaires sous lesquelles ils portaient un costume civil. Ils disparaissent sur un dernier :

— Attention, jeunes filles, attention !

Lucette et Claire soufflent leur bougie car, depuis quinze jours, l'électricité fait défaut à Berlin.

Dans l'obscurité, elles gardent espoir que leur cave, située à l'extrémité de l'immeuble, ne sera pas visitée. Fol espoir ! Des soldats passent en courant dans la cour. Leur porte s'ouvre brutalement sur un Russe. Dans la lumière tremblante de la bougie qu'il tient à la main, il

---

1. Sur Lucette X..., *cf. L'Impitoyable Guerre civile*, p. 144 et suiv.

leur paraît immense. Du bout de son fusil, il décroche leurs manteaux et les leur jette. Elles s'habillent aussi discrètement qu'elles le peuvent et gagnent la cour où se tiennent déjà une trentaine d'Allemands. En leur compagnie, elles seront évacuées en banlieue et se heurteront à trois reprises à ces soldats qui arrachent bagues, pendentifs, bagages et, « *Uhrr! Uhrr!* », raflent toutes les montres.

Quelques femmes de leur groupe voudraient reprendre des forces dans une villa en apparence miraculeusement épargnée. Nul ne répond d'abord à leur appel. Il faut insister, il faut longtemps frapper aux portes et aux fenêtres avant que ne surgisse un homme hagard.

— Fuyez! Fuyez, allez plus loin! Notre cave est au complet et, la nuit dernière, toutes les femmes ont été violées sous nos yeux. Tentez votre chance ailleurs.

Lucette et Claire reprennent la route. Interpellées par un Français qui leur demande, puisque Lucette porte un brassard de la Croix-Rouge dont elle espère qu'il la protègera du pire, de venir au secours d'une famille allemande qui a tenté de se donner la mort, les deux jeunes Françaises se retrouvent dans une vaste maison où, le soir venu, elles se coucheront habillées.

A la nuit, la rue s'anime. Des soldats russes sautent de leur camion, allument quelques feux, mangent, boivent, enfoncent des portes au cri de « *Frau Komm! Frau Komm!* ». Trois Russes ont pénétré dans la maison où se trouvent Lucette et Claire, qui ont barricadé leur porte et se dissimulent sous le tapis d'une table. Mais, comme les coups redoublent, Lucette, ayant mis son brassard, son inutile brassard de la Croix-Rouge, va ouvrir à l'instant où une planche de la porte est enfoncée.

Voici comment, plus tard, Lucette X... devait décrire cette soirée d'horreur[1].

« Deux Russes entrent. Le troisième monte au second étage. L'un de nos intrus est petit, râblé, visage rond et rose, porcin ; au contraire, l'autre est très grand avec une face dure, aux traits aigus. Ils fouillent d'abord successivement, à droite et à gauche, les pièces les plus proches... D'un large geste du bras, ils balaient les étagères, envoyant leur contenu pêle-mêle sur le plancher.

---

1. Témoignage inédit.

Ensuite, ils choisissent dans ce fatras ce qui leur plaît et garnissent leurs poches profondes de ce butin hétéroclite : bijoux, appareils photos, réveille-matin...

Enfin, ils arrivent dans la chambre où Claire reste cachée [...]. Après un court moment où ils semblent se disputer, le poupard saisit mon amie par le bras et veut l'entraîner hors de la chambre. Claire crie, au comble de l'angoisse [...]. Claire est dans le salon, livrée à l'énergumène, lequel, muni d'une bougie, l'inspecte entre les jambes ! Folle de terreur, elle n'ose résister... Ils tuent si facilement... Nous le savons.

Je suis moi-même poussée sur un lit. La chandelle est placée sur un meuble. Ces sauvages les tiennent horizontalement et elles laissent partout couler leurs larmes de suif. Notre agresseur pose son arme debout, à proximité immédiate, quitte son ceinturon auquel est accroché un énorme étui à revolver et le pend à une boule de cuivre de la tête du lit. Il dégrafe alors sa veste, ouvre sa braguette, lâchant son pantalon qui s'écroule sur ses genoux, et, se tournant un instant pour faire je ne sais quoi, offre à ma vue horrifiée, à la lueur tremblante de la bougie, une paire de fesses blanches constellées de points rouges. Des piqûres de poux ? Il s'abat lourdement sur moi, recroquevillée au maximum, défaillante de peur et d'un dégoût immense.

Dix minutes plus tard, ils partent tous les deux, rejoignent le troisième au second étage et nous les entendons longtemps discourir...

Ma camarade et moi, victimes révoltées de leur bestialité, nous faisons une toilette soigneuse avec du savon et nous nous recouchons sans avoir la force d'échanger un mot.

Que pourrions-nous dire ?

Deux heures plus tard, ils sont de retour. Cette fois, ils nous échangent et, le trio reconstitué, le troisième aura sa part.

Quand ils ont de nouveau évacué, nous sommes anéanties d'horreur, prêtes à vomir, incapables de procéder à un nouveau lavage désinfectant [1]. »

---

1. D'après Lucette X..., les Russes étaient autorisés par leur commandement à piller et violer durant les trois premiers jours de leur arrivée dans une ville conquise. « Mais, ajoute-t-elle, comme les vagues de combattants se succédaient, il en est résulté que, pour les habitants des faubourgs, la situation s'est étirée sur

Les excès et les crimes des libérateurs soviétiques sont connus des prisonniers et des garçons du S.T.O. qui vivent dans les fermes ou se trouvent sur les routes, mais ils sont nombreux ceux qui demeurent encasernés dans des camps où l'ordre russe remplace, avec plus de fluidité, l'ordre allemand.

Le capitaine Leymarie, qui a reçu des Russes la direction du camp français de Luckenwalde où environ 13 000 de nos compatriotes, la plupart dépendant du Stalag III A, sont regroupés, précise, dès le 29 avril, que « tous les Français anciens prisonniers de camps, transformés, requis ou déportés sont considérés comme militaires ». Comme tels, ils sont astreints à « la discipline régulière de l'armée et soumis au code français de justice militaire »... et doivent « respecter strictement les ordres émanant des autorités soviétiques » qui assurent des patrouilles à l'extérieur d'un camp qu'il est interdit de quitter sans autorisation[1].

Le 15 mai, les choses ont évolué, et *Le III A libéré,* organe du Comité de libération du Stalag III A, indique que les autorités soviétiques ont permis aux Français de « prendre en main l'administration provisoire des villages où [ils] se trouvent ». En armes, ils assurent la sécurité. Ils font l'inventaire des postes de radio, des téléphones, des bicyclettes, autos, motos, du cheptel, du matériel, des réserves alimentaires. Ils recensent la population et la mettent au travail. « Sous la surveillance des Français, elle nettoie les routes et les villages, enterre les morts, reprend ses activités champêtres. Les habitants ne sont pas maltraités, poursuit le bulletin du Stalag III A, les autorités soviétiques y veillent[2]. »

---

un mois. Mois atroce durant lequel certaines femmes ont subi les violences de quarante à cinquante soudards avant d'être tuées ou laissées pour mortes. »

L'aspirant Guy Dubesset raconte avoir rencontré le 30 mai en Prusse-Orientale — donc plus d'un mois après l'arrivée victorieuse des Russes — une femme qui, la veille, avait été violée 22 fois (témoignage inédit).

1. Le capitaine Leymarie infligera des peines de 2 à 8 jours de prison à des hommes qui se sont rendus sans autorisation à la ville voisine.

2. Je crois intéressant de reproduire quelques passages du texte publié le 15 mai par *Le III A libéré* sur les conditions de vie à Luckenwalde après la défaite allemande.

« Comme avant, on peut voir de longues files de civils faisant la queue devant

Il est toutefois recommandé aux Français de diriger les villages « avec soin et habileté » et de ne pas tomber dans le piège des affrontements avec les Russes, affrontements que les Allemands s'efforcent de provoquer.

Mais dire « *schnell* », « *Arbeit* », après avoir longtemps obéi à « *schnell* » et à « *Arbeit* » ; porter cette arme que l'on a dû jeter aux pieds du vainqueur de juin 1940 ; laisser gonfler la tempête de la colère ; se faire craindre, se faire aimer ; soudain, dans le royaume du village, être « monsieur le chef » est un plaisir fort et bref pour ceux qui commandent après avoir longtemps été commandés.

Vivre en vainqueur dans l'Allemagne d'avril 1945, c'est aussi, pour le prisonnier, manger à sa faim et plus qu'à sa faim.

Le maréchal des logis Francis Ambrière, homme de confiance du Block II du Stalag 369, a toujours refusé de travailler pour l'Allemagne, toujours défendu la dignité de ses camarades[1].

L'armée de Patton précipitant son avance, il a été de ceux que les Allemands ont évacués, le 25 mars, en direction du centre de l'Allemagne, au hasard de routes dont la dérisoire mise en défense rappelait aux Français leurs « naïvetés du mois de juin 40 et soulevait dans [leurs] rangs moins d'ironie que de saisissement[2] ».

Malgré les bruits d'encerclement qui laissent prévoir une prochaine

---

les boulangeries, les boucheries pour y recevoir leurs rations hebdomadaires. Les drapeaux blancs ont disparu des fenêtres. Seules subsistent encore les banderoles du 1er Mai portant en russe l'inscription suivante : " Salut aux peuples d'Europe qui ont combattu l'impérialisme allemand ".

« Les nazis ont été recensés et sont astreints à certains travaux, notamment l'inhumation des soldats allemands tués en grand nombre dans les forêts autour de la ville... L'animation règne en ville. A certaines heures, des promeneurs, femmes et jeunes filles, en groupes ou isolés, circulent, coudoyant les soldats de l'Armée rouge. »

Il est précisé que « l'occupation est très discrète, si ce n'est autour de la Kommandantur », et que la circulation est permise de 5 heures du matin à 23 heures.

1. Notamment au cours de l'évacuation, en août 1944, du camp de Kobjercyn, évacuation précédée d'une fouille corporelle de chaque prisonnier, mis entièrement nu. Le transfert jusqu'à Kassel s'étant déroulé dans des conditions inhumaines, Ambrière mit en cause, dans un rapport écrit, le responsable du convoi. Quelques semaines plus tard, ayant protégé l'un de ses camarades, auteur d'une tentative d'évasion, Ambrière devait être condamné à 118 jours de cellule. Le 1er mars 1945, il se retrouvait au nombre des « prisonniers ordinaires ». *Cf. Les Grandes Vacances.*

2. Francis Ambrière, *op. cit.*

libération, Ambrière s'évadera avec quatre autres prisonniers et, de sa vie dans les bois, neuf jours durant, entre bruit du canon et bruits subtils de la forêt, il conservera le souvenir d'un « radieux camping ». Chassé de sa retraite par la faim, il entrera dans le village de Mittelsinn en même temps que déboule une tapageuse avant-garde américaine [1]. Devenu chef, « sur la seule recommandation, écrira-t-il, de sa haute taille », d'une douzaine de Tunisiens, trois Polonais, cinq ou six Russes, trois petites Alsaciennes enrôlées de force dans la défense passive et un couple franco-belge de requis civils, Ambrière, voulant prouver que l'ordre français « allait sans violence », passa un accord avec le bourgmestre de Mittelsinn.

Un mois plus tôt, sa ration quotidienne et celle de ses camarades étaient de 275 grammes de pommes de terre et de 250 grammes de pain. Voici qu'il impose, et reçoit, 750 grammes de pain, 500 grammes de viande par tête et par jour, le reste à l'avenant.

> « Il n'en fallait pas moins pour calmer nos fringales. Je me souviens que, le premier jour, nous fîmes gaillardement nos cinq repas. Une omelette en guise de petit déjeuner. Du jambon à dix heures. Une côtelette à midi. Quelques amuse-gueule à l'heure du goûter. Et, le soir, ô splendeur, un gigot bien saignant, le premier depuis l'an 40 !
>
> Pourtant, cette euphorie gastronomique ne dura guère. Si les Slaves, fatalistes et silencieux, s'accommodaient fort bien de cette condition nouvelle, les Français, vite épuisée la joie des conversations en gestes avec [leurs] libérateurs, s'irritaient d'attendre on ne savait quoi [2]. »

On sait quoi !... Des précisions sur la date du retour en France. Cette France nouvelle que les prisonniers apprennent imparfaitement à connaître à travers des bulletins quotidiens publiés dès la libération des camps.

---

1. Ambrière parlera de l'armée américaine comme d'« une espèce de caravane publicitaire qui semait au long de la route les échantillons de ses produits comme une réclame géante de la jeune Amérique parmi les peuples affamés de la vieille Europe. Il y avait dans ce spectacle je ne sais quoi d'obscène, qui inspirait tout ensemble la révolte et la tristesse ».
2. *Les Grandes Vacances.*

Voici, par exemple, dans la feuille dactylographiée et polycopiée du Stalag III A, deux informations sur les prochaines élections municipales[1]. Le 4 mai, *Le III A libéré* se fait l'écho d'un commentaire de Radio Brazzaville selon lequel, « en France, certains craignaient que le vote des femmes ne marque une orientation vers un cléricalisme malsain ». Un numéro spécial, principalement consacré à un hommage à l'Armée rouge libératrice[2] et à l'évocation de la résistance clandestine dans le camp[3], rend compte en ces termes du résultat du premier tour des élections municipales des 29 avril et 13 mai : « Elles ont marqué une nette orientation à gauche. Elles sont à la fois l'affirmation de l'attachement aux institutions démocratiques, aux libertés populaires, et de la volonté de voir opérer dans l'ordre économique les transformations nécessaires. »

Le 6 mai, le bulletin de l'état-major français du Stalag III A annonce en première page la liquidation des armées allemandes, la libération de la Tchécoslovaquie, la libération du Danemark, la libération de la Hollande.

Et la libération des prisonniers du III A ? En page 4, ils apprennent certes qu'à Paris les centres d'accueil peuvent déjà accueillir 25 000 hommes par jour, que le centre Molitor est prêt, que le centre

---

1. Parallèlement, il existe au III A un bulletin qui comprend des informations sur la situation militaire et diplomatique, des « nouvelles du monde » parfois totalement erronées, comme l'annonce (le 2 mai) du départ en exil du général Franco, les horaires de matches de rugby, de football et d'une « messe solennelle interalliée » qui doit avoir lieu le 6 mai.

2. Au terme d'un long hommage à l'Armée rouge, « libératrice des 15 000 P.G. du camp », le rédacteur de l'article paru dans *Le III A libéré* souhaite « une alliance complète avec l'Union soviétique, condition indispensable de la sécurité de la France ».

3. La naissance de mouvements de résistance dans le camp, « seulement en 1942 », est ainsi présentée : « Divers camarades, plus particulièrement préparés à l'action illégale par leur travail antérieur au P.C. ou dans les organisations syndicales, en prirent l'initiative. »

Le texte précise que la tâche fut difficile : « Il fallut constituer de petits groupes de trois membres [c'est la tactique communiste] obéissant à une stricte discipline. »

du lycée Michelet et celui de l'hôtel Lutétia le seront prochainement, mais c'est avec une évidente mélancolie qu'ils lisent le message du « grand quartier général allié aux prisonniers libérés par l'avance alliée à l'Ouest ».

Après avoir exposé que la désagrégation des armées allemandes avait conduit à la libération de « nombreux prisonniers de guerre, travailleurs civils et déportés politiques », le texte demande, en effet, à tous ces hommes le plus difficile : de ne pas bouger de la région, du village, du camp dans lequel ils se trouvent. « Tout désordre, tout encombrement sur les routes retarde votre retour... Désordre, pillage et sabotage seront punis selon la loi militaire. »

Le même jour, le capitaine Leymarie précise aux anciens prisonniers du III A qu'il a, depuis trois jours, envoyé cinq rapports au gouvernement français mais n'a pas encore reçu de réponse. Leymarie tente de dissiper l'inquiétude d'hommes qui ont vu partir les prisonniers américains, qui savent Anglais et Norvégiens en voie de rapatriement et se demandent quand viendra leur tour. Et si, leur tour venu, ils ne seront pas rapatriés par Odessa, puisqu'ils ont été libérés par les Russes le 28 avril. « Il est à peu près certain, affirme cependant Leymarie, que nous serons rapatriés par l'ouest », la IXe armée américaine étant proche. Il ajoute que, le franchissement de l'Elbe se faisant difficilement, car les ponts intacts sont peu nombreux et encombrés, il est préférable d'« attendre sur place qu'un déplacement régulier soit réalisé. J'ai des renseignements disant qu'il ne saurait tarder[1] ».

Impatients, certains prisonniers libérés tenteront toutefois leur chance. Et de façon parfois originale. Ainsi ces 27 aspirants qui ont suivi le sort du camp d'aspirants de Stablack, évacué en septembre 1944 sur Küstrin, puis Fürstenberg et, finalement, Luckenwalde. Recrutant pour l'aventure 47 soldats, ils prendront place, le 5 mai, sur trois tracteurs et six remorques. Ils sont en possession de faux ordres de mission rédigés en anglais pour duper les Russes, en russe pour abuser les Américains. Dès le premier jour de route, les Français, que

---

1. A sa note, le capitaine Leymarie ajoute une mise au point dans laquelle, s'élevant contre « certains spécialistes de la calomnie », il précise que les officiers français n'ont pas quitté leur poste pour être rapatriés avec les Américains et qu'« il n'est pas dans leur intention de le quitter avant l'achèvement de leur tâche ».

commande l'aspirant John E. Moignard, doivent céder l'un de leurs tracteurs à des artilleurs de l'Armée rouge, mais leurs ordres de mission leur permettent de poursuivre leur route et de franchir l'Elbe sur le pont de bateaux que les Russes sont en train d'achever.

Le 6 mai, alors qu'après avoir longtemps marché dans un paysage vidé par la guerre, ils arrivent à la Mulde, leur détachement cycliste — car ils possèdent un détachement cycliste — vient les avertir de la présence, de l'autre côté de la rivière, de troupes en kaki, mettant à l'eau des canots en caoutchouc et disposant, à côté des camions et des chars, de « drôles de petites voitures décapotables ». Ce sont des jeeps et ce sont les Américains. Comme ils ont « inauguré » le pont de bateaux des Russes, les Français « inaugurent » le pont de bateaux des Américains.

Évitant les camps de regroupement vers lesquels les Américains voudraient les diriger ; traversant les villages en affectant la discipline d'une troupe qu'une mission prioritaire appelle ; récupérant des roues sur les épaves qui jonchent la route ; rencontrant Scapini, ambassadeur de Vichy auprès des prisonniers, mais ne l'arrêtant pas car ils n'ont aucun goût pour l'épuration ; prenant joyeusement contact avec la 1re D.B. où ils retrouvent des camarades de mai 40 ; les voici enfin, après des haltes à Strasbourg, Toul, Cézanne, à Paris le 16 mai.

Par la place de la Nation et la place de la Bastille, Moignard, qui conduit le premier tracteur, arrive à la gare d'Orsay où se trouve le centre de démobilisation.

A peine a-t-il stoppé sa machine qu'il éprouve la surprise d'entendre un civil lui demander de lui vendre « ses » tracteurs. Il répondra que, prises de guerre, ils appartiennent aux Domaines et c'est effectivement aux Domaines qu'ils iront.

Ce même 16 mai, pendant que l'aspirant Moignard et ses camarades sautent, à Paris, de leurs tracteurs et remorques, à Luckenwalde, les hommes du Stalag III A s'organisent... pour durer puisque le théâtre est remis en état, que l'aspirant Kœnig se voit confier l'organisation générale de tous les sports, les aspirants Moussus, Marcaggi, Droque, Marathe, Conan, la responsabilité des équipes de football ; que rugby, basket-ball, boxe, lutte, natation ont leurs délégués et que les athlètes

« sont priés de commencer leur entraînement en vue de la réunion d'ouverture de la saison ».

La réunion d'ouverture n'aura pas lieu..

Le 20 mai, une note de service met fin aux incertitudes.

« RÉGIMENT FRANÇAIS	
ÉTAT-MAJOR	*Note de service*

Le rapatriement vers la France commence. L'évacuation pour les ex-prisonniers de guerre alliés doit en principe être terminée pour le 30 mai.

Les autorités russes donneront directement aux Kommandos l'ordre de mouvement vers un point[1] de l'Elbe, où la passation entre les mains américaines sera effectuée... »

Une longue directive précise les conditions du départ pour la France qui s'effectuera par colonnes de 2 500 hommes fractionnées en groupes de 100 personnes ayant à leur tête un responsable.

Le voyage débutera à pied par un parcours de quarante kilomètres environ, il se poursuivra en camion ou en train. Il est interdit de faire sortir du camp chevaux, voitures hippomobiles, autos, mais bicyclettes et voitures à bras sont autorisées. Quant aux bagages, ils doivent être réduits à un sac à dos ou à une petite valise. Un paragraphe de la directive précise que seules les Françaises pourront être rapatriées vers l'ouest. Hollandaises et Belges seront toutefois admises dans le convoi si elles ont épousé des Français.

Quant aux Français « ayant des raisons valables (enfant né ou à naître, mariage légal, adoption d'enfant, etc.) à faire valoir pour le rapatriement des femmes de nationalités russe, polonaise, italienne, allemande, suisse, yougoslave, etc. », ils pourront rester sur place en vue de faire valoir leurs droits auprès des autorités soviétiques. Qu'ils indiquent leur nom et celui de leur femme au sous-lieutenant Poussier, qui se tient au bureau de l'état-major. Rayés des listes de rapatriement, ils feront partie d'un convoi ultérieur, avec leur femme, « si l'autorisation leur est donnée de rejoindre la France ».

---

1. Peut-être s'agit-il d'un pont.

Le 7 juin, le bulletin de renseignement de l'état-major du III A annonce que 7 000 Français ont déjà franchi la ligne de démarcation située sur la Mulde, en face de Dessau [1], et précise que chaque groupe de cent sera « remis entre les mains américaines et conduit en camion à une ville située à une vingtaine de kilomètres où il attendra le départ vers la France. L'attente dure en général vingt-quatre heures, mais elle n'excède jamais dix jours et c'est en avion que 90 % des évacuations ont lieu ».

La plupart des Français évacués par les Américains découvrent l'avion et, avec l'avion, la puissance américaine. Auguste Defay, du Stalag XI A, est d'autant plus émerveillé par le nombre des rotations d'appareils sur l'aérodrome de Khöten qu'au bord de la piste il devra attendre pendant un jour et demi son départ et celui des 24 hommes dont il est responsable.

Alors que le train permet de s'accoutumer aux émotions qui seront celles du retour et, pour quelques jours encore, maintient vivantes les amitiés de plusieurs années, l'avion, dès le décollage, brise les groupes. En trois heures, chaque individu bascule de l'Allemagne des camps de déportation et des stalags à la France de la famille et de la liberté.

Ancien déporté, Michel Domenech arrive à Pilsen [2], point extrême de l'avance américaine, par un train occupé uniquement par des Français qui ont ainsi réparti les places : une banquette pour chaque déporté, une place assise pour les prisonniers de guerre, pour les S.T.O. un wagon de marchandises.

Le 1er juin, voici Domenech installé avec ses camarades dans un Dakota qui arrive du Maroc. Appareil, comme tous les autres, aménagé très sommairement : de simples banquettes en toile le long de la carlingue et pas de climatisation.

Michel Domenech se souvient :

> « Dès que nous sommes en altitude, le froid se fait vivement sentir ; un peu tard, à mon avis, on nous distribue des couver-

---

1. Le mouvement est ralenti, la division russe ayant enlevé le pont de bateaux lui appartenant. Un nouveau pont doit être établi par les Américains, qui permettra le passage de 2 500 à 3 000 personnes par jour.
2. Actuellement Plzen, en Tchécoslovaquie. Pilsen sera évacué par l'armée américaine.

tures. Nous survolons maintenant le Rhin et nous savons que, dès à présent, nous sommes en France. Nous sommes informés que nous n'allons pas sur Paris, où le centre d'accueil est saturé, mais sur Lyon, où nous atterrissons vers 18 heures.

Je suis parmi les premiers à descendre, la porte s'ouvre, l'escalier mobile est en place, deux files de militaires le prolongent. Un commandement : " Présentez : armes. " En prenant contact avec la terre de France, mon émotion est à son comble et c'est ruisselant de larmes que je descends l'escalier [1]. »

Les larmes, c'est plus tôt — alors que l'avion franchissait le Rhin — que René Paira les a vues couler sur le visage de ses camarades, anciens prisonniers comme lui, et déportés.

« Nous avions été pris en charge par les services de rapatriement à Linz. Mais on avait mis dans notre avion, sur une civière, le capitaine de Bonneval, collaborateur du général de Gaulle, que j'avais découvert quelques jours auparavant au camp de Mauthausen. C'était un squelette à peine vivant que je veillai pendant notre retour. Il y eut, durant le trajet, des moments de profonde émotion. Le pilote nous annonça que nous allions franchir le Rhin. Les larmes aux yeux, nous avons chanté *La Marseillaise*. Et nous avons vu, tel un fantôme, le capitaine de Bonneval se lever pour saluer avec nous le sol de France. Le pilote, avec beaucoup de délicatesse, a fait un crochet pour nous faire survoler Paris. Le pays était indiciblement beau, les champs reluisaient dans la parure dorée du colza en fleur, qui contrastait avec la verdure printanière. Et on éprouvait ce sentiment profond et prenant de sentir qu'enfin on était de nouveau chez soi. »

Comment vont-ils être reçus dans une France si différente de celle qu'ils ont quittée ? A la joie des premiers moments, la mélancolie et le désenchantement ne vont-ils pas succéder bientôt ?

---

1. Témoignage inédit.

5

LE GRAND RETOUR

C'est le 5 novembre 1943, à Alger, que le général de Gaulle a offert à Henri Frenay d'entrer au gouvernement.

— J'ai une grande tâche à vous proposer, a dit de Gaulle. Plusieurs millions de Français, du fait de la guerre, ont été arrachés à leurs foyers : les prisonniers, les déportés, les travailleurs envoyés en Allemagne, les réfugiés et expulsés du Nord et de l'Est. Leur retour rapide, la réintégration dans leur famille, leur métier, leur réadaptation... Voilà une tâche immense qui conditionne, dans une large mesure, la santé morale et l'avenir politique de la France. Voyons, Frenay, ne le sentez-vous pas ? C'est à une œuvre d'intérêt national que je vous demande de vous atteler.

Précisément, Frenay ne « sent » pas la fonction que de Gaulle lui propose et il le dit, réclamant l'honneur de rejoindre la France pour poursuivre la lutte aux côtés de ses amis de Combat.

Cependant, après avoir consulté plusieurs de ses camarades de résistance présents à Alger, il finira par accepter le poste[1].

Il siégera donc au lycée Fromentin où se réunit le Comité français de libération nationale. Représentant à lui seul le Commissariat aux prisonniers, déportés et réfugiés, il n'a, dans les premières semaines, aucun secrétariat et doit se contenter d'un chauffeur-garde du corps.

---

1. Dans *La nuit finira,* Henri Frenay écrit qu'un « accord tacite était établi » entre les Services spéciaux, leurs représentants en France et certains résistants hostiles à Combat pour qu'« à aucun prix » il ne puisse reprendre sa place à la tête de Combat.

Avant même d'avoir choisi ses principaux collaborateurs[1], Frenay a demandé à nouveau à de Gaulle l'autorisation de rejoindre la France où Darnand, nommé le 31 décembre 1943 secrétaire d'État au Maintien de l'ordre, porte de rudes coups à la Résistance.

— Vous êtes grillé en France, réplique le Général. Vous ne tiendrez pas un mois. Vous voyez un membre du Comité français de la libération tombant entre les mains de l'ennemi ? L'intérêt général commande que vous poursuiviez la tâche que vous avez entreprise ici.

Frenay poursuivra. Alors qu'il ignore le nombre des Français qui se trouvent en Allemagne, leurs besoins futurs, immenses sans doute mais multiples et insoupçonnables, et les moyens dont il disposera, il lui faut concevoir un dispositif a priori basé sur trois impératifs : rapidité, ordre, sollicitude.

Le 21 mai 1944, à l'occasion de l'exposition Le Front des barbelés, il fera part à de Gaulle des difficultés et des inconnues qui l'attendent mais répond cependant à la question capitale.

— Frenay, pouvez-vous évaluer la durée du rapatriement ?

— On peut estimer que, sauf désorganisation complète et durable des communications, nous devons en avoir terminé en cinq mois, soit 150 jours, alors qu'en 1918, pour un nombre de captifs trois fois moindre, le rapatriement a duré un an. En tout cas, c'est l'objectif que nous nous fixons.

Estimant n'avoir pas uniquement à résoudre, dans l'avenir, les problèmes matériels des rapatriés, ayant bien connu la France de la zone non occupée comme de la zone occupée et sachant les querelles qui ont opposé et opposent toujours les Français, Frenay souhaite aussi travailler à la réconciliation nationale en ne jetant l'opprobre sur personne. Or, tout peut être une question de mots.

C'est donc à lui, on l'a oublié, que les garçons du Service du travail obligatoire devront d'être appelés pendant longtemps « déportés du

---

1. Au nombre de ses collaborateurs directs, Frenay comptera Hardy, arrivé récemment à Alger et sur qui pèse le terrible soupçon d'avoir livré à la Gestapo Jean Moulin et la réunion de Caluire.

« Je n'y ai jamais cru, écrit Frenay dans *La nuit finira,* mais le doute qui l'entoure ne peut éternellement l'accabler. » C'est pour « dissiper le doute » que Frenay demandera à Hardy de se soumettre à une enquête militaire qui ne relèvera aucune charge contre lui. On sait qu'en France, après la Libération, Hardy, passant en jugement, sera acquitté à deux reprises à la minorité de faveur. L'opinion de Frenay évoluera alors.

travail [1] ». « Désormais, écrira-t-il dans *La nuit finira,* je l'ai décidé, les travailleurs en Allemagne s'appelleront les " déportés du travail " et non les volontaires ou les hommes du S.T.O. Un pont sera ainsi jeté entre eux et les déportés de la Résistance qu'on appellera les " déportés politiques ". Les prisonniers seront " les combattants du Front intérieur allemand ". »

Le 28 août 1944, Frenay s'embarquera à Alger sur la *Jeanne-d'Arc* en compagnie de onze autres ministres, de Félix Gouin, président de l'Assemblée consultative, et de Louis Joxe, secrétaire général du gouvernement [2].

Le voici donc à Paris, le 2 septembre, rencontrant immédiatement François Mitterrand, qu'il avait désigné depuis Alger, où il avait eu avec lui quelques entretiens [3], comme secrétaire général du ministère des Prisonniers : « Un poste de responsabilité essentielle, coiffant l'ensemble de l'administration et coordonnant le travail de six directions. »

La promotion paraissait d'autant plus logique que Mitterrand dirigeait l'un des deux mouvements de résistance des prisonniers de guerre et que, lors des combats pour la libération de Paris, il avait occupé, avec quelques amis, le siège parisien du Commissariat aux prisonniers de guerre.

Si Mitterrand avait accepté la proposition de Frenay, qui avait pris la mesure de son intelligence sans totalement deviner son ambition [4], peut-être tout son destin s'en fût-il trouvé modifié.

---

1. L'arrêt du 10 février 1992, rendu par l'assemblée plénière de la Cour de cassation, précise que « seuls les déportés de la Résistance et les déportés politiques, à l'exclusion des personnes contraintes au travail en pays ennemis, sont fondés à se prévaloir du titre de Déporté ».

2. Sur le voyage de la *Jeanne-d'Arc* et les premiers moments du gouvernement en France libérée, *cf. Les Règlements de comptes,* p. 506 et suiv.

3. Au cours du bref séjour que Mitterrand effectuera à Alger en décembre 1943.

4. Frenay accusera Mitterrand d'avoir fait entrer en force les communistes dans le comité directeur du Mouvement prisonniers et d'avoir, lors de son passage à Alger, subi l'influence des députés communistes et, à Londres, celle du communiste Waldeck-Rochet.

Mais il refusera et, « se servant des milieux prisonniers et de leurs associations comme tremplin[1] », se trouvera bientôt au premier rang de ceux qui critiquent la politique de Frenay[2].

Pour l'heure, la guerre continue en deçà des frontières allemandes, déportés et prisonniers sont toujours dans les camps, sous la surveillance des miradors. Mais, victorieuses, les batailles de la libération ont jeté sur les routes plus de deux millions de Françaises et de Français dont 900 000 sinistrés, totaux ou partiels, qu'il faut faire vivre, à qui il faut attribuer et distribuer des vêtements, du mobilier, de l'argent[3].

C'est là une tâche malheureusement trop oubliée par l'Histoire mais importante de ce ministère des Prisonniers et Déportés, qui est aussi celui des réfugiés.

En attendant que les Alliés ouvrent les portes des camps, Frenay s'est installé avenue Foch, là où les hommes de la Gestapo interrogeaient, torturaient, et ses bureaux sont dispersés en vingt et un points de la capitale.

A défaut d'accueillir les malheureux, il doit d'abord gérer le malheur.

C'est ainsi qu'il obtiendra du gouvernement du Reich que la Croix-Rouge internationale se substitue, pour la protection de nos prisonniers, à la mission Scapini, en fuite en Allemagne, et qui n'a plus aucun rôle à jouer.

C'est grâce à la Croix-Rouge internationale et à son président Karl Burckhardt que la reprise du courrier par Lyon et Genève avec stalags et oflags[4] sera possible et que 2 300 000 colis de 5 kilos pourront être expédiés aux prisonniers et travailleurs.

Frenay obtiendra également que les détenus politiques aient *en principe* l'autorisation de faire connaître leur adresse, de recevoir de la

---

1. Henri Frenay, *La nuit finira*.
2. *Cf.* p. 201.
3. Le quart du budget de Frenay sera consacré à l'aide aux réfugiés.
4. Les premiers sacs postaux à destination des camps de P.G. ont quitté Lyon le 18 septembre 1944 ; au début d'octobre, 500 sacs postaux sont arrivés d'Allemagne.

correspondance, et que 199 928 colis leur soient envoyés entre le 1ᵉʳ novembre 1944 et le 1ᵉʳ avril 1945[1].

Combien de ces colis parviendront-ils à leurs destinataires ? Bien peu sans doute.

La dispersion des camps de concentration, les vols des gardiens allemands et des Kapos, le bombardement des voies ferrées allemandes, le manque de moyens de transport[2], tout contribuera à priver les déportés de colis qui, lorsqu'ils arriveront — et souvent ils arriveront, les témoignages le confirment —, ne seront pas distribués. Du moins l'entreprise valait-elle d'être tentée.

Comme il n'était pas inutile de préparer des équipes d'anciens prisonniers destinées à être parachutées (quatre le seront d'après Frenay) à proximité des camps[3] ; d'intervenir auprès du général Eisenhower pour que les avant-gardes américaines soient préparées aux plus affreuses découvertes ; de s'adresser par radio, le 8 février 1945, au peuple allemand afin de lui faire savoir qu'il serait tenu pour responsable du sort des prisonniers employés dans les usines et les fermes.

Alors que Frenay revient, en mars 1945, d'un voyage d'inspection aux frontières et que les premiers rapatriés arrivent à la gare du Nord par petits groupes — quarante-huit le 6 mars à 4 heures du matin, puis quatre-vingt-onze à 9 heures —, le ministre n'est qu'au début d'une entreprise pour laquelle, en quatre mois, il réunira 35 202 personnes dont 13 000 bénévoles[4].

---

1. La presse du 25-26 février fera état des pourparlers concernant la correspondance entre les déportés politiques et leur famille.

2. Chaque mois, la Reichsban mettait à la disposition de la Croix-Rouge internationale un certain nombre de wagons. Le chiffre, qui était de 1 500 environ au milieu de l'année 1944, tombera à 300 au mois de janvier 1945.

Par ailleurs, en mars 1945, la C.I.C.R. dispose, pour le service des camps, de 300 wagons français, 150 wagons belges, 50 wagons suisses et 430 camions. Ces moyens sont surtout mis à la disposition des prisonniers, les autorités alliées refusant que les travailleurs du S.T.O. soient ravitaillés.

3. Le 25 avril, la présidence du gouvernement a fait savoir que le gouvernement allemand avait proposé de laisser sur place les prisonniers qui se trouveraient à proximité des fronts.

4. Les bénévoles touchent uniquement 1 000 francs par mois. Le ministère emploiera, en juillet 1945, 13 752 agents militaires et 8 450 agents civils. Seuls 107 médecins ayant été volontaires, le ministère de la Guerre a dû mobiliser un

Si les moyens humains sont suffisants, les moyens matériels font défaut. Au mois d'août 1944, les Alliés avaient promis d'affecter 2 000 camions au rapatriement des prisonniers français. En octobre, ce chiffre ne sera plus que de 1 000. Finalement, ce sont seulement 275 véhicules, dont 100 camionnettes usagées — c'est-à-dire, parfois, sans pneus ni batteries en un temps où trouver pneus et batteries relève du miracle et du marché noir — qui seront fournis par les Américains. Les Anglais céderont 50 camions, également usagés. A ces chiffres [1], il faut ajouter 650 voitures de liaison. Mais c'est bien peu pour satisfaire aux besoins de masses humaines qui voudront se mettre en marche et, très vite, regagner la France.

Le projet initial du ministère prévoyait le blocage momentané des libérés dans leurs camps. Il épousait en cela les consignes d'Eisenhower qui enjoignait aux prisonniers délivrés de demeurer sur place. C'est donc dans les camps que devait avoir lieu l'essentiel des formalités, qu'il s'agisse du contrôle d'identité, de l'épouillage, de la visite médicale. A la frontière, un « cordon sanitaire » — le mot était affreux et il fit scandale — était prévu pour récupérer ceux qui, agissant au gré de leur impatiente inspiration, auraient désobéi aux consignes et pris la route sans attendre les envoyés du ministère. Cette « énorme mécanique dans la meilleure tradition de l'École de guerre [2] » ne devait naturellement pas résister à la fièvre qui s'emparait des prisonniers, déportés, travailleurs, et, dans la mesure où leurs jambes les portaient, les jetait déjà sur les routes.

Souvent, il faudra donc improviser dans un temps très bref et sous le regard sans indulgence d'ennemis politiques prêts à exploiter les inévitables bavures du ministère.

Frenay avait prévu que Paris, surencombré, et où les réquisitions

---

certain nombre de médecins pour les services du ministère des Prisonniers et Déportés. Le personnel sanitaire comprendra 3 000 personnes.

Les assimilés spéciaux ont droit à un uniforme militaire « modifié ». Sur le képi et les pattes d'épaule, une croix de Lorraine est encadrée par deux feuilles de chêne. Les galons inclinés sont portés au-dessus du coude gauche. Sur les épaules, la mention « mission de rapatriement ».

1. Chiffres fournis par une note du 11 avril 1945 établie à l'intention d'Henri Frenay qui doit évoquer au cours d'une conférence de presse « les difficultés rencontrées dans les rapports avec les Alliés et les autres ministères ».

2. Christophe Lewin, *Le Retour des prisonniers de guerre français,* qui accuse la passion du ministre pour l'organisation, ainsi que son passé militaire, mais ne prend pas suffisamment en compte les instructions d'Eisenhower.

françaises et alliées (770 hôtels) étaient plus considérables que les réquisitions allemandes ne l'avaient été (530 hôtels), n'accueillerait qu'un nombre modéré de rapatriés.

Tous les plans du ministre sont bouleversés lorsqu'il apprend, le 11 avril, de la bouche du brigadier général Lee, qui représente auprès de lui le S.H.A.E.F.[1], qu'Anglais et Américains, modifiant brusquement leurs positions, viennent de décider que les libérés serviraient de « fret de retour » — c'est le mot qui sera prononcé — dans leurs avions de transport revenant d'alimenter le champ de bataille.

— Il est décidé, dit le brigadier général Lee, que les premiers avions arriveront dans quarante-huit heures.

— Quarante-huit heures !... Comment voulez-vous que je m'organise en si peu de temps ? Votre préavis est dramatiquement court ! Quel effectif pensez-vous être en mesure de transporter quotidiennement [par avion] ?

— Les ordres sont donnés pour rapatrier huit mille hommes par jour.

— Huit mille hommes ! Presque l'effectif de trois régiments ! Vous me posez un problème terrible[2] !

Ce sont bien, cependant, huit mille prisonniers qui arriveront le 13 avril au Bourget, à Villacoublay, à Orly.

Vingt-cinq par vingt-cinq, ils descendent des appareils américains. Aux journalistes qui les interrogent, ils font des réponses qui, toutes, témoignent de leur immense surprise devant la rapidité de leur passage d'un monde à un autre.

— Ce matin, monsieur, j'étais encore prisonnier. A 3 h 30, au réveil, le « boche » qui gardait notre « Kommando » m'a donné un coup de botte. A 10 heures, les Américains étaient là... Vers midi on m'a fait monter en avion... je n'y comprends rien[3]...

Bientôt, avec les arrivées par chemin de fer, ce sont 15 000 hommes en moyenne qui débarqueront quotidiennement à Paris ainsi devenu principal « centre frontalier de France[4] ».

Avec un total de 320 000 rapatriés, Paris distancera donc Lille et Longuyon, plus de 120 000 rapatriés dans chacune de ces villes ;

---

1. *Supreme Headquarters Allied European Forces.*
2. *La nuit finira.*
3. Rapporté par André Vinard. *Le Figaro*, 14 avril 1945.
4. Au total, 161 190 déportés et prisonniers auront été rapatriés par avion.

Valenciennes, Mulhouse et Strasbourg, plus de 70 000 ; Sarrebourg, Marseille, Maubeuge, Jeumont, Charleville et Nancy, plus de 50 000 [1].

Pour recevoir ceux qu'Américains et Anglais annoncent le 11 avril, Frenay doit faire aménager, en dix-sept jours, la gare d'Orsay qui recevra 208 000 rapatriés ; réquisitionner la caserne de Reuilly, le Vélodrome d'hiver, le Gaumont-Palace et le Rex, deux cinémas respectivement de 3 000 et 2 000 places ; et, sur ordre du général de Gaulle, qui a été sollicité par le résistant André Weil, demander aux officiers alliés, qui occupent le luxueux hôtel Lutétia, d'abandonner leur place aux déportés...

Le 24 mai, à Alger, à l'occasion de l'exposition « Le Front des barbelés », le commandant Guédon, expliquant l'organisation d'un centre de rapatriement type, avait affirmé au général de Gaulle qu'en une heure dix (pas une minute de plus !) les rapatriés en auraient fini avec les formalités indispensables : vérification d'identité ; examen de situation par la sécurité militaire qui s'efforçait de découvrir d'anciens membres de la L.V.F., de la Waffen SS, des mouvements de collaboration ; visite médicale, épouillage ; douche ; distribution de tickets de ravitaillement et de vivres pour la route ; remise de bons de transport ; échange de 100 marks contre 2 000 francs.

Dans la réalité, les choses ne sont ni aussi simples, ni aussi rapides.

Voici l'expérience vécue par Jean Gales [2], un garçon des Chantiers de jeunesse envoyé en Allemagne au titre du S.T.O. Dans un wagon à bestiaux, il a effectué le trajet de Mayence à Metz, où il est arrivé avec ses camarades à 2 heures du matin le 27 avril.

« Nous sommes conduits à pied dans les locaux d'une école libre, réquisitionnée pour les services de rapatriement. Nous dormons sur le plancher. C'est mieux que le wagon. Les formalités de rapatriement commencent. D'abord, visite médicale par un major de l'armée qui a le souci principal de détecter

---

1. Au 1er juillet 1945, 432 centres d'accueil (173 sont gérés par des associations) seront ouverts en France. Paris n'est pas compris dans ce chiffre.
2. Témoignage inédit.

d'éventuelles maladies vénériennes[1]. Ensuite, c'est la sécurité militaire qui contrôle les identités. Puis la désinfection, et par un procédé inattendu : un employé nous met un tuyau d'un soufflet plein de poudre[2] dans chaque manche, dans le cou, dans la braguette, et il en souffle une grande giclée. En repartant, la poudre tombe sur le sol. L'on nous radiographie, mais c'est plus sommaire.

A un bureau, l'on nous échange de l'argent. Ceux qui le veulent vont au bureau de renseignement pour passer un télégramme chez soi, annonçant notre arrivée. C'est ce que je fais avec empressement. Pour manger, l'on nous donne de bons poulets, avec du pain excellent et un peu de vin. Nous avons pu faire une promenade dans Metz. La ville n'a pas été endommagée par les opérations militaires. La cathédrale est particulièrement jolie. Nous ne l'avons aperçue que de loin. L'on se couche de bonne heure, parce que la fatigue se ressent. »

Est-ce fini ? Jean Gales peut-il rentrer chez lui, toutes formalités accomplies ? Le commandant Guédon avait dit au général de Gaulle qu'au « sortir d'un centre chaque homme serait dirigé sur ses foyers, libéré de toute formalité administrative ».

En vérité, tout se révèle plus complexe qu'annoncé.

Le 28 avril, Gales et ses camarades ont pris le train pour Revigny[3], important centre d'accueil où ils seront hébergés pour la nuit en attendant de nouvelles visites médicales, de nouvelles opérations de contrôle.

« Le matin, nous nous réveillons de bonne heure. Malgré que nous soyons harassés, il faut faire la queue pour prendre le café et toucher un colis Croix-Rouge. Ensuite, c'est le passage devant un médecin-major, qui passe une visite sommaire et contrôle les organes génitaux. Ensuite, c'est encore la désinfection avec le coup de soufflet de poudre dans les manches et dans la braguette. Ce n'est pas sans effet parce que le contact de cette poudre

---

1. D'après le résultat du contrôle médical des rapatriés ayant répondu aux convocations, il y aurait 0,53 % de vénériens parmi les prisonniers, 1,06 % parmi les déportés, 0,64 % parmi les travailleurs. Naturellement, s'agissant des déportés, ces maladies sont antérieures à la captivité. *Cf.* Christophe Lewin, *op. cit.*

2. Il s'agit de D.D.T.

3. Dans la Meuse.

contrarie les poux qui pullulent dans les endroits pileux de notre corps. Ces maudites bestioles se remuent davantage et provoquent des démangeaisons douloureuses. Je m'aperçois que nous sommes au début du rapatriement, car l'on aménage ce camp.

Exemple, il s'y installe des douches qui fonctionneront dans quelques jours. Ensuite, il faut passer à tour de rôle devant plusieurs bureaux pour les formalités des services français. La carte de rapatrié est définitivement établie. Chacun, nous échangeons 100 marks. Je donne de l'argent (allemand) à deux malheureux déportés du camp de Buchenwald. Ceux-ci étaient pendus par les pieds depuis trois jours, lorsque les Américains les ont délivrés [1], et encore, nous disent-ils, ils allaient être achevés à coups de maillet sur la tête si leur délivrance avait été moins rapide. C'est atroce. La dernière organisation, c'est la formation de convois vers la région respective de chacun. Ainsi nous sommes groupés, un ensemble de la région de Toulouse... »

Dans la soirée, Gales, se promenant dans Revigny, apprendra de deux jeunes filles et de leur mère la tragédie d'Oradour-sur-Glane et les drames dont a souffert la France.

De son voyage en direction du Sud-Ouest, voyage qui commence à 3 heures du matin, le 30 avril, il gardera un souvenir émerveillé.

« On sommeille un peu puis, lorsque le jour se lève, nous traversons la Champagne. Le train s'arrête dans plusieurs gares. Un accueil chaleureux nous est réservé partout. Des plateaux de friandises sont dressés sur les quais. Des jeunes nous offrent des portions de mets soigneusement préparés pour nous. Les jeunes filles nous souhaitent la bienvenue et nous embrassent. Il nous semble vivre un conte de fées. »

Le train contourne Paris, mais les rapatriés peuvent apercevoir la tour Eiffel. A Orléans, à Limoges, ils sont fêtés, reçoivent fruits, gâteaux et vin. Les voici à Brive dans la soirée.

« Ici, il y a beaucoup de monde pour nous témoigner de l'affection. Le centre d'accueil est bien aménagé près de la gare. L'on nous sert un bon souper. Ce qui, pour nous, paysans, est le

---

1. Pendus par les pieds trois jours durant, ils n'auraient certainement pas survécu.

mieux apprécié, c'est la soupe de pain dont nous n'avions qu'un souvenir éloigné de deux ans. Nous couchons dans une chambre d'hôtel. »

Le 1er mai, enfin, Jean Gales retrouvera son département, sa ville, sa famille. Avec quelle émotion !

> « Le jour se lève, lorsque nous rentrons dans le Lot. Alors, il semble que tout notre être vibre, que notre cœur se gonfle dans la poitrine, que nos jambes défaillent. Oui, c'est bien l'arrivée chez nous. Les noms de gares : Gramat, Astier, puis le dernier parcours, en passant devant l'usine Ratier, et le train s'arrête à la dernière station de chez nous : Figeac. »

Encore une heure et il sera dans son village.

> « Maman, tante, ma sœur pleurent en m'étreignant, et je bredouille en essayant de les consoler. Un tel retour dans sa famille, dans son pays natal, après deux ans de si douloureuse séparation est une vision inouïe, c'est un souvenir inoubliable. »

Non seulement parents et amis viennent dire à Jean Gales la joie éprouvée, mais « les animaux, les plantes, tous les objets paraissent exprimer leur très bon accueil... ».

Ces « plateaux de friandises », « ces jeunes filles qui souhaitent la bienvenue et embrassent », ces fleurs et ces drapeaux, tout ce qui s'apparente pour le S.T.O. Jean Gales à « un conte de fées » exaspère le plus souvent les déportés avides de regagner au plus tôt leurs foyers et de ne pas s'attarder en compagnie d'hommes et de femmes incapables, dans leur gentillesse naïve et leur curiosité un peu bête, de comprendre ce que fut leur drame.

Christian Pineau, libéré de Buchenwald, et qui va gagner la France dans le camion avec lequel sa collaboratrice Yvonne Tillaud est venue le chercher le 18 avril, est irrité, et ses camarades le sont avec lui[1], par

---

1. Avec lui sont en effet partis 36 déportés qui se sont âprement disputé les places.

le débordement « de prévenances, d'affections[1] » dont font preuve sous-officiers français et infirmières du camp de triage de Mayence.

Comment ! « Ils » veulent repartir, mais ils n'y songent pas ! Il faut les recenser, les soigner, ils ont si mauvaise mine ! Qu'ils restent quelques jours afin de reprendre des forces ! « Le personnel du camp, écrira Pineau, s'accroche à nous comme à une proie. » Il finira cependant par les libérer après leur avoir offert de mauvaises paillasses pour la nuit. A Metz, grâce à un lieutenant-colonel intelligent et actif, ils auront la possibilité de disposer chacun d'une banquette dans le train de Paris.

Vers 2 heures du matin, un arrêt prolongé les tire de leur sommeil. Ils imaginent quelque retard, une voie encombrée, et s'apprêtent à se rendormir lorsqu'une petite jeune fille, portant brassard, ouvre la portière et les prie de descendre. Ils protestent, demandent des explications qu'ils n'obtiennent pas, descendent puis, sous l'escorte de petites jeunes filles toutes semblables à la première, « insignifiantes[1] » certes, mais doucement autoritaires, avancent en grognant et finissent par monter dans un autocar qui s'arrête bientôt dans la cour d'un château.

— Ici, messieurs, dit l'une des jeunes filles, qui a vingt ans et de l'acné, vous êtes au centre d'accueil de Revigny ; nous allons vous servir à dîner ; puis vous vous coucherez ; nous avons préparé des lits, des vrais ; demain, vous repartirez pour Paris[1].

La colère des uns et des autres (Pineau demande où sont les gendarmes qui les maintiendront dans de « vrais lits », Christiaens menace de rejoindre la gare à pied) finit par avoir raison de la charitable obstination des petites jeunes filles. Les déportés, qui ne sont pas mauvais bougres et comprennent qu'ils viennent de voler à ces enfants un si joli rôle, accepteront tout de même quelques sandwiches avant de remonter dans l'autocar et de retrouver leur train qui, ô miracle, mais, en 1945, les horaires sont vagabonds, a attendu.

Le jour s'est levé lorsque, à Dormans, dans la Marne, les portières sont à nouveau ouvertes. Cette fois-ci, pas de petites jeunes filles, mais des militaires débordants, eux aussi, de bonnes intentions.

— Messieurs, voulez-vous descendre ?

— Rien à faire. Nous avons des billets pour Paris.

— Le train ne repartira pas si vous refusez de descendre[1].

---

1. *La Simple Vérité.*

Que répondre à cela ? Ils descendent. Au buffet, on leur sert un interminable petit déjeuner.

Arrivés à Paris à midi, les déportés sont immédiatement entourés par des photographes et des journalistes dont Pineau a rapporté les propos qui leur semblent — et nous semblent — à la limite de la décence : « Magnifique ! Mettez-vous en groupe, les plus petits devant ! Ce qu'ils sont maigres ! Prenez l'air plus naturel. Imaginez que vous êtes encore là-bas. »

Comment ces mots « Imaginez que vous êtes encore là-bas », prononcés dans l'espoir de provoquer je ne sais quel regard douloureux, ne blesseraient-ils pas des hommes qui sortent de l'enfer et à qui l'on demande de mimer l'enfer ?

Aux journalistes succèdent des militaires qui poussent tous les groupes dans un autocar. Ils se retrouveront dans un grand salon de l'hôtel Lutétia « où pullulent des infirmières agitées, charitables, très femmes du monde[1] ».

Aux protestations, aux revendications d'hommes qui voudraient retrouver sans tarder leur famille, elles disent qu'il est nécessaire, indispensable, d'établir des papiers d'identité, des bilans de santé. Ils répliquent par des quolibets, des grossièretés mais, à l'exception de Pineau, qu'un envoyé du cabinet du Général viendra délivrer[2], ils devront se soumettre.

Ces dames patronnesses, qui exaspèrent Pineau et ses camarades, Bramoullé les a rencontrées dès son arrivée à Lille. Au terme des opérations de désinfection, de contrôle et d'information des familles, les déportés se retrouvèrent, *à midi,* couchés dans de petits lits blancs, le drap bien tiré jusqu'au menton.

« Alors, écrit Bramoullé[3], la révolte nous souleva sous la forme d'un immense fou rire. Nous giclâmes à bas de nos lits, au

---

1. *La Simple Vérité.*
2. Christian Pineau a effectué, en mars-avril 1942, un voyage à Londres au cours duquel il a eu d'importants entretiens avec le général de Gaulle, entretiens grâce auxquels il a certainement mieux fait comprendre au chef de la France libre les positions de la Résistance. *Cf. Le Peuple réveillé.*
3. Témoignage inédit.

grand désespoir de ces braves femmes, et, assez honteux tout de même de notre ingratitude, nous filâmes vers la gare où la bande prit pratiquement d'assaut le premier train pour Paris en en chassant les prisonniers de guerre qui s'y étaient déjà installés, ou qui prétendaient le faire. »

Toujours à Lille [1], Claude Fischer et ses camarades, qui arrivent du camp de Bergen-Belsen, prendront, dans le train pour Paris, la place de garçons du S.T.O.
René Guenz garde, lui, un mauvais souvenir de l'accueil de Nancy.

« Je suis le seul avec le crâne rasé, le premier déporté se présentant à ce centre [2]. Sont accueillis les P.G. ainsi que les S.T.O. ou autres. Moi, je suis refoulé, je me traîne donc devant la porte lorsque j'avise un copain d'école, Pèchereau. Je me fais reconnaître et lui explique. Alors, j'ai droit à une assiette de soupe, une couverture et un coin pour dormir. Déporté, cette race-là n'est pas encore connue [3]. »

Le lendemain, dimanche 23 avril, lorsque Guenz veut prendre un train en direction de Longwy, il découvre que seuls ont accès à l'autorail les voyageurs munis de billets de première et deuxième classe. Au centre d'accueil, il ne lui a été remis qu'un billet de troisième [4]. Rameutant une cinquantaine de prisonniers de guerre, également en possession de billets de troisième, il fera fuir le contrôleur désireux d'empêcher la troupe d'envahir l'autorail. « Les

---

1. Diversité des témoignages. Claude Fischer se plaint dans son récit (inédit) de l'accueil reçu à Lille. « Comme toujours, écrit-il, la bonne pagaille française : avec, comme consigne, " les officiers au premier étage, les soldats au rez-de-chaussée ". Inutile de vous dire notre réaction... » Fischer quittera Lille le 30 avril. Il avait été déporté à Dora et fera partie de l'un des convois évacués le 4 avril vers Bergen-Belsen.
   Quant à Georges Verdaine (prisonnier de guerre), il parlera de son arrivée à Lille, dans un témoignage inédit, en ces termes : « Commença une nuit infernale d'interrogatoires, de renvois de bureau en bureau, de saupoudrage de D.D.T. (que nous avions déjà subi à Hambourg), de casse-croûte et de boissons chaudes, dans une atmosphère bruyante de musique enregistrée. »
2. Témoignage inédit.
3. René Guenz arrive à Nancy le samedi 22 avril alors que la tragédie de la déportation était encore relativement peu décrite.
4. La troisième classe sera supprimée le 3 juin 1956.

voyageurs, écrira-t-il, nous font de la place, certains pas toujours de bonne grâce. Ils s'en foutent. Pour eux, la guerre est finie depuis longtemps. »

Pierre Daix, qui a échappé aux derniers jours de Mauthausen[1], arrive en France par la Suisse le 26 avril pour découvrir, à Annecy, le monde de l'administration tatillonne, charitable, exaspérante. Une administration qui, pour mieux accueillir « ses » premiers déportés, les enferme dans un centre de triage entouré de barbelés. Mais les déportés ont leur direction, leur police et, « s'agissant de rapports de forces, [ils] en connaissent un bout[2] ». Leur colère a vite raison de tous les obstacles. A midi, ils sont hors des barbelés, « après quelque chose qui tenait d'une insurrection ».

Le train qu'ils prennent pour Paris sort « des musées du rail, banquettes en bois, freins tressautants, fenêtres impossibles à ouvrir ou à fermer[2] ». Il mettra dix-sept heures pour atteindre Paris. Un autre train comportant des wagons-lits, celui-là, roule de conserve avec le train des déportés. C'est le train — Daix l'apprendra dans la nuit — dans lequel se trouve le maréchal Pétain.

A l'hôtel Lutétia, Daix et ses camarades subissent, comme l'a subi Pineau, l'assaut de journalistes qui veulent savoir pourquoi ils ne sont pas en costume rayé, pourquoi ils ont « si bonne mine ». Interrogés, ils interrogent à leur tour et sont déçus d'apprendre — ils appartiennent au parti communiste — que seuls Billoux et Tillon représentent le Parti au gouvernement ; que Franco est toujours en place, que les Allemands occupent encore de solides positions sur la côte atlantique, déçus surtout que nul ne songe à faire reconduire ceux qui habitent la banlieue.

Organisant un « Kommando », Daix fera barrer dans les deux sens le boulevard Raspail et réquisitionnera les voitures qui passent, afin d'y installer ses camarades.

---

1. Il a été désigné le 22 avril par le *Rapportführer* pour faire partie des 80 déportés français dont la Croix-Rouge a obtenu la libération quelques jours avant l'arrivée des troupes américaines, le 7 mai.
2. Pierre Daix, *J'ai cru au matin.*

Cette France des formulaires, des interdits, qui semble tout naturellement prendre le relais des *Ausweis* et des *Verboten,* un ancien prisonnnier de guerre, P.-E. Lebonnois, la décrira, un jour, dans *Liberté de Normandie.*

> « On passe le Rhin sur un beau pont de péniches construit par une unité française. Des ouvriers travaillent sur la rive gauche à un monument commémoratif. Un immense panneau annonce modestement : " Ici, commence le pays de la liberté " ; c'est là que commencent les interdictions de tous ordres, etc. C'est là que commencent les formalités multiples et barbares qu'il faut subir pour avoir le droit de rentrer chez soi ; formalités qu'on recommencera d'ailleurs dans quelques jours à Paris : douches, identité, sécurité militaire, empreintes, photos, visites dentaire, médicale, etc. Au-delà, nous nous initierons aussi aux tickets, aux cartes, aux inscriptions, aux bons, bref à toutes ces formes que revêt aujourd'hui la liberté... et celle de penser et de dire : Où en est-on ? »

Devant la flambée des prix, la surprise de ceux qui ont été arrêtés en 1942 et, plus encore, de ceux qui ont été capturés en mai 1940 est intense.

Le déporté Michel Domenech, arrivant à Lyon par avion dans l'après-midi du 1ᵉʳ juin, gardera un mauvais souvenir de la réception qui lui est réservée. Il s'attendait à un repas convenable, il n'a droit qu'à un maigre dîner arrosé d'un vin « qui ressemble plus à du vinaigre qu'à du beaujolais[1] ». Il espérait que sa condition de déporté lui vaudrait quelques prévenances : c'est debout, « sans que quelqu'un pense à offrir une chaise[1] », qu'il doit répondre à toutes les interrogations. Pour rejoindre sa famille à Paris, il pensait mériter un billet de première classe. C'est un billet de troisième qu'on lui délivre. Qu'à cela ne tienne, ne voulant pas voyager inconfortablement de nuit, il va s'offrir une place de première. Ne lui a-t-on pas remis une prime de mille francs ? Billet de train acheté, il lui restera 150 francs[1].

---

1. Témoignage inédit.

Les mille francs de Max Heilbronn disparaîtront dans le déjeuner qu'il partagera avec deux de ses camarades de déportation au wagon-restaurant du train qui les conduit de Saverne à Paris[1].

Quant à Déan, arrêté le 6 décembre 1941 et déporté à Dachau[2], il hésitera au moment de payer les fruits qu'il avait l'intention d'acheter sur le chemin qui mène de la gare au domicile familial. Finalement, il les abandonnera sur la charrette du marchand et laissera dans sa poche l'argent de son pécule. Il en était resté aux prix de 1941 !

Après de nombreuses négociations avec le ministère des Finances, il a été décidé que chaque prisonnier célibataire toucherait, s'il était parisien, une somme totale de 8 250 francs[3], à laquelle viendraient s'ajouter 2 000 francs pour le rachat de 100 marks, sur la base favorable de 20 francs le mark.

Le prisonnier célibataire et parisien, qui vient d'être rapatrié, touche donc, au total — et avec l'échange de 100 marks — l'équivalent de trois mois de salaire du fonctionnaire français le moins bien payé.

Si le rapatrié célibataire habite une commune urbaine, il ne recevra que 7 700 francs au lieu de 8 250 ; 7 100, s'il habite une commune rurale.

Des suppléments sont accordés aux hommes mariés : 1 178, 713 et 620 francs, s'ils sont sans enfants et selon qu'ils habitent Paris, une commune urbaine ou une commune rurale ; 2 604, 1 860 et 1 240 francs s'ils sont pères de deux enfants.

La « prime de déportation » ayant été fixée à 8 000 francs, un déporté célibataire recevra, s'il est parisien, 11 250 francs[4], somme à

---

1. Heilbronn a bénéficié d'un billet de première classe. A Saverne, il s'est présenté en ces termes à l'officier d'administration commandant le centre : « Chef de bataillon Heilbronn, de l'arme du génie, déporté pour résistance. Je ne veux pas rentrer avec de simples prisonniers de guerre ni abandonner mes deux camarades de déportation. »

2. Soixante-sept personnes devaient être arrêtées le même jour. Sept revinrent de déportation.

3. Soit 4 000 francs de rappel de solde, le pécule (*cf.* p. 207), la prime d'accueil de 1 000 francs, une prime de démobilisation de 1 000 francs, 2 250 francs au titre du congé de libération.

4. Soit 8 000 francs de « prime de déportation », 1 000 francs de prime d'accueil et 2 250 francs au titre du congé de libération, somme ramenée à 1 700

laquelle s'ajouteront éventuellement 2000 francs provenant de la vente des 100 marks que bien peu possèdent, à moins qu'un prisonnier à l'esprit généreux ne leur en ait fait cadeau.

Quant aux hommes du S.T.O., dans la mesure où ils ont gagné de l'argent en Allemagne et pu, au moins jusqu'au mois d'août 1944, faire parvenir une partie de leur salaire à leur famille, ils toucheront 2125 francs s'ils sont parisiens et célibataires[1], somme à laquelle s'ajouteront, le plus souvent, 2000 francs au titre de l'échange des marks.

Dans tous les cas, ces faibles sommes n'ont pas été versées immédiatement à ceux qui arrivent d'Allemagne.

A la suite de retards apportés à la promulgation d'ordonnances discutées entre les différents services des ministères, les règlements seront effectués seulement dans le courant du mois de juin.

A leur passage à la frontière, les rapatriés n'ont donc effectivement touché que la prime d'accueil de 1000 francs et, parfois, 2000 francs correspondant au rachat de 100 marks.

Ils arrivent, pauvres, dans une France où 1000 francs représentent le prix de deux kilos de viande et de dix œufs au marché noir[2]. Comment ne seraient-ils pas humiliés et scandalisés ?

Ils ont l'impression d'être spoliés, traités en parias. Ils le sont. L'on offre aux simples soldats un pécule calculé sur la base de UN franc par jour pour la période allant du 10 mai 1940 au 30 juin 1943, soit 1154 francs ; de QUATRE francs pour la période allant du 1er juillet

---

francs pour les déportés habitant une commune urbaine, 1150 pour ceux qui habitent une commune rurale. Des allocations militaires seront versées aux déportés mariés, elles varieront suivant le nombre des enfants.

1. Soit 1000 francs pour la prime d'accueil et 1125 francs pour la prime de congé de libération, cette dernière somme étant ramenée à 850 francs pour les communes urbaines, 575 francs pour les communes rurales. Les mariés sans enfants bénéficient d'allocations militaires se montant à 589 francs pour Paris. Les pères de deux enfants touchent, au titre des allocations militaires, une somme de 1302 francs, toujours s'ils résident à Paris.

2. Jean Galtier-Boissière, *Mon Journal depuis la Libération,* à la date du 30 avril 1945. « Au marché noir, la viande est maintenant cotée 400 francs le kilo et l'œuf 20 francs pièce. »

1943 à la libération, soit 2 604 francs. Le total de ces sommes misérables, 3 758 francs, soit un mois de travail[1] d'un employé en coefficient 110, sera arrondi à 4 000 francs pour cinq années derrière les barbelés !

Constamment, la Fédération nationale des prisonniers de guerre luttera pour qu'un pécule plus honorable soit versé à des hommes qui avaient tout perdu et qui, vaincus de 40 face aux vainqueurs de 45, longtemps fidèles de Pétain face aux F.F.I. locaux, hommes en relative bonne santé face aux déportés, s'étaient assez vite effacés et avaient été effacés des mémoires.

Les gouvernements successifs donnèrent de bonnes paroles, mais ne versèrent point d'argent. Lorsqu'un accord intervint, les paiements, sur la base de 400 francs par mois de captivité, ne débutèrent qu'en 1952. Ils prirent fin en 1958... dix-huit ans après le moment où les soldats français avaient été capturés. Les prisonniers belges avaient reçu l'équivalent de 4 000 francs par mois de captivité, les Allemands de 4 800 francs, les Britanniques de 6 000 francs[2] !...

Comment l'indignation et la misère des prisonniers rapatriés n'auraient-elles pas été exploitées, et pas seulement par la presse communiste — comme on le verra — ou par *Libres,* quotidien du Mouvement national des prisonniers de guerre ?

Dans *Le Monde* du 7 juin, Roger Gauthier évoquera, avec la perte de pouvoir d'achat de l'argent d'avant-guerre, de ces billets de 50 et 100 francs hier respectés, aujourd'hui dévalués, ces autres irritants problèmes que constituent les longues attentes « dans des couloirs minables ou des escaliers sordides » ; ces réceptions dans les hôpitaux « par une secrétaire à allure de fille de salle qui, en l'absence du médecin, dispose de ses cachets », ce temps perdu dans le métro pour courir de bureau en bureau...

---

1. En avril 1945, le salaire mensuel d'un employé au coefficient 100 est de 3 470 francs ; au coefficient 110, de 3 815 francs.
2. Officiers et sous-officiers de l'active et de la réserve ayant droit à une solde mensuelle seront également spoliés. L'ordonnance du 11 mai et le décret du 29 juin 1946 réglementaient arbitrairement et de façon rétroactive leur situation. Il fut, en effet, décidé qu'une avance de 1 500 francs par année de captivité serait versée aux caporaux-chefs ; de 2 500 francs aux sergents ; de 3 000 francs aux adjudants, aspirants, sous-lieutenants, lieutenants ; de 3 500 francs aux capitaines ; de 4 000 francs aux commandants, colonels, généraux. Malgré les protestations des intéressés, la situation ne fut jamais honorablement ni honnêtement réglée.

Le 17 janvier 1945, après avoir accepté le poste que lui confiait de Gaulle, Frenay avait écrit à Claude Bourdet :

> « Il y a, je crois, en ma modeste personne, une heureuse conjonction entre la Résistance d'une part et les prisonniers et déportés d'autre part, c'est-à-dire entre ceux qui auront à jouer demain un rôle capital dans la reconstruction française.
>
> ... Tu vois par là que ce seront plusieurs millions de Français sur lesquels nous pourrons avoir demain, dans l'intérêt général du pays, une action peut-être déterminante... »

Au même titre que Frenay, les communistes étaient conscients de l'enjeu politique que représentaient déportés et prisonniers.

Le ministre des Prisonniers et Déportés étant pour eux non seulement un adversaire d'une grande lucidité et d'un courage absolu, mais surtout, dans la perspective des luttes politiques prochaines, un concurrent redoutable, il importait de le mettre sans tarder en accusation.

A Alger, déjà, des communistes comme André Mercier avaient attaqué Frenay devant l'Assemblée consultative provisoire, lui reprochant de ne pas exhorter les prisonniers « à l'évasion et au sabotage », mais de leur demander d'attendre des ordres sur place.

La violence des mots est telle : « Les crédits de M. Frenay n'ont pas pour objet d'aider les prisonniers mais de les maintenir dans l'esclavage et de les vouer à la mort », que, le 21 juillet 1944, le ministre adresse une lettre officielle au Comité central. Lettre dans laquelle il rappelle les incessantes attaques lancées contre ses amis et contre lui-même, les manœuvres qui, en France occupée, ont permis à des hommes inféodés au Parti de prendre la place des résistants de Combat arrêtés par les Allemands, la volonté d'indépendance du Front national et des Francs-tireurs et Partisans. Le 4 août, il recevra, signée de six responsables communistes dont André Marty, Étienne Fajon et André Mercier, une réponse dans laquelle se trouve ce paragraphe insultant :

« Votre préoccupation, en tant que ministre, c'est la crainte de voir affluer en masse en France les prisonniers et les déportés remplis de haine contre ceux qui les ont livrés au martyre... Vos services expriment ainsi cette peur du peuple qui a été à l'origine de la grande trahison qui a livré la France à l'impérialisme allemand et à ses agents. »

Frenay avait achevé sa lettre au Comité central du P.C. en posant cette question : « Quels sont vos desseins ? »

Les signataires communistes de la lettre à Frenay achèvent sur ces mots : « Il y a dans tout cela un fil conducteur, une attitude politique délibérée : l'anticommunisme qui a conduit ceux qui l'adoptent à la trahison. »

Accusé d'« anticommunisme », donc, pour les communistes, d'anti-patriotisme et de trahison, Frenay va bientôt avoir à subir les conséquences de ce « crime ».

Il avait demandé aux membres du Comité central quels étaient leurs desseins. La réponse est implicite : le déshonorer pour l'abattre. Et cela, avant même que le retour des premiers prisonniers et déportés ait permis de juger loyalement les réalisations et l'action de son ministère.

Attaqué à Alger devant l'Assemblée consultative provisoire, Frenay le sera avec plus de violence encore à Paris, devant cette même assemblée, lors de la séance du 22 mars 1945 au cours de laquelle est examiné le budget du ministère des Prisonniers.

Il a la surprise d'être immédiatement mis en cause par Jean Dechartre[1], président de la Commission des prisonniers et déportés, dont il avait fait l'un de ses intimes puisqu'il lui avait — et à lui seul — demandé de l'accompagner sur la *Jeanne-d'Arc* pour le voyage qui devait conduire le gouvernement en France[2].

Passant en revue les 33 centres principaux d'accueil installés le long de la frontière, Dechartre en décrira « la grande misère ».

Le centre de Lille dispose de 500 places pour 3 000 à 4 500 pri-

_____

1. M. Duprat-Génaux, qui appartenait, en France, au Mouvement national des prisonniers de guerre et déportés, était arrivé à Alger au cours de l'été 1944 et se faisait appeler Jean Dechartre. Il choisira plus tard un autre prénom et deviendra Philippe Dechartre.

2. Dans *La nuit finira*, Henri Frenay écrit que, « dès son arrivée à Alger », Dechartre « avait été encadré et endoctriné par le parti communiste dont, à mon égard, il allait peu à peu épouser toutes les thèses ».

sonniers, le centre de Charleville est à peu près inexistant, dans celui d'Hirson ne se trouvent que 60 kilos de biscuits alors qu'il avait été décidé qu'Hirson servirait de base de ravitaillement à Mézières, Charleville, Maubeuge et Givet.

A Longuyon, ni couvertures, ni literie, « ni même le quart de vin traditionnel ». A Annemasse, 25 places seulement... « dans une ancienne maison accueillante transformée en centre d'accueil ». La situation est d'autant plus irritante que, si 46 chargés de mission se sont succédé dans la ville, aucun d'entre eux n'avait le pouvoir de décider et que, au lieu de recourir, pour construire des baraquements, aux abondantes ressources locales, les commandes ont été passées dans les Landes.

Après avoir cité d'autres exemples, évoqué d'autres problèmes, Dechartre terminera en affirmant que « le ministère, tant au point de vue de l'organisation que des hommes, n'est pas viable », que sa conception est fausse, la situation « tragique », la responsabilité du gouvernement « entière ».

Pierre-Bloch, qui succède à Dechartre à la tribune, reprochera à Frenay de n'être « peut-être pas assez sévère pour ceux qui sont autour de [lui] » et il citera le nom de *quatre* fonctionnaires qui auraient été des « vichystes notoires ».

Pour Mme Couette, qui parle au nom de la C.G.T., mais appartient au parti communiste, on ne rencontre partout que « désordre et pagaïe ». L'écoute-t-on, on apprend que « les employés de la S.N.C.F. sont décidés à faire de très gros efforts pour augmenter le nombre de trains afin d'assurer le rapatriement rapide des absents », que « les ouvriers et ouvrières du textile sont indignés que rien ne soit fait pour leur demander de produire plus pour fabriquer des vêtements, du linge pour nos prisonniers qui arrivent en lambeaux, alors que des réserves d'étoffes sont découvertes chez les industriels qui font du marché noir ».

Quant aux paysans, c'est « avec plaisir » qu'ils donneraient le ravitaillement dont ils peuvent disposer « afin de nourrir [les] prisonniers rapatriés qui ont besoin d'une alimentation plus abondante qu'ils ne trouveront pas »... mais on néglige, mais on méprise tous ces dévouements et, dans ce refus de « la tendresse de la population », Mme Couette voit l'origine des malheurs qui attendent les rapatriés.

Quant à Pierre Bugeaud, parlant au nom du Mouvement national des prisonniers de guerre et déportés, il fera appel, avec des mots très durs, « à tous les rapatriés, évadés, familles de prisonniers, déportés et requis pour que le pays supplée aux négligences manifestes du ministère ».

Montant à la tribune, l'homme qui a la charge d'accueillir bientôt un million de prisonniers, 780 000 travailleurs, 500 000 ou 600 000 déportés de la Résistance, israélites, Alsaciens, Lorrains[1], de tenter d'améliorer, en France, le sort de 2 500 000 réfugiés et sinistrés dont 700 000 vivent encore dans leurs ruines, va se défendre.

On a cité le nom de quatre fonctionnaires qui seraient des « hommes de Vichy ». Frenay explique qu'il n'en est rien et qu'il a accepté toutes les conclusions de la Commission d'épuration ; on a dit que les effectifs de son ministère étaient pléthoriques, il emploie 8 040 civils[2] et 2 500 militaires, est-ce trop pour la tâche à accomplir ? On a évoqué les lenteurs administratives, mais il a dû attendre cinq mois avant d'obtenir un standard téléphonique, et, dans ses services, un seul bureau sur neuf a le téléphone ; on a déploré la pénurie de vêtements, pénurie qui obligera trop de prisonniers à conserver leur uniforme de 40 et leur veste marquée K.G.[3], c'est, en effet, fort regrettable, mais Frenay a obtenu la mise à la disposition des rapatriés de 465 000 effets d'habillement et 900 000 autres unités vont être bientôt réparties.

Sur tous les points qui ont fait l'objet du débat, Frenay répondra avec émotion, chaleur et vivacité. Il rejettera notamment les accusations du Mouvement national des prisonniers de guerre et déportés dont les orateurs lui ont reproché de ne pas associer leur organisation à son action. N'a-t-il pas, dès son arrivée à Paris, proposé à François Mitterrand le poste de secrétaire général du ministère ? N'a-t-il pas convié les responsables du Mouvement aux séances des commissions créées au sein de son ministère ; invité l'un de ses représentants à toutes les réunions des directeurs de ses services ? N'a-t-il pas réclamé une allocation supplémentaire de papier pour le journal *Libres*,

---

1. Ce sont les chiffres cités par Frenay à la tribune. D'après un document officiel signé par M. Jarry, membre du cabinet du ministre, et intitulé « Qui doit être rapatrié ? », les chiffres auraient été les suivants : 800 000 prisonniers de guerre, 250 000 prisonniers transformés, 650 000 déportés du travail, « 400 000 déportés politiques, chiffre approximatif », 200 000 déportés raciaux, « dont la plupart ont été déportés de France, mais ne sont pas français ».
2. Là où Vichy en employait 6 300. Les chiffres de Frenay sont ceux du 1ᵉʳ mars. Ils iront, on le sait, en augmentant.
3. *Krieg Gefangenen*. Sur le problème des vêtements, voir aussi p. 211.

obtenu une émission quotidienne de radio pour le Mouvement à qui il a, mensuellement, rétrocédé 6 000 litres d'essence sur ses faibles attributions ?

Mais, n'étant pas payé de retour, estimant que le Mouvement appartient désormais à l'opposition, il annonce qu'il a décidé de rompre avec lui.

Prise de position qui aura pour conséquence, la nuit ayant porté conseil, d'inciter, le 23 mars, les responsables du Mouvement des prisonniers à revenir, au moins provisoirement, sur leurs propos. Ils le feront par la voix de Pierre Parent et de Jacques Benet qui retireront à la tribune les paroles excessives lancées dans le débat du jour précédent.

De son côté, Henri Frenay, constatant que le Mouvement des prisonniers de guerre semble prêt à collaborer à la tâche immense qui est la sienne, retirera les menaces qu'il avait laissées planer.

Un seul orateur ne retirera rien. Il s'agit de Raymond Guyot, qui s'exprime au nom du parti communiste.

« Nous maintenons entièrement les critiques que nous avons formulées hier, parce qu'elles sont justes... »

Raymond Guyot ne saurait, d'ailleurs, infliger un démenti à ce qu'écrit, depuis plusieurs jours, *L'Humanité*.

Les attaques du quotidien communiste contre Frenay se sont précisées le 15 mars, lors de l'arrivée à Paris de 1 100 prisonniers des Stalags XII C et XII D, l'auteur de l'article reprochant au directeur du centre d'accueil d'avoir refusé un repas chaud à 250 prisonniers, au ministère d'avoir envoyé 13 kilos de viande pour nourrir 650 prisonniers.

Le 29 mars, Roland Diquelou, correspondant de guerre de *L'Humanité* auprès de la IXe armée américaine, écrit que les prisonniers libérés sont abandonnés à la charité des Américains et pose la question : « Il y a un ministre des prisonniers et déportés qui a pris la responsabilité du rapatriement. Que fait-il ? »

Avec celui de l'« autorapatriement » des captifs[1], le thème des

----

1. Il est vrai qu'au moment de l'entrée des Alliés en Rhénanie 200 000 prisonniers et travailleurs ont regagné la France par des moyens de fortune.

prisonniers « abandonnés » sera constamment repris par les journalistes et orateurs communistes. Il s'agit d'influencer immédiatement l'opinion, de lui faire croire que le ministère n'est pour rien dans le rapatriement des prisonniers[1]; plus grave encore, Frenay ayant conservé auprès de lui des fonctionnaires déjà en place, que les Vichyssois sont les maîtres d'une situation qu'ils s'emploient à volontairement laisser pourrir[2].

En mai et juin, les attaques s'intensifieront. Le 17 mai, un article intitulé : « 1 000 francs pour vivre deux semaines. Pas de vêtements[3] », insiste sur « la mendicité plus ou moins déguisée » des rapatriés à qui l'on demande 12 000 francs pour un costume, 540 francs pour une paire de chaussures, alors qu'ils n'ont reçu qu'une prime de 1 000 francs et 200 de ces points de textile indispensables à tout achat.

Dans la logique de cet article, Raymond Bossus, maire communiste du XXe arrondissement, réclame, le 19 mai, la réquisition immédiate et sans indemnité « de tous les effets d'habillement en stock dans les grands magasins ayant réalisé des bénéfices énormes sous l'Occupation ».

L'Humanité du samedi 19 mai fait écho à la manifestation « spontanée » qui a eu lieu le jeudi précédent, manifestation contre Frenay qui est, écrit le journal, « pour le moins au-dessous de tout »; elle accorde une large place (dans la mesure où le papier est rationné) aux cortèges qui ont défilé le 29 mai, des Batignolles à la rue de Rivoli, de l'Étoile à la porte Dauphine, aux cris de « Frenay, démission! », « Des vêtements, des chaussures! », « A bas le marché noir! ».

Mais c'est à la manifestation du 2 juin que le quotidien communiste consacre le maximum de publicité.

---

1. L'Humanité du 12 avril écrit que le centre d'accueil du XXe arrondissement a reçu 2 000 prisonniers libérés, mais que le centre a été créé sous « l'impulsion de la municipalité patriote », c'est-à-dire communiste.

2. Dès le 24 mai, le journal publie une enquête intitulée « Mal vêtus ».

3. « On a voulu, écrit L'Humanité (4 septembre 1945), former, pour des buts politiques, un appareil composé de Vichyssois, d'agents louches non contrôlés. On a rassemblé des individus prêts à tout. On les a habillés en officiers, on leur a conféré des droits exorbitants. »

Dans son numéro du 26 mai, L'Humanité titrera ainsi un article : « Pour les Espagnols déportés : emprisonnement en France ou livraison à Franco, telles sont les décisions prises par M. Frenay. » Le ministre portera plainte, mais les choses traîneront en longueur.

Sous le titre :

> Avec discipline,
> 75 000 rapatriés[1]
> se sont rendus, en un immense cortège,
> au ministère des Prisonniers
> en criant, acclamés par les Parisiens :
> « Des vêtements ! Le pécule !
> Pétain au poteau ! »

on peut lire un compte rendu de la manifestation comme du meeting organisé à la Mutualité par l'Association des prisonniers de guerre de la Seine.

L'Humanité donne les noms de quatre des orateurs qui se sont succédé : MM. Cornuau, président de la Fédération de la Seine, Thévenin, Amaré et Mitterand (*sic*), Mitterrand qui, depuis la fusion, intervenue le 8 avril, entre le Mouvement national des prisonniers de guerre et déportés et les Centres d'entraide, se trouve être l'un des trois vice-présidents de la Fédération nationale des prisonniers de guerre.

Henri Frenay avait demandé à venir s'expliquer devant des hommes qu'il considérait comme ses camarades. Cela lui avait été refusé en séance par des militants qui craignaient que son évidente sincérité et son émouvante bonne foi ne fissent évoluer vers l'apaisement une foule qu'il s'agissait de maintenir sous pression. Cette foule — et celle qui déborde dans les rues voisines —, on la conduira, après une halte à l'Arc de triomphe, devant le ministère des Prisonniers. Ce ne sera pas le premier cortège ; ce sera le plus important, ce sera le plus tumultueux puisque, aux cris de « *Frenay au poteau !* », le ministre sera brûlé en effigie.

Qui, parmi les responsables, a pris l'initiative de demander audience au général de Gaulle ? Le communiste Pierre Verrier en revendiquera plus tard l'idée[2]. Cinq hommes : François Mitterrand, Jean Cornuau[3], Georges Thévenin[4], Jean Bertin, Pierre Verrier, se rendront donc rue

---

1. Selon les journaux, ce chiffre sera de 20 000 (*L'Aube*) ou de 50 000 (*Libres*).
2. *Cf.* Catherine Nay, *Le Noir et le Rouge.*
3. Président de l'Association de la Seine de la F.N.P.G.
4. Secrétaire général de l'Association de la Seine de la F.N.P.G.

Saint-Dominique, au ministère de la Guerre où de Gaulle, on le sait, s'est installé en arrivant dans Paris libéré.

Les délégués ne seront pas reçus ce jour-là mais trois jours plus tard, le 5 juin. Ils ne sont d'ailleurs plus que trois : Cornuau, Thévenin[1], Mitterrand, à pénétrer dans le bureau d'un chef du gouvernement provisoire irrité contre des « meneurs » qui, en conduisant dans Paris des « équipes vociférantes », « espèrent que le gouvernement lancera la force publique contre les manifestants, ce qui excitera l'indignation populaire, ou bien que, cédant à la menace, il sacrifiera le ministre vilipendé[2]. »

Voici le récit que de Gaulle fera, dans ses *Mémoires,* d'une entrevue, selon lui, à sens unique.

> « A mon bureau, je convoque les dirigeants du " mouve-ment ". " Ce qui se passe, leur dis-je, est intolérable. J'exige qu'il y soit mis un terme et c'est vous qui m'en répondrez... " Je leur déclare : " L'ordre public doit être maintenu. Ou bien vous êtes impuissants vis-à-vis de vos propres gens ; dans ce cas, il vous faut, séance tenante, me l'écrire et annoncer votre démission. Ou bien vous êtes effectivement les chefs ; alors, vous allez me donner l'engagement formel que toute agitation sera terminée aujourd'hui. Faute qu'avant que vous sortiez d'ici j'aie reçu de vous soit la lettre, soit la promesse, vous serez dans l'antichambre mis en état d'arrestation. Je ne puis vous accorder que trois minutes pour choisir. " Ils vont conférer entre eux dans l'embra-sure d'une fenêtre et viennent aussitôt : " Nous avons compris. Entendu ! Nous pouvons vous garantir que les manifestations vont cesser. " Il en sera ainsi le jour même. »

Le tome III des *Mémoires de guerre,* dans lequel le général de Gaulle rapporte son ultimatum, date de 1959. Le Général, on l'a remarqué, n'avait cité aucun nom. Six ans plus tard, le 10 décembre 1965, alors qu'au premier tour de l'élection présidentielle il vient d'être mis en ballottage par Mitterrand, il donnera à Michel Droit des précisions politiquement redoutables, même si elles sont gardées secrètes au cours de la campagne qui précède le second tour.

---

1. Qui appartient au parti communiste.
2. *Mémoires de guerre*, t. III.

« Je ne fais ni une ni deux, je convoque le dénommé Mitterrand[1], rue Saint-Dominique, où il arrive flanqué de deux acolytes, et je lui dis : " Qu'est-ce que c'est que ça ? " Du tapage sur la voie publique en temps de guerre... (Mitterrand s'excuse.) Je lui dis : " Alors, si vous vous désolidarisez d'eux, vous allez me l'écrire. Voilà un bout de papier, un coin de table, une plume. Allez-y ! " Il me fait : " Mon général, ça demande réflexion. "

Je lui réplique : " Tout à fait juste. Dans trois minutes, si vous n'avez rien écrit, rien signé, vous sortirez de cette pièce et vous serez aussitôt mis en état d'arrestation. " Alors, il se lève avec ses deux acolytes, se dirige vers l'embrasure d'une fenêtre, leur dit quelques mots et revient vers moi : " Mon général, nous avons compris. Je signe[2]. " »

François Mitterrand ne commentera jamais cette version, pour lui humiliante plus encore que désagréable, mais Jean Cornuau, qui participa à l'entrevue, démentira, tant dans les colonnes du *Figaro Magazine*[3] qu'en se confiant à Catherine Nay[4], non certes la violence des propos du Général, propos visant essentiellement Mitterrand[5], non que le chef du gouvernement ait exigé de ses interlocuteurs qu'ils fissent cesser les cortèges, mais que le chef du gouvernement les ait menacés d'arrestation immédiate s'ils ne signaient pas une lettre de désaveu des manifestants et des manifestations.

Pour Christophe Lewin, qui a pu étudier les archives de la Fédération nationale des combattants prisonniers de guerre, « au-delà d'une entrevue au contenu déformé et à l'importance exagérée, pour des raisons de politique intérieure, l'épisode caractérise le mépris que de Gaulle et son entourage vouaient aux prisonniers[6] ».

Les trois représentants des prisonniers avaient toutefois, dès leur

---

1. Mitterrand contre lequel il est prévenu depuis Alger.
2. Michel Droit, *Les Clartés du jour*. Le texte de Michel Droit sera reproduit dans *Le Figaro Magazine* du 31 octobre 1978.
3. Le 24 janvier 1979, la lettre de Cornuau répond à l'article du *Figaro Magazine* publié le 23 octobre 1978.
4. *Le Noir et le Rouge.*
5. « D'entrée de jeu, il s'en est pris à François Mitterrand et l'a accusé de " pisser du vinaigre, dans ses éditoriaux du journal *L'Homme libre,* sur un ministère qui ne le méritait pas " » (Catherine Nay).
6. *Le Retour des prisonniers de guerre français.*

sortie du cabinet du Général, rédigé un communiqué (il sera publié le 6 juin par *Le Figaro*) invitant « les rapatriés à éviter des manifestations isolées et stériles ». Le 8 juin, Jean Cornuau adressera au général de Gaulle une lettre le remerciant de l'audience qu'il avait « bien voulu accorder à la délégation [venue lui exprimer] les doléances de l'ensemble des rapatriés ».

La lettre de Cornuau se poursuivait par ce paragraphe : « Conformément à l'engagement que nous avons pris au cours de cette audience, toutes les manifestations isolées et stériles des prisonniers de guerre ont cessé dans la Seine, grâce aux interventions de l'Association des prisonniers de guerre. » Elle s'achevait sur la demande d'un nouveau rendez-vous. Demande qui recevra cette sèche réponse, signée de Gaston Palewski, directeur du cabinet du Général : « Le président du gouvernement provisoire n'a pas manqué de remarquer que les manifestations de prisonniers ont cessé à la suite des recommandations qu'il vous a faites. Il en a pris bonne note. Si cette situation continue, il se réserve de vous convoquer. »

Les mots étaient volontairement pesés, par un homme proche de la personne et de la pensée du Général, pour faire sentir que, malgré les apparences, le rapport des forces était bien en faveur du chef du gouvernement provisoire.

Parce qu'il garde peut-être le complexe de sa captivité de plus de deux années pendant la Première Guerre[1], parce que Pétain a sentimentalement fait des prisonniers son « affaire », de Gaulle, s'il est, le 14 avril, au premier rang de la foule qui accueille, gare de Lyon, 197 femmes libérées de Ravensbrück, s'il reçoit le 7 mai, au ministère de la Guerre, plusieurs déportés rescapés de Buchenwald, « socialement importants[2] », à l'exception d'une petite ouvrière communiste, n'attache pas un intérêt particulier aux prisonniers qui lui rappellent les mauvais souvenirs des débandades de juin 40.

Aussi, en juin 1945, s'est-il comporté avec les représentants des prisonniers de guerre plus sévèrement encore qu'il ne s'est comporté,

---

1. Le 1er novembre 1918, alors que sa captivité commencée le 2 mars 1916 devant Douaumont va s'achever, il écrit à sa mère : « A l'immense joie que j'éprouve avec vous des événements se mêle, il est vrai pour moi, plus amer que jamais, le regret indescriptible de n'y avoir pas pris une meilleure part. Il me semble qu'au long de ma vie — qu'elle doive être courte ou prolongée — ce regret ne me quittera plus. »
2. Le mot est de Pierre Daix qui a fait partie de la délégation reçue le 7 mai.

en août 1944, avec les représentants des F.F.I. et des milices patriotiques. Pour lui, le pouvoir ne se divise pas et il n'est pas dans la rue.

Que le général de Gaulle n'ait pas exigé de lettre — une lettre introuvable d'ailleurs —, que les menaces d'arrestation, si elles ont bien été proférées, n'aient pas, à elles seules, fait céder des hommes qui avaient couru d'autres risques, c'est vraisemblable. Il n'en reste pas moins que Cornuau évoque très nettement « l'engagement » pris et la fin de toutes les « manifestations isolées et stériles ».

De Gaulle n'en demandait pas davantage... même si les incidents étaient loin d'être terminés.

« L'affaire des prisonniers, écrira-t-il, avait montré que l'autorité restait forte tant qu'elle n'était pas partagée, mais aussi que les politiques n'inclinaient pas à l'appuyer. »

Dans *Le Noir et le Rouge,* Catherine Nay signalera sobrement que François Mitterrand, élu président de la République, décorera, en 1983, Pierre Verrier, qui avait été à l'origine de la rencontre avec de Gaulle, ainsi que Jean Cornuau qui l'avait accompagné, le 5 juin, rue Saint-Dominique, dans le bureau du Général.

Vertu de l'amitié, mais surtout fidélité de la mémoire.

Incidents et manifestations n'avaient pas que des origines politiques, même si certains politiques en tiraient habilement parti. En mai et en juin, le manque bien réel de vêtements, de chaussures, avait été à l'origine de véritables scènes de pillage incompréhensibles, si l'on oublie que les prisonniers portaient sur eux, le plus souvent, la tenue militaire avec laquelle ils avaient été capturés en 1940 et que les déportés sont vêtus de loques.

De tous les départements, de toutes les villes, montait la même plainte.

D'après le rapport d'André Weiss, préfet de l'Hérault, « les prisonniers, mieux portants que l'on ne s'y attendait, et les déportés se plaignent de ne pouvoir trouver chaussures et vêtements en échange des bons qui leur ont été remis[1] ».

---

1. Rapport daté de mai 1945.

La préfecture de la Lozère signale que le « complet au prisonnier » constitue — dans la mesure où il n'est pas attribué — l'une des sources de mécontentement.

En Corrèze, où 29 caisses de vêtements ont été expédiées, les responsables du C.O.S.O.R. [1] découvrent que la plupart de ces caisses contiennent... de la layette !

A Nice, à l'occasion d'une réunion du Comité de libération consacrée au sort des prisonniers, M. Lauron, délégué du M.L.N., après avoir annoncé qu'à Cimiez le petit hôtel réquisitionné ne disposait ni de mobilier, ni de draps, ni de batterie de cuisine, ajoute : « Si l'on me donnait six inspecteurs de police, je me ferais fort de trouver dans les magasins de quoi habiller tous nos camarades déportés. »

A Paris, certains prisonniers n'ont nullement eu besoin d'être accompagnés d'inspecteurs de police pour s'emparer de vêtements dans les magasins. Ils ont agi en bandes organisées, ce que soulignent les rapports de police.

Le 24 mai, vers 16 heures, à Clichy, 65 prisonniers libérés ont pénétré « en colonne par deux sous la conduite de deux des leurs » au deuxième étage d'une filiale des magasins du Printemps [2].

Après s'être emparés chacun d'un complet et parfois d'un pardessus, ils sont repartis dans la même formation en disant aux dirigeants de l'atelier de s'adresser à M. Frenay pour se faire payer.

Dans son rapport, M. Neuveu, chef de l'atelier pillé, précise que, lorsqu'il s'est précipité pour tenter d'empêcher l'« invasion » d'hommes manifestement bien renseignés, il en a vu se bousculer, essayer les vêtements qui leur paraissaient à leur taille, certains les gardant sur eux, d'autres les roulant et les mettant sous le bras. « Le pillage, écrira-t-il en conclusion, a été d'une rapidité surprenante, peut-être 10 à 12 minutes [3]. »

Ce même 24 mai, des incidents semblables se sont produits aux Galeries Lafayette, à la Samaritaine, au Bon Marché et à la Belle Jardinière, ainsi qu'aux établissements Tony, boulevard Voltaire, d'où sont emportés 38 complets-vestons, 46 pantalons, 4 pardessus, 3 manteaux, 23 jupes plissées, 7 corsages.

---

1. Comité des œuvres sociales des organisations de résistance.
2. Rapport à la préfecture de police en date du 25 mai.
3. Inédit.

Téléphone-t-on au ministère des Prisonniers pour savoir quelle attitude adopter face aux exigences de prisonniers dont on souligne qu'ils sont conduits par des meneurs « aisément reconnaissables », on s'entend répondre qu'il ne faut « pas remettre les vêtements sans contrepartie de points et d'espèces ». Recommandation d'application impossible. Le directeur de la chemiserie Persin, faubourg Poissonnière, écrit au ministre le 30 mai pour lui faire part de l'« entrevue, d'ailleurs fort courtoise », qu'il a eue la veille avec une vingtaine de prisonniers.

Ils exigeaient des chemises. Les ayant obtenues sans les payer ni remettre de bons d'achat, ils ont répliqué au propriétaire qui leur disait : « Mais si nous vous avions répondu que nous n'avions pas de chemises ?... — Nous étions suffisamment nombreux pour effectuer une perquisition sérieuse et, si nous en avions trouvé[1]... »

Dans sa lettre au ministre, le directeur de la chemiserie Persin pose deux questions auxquelles il réclame réponse : quelle doit être son attitude face aux menaces de perquisition[2] ? ; à qui doit-il s'adresser pour être payé de réquisitions dont il évalue le montant à 14 810 francs et 540 points de textile ?

Il ajoute ceci :

> « Il nous a été rapporté que certains commerçants, s'étant présentés à votre ministère ou à la Maison du prisonnier pour obtenir des remboursements de fournitures faites dans les mêmes conditions, avaient été éconduits, non sans avoir vu leurs listes de décharges dûment détruites par les employés. »

Le ministère dégagera sa responsabilité par lettre du 6 juin, comme il la dégagera le 21 juin auprès du président de la Fédération nationale des entreprises à commerces multiples.

Si des personnes « se disant prisonniers » se sont fait remettre, par contrainte, des marchandises, « la connaissance de ces faits n'est pas de sa compétence » et il n'est naturellement pas question de rembour-

---

1. Inédit.
2. Police-secours, alertée, n'intervient pas. C'est ainsi que, le 24 mai, vers 17 heures, une soixantaine de prisonniers ayant envahi, à Paris, les magasins du Printemps, la police refuse d'intervenir devant la menace d'incidents graves. Les femmes de prisonniers présentes et le personnel du magasin se rangeront d'ailleurs du côté des prisonniers qui exigeaient des vêtements.

sement. Le ministère s'estime peut-être déchargé de toute responsabilité puisque, le 30 mai, 60 camions militaires ont fait, sur ordre, la tournée de tous les magasins parisiens afin de réquisitionner, au prix de la taxe, les vêtements disponibles.

Il en faudrait bien davantage pour faire face à une demande immédiate, immense et légitime. Mais les stocks sont négligeables, les moyens de production dérisoires.

Par ailleurs, les conflits sont fréquents entre les services de l'Intendance et le ministère des Prisonniers. Dans les régions, les intendants réquisitionnent des articles régulièrement attribués au ministère : 10 000 paires de drap à Amiens, 12 000 mètres de tissu à Rouen, 150 000 mètres d'étamine à Lyon. Sur les 800 000 complets civils fabriqués à l'intention des rapatriés, l'Intendance affirme n'en posséder en stock que 362 000. Un programme de 200 000 pull-overs n'aurait jamais été exécuté. Or, 170 000 de ces pull-overs se trouvaient, en août 1944, dans les entrepôts de la Croix-Rouge lyonnaise...

Se tourner vers les États-Unis et l'Angleterre — le gouvernement le fait — apporte bien des désillusions. Les 500 000 vêtements usagés collectés de l'autre côté de l'Atlantique exigent d'importantes réparations ; les 150 000 collections neuves achetées par la France n'arrivent que lentement.

La Croix-Rouge anglaise a bien promis l'envoi de un million de yards [1] de tissu mais, à l'arrivée, on découvre qu'il s'agit de toile de camouflage !

Des réquisitions de vêtements dans la zone d'occupation française — une collection d'effets par famille allemande — permettront certes d'habiller 260 000 personnes ; l'armée américaine cédera au ministère des Prisonniers 60 000 vestes d'uniforme, 30 000 pantalons usagés, 40 000 paires de chaussures, mais production, achat à l'extérieur, dons et réquisitions sont bien loin de pouvoir satisfaire les besoins des prisonniers, des déportés, qui entrent en concurrence avec les besoins du reste de la population.

Une population démunie et que l'on sollicite. Le 1er mai, à la radio, Maurice Schumann lancera cet appel à la générosité :

> Allô, allô, voulez-vous aider
> nos prisonniers ?

---

1. Le yard est l'équivalent de 0,914 mètre.

Allô, allô, voulez-vous aider
nos déportés ?
Oui, eh bien, retenez cette adresse :
Pavillon Dauphine, Paris.

Et il demandera à tous ceux, toutes celles qui peuvent abandonner leur foyer pendant quelques semaines de se présenter entre 15 heures et 17 h 30 à Paris, au Pavillon Dauphine, et en province, dans tous les centres d'accueil, afin de recevoir une affectation au service des prisonniers et déportés.

Avant lui, d'autres, un peu partout, s'étaient manifestés.

A Caen, à l'occasion du retour du premier rapatrié, le travailleur Maurice Le Pelletier, qui a découvert sa maison, écrasée, comme tant d'autres, par les bombes, *Liberté Normandie* fait appel, le 13 mars, « à tous les cœurs généreux » en faveur de ceux que le journal nomme les « rapatriés sinistrés ».

Il semble que les « cœurs généreux » aient été longs à s'émouvoir dans une ville où les détresses, il est vrai, sont innombrables. Le 9 avril, annonçant l'arrivée de quinze prisonniers libérés par les Russes et qui viennent de débarquer à Marseille, le journal morigène ses lecteurs. « On a eu jusqu'ici l'impression, écrit-il, que le retour se passait dans l'indifférence générale. Ces quinze hommes doivent arriver demain ou lundi par le train de Paris, à 14 heures. Est-ce trop demander à notre population que de se porter en foule au-devant d'eux pour leur apporter le salut de bienvenue de leur pays ? »

Trois jours plus tard, c'est Léonard Gille, président du Comité de libération, qui appelle les lecteurs et lectrices de Caen à aller attendre déportés et prisonniers à la gare, à les transporter, à renouveler le geste de saint Martin en partageant leurs vêtements, à « se serrer un peu pour leur faire place au foyer ».

Ailleurs, on prépare des fêtes, des « galas de charité » en faveur de ceux qui rentrent. Des organisations font des offres de service.

« Vos prisonniers vont revenir !
Augmentez leur pécule en organisant

UN GALA

à leur profit. Vous distrairez en même temps votre jeunesse.

Nous pouvons vous aider en composant un programme comprenant les meilleurs artistes et à des conditions exceptionnelles[1]. »

Henri Frenay a beau, le 23 mars, interdire les bals « en faveur des prisonniers et déportés[2] », les bals continueront et l'on verra même, en juillet, une soirée dansante placée, à Paris, sous le signe de la « lune de miel du prisonnier ».

Que l'on feuillette la presse régionale publiée en avril, mai et juin 1945. Chaque commune, chaque village accueille son ou, le plus souvent, ses prisonniers. Ils ont tous droit à un entrefilet amical. On salue Robert Abriat, le fils du sabotier, qui vient de regagner Sainte-Orse[3] ; Gaston Ducoulin, le réparateur de vélos qui a retrouvé son modeste atelier de Bourdeilles[3]. On déplore que Jean Castagnol, Robert Laclotte, Guy Longat, Pierre Brachet et Robert Barbe, en arrivant à leur domicile de Port-Sainte-Foy[3], ne puissent « recevoir leur ration de pain [car], depuis quelques semaines, les boulangers de [la] région ne reçoivent plus de farine[4] ».

A Tournissan, dans l'Aude, le Comité des prisonniers est passé dans le village pour recueillir quelques provisions destinées à offrir « un bon repas » au premier prisonnier arrivé depuis la Libération. Il s'agit de François Tinet, et nous savons le détail de la petite fête par le récit qu'en feront les écoliers du village.

Mais le plus fêté des rapatriés est certainement « le millionième ». Il y en aura d'ailleurs... au moins deux.

Le 30 mai, Chaumont accueille le premier d'entre eux. Lorsque, avec plusieurs heures de retard, le train s'arrêtera devant les officiels, les représentants de l'Union des femmes françaises et les dames de la Croix-Rouge qui ont préparé sandwiches, brioches et vin, deux déportés politiques, Robert Saget, gendarme à Poligny, dans le Jura, et Jean Pericoli, de Rethel, en descendront. C'est Pericoli qui est sacré « millionième rapatrié ». Sous la plume d'A. Topart, *Le Haut-Marnais*

---

1. Texte émanant d'une « Société française d'organisation de concerts et de spectacles ».
2. Il le fait à la demande de plusieurs présidents d'association pour qui « les bals autorisés sont une injure et un acte d'inconscience officielle à l'égard des familles éprouvées » (texte émanant de Lauzun, en Lot-et-Garonne).
3. En Dordogne.
4. *Sud-Ouest,* 7 juillet 1945.

républicain donne, de l'accueil qui lui est réservé, un compte rendu ému et naïf.

> « Âgé de 24 ans, Pericoli est un ancien tirailleur, déporté politique depuis le 24 mai 1944. Malgré son crâne rasé, il a une bonne tête ; il rit de toutes ses dents lorsqu'on lui annonce que c'est à lui qu'échoit l'honneur de représenter le millionième rapatrié... Son visage est radieux. Il ne s'attendait pas à pareille réception... Pendant qu'on l'emmène au centre d'accueil, il fait à l'un et à l'autre quelques récits émouvants de sa vie à Dachau. »

Jean Pericoli n'est pas de ceux que les manifestations officielles de sympathie exaspèrent et lassent. C'est le plus volontiers du monde que, tout en conversant avec M. Maccioni, secrétaire général de la préfecture, il visite le modeste centre d'accueil de la gare, inauguré d'ailleurs ce jour-là ; c'est pieusement qu'il va déposer une « magnifique gerbe de fleurs tricolores » au monument franco-américain ; c'est complaisamment qu'il parcourt les salles du centre de démobilisation situé dans l'École normale de jeunes filles et qu'à 22 heures il « se laisse enlever » pour aller prendre du repos « dans un bon lit dans une atmosphère de simple et pure fraternité ».

> « Et, demain matin, conclut *Le Haut-Marnais républicain*, lorsque le petit " sanglier " nous quittera pour rejoindre ses grands bois ardennais, il emportera le souvenir cordial et si réconfortant que lui aura fait la ville de Chaumont, le 1er juin 1945. Cette date, il ne l'oubliera jamais. »

Le maréchal des logis Jules Caron, autre « millionième », n'oubliera pas davantage l'accueil qui lui fut réservé au Bourget le 1er juin lorsque, à 17 heures, atterrit l'avion qui le transportait. Pour recevoir et fêter cet ancien du Stalag III C, les généraux américains Kingman et Michelsen, le général soviétique Vichorff et le brigadier général anglais Lee se sont déplacés. Après un vin d'honneur, un cortège se forme et, sous les acclamations, Caron se rend au centre d'accueil de la gare d'Orsay où il est officiellement « remis » par les autorités alliées à Henri Frenay qui déclare : « D'ici six semaines, tous les nôtres seront rentrés [1]. »

---

1. Henri Frenay (en contradiction avec la presse de l'époque) place la scène à la gare de l'Est dans son livre de souvenirs, *La nuit finira.*

6

HÔTEL LUTÉTIA

Mais un jour dans notre vie
Le printemps refleurira
Libre alors, ô ma Patrie
Je dirai tu es à moi
Ô terre enfin libre
Où nous pourrons revivre, aimer !

« Chant des marais », composé en 1933-1934 par
des prisonniers allemands alors qu'ils construisaient
le camp de Dachau.

Dans le hall de l'hôtel Lutétia, Bernard Morey enlève sa photo et le
texte qui l'accompagne.

« Les rapatriés de Neuengamme ayant vu Bernard Morey de
Cuiseaux après le 20 avril sont priés donner nouvelles bonnes ou
mauvaises à Dupuy, 62, avenue Marceau, Balzac 22-30. Était le
20 avril Block 7 ; s'est déclaré ce jour inapte à marcher. N'a pas
fait partie du convoi du 20-21. »

Mais bon nombre de photos demeureront aux murs de cet hôtel de
luxe du boulevard Raspail jusqu'au jour où, tout espoir perdu, elles
seront définitivement enlevées.
    Au Lutétia, où débarquent des fantômes vêtus comme des
bagnards, il a fallu tout improviser. L'arrivée des déportés ne
ressemble en rien à celle des prisonniers. Pour ceux qui descendent

lentement des autobus en provenance du Bourget ou de la gare du Nord, pour ceux que des scouts portent dans leurs bras parce qu'ils ne pèsent plus que 35 kilos, il a fallu convoquer des médecins[1], des infirmières, des dentistes, des nutritionnistes... et des cuisiniers puisque, certains jours, il sera servi jusqu'à 5 000 repas.

Des représentants des mouvements de résistance, des organisations juives, sont présents à côté des officiers de sécurité militaire. Ils doivent arracher aux survivants hébétés, malades, irritables, on le sait, des dates et des noms qui permettront de reconstituer le parcours d'un résistant, de dévoiler un simulateur[2], de trouver trace des disparus.

A l'extérieur, une foule affamée d'informations. Hommes et femmes angoissés, le visage plein d'espoir et de larmes, qui cherchent à reconnaître, parmi des hommes et des femmes sans âge, au crâne rasé, à la démarche hésitante, ceux qui leur ont été arrachés en 1942, 1943 ou 1944. Ils demandent si l'on a connu, si l'on a vu, si l'on sait. Savoir ? Connaître ? Ainsi que l'écrira Jean Bizien, « il ne peut y avoir aucune ressemblance possible entre un homme sain, en bonne santé, et les cadavres, fruits de quelques mois de vie concentrationnaire », qui regardent sans les voir les photos qu'on leur tend, passent, répondent ou ne répondent pas. Que dire d'ailleurs ?

« Pour sortir du Lutétia, écrit Jean Kauffmann[3], j'eus de nouveau à traverser cette foule tragique, harcelante, submergée par l'espoir et l'angoisse. Je ne voulais ni leur parler, ni les regarder, ni les écouter. Moi, je savais, mais eux ne savaient pas encore... »

Ceux « qui ne savaient pas encore », Pierre Daix les décrira lorsqu'ils apprennent, « riant de plaisir ou secoués de sanglots incoercibles[4] ».

Claude de Renty, dont le père et la mère ont été déportés par le dernier train — celui qui partit le 15 août 1944 —, ne s'est rendue qu'une seule fois à hôtel Lutétia. Prise à la gorge, dès l'entrée, par l'odeur du D.D.T., frôlant des êtres fantomatiques « traînant avec eux

---

1. Il arrive que cet examen soit sommaire. Jean Kauffmann, déporté dans un camp de travail de Pocking, dont il sera le seul survivant français, sera « examiné » au Lutétia par un médecin militaire qui ne le fit même pas déshabiller.
2. A 18 heures, chaque jour, une voiture cellulaire venait chercher les collaborateurs détectés. *Cf. Le Patriote résistant,* avril 1985.
3. Témoignage inédit.
4. *J'ai cru au matin.*

des grappes de femmes en quête d'informations » interrogeant ces panneaux[1] remplis de photos et d'avis de recherches, elle comprendra très vite, au comportement embarrassé, à la voix soudain plus sourde de ceux qui la questionnent, que son père, qui de Buchenwald a été transféré à Dora puis au commando d'Ellrich, ne reviendra pas[2].

> « Pour moi, écrira-t-elle, en évoquant le 8 mai 1945 et la victoire, la dignité retrouvée, la chute du nazisme signifieraient surtout la fin de l'insouciance, de la légèreté de l'enfance.
> Sur mon livret scolaire, la directrice avait ajouté à ses appréciations : " Élève dont les parents ont été déportés. " Aucun examinateur ne me posa de questions en dehors de celles qui lui permettaient de s'assurer que je méritais d'être reçue à la première partie du bac... »

Claude de Renty a très vite perdu tout espoir. Mme Marie-Louise Collinet, qui habite Randan, dans le Puy-de-Dôme, et qui a été déportée, ne veut pas désespérer. Elle écrit le 25 octobre 1945 à M. André Force[3], qui, comme son mari, était au camp de Hersbrück[4]. Sans doute lui a-t-on dit qu'Émile Collinet avait succombé le 11 novembre 1944, mais elle ne veut pas croire à l'irrémédiable.

> « Aujourd'hui encore, un camarade m'affirme l'avoir vu en janvier et en mars 45 toujours bien portant et avec un moral admirable. Je vous serais donc infiniment reconnaissante, monsieur, de me dire quand et jusqu'à quelle date vous avez vu mon

---

1. Il s'agit des panneaux électoraux placés initialement boulevard Raspail et qui ont été utilisés pour la campagne des élections municipales d'avril 1945.

2. Témoignage de Mme Claude du Granrut. La mort de Robert de Renty fut, plus tard, officiellement fixée au 16 décembre 1944. Mme de Renty, déportée à Ravensbrück, avait été évacuée en Suède.

3. C'est à la confiance de M. André Force que je dois les lettres qui vont suivre.

4. Initialement, Émile Collinet a été déporté à Dachau, puis à Hersbrück et à Flossenburg.

mari, comment était son état de santé. Tous ces détails me feraient infiniment plaisir. Or, rien n'est plus cruel que tout ignorer et de vivre continuellement dans l'incertitude. Ci-joint une photo. »

Mme Collinet écrira à nouveau à M. Force le 26 décembre 1945. Le 24 février 1946, elle précisera qu'à la suite d'une blessure de guerre, qui avait laissé « une cicatrice partant du temporal gauche jusqu'au sommet de l'oreille », son mari souffrait de fréquents vertiges[1].

A l'image de Mme Collinet, ceux et celles qui écrivent donnent le maximum de précisions physiques. Le mari de Mme Salsac était « assez grand, 1 m 68 environ, très brun, les cheveux gris et des yeux bleus ». Gérard Lemaire avait « souvent la paupière gauche nettement moins ouverte que la droite, ce qui le rendait évidemment plus facilement reconnaissable ».

L'ignorance aggravant la souffrance, on exige de tout savoir.

> « Je vous serais infiniment reconnaissant pour tous les renseignements que vous pourriez me faire parvenir, il ne faut pas craindre même de me dire la vérité si douloureuse soit-elle pour mes sentiments de père qui adorait son enfant »,

écrit le commandant Farges, dont le fils, inspecteur de police à Arcachon, a été déporté à Dachau en juillet 1944.

Certains posent des questions d'une tragique naïveté : « La vie de camp était-elle supportable ? » demande M. Boulet-Cherrier.

Comment répondre et comment répondre à la demande de Mme Aujaure : « Vous voudrez bien me dire également comment mouraient les déportés. »

Comment mouraient les déportés ?

Dans un hôtel réquisitionné, proche de la place Victor-Hugo, Pierre Daix, revenu de Mauthausen avec, en mémoire, « un sacré nombre de matricules et de dates et lieux de décès », assume une responsabilité

---

1. Le 23 avril 1946, la mère de Mme Collinet écrit à M. Force que le journal *La Chaîne* a publié une liste de morts et de disparus sur laquelle se trouve le nom de Collinet Émile, « qui *serait* décédé le 11 novembre 1944 ». Mais sa fille « vient d'être avisée par la Fédération des déportés qu'il *serait* décédé le 2 novembre 1944. Rien d'affirmatif. Pourquoi ces deux dates ne coïncident-elles pas ? ».

dont il écrira qu'elle était affreusement pénible mais que « le pire eût été de laisser les familles à leur attente sans espoir ». Il annoncera donc à une épouse la mort de son mari, à un homme la mort de sa compagne, à une mère la mort de son fils. Et, très vite, il remarquera que ce qui inquiétait le plus les proches, c'était de « savoir si le disparu n'avait pas trop souffert ».

Il apprendra donc à donner des explications « qui rassuraient », en contredisant ou atténuant largement les récits affreusement précis que commençaient à publier les journaux.

Avec une délicatesse et une pudeur dans l'écriture à laquelle on ne peut rester insensible, certains déportés donneront d'ailleurs de bouleversants détails sur la fin de leurs camarades.

Le 9 juin 1945, Mme Dayet recevra ainsi une lettre évoquant le départ de son mari de Dachau pour Ausbourg et pour un Kommando dépendant des usines Messerschmitt. Dayet, qui a pris froid pendant le transport — il faisait −16° —, est entré à l'infirmerie.

« Diagnostic : broncho-pneumonie.
Médecin : un docteur hollandais, prisonnier politique.
Médicaments : à peu près nuls.
Infirmier : un camarade français, surnommé Dédé (un peu type du milieu, très débrouillard, mais bon cœur et dévoué pour ses camarades français).
Je suis allé furtivement visiter votre mari (car c'était formellement interdit) à deux ou trois reprises.
Toujours très bon moral, espoir en fin prochaine de guerre. Mais, quant à moi, je le trouvais bien affaibli, fiévreux, peu d'appétit [...]. Grâce à l'infirmier Dédé, il a eu le maximum de soins et d'attention qu'il était possible de donner dans le camp.
Le 21 janvier, j'appris, à 8 h 30, que mon pauvre ami Dayet venait de rendre l'âme. Il était dans le coma depuis la veille. Ne s'est rendu compte de rien, n'a pas dit une seule parole et s'est éteint sans douleur, comme une lampe sans huile [...]. Le corps fut mis en bière avant midi. Au moment de la fermeture, l'infirmier, qui ne croit ni en Dieu ni en diable, mais est un brave homme, a placé sur le corps un petit livre de prières, les prières du Prisonnier, en disant : " Tiens, mon vieux, tu étais catholique. "
Le soir, à 17 h 45, je me suis offert avec cinq autres Français pour conduire mon ami au cimetière et l'enterrer. Il faisait nuit, il

gelait, 20 centimètres de neige. Le cercueil fut placé sur un petit chariot de l'usine, avec les pelles, pioches et câbles. Une couverture du lit de l'un d'entre nous recouvrait le tout. »

Cortège exceptionnel lorsque l'on songe à la façon dont les cadavres des déportés étaient balancés dans les fosses communes ou abandonnés à même le sol glacé, mais cortège qui peut s'expliquer par le petit nombre des déportés présents à l'usine (500) ; par la qualité d'ingénieur de Dayet, affecté au contrôle des pièces, et, surtout, par la courageuse piété de ses amis qui, escortés par le commandant du camp et par un SS, iront donc jusqu'au cimetière, à travers une campagne déserte.

« A ce moment et malgré la présence de deux SS, j'ai fait se découvrir mes camarades. J'ai confié à haute voix mon ami à Dieu. J'ai dit deux *pater* et deux *ave*. Mes camarades ont répondu, même les païens. Puis j'ai prié pour vous, vos enfants, et ai dit adieu à M. Dayet, en mon nom, au nom de ceux qui restent, au nom de la France qu'il a doublement servie en versant son sang pendant la Grande Guerre[1] et en donnant sa vie maintenant. Chacun de nous a pris une poignée de terre gelée et l'a jetée sur la bière. Puis nous avons comblé. C'était triste ? Non, madame. Dans sa simplicité, c'était grand, c'était immense et grand comme Dieu qui nous voyait.

Ci-joint, je vous fais un plan aussi précis que mes souvenirs me le permettent, qui vous aidera à trouver aisément l'emplacement de la tombe.

Le 19 mars, le pays a été aux deux tiers détruit par l'aviation, mais l'église n'a rien. »

Toutes les épouses ne reçoivent pas des lettres aussi émouvantes et aussi précises que Mme Dayet. Des camarades se manifestent. Leurs lettres laissent percer un espoir qui se fanera avec le temps. « Qu'est devenu Ernest ? je ne peux le dire, écrit à Mme Amouroux, qui habite Saint-Gervais-d'Auvergne, l'un de ceux qui, avec lui, ont participé à la terrible évacuation d'Auschwitz, je ne le sais pas moi-même, mais je

---

1. M. Dayet avait perdu une jambe en 1914-1918.

ne l'ai pas trouvé à l'arrivée malgré mes recherches. Ne perdez pas espoir, chère madame Amouroux, car, malade moi-même, je viens seulement d'arriver dans ma famille qui était sans nouvelles, dix mois après ma libération. » Ne pas « perdre espoir » cela signifie interroger des associations, reconstituer la chaîne — où tant de maillons font défaut — des camarades, lancer par les journaux et notamment par *Libres,* dont François Mitterrand est le directeur de publication, des appels qui sont comme autant de bouteilles à la mer.

> « Prière aux rapatriés de Grossrosen qui ont subi l'évacuation du camp de bien vouloir donner tous renseignements concernant la ou les colonnes d'évacuation.
> Aronowicz Jenia, dep. Beaune-la-Rolande, 24/7/42 ; Williers, Canadien français parachuté début juillet 44, soigné à la Pitié jusqu'au 16/8/44, puis Fresnes ; Itic Marie, Léa, Suzanne, Paulette, Bernard, dép. Drancy, 7/12/43 ; Bergmann Raymond et Louis, enrôlés de force dans la Wehrmacht en juin 43, le premier comme observateur aviateur sans nouv. dep. oct. 44, était alors à Tilsitt, blessé colonne vertébrale, le deuxième comme grenadier, sans nouv. dep. 23/8/44, était Srubenskoehr, blessé. »

Dans le même numéro de *Libres,* celui du 13 juillet 1945, une « famille désespérée » demande des nouvelles du jeune Fernand Lemaire, parti comme travailleur de Paris pour Berlin le 23 mars 1943, mais qui a été arrêté et interné quelques mois plus tard pour propagande antinazie.

Les annonces de recherches sont si nombreuses que les abréviations qui masquent imparfaitement des drames se multiplient. *Dep.* pour déporté. *Pol.* pour politique. *Wag.* pour wagon. *Fam.* pour famille. *Ss nou.* pour sans nouvelles. *Rap.* pour rapatrié. *Ay. con.* pour ayant connu.

Les noms se succèdent dans l'espoir qu'ils atteindront quelqu'un « ay. con. » Broustein, David, Maj, Fongarnaud, Salmon, Gressier, Cain, Aron. Parfois de minuscules photos d'identité rappellent un visage : celui de Marthe Dreyfus, « déportée de Drancy le 28/10/43 avec Colette, 12 ans, et Pierrot, 3 ans » ; de Haim Robert, déporté de Drancy, en direction de Birkenau ; de Moline Gaston ; de Mme Lebreton Georgette, internée à Fresnes, puis à Romainville, « présumée déportée à Ravensbrück ». Lorsque ces photos paraissent dans *Libres* du 15 août, quel espoir les familles peuvent-elles encore conserver, surtout lorsqu'il s'agit de familles juives ?

Sur les 75 721 juifs et juives déportés de France, en 74 grands convois, seuls 2 566 survivront en 1945.

Les chiffres sont terribles.

Des 41 951 partis en 1942 dans les 43 convois pour Auschwitz, ils ne seront que 811 dont 21 femmes à rentrer ; des 17 069 envoyés à Auschwitz et à Sobibor[1], il est revenu 340 hommes et 126 femmes et des 14 833 déportés en 1944, 521 hommes et 766 femmes[2].

Malgré tout ce que l'on soupçonne et ce que l'on sait, recherches et demandes de témoignages se poursuivront pendant des années. Dans le numéro d'octobre 1985 du bulletin *Le Déporté,* M. Joseph Cyferstein demande à celles qui ont connu Suci Weintrhur, employée, à Lyon, au Crédit Lyonnais, sous le nom de Simone Ranty, arrêtée entre le 3 et le 10 septembre 1943, partie en convoi de Drancy pour Auschwitz le 7 octobre 1943, de lui faire parvenir quelque information.

Suci Weintrhur avait dix-neuf ans lorsqu'elle a été déportée.

Quarante-deux ans plus tard, sa mémoire n'était pas morte.

---

1. 13 convois en direction d'Auschwitz, 4 en direction de Sobibor, camp d'extermination où le nombre de morts, dans les cinq chambres à gaz, aurait dépassé 250 000 entre mai 1942 et le 12 octobre 1943, jour d'une révolte qui allait conduire, un mois plus tard, à la fermeture et au démantèlement du camp.

2. A ce chiffre de déportés (73 853) il faut ajouter environ 2 000 juifs partis du nord de la France, via la Belgique. Chiffres cités par Klarsfeld, *Mémorial de la Déportation,* et *Les Juifs sous l'Occupation,* C.D.J.C., 1982.

Le chiffre total des juifs morts pendant l'Occupation est estimé à 77 155 car aux 73 155 morts il est nécessaire d'ajouter 3 000 morts dans les camps d'internement situés sur le territoire français et 1 000 juifs tués par la Gestapo, les SS ou la Milice.

Selon le texte publié en 1992 à l'occasion de l'exposition « Le temps des rafles », « 25 % des juifs de France ont été victimes de la Solution finale. Pour ce qui est de la proportion de Juifs français et de juifs étrangers dans ce nombre de 80 000 victimes, on est fondé de répondre qu'il y avait environ 25 000 Français et 55 000 étrangers. Parmi les ressortissants français, on comptait près de 8 000 enfants, nés de parents étrangers, devenus français par déclaration volontaire après leur naissance (*jus solis*), ainsi que 8 000 étrangers ayant obtenu leur naturalisation. Une dizaine de milliers de Juifs français, de souche, ont donc été déportés.

« Une comparaison avec les pertes juives dans une vingtaine d'autres pays établit que les seuls États ayant perdu proportionnellement moins de juifs que la France sont l'Italie qui en a perdu un cinquième (environ 8 000), la Bulgarie qui a livré 17 % de ses juifs (environ 11 500 étaient tombés en son pouvoir en Macédoine et en Thrace), le Danemark dont le roi, le gouvernement, l'administration et la population ont sauvé de la déportation 93 % des juifs vivant dans ce pays, soit 6 000 personnes, et la Finlande qui a sauvé tous ses nationaux juifs (quelques centaines) et n'a livré aux nazis qu'une dizaine de réfugiés étrangers. »

IRO
TRACING DIVISION

STROH, HENRI, CHARLES

Chief Engineer of the French Navy, Director of the Ammunition factories Schneider-Creusot, France
Ingénieur-en-Chef du Génie Maritime, Directeur des Usines Schneider
Hauptingenieur der französischen Marine, Direktor der Munitionsfabriken Schneider-Creusot, Frankreich

Birth date: 4 May 1887	Né le 4 mai 1887	Geb. am: 4. Mai 1887
Birth place: Paris X	A Paris X	Geburtsort: Paris
Height: 5½ ft.	Taille: 1 m, 68 `	Größe: 1 m, 68 cm
Eyes: blue	Yeux: bleus	Augen: blau
Hair: Blond-Gray	Cheveux: blond grisonn.	Haarfarbe: blond-grau
Sp. marks: bloody traces on the neck, appendicitis scar, traces of electr. operation on the left arm.	Signes: marques sanguines à la nuque, cicatrice d'appendicite, marque par bistouri electr. au bras gauche.	Bes. Kennz.: Blut. Merkmale am Hals, Narbe einer Blinddarmoperation, Narbe einer Operation mit elektr. Gerät am linken Arm.
May wear wedding ring with: MG HS 15 Novembre 1911	Peut avoir une alliance avec: MG HS 15 Novembre 1911	Trägt eventuell einen Ehering mit: MG HS 15 Novembre 1911

1. Arrested the 21 March 1944 by the Gestapo, sent to Chalon-sur-Saone Cellule
   Arrêté le 21 mars 1944 par la Gestapo, mis en cellule à Chalon-sur-Saone
   Verhaftet am 21. März 1944 durch Gestapo, geschickt nach Chalon-sur-Saone Cellule
2. Sent to the Prison of Compiegne — 23 May 1944. Deported to Neuengamme — 4 Juni 1944
   Emprisonné à Compiegne le 23 mai 1944. Déporté à Neuengamme le 4 juin 1944
   Geschickt ins Gefängnis Compiegne — 23. Mai 1944. Deportiert nach Neuengamme — 4. Juni 1944
3. Transferred to Sachsenhausen-Oranienburg — July 1944 (n/85004. Blok 16)
   Transféré à Sachsenhausen-Oranienburg en juillet 1944 (matricule 85004. Bloc 16)
   Überführt nach Sachsenhausen-Oranienburg — Juli 1944 (No. 85004. Block 16)
4. Transferred to Buchenwald — 4 February 1945 (n/ or a/ 32054. Blok 59)
   Transféré à Buchenwald le 4 février 1945 (matricule 32054. Bloc 59)
   Überführt nach Buchenwald — 4. Februar 1945 (No. 32054. Block 59)
5. Identified as survivor at the liberation of the Camp by the U.S. Army (15 April 1945)
   Signalé valide à la libération du Camp par les Américains (15 avril 1945)
   Als Überlebender erklärt bei der Befreiung des Lagers durch die U.S. Armee (15. April 1945)
6. Seen the 22 April 1945, awaiting turn for repatriation. Good health, although had dysentery
   Vu le 22 avril 1945, attendant son tour de repatriement. Valide, un peu de dysenterie
   Gesehen am 22. April 1945, auf die Repatriierung wartend. Gesund, obgleich krank an Dysenterie
7. No trace since. No grave, no hospital treatment. An indefinite clue shows a possible evacuation to Jena the 5 May 1945
   Sans nouvelles depuis. Pas de tombe, n'a pas été traité dans un hospital. Une source incontrolable laisserait supposer
   une évacuation sur Jena le 5 mai 1945
   Von da aus keine Spur. Kein Grab vorhanden, oder Krankenhausbehandlung aufzuweisen. Eine unnachprüfbare Quelle
   zeigt eine eventuelle Evakuation nach Jena am 5. Mai 1945

Tracing Request from the French Subst. Procuror of the Republic · Recherches demandées par le Subst. Procureur de la Republique
Nachforschungsantrag des Vertreters der Französischen Republik

Any information should be phoned to the nearest of the following places:
Toute information devra être téléphonée à la plus proche des stations suivantes:
Es wird gebeten, zweckdienliche Angaben zu machen an:

Nürnberg 61.339 · Würzburg 6727/22
Sarrebruck 42.86 · Arolsen 14

Or sent to:
Ou envoyée à: **IRO Tracing Division Wurzburg Apo 800 US Army**
Oder zu schicken an:

Druck der Universitätsdruckerei H. Sturtz Au.. Würzburg
(unter Verwaltung der Amerikanischen Militärregierung)   / 46 ·94

En Allemagne il arrivera que, pendant des années, des affiches trilingues soient apposées dans l'espoir de percer le mystère, comme cette affiche concernant Henri Stroh, directeur, au Creusot, des usines Schneider, arrêté le 21 mars 1944 pour avoir soustrait à l'occupant des wagons de carburant et organisé le sabotage de son usine.

La trace d'Henri Stroh, présent à Buchenwald où, venant de Sachsenhausen, il avait été enfermé avec des milliers de juifs et de Polonais arrivés d'Auschwitz, ne sera jamais retrouvée, malgré toutes les recherches de sa femme et de ses trois fils.

Le 11 février 1947, le jugement déclaratif de disparition de Stroh avait été prononcé à Autun. Le 23 mars, le service funèbre était célébré à Paris par le pasteur Bœgner. Marie-Anne Stroh décédait le 14 janvier 1949. Jusqu'à son dernier jour, elle avait — comme tant d'autres épouses — lutté pour connaître la vérité sur le destin de son mari

Écrivant à M. Force pour lui demander ce qu'il sait de la fin de Robert, son mari, déporté à Hersbrück, Mme Simon achève sa lettre sur ces mots : « Je m'excuse, monsieur, car cela va vous rappeler de mauvais souvenirs. J'espère, maintenant, que vous êtes remis et que vous avez oublié cette vie d'enfer. »

Oublier cette vie d'enfer, comment le pourraient-ils ?

« La joie ne venait pas, car nous avions ramené trop de morts avec nous[1] », écrira Louise Alcan, déportée à Birkenau. Et Moshé Garbarz, qui survécut à l'horreur d'Auschwitz[2], raconte qu'il mit longtemps à croire à sa liberté, qu'il se réveillait chaque nuit alors que, dans son cauchemar, il était sur le point de recevoir vingt-cinq coups de fouet ou de bâton. Une des cartes reçues à l'hôtel Lutétia lui donnait bien le droit de voyager gratuitement dans le métro et l'autobus, mais, « même sans carte, ajoute-t-il, la poinçonneuse, après

---

1. *Sans armes et sans bagages.*
2. *Un survivant.*

un rapide coup d'œil sur mon visage, me laissait passer. Ensuite les gens me cédaient une place assise... puis mes vis-à-vis se levaient et partaient. J'ai commencé à me prendre pour un monstre ; ça m'a beaucoup gêné. Je me sentais à l'aise uniquement avec les autres survivants... »

A son retour de Ravensbrück où, comme toutes ses compagnes, elle a, selon le mot de Maurice Schumann, « troqué la douceur contre l'horreur », Denise Dufournier évoquera ces proches, ces amis, ces curieux attendris dont l'attitude semblait « étrange » aux déportés.

> « En vérité, écrira-t-elle, nous ne les comprenions pas. Leur conversation nous paraissait une histoire de fous. Notre essence était désormais différente de la leur. Il n'y avait plus entre eux et nous une différence de nature. Eux n'avaient aucune idée de ce que nous étions[1]... »

Denise Dufournier énumérera quelques-unes de ces questions auxquelles il lui (il leur) était impossible de répondre autrement que par des banalités puisque, dans sa densité de déchéance et de misère, la réponse véritable n'aurait eu aucune chance d'être comprise par des hommes et des femmes pour qui tout ce qui s'était passé dans les camps de concentration appartenait au monde sans références de l'inimaginable.

Que dire en effet à ceux qui demandaient :
— Vous avez beaucoup souffert ?
— Qu'est-ce qu'ils vous faisaient faire comme travail ?
— Aviez-vous la possibilité de vous laver ?
— Pouviez-vous vous soigner quand vous étiez malade ?

En mai et juin 1945, répondre que les infirmeries sans médicaments n'étaient que des mouroirs d'où les cadavres sortaient pour être balancés dans la charrette aux morts ; que l'on baptisait « soupe » un liquide jaunâtre dans lequel baignaient des rutabagas gelés ; que des chiens excitables et des gardiennes excitées surveillaient les travaux ; qu'autour d'un lavabo à deux vasques les séances de toilette de 1 200 femmes s'apparentaient à du pancrace ; que les appels dans le

---

1. *La Maison des morts, Ravensbrück.*

froid et le vent représentaient, pour des femmes nues, une humiliation autant qu'un supplice parfois mortel ; cela avait-il un sens pour ceux et celles qui n'avaient rien connu d'une société de SS, de Kapos et de bagnards gouvernés, plus impitoyablement que toute autre société, par l'injustice, le favoritisme et la dépravation ?

Aucun dictionnaire ne pouvait expliquer dans la vérité des camps les mots : « colonnes de transport de paillasses », « colonnes de charbon », « colonne des tricoteuses » ; aucun dictionnaire ne pouvait donner *tous* les sens du mot « transport », qui signifiait aussi bien l'envoi dans une usine, une carrière, que dans une chambre à gaz.

Alors, autant se taire.

Ou ne parler qu'entre soi.

De cette incommunicabilité, Pierre Daix se fera lui aussi l'écho.

> « Ma vie ne se raccordait pas à celle d'avant. Je ne pensais qu'à ceux qui demeuraient au camp[1]. Je crois que, le matin, je me réveillais parmi eux. Mais ceux d'entre nous qui avaient femme et enfants se découvraient aussi exotiques dans leur famille que moi chez mes parents, quand ma mère me découvrait au pied de mon lit. Nous nous agglutinions dans les restaurants spéciaux, non tant pour les meilleures rations qu'on nous y donnait que parce que nous ne savions communiquer qu'entre nous. " Je ne sais pas quoi dire à ma femme ", " Je ne reconnais plus mes gosses ", " Je me demande si ça va marcher à nouveau avec mon mari, il est devenu tellement plus jeune que moi. " Je continuais de vieillir à grande vitesse. Célibataire, les confidences que je recueillais me plongeaient dans cinq, dix, vingt mariages désaccordés[2]... »

---

1. Pierre Daix a regagné la France quelques jours avant la libération de Mauthausen. *Cf.* p. 196.
2. Pierre Daix, *op. cit.*

Avec d'autres mots, Pierre d'Harcourt, qui revient de Buchenwald et dont l'état de santé est inquiétant, ne dit pas autre chose. Perceptions et sentiments se recomposent lentement dans son esprit, mais il lui semble qu'il ne pourra plus « entrer » dans le monde chaleureux et trompeur qui l'entoure. « En chaque être, écrira-t-il, en chaque chose, apparaissait ma " différence ". J'aurais presque voulu me retrouver à Buchenwald où je n'étais pas étranger […]. La vie, telle que la vivait le Français moyen, paraissait factice, vulgaire, absurde en regard de celle du camp. Le style du monde normal était dérision, insulte à ces hommes qui avaient connu la vie et la mort à Buchenwald. »

La vie familiale elle-même lui est devenue insupportable. Lors de la première messe à laquelle il assistera, de se voir protégé par l'assistance, qui lui fait respectueusement place, l'honore de sa pitié et l'isole, lui est insupportable. Il hait — c'est le mot qu'il emploiera — qu'avec la plus charitable des intentions on lui fasse sentir qu'il est différent et il hait ceux qui le lui font sentir.

Il n'assistera pas à la messe de mariage de sa sœur. Reculant devant l'église, la musique, les fleurs, la foule, il ira s'asseoir dans un jardin voisin. La cérémonie terminée, incapable d'assister et de participer à la réception, il rentrera seul dans l'appartement familial.

Une fois passée cette période de repli sur soi, de refus du monde tel qu'il est, Pierre d'Harcourt se lancera, jusqu'à se consumer, dans les plaisirs dont sa jeunesse a été privée par la déportation.

> « Nous voulions bonne chère, bons vins, réunions joyeuses et tout en excès. Le mot appétit est même bien faible pour cette obsession, cette avidité nerveuse, impérative, insatiable. Au fond de cette folie, nul doute qu'il n'y eût la peur. Peur d'avoir, à Buchenwald, manqué la vie, peur de ne plus connaître ses enchantements, la bonne table, la musique, les rires, les femmes. Nous voulions nous prouver que la vie serait pour nous aussi pleine que jamais et que nous étions toujours capables d'en jouir. »

« Je ne sais plus quoi dire à ma femme », avouaient plusieurs de ses camarades à Pierre Daix.

Les retrouvailles devraient être une joie pure, elles constituent parfois une épreuve[1]. Le cœur d'Anne Wellers déborde de bonheur lorsque, le 29 avril 1945, elle retrouve, à l'hôtel Lutétia, son mari, déporté à Birkenau, puis à Buchenwald[2].

Avoir craint la disparition de l'être aimé : « Verrai-je un jour G. Vit-il? » a-t-elle noté sur son carnet le 1er janvier 1945 et, le 24 janvier : « Où est-il? S'il vit, comment est-il? Malade, malheureux, seul[3]? » et le retrouver diminué, amaigri, pitoyable, mais vivant, quelle ascension de joie !

Anne voudrait que leurs pas et leurs âmes s'accordassent comme jadis. Mais, dans la liberté retrouvée de la rue, Georges, dès les premières minutes, dit à Anne, d'un « ton irrité[4] » : « Tu sais, je ne peux pas marcher si vite. »

Il est cet homme de quarante ans qui en paraît soixante et qui, du matin au soir, recevant des familles de déportés, évoque longuement les horreurs d'Auschwitz et de Buchenwald, s'enferme dans un passé incommunicable et ne supporte ni les rires de ses deux enfants ni la tendresse de sa femme.

Journal d'Anne Wellers, le 19 mars 1946 : « Bientôt un an que G. est revenu. Comme il a changé ! Je ne suis pas heureuse. Comment est-ce possible ? Attends, patiente encore. »

Dans le témoignage qu'elle a donné au livre de Georges Wellers, *L'Étoile jaune à l'heure de Vichy,* Anne écrit que son mari s'irritait contre les enfants « sans raison aucune, car ils se conduisaient d'une façon irréprochable. De même, il se fâchait contre moi... semblait à

---

1. Il arrive que des femmes ne reconnaissent pas leur mari. Ce sera le cas d'Albert Charpentier, déporté à Dachau, qui, à son retour à Reims, avait perdu 37 kilos et avait vieilli de vingt ans.

2. Né en Russie en 1905, venu en France en 1929, Georges Wellers, qui appartient au laboratoire de physiologie de la Faculté de médecine de Paris, a été arrêté par les Allemands dans la nuit du 12 décembre 1941, en compagnie de 742 autres juifs qualifiés de « notables et intellectuels » dans le compte rendu adressé au commandement militaire en France.

3. Ce texte se trouve reproduit à la fin du livre de Georges Wellers, *L'Étoile jaune à l'heure de Vichy.*

4. Témoignage d'Anne Wellers qui évoque également — et ce n'est pas le moindre intérêt de ces pages — la façon dont elle a pu, pendant l'Occupation, protéger et faire vivre ses deux garçons.

peine nous remarquer... Alors, je le soignais et le laissais seul : c'était mieux ainsi. La nuit, il gémissait et moi, à côté, ne pouvant rien pour le soulager, je pleurais de pitié ».

« Les mois passaient, ajoute-t-elle, et je me demandais avec angoisse si, un jour, mon mari redeviendrait cet homme gai, spirituel, taquin et tendre, comme il était avant, et si nous serions heureux... Je pleurais en me cachant. Et, un jour, mon fils aîné me dit avec tristesse : " Maman, comment est-ce possible ? Papa est revenu et nous ne sommes pas heureux... " C'était la vérité. J'ai eu des moments terribles de détresse, de sentiment de vide irréparable dans notre vie, mais j'espérais, j'attendais. »

Le 3 février 1947, sur le petit carnet où elle note pudiquement les évolutions de son couple, Anne Wellers écrit : « Deux ans bientôt. Le bonheur revient », et le 3 septembre 1947 : « Jamais de ma vie je n'ai été aussi heureuse avec G. »

Le ménage de Georges Wellers avait survécu à la tourmente de la guerre.

Ménages de déportés, de travailleurs, mais surtout de prisonniers de guerre dont la captivité a été plus longue que celle des déportés qui, plus souvent que les travailleurs, étaient déjà mariés, combien s'effondreront ?

Les chiffres, lorsque nous en possédons, ce qui est le cas pour les prisonniers de guerre, ne disent pas tout car, dans bien des cas, la mésentente du couple, qui, se retrouvant, se découvrait différent de ce qu'il croyait être et de ce qu'il avait rêvé, ne se terminera pas par un divorce enregistré par les statistiques des années 1945-1949. Mais il y aura des divorces d'âmes responsables de divorces lointains, dont nul ne songe à rendre responsable la captivité, alors qu'ils ont pour origine la longue séparation des années de guerre.

Sans doute l'abolition, le 12 avril 1945, des textes de Vichy qui mettaient de nombreux obstacles à la séparation fait-elle que la brutale augmentation du nombre des divorces, passant de 35 187 en 1938 à 45 808 en 1945 et 76 658 en 1946, n'est pas totalement imputable au retour des prisonniers. Mais, d'après Yves Durand, 5,99 % d'entre eux divorcèrent[1]. C'est-à-dire, 55 % des prisonniers seulement étant mariés, qu'un mariage sur dix ne résista pas à l'épreuve et que, contrairement à l'ordinaire, les demandes de divorce ou de séparation émanant des hommes l'emportèrent sur les demandes formulées par les femmes[2].

> « Il est un problème, écrit *Le P.G.* dans son numéro 2, dont on ose à peine parler tant on a le sentiment de toucher les plaies à vif, c'est le problème familial. La fidélité de la femme restée seule au foyer, livrée à elle-même au milieu des difficultés matérielles et morales, a été le souci majeur de milliers de prisonniers depuis cinq ans. »

Plus crûment, Ruffin racontera avoir été témoin, à la gare de l'Est, de la rencontre houleuse entre un prisonnier et sa femme, « jolie brunette d'environ trente ans », qui se précipitait vers lui, un bambin de deux à trois ans dans les bras.

Aux injures de l'homme : « Fous le camp, espèce de salope, putain, fous le camp avec ton bâtard avant que je te casse la gueule ! », la femme répliquait par des supplications et des explications : « Pierre, je t'en supplie, c'était pour toi, pour t'envoyer des colis », incompréhensibles pour ceux qui ignorent à quelles pressions morales et immorales furent soumises de jeunes épouses solitaires qui devaient trouver un emploi et des ressources.

« Les désaveux de paternité, écrit Christophe Lewin[3], ne furent que l'acte suprême consacrant la désunion de certains couples. » Nous ignorons la dimension nationale du phénomène, les seules données connues concernant le Calvados où, pour 20 000 rapatriés, la Maison du Prisonnier intervint dans 125 cas de litiges matrimoniaux, dont 80 désaveux de paternité, chiffres qui n'apportent aucune réponse statistique à un douloureux problème, pas plus que l'augmentation des

---

1. *La Captivité.*
2. En 1946, 44 698 contre 31 960.
3. *Le Retour des prisonniers de guerre français.*

naissances illégitimes — 56 000 en 1944 contre 37 000 en 1939[1] — ne permet de porter un jugement global sur la vertu des femmes de captifs.

En quelques mots, *Le P.G.*, journal des prisonniers de guerre, avait dit l'essentiel. La femme, « seule à son foyer, livrée à elle-même, au milieu des difficultés matérielles et morales », avait dû souvent trouver un travail auquel elle était mal préparée ; prendre, dans une France largement paysanne[2], la tête d'une exploitation agricole ; diriger et gérer un commerce[3], s'initier à des problèmes financiers et administratifs déjà complexes ; se « débrouiller » pour nourrir, si elle est mère de famille, son ou ses enfants, dans un monde qui est celui de l'égoïsme, des restrictions, du marché noir... et du donnant-donnant.

Jeune, le plus souvent, privée cinq ans ou même six ans durant — car bien des hommes rendus à la liberté en 1945 ont été mobilisés dans l'été de 1939 — de vie sentimentale et de plaisirs sexuels, comment n'aurait-elle pas été sensible, jusqu'à y succomber parfois, à des sollicitations qui s'apparentaient, il faut l'écrire, à un subtil ou grossier chantage à l'emploi, à l'avancement, au cadeau d'argent, de ravitaillement ou de tendresse... Le cri de cette femme : « Pierre, c'était pour toi, pour t'envoyer des colis », n'est pas si risible ni si scandaleux qu'il paraît aujourd'hui.

Il y a pire, quand à la trahison sentimentale s'est ajoutée la trahison patriotique.

A son retour de captivité, Pierre X..., qui habite une petite ville du Sud-Ouest, aura connaissance de la lettre par laquelle, le 15 février 1943, sa femme avait demandé aux Allemands de le condamner à mort.

Voici ce document — inédit — jusque dans sa balbutiante orthographe :

> « Messieurs,
>
> Le prisonnier X... Pierre qui se trouve actuellement au Stalag XIJ commando... a écrit dans des lettres clandestines à sa famille :
> Ici nous crevons de faim, j'espère que sous peu nous irons nous

---

1. Dans un monde, il est bon de le rappeler, qui ignore la pilule. Il s'agit d'enfants « déclarés vivants ». En 1939, le nombre *total* des naissances a été de 594 000, en 1944 de 601 000.
2. En 1944 encore, près du tiers des prisonniers sont agriculteurs.
3. En 1944, 11 % des prisonniers appartiennent au monde du commerce.

vengé au coté de de Gaulle et Giraud pour nous sortir cette racaille de Boche de fripouille qui pillent notre pay.

En Russie il prennent la dope, le cochon d'Hitler a peur pour sa peau de chien sous peu nous l'aurons nous lui ferons son conte à celui là.

Les Anglais auront attention à lui attention à tout c'est Boches qui nous ont envahi sale race qu'on le tue. A bas Hitler. Vive Giraud et de Gaulle

Ce prisonnier mérite la peine de mort c'est un grand danger pour notre pays, qu'il paie de sa vie le mal qu'il veut faire aux autres faitte vite.

Un homme qui attend et qui crois à la victoire allemande qui la desire de tout son cœur pour la paix de son pays.

Vive Hitler Vive l'Allemagne
pour la paix de la France. »

Mme X... a signé sa lettre de délation « un homme qui attend... ». La justice et la police françaises, qui ont eu, en avril 1943, connaissance du dossier par les Allemands, ne mettront pas longtemps à découvrir l'ignoble supercherie.

Il s'agit là, on le pense bien, d'un cas hors du commun.

Cependant, malgré les efforts parfois maladroits des familles, plus maladroits encore des camarades qui, constitués en groupes d'entraide, s'efforcent d'« enrayer dans la mesure du possible la dislocation des foyers[1] », hommes et femmes se retrouvent mariés et étrangers.

Tandis que la femme, par la force des choses et les nécessités de l'époque, est définitivement sortie du XIXᵉ siècle, que son indépendance ne lui paraît pas pouvoir être remise en cause et qu'elle lui donne des lumières en bien des domaines qui lui étaient traditionnellement étrangers, l'homme, même s'il a été employé en Allemagne à quelque tâche subalterne, même s'il a œuvré dans le métier qui était le sien — ce fut le cas de ceux qui travaillaient aux champs —, rentre de captivité désabusé, las, vieilli, parfois malade. Si près de 20 % des prisonniers de guerre[2] ayant répondu aux convocations médicales

---

1. J. Védrine, secrétaire général de la F.N.P.G., congrès de Paris, séance du 15 novembre 1945.
2. 19,66 %.

furent reconnus malades (32,17 % des déportés[1] et 16,72 % des travailleurs), il s'agissait du résultat d'enquêtes rapides et superficielles.

Le docteur Henri Laffitte, qui a étudié les problèmes posés par la pathologie des déportés[2], estime, lui, que sur 1 000 d'entre eux, passés par les centres de rapatriement, 60 % présentaient des lésions qu'il fallait soigner dans les plus brefs délais, et il évoque les tuberculeux, « environ 30 %[3], malgré le nombre important de décédés dans les camps », les hommes atteints de myocardites, de troubles sensoriels, de gastrites, de rhumatismes, d'œdèmes de toute nature qui durent être traités pendant de longs mois[4].

L'homme enseignait. C'est lui, désormais, qui est enseigné. On « le met au courant ». De tout ? Non, il vit dans un climat de doute, connaît cette insécurité qui « empoisonne la confiance[5] », se pose des questions aux réponses cruelles, même s'il ferme les oreilles aux ragots du village, détruit sans les lire les lettres anonymes dont il sait, au premier mot, ce qu'elles contiennent de vil.

Aux problèmes entre époux s'ajoutent les problèmes entre père et enfants. Lorsque le père est parti pour la guerre, l'enfant avait deux, quatre, huit ans. Il en a sept, neuf, treize, lorsqu'il revient. Les photos, les lettres n'ont pu combler la distance qui sépare l'adulte aigri de l'adolescent intransigeant. L'absent qui réintègre le foyer est moins le père que « le monsieur » qui vient prendre sa place auprès de maman. Dans le lit de maman.

Je ne sais si beaucoup de prisonniers rapatriés se sont entendu dire, comme le rapporte *Le P.G.* dans son numéro 15 : « Retourne où tu étais, nous étions plus tranquilles avec maman avant que tu ne sois là », mais le père est parfois reçu comme un étranger qui, n'osant imposer sa volonté diminuée à la mère, l'impose à l'enfant.

On entre dans le domaine de l'incompréhension réciproque.

---

1. Chiffre inférieur à la réalité.
2. *Cf. Le Déporté,* octobre 1985.
3. Les antibiotiques n'avaient pas encore fait leur apparition.
4. Les femmes déportées, qu'aucun de ces maux n'épargnait, souffraient également d'aménorrhées.
5. Graham Greene, *La Fin d'une liaison.*

Christian Pineau raconte — et c'est par cette anecdote qu'il termine son beau livre, *La Simple Vérité* — que, le 24 avril, au lendemain de son retour de déportation, l'un de ses fils lui apporta deux boîtes de sardines en lui disant : « Tiens, papa, c'est pour toi. »

A la question du père : « Où les as-tu trouvées ? » l'enfant répondra tout naturellement : « A l'école, au marché noir. »

Réponse qui lui vaudra une gifle, « partie trop vite, écrit Pineau, par un réflexe qu'il ne peut comprendre ».

Toutes les familles ne seront pas également éprouvées. Des fidélités ont été maintenues, des blessures cicatriseront, le retour de près d'un million de prisonniers, de centaines de milliers de travailleurs aura une influence directe et considérable sur la nuptialité et sur les naissances.

Le chiffre des mariages, qui était de 274 000 en 1938, passera à 376 000 en 1945, 517 000 en 1946. Entre 1935 et 1937, on avait recensé annuellement 629 800 naissances pour 643 000 décès. Entre 1946 et 1950, la moyenne s'établira à 860 700 naissances et 537 000 décès.

La France des cercueils plus nombreux que les berceaux devient, pour quelques années, la France du baby-boom.

Longtemps exclus de la vie familiale, les rapatriés veulent désormais être des aventuriers du monde moderne, au sens où l'entendait Péguy.

Tandis que tous les journaux des provinces françaises saluent le retour des prisonniers libérés en masse, en Alsace et en Lorraine, ce sont seulement, au printemps de 1945, quelques milliers de « Malgré nous » incorporés dans l'armée allemande, capturés puis libérés par les Russes, qui regagnent leurs foyers.

Une dizaine de noms le 24 mai dans *Le Nouveau Rhin français*, 80 le 10 juillet, 195 le 11, 72 le 23 août.

Aux noms cités par *Le Nouveau Rhin français*, *Les Dernières Nouvelles du Haut-Rhin* ajoutent, le 17 juillet, ceux d'une trentaine d'Alsaciens qui viennent d'arriver à Marseille sur un navire en provenance d'Odessa, le 16 septembre ceux de 13 « Malgré nous » qui étaient détenus au camp de Hildesheim...

J'ai dit, dans *Un printemps de mort et d'espoir,* quelles étaient les conditions de vie dans les camps soviétiques où se trouvaient rassemblés les « Malgré nous [1] », mais des précisions supplémentaires ne sont pas inutiles.

Le capitaine Schwing, officier de la Sécurité militaire, qui dirige à Chalon-sur-Saône la mission de contrôle du rapatriement des Alsaciens et des Lorrains, alertera, le 29 août, les autorités après le passage du *premier* convoi important [2] en provenance de Tambow.

> « Les Alsaciens-Lorrains arrivent à Chalon-sur-Saône, écrit-il, dans un état de saleté et de puanteur répugnantes, presque tous porteurs de plaies d'avitaminose sur tout le corps, mais particulièrement sur les jambes — plaies parfois de deux centimètres de profondeur. Ces Alsaciens et Lorrains nous signalent qu'à la date du 2 août 1945, date de leur départ de Tambow, il restait environ à ce camp de six à sept mille Alsaciens et Lorrains, dont un millier environ sont dans un état d'épuisement tel qu'il n'est pas possible de les évacuer par chemin de fer. La moyenne de mortalité étant

---

1. *Cf. Un printemps de mort et d espoir,* p. 384 et suiv.
Si le ravitaillement à Tambow était à peu de chose près celui de Dachau (1 300 calories quotidiennes contre 1 020), il n'y avait pas de violences systématiques. Certains prisonniers (témoignage d'Auguste Hurst, de Turckheim) seront sauvés par une doctoresse russe.
2. Trois cents hommes environ, partis d'Odessa mais ayant rejoint la France par Vienne. En réalité, 1 500 Alsaciens et Mosellans capturés par les Russes avaient quitté Tambow le 7 juillet 1944. Le convoi, constitué de cinquante wagons, dont un pour les malades et deux pour les gardes, gagna Bakou le 13 juillet, puis Tabriz, ville iranienne, terminus du chemin de fer alors contrôlé par les Soviétiques. Le voyage se poursuivit jusqu'à Téhéran où les 1 500 furent remis à des officiers français venus de Beyrouth. Mais ce sont des uniformes anglais qu'endossèrent les « Malgré nous ».
Entre le 23 et le 29 juillet, ils furent transférés à Beyrouth et Haïfa, d'où ils embarquèrent pour Tarente, avant de repartir pour Alger où ils arriveront le 30 juillet. Dirigés sur Ténès, les « mille cinq cents » furent invités à signer un engagement dans l'armée française. Deux cents d'entre eux s'engagèrent dans les commandos de choc et — sous de faux noms, car les Allemands les considéraient comme déserteurs — participèrent à deux combats près de Siromagny et au franchissement du Rhin.
Un autre convoi devait être formé dans les mêmes conditions. Il ne prit jamais la route. Il fallut attendre près d'un an pour que les rapatriements reprennent à dose homéopathique depuis Tambow où se trouvaient environ 10 000 « Malgré nous ».
Cf. Pierre Rigoulot, *La Tragédie des Malgré nous.*

de trente hommes par jour, une intervention immédiate par avion est indispensable si l'on veut sauver ces Alsaciens et Lorrains d'une mort certaine. »

Le 6 septembre, ce sont 1 300 détenus qui seront libérés à Tambow. Ils arriveront en Alsace le 21 octobre seulement, après un voyage interminable au cours duquel, pour se procurer quelque nourriture, ils ont, à chaque arrêt du train, vendu les hardes qu'ils possédaient : quarante roubles un essuie-mains, quarante roubles encore un caleçon, soixante roubles pour un pantalon de la Wehrmacht échangé contre un pantalon de moujik... avec sa pleine cargaison de poux[1].

A Brest-Litovsk, le ravitaillement n'étant plus assuré, les « Malgré nous » ont dû organiser des razzias dans les jardins et les champs, razzias qui se poursuivront jusqu'à Francfort-sur-l'Oder où les Alsaciens arriveront le 26 septembre. Enfermés dans des camps, c'est le 12 octobre seulement qu'ils seront mis en route pour la zone d'occupation britannique où ils arriveront cinq jours plus tard.

Ensuite, tout ira très vite.

En septembre et en octobre 1945, une demi-douzaine de convois d'Alsaciens et de Lorrains arriveront ainsi en France. Au total, ils transporteront entre 8 500 et 10 000 incorporés de force. D'autres « Malgré nous », par groupes de 400 à 500 personnes, passeront encore par Chalon-sur-Saône, point de passage obligé, mais il semble que le dernier convoi ait quitté le camp de Tambow à la fin du mois de novembre, même si des isolés se présenteront encore : 1 109 au cours de l'année 1946, une centaine en 1947, 19 en 1948, 12 en 1949, un seul en 1950, 18 en 1951, 4 en 1952, 7 en 1953, aucun en 1954, Jacques Remetter, le 13 avril 1955, dernier des incorporés de force à regagner la France, ce qui ne signifie nullement que les camps, mystérieux et imperméables à toute enquête occidentale, ne gardent pas encore quelques centaines, voire quelques milliers de « Malgré nous » qui

---

1. Exemples cités par Bruno Schoesec, qui fut du voyage, et reproduits dans *Malgré nous et autres oubliés,* de Joseph Burg et Marcel Pierron.

iront se fondre bien plus tard dans l'anonymat des villes et des villages soviétiques[1] ».

Jour après jour, l'animation décroît dans les gares d'Alsace et de Lorraine.

Lorsqu'un train arrive de Paris ou de Chalon, des épouses, des parents sont toujours présents, mais leur nombre diminue avec les jours d'hiver qui passent et l'espoir qui s'étiole.

Alors, par la presse locale, par affichettes, par lettres ou visite à ceux qui sont rentrés, les familles s'efforcent, elles aussi, de savoir.

Plus tard — en 1948 —, des « recueils photographiques des disparus », édités par les Associations départementales des déserteurs, évadés et incorporés de force, paraîtront.

Le plus souvent, l'homme est en uniforme allemand, mais il arrive qu'il porte l'uniforme français dans lequel il a été mobilisé en 1939.

Les noms se succèdent : voici les deux frères Flick, François et Raymond ; les trois frères Foessel, Alphonse, Charles et Georges ; Joseph et Xavier Foeller, qui sont jumeaux ; Alexandre Fournier, qui fut obligé de changer son nom à consonance française et devint Furner dans l'armée allemande. Ils habitaient Strasbourg, Haguenau, Rantzwiller, Brumath, Wissembourg. Leur dernier secteur postal connu indiquait qu'ils se battaient près de Leningrad, Smolensk, Nikopol, Kolberg, ou encore qu'ils se trouvaient à Prague, à Budapest et, sans autre précision, en Lituanie, en Roumanie, en Italie.

Le silence s'est fait sur la plupart d'entre eux. Qu'ils soient tombés au combat, qu'ils aient déserté[2] ou aient été capturés et soient morts

---

1. Tambow, s'il était le camp de loin le plus important, n'était pas le seul camp où se trouvaient des Alsaciens et des Lorrains. On en a recensé dans une trentaine de camps.
En 1985, les Soviétiques publieront la liste de 347 Alsaciens et Lorrains enterrés dans le cimetière de Kirsanov, à cent kilomètres à l'est de Tambow. D'autres Français furent internés en Crimée dans un camp situé à Eupatoria.
2. Selon des documents allemands, le nombre des déserteurs alsaciens se serait élevé à 12000 ; celui des déserteurs mosellans à 3000. Pour des raisons faciles à comprendre, la plupart de ces désertions n'avaient pas eu lieu sur la ligne de feu, mais au cours de permissions.

dans l'un ou l'autre de ces camps soviétiques aux conditions de vie atroces, ce sont plus de 50 000 « Malgré nous » dont, le 1ᵉʳ juillet 1946[1], le sort demeurera encore inconnu.

Beaucoup de ceux qui sont rentrés souffrent d'ailleurs d'être toujours en uniforme allemand à l'instant de leur rapatriement, alors que drapeaux tricolores et banderoles patriotiques ornent les gares en l'honneur des prisonniers et des déportés.

Beaucoup souffrent d'être enfermés à Chalon-sur-Saône, où se trouve le Centre national de réception des Alsaciens-Lorrains[2], dans des enceintes (on dit aussi des « cages ») voisines des enceintes entourées de barbelés où sont gardés prisonniers d'authentiques soldats allemands qui les insultent et leur reprochent de trahir la patrie.

Beaucoup s'indignent de l'incompréhension de la population de Chalon qui persiste à les traiter de « sales Boches » lorsqu'ils défilent en colonnes dans les rues.

Beaucoup supportent mal des interrogatoires poussés qui visent à rechercher les anciens de la L.V.F. et de la Waffen SS glissés dans leurs rangs à la fin de la bataille. Afin de découvrir, sous l'aisselle, le tatouage du groupe sanguin révélateur, les agents de la Sécurité militaire iront jusqu'à retirer leurs bandages aux blessés.

Beaucoup ne comprennent pas que l'on parle si peu et si mal d'eux. Victimes traitées en suspects, hommes ballottés par la guerre d'une nation à l'autre et qui éprouvent de grandes peines à réintégrer leur univers familial et professionnel, ils sont surpris que leurs souffrances, et les souffrances de disparus, dont on peut espérer qu'ils sont toujours

---

1. En juillet 1946, si 70 000 « Malgré nous » ont regagné leurs foyers, 8 000 Alsaciens et Lorrains sont *officiellement* tombés au combat contre les Russes, chiffre très inférieur à la réalité (27 000 morts, 20 000 disparus) qui explique que l'on soit encore sans nouvelles de 26 071 incorporés du Bas-Rhin sur 65 000, de 16 292 incorporés du Haut-Rhin sur 35 000 et de 12 050 Mosellans sur 32 000 incorporés.

Cf. Un printemps de mort et d'espoir, p. 362.

2. Il fonctionnera du 24 avril 1945 au 15 février 1946, date de son transfert à Strasbourg.

prisonniers quelque part en Russie, soient si mal connues d'un peuple et de ses dirigeants uniquement attentifs au drame des prisonniers de 40 et des déportés.

Les « Malgré nous » ont l'impression d'être des gêneurs politiques.

Le 3 octobre 1945, Henri Frenay a bien alerté le général de Gaulle sur le sort des Alsaciens-Lorrains toujours prisonniers en Russie. Le 18 octobre, il reçoit du Général une réponse décourageante.

« Mon cher Ministre,

Vous voulez bien, dans votre lettre du 3 octobre, me demander de saisir directement le maréchal Staline de la question des prisonniers de guerre alsaciens-lorrains. Je ne pense pas cette procédure opportune. Le recours direct au maréchal Staline me paraît mal convenir à l'état actuel de nos relations avec la Russie. D'autre part, M. Molotov, à la conférence de Londres[1], a contesté, dans des termes singuliers, que l'accord franco-soviétique (du 29 juin), réglementant l'échange des prisonniers, s'applique aux Alsaciens-Lorrains. »

Donc, silence officiel... au moins jusqu'à ce débat des 11 et 23 juillet 1946 où plusieurs députés — Closterman, Pierre July, Henri Meck — s'opposeront à Laurent Casanova, ministre communiste des Anciens Combattants, qui mettra non seulement en doute l'exactitude des récits que font de leur vie dans les camps soviétiques certains rapatriés, mais encore osera dire qu'il est bien difficile de faire admettre à nos alliés (russes) que la plupart des Alsaciens et des Lorrains enrôlés dans les formations de la Wehrmacht [l'ont] été « contre leur gré[2] ».

Phrase insultante, reçue comme une insulte par tous ceux qui n'ont pu fuir l'incorporation sans mettre en péril leur famille menacée d'arrestation et de déportation.

Phrase insultante, reçue comme une insulte par tous ceux qui, dans l'armée allemande, engagés dans les mêmes rudes combats que leurs camarades d'uniforme, se trouvaient ethniquement isolés, politique-

---

1. Qui s'est achevée le 3 octobre 1945 et au cours de laquelle, face aux Occidentaux, M. Molotov s'est montré particulièrement intransigeant. La guerre froide a commencé. Cf. chapitre 18.
2. *Cf. Un printemps de mort et d'espoir,* p. 363 et suiv.

ment surveillés et, s'ils rêvaient de désertion, ne pouvaient qu'occasionnellement faire de leurs rêves une réalité qui les exposait à la fois au feu allemand et au feu russe.

En 1945, les « Malgré nous » se trouvent isolés dans la nation.

La politique étrangère du général de Gaulle, en plaçant trop d'espoirs dans les suites du voyage de décembre 1944 à Moscou, voyage dont le chef du gouvernement attendait qu'il permît de faire pièce aux Anglais et surtout aux Américains, exclut toute dénonciation officielle des conditions d'existence dans les camps soviétiques. Dénonciation qui aurait également d'immédiates conséquences de politique intérieure, le parti communiste, fort de ses succès tant aux élections municipales d'avril mai qu'aux élections législatives d'octobre, se montrant particulièrement sourcilleux dès l'instant où l'U.R.S.S. se trouve mise en cause.

Il faut d'ailleurs rappeler qu'avant leur départ de Tambow les « Malgré nous » ont voté, naturellement à l'unanimité, le texte d'un télégramme de remerciement au maréchal Staline.

De retour en France, ils se trouvaient donc ligotés par leurs « *Vive Staline !* » obligés, comme par les rapports d'officiels français, complices ou naïfs, ayant « visité » les camps, et en faisant, à l'intention de Paris, des descriptions idylliques[1].

Les communistes français veillaient d'ailleurs à ce que rien ne vînt porter atteinte à l'image de « la patrie des travailleurs ».

A l'occasion du départ d'un convoi de 2 100 prisonniers français libérés qui doit gagner la France par Odessa, *L'Humanité* évoquera la présence de la musique de l'Armée rouge, le discours du major Doubinski, et fera écho aux paroles de l'adjudant Jean Grosbois remerciant « de toutes les marques d'amitié et de sollicitude qui leur

---

1. En 1985, Jacques Granier, collaborateur des *Dernières Nouvelles d'Alsace,* se rendra à Tambow où un pèlerinage d'anciens « Malgré nous » ira se recueillir en 1986. En octobre 1990, M. Jean Thuet, appartenant à une délégation de trois Haut-Rhinois, pourra relever les noms de 1 140 morts alsaciens et lorrains, ce qui permettra que la mention « Mort pour la France » soit portée sur l'état civil de ces victimes de l'annexion.

ont été témoignées en U.R.S.S. » et exprimant « les regrets de tous de n'avoir pas pu faire plus ample connaissance[1] ».

Le 18 avril, *L'Humanité* interviewera Lucien Pradier, un ancien du Stalag IA, que les Russes ont libéré en Prusse-Orientale et qui, lui aussi, est rentré par Odessa.

« Quand je pense, dira-t-il, à ce que les autorités soviétiques ont fait pour nous alors qu'ils [*sic*] ont tant à faire pour relever leurs ruines, il n'y a plus qu'à les saluer et leur dire merci. »

« Dire merci »... C'est parce qu'ils sont trop peu nombreux à « dire merci » et parce que bon nombre de prisonniers libérés (il ne s'agit pas encore des « Malgré nous ») parlent des montres et des bagues arrachées, des femmes violées, des rapatriements cahotiques, qu'André Marty se scandalisera, dans *L'Humanité,* que de « soi-disant prisonniers français retour d'U.R.S.S. » se livrent à « une violente campagne de calomnies antisoviétiques, *en oubliant complètement — et comme par hasard* — de rappeler les crimes atroces des hordes hitlériennes ».

Le 14 avril, sous le titre « Une odieuse campagne antisoviétique », *L'Humanité* dénoncera les ennemis de « la sécurité française », les « agents de la réaction et du fascisme[2] » et, le 21 avril, Marcel Cachin et Florimond Bonte demanderont au ministre d'État, chargé par intérim des Affaires étrangères[3], de mettre fin à « une propagande insidieuse organisée en France contre nos grands alliés soviétiques[4] ».

Le 16 mai, le quotidien communiste, parlant des soldats soviétiques, développe le thème : « *Ils ont été si chics avec nous* », et donne la parole à deux rescapés d'Auschwitz ayant séjourné à Odessa : « Nous avions, disent-ils, la soupe trois fois par jour, deux distributions de café, 700 grammes de pain blanc — nous avions oublié que ça existait

---

1. *L'Humanité,* 21 mars 1945.
2. « Leur dernière trouvaille, écrit *L'Humanité,* ça a été de faire courir, parmi les prisonniers de guerre revenus d'Odessa, des bruits d'alliances volées aux doigts des libérés, voire de doigts coupés. Ainsi, le fameux couteau aurait servi à quelque chose. »
(Allusion à « l'homme au couteau entre les dents », caricature dont la propagande antibolchevique de l'avant-guerre avait fait grand usage.)
3. Georges Bidault, ministre des Affaires étrangères, est alors aux États-Unis.
4. Marcel Cachin et Florimond Bonte écrivent notamment : « On prétend que ces prisonniers (arrivés en France via Odessa) auraient été maltraités, dépouillés non par les bandits hitlériens, mais par les soldats de l'Armée rouge qui apportent aux peuples asservis la délivrance de l'oppression fasciste. »

—, du beurre, du saucisson, du sucre. Pour les malades, des œufs, du lait, du foie de veau. »

Les anciens déportés ajoutent qu'ils étaient très souvent invités dans des familles, ce qui est confirmé par de nombreux Français, prisonniers ou déportés, s'étant trouvés à Odessa. « Ce qui nous a le plus étonnés, disent-ils en conclusion, c'est que tout est en vente libre. Les Halles centrales regorgent de marchandises. »

Phrase bien faite pour laisser croire à des Français toujours soumis à de dures privations, à des hommes libérés par les armées de l'Occident capitaliste, que la Russie soviétique, malgré une impitoyable guerre, est encore cette terre d'abondance, ce pays du lait et du miel que, depuis un quart de siècle, décrit sans se lasser la propagande communiste.

Le 9 juin, Marcel Cachin reviendra sur « la campagne antisoviétique [qui], sous toutes ses formes, même les plus viles, n'est qu'un aspect de la lutte contre la démocratie », et, le 12, Georges Cogniot mettra en cause *Le Monde* qui, lorsque « tout le monde est saisi d'horreur devant les tortures hitlériennes..., juge bon de nous entretenir d'autre chose : des vols et des viols commis depuis un mois par des soldats russes isolés ».

« Tout le monde est saisi d'horreur devant les tortures hitlériennes », écrit *L'Humanité*.

De ces tortures, que savaient les Français après la libération des déportés et après leur retour en France ? Comment l'information était-elle transmise par des quotidiens qui, il faut une fois encore le rappeler, paraissaient le plus souvent, au cours du premier semestre de 1945, sur une feuille demi-format ? Imparfaitement et incomplètement par rapport à ce qui devait être su plus tard, et à ce que nous savons aujourd'hui.

Après celui de Polonaises, publié dans *France-Soir* le 9 janvier 1945[1],

---

1. Selon ces Polonaises, « échappées par miracle du camp d'Oswiecim » (Auschwitz), les malades, après deux jours d'hôpital, « étaient jetés vivants dans le four ».

l'un des premiers témoignages parus sera, le 10, celui de Corentin Le Du, libéré du camp de Maidanek[1].

A Moscou, il a parlé à Georges Soria, représentant du quotidien communiste parisien *Ce Soir*.

Arrêté le 20 janvier 1943, Le Du a tout d'abord été déporté à Mauthausen.

> « Dans ce camp, dit Soria, les hitlériens brûlaient vifs les détenus. Un jour [Le Du] vit de ses propres yeux incinérer vivants 14 officiers russes et 5 officiers polonais en uniforme [...]. Avec plusieurs centaines de Français, Le Du fut expédié sur Lublin et c'est ainsi qu'il arriva un soir au camp de Maidanek. Le lendemain de son arrivée, les SS sortaient des cadavres d'une baraque voisine. Ils étaient nus. Les SS les traînaient par les pieds et les mettaient en tas. Il y avait 80 cadavres. Les SS avaient fait, la veille, le nettoyage du camp : ils tuèrent à coups de triangle de fer les pensionnaires d'un baraquement. »

Le Du dit également que, si « les gardiens étaient très mécontents de leurs prisonniers, ils les envoyaient le soir à la potence » et que l'on « inoculait (parfois aux prisonniers) une substance toxique qui entraînait la mort une heure après[2] ».

Dans *L'Humanité* du 15 mars, une Française, « une petite Parisienne » délivrée de Birkenau par l'Armée rouge, affirme que, « tous

---

1. Camp d'extermination situé à deux kilomètres de Lublin et où, à partir d'avril 1942, furent enfermés des juifs en provenance de Slovaquie, de Grèce, de France, les Juifs polonais étant exécutés dans une forêt voisine. Initialement prévu pour 40 000 déportés, Maidanek connut le surpeuplement habituel à tous les camps. C'est à Maidanek que les SS organisèrent, le 3 novembre 1943, le massacre de 18 000 juifs abattus en une seule journée à la mitrailleuse. Le camp sera libéré le 22 juillet 1944 par l'Armée rouge. Selon des statistiques toujours imprécises, le nombre des victimes aurait été au moins égal à 360 000 *(Cf. Dictionnaire de la Seconde Guerre mondiale).*

2. Corentin Le Du évoque le massacre du 3 novembre : « Les SS leur firent creuser [à 21 000 détenus, c'est le chiffre cité par Le Du] une fosse de 500 mètres de long, sur 5 mètres de large et de 5 mètres de profondeur. Et ils forcèrent ces 21 000 personnes à descendre dans la fosse. »

Selon Le Du — qui fut requis par la suite avec d'autres déportés français pour combler la fosse commune —, les SS auraient commandé à plusieurs centaines de juifs d'enterrer leurs camarades vivants. Sur leur refus, ils auraient massacré tous les prisonniers à l'aide de mitrailleuses et de grenades.

les trois mois, on faisait une " sélection ", toutes les femmes jugées trop faibles ou présentant le moindre signe d'infection finissaient au crématoire le soir même ». Mais la déportée ne dit pas de quelle manière ses camarades ont été tuées avant d'être brûlées.

La chambre à gaz est évoquée cependant le 25 mars [1] dans *France-Soir* qui donne la parole à Paulette A... [2], matricule 50 329 V, libérée du camp de Birkenau. Paulette A... s'est confiée à Jacques Mirel, correspondant du journal, lors du passage, au Caire, du bateau qui la ramenait d'Odessa.

> « Il y avait, dit-elle, la cravache qui nous mordait les chairs à
> tout propos. Il y avait surtout le four crématoire et la chambre à
> gaz où disparaissaient chaque trimestre celles qui devenaient trop
> faibles pour continuer à travailler. »

Comme dans le témoignage précédent, la « sélection » pour la chambre à gaz aurait eu lieu tous les trois mois. Précision que l'on ne retrouvera pas dans les récits qui suivent.

Celui de Roger Baschet, correspondant de guerre, publié par *L'Aube* le 13 avril. Entré dans le camp de Vaihingen, libéré par les Français, Baschet parle d'André Kertes, Juif roumain, qui a vu brûler le corps de sa femme, de sa fille âgée de cinq ans, de sa mère, de sa sœur, « qui avaient été asphyxiées dans la chambre à gaz avec des milliers d'autres femmes et enfants [3] ».

Celui de Roland Diquelou, correspondant de guerre de *L'Humanité,* qui, à Mittel Gladbach [4], a entendu un déporté crier sa haine :

---

1   A peu près à la même date, le 27 mars, le pasteur Bœgner visitera le camp de Struthof où se trouvent internés des collaborateurs. Dans l'ancienne salle de bal de l'hôtel de Struthof, on lui montre « la chambre » à gaz. « Porte matelassée, au milieu de laquelle un tube métallique, auquel peut s'adapter, à l'extérieur, un tuyau, permet l'introduction du gaz. L'intérieur rappelle un cabinet de toilette moderne. Le sol, le plafond, les murs sont recouverts de carreaux de faïence extrêmement propres. Le mur de gauche comporte une lucarne permettant de suivre ce qui se passait dans la chambre. C'est là que les femmes étaient gazées. Il semble difficile de contester cette affirmation. » *Cf. Carnets du pasteur Bœgner,* p. 338.

2.   Le journal ne cite que l'initiale.

3.   Dans un autre camp que celui de Vaihingen.

4.   A quatre kilomètres d'Illingen, à proximité de Karlsruhe.

« Ils sont des milliers qui ont péri. A Auschwitz, des milliers ont été gazés et brûlés. Ah ! les bandits ! Ma mère, ma femme, mon petit, vous les avez tous assassinés. J'ai entendu leurs cris dans la chambre à gaz, un ultime et unique cri poussé par 2 000 personnes à la fois [1]. »

Celui de Martha Desrumeaux, secrétaire de l'Union des syndicats du Nord, qui, devant ses camarades du Comité central du parti communiste, explique, le 15 avril, les souffrances des déportées et dit qu'après un séjour dans les camps les femmes « étaient asphyxiées dans une chambre à gaz, puis brûlées au four crématoire ».

Celui, peut-être le plus précis et le plus émouvant, de Marie-Rose Dupré [2], qui a rédigé, pour *Libération-Dimanche* du 22 avril, un texte publié sous le titre :

Un matin, à Ravensbrück,
J'ai été « piquée » pour la chambre à gaz

« Chaque matin, écrit Marie-Rose Dupré, avant de partir en groupes pour les chantiers, nous devions subir l'atroce formalité de l'appel. Nous nous rangions par bloc, silencieuses et immobiles, les pieds dans la neige, et cela durait couramment deux ou trois heures d'horloge. Le médecin passait dans les rangs, désignant du doigt, sans un mot, terrible comme le destin, celle-ci pour sa toux, celle-là pour ses pieds enflés. Les malheureuses ainsi " piquées " sortaient de la file, et elles savaient qu'elles allaient bientôt sortir de la vie. On les hissait sur des camions qui prenaient l'un derrière l'autre le chemin de la chambre à gaz et du crématorium. C'est ce que nous appelions " les transports noirs ".

Un matin, j'ai été piquée de la sorte [...]. Je n'ai pas voulu mourir. J'ai laissé passer la file et, aujourd'hui encore, je ne saurais dire si ce fut de ma part ruse lucide ou engourdissement de moribonde. »

---

1. *L'Humanité*, 14 avril 1945. Il s'agit d'un cri de douleur plus que d'un témoignage.
2. Marie-Rose Dupré, ancienne secrétaire d'Alexis Danan, retrouvée en gare d'Annemasse parmi les rapatriés du camp de Ravensbrück, a signé l'article de son nom de résistante, un membre de sa famille se trouvant toujours prisonnier en Allemagne.

De son côté, Rémy Roure, déporté à Buchenwald, parlera dans *Le Monde* du 21 avril des « chambres à gaz d'Auschwitz-Birkenau[1] », et le général Audibert, qui fut également à Buchenwald, écrira : « Des témoins m'ont dit que des malheureux étaient exterminés par des piqûres ou dans des chambres à gaz[2]. »

Birkenau apparaît encore dans un article de *L'Humanité* publié sur deux colonnes le 24 avril. Le déporté Clément C...[3] évoque « les fameuses chambres » où les nazis entassaient « 2 000-3 000 juifs ».

> « Alors, à l'intérieur, plus aucune illusion possible. Quelques-uns étaient morts étouffés. Et ce n'était plus qu'un long cri, le cri d'une agonie collective qui durait six à sept minutes, jusqu'à ce que, par une lucarne, les SS aient basculé les bombes à gaz. »

Prend-on connaissance de la presse de l'époque, on découvre cependant qu'à quelques exceptions près les souffrances des déportés sont peu souvent mentionnées dans ces mois de mars, d'avril et de mai, qui sont les mois de grands retours. Certains textes s'avèrent même déconcertants pour des lecteurs qui ignorent, ou ne comprennent pas, qu'il existait selon les camps, et à l'intérieur de chaque camp, une hiérarchie du malheur.

Le 22 avril, *Libération-Dimanche* publie, sous le titre « 3 journalistes accusent », les interviews de Rémy Roure, Christian Ozanne[4], René Simonin[5], déportés à Buchenwald.

Rémy Roure, ancien du *Temps,* qui « moins de vingt-quatre heures après son retour avait déjà repris son travail[6] » dans « le bureau que ses camarades du *Monde* lui [avaient] réservé », dira bien que Buchenwald fut un « paradis » à côté d'Auschwitz, tout en ajoutant

---

1. L'article, publié sur deux colonnes en première page, est titré : « L'enfer de Buchenwald et d'Auschwitz-Birkenau ».
2. *L'Humanité,* 23 avril.
3. *L'Humanité* ne publie que l'initiale du nom de ce déporté.
4. Avant la guerre, correspondant de l'Agence Havas, arrêté en septembre 1943 à Marseille où il était chef régional du mouvement Libération.
5. Ancien collaborateur de *Paris-Soir,* arrêté en avril 1944.
6. Ce qui surprendra ceux qui ignorent qu'à Buchenwald même l'existence n'était pas la même pour tous les déportés et que ceux du « petit camp » connaissaient les pires conditions. Rémy Roure avait été blessé très grièvement lors de son arrestation en octobre 1943.

qu'il n'est pas possible de « compter les exécutions qui y eurent lieu », mais ce journaliste au ton modéré peut-il être compris d'une population qui, *n'imaginant* ni l'ampleur ni la diversité de la tragédie, s'en laisse détourner par les joies de la victoire et plus encore par les soucis du quotidien ?

On n'imagine pas... pas encore, et l'on recule devant l'horreur. La préface, le « chapeau » en termes journalistiques, dont Pierre Brisson, directeur du *Figaro*, fait précéder l'article que James de Coquet, son correspondant de guerre auprès des armées américaines, consacre au camp de Kleingladbach, est symptomatique[1].

> « J'ai hésité, écrit Brisson, à mettre sous les yeux des lecteurs le récit hallucinant que James de Coquet, dans cet esprit véridique qu'on lui connaît et qui donne une valeur si nette à ses témoignages, vient de nous adresser. Je n'ignore pas la répugnance et les angoisses que la description de pareils spectacles peut inspirer. Mais je crois qu'il est de notre devoir d'enregistrer ces faits, de les consigner, d'en fixer l'image, et de le faire au moment où l'imminence de la victoire prépare, dans un monde épuisé d'horreur, les voies de l'oubli. »

Les exceptions à ce relatif silence de la presse sont communistes. C'est dans *L'Humanité,* dans *Ce Soir,* dans les nombreuses publications du Parti ou proches du Parti[2], que l'on trouve les articles les plus longs, les plus détaillés, même si, le 10 juin, dans un article consacré à l'« Exposition des crimes hitlériens », qui se tient au Grand-Palais, Simone Téry ne mentionne pas les chambres à gaz. C'est également dans les publications communistes que Pétain et Laval sont systématiquement désignés comme responsables des horreurs concentrationnaires.

Ainsi les quotidiens régionaux communistes, alors au nombre de 49,

---

1. Un camp, écrit Coquet, où, sans les battre, « on les a [les déportés] laissés croupir là, nourris d'une soupe d'eau claire et de temps en temps d'un petit morceau d'une viande immonde ».
2. Ainsi, dans *Action* de décembre 1944, un long et émouvant article de Roger Vailland sur Schirmeck et le camp du Struthof.

publieront-ils [1], à la fin du printemps, un numéro spécial [2] consacré à « *Buchenwald, Auschwitz, Ravensbrück, Bilsen* [3], *camps de tortures, d'extermination et de la mort lente* », numéro illustré de huit photos de cadavres entassés dans des fosses ou épandus à même le sol et de deux photos de bourreaux [4]. A toutes ces photos il faut ajouter la photo de Pétain et celle de Laval surmontées du titre « *Les deux responsables* ».

En revanche, les articles sont relativement rares et brefs dans *Le Figaro, L'Aube, Le Monde* [5]...

En réalité si, dans la presse de l'époque, il semble que la déportation tienne une place moins importante que celle qu'elle occupera plus tard, l'incrédulité, plus encore que le manque d'informations ou la modestie de la pagination, est responsable de cette relative carence.

Le 20 avril, les journaux annoncent bien qu'il y a eu « 12 millions de victimes dans les bagnes nazis », ils parlent de « 30 000 décès au camp de Birgen-Bergen [6] », de 5 500 000 juifs tués, mais ces chiffres évidemment incontrôlés, et d'ailleurs incontrôlables, sont généralement placés en bas de page.

Pour évoquer, grâce au témoignage du professeur Marchal, arrivé à la frontière suisse, en compagnie de 182 camarades, les supplices infligés aux déportés de Mauthausen, l'A.F.P. se contente de cinq lignes : « Il y avait trois méthodes [pour tuer], le gaz, les injections de

---

1. A une date que je ne peux préciser avec certitude (les numéros spéciaux n'étant pas datés), mais vraisemblablement en juin 1945.
2. Une page entière recto verso grand format.
3. Pour Bergen-Belsen, la confusion est alors fréquente.
4. Dans ces deux pages il est fait, à deux reprises, mention des chambres à gaz. A propos de Bergen-Belsen, il est écrit que les Britanniques libérant le camp ont vu « les chambres à gaz encore remplies »; parlant de sa déportation à Auschwitz, une femme déclare : « C'est la première nuit de mon arrivée que j'ai entendu murmurer le mot " chambre à gaz ", le mot " sélection ". Je n'ai jamais vu les chambres à gaz, mais il paraît qu'elles étaient extrêmement propres. On y allait comme si on allait aux douches, nues et en rangs, ou bien entassées dans des camions. » Extrait du numéro spécial de *La Marseillaise du Centre* édité à Limoges.
5. C'est ainsi qu'à l'exception de deux articles de Rémy Roure, l'un du 11 mai intitulé « Impressions de retour », l'autre du 18 mai, « Le pourrissoir », on ne trouve dans les numéros du *Monde* du mois de mai 1945 que de brèves informations sur la déportation : 14 lignes le 1er mai, pour annoncer que plus de 1 200 déportés français sont au camp de Belsen, 11 lignes les 13-14 mai à l'occasion de la libération du camp de Dachau sous le titre : « 31 600 libérés dont 4 000 Français ».
6. Pour Bergen-Belsen, libéré le 15 avril par la IIe armée britannique.

pétrole dans les veines qui amenaient la mort en deux minutes, et les meutes de chiens[1]. »

Incrédulité devant des chiffres de victimes si monstrueux, devant le récit de conditions de détention, de vie et de mort si horribles, que l'esprit ne les accepte pas immédiatement. La guerre n'étant pas achevée, certains se demandent aussi quelle part de propagande ces « informations » contiennent.

Incrédulité, ignorance enfin... C'est sur deux colonnes, le 9 juin 1945, et en tête du numéro du *Figaro,* que se trouve un article consacré à 542 enfants polonais, tchèques, roumains, hongrois, dont les parents sont morts en captivité[2], et qui viennent d'arriver en gare de Thionville. André Vinard, reporter au *Figaro,* après avoir donné l'information, rend compte de sa visite au centre où se trouvent de petits rapatriés français de quatre, cinq, dix, quinze ans, dont les plus jeunes ont oublié leur langue maternelle. Et il écrit ceci :

« Leurs crimes ? Certains avaient distribué des tracts ou collé des affiches. D'autres avaient commis de menus larcins au préjudice de la Wehrmacht. Quelques-uns même n'avaient strictement rien fait, seuls les hasards d'une rafle les avaient mis sur le chemin de Compiègne, de Buchenwald ou de Dachau. Des milliers de tout jeunes enfants furent, eux aussi, emmenés en Allemagne. Pourquoi ? on ne se l'explique guère. »

En juin 1945, les conditions dans lesquelles, trois ans plus tôt, d'abord en zone occupée puis en zone non occupée, près de 11 000 enfants juifs[3] avaient été arrêtés par la police française, enfermés avec les adultes au Vél'd'hiv', puis à Pithiviers, Beaune-la-Rolande ou Drancy avant d'être acheminés jusqu'à ces camps de concentration où la quasi-totalité d'entre eux devait presque immédiatement trouver la mort, demeuraient donc ignorées d'une grande partie de la presse et de la grande majorité d'une opinion qui n'avait été que parcimonieusement informée.

Les camps de concentration avaient bien été l'un des « secrets d'État » les mieux gardés de la Seconde Guerre mondiale.

---

1. Ce texte sera reproduit par les quotidiens du 28 avril.
2. Le plus souvent à Buchenwald.
3. Dont 2 044 de moins de 6 ans, et 4 400 de 6 à 12 ans. Parmi eux près de 8 000, nés de parents étrangers, étaient devenus français par déclaration volontaire souscrite après leur naissance.

Ainsi que l'écrira Georges Wellers dans la *Revue des études hébraïques et juives*[1], « aucun gouvernement ne pouvait espérer avoir le moindre renseignement concernant la détention de ses ressortissants ; la Croix-Rouge internationale[2] était impuissante car les conventions internationales n'ont jamais prévu le phénomène concentrationnaire, les évasions réussies étaient rarissimes, les libérations également, et, quand elles avaient lieu, c'était à la condition expresse que le libéré ne parlerait pas de son expérience sous peine de retourner dans un camp ».

Dans *Un printemps de mort et d'espoir*[3], j'ai évoqué le silence volontaire des Américains, des Anglais et des Russes ; le refus des Américains et des Anglais d'accueillir des juifs menacés ; le refus des Russes de diffuser en direction de la Hongrie et de la Roumanie la bien tardive déclaration de Roosevelt[4] en faveur des juifs persécutés ; le petit nombre d'émissions consacrées par la radio gaulliste de Londres à la dénonciation de l'holocauste[5] ; l'absence d'informations vérifiées — il ne pouvait en aller autrement — de journaux clandestins donnant des détails cruels, mais souvent éloignés de l'affreuse réalité.

Cette obscurité explique sans doute que les déportations en direction d'Auschwitz et de ses succursales dont les Allemands faisaient dire et croire, il est vrai, à Laval et à son entourage qu'il s'agissait de simples camps de travail aient été les grandes absentes des procès de 1945, alors que plusieurs dirigeants de Vichy portaient une évidente et lourde responsabilité dans des arrestations qui avaient eu pour conclusion la plus épouvantable des morts.

---

1. *Yod*, n° 21, 1985.
2. Après l'arrestation le 12 décembre 1941, à Paris, de 700 Juifs français, le gouverneur militaire allemand donnera ordre de ne pas répondre aux questions du gouvernement français, qui lui étaient transmises par les services de Brinon. Le 18 janvier 1942, la Croix-Rouge française ayant sollicité l'autorisation de porter secours à ces juifs internés alors à Compiègne et d'informer leurs familles, Dannecker, « *Judenreferent* » en France, répondra : « *absolument impossible* » sur la demande qui lui a été transmise.
3. P. 350 et suiv.
4. Le 24 mars 1944.
5. 2 en 1943, 2 en 1944, tout au moins parmi les textes rassemblés sous le titre « *Ici Londres* ».

TROISIÈME PARTIE

LE PRINTEMPS
DES GUERRIERS

7

RHIN ET DANUBE

« Mon cher Général,

Il faut que vous passiez le Rhin, même si les Américains ne s'y prêtent pas et dussiez-vous le passer sur des barques... »

Le télégramme de De Gaulle à de Lattre est du 29 mars. Il confirme les propos que le chef du gouvernement a tenus au commandant de la Ire armée au cours d'une longue conversation qui a eu lieu à Paris, où de Lattre se rendait pour la première fois depuis 1940.

Pour de Gaulle, l'entrée en Allemagne de nos armées victorieuses est une nécessité historique. Le relèvement de notre prestige en dépend. Notre politique future également.

Nos troupes au-delà du Rhin, peut-être en sera-ce alors fini de « cette sorte de relégation officielle de la France, dont ont tant souffert ceux qui parlent et agissent en son nom[1] ».

Au journaliste qui lui a demandé, le 25 janvier 1945, de préciser les réclamations françaises sur la Rhénanie, de Gaulle avait répondu : « La France n'entend pas finir cette guerre sans être assurée que la force française sera installée en permanence d'un bout à l'autre du Rhin. »

Et, dans la même réponse, trois fois encore, il était revenu sur sa volonté de tenir le Rhin « d'un bout à l'autre ».

A un autre journaliste qui avait formé le vœu que la France ait un

---

1. Discours du 12 septembre 1944 au palais de Chaillot.

jour une frontière sur le Rhin, le Général, au cours de la même conférence de presse, avait répliqué qu'il ne fallait pas préjuger de l'avenir des pays rhénans. « Quant à savoir, avait-il ajouté, si, oui ou non, la force française sera installée sur le Rhin, je vous réponds : oui, elle le sera. »

Encore faut-il franchir le Rhin.

Après la victoire de Colmar, de Lattre a accordé un repos mérité à des hommes rudement engagés depuis six mois et, pour quelques-uns, depuis bien plus longtemps. Il a fallu combler les vides creusés par la dernière bataille comme par le retour de certaines unités en Afrique du Nord ; entraîner et instruire — ce fut fait notamment à l'école des cadres de Rouffach — plusieurs milliers de jeunes soldats, sous-officiers et officiers dont beaucoup viennent des Forces françaises de l'intérieur. Il a fallu réparer, compléter et, dans toute la mesure du possible, moderniser un matériel, lui aussi, éprouvé.

Si, en mars, l'instrument militaire est prêt, encore faut-il qu'il dispose, dans le cadre de l'ultime offensive alliée contre le Reich, d'un secteur qui lui permette, non seulement de prouver sa valeur, mais encore de s'épanouir.

Or, dans leurs plans initiaux, les Américains ont réservé une place si modeste aux Français qu'ils ont enlevé à la Iʳᵉ armée les deux seuls ponts[1] capables d'assurer le passage des chars lourds dont elle disposait.

Tout ce qu'on demande à de Lattre, c'est d'assurer, avec ses sept divisions, une garde statique sur 200 kilomètres depuis Bâle jusqu'à la Lauter, cependant qu'aux 80 divisions anglo-américaines, rassemblées sur 530 kilomètres, sera réservée la gloire de porter le coup fatal aux hétérogènes divisions allemandes.

A peine accorde-t-on aux Français la relève des unités américaines en Wurtemberg, la fermeture de la frontière germano-suisse et la possibilité, pour une seule division d'infanterie, de franchir le Rhin et d'occuper le couloir badois entre Rhin et Forêt-Noire, sans toutefois s'approcher de Karlsruhe.

Ce rôle mineur ne saurait satisfaire ni de Gaulle ni de Lattre.

---

1. Des ponts de 30 tonnes.

Pendant que les 200 divisions de Koniev, de Joukov et de Rokossovski, s'engouffrant en direction de l'ouest par une brèche de 300 kilomètres, isolaient toutes les troupes allemandes de Prusse-Orientale, atteignaient l'Oder et s'emparaient de Sommerfeld à cent vingt kilomètres de Berlin[1], Anglais et Américains concentraient, en Belgique et en France, des forces largement supérieures à celles des Allemands.

L'objectif du commandement suprême allié était de déborder puis d'encercler la Ruhr, « région essentielle entre toutes, puis de pousser, d'une part vers l'Elbe, d'autre part vers le Danube, pour submerger le corps de l'Allemagne, enfin de prendre contact, du côté de Berlin, de Prague et de Vienne, avec les troupes soviétiques[2] ».

Le 7 mars, la IIIe armée américaine de Patton, bousculant les Allemands, prenait l'offensive. Trois jours plus tard, ayant avancé de 100 kilomètres, elle approchait de Coblence. Mais l'événement, qu'Eisenhower devait appeler « l'un des meilleurs moments de la guerre » et Hitler « une catastrophe nationale », s'était produit ce même 7 mars, lorsque, à une quarantaine de kilomètres au nord-ouest de Coblence, le lieutenant Karl Timmermann, commandant une compagnie du 27e bataillon porté[3], avait pris, intact, le pont de Remagen. Pont dont les Allemands, mal informés de l'avance alliée, n'avaient pas fait fonctionner des mises à feu d'ailleurs en mauvais état. Et qu'ils ne devaient pas réussir à détruire à temps malgré bombardements d'artillerie, d'aviation, tirs de V2 et raids audacieux de plongeurs. Si bien que, le 17 mars, lorsqu'il finira par s'effondrer dans le Rhin, deux ponts provisoires auront été mis en place par le génie américain et quatre divisions seront déjà déployées dans une poche de 48 kilomètres de largeur sur 16 de profondeur.

La prise d'un pont ne constituait certes pas un épisode stratégique décisif mais, dans la mesure où les forces alliées ne visaient initialement qu'à border le Rhin pour détruire les forces allemandes sur la

---

1. Le 13 février, la ville sera prise par les forces de Koniev. Le même jour, Budapest capitula.

2. Charles de Gaulle, *Mémoires de guerre*, t. III.

3. Avant-garde d'un sous-groupement du *Combat Command B* de la 9e division blindée américaine qui fait partie de la Ire armée américaine du général Hodges relevant du XIIe groupe d'armées du général Bradley.

rive gauche du fleuve, elle représentait comme un signe du destin : la marque du désarroi allemand.

Aussi les coups allaient-ils se précipiter.

Le 22 mars, les forces de Patton, sans rencontrer d'opposition valable, traversaient le Rhin entre Mayence et Mannheim. Dans la nuit du 23, Montgomery lançait, dans la région de Wesel, 20 divisions, devancées par 14 000 parachutistes, appuyées par le feu de 3 000 canons et par de nombreux chasseurs-bombardiers. Le 28, ses troupes, qui ne s'étaient heurtées sur le fleuve qu'à la faible résistance de cinq divisions allemandes harassées et d'un courageux bataillon de parachutistes, avaient établi, sur un front de 50 kilomètres, une tête de pont de 30 kilomètres.

Si l'armée française voulait prendre part à l'hallali, elle n'avait plus de temps à perdre. « Mon cher Général, il faut que vous passiez le Rhin, même si les Américains ne s'y prêtent pas et dussiez-vous le passer sur des barques... »

De Gaulle ne l'ignorait pas : les Américains n'avaient nullement l'intention de « nous faire une fleur » et les soldats de De Lattre devraient parfois se contenter de barques.

Pour envahir l'Allemagne, de Lattre avait besoin d'une base de départ convenable. Or, seuls les Américains étaient en mesure de la lui accorder. Ses troupes bordaient bien le Rhin en Alsace mais, de l'autre côté du fleuve, elles se seraient heurtées aux centaines d'ouvrages de la ligne Siegfried, puis au massif, fortement défendu et difficilement pénétrable, de la Forêt-Noire, sans pour autant aboutir à une direction stratégique payante. « La seule solution raisonnable, écrira de Lattre[1], est d'atteindre en Palatinat la portion de rive gauche du Rhin en face de laquelle cessent de se prolonger aussi bien la Forêt-Noire que des lignes de fortifications continues. Là, il suffit de vaincre le fleuve et quelques blockhaus relativement espacés pour se trouver d'emblée devant la trouée de Pforzheim, voie naturelle d'invasion de l'Allemagne du Sud. »

---

1. *Histoire de la première armée française.*

Pour parvenir à ses fins — c'est-à-dire pour obtenir le créneau rhénan, plate-forme indispensable pour les opérations futures —, de Lattre ordonnera au général Guillaume, patron de la 3ᵉ division d'infanterie algérienne [1], de déborder de la zone d'action qui lui a été accordée. Pour donner à Guillaume une idée de la manœuvre souhaitée, de Lattre emploiera cette image : « Théoriquement, ton front se termine en sifflet sur la Lauter ; débrouille-toi pour qu'il se termine en tromblon. »

L'image deviendra réalité au terme de durs combats qui débuteront le 15 mars par l'attaque de la ligne fortifiée Anne-Marie, se poursuivront par la difficile traversée de la forêt d'Haguenau aux pièges innombrables, s'achèveront (provisoirement), le 19 mars, par l'arrivée des premiers éléments du 4ᵉ régiment de tirailleurs tunisiens du colonel Guillebaud près de deux villages jumeaux : Scheibenhard et Scheibenhardt. Une seule lettre les distingue. Jusqu'en 1932, ils formaient la même paroisse catholique. Pour se rencontrer, les habitants, qui avaient bien souvent des liens de parenté, traversaient le pont. Les morts des deux villages étaient bénis dans la même église, enterrés dans le même cimetière.

Mais le pont a sauté le 18 mars. Scheibenhard est français, Scheibenhardt est allemand. Pour entrer en Allemagne, il faut donc s'emparer de Scheibenhardt. Attaquant, à 16 h 30, en deux colonnes, l'une conduite par le sous-lieutenant Rixens et l'adjudant Hamed ben Hamed, l'autre par le sous-lieutenant Bourin et l'aspirant Thomas, les hommes du capitaine Sahuc achèveront, à la lueur des incendies, la conquête du village. Il est 20 h 30. Encore quelques minutes, et Sahuc, surpris, sera félicité au téléphone par le général de Lattre de Tassigny. De Lattre qui, dans son *Histoire de la première armée française,* après les lignes consacrées à la prise de Scheibenhardt par le 2ᵉ bataillon du 4ᵉ régiment de tirailleurs tunisiens, achève sur ces mots : « 19 mars, une grande date pour des cœurs français. »

Il a d'autres sujets de satisfaction. Le général Guillaume a parfaitement réussi à « terminer son front en tromblon ». Ce sont, en effet, douze kilomètres sur la Lauter [1], rivière frontière, qui se trouvent désormais en possession des Français : le créneau souhaité par de Lattre.

---

1. La 3ᵉ D.I.A. sera appuyée par le *Combat Command* nº 6 de la 5ᵉ D.B. (colonel de La Villéon).

Rencontrant le général Devers le 18 mars, le commandant de la
Ire armée française lui a demandé de permettre à ses troupes d'entrer
en Allemagne avec la VIIe armée américaine puis, franchissant le Rhin
au nord de Karlsruhe, de marcher en direction de Stuttgart et d'Ulm,
au lieu de stagner sur la rive alsacienne.

La première requête est accordée : la 3e division d'infanterie
algérienne et la 5e division blindée formeront une *Task Force* qui
pénétrera en Allemagne. Provisoirement, elle sera placée sous le
commandement tactique de la VIIe armée américaine. Mais, si Devers
approuve la demande de De Lattre de marcher, une fois le Rhin
franchi, en direction de Stuttgart et d'Ulm, ce projet, qui tient
également fort au cœur de De Gaulle[2], ne peut être réalisé sans
instructions d'Eisenhower. C'est à de Gaulle d'intervenir auprès du
commandant en chef des forces alliées. On verra d'ailleurs bientôt
avec quelle âpreté les Américains nous disputeront la place à
Stuttgart[3].

Le 25 mars, les troupes de De Lattre[4], qui sont venues à bout des
ouvrages remarquablement camouflés protégeant la forêt de Biem-
wald, tiennent donc la rive gauche du Rhin sur une vingtaine de
kilomètres. Ce n'est pas suffisant.

La densité des fortifications qui couvrent Karlsruhe, les difficultés
que présente le fleuve conduiront rapidement de Lattre à solliciter du
général Devers une extension de son front. Devers lui ayant accordé
de pousser jusqu'à Spire[5], il dispose désormais d'un « créneau » de
40 kilomètres pour préparer le franchissement du Rhin dont il a fixé
les conditions le 29 mars par son instruction personnelle et secrète
n° 11. Après avoir reçu le télégramme de De Gaulle, « Mon cher
Général, il faut que vous passiez le Rhin... », il en avancera la date.

— C'est pour demain, dans la nuit du 30 au 31 mars, téléphone-t-il
au général de Monsabert.

---

1. De Lauterbourg à Salmbach.
2. « La capitale du Wurtemberg (Stuttgart) sera, en effet, pour nos troupes, la
porte ouverte vers le Danube, la Bavière, l'Autriche. Sa possession nous assurera,
en outre, un gage important pour soutenir nos desseins quant à la zone
d'occupation française » (De Gaulle, *Mémoires de guerre*, t. III).
3. *Cf.*, p. 271 et sq.
4. Qui vient de récupérer la 5e D.B. et le 3e R.T.A. provisoirement placés
depuis le 19 mars sous les ordres de la VIIe armée US.
5. Speye.

« L'entreprise paraît une gageure. » La phrase est de De Lattre qui a énuméré, dans son *Histoire de la première armée française,* les difficultés d'une opération qui aurait demandé à être retardée de quarante-huit heures, toutes les unités n'étant pas encore en place et les bateaux indispensables au franchissement des 250 mètres du fleuve ne se trouvant pas en nombre suffisant.

Du côté français, où l'on a rameuté tout le matériel de l'armée, des corps d'armée et des divisions, seuls 125 demi-bateaux M.2[1], permettant chacun, une fois assemblés, le transport d'un groupe de combat de 12 hommes, sont disponibles. Le 27 mars, le général Dromard, commandant le génie de l'armée, et le chef de bataillon Paqueteau ont obtenu des Américains le prêt de 200 demi-bateaux M.2, de 50 bateaux d'assaut et de 50 *storm-boats*[2]. Ces embarcations arriveront au milieu de la matinée, alors que le franchissement du Rhin a débuté depuis l'aube, mais elles permettront de compenser les pertes et seront utilisées dans l'après-midi[3].

C'est avec raison que le général de Lattre, évoquant le passage du Rhin, a rendu hommage à l'arme du génie. Elle est certes de toutes les batailles. Mais les historiens, se contentant de saluer au passage le sacrifice lointain des pontonniers du général Éblé, lors de la retraite de Russie, négligent souvent le rôle et l'héroïsme d'hommes que leur vocation condamne à être des cibles et à encaisser les coups.

Le 31 mars, les sapeurs du 101e régiment et du 17e régiment colonial du génie réaliseront des exploits pour assurer le passage des premières vagues comme pour construire à Spire, alors que le Rhin est entré soudain en crue, un pont de 240 mètres de long.

Le premier franchissement a lieu, à l'est de Spire, à 21 h 40. Sur un esquif silencieusement manœuvré à la pagaie par deux sapeurs, embarquent dix tirailleurs du corps franc du lieutenant Bouda.

---

1. Il s'agit de deux demi-bateaux mis bout à bout et mus par un propulseur. L'armée française dispose de 76 propulseurs pour franchir le Rhin. Certains moteurs initialement destinés à l'Allemagne avaient été sabotés par la Résistance.

2. *Storm-boat :* véritable hors-bord mû ·par un moteur de 55 chevaux et pouvant filer à 60 km/h. Six hommes prennent place à bord.

3. Dans l'*Histoire de la première armée française,* le général de Lattre donne des chiffres de bateaux différents. J'ai emprunté mes chiffres aux documents émanant du génie de la Ire armée française.

Le bateau revenu après que le premier groupe a pris pied à 3 heures sur la rive droite du Rhin, sans provoquer de réaction ennemie, transportera en deux voyages la totalité du groupe franc du 1er bataillon du 3e régiment de tirailleurs algériens.

A 6 h 30, d'autres canots ayant fait leur apparition, la moitié de la 3e compagnie est passée ; à 7 h 15, c'est la compagnie tout entière qui se trouve sur la rive droite, et la 2e compagnie commence la traversée. Lorsque le jour se lève, une tête de pont est établie sans qu'aucun coup de feu ait été tiré du côté allemand. La réaction viendra lorsque des reconnaissances françaises aborderont Altersheim et la ferme Insultheimerhof. Alors tomberont les premiers tirailleurs parmi lesquels l'adjudant-chef Zeribi, admirable chef de section, que le général Guillaume avait décoré trois semaines plus tôt de la médaille militaire. Mais, si l'artillerie allemande coule quatre M.2 et rend, dans la matinée, la plage d'embarquement intenable, elle ne peut empêcher les tirailleurs débarqués de s'installer et de s'étaler sur 5 kilomètres de largeur et 3 kilomètres 500 de profondeur.

Cette conquête se révélera suffisante pour permettre, en aval et à proximité du pont métallique de Spire, détruit par les Allemands, le lancement par le 1er bataillon du 101e régiment du génie, sous le commandement du capitaine Camille Verdin, d'un pont de bateaux qui, livré à l'armée le 3 avril, assurera le passage de 100 à 200 véhicules à l'heure [1].

Si, à l'est de Spire, les opérations se sont déroulées dans le plus grand silence, sans appui de l'artillerie amie et sans réplique de l'artillerie ennemie, il n'en a pas été de même à Germersheim où l'effort initial le plus important avait été prévu à partir de deux plages : l'une, la plage A, affectée au 151e régiment d'infanterie [2] du colonel Gandoët, l'autre, la plage B, au 43e régiment de tirailleurs marocains du colonel Clair.

---

1. La construction de ce pont avait été primitivement prévue à Germersheim. A deux reprises, le général de Lattre viendra encourager les sapeurs avant de franchir le pont le 2 avril à 16 h 15.

2. Régiment commandé précédemment par Fabien.

A 4 h 45, vingt groupes d'artillerie ont bombardé pendant quinze minutes les ouvrages de la rive adverse. Mais, par suite de retards dans la mise en place de l'infanterie, les Allemands ont eu le temps de se ressaisir. Aussi, les quinze bateaux qui partent de la plage A, avec les hommes du 151ᵉ régiment d'infanterie, sont-ils soumis à un feu intense : deux sont coulés, six chavirent ; sur deux autres, les propulsistes n'ont pas réussi à mettre leur moteur en marche. C'est l'échec. Échec qu'il faut réparer en « nettoyant » tout d'abord la rive amie des derniers Allemands qui s'y sont camouflés et en faisant appel à deux tanks-destroyers chargés, dans l'après-midi, de tirer dans les embrasures des blockhaus allemands. A 14 h 30, dix bateaux prennent à nouveau le départ ; deux seulement aborderont. La situation a paru si compromise aux propulsistes engagés que le commandant Paqueteau apprendra de leur chef, bouleversé, qu'avant le départ ils lui ont remis leurs papiers personnels et leurs photos de famille. A 18 h 30, une nouvelle vague est lancée. Vague ? Trois bateaux démarrent. Un seul réussira le passage. Et des quarante-huit soldats du 151ᵉ régiment qui ont réussi le passage, seuls, dans la soirée, cinq seront encore valides.

Mais, depuis plusieurs heures déjà, tout l'effort a été reporté de la plage A à la plage B d'où les Marocains du 4ᵉ R.I.M., partis à l'assaut depuis 6 h 40, ont réussi, malgré de lourdes pertes[1], à établir une petite tête de pont : 150 mètres sur 50, qui s'étendra jusqu'à devenir un rectangle de 1 500 mètres sur 500. C'est peu. C'est assez pour accueillir non seulement les hommes du 4ᵉ R.T.M., mais bientôt ceux du 151ᵉ régiment d'infanterie qui ont abandonné leur inconfortable plage d'embarquement[2].

Le 1ᵉʳ avril, à 10 heures du matin, le succès est complet puisque cinq bataillons ont traversé le Rhin et que le commandant Cuenoud, pénétrant dans Philipsburg, ne rencontre d'abord que trois prisonniers français que les ans, les moissons et les amours ont transformés en véritables paysans allemands. Ils viennent demander à leurs compatriotes vainqueurs de se montrer indulgents envers une population qui les a d'abord ménagés, puis presque intégrés.

Mais le passage du Rhin n'aura été possible que grâce au sacrifice

---

1. Des douze bateaux de la première vague, seuls trois aborderont la rive ennemie.
2. Leur passage sera favorisé par l'arrivée de 45 bateaux américains.

des hommes du génie, ceux du 101ᵉ régiment du colonel Ythier, comme des 211ᵉ et 96ᵉ bataillons appelés pour combler les pertes[1]. S'adressant à de Gaulle le 1ᵉʳ avril, de Lattre écrira : « Les sapeurs du génie ont été admirables. »

Malgré la pauvreté des moyens à sa disposition, de Lattre étend rapidement son dispositif. Tôt dans la matinée du 4 avril, le groupement Navarre entre dans Karlsruhe[2] dont les rues, barrées par des tramways culbutés et par les ruines des immeubles bombardés, sont défendues par de nombreux canons antichars. A 10 h 30 cependant, tous les nids de résistance liquidés, le général Valluy peut installer son P.C. avancé, *Adolf Hitlerplatz,* dans le bâtiment central de la police, dont une aile se consume toujours.

Dans le même temps, Monsabert prépare méthodiquement l'attaque qui, emportant Pforzheim, doit lui ouvrir le chemin de Freudenstadt, plaque tournante de toutes les routes qui rayonnent vers le Haut-Neckar, le Danube et Constance.

En cinq jours, « le premier acte de l'invasion du sud de l'Allemagne par la Iʳᵉ armée française est joué[3] ». Trois divisions d'infanterie et une division blindée, ainsi que de multiples unités de réserve générale, en tout 130 000 hommes et 10 000 véhicules, sont largement étalées sur la rive droite du Rhin[4].

Cette masse, seule capable de réduire les résistances allemandes, a passé le Rhin sur le pont de Spire, lancé en pleine bataille par le génie français[5]. Bientôt, nos troupes disposeront du pont de 30 tonnes[6]

---

1. Sur 90 propulsistes, 34 ont été tués, 20 blessés et les trois quarts des bateaux qu'ils servaient ont coulé. 21 des 34 morts appartenaient au 101ᵉ régiment du génie.
2. Capitale du pays de Bade.
3. De Lattre.
4. Les chars sont passés par le pont de Mannheim en zone américaine en attendant la construction du pont de Germersheim.
5. Il est utile de préciser que ce pont, lancé par le 1ᵉʳ bataillon du 101ᵉ régiment du génie (capitaine Camille Verdin), a été construit uniquement par du matériel français mis en fabrication par la Iʳᵉ armée après le débarquement du 15 août ou récupéré dans les ateliers où il avait été camouflé.
6. Le général de Gaulle écrit « 50 tonnes » dans ses *Mémoires,* ce qui est en contradiction avec toutes les archives militaires ; il parle également de 20 000 véhicules.

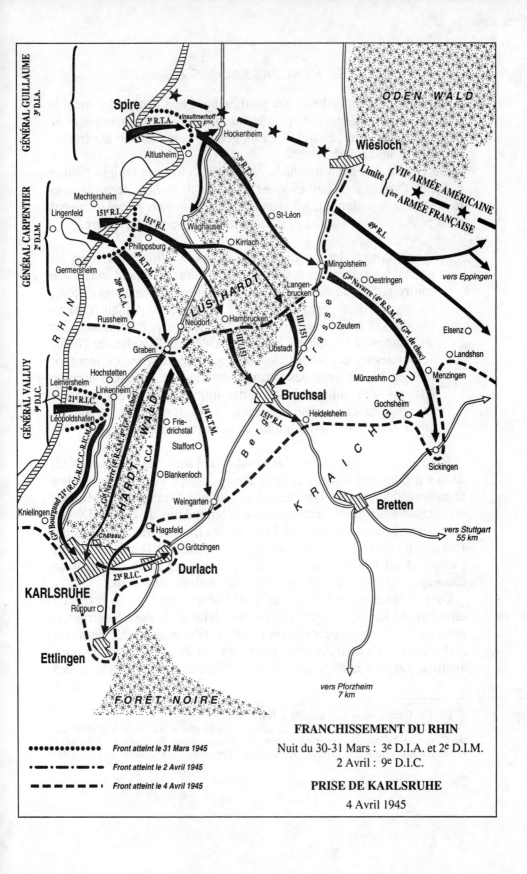

GÉNÉRAL GUILLAUME
3e D.I.A.

GÉNÉRAL CARPENTIER
2e D.I.M.

GÉNÉRAL VALLUY
9e D.I.C.

O D E N   W A L D

Spire
3e R.T.A.
Insultmerhoff me.

Hockenheim

Wiesloch

Altlusheim

3e R.T.A.

Limite
VIIe ARMÉE AMÉRICAINE
1ère ARMÉE FRANÇAISE

Mechtersheim

St-Léon

49e R.I.

Lingenfeld
151e R.I.

151e R.I.
Waghausel

4e R.T.M.
Philippsburg

Kirrlach

Germersheim
20e B.C.A.

vers Eppingen

Mingolsheim

G al Navarre (4e R.S.M. 4e Gpt. de choc)
Oestringen

Langen-brucken

L U S . H A R D T

Russheim
Neudorf

Hambrucken

III / 151

Zeutern

Elsenz

Graben
Ubstadt

Strasse

Landshsn

Hochstetten
III / 151

K
R
A
I
C
H
G
A
U

Münzeshm

Menzingen

Leimersheim
Linkenheim
21e R.I.C.

Léopoldshafen

H A R D T   W A L D

Gal Navarre (4e R.S.M. 4e Gpt de choc)
C.C.4

III/4R.T.M.

Berg

151e R.I.

Bruchsal

Heidelsheim

Gochsheim

Sickingen

Frie-drichstal

Staffort

Blankenloch

9e R.I.

Knielingen
Gpt Bourgund 21e (R.C.I.-R.C.C.C.-R.I.C.M.)

Château

Weingarten

Hagsfeld

Bretten

vers Stuttgart
55 km

KARLSRUHE

23e R.I.C.

Grötzingen

Durlach

Rüppurr

Ettlingen

F O R Ê T   N O I R E

vers Pforzheim
7 km

R H I N

• • • • • •   Front atteint le 31 Mars 1945

• — • —   Front atteint le 2 Avril 1945

— — —   Front atteint le 4 Avril 1945

FRANCHISSEMENT DU RHIN

Nuit du 30-31 Mars : 3e D.I.A. et 2e D.I.M.
2 Avril : 9e D.I.C.

PRISE DE KARLSRUHE

4 Avril 1945

enfin édifié à Germersheim. Ce pont, achevé le 7 avril, est franchi le même jour par le général de Gaulle entouré par Diethelm, ministre de la Guerre, de Lattre, Juin, Dromard, général commandant le génie de l'armée, et le colonel Ythier[1].

De Gaulle, qui avait prêché la résistance à outrance en juin 1940 et dénoncé l'armistice, allait évoquer, dans ses *Mémoires,* les réflexions teintées d'admiration que lui avait inspirées ce voyage parmi les ruines d'un pays accablé, assommé, vaincu, mais qui se battait encore.

> « Prolonger les hostilités, c'était, pour Hitler, accroître les pertes, les ruines, les souffrances du peuple allemand sans autre contrepartie que de satisfaire, durant quelques semaines encore, un orgueil désespéré. Cependant, le Führer continuait d'exiger des siens la résistance à outrance. Il faut dire qu'il l'obtenait. Sur les champs de bataille du Rhin, de l'Oder, du Danube, du Pô, les débris des armées allemandes, mal pourvues, disparates, incorporant en hâte auprès des derniers vétérans des hommes à peine instruits, des enfants, jusqu'à des infirmes, menaient toujours énergiquement, sous un ciel peuplé d'avions ennemis, un combat qui n'avait plus d'issue hormis la mort ou la captivité. »

Rejoignant le jugement de De Gaulle, de Lattre parle, de son côté, de la « prodigieuse célérité et de l'énergie désespérée » avec lesquelles le commandement allemand renforçait, à l'aide d'unités disparates, les six divisions fatiguées, incomplètes et courageuses de cette XIXᵉ armée qui ne pouvait que ralentir l'avance des troupes françaises jusqu'à Pforzheim, dont l'aviation américaine n'avait pas laissé pierre sur pierre[2] et où les chocs de Gambiez et les chars du 8ᵉ régiment de chasseurs d'Afrique pénétreront dans la matinée du 8 avril.

Dans le même temps, le groupement Valluy s'efforçait de percer en direction de Rastatt. Arrêté par les blockhaus de la ligne Siegfried, il amorcera un large débordement de la ville qui s'effectuera sur d'étroites routes de montagne, interdites par des centaines de sapins abattus, par des milliers de mines, défendues par les antichars des

---

1. De Gaulle se rendit ensuite à Karlsruhe.
2. C'est lors de l'offensive en direction de Pforzheim que le 3ᵉ régiment de tirailleurs algériens découvrira le camp de concentration de Vaihingen où sont enfermés 800 Français, Belges, Hollandais, Tchèques, Ukrainiens et Polonais.

hommes de la 257e division de grenadiers dont le chef, le général Seidel, trouvera la mort le 10 avril.

Rastatt prise[1] après deux jours de rudes combats, Baden-Baden enlevé par trois colonnes françaises[2], les coloniaux du 6e régiment d'infanterie coloniale et les hommes du *Combat Command* 3, formant le groupement Caldairou, se répandant dans la plaine, atteindront bientôt Sand, au sud-est de Kehl.

On l'avait trop oublié. Pendant que les armées alliées s'enfonçaient en Allemagne, la Wehrmacht bordait toujours le Rhin face à Strasbourg, et son artillerie, le 15 avril encore, avait expédié 155 obus de gros calibre sur la ville. Les coloniaux de Caldairou ne s'attarderont pas. Se précipitant en direction d'Offenburg — une étape de vingt kilomètres — où ils pénétreront le soir même, ils laisseront au 23e régiment d'infanterie, qui a été reformé avec des F.F.I. alsaciens, le soin et la gloire de traverser le Rhin sur des barques pour occuper les ruines de Kehl.

Dans la soirée du samedi 14 avril, de Lattre avait écrit à sa femme : « Nous sommes, ce soir, dans les faubourgs de Kehl. Demain dimanche ou au plus tard après-demain, je pourrai entrer à Strasbourg, venant d'Allemagne, et j'en aurai une certaine joie. »

Au souvenir de son entrée à Strasbourg qu'il a voulu symboliquement effectuer à pied, des bords du Rhin jusqu'à la place Kléber, de Lattre, à la rencontre duquel s'est avancé Charles Frey, maire de la ville et ambassadeur d'une foule délirante, transformera cette « certaine joie » en une joie certaine.

---

1. Les 12 et 13 avril, par le 23e régiment d'infanterie coloniale, un bataillon du 126e régiment d'infanterie et un groupement spécial sous les ordres du colonel Gauvin.

2. Groupement Beaufort ; sous-groupement Chery ; sous-groupement Menditte.

« 16 avril ! écrira-t-il[1]. Journée mémorable dans l'histoire de l'Alsace et inoubliable pour ceux qui la vécurent. Journée qui n'a pour équivalent que le 22 novembre 1918[2]. Mais, cette fois, les regards de la foule ne sont plus tournés vers l'Ouest ; c'est par le Rhin, par la porte de Kehl qu'au nom de l'Armée victorieuse j'apporte aux Strasbourgeois la confirmation de leur totale délivrance et la preuve que rien ne menacera plus dorénavant leur sécurité. »

La guerre continue. Le 1er corps d'armée de Béthouart, jusque-là maintenu à la garde du Rhin, sera « jeté en bloc » au-delà du fleuve. Le 17 avril, il approchera d'Oberkirch, qui défend l'entrée de la Forêt-Noire, cependant que les troupes de Monsabert parviendront dans les faubourgs en flammes de Freudenstadt.

Les défenseurs de Stuttgart séparés du corps d'armée SS déployé dans le sud de la Forêt-Noire, de Lattre va-t-il enfin pouvoir engager, grâce à Béthouart et à Monsabert, les deux batailles simultanées au terme desquelles seraient encerclées, puis anéanties les forces tronçonnées de la Wehrmacht ?

En vérité, il n'a pas seulement à lutter contre l'armée allemande. Il se trouve également en compétition avec les Américains.

La lettre d'instruction de son chef, le général Devers[3], confie seulement à la Ire armée le nettoyage de la rive est du Rhin et, secondairement, une action contre Stuttgart par l'ouest, action synchronisée avec celle que la VIIe armée américaine doit mener par le nord. Devers insiste sur la notion de « synchronisation », mot qui, dans son esprit, ressemble fort à « subordination ». « Une avance prématurée[4] de la Ire armée française dans le secteur de Stuttgart, écrit-il[3], sera empêchée[4] par le général commandant la Ire armée française qui maintiendra une étroite liaison avec la VIIe armée afin de réaliser la synchronisation voulue. »

Ces restrictions, de Lattre ne peut les admettre. Qu'il en tienne compte, il se priverait, en effet, du bénéfice de la manœuvre entreprise

---

1. *Histoire de la première armée française*, p. 523-524.
2. Après la fin victorieuse de la Première Guerre mondiale, les troupes françaises entrent le 22 novembre 1918 dans Strasbourg, capitale de l'Alsace annexée par les Allemands le 10 mai 1871 (traité de Francfort).
3. Lettre d'instruction n° 4, datée du 16 avril.
4. Souligné intentionnellement.

depuis dix jours et laisserait à l'adversaire la possibilité de replier ses forces en direction de ce fameux, et quelque peu mythique, « réduit alpin » où, selon la plupart des responsables militaires alliés, la mise en état de défense d'une forteresse naturelle permettrait peut-être au Führer de tenter là, selon le mot de De Gaulle, « une suprême manœuvre stratégique et politique[1] ».

Le 18 avril, de Lattre a convoqué, à Karlsruhe[2], Béthouart, patron du 1er corps d'armée, et Monsabert, qui commande le 2e. Il est 5 heures du matin lorsque Béthouart se présente au P.C. de De Lattre qui lui donne l'ordre d'abandonner sa difficile attaque frontale contre la Forêt-Noire. Passant par Freudenstadt, Béthouart pourra encercler la Forêt-Noire par l'est et viser beaucoup plus loin.

— Eisenhower, ajoute de Lattre, m'a donné l'ordre de stopper, mais je refuse. Il faut prendre les Américains de vitesse, passer au sud du Danube et marcher sur Ulm pour déborder le Jura souabe, où l'ennemi pourrait se rétablir. Tu passeras le Danube le 22. Je veux Constance et Ulm le 25.

— Bien, mon général. Ce sera fait[3].

Quant à Monsabert, qu'il s'empare de Stuttgart que la 5e D.B., protégée sur ses flancs par la 2e division d'infanterie marocaine, débordera largement par le sud, cependant que la 3e division d'infanterie algérienne et le 152e régiment d'infanterie l'attaqueront d'ouest en est. Deux batailles. Deux récits.

La bataille pour Stuttgart sera rude.

Les Allemands ne font pas que s'accrocher au terrain, ils contre-attaquent[4]. Rares toutefois seront leurs soldats qui échapperont

---

1. *Mémoires de guerre*, t. III.
2. De Lattre parle d'une convocation à Freudenstadt, mais la ville n'était pas encore totalement occupée le 18.
3. Général Béthouart, *Cinq années d'espérance*.
4. A Reutlingen, le *Hauptmann* Kimmisch, dont de Lattre parlera comme d'un « fanatique héroïque », défendra maison par maison la petite ville « deux jours pleins, le 20 et le 21 avril », face aux chars du 1er cuirassiers et aux chasseurs de choc du groupement n° 1.

finalement au filet tendu par les tirailleurs de la 2ᵉ division marocaine, dont la vaillance et l'obstination permettront aux chars de la 5ᵉ D.B. de précipiter leur avance.

Le 21 avril, « il ne fait pas encore jour, écrit de Lattre, que la course commence ». Stuttgart pour objectif. Stuttgart où, au terme d'une compétition amicale et forcenée, les chars du *Combat Command* 6 de La Villéon pénétreront à 14 h 30, deux heures avant ceux du *Combat Command* 4 de Schlesser. Ils seront rejoints, à la tombée de la nuit, par les fantassins de Pommiès[1], les goumiers tunisiens[2], d'autres soldats encore, acclamés par des Belges, des Tchèques, des Italiens, des Yougoslaves, des Russes, des Français — 20 000 Français, précisera de Lattre —, prisonniers et travailleurs sortis des caves où les bombardements les avaient maintenus auprès d'une population terrorisée et qui, librement, joyeusement, bruyamment, se répandent à travers des ruines dont le nettoyage est loin d'être achevé.

On se souvient de la mise en garde de Devers contre toute « avance prématurée » de la Iʳᵉ armée française « dans le secteur de Stuttgart ».

De Lattre n'en a pas tenu compte et ses troupes sont entrées dans Stuttgart à la grande irritation des Américains qui minimisent d'abord nos succès, ce qui oblige de Lattre à demander, le 26 avril, à de Gaulle de « tout faire pour que la vérité apparaisse » et pour que justice soit rendue aux soldats de Monsabert qui ont vaincu les quatre divisions allemandes protégeant la ville et ont capturé 9 000 hommes[3].

Mais, très vite, la querelle prendra de l'ampleur. Quittant le domaine des susceptibilités, elle deviendra politique.

Le 23 avril, en effet, le général de Monsabert apprendra qu'une division américaine entrera le lendemain dans Stuttgart et qu'il devra

---

1. 49ᵉ R.I.
2. 4ᵉ régiment de tirailleurs tunisiens.
3. Faisant le bilan de l'opération menée par le 2ᵉ corps d'armée contre Stuttgart, de Lattre écrira qu'au prix de « 175 tués environ et 510 blessés » ce sont 28 000 ennemis qui, au total, ont été capturés, cependant que le 64ᵉ corps d'armée allemand était anéanti.

lui céder la ville. Alerté, de Gaulle télégraphie immédiatement[1] à de Lattre : « Je vous prescris de maintenir une garnison française à Stuttgart et d'y instituer tout de suite un gouvernement militaire, quoi que puissent dire et penser les Américains. A leurs observations éventuelles, vous répondrez que les ordres de votre gouvernement sont de tenir et d'administrer les territoires conquis par nos troupes jusqu'à ce que la zone d'occupation française ait été fixée entre gouvernements intéressés, ce qui, à votre connaissance, n'a pas encore été fait. »

De Lattre répercute à Devers qui ne modifie pas sa position : les troupes françaises doivent être retirées « sans délai » de la région de Stuttgart[2]. Si elles désirent participer à la cérémonie qui commémorera un jour la chute de la ville, leur délégation sera la bienvenue ! De Gaulle intervient à nouveau : « L'autorité à Stuttgart comme dans tous les territoires conquis par nos troupes doit être une autorité française, écrit-il à de Lattre le 25 avril. Vous y établirez et y maintiendrez un gouverneur militaire[3] avec une garnison suffisante et n'accepterez aucun empiétement à ce sujet. »

Français et Américains se disputeront la possession de Stuttgart jusqu'au 28 avril. Ce jour-là, Eisenhower — à qui de Gaulle et Devers ont fait appel — adresse au chef du gouvernement français, qui a d'ailleurs protesté auprès du gouvernement américain par voie diplomatique[3], une lettre « résignée[5] ». Missive quelque peu amère et désabusée d'un chef « court-circuité » politiquement, dans laquelle Eisenhower affirme finalement ne vouloir « rien faire qui puisse altérer l'esprit exemplaire de coopération entre les forces françaises et américaines dans la bataille ».

Devers confirmera, de son côté, à de Lattre que les troupes américaines ne pénétreront pas à Stuttgart.

Le différend est aplani. Mais, le 26 avril, au plus vif de la querelle pour la possession de Stuttgart, Devers, dans un télégramme à de

---

1. Télégramme du 23 avril.
2. Message au général de Lattre en date du 24 avril.
3. Ce sera le général Chevillon, ancien chef d'état-major de Béthouart, que de Lattre, après une explication orageuse avec Béthouart, a sanctionné le 6 décembre après l'échec de la première attaque en direction de Colmar.
4. Truman, président des États-Unis après la mort de Roosevelt, a répondu à de Gaulle « par un message plein d'aigreur »)*Mémoires de guerre,* t. III).
5. L'expression est de Gaulle.

Lattre, ne s'était pas privé d'utiliser un argument d'assez bas étage. Voici, d'ailleurs, le troisième paragraphe de ce télégramme.

> « 3. Je viens de me rendre compte que la situation à Stuttgart est chaotique. Le viol est commis librement. Des biens ayant de la valeur pour les Alliés sont pillés et détruits. Vos troupes ne sont plus du tout tenues en main. Vous retirerez immédiatement les troupes françaises de Stuttgart... »

Ce paragraphe, transmis par de Monsabert, commandant le 2ᵉ corps d'armée, au général Guillaume, avait provoqué l'indignation du commandant de la 3ᵉ division d'infanterie algérienne qui s'était élevé, dans une longue lettre à son chef, contre ce qu'il appelait des « affirmations mensongères », « un affront parfaitement injustifié à l'encontre d'une division qui, combattant depuis un an en liaison étroite avec l'armée américaine, a donné, sur les champs de bataille, la preuve de sa valeur et, à l'arrière, la preuve de sa discipline ».

> « Il est faux, écrira Guillaume, que la situation à Stuttgart soit " *chaotique* ". En réalité, à l'arrivée des troupes françaises, la police allemande étant devenue inopérante, des scènes de désordre se sont produites du fait des déportés et prisonniers, travailleurs de toutes nationalités qui ont donné libre cours à leur ressentiment contre la population allemande... »

Ce qu'écrit le général Guillaume est exact. Dans un chapitre précédent [1], j'ai cité d'ailleurs plusieurs cas d'excès commis, au moment de l'occupation de l'Allemagne, par des déportés, des prisonniers de guerre, des travailleurs ayant des morts à venger, une revanche à prendre.

Après avoir souligné que 20 000 étrangers [2] se trouvaient à Stuttgart lors de l'arrivée des troupes françaises, Guillaume précise qu' « en ce qui concerne les pillages la plupart [devaient] être attribués aux

---

1. *Cf.*, ch. 3. Lorsque les portes furent ouvertes.
2. De Lattre écrit, dans l'*Histoire de la première armée française,* « 20 000 Français », auxquels il ajoute des Russes, Polonais, Italiens, Yougoslaves, etc. Sur 800 000 Allemands habitant Stuttgart, un peu plus de 400 000 auraient encore été présents lors de la prise de la ville.

étrangers, tout particulièrement aux Russes » et qu'il avait demandé à deux officiers russes de prendre en charge leurs compatriotes.

Mais, enfin, les militaires ne sont pas exempts de toute critique et Guillaume le reconnaît : « Il est possible, écrit-il dans sa lettre à Monsabert, que, dans les premières heures et dans la fièvre du combat, quelques militaires de la division se soient livrés à des excès ; les troupes françaises ne sont pas les seules à qui, en pareilles circonstances, ce reproche puisse être adressé. En ce qui concerne les viols, j'ai toujours été dans la répression des cas indubitablement établis d'une sévérité brutale (passage immédiat par les armes des auteurs)... Du reste, depuis le 22 avril, la Prévôté divisionnaire n'a été saisie que de six plaintes pour viol de la part d'Allemands. » Et, si des voitures automobiles ont été « saisies en assez grand nombre », la plupart par le 152ᵉ R.I. arrivé en secteur sans moyens de transport propre, « il est à noter que ces voitures sont en grande majorité des véhicules pillés en France par les Allemands ».

Pour le général Guillaume, les choses sont simples : dès l'arrivée à Stuttgart des troupes françaises, des journalistes américains ont « recueilli les doléances » de la population allemande « qui ne pouvait manquer d'exploiter sur-le-champ ce concours inespéré contre des troupes qui, il y a quelques jours à peine, infligeaient à l'armée allemande, aux abords de cette capitale, une défaite retentissante[1] ».

La population allemande devait « exploiter » d'autres incidents[2]. C'est ainsi qu'à Constance, où les responsables militaires français avaient initialement laissé en place un maire ainsi qu'un chef de la police nazis, et où quelques sabotages avaient eu lieu, le général de Lattre mit sèchement les choses au point le 12 mai.

Ne se contentant pas de sanctionner les officiers français complai-

---

1. La lettre du général Guillaume se trouve citée dans *Reconquérir,* du maréchal de Lattre.
2. A Freudenstadt, où, dans la nuit du 16 au 17 avril, des obus avaient incendié plusieurs maisons, l'incendie ayant pris, selon le général Navarre, « des proportions énormes », certains Allemands accusèrent les troupes françaises d'avoir mis le feu. Une enquête devait démontrer la fausseté de cette allégation. *Cf.* Henri Navarre, *Le Temps des vérités,* p. 183-184.

sants ou négligents, de faire arrêter maire et chef de la police, d'ordonner l'évacuation de sept maisons, dont celle du maire, il informe le nouveau bourgmestre de sa volonté de « faire incendier le quartier évacué » dans le cas où des actes de sabotage seraient encore signalés.

Faisant preuve de zèle... ou de malice antifrançaise, le nouveau bourgmestre allait porter cette menace à la connaissance de la population par une affiche qui souleva, on l'imagine, une vive émotion, même si elle eut pour effet de rétablir « en vingt-quatre heures un ordre absolu[1] ».

Émotion également à Lindau où, dans la matinée du 23 mai, une voiture à haut-parleur fit savoir aux habitants qu'à l'exception des employés des chemins de fer, des postiers, des membres de la Croix-Rouge, des médecins, des pompiers, des policiers, des pensionnaires des asiles de vieillards et des femmes dont l'accouchement était imminent, ils devaient tous avoir évacué la ville à 17 heures.

Les correspondants de guerre apprendraient dans la soirée, par une note lue au briefing du camp de presse, les raisons officielles de cette sévère mesure.

> « Des faits caractérisés d'indiscipline, tels que coups de feu nocturnes, présence d'Allemands reconnus suspects à proximité des locaux occupés par l'état-major, se sont multipliés dans les huit derniers jours. Des actes certains de malveillance viennent de se produire : un dépôt militaire de pneumatiques a été incendié. »

Les habitants de Lindau se mirent donc en route en direction de la campagne voisine, après avoir reçu interdiction de fermer à clef les portes de leurs demeures... Intervenant auprès de De Lattre, trois personnalités, Monsignore Ludwig Kerler, le pasteur Karl Schneidt, le bourgmestre Franz Eberth, allaient solliciter, « par une supplique conçue en termes très déférents[2] », l'annulation d'une mesure qui avait d'ailleurs heurté Américains et Suisses. A partir du 25 mai, de

---

1. Dans *Reconquérir,* du maréchal de Lattre, on trouve une justification de ce qui est appelé « la méthode de Constance ». « Seule, est-il écrit, la menace de punitions exemplaires est susceptible de porter sur lui » (esprit allemand) « déformé par treize années de méthode hitlérienne ».
2. Texte de la note lue aux journalistes du camp de presse.

Lattre ayant pardonné, la population de Lindau refit en sens inverse le chemin accompli le 23. Si des logements étaient toujours intacts, d'autres avaient été pillés. Sur l'instant, la responsabilité des vols fut rejetée avec empressement par les autorités militaires françaises, aussi bien que par les nouvelles autorités allemandes, sur les nombreux travailleurs étrangers qui, n'ayant pas été dans l'obligation de vider les lieux, avaient peut-être vidé les appartements.

Cette évocation des incidents survenus à Stuttgart, Constance, Lindau, rend nécessaire l'examen du comportement des troupes françaises entrant en Allemagne au terme de rudes combats et avec toujours, dans l'esprit, le souvenir des désastres de 40 et des douleurs de l'Occupation.

Dans ses *Mémoires d'un ambassadeur*[1], Otto Abetz, qui, après la défaite de l'Allemagne, s'était caché pour échapper aux enquêteurs français lancés à sa poursuite, écrit qu'il eut, pendant six mois de clandestinité, « l'occasion de comparer l'occupation française en Allemagne avec l'occupation allemande en France » au bénéfice de cette dernière... en oubliant les horreurs des camps de concentration et les milliers d'exécutions sommaires. « En quelques semaines, écrit-il, il y eut, dans le pays de Bade, plus de viols que dans toute la France en quatre ans. En maints endroits, les chefs accordèrent à leurs troupes des heures de pillage libre[2]. »

Quels étaient les ordres du commandement français ?

Le 5 avril 1945, l'Instruction sur « la préparation morale de l'armée

---

1. Abetz (1903-1958), qui avait été nommé, le 3 août 1940, ambassadeur auprès des autorités militaires d'occupation, devait être arrêté le 25 octobre 1945. Condamné, en juillet 1949, par un tribunal militaire français, à vingt ans de travaux forcés, il sera libéré en 1954 et trouvera la mort dans un accident d'auto.

2. Abetz fait cependant une discrète allusion aux mauvais traitements subis par les déportés dans les camps allemands. Voici sa phrase qui tente d'établir un parallèle entre ce qui n'est pas comparable, même s'il est vrai — et la chose sera dénoncée par *Le Populaire, Le Figaro* puis par *Le Monde* — que des prisonniers allemands en France ont été sous-alimentés, parfois maltraités : « Si les camps allemands s'étaient arrogé le droit de faire subir un traitement brutal aux prisonniers politiques, les services français correspondants crurent de leur devoir d'en faire autant. »

à l'occupation de l'Allemagne », du général de Lattre, comportait ce passage :

> « C'est un profond et implacable sentiment de haine que dicte à son Armée, entrant victorieusement en terre allemande, l'âme douloureuse de la France.
>
> Haine naturelle envers le cruel ennemi de notre liberté et de notre culture, haine légitime à l'égard d'une nation avide d'asservir le monde.
>
> [...]
>
> Sitôt apaisée l'excitation de la bataille, le caractère du soldat français retrouve ses trois constantes psychologiques : sa tendance native à la familiarité, son goût pour la discussion et la conversation [...], enfin, l'emprise de " l'éternel féminin " sur sa conduite. »

Contre ces « trois constantes psychologiques », susceptibles de conduire à un relâchement des attitudes ainsi qu'à une compromettante fraternisation, de Lattre ordonnait une intensification de la campagne de méfiance (« Le Français doit être convaincu de l'hostilité fondamentale de tous les Allemands, femmes comprises ») ; l'exaltation de l'orgueil français, les victoires de 1944-1945 devant faire progressivement oublier la défaite de 1940 ; le mépris des réalisations militaires, industrielles, agricoles ou sociales allemandes, quelles que soient leurs qualités objectives[1].

Mais si nos troupes doivent réagir à tout ce qui est allemand « *par un irrémédiable et farouche dégoût*[2] » et bannir toutes relations non officielles avec Allemands et Allemandes, il leur faut adopter « *une conduite ferme et résolue*[2], sans pitié ni bonté, mais sans violence ».

Ces instructions générales seront rapidement complétées par des notes de service prouvant que, sur le terrain, c'est-à-dire dans les villes et villages conquis, les problèmes ne manquaient pas.

Le 21 avril, de Lattre, qui se fait suivre d'un command-car — « la fourrière » — dans lequel il fait monter les officiers saisis « en flagrant

---

1. « Les découvertes des réussites sociales allemandes, en particulier, ne doivent pas réveiller les germes d'admiration habilement déposés dans les mémoires par une propagande encore récente. »
2. Souligné dans le texte.

délit de laisser-aller et de manque de grandeur [1] », après avoir écrit : « La Ire armée opérant actuellement sur le territoire ennemi souffre d'une recrudescence d'actes de pillage et de viol qui risquent de porter atteinte au prestige qu'elle a atteint par ses victoires », ajoutait : « *Une répression urgente et implacable s'impose*[2]. » Il rappelait notamment l'article 21 du Code de justice militaire autorisant les chefs à « frapper » les inférieurs dans les cas de « légitime défense de soi-même *ou d'autrui* (viol), de nécessité d'arrêter le *pillage*[3] ou la *dévastation* ».

Pris en flagrant délit ou traduits devant le Tribunal militaire, les auteurs de pillages et de vols encouraient, dans tous les cas, la peine de mort, les auteurs de viol une peine de vingt ans de travaux forcés[4].

Avant de signer cette note de service, de Lattre avait reçu un télégramme moralement et politiquement sans ambiguïté du général de Gaulle.

> « La conquête du territoire allemand par les forces sous vos ordres ne saurait, à aucun prix, être compromise par des abus commis à l'égard des populations. Le pillage et le viol doivent être réprimés avec la dernière vigueur. Il y va non seulement de la réputation de l'armée française, mais encore de l'avenir de notre politique dans certaines régions destinées à être séparées du Reich et contrôlées par nous... »

Les chefs des grandes unités n'avaient pas attendu les réactions de De Lattre et de De Gaulle pour se manifester. C'est ainsi que, le 3 avril, le général de Monsabert, commandant le 2e corps d'armée, après avoir indiqué que, « dans plusieurs localités, des militaires, quittant leur cantonnement, se sont présentés la nuit chez des civils et,

---

1. Bernard Simiot, *De Lattre*.
2. *Reconquérir,* p. 335, en italiques dans le texte.
3. En italiques dans le texte.
4. Le général Billotte dut faire arrêter pour pillage le chef de la sécurité militaire qui lui avait été envoyé, après la fin des combats, par le gouvernement militaire. L'homme « s'était approprié en toute bonne conscience le stock entier d'un marchand de chaussures », *Le Temps des armes,* p. 355.

sous la menace de leurs armes, ont volé, violé, dans certains cas mutilé des personnes sans défense », précise que les commandants d'unité qui ne prendraient pas toutes les mesures pour faire cesser ces actes inadmissibles en seraient tenus pour responsables, « tant au point de vue pénal qu'au point de vue disciplinaire ».

Le général Guillaume, commandant la 3ᵉ division d'infanterie, rappelant, le 9 avril, une précédente note de service, « soulign[ait] une fois de plus que tout homme convaincu de viol ou d'acte de pillage à main armée [devait] être abattu sur-le-champ ».

Le même général Guillaume signait, le 6 mai, cette note de service . « Il a été signalé que des militaires français se présentent dans les localités et se font remettre, soit par les autorités allemandes locales, soit par des civils allemands, des objets divers, en particulier appareils de T.S.F., appareils photographiques, machines à écrire, etc., contre bons irréguliers signés de noms de fantaisie. »

C'est ainsi qu'à Gartingen un soi-disant chef de bataillon *Xénophon* avait signé le bon de réquisition d'une vingtaine de machines à écrire. A Tübingen, comme dans les villages environnants, où les importants dépôts du Service de santé allemand avaient été pillés, les voitures sanitaires seront « récupérées[1] ».

Se souvenant de ce qui s'était passé en France où, dans leur retraite, les Allemands s'étaient, de façon expéditive et l'arme à la main, approprié, de la charrette à la bicyclette, en passant par le véhicule automobile d'avant-guerre, tout ce qui était en état de rouler, les Français vainqueurs s'attribueront sans scrupules ni bons de réquisition les véhicules des officiers supérieurs de la Wehrmacht ou des notabilités nazies, véhicules appelés d'ailleurs à changer souvent de « propriétaire », le premier « possesseur », dépouillé par son supérieur hiérarchique, se trouvant alors dans l'obligation de se rabattre sur un gibier de moins belle allure.

Il y eut infiniment plus grave. Sans s'étendre sur le drame, le général Billotte mentionne, dans ses souvenirs[2], l'assassinat, en juillet, par « une cinquantaine de brutes » appartenant au 108ᵉ régiment d'infan-

---

1. Rapport du médecin-colonel Castex, directeur du Service de santé du 2ᵉ corps d'armée.
2. *Le Temps des armes,* p. 354. Le 108ᵉ, formé par des unités F.T.P. de la Dordogne, après avoir tenu un secteur sur le front de La Rochelle, était arrivé en Allemagne le 10 juillet.

terie, de prisonniers allemands endormis dont leur bataillon avait la garde. Le lendemain, un régiment de la 10ᵉ division « cernait avec ses automitrailleuses ce déplorable bataillon et le désarmait [1] ».

Face à l'armée d'occupation, quelles avaient été les réactions immédiates de la population ?

Les Alliés avaient craint les francs-tireurs. Une longue note d'orientation concernant le contre-maquis avait été diffusée le 15 avril. Elle envisageait la création de « maquis lourds » comprenant des organes de commandement et différents services, et de « maquis légers » organisés en petites unités mobiles et indépendantes « constituées par des volontaires fanatiques et excellemment encadrés [2] ».

Si ces unités, composées parfois de gamins et de sexagénaires, se battirent avec acharnement jusqu'au dernier jour et, à l'est le plus souvent encore qu'à l'ouest, se sacrifièrent courageusement, l'ensemble de la population, convaincue de l'irréversibilité de la défaite, éparpillée par l'exode, éprouvée par les bombardements, ne songea nullement à entrer en résistance.

L'ordonnance nº 1 du général Eisenhower — valable pour toute l'étendue des territoires occupés par les armées américaines, anglaises et françaises — énumérait d'ailleurs les infractions « passibles de la peine de mort ou de toute autre peine que pourrait prononcer un tribunal du gouvernement militaire ». Ces infractions allaient de l'espionnage à l'aide aux prisonniers de guerre en passant par la

---

1. Le 19 juillet 1945, le général Billotte demandait au général de Lattre « relève ou dissolution 108ᵉ R.I. et son remplacement par unité convenable » (document inédit).

Le ministère de la Guerre prescrivait le 23 juillet la dissolution du régiment. Avand d'être informé de la décision de Paris, le général Billotte avait, quelques jours plus tôt, réclamé la liste des officiers, sous-officiers et hommes de troupe que le commandement du 108ᵉ estimait indésirables.

Le 22 juillet, à 10 heures, des délégations du régiment avaient dû assister, sans armes, aux obsèques des prisonniers allemands assassinés.

2. Un bulletin de renseignements, en date du 20 mai, sur l'organisation de la résistance dans la Forêt-Noire évoquera la reddition d'un *Jagdkommando* (une soixantaine d'Allemands, une vingtaine de miliciens) appartenant à une formation créée par Skorzeny, ainsi que l'arrestation de SS à Schewenningen.

détention de matériel de guerre et, bien entendu, « les attaques ou la résistance à main armée » contre les troupes d'occupation. Rien que de banal en période d'occupation, quelle que soit l'armée victorieuse. Mais il ne semble pas que le Tribunal général de Rastatt, seul habilité, pour la zone française d'occupation, à prononcer des verdicts de mort[1], ait été amené à condamner à la peine capitale d'autres accusés que plusieurs des 86 gardiens des camps de concentration de Neue, Brême, Schörzingen, Dautmergen, Schoemberg, Erzingen, et Spaichingen, dont les procès se déroulèrent en mai-juin 1946 et décembre de la même année.

Accablés par trop d'années de guerre ou terrifiés à la pensée de représailles, non seulement les civils allemands ne cherchèrent pas à s'opposer aux vainqueurs, mais nombreux sont ceux qui n'hésitèrent pas à « collaborer ».

Dès le 14 mars, James de Coquet signait d'ailleurs, dans *Le Figaro,* un article titré « *L'Allemagne occupée se jette dans la collaboration* », dans lequel il évoquait une Allemagne nouvelle, « si différente de l'ancienne qu'on a de la peine à la reconnaître. Ces gens obséquieux — poursuit Coquet — qui saluent le vainqueur à tout bout de champ, qui lui sourient, qui ont l'air de l'avoir espéré comme un libérateur, appartiennent-ils à la race des seigneurs qui prétendait dominer le monde ? Oui, ce sont les mêmes ».

Obséquiosité, c'est un mot qui revient souvent pour évoquer

---

1. La législation du commandement suprême interallié avait prévu, pour les territoires occupés, trois sortes de tribunaux : sommaires (pouvant prononcer des peines allant jusqu'à un an d'emprisonnement et 10 000 marks d'amende) ; intermédiaires (peines allant jusqu'à dix ans d'emprisonnement et 1 000 000 marks d'amende), généraux (un seul en zone française, dont la compétence allait jusqu'à la peine de mort). Ces tribunaux de zone française (30 sommaires, 5 intermédiaires, un général à Rastatt) eurent essentiellement à régler les problèmes de dénazification.

Les 5es bureaux français, puis le gouvernement militaire examinèrent 87 122 dossiers, prononcèrent 14 318 sanctions diverses, 18 867 révocations, et enregistrèrent la démission d'office de 13 000 fonctionnaires. A la fin de 1945, des organismes allemands assumèrent la responsabilité de l'épuration (*Cf. Cahiers français d'information,* 1er février 1947).

l'attitude des Allemands. Bernard de Lattre à sa mère en avril : « Nous sommes entrés mercredi soir les premiers blindés dans Karlsruhe, après avoir traversé le Rhin à Mannheim ; villes complètement détruites, gens plats comme punaises, drapeaux blancs à toutes les fenêtres, pillage, fouille, etc., enfin ce voyage en Bochie est vraiment pittoresque. » Le 28 avril, toujours à sa mère, Bernard de Lattre, dont l'unité cantonne à Constance, constate : « Les gens, ici, sont formidablement enthousiastes et, selon eux, nous les " libérons ". »

Et le général de Lattre, lui-même, télégraphiant à de Gaulle qui s'est plaint, le 4 juin, de ne plus recevoir que de rares comptes rendus depuis la cessation des hostilités, signale que « la population allemande, résignée, atone, demeure frappée par l'ampleur de la défaite » et que « seuls les éléments très jeunes (10 à 17 ans) ont un comportement d'une réserve hostile ».

Du commandant en chef aux subordonnés, les observations sont identiques.

Jacques Bruneau, qui loge à Sigmaringen chez un vieux professeur de médecine, découvre, le lendemain de son arrivée, son hôte forcé en train de cirer consciencieusement ses chaussures. « Cet acte domestique, écrit-il[1], cette manifestation évidente de soumission, me remplit de honte. Nous étions tous choqués par la bonne volonté — la platitude aussi ! — que les Allemands mettaient à collaborer avec les Alliés. »

De cette platitude, le lieutenant Jean-Claude Delafon, qui occupe, avec sa compagnie de tirailleurs marocains, la petite ville bavaroise de Wertach, recevra de nombreuses preuves. « Le premier rat à sortir de son trou fut, écrit-il dans un texte inédit, un bon Allemand se disant administrateur des Postes du Liechtenstein et consul du Paraguay. » L'homme fit parvenir à Delafon une missive accompagnée d'une collection des timbres-poste du Liechtenstein.

Delafon reçut bien d'autres visites et bien d'autres lettres. Visite de deux prêtres en soutane qui entrèrent, en saluant à chaque pas[2], un peu comme les ambassadeurs du Siam à la cour de Louis XIV.

---

1. *Les Tribulations d'un gaulliste en Gaule.*
2. Le 6 mai, Delafon, ayant assisté à la messe en compagnie de quelques sous-officiers de son unité, eut la surprise d'entendre l'officiant lire en français un panégyrique des occupants. « Il convenait, dit-il, de remercier Dieu et d'accueillir les libérateurs avec reconnaissance après ces années de souffrances. »

Lettres de Mme Seiler, épouse du président de Messerschmitt qui, le 11 mai, a traversé le bourg, une gerbe dans les bras à l'intention du lieutenant français. Le surlendemain, avant l'arrivée de nouvelles fleurs, elle lui écrit : « Voilà un petit embellissement pour votre chambre. Malheureusement, elles sont déjà un peu fanées, hier elles étaient toutes fraîches. Je vous en fais envoyer d'autres si j'en ai[1]. »

On est bien loin du *Silence de la mer.*

Ces épisodes et d'autres encore (Delafon trouve chaque soir, près de son lit, un morceau de gâteau auquel il s'abstient de toucher, on organise en son honneur une chasse au coq de bruyère) pourraient laisser croire que les horreurs de la guerre sont déjà oubliées par occupants et occupés. Il n'en est rien.

Pour viol, deux Marocains de l'unité commandée par Delafon avaient été condamnés à mort. Ils attendaient leur exécution lorsque Delafon reçut un télégramme lui annonçant la mort de son beau-frère, interné dans le camp de concentration d'Oranienburg-Sachsenhausen[2]. Ce télégramme décida Delafon à gracier les violeurs et à organiser, dans une salle de la mairie de Wertach, une exposition de photos devant lesquelles la population fut obligée de défiler sans être convaincue cependant que l'horreur, loin d'être de « la propagande » comme elle le répétait, dans sa plus ou moins grande mauvaise conscience, était bien une réalité.

La prise de Stuttgart et l'examen des remarques désagréables qu'elle a suscitées sur la « tenue » de l'armée française de la part du général Devers ont momentanément retardé le récit du déroulement des opérations. Il faut le reprendre en abandonnant le 2ᵉ corps d'armée du général de Monsabert pour dire ce que fut l'action du 1ᵉʳ corps d'armée de Béthouart. On se souvient que de Lattre, convoquant Béthouart le 18 avril à Karlsruhe, lui avait ordonné d'abandonner

---

1. Les Seiler dissimulaient dans leur cave plusieurs caisses métalliques qui contenaient les plans d'un futur chasseur à réaction Messerschmitt. En vertu des accords interalliés, ces plans, découverts par un soldat français, seront remis aux Américains.

2. A trente kilomètres au nord de Berlin. Le premier des camps de concentration créés par Goering, le 4 février 1933.

l'attaque frontale contre la Forêt-Noire au profit d'une action d'anéan-tissement des forces allemandes stationnées le long du Rhin jusqu'à la Suisse ET d'un raid en direction d'Ulm.

Évoquant cette offensive menée suivant deux axes différents, l'un en direction du sud, l'autre de l'est, le général de Gaulle, après avoir écrit que le découplement de nos forces pouvait comporter de grands risques, ajoute : « Mais l'ennemi en est amené à ce point de désorganisation que tout ce qui est fait contre lui s'arrange et se justifie[1]. » Certes, tout « s'arrange » et l'audace « se justifie », mais moins facilement qu'imaginé lorsque, le temps ayant passé, ces victoires nous semblent « aller de soi » dans une Allemagne chance-lant sous les coups qui, de partout, lui étaient assenés.

Dans leur conquête du pays de Bade, les hommes de la 9e division d'infanterie coloniale, qui progressent dans un couloir de plus en plus étroit entre le Rhin et la montagne, se heurtent à une sérieuse résistance. Mais, le 21 avril, Fribourg, débordée par l'est, l'ouest et le nord, est prise presque sans combat[2].

De Lattre, qui, depuis le débarquement de Provence, envoie chaque soir au général de Gaulle le compte rendu des événements de la journée, peut, ce soir-là, télégraphier que, « dans la plaine de Bade, Vieux-Brisach[3] et Fribourg sont tombés entre nos mains » et que « l'enveloppement de la Forêt-Noire est achevé ».

Les troupes opposées à la 9e D.I.C. avaient résisté sans espoir mais pour permettre à la 18e *SS Armee Korps,* commandée par le général Keppler, de se réoganiser en trois colonnes qui, dans la nuit du 24 au 25 avril, débouchent sur les arrières de Béthouart en direction des Alpes autrichiennes ou bavaroises.

Submergeant les faibles points d'appui français — ici une compa-gnie, là une section et une batterie d'artillerie —, se heurtant aux positions les mieux défendues — comme à Aasen où s'est retranché le 1er régiment de tirailleurs marocains du commandant Bastiani —, les divisions allemandes constituent une menace pour toute notre ma-nœuvre.

---

1. *Mémoires de guerre*, t. III.
2. Les forces françaises étaient commandées par le général Valluy.
3. Des éléments du groupement de choc n° 3 (lieutenant-colonel Bouvet), stationné en Alsace, ont franchi le Rhin pour faire la jonction à Vieux-Brisach avec les premiers soldats du groupement Landouzy.

Les promptes réactions de De Lattre, qui a envoyé immédiatement des renforts au 1er corps d'armée, et celles de Béthouart disloqueront bientôt les forces adverses, empêcheront celles qui subissaient l'attraction de la Suisse de franchir la frontière[1] et ne leur laisseront bientôt plus le choix qu'entre la mort et la capture.

« Pratiquement, écrit Béthouart[2], cette échauffourée du 25 avril, au cours de laquelle le 18e corps d'armée SS a été entièrement détruit, est notre dernier gros combat de la guerre. »

Débarrassé de toute préoccupation sur ses arrières, apprenant par la radio suisse que Constance, « cette ville enchanteresse », écrit à sa mère Bernard de Lattre[3], a été occupée le 26 avril, Béthouart peut organiser la ruée vers l'Autriche, l'esprit d'autant plus libre qu'il a magnifiquement rempli son contrat. Comme de Lattre le lui avait demandé, il a non seulement détruit les forces allemandes qui résistaient en Forêt-Noire, mais encore pris Ulm, quelques heures avant l'arrivée des Américains.

Deux axes différents ; deux batailles différentes ; deux victoires.

C'est le 19 avril, à 8 heures du matin, que, selon la formule de De Lattre, le « coup de pistolet du départ » a été donné depuis Freudenstadt aux *Combat Command* 1 et 2[4] ainsi qu'au groupement Le Bel. Après que les chars de la 1re D.B. et les tirailleurs du 30e zouaves ont

---

1. De Gaulle, dans ses *Mémoires de guerre,* note que le général Guisan, commandant en chef helvétique, avait beaucoup insisté pour que des troupes françaises viennent border la frontière le long du Rhin, depuis Bâle jusqu'au lac de Constance.
De Lattre *(Histoire de la première armée française)* a précisé que, répondant aux inquiétudes des Suisses, il avait, par sa Note d'orientation no 11, ordonné au 1er corps d'armée de continuer sa poussée en direction de Bâle, puis de Waldshut (ville à mi-chemin entre Bâle et Schaffhouse), ce qui fermait la frontière germano-suisse.
2. *Cinq années d'espérance.*
3. Lettre du 28 avril. Bernard de Lattre se bat dans les rangs du 2e dragons. Constance, « ville sanitaire », a été protégée non seulement par des drapeaux blancs, mais aussi, au dernier moment, par de nombreux pavillons blanc et jaune, aux couleurs pontificales.
4. Je le rappelle : un *Combat Command* représente le tiers d'une division blindée.

fait « sauter la croûte » que l'ennemi avait tenté de mettre en place, les opérations se sont accélérées.

Le 15 avril, de Lattre avait dit à Béthouart : « La véritable manœuvre consiste à marcher tambour battant pour être à Ulm le 25 avril. »

C'est le groupement du commandant Charles Vallin qui, le premier, a signalé qu'il venait de franchir le Danube. Le passage a eu lieu à 11 h 30 à Mülheim. Dans l'après-midi et dans la soirée, d'autres unités, s'assurant de plusieurs ponts, traverseront le fleuve. Elles connaîtront une nuit très agitée, des détachements allemands, ignorant qui occupe quoi, cherchant, tête baissée mais armes prêtes, à s'échapper de la souricière.

Le 21 avril, de Lattre fait porter à Béthouart, à qui il confie la 5e D.B., dont la puissance vient s'ajouter à la puissance de la 1re D.B.[1], cette lettre dans laquelle les ordres sont comme enveloppés par un fraternel enthousiasme.

    « Mon cher Béthouart,

J'apprends que tu es à Donaueschingen et à Tuttlingen et que tu as franchi le Danube à Mülheim. Bravo !

Pousse pleins gaz sur *Sigmaringen*[2].

A Sigmaringen, boucle tout — tiens-le en force —, mets-y un patron *solide et dur*[2] —, quelqu'un auprès de lui qui boucle les " politiques " et garde silence jusqu'à ma venue.

Cela étant, depuis Sigmaringen ou parallèlement à Sigmaringen, par le sud du Danube, *vole sur Ulm* par tous itinéraires, par tous moyens.

Les Américains nous en délogeront peut-être. Mais le drapeau français y aura flotté. [...]

Je te félicite de ta rapide et vigoureuse action. Plus que jamais, je te fais confiance à toi et à tes magnifiques subordonnés.

Dis-leur à tous, à ton chef d'état-major, à *Hesdin*[2], à *Sudre*[2], à *Lebel*[2], tous mes compliments les plus chaleureux.

---

1. Le général de Vernejoul est nommé au commandement de l'armée blindée du 1er corps d'armée.
2. En italiques dans le texte.

Transmets à toutes tes ardentes troupes mon admiration et ma gratitude.

C'est du magnifique travail, à la française.

Bien affectueusement à toi. »

C'est le 22 avril que le commandant Vallin, à la tête de l'un des trois groupements du *Combat Command* 1[1], arrive à Sigmaringen.

Il est 11 h 20.

Nous le retrouverons...

Ses camarades « volent » vers Ulm. « Voler », le mot n'a rien d'inexact. Les groupements de Beaufort et Labarthe couvriront, le 22 avril, une étape de 60 kilomètres. Pour ceux qui ont vécu le drame de juin 1940, quelle revanche !

En compétition avec la 10ᵉ division blindée américaine, les hommes du 5ᵉ escadron du 3ᵉ chasseurs d'Afrique et du 3ᵉ zouaves prennent pied, dix heures avant les Américains, dans les premières maisons de la vieille ville.

Cependant, l'assaut général ne sera donné que le 24 avril, en liaison avec les Américains qui occupent la ville. Seul y demeurera un détachement français symbolique auquel de Lattre rendra, le 2 mai, une visite houleuse. Alors qu'il avait rêvé d'être reçu par des soldats conscients de la grandeur du moment, la vue de trouffions « sales, pas rasés, tachés de graisse[2] », errant dans la ville détruite et « lutinant des filles farouches et affamées[2] », le jette dans une colère dont un témoin — Bernard Simiot — écrira qu'elle fut « dramatique ». « Quand on a l'honneur d'être à Ulm... », lance-t-il aux officiers responsables, auxquels il inflige trente jours d'arrêt de forteresse pour s'être montrés indignes de l'Histoire et des souvenirs de la victoire du 20 octobre 1805 lorsque l'armée napoléonienne avait, avec la ville, pris 40 drapeaux et capturé 27 000 Autrichiens.

Pour justifier l'entrée de ses troupes à Ulm, de Lattre avait écrit au général Devers — qui lui demandait d'« arrêter immédiatement » la marche de ses éléments avancés[3] — une lettre dans laquelle il évoquait

---

1. Les *Combat Command* 1 et 2, qui marchent sur Ulm, sont commandés par le général Sudre.
2. Bernard Simiot, *De Lattre*.
3. Message du 23 avril dans lequel Devers précise les menaces d'un « heurt sérieux avec la VIIᵉ armée, si la Iʳᵉ armée française ne borne pas ses opérations à la zone d'action qui lui a été assignée ».

les souvenirs de la Grande Armée et les titres que la victoire de 1805 donnait à la Ire armée de 1945.

Qu'un général américain demeure insensible aux souvenirs d'une histoire pour lui bien lointaine, de Lattre peut le comprendre, mais que des Français n'aient pas conscience qu'en marchant sur les traces des vainqueurs de 1805 ils viennent d'effacer plus de quatre années d'humiliations blesse un homme qui, de la fierté et des symboles physiques et moraux dont elle s'entoure, a toujours fait un élément du redressement national.

« Je veux, dira-t-il à Bondoux, son chef de cabinet, que ces garçons gardent sur eux le témoignage de ce qu'ils ont su donner au pays et le signe de ce qu'ils devront continuer à lui donner. Je veux qu'ils sachent qu'ils doivent être fiers... » C'est donc au nom de la fierté patriotique qu'il « inventera », ce jour-là, de baptiser, dans les eaux des deux fleuves soumis, son armée *Rhin et Danube*.

Les mots apparaissent pour la première fois dans l'ordre du jour n° 8 daté du 24 avril, à l'occasion de la prise d'Ulm.

> « *Officiers, sous-officiers, caporaux et soldats*
> *de la Première Armée française*
>
> Vous venez d'inscrire
> sur vos Drapeaux et sur vos Étendards
> deux noms chargés d'Histoire et de Gloire française :
>
> **RHIN ET DANUBE** »

On garde en mémoire l'ordre donné le 21 avril par de Lattre à Béthouart : « A Sigmaringen, boucle tout — tiens-le en force —, mets-y un patron *solide et dur* —, quelqu'un auprès de lui qui boucle les " politiques " et garde silence jusqu'à ma venue. »

Le patron « solide et dur », ce sera le commandant Vallin, qui a pris la ville dans la matinée du 22 à la tête du 3e zouaves et qui vient de recevoir l'ordre suivant : « Si vous trouvez de hautes personnalités, rendez compte immédiatement et gardez-les jusqu'à nouvel ordre. »

Vallin ne trouvera à Sigmaringen aucun de ceux — Pétain, Laval — que les Allemands avaient, contre leur gré, entraînés dans leur retraite, aucun de ceux — Brinon, Luchaire, Déat, Darnand — qui n'avaient cessé de placer leurs espoirs dans le succès des armes secrètes pour s'ouvrir, dans une France « libérée des communo-gaullistes », la route de toutes les revanches.

Mais quel étrange destin que celui de Charles Vallin ! Et comme il est symbolique des évolutions psychologiques et politiques de l'époque.

C'est à un homme qui avait, pendant plus d'un an et demi, défendu la personne et la politique du Maréchal qu'il était, en effet, ordonné de mettre Pétain sous bonne garde s'il le découvrait dans quelque pièce du château des Hohenzollern.

Lieutenant de réserve dans un bataillon de chasseurs à pied, Charles Vallin s'était fait un point d'honneur à ne jamais mettre en avant son titre de député du IXe arrondissement de Paris pour solliciter et obtenir une faveur qui, pendant la « drôle de guerre », l'aurait éloigné de ses soldats. Les 9 et 10 juin, avec les autres unités de la 14e division d'infanterie — la division de Lattre —, son bataillon avait héroïquement et victorieusement tenu sur l'Aisne. Entraîné dans la retraite générale, Vallin et les siens s'étaient battus, à Nevers, jusqu'à la dernière cartouche. Isolé, le lieutenant Vallin avait rusé pendant dix jours avec les colonnes ennemies avant de rejoindre, à Champeix, dans le Puy-de-Dôme, le P.C. de sa division.

Homme de droite, vice-président du Parti social français, collaborateur et ami du colonel de La Rocque, Vallin, entré « en pétainisme » après l'armistice, avait prouvé la force de son engagement non seulement par son action au sein de la Légion des combattants, dont il avait été l'un des responsables, mais encore en acceptant de participer au « Conseil de justice politique », créé le 28 janvier 1941 par décision du Maréchal[1].

Vallin allait cependant évoluer considérablement puisque, au cours

_____

1. Conseil de huit membres dont les propositions avaient permis au chef de l'État d'ordonner, le 14 octobre 1941, la détention, dans une enceinte fortifiée, d'Édouard Daladier, de Paul Reynaud, Léon Blum, Georges Mandel et du général Gamelin, bien avant l'ouverture de leur procès qui débuterait, devant la Cour suprême de justice réunie à Riom, le 19 février 1942 seulement.

de l'été 1942, retrouvant, à Montpellier, de Lattre, alors commandant de la 16ᵉ division militaire, il avait confié à son ancien chef sa volonté de rejoindre de Gaulle.

Sans doute, comme bon nombre de Français, avait-il été heurté par le retour au pouvoir, en avril, de Pierre Laval, retour qui marquait l'effacement de Pétain, mais sa rencontre avec Pierre Brossolette, le 16 juin 1942, avait compté pour beaucoup dans sa décision.

L'universitaire reçu premier à l'École normale supérieure, l'ancien éditorialiste de politique étrangère du *Populaire,* l'ancien éditorialiste du clandestin *Résistance,* l'ami des socialistes de *Libération Nord* comme du monarchiste Rémy et des catholiques bourgeois de l'*Organisation civile et militaire,* s'était trouvé mal à l'aise en découvrant à Londres, où il était arrivé en avril 1942, que les milieux politiques français s'organisaient et se disputaient encore selon les idées, les préjugés et avec les mots de l'avant-guerre. C'est en vain qu'il s'était efforcé de convaincre ses amis que ces querelles n'avaient plus cours en France où la ligne de démarcation passait désormais entre résistants de toutes origines sociales et politiques et collaborationnistes venus, eux aussi, de tous les horizons.

Toutefois pour Brossolette, rejoindre Londres en compagnie du P.S.F. Charles Vallin, ce n'était pas seulement, selon le mot de Noguères[1], ramener « une belle prise » mais, avec l'assentiment de De Gaulle, prouver combien l'opinion de la zone non occupée avait changé, élargir le cercle des adhésions autour du chef de la France libre, diminuer le cercle des fidèles du chef de l'État français.

L'opération d'enlèvement de Brossolette, de Vallin et de plusieurs résistants s'était soldée, en septembre 1942, par un demi-succès. Partant de Narbonne-Plage, Brossolette, Vallin, Dutey, ainsi qu'un pilote de la R.A.F., le lieutenant-colonel Henry, avaient pu gagner sans encombre le navire britannique croisant au large.

Un autre voyage aurait dû permettre le départ de Cavaillès, de Christian Pineau et de Saint-Geniès. Il n'y avait pas eu de second voyage, l'intervention de douaniers et de gendarmes de Vichy ayant conduit à l'arrestation des trois derniers résistants, puis à leur emprisonnement à Montpellier[2].

---

1. *Histoire de la Résistance en France,* t. 2, p. 578.
2. D'où Christian Pineau — qui sera plus tard déporté — s'évadera lors de l'invasion de la zone libre. Transféré dans le camp d'Eyjeaux, Cavaillès pourra

A Londres, l'arrivée de Vallin avait surpris, puis scandalisé ces milieux politiques dont Passy devait dire qu'ils étaient composés de « sectaires endurcis », ne perdant pas « une occasion de se présenter comme les seuls authentiques et farouches défenseurs de la République, de la démocratie, de la liberté ».

Au lieu d'applaudir une conversion, ils dénonçaient une provocation.

Il faut ajouter que Brossolette avait promis à Vallin un poste de commissaire national. Aurait-il pu le faire sans l'accord de De Gaulle ? Non, mais le Général, absent de Londres depuis le 5 août, ne devait revenir dans la capitale britannique que le 25 septembre, trop tard pour calmer l'indignation de ceux qui voyaient en Vallin un pétainiste imparfaitement repenti[1] et l'hostilité de ceux qui craignaient un redoutable concurrent politique.

Cependant, Vallin avait pris la parole à la B.B.C. le 17 septembre.

En expliquant les raisons de son ralliement à de Gaulle, Vallin, le pétainiste d'hier, avait fait un transfert d'affection et de foi patriotiques sur de Gaulle.

Vichy ne s'était d'ailleurs pas trompé sur la portée que pouvait avoir ce discours auprès des légionnaires, des anciens P.S.F. et de toute l'opinion modérée puisque, après avoir demandé à la presse de dénoncer Vallin et ses propos, les consignes ordonnaient le silence.

De Gaulle ne s'y était pas davantage trompé. A Adrien Tixier, qui, depuis Washington, manifestait quelque émotion, il écrira : « ... Les " Croix-de-Feu " ont été très secoués par le ralliement de Vallin qui correspond à l'évolution de la plupart et de la meilleure part de leurs membres. Pétain perd, de ce fait, un de ses principaux appuis. Cela n'est pas à négliger dans notre bataille. »

---

s'évader le 9 décembre 1942 grâce à Lucie Aubrac et au réseau *Libération*. Repris par la Gestapo le 28 août 1943, après avoir été trahi par son agent de liaison, il sera tué dans des circonstances mal connues, et son corps sera, en 1945, retrouvé à Arras, dans un charnier.

1.   On lui faisait notamment grief de dire — et de vouloir dire sur les antennes de la B.B.C. — que le retour de Laval avait imprimé « une orientation nouvelle » à la politique de Vichy.

Pour la plupart des Français qui se trouvaient alors à Londres, il était entendu qu'avec ou sans Laval la politique de Vichy était fondamentalement erronée.

On pouvait utiliser Vallin.

On refusait de l'intégrer.

Et Vallin, méprisant, avait abandonné ses détracteurs à leurs immenses et médiocres ambitions. Engagé dans une unité combattante, son parcours allait d'abord le conduire chez Leclerc au Tchad, puis au Tibesti. Après un passage, à Alger, au cabinet du général de Gaulle, il avait participé aux batailles qui seront la suite et la conclusion du débarquement en Provence. Nommé au commandement du 3e bataillon de zouaves porté avant l'offensive de la trouée de Belfort, il avait libéré Altkirch ; pris part aux combats pour Colmar ; franchi le premier le Danube et, dans la matinée du 22 avril, il venait d'arriver à Sigmaringen, au pied du rocher sombre que dominait la masse du château des Hohenzollern [1].

Une fois éliminées les faibles résistances de fonctionnaires qui tiraient mal, c'est accompagné du capitaine André que Vallin se présente devant la poterne. Il est 11 h 20.

Comme des « visiteurs du dimanche », les deux officiers agitent la cloche. La lourde porte bardée de fer s'ouvre enfin sur cinq ou six personnages « engoncés dans leurs costumes noirs et leurs faux cols rigides [2] ».

Vallin avise le plus majestueux.

— Parlez-vous français ?

L'homme s'incline.

— C'est vous le propriétaire du château ?

— Non, monsieur. Je suis, précise-t-il avec un rude accent tudesque, je suis le valet de chambre du maréchal Pétain...

— Où est le maréchal Pétain ?

— Je ne sais pas.

Dans la cour, André et Vallin se heurtent à la dame de compagnie

---

1. Le groupement Vallin, qui a franchi le Danube et pris Sigmaringen, comprenait, avec le 3e zouaves, le 2e escadron du 2e cuirassiers, commandé par le capitaine Fougère qui sera tué quelques heures plus tard à l'est de Sigmaringen.

2. Les citations se rapportant à l'action de Charles Vallin à Sigmaringen sont extraites d'un récit de Vallin publié sous le titre « L'Intermède de Sigmaringen » dans *Reconquérir,* du maréchal de Lattre.

de la princesse de Hohenzollern. Une femme vêtue de noir, solennelle et revêche, qui leur demande, avec toute l'autorité de sa fonction :

— Où allez-vous ?

— Nous voulons visiter le château, réplique Vallin avec une grande impatience dans le ton.

La dame de compagnie présente alors à l'officier français Son Altesse Royale, le prince de Saxe, frère du prince de Hohenzollern, petit homme insignifiant qui se lance dans une explication généalogique que Vallin interrompt pour ordonner aux officiers, qui l'ont rejoint, d'organiser la défense de la ville, de placer des postes de garde à toutes les issues du château et de faire hisser le drapeau français sur la plus haute tour.

Précédé par le prince de Saxe, par le valet de chambre du Maréchal, par plusieurs membres de « l'administration princière », Vallin commence ensuite la visite par le bureau de Pétain où le désordre témoigne d'un départ précipité. Les Allemands assurent que le Maréchal, parti la veille pour une destination inconnue, a été tué à la sortie de la ville et que tous les Français qui occupaient le château ont quitté Sigmaringen bien avant lui.

Parmi les papiers abandonnés sur les tables, Vallin ramasse en « souvenir » le répertoire des numéros de téléphone des hôtes d'occasion du château : le *Präsident* Laval ; *Frau* Pétain ; le *Botschafter* (ambassadeur) de Brinon.

Maîtresse des lieux, la princesse de Hohenzollern, femme assez jeune encore, aux cheveux blonds, au profil anguleux, « élégante, un peu trop pour la circonstance... et qui se croit manifestement au bar du Ritz plutôt qu'au P.C. d'un officier ennemi », proposera plus tard au commandant Vallin de faire préparer à son intention la chambre qu'occupait le Maréchal.

— Non, madame, je ne coucherai pas au château.

— Et pourquoi ?

— Je n'aime pas les fantômes.

LE SOLITAIRE DE SIGMARINGEN

A Sigmaringen, en effet, seuls des fantômes hantaient encore les lieux. Tous les occupants français du château et de la ville s'étaient éparpillés vers des destins différents.

Dès le 5 avril, le maréchal Pétain, apprenant par la radio que les autorités françaises se disposaient à le mettre en accusation, par contumace, devant la Haute Cour de justice et que les débats s'ouvriraient le 24 avril, avait demandé au Führer de le faire conduire à la frontière française.

« Je ne puis, sans forfaire à l'honneur, écrivait-il, laisser croire, comme certaines propagandes tendancieuses l'insinuent, que j'ai cherché refuge en terre étrangère pour me soustraire à mes responsabilités.

C'est en France seulement que je peux répondre de mes actes et je suis le seul juge des risques que cette attitude peut comporter.

[...]

Vous comprendrez certainement la décision que j'ai prise de défendre mon honneur de chef et de protéger par ma présence tous ceux qui m'ont suivi. C'est mon seul but. Aucun arrangement ne saurait me faire renoncer à ce projet. A mon âge, on ne craint plus qu'une chose : c'est de n'avoir pas fait tout son devoir et je veux faire le mien [1]. »

---

1. Le 23 juillet 1945 lors de la première audience du procès Pétain, le bâtonnier Payen devait donner lecture de cette lettre, dont la copie se trouvait dans les bagages du Maréchal.

Hitler, qu'accablaient bien d'autres soucis que le sort du maréchal Pétain — le 5 avril, les Soviétiques sont dans les faubourgs de Vienne, de Dantzig, de Königsberg, et les Américains avancent en direction de la Ruhr —, n'allait pas répondre à l'ancien chef de l'État français. Le 20 avril, cependant, il lui fit dire par Reinebeck, qui avait remplacé Abetz auprès du Maréchal, qu'il eût à se tenir prêt à quitter Sigmaringen dès le lendemain pour se diriger non point vers la France mais, tout au contraire, vers l'est où se regroupaient, sous la double poussée russe et franco-américaine, les dernières forces allemandes.

Les protestations du Maréchal auprès de Reinebeck, l'émotion manifestée par le général Debeney, par l'amiral Bléhaut et par Mme Pétain allaient se révéler initialement sans influence auprès de Reinebeck, de Tangstein — le remplaçant de von Renthe-Fink — et de Biemelburg, chef de la Gestapo, l'homme qui, à Vichy, avait dit, le 20 août 1944 : « S'il faut mettre les menottes au Maréchal, je les mettrai. »

Le cortège se mit donc en route, le 21 avril, à 4 h 30 du matin. Il s'agissait d'échapper à la chasse alliée, maîtresse du ciel. Deux voitures de la Gestapo précédaient celles du Maréchal, du général Debeney, de l'amiral Bléhaut ainsi que la voiture des bagages.

Sur des routes encombrées de convois militaires et de colonnes de civils en fuite, il fallut quatre heures trente pour couvrir les 120 kilomètres séparant Sigmaringen de Wangen où nul n'attendait les Français. Les habitants, bientôt accourus sur la place de la ville, les regardèrent d'abord « comme des bêtes curieuses », selon le mot de Mme Pétain, qui a laissé de ce voyage un récit riche en précisions[1], auquel j'emprunterai comme ont emprunté tous ceux qui ont fait revivre les dernières heures du Maréchal en Allemagne.

Pour se débarrasser de la foule, le maire fit sonner l'alarme, puis il conduisit les Français à son domicile où sa femme et ses filles leur offrirent café, pain et saucisses, cependant que Reinebeck et Tangstein se concertaient sur la direction à prendre. Au bout d'une heure, ils vinrent annoncer au Maréchal et aux siens qu'ils devaient partir pour le château de Zeill, à trente-cinq kilomètres au nord de Wangen.

---

1. Ce texte, rédigé par Mme Pétain au fort de Montrouge et remis à la Commission d'instruction de la Haute Cour, se trouve notamment reproduit *in extenso* dans Noguères, *La Dernière Étape, Sigmaringen* ; Isorni, *Souffrances et mort du Maréchal* ; et presque intégralement par Brissaud, *Pétain à Sigmaringen*.

C'était s'écarter de la frontière suisse. Mais il fallait se résigner et la petite troupe se mit en route pour Zeill où, dans un château encombré de réfugiés pitoyables — Mme Pétain note la présence de 45 orphelins —, elle fut reçue et installée « le mieux possible [1] ».

La nuit du 22 au 23 avril allait se révéler décisive.

Comme ils avaient appris que les Américains s'étaient emparés d'Ulm, les Français voulaient attendre sur place leur arrivée lorsque, le 22, à 11 heures du soir, Tangstein annonça au général Debeney qu'il fallait à nouveau partir. Debeney ayant fait part du refus du Maréchal, Tangstein organisa une « rencontre » dans la chambre du général Debeney.

Il était minuit.

Derrière la porte close, Mme Pétain écoutait une scène qui allait durer pendant plus de deux heures. Les arguments échangés variaient peu, Tangstein répétant au Maréchal que la situation militaire exigeait le départ, le Maréchal répliquant, d'une voix de plus en plus dure :

— Non. J'attendrai ici les troupes françaises ou américaines. Ma sécurité n'est pas en péril.

Après une heure d'un débat au cours duquel le Maréchal reprocha à Tangstein de lui avoir « toujours menti », l'amiral Bléhaut, convoqué, vint apporter à son chef le renfort de son franc-parler et de son intransigeante correction. Comment était-il possible de croire Tangstein qui affirmait maintenant vouloir conduire les Français vers la Suisse alors que le cortège s'orientait vers le nord, c'est-à-dire en direction d'un réduit qui serait, s'il existait vraiment, celui de la catastrophe finale plus que de la dernière chance ?

A 2 h 15, Mme Pétain, qui avait trop longtemps maîtrisé son impatience, pénétra dans la chambre du général Debeney et interpella Tangstein.

---

1. « Une chambre pour le Maréchal et moi, à côté le général Debeney et, ensuite, l'amiral je ne sais où, dans cet immense quadrilatère qu'est ce château. Nos hommes sont entassés sur des matelas dans une chambre, mais trois viennent s'installer dans un grand corridor devant notre porte, malgré le froid » (récit de Mme Pétain).

— Vous éreintez le Maréchal, voilà deux heures que cela dure. Vous voyez bien qu'il ne partira pas, laissez-le donc tranquille !

— Madame, je vous en supplie, aidez-moi. Je ne fais qu'obéir, je dois assurer la sécurité du Maréchal. Je suis de bonne foi. Nous irons vers la Suisse.

— Bien difficile de vous croire. Laissez le Maréchal se reposer.

En parlant, Mme Pétain et Tangstein avaient gagné le corridor. Tangstein, qui se voulait honnête, et qui le sera, finira par reconnaître qu'il avait bien reçu l'ordre de conduire le maréchal Pétain en Bavière, mais qu'il n'en ferait rien.

— Mais votre gouvernement, demanda Mme Pétain, que dira-t-il ?

— Il n'y a plus de gouvernement... Nous agissons de nous-mêmes.

Tangstein avait beau ignorer que, la veille, Hitler, apprenant l'encerclement presque total de Berlin et l'incertitude qui pesait sur la position des renforts espérés[1], avait lancé à ses généraux que « la guerre était perdue[2] », il lui suffisait de regarder autour de lui pour prendre la mesure du désastre.

C'est à l'instant où il déclarait à la Maréchale qu'il n'obéirait qu'aux ordres de sa conscience que le prince de Woldburg, propriétaire du château, vint annoncer la présence de chars américains à vingt kilomètres de Zeill[3].

« Repris d'une énergie nouvelle[4] », le Maréchal s'écria alors :

— Laissez-moi tranquille, je les attends, je me couche !

Bien que Tangstein ait affirmé qu'il fallait impérativement avoir quitté le château à 6 heures, non seulement le Maréchal se déshabille et se couche, mais encore il s'endort.

---

1. Il s'agit du groupement du général Steiner qui, luttant à 35 kilomètres au nord de Berlin, avait reçu mission d'opérer sa jonction avec les XIIe et IXe armées en attaquant en direction du sud afin de couper les avant-gardes de Joukov. Le 23 avril, la contre-attaque de Steiner était arrêtée par la Ire armée polonaise.
2. C'est ce jour-là qu'il informa ceux et celles qui se trouvaient dans le bunker de son intention de se tuer « le moment venu ».
3. Il s'agissait, en réalité, de quelques blindés allemands que les habitants avaient pris, dans la nuit, pour des chars américains.
4. Récit de Mme Pétain.

A 5 h 45, Tangstein, suivi de Reinebeck, ouvre la porte de la chambre du Maréchal.

— Il faut partir !

— Non ! réplique Pétain, brusquement réveillé.

Pelotonné dans son lit, il réplique aux objurgations des deux Allemands.

— Laissez-moi tranquille, je suis fatigué, je n'en peux plus, à mon âge (il aura quatre-vingt-neuf ans le lendemain) on ne supporte pas de fatigues pareilles. Je refuse de me lever... Et puis vous n'avez même pas l'accord de la Suisse pour mon entrée en transit. Si j'avais cette certitude, peut-être que je vous croirais[1].

Tangstein s'offre alors à rencontrer le chargé d'affaires suisse en Allemagne qui se replie, lui aussi, en direction de la frontière.

« On pourra, ajoute-t-il, demander à la Suisse si elle accepte que le Maréchal traverse son territoire. Vous verrez que je suis de bonne foi. »

Durant toute la journée du 23 avril, les hôtes du château de Zeill guetteront la réponse de Berne. Elle arrivera vers 19 heures. Positive.

C'est à 22 h 30 seulement, car les avions alliés surveillent et mitraillent toutes les routes, que le maréchal Pétain, sa petite suite, Tangstein et Reinebeck quitteront Zeill pour Bregenz, à proximité de la frontière suisse. Les deux villes n'étaient distantes que de 80 kilomètres, mais, tant l'encombrement était grand sur la route d'un exode sans but, il fallut aux Français quatre heures trente pour atteindre Bregenz où, par un froid glacial, on leur offrit l'hospitalité d'un petit hôtel.

Échappant au bombardement matinal de Bregenz, ils devaient, le 24 avril, après avoir couvert, entre 9 h 30 et 10 heures, les dix kilomètres qui les séparaient de Saint-Margrethen, atteindre le poste frontière suisse.

La barrière se leva.

Ainsi prenait fin l'exil allemand, qui avait débuté le 7 septembre 1944 lorsque, quittant Belfort « sous la contrainte[2] », comme il avait

---

1. Récit de Mme Pétain.
2. Ce sont les termes que le maréchal Pétain emploiera dans la lettre de protestation qu'il remettra le 7 septembre 1944, à 6 h 30, à Renthe-Fink en lui demandant de la transmettre au chancelier Hitler.

quitté Vichy « sous la contrainte et par la force », le Maréchal avait pris la route de Sigmaringen.

Sigmaringen avait été un théâtre d'ombres querelleuses.

C'est quelques semaines avant l'arrivée, dans cette petite ville « somptueuse et irréelle [1] », du maréchal Pétain, de Pierre Laval, des ministres, des journalistes, des miliciens, des hommes qui fuyaient la libération de leur pays et des familles enchaînées à leur sort, que tout s'était joué entre quelques acteurs démonétisés se disputant un pouvoir peau de chagrin qu'ils entendaient arracher par séduction, ruse ou force, au Maréchal prisonnier depuis le 20 août et résolu à ne rien déléguer.

Les séducteurs, les machiavels, les agresseurs s'appellent Fernand de Brinon, ambassadeur et délégué général du gouvernement français dans les territoires occupés, et Jacques Doriot [2], le chef du Parti populaire français, deux concurrents, avec des moyens différents, habités d'une même ambition.

Auprès d'eux, des comparses : Marcel Déat, Joseph Darnand, Paul Marion [3], Jean Luchaire.

Repliés sur Nancy, Belfort ou Saint-Dié au moment de l'avance alliée en direction de Paris, ces hommes s'accrochaient à toutes les illusions, ce qui leur permettait de nourrir encore d'immenses ambitions.

Ils ne doutaient pas, ne voulaient pas douter, de la victoire allemande, une victoire qui était d'ailleurs leur unique « planche de salut ».

Après s'être moqués de la solitude de De Gaulle et des premiers gaullistes, après avoir pourchassé les résistants, ils tentaient de les imiter, imaginant que les mêmes méthodes auraient les mêmes résultats, les mêmes mots, la même influence. On les verra donc

---

1. Henry Rousso, *Pétain et la fin de la collaboration.*
2. Sur Jacques Doriot, *cf. Les Beaux Jours des collabos.*
3. Secrétaire général à l'Information, puis secrétaire d'État à l'Information jusqu'à son remplacement par Philippe Henriot, le 6 janvier 1944, il deviendra, sans pouvoir réel, secrétaire d'État auprès de Pierre Laval, chef du gouvernement.

parachuter, en direction d'inexistants maquis miliciens, des hommes perdus d'avance, créer à leur tour un Comité de libération, en annoncer la naissance sur Ici la France, caricature d'Ici Londres.

Depuis une Angleterre menacée de mort, de Gaulle avait lancé, le 18 juin 1940, des paroles qui s'étaient révélées prophétiques. Marcel Déat, à Belfort, dernière étape de la collaboration avant l'entrée dans une Allemagne menacée de mort, croira pouvoir annoncer dans l'*Écho de Nancy,* du 25 août 1944, non seulement « un prompt redressement » de l'armée allemande, mais encore que le gouvernement français, un gouvernement « nouveau », révolutionnaire, « fort et délivré des équivoques », était « désormais en mesure de remplir ses tâches ».

Le gouvernement? Mais quel gouvernement? Le 25 août 1944, lorsque l'*Écho de Nancy* publie l'article de Déat, le gouvernement de Vichy n'a plus aucune existence.

Le 20 août, dans sa lettre de protestation au Führer, le maréchal Pétain avait écrit que l'acte de force qui le contraignait à quitter Vichy pour une destination inconnue le plaçait « dans l'impossibilité d'exercer [ses] prérogatives de chef de l'État français ».

Son ultime message aux Français a débuté d'ailleurs par ces mots sans ambiguïté : « Au moment où ce message vous parviendra, je ne serai plus libre [1]... »

« Prisonnier. » Philippe Pétain redira le mot lorsque, dans la soirée du 21 août, il sera accueilli, à la préfecture de Belfort, par Pierre Laval, Bichelonne [2], Gabolde [3], Marion et le préfet Lalanne.

— Je suis un prisonnier et un prisonnier ne connaît que ses gardiens. Je me refuse à voir qui que ce soit et je ne communiquerai avec personne. Je suis prisonnier des Allemands. Je n'exerce plus mes fonctions de chef de l'État.

Ferme sur sa position, Pétain ne cessera, dès le mois d'octobre 1944, de manifester auprès des Allemands son désir de retourner en France

---

1. On trouvera ce texte dans *Joies et douleurs du peuple libéré,* p. 446-447.

A Moulins, où le Maréchal et sa suite s'arrêtèrent le 20 août, de 10 h 45 à 11 h 40, le message (ainsi que la lettre à Hitler) fut ronéotypé. « A partir de Moulins, jusqu'à Belfort, écrit Brissaud *(Pétain à Sigmaringen),* les occupants français du convoi ne cessèrent de jeter par les portières, à chaque traversée de village, les textes ronéotypés. »

2. Ministre de la Production industrielle.

3. Ministre de la Justice.

libérée pour y comparaître devant un tribunal et, de prisonnier des Allemands, devenir prisonnier des Français.

Le Maréchal n'exerçait plus ses fonctions mais, au mois de novembre 1942, ayant délégué ses pouvoirs à Pierre Laval, il avait réglé la succession du chef de l'État. L'acte n° 4 quinquiés précisait que le Conseil des ministres, sous la présidence du chef du gouvernement, aurait à assurer l'intérim et à procéder à l'élection d'un nouveau chef de l'État.

« Théoriquement, écrit Louis Noguères [1], Pierre Laval et les ministres en exercice étaient [donc] les successeurs du Maréchal. » Or, le jeudi 17 août 1944, avant d'être contraint par les Allemands à quitter Paris, Pierre Laval avait fait savoir à Abetz qu'il « cessait d'exercer ses fonctions ». Toutefois, le 21, à Belfort, répondant à l'affirmation de Pétain : « Je suis prisonnier », il modifierait sa position et s'en expliquerait devant le Maréchal en disant que, si son intention première avait été de démissionner, il avait changé d'avis car sa démission « permettrait la formation d'un gouvernement Brinon-Doriot-Déat ». Bien décidé à ne faire aucun acte gouvernemental il entendait, en ne démissionnant pas, éviter que les « ultras » n'aient le champ libre.

Il ne réussira pas.

Depuis leur victoire de juin 1940, les Allemands avaient toujours voulu avoir, en face d'eux, en France (au contraire de ce qui se passait dans les autres pays occupés) un gouvernement ayant les apparences, et plus que les apparences, de la légalité.

A la fin de 1944 et en 1945, alors que Vichy n'existe plus, ils maintiendront leur position initiale. Ribbentrop puis Hitler demanderont à Brinon, à Déat, à Doriot tout à la fois de créer un gouvernement « révolutionnaire » et d'obtenir que ce gouvernement soit nommé par le Maréchal, Hitler invoquant la force qu'un gouvernement « tire toujours de la légalité » !

Ainsi les Allemands croyaient-ils à la vertu politique de ce qui n'était plus qu'une fiction, car ils entendaient, selon le mot de

---

1. *La Dernière Étape, Sigmaringen.*

Noguères, « avoir toujours à leurs côtés une formation valable qu'ils [puissent] qualifier de " gouvernement français " ».

Ribbentrop a été le maître d'œuvre et le meneur de jeu d'une complexe opération politique qui tient de la prestidigitation et de l'entôlage.

Il faut rendre ici hommage à Louis Noguères et à Henry Rousso[1]. C'est grâce à leurs travaux basés sur les comptes rendus établis par Paul Schmidt, interprète du Führer, que nous connaissons la teneur des entretiens que Ribbentrop, ministre des Affaires étrangères du Reich, a eus, entre le 23 et le 31 août 1944, successivement avec Brinon ; Darnand et Brinon ; Déat et Marion ; Doriot ; Brinon, Déat, Darnand et Marion ; Brinon enfin[2].

Avant de recevoir les Français au château de Steinhort, près de Rastenburg, en Prusse-Orientale, Ribbentrop ignore encore qui, de Brinon ou de Doriot, il choisira de proposer au Führer pour succéder au décevant Laval.

Reçu le premier, le 23 août, Brinon a fait immédiatement des offres de service. Comprenant qu'il avait en Doriot un redoutable concurrent, il s'efforcera de le discréditer habilement dans l'esprit du ministre des Affaires étrangères du Reich en expliquant que l'homme a certes des qualités, mais que cet ancien communiste — le mot sera répété pour bien faire entendre à Ribbentrop qu'avec Doriot le loup

---

1. Louis Noguères, dont le livre, *La Dernière Étape, Sigmaringen*, a paru en 1956, a publié, à partir des pièces du dossier Pétain, destiné à la Haute Cour, deux des entretiens de Ribbentrop avec les Français, ainsi que le compte rendu intégral de l'entrevue accordée par Hitler. Il a suivi les textes de Paul Schmidt.

Henry Rousso, dans son livre, *Un château en Allemagne*, publié en 1980, puis réédité en 1984 sous le titre *Pétain et la fin de la collaboration* (livre auquel font référence toutes mes citations de l'œuvre de Rousso), a pris connaissance de la totalité des comptes rendus de l'interprète de Hitler. Certains d'entre eux étant totalement inédits, leur publication est du plus vif intérêt. Rousso a « traduit » en style direct *(ce que ne fait pas Noguères)* des documents rédigés en style indirect, ce qui donne plus de vie et de force au récit. La méthode n'étant cependant pas exempte de risques, Rousso a pris soin de préciser qu'il avait « respecté scrupuleusement les indications de Schmidt ».

2. Brinon, le 23 août ; Darnand et Brinon, le 28 ; Déat et Marion, le 28 ; Doriot, le 29 et le 30 ; Brinon, Déat, Darnand et Marion, le 31 août ; Brinon, seul, le 31 août.

communiste serait introduit... dans la « bergerie » nationale-socialiste — ne saurait, en aucun cas, devenir le chef du « nouveau gouvernement ».

Au passage, Brinon n'a pas épargné Laval, qui, deux jours plus tard, refusera, malgré la pression d'Abetz, de se rendre à Steinhort, parce qu'il ne lui « était plus possible d'exercer ses fonctions sous la contrainte allemande » et, ajoute Brinon, parce qu'il croit que l'Allemagne a perdu la guerre.

La « candidature » de Brinon sera appuyée par Darnand et Déat, qui lui succèdent chez Ribbentrop sans avoir conscience de l'indécence de leur démarche. Ces misérables quémandeurs, révolutionnaires en peau de lapin, insistent tous sur une notion qui leur tient à cœur : le respect de la légalité du maréchal Pétain, dont il leur importe avant tout d'avoir la caution.

Le maréchal Pétain se trouvera donc au centre des entretiens Ribbentrop, Brinon, Déat, Darnand, Marion.

Vieux roi sans royaume, sans troupes et sans moyens, roi qui a d'ailleurs abdiqué et, captif, ne se déplace plus que sous escorte ennemie, Pétain demeure, pour les ultras de la collaboration, qui l'ont toujours jugé antiallemand, mais n'ont jamais osé attaquer sa personne et salir son image, le dépositaire de la légalité en vertu du vote émis par l'Assemblée nationale le 10 juillet 1940 !

Brinon, Déat, Darnand — et Marion, qui ne jouera qu'un rôle mineur —, tous entendent donc avancer sous le « parapluie » Pétain. Oh ! avec hypocrisie. Ils sont bien d'accord avec Ribbentrop qui a dit, le 28 août, devant Déat et Marion : « La légalité de Pétain ou de Laval, pour la collaboration franco-allemande, ne peut être qu'une légalité de façade et non une vraie légalité », mais comme ils tiennent à cette légalité de façade ! Écoutons...

> *Déat :* Pétain... est un vieux monsieur, il souffre de pertes de mémoire, dont on peut tirer habilement parti en lui faisant signer les documents nécessaires et prononcer le discours dont on a besoin [1].
>
> Et encore : « Il faut présenter ce [nouveau] gouvernement sous un " emballage Pétain ". La présence symbolique du Maréchal est nécessaire. »

---

1. Le 28 août.

> *Marion :* Tout gouvernement se plaçant en dehors de la légalité se verrait considérer forcément comme une clique de traîtres, ne vivant que de l'argent des Allemands et soutenu par leurs baïonnettes. C'est pourquoi il s'agit d'« arracher » au Maréchal, par n'importe quel moyen, la légalité.
>
> *Brinon :* Je pense que le concours du Maréchal est préférable à n'importe quelle autre solution. Le Maréchal jouit toujours auprès des Français d'un grand prestige.

Ainsi la volonté de faire patronner par le Maréchal un gouvernement « révolutionnaire » habitera-t-elle jusqu'à la fin les comploteurs de Steinhort.

C'est à la lumière de ce qui s'est dit, en août 1944, dans ce château de Prusse-Orientale, que l'on pourra « apprécier » les nombreuses tentatives de la « captation de légalité » dont Brinon se rendra coupable à Sigmaringen.

Un homme, qui n'est pas encore entré en scène, tranche cependant sur la frilosité de ces « révolutionnaires » incapables de se passer du vieux Maréchal. Il s'agit de Doriot.

Lui ne s'embarrassera pas du parapluie de la légalité. Reçu le 29 août en compagnie de son ami et protecteur Joseph Bürckel, *Gauleiter* du Palatinat et de l'ancienne Lorraine annexée[1], il dit à Ribbentrop, après avoir longuement évoqué son parcours de leader communiste puis anticommuniste : « Il n'y a plus rien à faire avec Pétain ou Laval. » Et il approuve Bürckel lorsque celui-ci fait observer avec bon sens : « De Gaulle est parvenu au poste qu'il occupe sans aucune légalité. Cela montre bien, au fond, que ce problème est de peu d'importance. »

Reçu une nouvelle fois par Ribbentrop (mais en tête à tête), il va se

---

1. Joseph Bürckel partageait les mêmes goûts que Doriot pour la bonne chère et les autres plaisirs de la vie. Il se flattait, comme Doriot, d'être issu d'un milieu populaire et allait plaider chaleureusement la cause du chef du P.P.F. auprès de Ribbentrop et de Himmler. La mort de Bürckel, le 29 septembre 1944, devait porter à Doriot, selon Jean-Paul Brunet, l'un de ses biographes, « un coup très rude ». A propos de cette mort subite, certains milieux du P.P.F. évoqueront la thèse d'un règlement de comptes entre différents services du Reich, thèse à laquelle Brunet n'accorde aucun crédit.

montrer catégorique face au ministre des Affaires étrangères du Reich, qu'il tient d'ailleurs pour un « fat imbécile ».

A Ribbentrop qui met en avant, « afin de préserver la légalité », la solution Brinon, il réplique en effet :

— Monsieur le ministre, moi je vous propose au contraire ce qui suit : formation immédiate d'un gouvernement sous ma présidence, sans participation du Maréchal...

Il enchaîne en réclamant d'ailleurs le rappel des Français de la L.V.F. et de la Waffen SS qui se battent sur le front de l'Est afin de les employer contre le maquis.

Se poursuit entre Ribbentrop et Doriot un dialogue qui, dans les dernières heures du mois d'août 1944, n'a aucun rapport avec les réalités de l'heure, qu'il s'agisse des « mesures sociales » réclamées par Doriot en faveur des travailleurs français ou de la promesse faite par Ribbentrop d'accepter « le principe de l'intégrité territoriale » de la France, ainsi que celle des « colonies d'Afrique », étant entendu que le Reich n'admettra « aucune discussion » sur l'Alsace-Lorraine.

Mais, à Steinhort, y a-t-il jamais eu d'autres dialogues qu'irréels entre Ribbentrop, ministre des Affaires étrangères d'un Empire aux abois, et Déat, Doriot, Darnand, Brinon, ces somnambules de la revanche et de la vengeance ?

Le 1ᵉʳ septembre 1944, Hitler doit recevoir les chefs de la collaboration. Mais, avant cette entrevue, il est indispensable que Ribbentrop ait fait son choix : ce sera Doriot. Dans un dernier tête-à-tête, il le dit à Brinon le 31 août [1].

Ribbentrop voit, en effet, dans le chef du P.P.F. l'homme qu'il « faut opposer à de Gaulle par des méthodes tout à fait révolutionnaires », le leader capable de « contrebalancer de Gaulle..., [de] faire de la propagande par la radio ou d'autres moyens pour exciter les nationalistes français contre de Gaulle et son parti communiste et créer, peu à peu, un grand mouvement de résistance ».

Tout son discours consistera à convaincre, puis à contraindre Brinon à accepter la candidature de Doriot. Comme un poisson au bout du fil,

---

1. Louis Noguères a publié intégralement le compte rendu de cet entretien (*La Dernière Étape, Sigmaringen*).

Brinon se débat un peu. Après une « mise au point énergique[1] » du ministre des Affaires étrangères du Reich, il s'assouplit, s'excuse, cède et promet de former — avec ou sans l'aval de Pétain — une « Délégation » qui, sous sa présidence, assurera la transition gouvernementale et obtiendra du Maréchal, « dans un délai de quinze jours à trois semaines[2] », qu'il constitue un gouvernement Doriot.

Le lendemain 1er septembre, comme l'a laissé prévoir Ribbentrop, Hitler reçoit le petit groupe français, auquel s'est joint Doriot.

Selon Déat[2], les Français, qui ont été priés de ne pas avoir d'armes sur eux, n'ont été fouillés que « pour la forme » avant de pénétrer dans le vaste complexe de bunkers disséminés parmi les sapins, les chênes et les hêtres, au centre duquel se trouve l'abri du Führer, « la Tanière du Loup[3] ». Les dégâts provoqués par l'attentat du 20 juillet ont depuis longtemps disparu et c'est en vain que les Français, du regard, en cherchent trace. A Déat, Hitler apparaîtra comme un homme « atteint déjà [...]. Il a le dos arrondi, sa tête penche comme accablée de pensées[4] ». Lors de son procès, Marion répondra d'ailleurs à une question de M. Mutter. « Monsieur le juré, Hitler avait l'air d'être préoccupé par bien d'autres choses que par les choses de la France[5] »

L'entrevue débutera par l'un de ces monologues dont Hitler est familier. Parlant d'une voix « sourde et contenue[6] ». Hitler, qui s'efforce de prouver, et de se prouver, que la catastrophe peut être bénéfique, expliquera aux Français que « plus la vague s'étend et recouvre de plus vastes espaces, plus sa force contraire diminue ». Il prophétisera aussi, affirmant que, *quelle que soit son issue*[7] dans les mois à venir, le combat contre le bolchevisme ne serait terminé ni en 1946 ni en 1947, car il s'agissait d'« un conflit séculaire dont la fin décidera si l'Europe maintiendra sa suprématie ou si elle devra se soummettre à l'Asie ».

---

1. D'après Paul Schmidt. *Cf.* Noguères, *La Dernière Étape, Sigmaringen.*
2. Déat, *Mémoires politiques.*
3. Pour arriver jusqu'au bunker de Hitler, il fallait franchir trois zones de protection étroitement gardées et protégées. Pour franchir les barrages, une autorisation spéciale, valable une journée seulement, était indispensable.
4. Déat, *Mémoires politiques.*
5. Sténographie du procès Marion.
6. Déat, *Mémoires politiques.*
7. Souligné intentionnellement.

Trois ans plus tard, la guerre froide donnera, et pour plus d'un quart de siècle, des apparences de réalité à ce qui semble alors simple argument de propagande.

Comme il le fait toujours lorsqu'il se trouve en présence de Français, il l'a fait à Montoire, en 1940, devant Laval, puis devant Pétain, Hitler déplore que les relations franco-allemandes aient été gâchées par une guerre, « pure folie », provoquée par « les machinateurs anglo-saxons et la juiverie mondiale ». Arrive enfin la transition attendue par Brinon, Doriot et les autres : « Des gouvernements nationaux vont être formés dans tous les pays échappant à l'influence des Alliés. J'espère qu'en France un tel gouvernement, vraiment national, accédera au pouvoir. »

Après avoir fait acte d'allégeance[1], Brinon demande alors au Führer de « dire un mot » à propos des dispositions arrêtées les jours précédents avec Ribbentrop, dispositions qu'il résume à grands traits, en se gardant de citer le nom de Doriot. C'est Ribbentrop qui corrigera une omission volontaire.

— J'ajoute aux déclarations qui viennent d'être faites par M. de Brinon, déclare le ministre des Affaires étrangères du Reich, que le gouvernement français national dont il s'agit doit être un gouvernement Doriot.

Avant d'adresser quelques mots à chacun des Français, mots dont, par la suite, ils amplifieront l'importance et dénatureront souvent la teneur[2], Hitler, qui s'est contenté d'évoquer « les autres armes nouvelles » bientôt à la disposition de la Wehrmacht, affirme regretter les destructions provoquées par la guerre sur le sol français, mais annonce qu'à l'avenir « l'Allemagne se limitera à ce qui est inévitablement nécessaire au point de vue militaire ».

---

1. « C'est une grande satisfaction, dit Fernand de Brinon, pour moi, comme pour les Français qui m'accompagnent, de saluer le Führer et de l'assurer que beaucoup de nos camarades approuvent et comprennent son œuvre, comme ils suivent avec une grande admiration ses efforts pour la défense de l'Europe. »
2. Darnand « entendra » Hitler lui dire : « Des hommes de la Milice sont morts pour une grande cause et, comme ceux de Stalingrad, ils ne sont pas morts pour rien. » Quant à Marion, il rapportera ces paroles qui n'ont rien à voir avec la vérité : « Je dispose d'armes secrètes, dont les V1 et les V2 ne vous donnent qu'une faible idée. Grâce à ces armes, je reprendrai l'offensive. Je rejetterai les Anglo-Saxons à la mer. Ce sera terrible parce que cela se passera sur le corps de votre pays. Je vous en demande pardon, à vous, messieurs, à la France et à Dieu. » (Sténographie du procès Marion.)

Dès son retour à Belfort, Fernand de Brinon, pour répondre à la volonté allemande, mais surtout pour satisfaire son ambition, va rapidement mettre à exécution la *première partie* du plan imaginé et retenu par Ribbentrop : la constitution d'une « commission » ou d'une « délégation » qui, sous sa présidence, tiendra lieu de gouvernement français.

Laval ne compte plus.

A Steinhort, où il a refusé de se rendre puisqu'il avait « cessé d'exercer ses pouvoirs », son attitude, sa politique et sa personne ont été attaquées par Ribbentrop et par tous les Français [1]. Sans doute Laval, s'il n'exerce plus ses fonctions, a-t-il, malgré la demande de Pétain, refusé de démissionner dans l'espoir de « geler » le poste et peut-être de servir un jour d'intermédiaire entre Allemands débarrassés de Hitler et Américains effrayés par la progression bolchevique. Il s'illusionne et ne constitue en rien un obstacle à la manœuvre de Fernand de Brinon qui, dans la matinée du 4 septembre, demande à être reçu par le Maréchal, alors installé au château de Morvillars. Il a une communication importante à lui faire. Le Maréchal ayant refusé de le recevoir, c'est le général Debeney qui se rendra à la préfecture de Belfort pour entendre le récit des journées de Steinhort et en faire un compte rendu au Maréchal. Ce compte rendu existe. Il se trouve dans le dossier *Pétain* de la Haute Cour et Louis Noguères l'a publié.

L'honnêteté du général Debeney ne faisant aucun doute, ce texte est le reflet de la tactique de Brinon qui « reconstruit » à sa façon, et pour son plus grand bénéfice, la teneur des entrevues accordées aux chefs de la collaboration par Ribbentrop et par Hitler. Parlant à Debeney, Brinon mêle hardiment le vrai, le faux et l'imaginé. Pas un instant il ne fait intervenir Doriot. Il ne dit jamais qu'il est le « candidat » des Allemands et ne le mentionne même pas parmi les Français présents à Steinhort. Il se campe en défenseur obstiné de la « légalité » du Maréchal contre « M. von Ribbentrop, qui s'était montré très véhément, plus encore à l'égard de M. Laval que du Maréchal », et

---

1. A l'exception de Marion qui, en principe, le « représente », sans avoir le droit de l'engager. Abetz prendra sa défense, mais Doriot lui reprochera vivement, en présence de Ribbentrop, d'avoir « soutenu [les] intrigues » de l'ancien chef du gouvernement de Vichy.

transmet, de la part du Führer, une demande dont on ne trouve aucune trace dans le compte rendu dressé par l'interprète Paul Schmidt, qui n'aurait pas manqué de la mentionner.

D'après Brinon, en effet, Hitler aurait dit non seulement que, pour lui, « la légalité c'était le Maréchal », mais surtout qu'il « souhaitait pouvoir trouver en liaison et par entente, avec le Maréchal, un moyen de sauvegarder les intérêts français en Allemagne : prisonniers, travailleurs, internés, ainsi que l'intégrité territoriale française ».

S'il est vrai que Ribbentrop et Hitler ont promis à la France — la France de Brinon, de Doriot et de la victoire allemande — de la rétablir dans ses limites territoriales anciennes (l'Alsace-Lorraine exceptée, ce dont Brinon ne souffle mot à Debeney), il n'a jamais été question à Steinhort du sort des prisonniers, des travailleurs, des internés. Quels « internés » d'ailleurs ? On imagine mal les maîtres du IIIe Reich se préoccupant du sort des internés de Dachau, de Buchenwald, d'Auschwitz, de Ravensbrück, de tous ces camps dont ils ont toujours sévèrement protégé les horribles secrets.

Pétain (dont la plume est guidée par Ménétrel) a immédiatement rédigé une note refusant à Brinon les pouvoirs sollicités. Pour des raisons inconnues, cette note catégorique ne sera pas remise, et c'est un texte d'un tout autre ton que Ménétrel lira, dans l'après-midi du 16 septembre, à Brinon. Le voici :

> « Le 20 août dernier, le Maréchal a déclaré solennellement qu'il cessait d'exercer ses fonctions de chef de l'État. Il ne lui est donc plus possible d'étendre les pouvoirs de qui que ce soit. *Cependant*[1], étant donné l'importance des intérêts en cause, le Maréchal *ne fait pas d'objections à ce que M. de Brinon continue à s'occuper des questions dont il était jusqu'ici chargé en ce qui concerne les internés civils.* »

« *Cependant* »…, « *pas d'objections* », une conjonction, deux mots qui suffisent à Brinon. Il a réussi car Ménétrel s'est contenté de lire la note. Il ne l'a pas remise à Brinon. C'est tout bénéfice. Pas de papier, pas de bornes. Et c'est ainsi que Brinon utilisera ce « *pas d'objections* » limitatif de Pétain pour laisser croire que le Maréchal lui a confié des pouvoirs étendus, les mêmes que ceux qui lui avaient été

---

1. Souligné intentionnellement.

attribués le 20 décembre 1940, lorsqu'il était chargé de représenter « le gouvernement auprès des hautes autorités allemandes en France », autorités devant lesquelles, il est juste de l'écrire, il plaida souvent la cause des Français emprisonnés, Charles Saint, représentant le ministère des Affaires étrangères auprès de lui, et principal intercesseur, réussissant à obtenir 7 371 libérations ainsi que la commutation de 595 condamnations à mort [1].

Il n'existe plus que des lambeaux de France occupée, et le chef de l'État ainsi que le chef du gouvernement ont renoncé à exercer leurs fonctions, mais le « *pas d'objections* » de Pétain va permettre à Brinon de créer immédiatement cette « *Délégation* (ou commission) *gouvernementale française pour la défense des intérêts français en Allemagne* » voulue par Ribbentrop. Il n'aura aucune peine à convaincre Déat et Darnand d'en faire partie. Ils ont entendu et retenu la leçon de Steinhort. Ce couple sera rejoint par le général Eugène Bridoux. Ainsi Brinon pourra-t-il affirmer — et malgré tous les démentis que lui infligera Pétain, il ne cessera de le faire — qu'agissant au nom et par délégation du Maréchal qui incarne la légalité — le Führer ne l'a-t-il pas confirmé... — toutes ses actions et décisions étaient légales.

Laval, muré dans son refus de gouverner et récusé par les Allemands, c'est bien Brinon qui est, désormais, le chef du « gouvernement ».

Un gouvernement qui s'appelle « Délégation », puis « Commission », quelle importance...

D'ailleurs, le 7 septembre, à Belfort, c'est un tout autre événement qui retient l'attention. A 5 heures du matin, le Maréchal et tous ceux qui, de gré ou de force, avaient gagné la région de Belfort ont reçu ordre de préparer leurs bagages. Il faut partir. Partir très vite. Renthe-Fink prévient que, dans un bref délai (l'armée de De Lattre a libéré Dijon), la zone de Belfort deviendra « zone de combat », ce qui impose « le transfert immédiat du Maréchal en un lieu situé en dehors de la zone de bataille ».

Ce sera Sigmaringen.

Que, le 2 décembre, Hitler ait personnellement assigné Sigmaringen, calme petite ville intacte et paisible du Hohenzollern-Wurtemberg aux 6 500 habitants discrètement antinazis, monarchistes et

---

1. Charles Saint qui, en octobre 1940, avait refusé sa nomination comme secrétaire d'ambassade à Montevideo, afin de poursuivre sa mission de « sauvetage », fut, à la Libération, radié du Quai d'Orsay puis, lorsque l'on prit conscience de l'ampleur de son action, réhabilité et proposé pour la Légion d'honneur.

catholiques, pour résidence au maréchal Pétain surprendra. Mais, depuis son lointain quartier général, ne lui arrivait-il pas de déplacer quelques bataillons en Russie, en Yougoslavie ou en France ?

C'est à 7 heures du matin, le 7 septembre, que le Maréchal et Laval — qui avaient protesté sans illusions, mais pour l'Histoire, contre leur transfert[1] — allaient quitter Belfort. Leur caravane comportait une vingtaine de voitures. Après une halte nocturne à Fribourg, le Maréchal et ses proches reprirent la route le 8 septembre[2] pour atteindre une région épargnée de « cette vieille Allemagne décrite par Mme de Staël, et dont on se demande toujours si elle a existé[3] ».

Ils arrivèrent à Sigmaringen alors que le jour tombait sur le romantique, l'énorme, l'aérien, le fantastique et kafkaïen château qui surplombait une boucle du Danube, le château littérairement immortalisé par Céline et dans lequel Pétain devait vivre, prisonnier de lui-même, pendant sept mois.

Même si l'on souhaite ne pas tomber « dans le piège de sa littérature[4] » comment échapper à Céline pour parler du château construit au xe siècle par Sigmar de Fullendorf, rénové au xixe siècle après avoir été détruit par un incendie et dont le propriétaire, le prince de Hohenzollern-Sigmaringen[5], soupçonné par Hitler d'avoir conseillé à son cousin, le roi Michel de Roumanie, d'accepter les conditions d'un armistice avec l'U.R.S.S., venait d'être placé en résidence surveillée ?

Céline donc. Les mêmes lignes et les mêmes points de suspension *D'un château l'autre* ont été reproduits par tous ceux qui, littéraire-

---

1. Le Maréchal, par une lettre à Hitler, que von Renthe-Fink était chargé de transmettre ; Laval, en donnant lecture à Abetz d'une « note verbale ».
2. Laval devait suivre le lendemain.
3. Marcel Déat, *Mémoires politiques*.
4. (Rousso) Céline est arrivé à Sigmaringen en novembre avec sa femme Lucette, son ami Le Vigan, sans oublier le chat Bébert. Il avait d'abord vécu à proximité de Berlin.
5. Les Hohenzollern-Sigmaringen étaient les descendants de Léopold von Hohenzollern, cousin éloigné du roi de Prusse Guillaume II, que Bismarck, en 1870, avait projeté de placer sur le trône d'Espagne.
Le 11 juillet 1870, la diplomatie française avait bien obtenu la renonciation du prince au trône espagnol mais, sous la pression du Corps législatif, Napoléon III fit réclamer par Benedetti, notre ambassadeur, de nouvelles assurances Guillaume II, qui séjournait à Ems, petite ville d'eaux, ayant « refusé assez sévèrement » les demandes françaises, le conflit de vanité — exaspéré par Bismarck — s'envenima. Il en résulta, on le sait, la désastreuse guerre de 1870.

ment vaincus d'avance, savent qu'ils n'arriveront jamais, pour décrire ce château délirant, à la hauteur du délire célinien.

« Ce château... stuc, bricolage, déginganderie de tous les styles, tourelles, cheminées, gargouilles... pas à croire !... super-Hollywood !... toutes les époques depuis la fonte des neiges, l'étranglement du Danube, la mort du dragon, la victoire de saint Fidelis[1], jusqu'à Guillaume II et Goering. [...]

Ce château... grands appartements, boudoirs, armoires triple-fonds, escaliers en vrille... toutes les fausses issues, tous les zigzags et les paliers enchevêtrés !... devinettes à remonter, redescendre... Le Château vraiment à se perdre... tous les coins... l'œuvre des siècles d'Hohenzollern... et dans tous les styles !... Barberousse, Renaissance, Baroque, 1900... d'une porte à l'autre je me paumais... je me fascinais sur les portraits, les tronches de la sacrée famille... si y en avait !... Corridors et statues... équestres et gisants... toutes les sauces !... Hohenzollern plus en plus laids... en arbalètes... en casques, cuirasses... en habits de Cour façon Louis XV... et leurs évêques !... et leurs bourreaux !... bourreaux avec des haches comme ça !... dans les couloirs les plus sombres. [...]

Apollons porphyres !... Vénus ébène ! et les Dianes Chasseresses !... d'Apollons !... Neptunes !... rapines de démons à cuirasses, dix siècles détrousseurs !... vous pensez !... l'afur[2] de sept dynasties. »

A Sigmaringen, le Maréchal et Mme Pétain furent logés à l'avant-dernier étage, le septième, dans l'immense appartement du prince de Hohenzollern que desservait lentement un majestueux ascenseur — *l'ascenseur* du château. A l'autre extrémité d'un couloir de plus de cinquante mètres, le docteur Ménétrel. Dans des chambres plus modestes, le général Debeney, chef du secrétariat général, l'amiral

---

1. Saint Fidèle, patron de Sigmaringen, dont la fête est célébrée le 24 avril, jour, remarque Brissaud *(Pétain à Sigmaringen)* de l'anniversaire du Maréchal.
2. « L'opération faite au marché »... mais ici le pillage.

Bléhaut, qui avait été nommé secrétaire d'Etat à la Marine et aux Colonies le 26 mars 1943, c'est-à-dire quatre mois après le sabordage de la flotte [1] et le passage des colonies encore fidèles à Vichy sous l'autorité de Giraud, ainsi que son aide de camp, le lieutenant de vaisseau Sassy [2]. Les sept serviteurs du Maréchal occupent de vastes pièces mansardées au dernier étage.

Laval et Mme Laval sont arrivés le 9 septembre en compagnie de plusieurs ministres dont le logement sera différent, suivant qu'ils ont choisi d'être « passifs » ou « actifs ». Au château, Laval et son épouse eurent droit à « l'appartement d'honneur » réservé aux hôtes de marque (le futur Pie XII l'avait occupé). Les repas, frugaux — les pommes de terre à l'eau arrivaient sur de magnifiques plats d'argent —, leur étaient servis sur une petite table perdue au milieu d'une salle à manger pour banquets.

Au même étage que Laval, quelques-uns des ministres qui ont décidé, depuis le 20 août, de ne plus exercer leurs fonctions : les « passifs », les « sommeillants », « *schlafende* », disent les Allemands. Il y a là Jean Bichelonne, l'ancien et infatigable ministre de la Production industrielle, « énarque avant la lettre », écrit Rousso, ardent partisan d'une planification qui rompait avec les habitudes économiques vieillottes de l'avant-guerre ; Bichelonne, qui, souffrant d'une triple fracture du genou, va mourir en décembre des suites d'une opération tentée en Prusse-Orientale par le docteur Gebhardt, chirurgien et général d'une *Panzerdivision* SS [3].

---

1. Lors de son procès en mars 1955 (il s'agissait de purger la contumace), l'amiral Bléhaut, qui sera relaxé, s'était expliqué sur les raisons qui l'avaient poussé à accepter un poste qu'il n'avait pas sollicité.
« La Marine, dira-t-il, conservait dans la métropole du personnel à protéger, du matériel à défendre et toute une organisation à sauvegarder. Il fallait aussi que les deux Marines séparées par les événements de novembre 1942 puissent fonctionner dans un sentiment de camaraderie, de confiance et d'estime mutuelles... »
Dans son livre *Pas de clairon pour l'Amiral,* Bernard Bléhaut, relevant l'un des passages de mon tome 6, *L'Impitoyable Guerre civile,* explique longuement (et utilement) l'œuvre de l'amiral Bléhaut, car la disparition de la Marine et la « dissidence » des colonies n'avaient pas éliminé tous les problèmes.
2. Et non Sacy, comme écrit constamment.
3. A Sigmaringen, où les imaginations travaillaient, le bruit allait courir dans les milieux de la collaboration que Bichelonne, dont la puissance intellectuelle s'imposait à tous, avait été victime d'un « complot », d'un « assassinat », car il « en savait trop » sur les recherches scientifiques allemandes.
A Fresnes, Pierre Laval, emprisonné, dira, après l'explosion d'Hiroshima, que

Il y a là Maurice Gabolde, ancien garde des Sceaux, qui tremble de devoir un jour rentrer en France alors que les communistes n'ont pas oublié les victimes des sections spéciales et des cours martiales[1]. Il y a là le fermier Pierre Mathé, ancien député de Dijon et commissaire général du Ravitaillement, avec qui Laval aime s'entretenir, car les deux hommes ont, pour la terre, la même passion ; Paul Marion, venu du communisme et lointain rédacteur, dans *L'Humanité,* de la rubrique antimilitariste des « Gueules de vaches », et l'ambassadeur Charles Rochat, secrétaire général des Affaires étrangères.

Ministre « passif », également, Abel Bonnard — la « Gestapette », disait Pétain, qui n'avait pas inventé la définition, mais était scandalisé, lui qui avait tant aimé les femmes, par les mœurs de son confrère de l'Académie française — ne vit pas au château mais, avec sa vieille mère malade[2] et son frère, dans une retraite dont il sort pour distiller des « mots » cruels appelés à faire rapidement le tour de Sigmaringen. Le Maréchal est pour lui « *cœur de corne et œil de gallinacé* » et aussi « *l'homme invisible* » ; Laval, « *l'Auvergnat du Danube* » ; Doriot, « *le maquisard de Constance* » ; le général Bridoux, « *fesses humides et culottes de peau* » ; Déat, « *l'unique du parti* » ; Brinon, « *l'ambassadeur à l'encan* ».

Giraud et de Gaulle n'étaient naturellement pas épargnés par l'ancien ministre de l'Éducation nationale et de la Jeunesse. Du premier, il disait : « *une pantoufle dans une botte* » ; du second : « *un nain qu'on a considérablement étiré en oubliant le dernier étage* ».

Que font les « passifs » ? Ils se manifestent le moins possible, à l'image du premier d'entre eux, « l'homme invisible », selon Bonnard, le maréchal Pétain.

Bichelonne l'avait « longuement entretenu de l'usage qui pouvait être fait de l'eau lourde ». *Cf.* André Brissaud, *Pétain à Sigmaringen.*

De Bichelonne, Laval disait aussi qu'il était d'une intelligence « qui ne se révèle que tous les deux siècles ».

1. Dans un long rapport publié par le Hoover Institut, *La Vie de la France sous l'Occupation* (t. II), Maurice Gabolde, qui gagnera l'Espagne avec Laval, tentera de justifier son action.

2. Mme Bonnard décédera à Sigmaringen en février 1945.

Lorsque le temps est clément, il sort quotidiennement — ce ne sera plus vrai à partir de mars 1945 où les promenades seront limitées à la terrasse du château — pour se rendre dans la campagne proche ou le long des rives étroites du Danube. Dans sa Citroën 15 CV, escortée par deux voitures de la Gestapo, il a pour compagnon soit le général Debeney, soit Bernard Ménétrel. C'est en compagnie du général Debeney que le docteur Schillemans, jeune médecin-lieutenant, prisonnier de guerre, qui vient d'être libéré, on verra dans quelle intention, l'a rencontré : « Très droit, allant d'un pas assuré », il lui parut « immense, tandis que, près de lui, Debeney ne se profilait que d'une façon floue, indistincte ; des deux, c'était lui qui semblait le plus âgé ».

Schillemans n'a pas connu les tournées triomphales dans les villes de zone libre. Même si, dans son oflag, un écho lui en est parvenu, il ne pouvait qu'être assourdi. Il est étrange — ou symptomatique — qu'il utilise cependant les mots mêmes qui étaient, en 1940-1942, ceux de la presse — et de bon nombre de Français — et qu'il parle du geste « prompt, très jeune, très vif » avec lequel Pétain enlève son chapeau pour répondre à son salut, ainsi que de la « limpidité », de la « belle luminosité » du regard du Maréchal[1].

La bibliothèque du château, « impériale, royale, riche en tout !... manuscrits, Mémoires, incunables », écrira Céline, 80 000 ouvrages selon Rebatet, 40 000 d'après Déat, gérée par un bibliothécaire d'une extrême obligeance et tout heureux de sa clientèle nouvelle, comprend naturellement de très nombreux livres français. Pétain emprunte les *Mémoires* de Talleyrand, les souvenirs de la duchesse d'Abrantès, *La Revue des Deux Mondes,* dont la collection est complète, d'autres ouvrages encore qui le rapprochent de « son temps » : les années de l'autre avant-guerre. La marche et la lecture sont donc ses seules évasions.

Comme moyens d'information, *La France,* journal de Brinon et de Luchaire, dont le premier numéro est sorti à Sigmaringen le 26 octobre 1944 avec, en première page, on le verra[2], une photo du Maréchal qui sera à l'origine de la rupture Pétain-Brinon, et *Le Petit Parisien,*

---

1. G. T. Schillemans, *Philippe Pétain, le prisonnier de Sigmaringen.*
2. *Cf.* p. 331.

quotidien inspiré par Doriot, dont le premier numéro paraîtra à Constance le 6 janvier.

Deux journaux bien différents. *La France* est une feuille terne, grise, ennuyeuse, sans illustrations et dont les éditoriaux s'efforcent de démontrer que Pétain n'est pas « prisonnier » et qu'il existe — c'est Déat qui l'affirme, le 5 novembre — des possibilités pour la « reconstruction de l'État français ». Les informations militaires se bornent — à l'exception de rares commentaires — à la publication des communiqués allemands. Les titres insistent davantage sur les nouvelles (mauvaises) du front de l'Est que sur les nouvelles (également mauvaises) du front — infiniment plus proche — de l'Ouest. Le numéro du 2 janvier 1945 offre naturellement une large place au discours dans lequel Adolf Hitler vient d'affirmer que l'Allemagne était « invincible » et celui du 1ᵉʳ février annonce l'exécution, pour abandon de poste, du docteur Spielhagen, adjoint au maire de Breslau. Aucune de ces informations ne saurait rassurer les « collaborateurs ».

Le 29 mars, le dernier numéro de *La France* publiera en bas de page et sur deux colonnes seulement le communiqué du grand quartier général du Führer, annonçant des combats « mouvementés dans le Westerwald et [le] secteur du Main », ainsi qu'une accentuation de la poussée soviétique « en Hongrie occidentale et en Haute-Silésie ».

Il n'est nul besoin d'avoir une connaissance approfondie de la géographie pour comprendre que la situation militaire est désormais désespérée.

Le Petit Parisien... de Constance offre un visage très différent de celui, austère, de *La France*. Bien illustré, mis en pages de façon attrayante, comportant, à côté d'articles de fond qui défendent Doriot et ses ambitions, de nombreuses illustrations et les rubriques les plus variées, il lui a été donné pour objectif de laisser croire aux lecteurs que, les liens avec la mère patrie n'étant pas rompus, le jour où ils regagneraient Paris, ils seraient au courant de tout ce qui s'était passé dans le monde de la politique, du sport et des arts.

Le journal, qui affiche sa... « 70ᵉ année » d'existence (!) et porte en sous-titre « Édition pour la France et l'étranger », indique pour

315

adresse : « 18, rue d'Enghien, Paris (X^e)... », mention suivie toutefois de cette précision : « Adresse postale pour l'Allemagne : Postfach 479, Konstanz. »

Feuilletant *Le Petit Parisien,* on découvre une revue de la presse parisienne... et, parmi les journaux cités, *Le Parisien libéré* n'est jamais oublié ! Une très copieuse « dernière heure sportive » rend compte non seulement de la victoire de l'équipe de France de football sur la Belgique, mais aussi des résultats des 32es de finale de la coupe de France de football ; du résultat du premier tour de la coupe nationale de rugby ; du succès, au Vél'd'Hiv', dans l'américaine de 100 kilomètres, de Mignot-Guillier sur Pieters-Panier. Tenue par Claude Henry, l'abondante rubrique de boxe est d'un spécialiste bien renseigné[1].

En février 1945, trois colonnes seront consacrées à l'activité des spectacles[2]. Le lecteur de Constance apprendra ainsi que l'Opéra joue *Samson et Dalila ;* l'Opéra-Comique, *Le Barbier de Séville, Lakmé, Manon, Werther ;* que la Comédie-Française, qui avait fait relâche à cause du froid intense, a rouvert ses portes avec « l'inévitable *Soulier de satin* » ; que *Les Ambassadeurs,* « redevenus théâtre " Henry Bernstein ", donnent *Une grande jeune fille toute simple,* d'André Roussin » ; que l'on peut voir *Les Hauts de Hurlevent* au théâtre Hébertot, *La Puce à l'oreille* à la Porte-Saint-Martin, *Un homme comme les autres,* d'Armand Salacrou, au théâtre Saint-Georges.

La politique n'est pas totalement absente de la rubrique artistique. *Le Petit Parisien* précise ainsi que « certains cabarets ou music-halls ont tenu à faire oublier les traits qu'ils accrochaient, il n'y a pas très longtemps encore, aux parlementaires, aux juifs et aux communistes » et ajoute que l'A.B.C., pour interpréter la revue V, « morceau de propagande gaulliste, a naturellement fait appel à la juive Marie Dubas, au dévoyé O'Dett, à Mauricet et à Jean Granier ». Si, à l'Étoile, Lucienne Boyer « cède la place à Édith Piaf, que la Commission d'épuration du spectacle a dédouanée », à Bobino,

---

1. Sous le titre « La vedette du jour », il consacrera ainsi un long article à Robert Charron, « puncheur français n° 1 ».
2. Il est précisé, dans le « chapeau » de présentation, que « les auteurs " résistants " n'ont pas tenu longtemps le feu de la rampe devant l'indifférence ou les protestations des spectateurs ».

Charles Trenet « gaminise éperdument, trop heureux sans doute de la confusion née un jour à propos de ses origines [1] ».

La guerre ? Il en est naturellement question quotidiennement. *Le Petit Parisien* publie les communiqués allemands que Jean-Hérold Paquis commente hebdomadairement sans dissimuler les progrès des adversaires du Reich, mais en répétant que, si les Allemands pouvaient « survivre à l'hiver », la guerre serait virtuellement gagnée pour eux... Peut-être grâce aux « armes nouvelles ». Le journal daté du 24 janvier publie d'ailleurs le reportage que le correspondant de guerre Fritz Lucke a consacré au lancement d'un V2, « un événement, écrit-il, qui nous transportait de cent ans en avant dans le temps ».

La guerre, il en est question à travers les avis de recherche qui suivent inévitablement tout exode [2] : Georges Ferlay demande des nouvelles de sa mère et de sa femme ; Doudou recherche Fernande de la villa Bedu ; Pierre Champeaux est inquiet du sort d'Arlette, quatre ans, partie de Paris avec le Centre d'entraide de la L.V.F., et le caporal Salomon, qui appartient à la 2e cohorte de la Milice, voudrait connaître le destin d'une famille de Sarlat.

La guerre, il en est encore question, on le verra, à travers l'écho donné à tous les procès d'épuration [3].

Il est peu vraisemblable que le Maréchal ait prêté attention et crédit à ces feuilles ou aux émissions d'Ici la France qui diffuse, depuis Sigmaringen, les éditoriaux dans lesquels Jean Luchaire dénonce les horreurs de la « fausse libération » qui condamne la France à être asservie soit « à la finance américaine et à la politique britannique, soit à la domination communiste ».

Le poste de radio que lui ont autorisé les Allemands permet également au Maréchal de capter les émissions françaises. Mais, de Paris, ne viennent que des menaces.

---

1. Charles Trenet, donnant une interview dans le numéro 14 (12 au 18 mai 1993) de l'hebdomadaire *Globe,* dira :

« On a dit (pendant l'Occupation) que Trenet était l'anagramme de Netter, un nom juif, paraît-il. Ça me flattait beaucoup, parce que j'aime beaucoup les juifs... Moi, j'avais tellement de papiers prouvant le contraire qu'à la fin ils pensaient qu'il y en avait trop pour que ce soit vrai. Ils ont conclu que j'étais un juif " synthétique ", parce que j'aimais le jazz, une musique " enjuivée ". »

2. Ceux que je publie sont extraits de *La France.*

3. On peut consulter à la Bibliothèque de documentation internationale contemporaine de Nanterre les collections de *La France* et du *Petit Parisien*.

C'est par la radio qu'il a appris, le 15 septembre 1944, qu'il serait jugé et, plus tard, que s'ouvrirait, le 24 avril, son procès par contumace, information qui l'incitera à demander à Hitler son retour immédiat en France.

La solitude donc.

Le Maréchal prend ses repas avec Mme Pétain, le général Debeney, l'amiral Bléhaut, Ménétrel et le lieutenant de vaisseau Sassy. Renthe-Fink a voulu s'imposer. Pétain a répondu au maître d'hôtel qui annonçait sa présence : « Je ne l'ai pas invité, il déjeunera seul. »

L'administration allemande a établi une stricte hiérarchie dans la composition des menus. Pour Pétain et sa femme, le menu n° 1 qui comporte — notamment — du fromage gras ; pour les autres convives, les menus n°s 2 et 3, dont le fromage gras est exclu. Subtilités initiales, car les restrictions frapperont bientôt la table du Maréchal. Je possède le menu du vendredi 19 janvier 1945, le voici : « Soupe de petit poids [*sic*], semoule pudding, sauce framboise. »

La solitude en attendant une tout autre solitude. Avec Ménétrel (surtout) et avec Debeney, le Maréchal prépare sa défense : dix-sept feuillets qui se trouveront dans ses bagages à son arrivée au fort de Montrouge, feuillets placés sous scellés, mais que la justice n'utilisera pas au cours du procès. C'est le président Noguères qui découvrira plus tard les doubles dactylographiés dans le dossier « Pétain », puis l'original, rédigé en grande partie de la main du Maréchal, dans le dossier « Debeney [1] ». Ces pages sont divisées en trois grands chapitres respectivement intitulés :

« I — *Conditions dans lesquelles est intervenue la demande d'armistice de juin 1940.*

« II — *Le Conseil supérieur de la Guerre. Les classes creuses.*

« III — Cette dernière note, rédigée à la demande du Maréchal, n'est pas de sa main. En voici le titre : *Les événements de 1942 en Afrique du Nord.* »

Écrites de mémoire, sans le secours des pièces d'archives, ni même

---

1. *Cf.* Louis Noguères, *Le Véritable Procès du maréchal Pétain* et *La Dernière Étape, Sigmaringen.*

du « moindre document[1] », ces trois études comportent des confusions non seulement dans la chronologie, mais encore dans l'interprétation des événements de juin 1940 ; elles préparent — c'est surtout vrai pour la note sur le débarquement anglo-américain de novembre 1942 et ses conséquences — la future défense et sont donc, parfois, sujettes à caution. Parlant de ces pages, Louis Noguères, leur « inventeur », tout en signalant leurs inévitables faiblesses, a cependant tenu à indiquer qu'elles attestaient de la part du maréchal Pétain, alors âgé de quatre-vingt-huit ans, d' « un effort dont il faut convenir que l'on rencontrerait peu d'exemples[2] » et d'une « lucidité d'esprit » que l'on ne peut « méconnaître[3] ».

En vérité, elles doivent davantage à Ménétrel qu'au Maréchal. Ménétrel qui, dans son journal inédit, mais que Mme Ménétrel a bien voulu me confier, note, le 21 septembre 1944, que « le Maréchal pense à Louis XVI, aux menaces proférées contre lui ». Le 25 septembre, il écrit que le Maréchal « veut faire un Mémorandum » et qu'il lui a demandé ainsi qu'au général Debeney de « lui préparer quelque chose ». Mais il précise, à la même date, que Debeney et lui « n'ont aucun document, n'ont pas été mêlé à tout » et ajoute : « Il faut retracer le climat dans lequel se sont déroulées ces années, pressions constantes de la part des Allemands, des Français, en particulier Pierre Laval. Le Maréchal rétorque : " Je ne veux pas me décharger sur M. Laval. " Bien sûr, mais tout ce qui a été fait n'est pas explicable sans que soit nettement dessiné le caractère impitoyable des menaces qui ont constamment pesé sur le Maréchal et des escroqueries continuelles qu'on a faites en son nom. »

Le 6 octobre « d'accord avec le général Debeney », Bernard Ménétrel s'est donc mis « à rédiger pour le Maréchal un document, le plus objectif possible, pour que tout se classe bien selon les dates ». Et il ajoute : « J'y travaille jusqu'à 3 h 30 du matin, 26 pièces annexes sont reliées par un bout de texte très court. Tout y est à peu près. »

---

1. Noguères, *La Dernière Étape, Sigmaringen.*
2. *Id., ibid.*
3. *Le Véritable Procès du Maréchal.*

A Sigmaringen, Pierre Laval préparait lui aussi sa défense. Installé dès 8 heures dans un bureau tendu de soie bleue, il lisait et travaillait sur ses dossiers, aidé par un jeune fonctionnaire venu du ministère de l'Information et de celui de la Jeunesse. C'est le témoignage de Gérard Rey, publié en 1957 par le Hoover Institut, ce sont ses confidences à André Brissaud [1], qui ont fourni les principales informations sur la vie quotidienne de Laval à Sigmaringen. Et c'est notamment par Gérard Rey que l'on connaît son état d'esprit influencé par son état de santé (il souffrait d'un ulcère), mais également par l'inquiétude qu'il éprouvait sur le sort de sa fille [2] très aimée et par le peu d'illusions qu'il nourrissait, malgré la foi qu'il mettait dans son pouvoir de séduction politique, sur le sort qui lui était réservé le jour où il reviendrait en France.

Pétain et sa femme occupent le septième étage du château. Laval et sa femme, le sixième. Aucune rencontre cependant, Gérard Rey remarque simplement que, depuis sa voiture, le Maréchal salue l'ancien chef du gouvernement qui, lui, va à pied avec son escorte policière.

Le 13 décembre — date décidément funeste —, le conseiller Hoffmann annoncera à Laval qu'il doit quitter Sigmaringen pour la Silésie, où il court le risque d'être, un jour, capturé par les Russes. L'intervention du sculpteur Arno Breker, qui alertera Hitler, vaudra à Pierre Laval une lettre hautaine et méprisante de Ribbentrop [3]. Le ministre des Affaires étrangères du Reich lui fait, certes, grâce de la Silésie, mais il lui rappelle que, malgré ses défaillances politiques des derniers mois, il doit à l'Allemagne de n'avoir pas été abandonné, à Paris, « au bourreau gaulliste et bolcheviste ».

Laval n'ira pas vivre en Silésie, mais à douze kilomètres de Sigmaringen, au château de Wilflingen, propriété du baron von Stauffenberg, parent de ce colonel Claus Schenk von Stauffenberg qui, le 20 juillet 1944, avait dissimulé dans une serviette une bombe à

---

1. Hoover Institut, *La Vie de la France sous l'Occupation;* André Brissaud, *Pétain à Sigmaringen.*
2. Mme de Chambrun.
3. Lettre citée, pour la première fois, par Henry Rousso.

retardement placée sous la table où Hitler était en train d'examiner une carte du front de l'Est[1].

Laval éloigné, écarté, Brinon n'allait cesser de tenter de faire sortir Pétain de son mutisme afin de le compromettre. Ce sera l'objet de son combat quotidien. Annonçant dans un *Appel à tous les Français* la création de sa Délégation, Brinon avait fait référence au Maréchal qui, d'après lui se serait rendu « de Belfort en Allemagne pour la défense des vrais intérêts du peuple français contre les usurpateurs gaullistes et les exploiteurs anglais et américains du peuple français ».

Le 30 septembre, d'ailleurs, il avait invité par écrit — puisque ses demandes d'audience étaient systématiquement repoussées — le Maréchal à présider le lendemain une cérémonie au cours de laquelle les couleurs françaises seraient pour la première fois hissées sur le château de Sigmaringen... récent bénéficiaire de l'exterritorialité.

A 11 h 15, le 1er octobre, le drapeau tricolore était effectivement salué par quelques diplomates-surveillants : Abetz, Renthe-Fink, Muller, Hoffmann. Du côté français, ni Pétain, ni Laval, ni Bichelonne, ni l'amiral Bléhaut, ni le général Debeney, ni Rochat. En revanche étaient présents les délégués auxquels Brinon avait récemment distribué des « portefeuilles » : Déat, délégué à la Solidarité nationale et à la Protection des travailleurs français en Allemagne ; Darnand, délégué « pour l'Organisation des forces nationales de la Milice, de la Légion des volontaires contre le bolchevisme, des Waffen SS français » ; le général Bridoux, délégué pour la Protection des prisonniers de guerre ; Jean Luchaire, délégué à l'Information et à la Propagande[2].

---

1. Hitler ayant échappé à l'attentat, la révolte militaire ayant été étouffée dans l'œuf, Claus von Stauffenberg devait — premier d'une longue liste de victimes — être fusillé le 20 juillet à minuit.

2. Puisqu'il s'agit de fonder la légitimité, le titre de chaque délégué dans le défunt ministère Laval est systématiquement rappelé. Déat, « ministre du Travail » ; Darnand, « secrétaire d'État à l'Intérieur et au maintien de l'ordre » ; Bridoux, « secrétaire d'État à la Défense ». Pour Luchaire, il est mentionné qu'il est (était...) président de la Corporation de la Presse.

Bonnard, Mathé, Gabolde et Marion, « ministres passifs », assistaient à la cérémonie des couleurs.

La cérémonie n'aurait pas été complète sans un discours. Brinon parlera pour exprimer sa reconnaissance — « notre reconnaissance », dira-t-il — au Führer « qui a marqué lui-même que, sur la terre du Reih Grand-Allemand, tout entier tendu vers l'effort de guerre, les Français qui travaillent pour leur Patrie demeurent en France ».

Après ce triste aplatissement, Brinon, dont le message s'adresse aux prisonniers et aux travailleurs — seule masse française sur laquelle la Délégation puisse espérer agir —, poursuit : « Nous sommes, ici, à côté du Maréchal, seul chef légitime de l'État français. Nous faisons entièrement nôtres les consignes qu'il donnait lui-même dans la matinée du vendredi 29 septembre à M. Bruneton et qu'il autorisait à transmettre de sa part aux travailleurs français en Allemagne. Le Maréchal disait : " *Répétez-leur qu'ils sont des soldats, que c'est à moi et non à d'autres qu'ils doivent obéissance, car je demeure incontestablement et légalement le chef des Français*[1]. " Telle est la conviction qui nous anime : notre seul but est de continuer à servir la politique que le Maréchal incarne pour tous ceux qui l'ont servi depuis l'écroulement de la démocratie belliciste... »

Compromettre le Maréchal ? Certes. Mais le Maréchal s'était compromis en acceptant de confier à Gaston Bruneton, commissaire général de l'Action sociale pour les Français travaillant en Allemagne, un message à coloration politique : le seul message de toute la période de Sigmaringen.

La sentimentale obstination du protestant Bruneton, pétainiste au mysticisme assez accentué pour que le conseiller Garreau demande qu'il soit examiné, avant son procès, par le docteur Cellier[2], avait obtenu ce message que l'insistance oblique de Brinon n'avait jamais pu arracher.

Combattant courageux en 1914-1918, industriel dont l'entreprise de construction avait, immédiatement après l'armistice, travaillé pour la Kriegsmarine et pour la Luftwaffe, Bruneton, qui se passionnait pour les questions sociales, avait été amené à constater que les travailleurs français en Allemagne — d'abord des volontaires — devaient faire

---

1. Souligné intentionnellement.
2. Le docteur Cellier précisera que « le mysticisme de Bruneton ne présent[ait] aucun caractère pathologique » et qu'il devait « être tenu pour pleinement responsable ».

face à des problèmes d'autant plus difficiles à résoudre qu'ils ignoraient l'allemand.

Après force démarches il avait été nommé, le 6 avril 1942, chef du Service de la main-d'œuvre française en Allemagne et son rôle n'avait cessé de croître au fur et à mesure qu'augmentait, à la suite de la Relève, mais, bien plus encore, du Service du travail obligatoire, le nombre des travailleurs français sur le territoire du Reich.

Au moment de l'avance victorieuse des Alliés en France, Bruneton, qui se trouvait à Berlin, rejoignit Belfort le 6 septembre. Il s'agissait pour lui d'obtenir du Maréchal une réponse à la question qui l'angoissait : la Délégation, forte de plus de 11 000 délégués et sous-délégués de camps et d'usines, et théoriquement responsable de 600 000 ou 700 000 travailleurs français, devait-elle ou non poursuivre sa tâche en Allemagne dès lors que le Maréchal avait renoncé à tous ses pouvoirs et que le territoire français, dans sa quasi-totalité, se trouvait libéré ?

Accueilli par le général Debeney, mais n'accordant pas suffisamment de crédit à cet intermédiaire, Bruneton réussira à forcer la porte du Maréchal. Reçu le 29 septembre, cet admirateur éperdu de Pétain entendra le Maréchal lui dire des mots dont nul ne peut affirmer qu'il les répétera exactement, mais dont on est certain qu'il leur donnera une charge personnelle de mysticisme.

Le Maréchal lui aurait dit : « Je suis un flambeau... En ce qui concerne les travailleurs français en Allemagne, je vous transmets le flambeau... Vous êtes le représentant et le dépositaire de ma pensée... Je suis lié à vous et vous êtes lié à moi par ce lien moral. »

Rien jusque-là de bien compromettant même si le style n'est pas celui qui est habituel au Maréchal. Mais, à l'instant où Bruneton a évoqué la démission de tous ses délégués d'Augsbourg[1], le Maréchal, « d'un ton brusque[2] » aurait répliqué : « *Je ne pars pas, moi. Vous devez obéir aux ordres qui vous sont donnés et rester à votre poste*[3]. »

---

1. Des officiers « transformés ».
2. « Exposé » rédigé par Gaston Bruneton.
3. Telle est la phrase citée par Noguères. Rioux en donne une version un peu différente. Il fait dire à Pétain : « Je ne pars pas, moi. *Vous êtes comme les militaires.* Vous devez obéir aux ordres qui vous sont donnés et rester à votre poste. » Lors du procès de Bruneton, la phrase deviendra dans la bouche du président Noguères : « Vous devez considérer que vos hommes, les ouvriers, seront, disons le mot, *comme mobilisés.* »

Comment cette phrase deviendra-t-elle dans la bouche de Brinon, parlant le 1er octobre, lors de la cérémonie des couleurs[1] : « *Répétez aux travailleurs qu'ils sont des soldats, que c'est à moi et non à d'autres qu'ils doivent obéissance, car je demeure incontestablement et légalement le chef des Français* » ?

On l'ignore, car seul le général Debeney assistait à l'entretien entre le Maréchal et Bruneton Qui a pu en faire confidence à Brinon ? On ne le sait pas davantage, Bruneton s'étant défendu d'avoir parlé[2] et Debeney n'entretenant aucun rapport avec Brinon. Mais Brinon saura l'utiliser pour ses habituelles manœuvres.

On comprend mal aujourd'hui l'importance qui sera donnée à la phrase de Pétain citée par Bruneton et faussement rapportée par Brinon, si l'on ignore le sens qui lui sera donné tant en Allemagne qu'en Suisse et en France où l'on fera croire que le Maréchal songeait, en la prononçant, à mobiliser un jour les travailleurs français en Allemagne pour les engager, aux côtés des Allemands, dans une lutte fratricide...

A l'étage du Maréchal, c'est le docteur Ménétrel qui organisera la résistance à Brinon et au clan des proallemands.

Jusqu'au jour où, pour l'éloigner et en finir avec son influence, les Allemands l'arrêteront, il se montrera — le mot est de Noguères — « le censeur le plus vigoureux ».

---

1. *Cf.* p. 321.
2. Dans une longue lettre du 5 octobre. A Marcel Déat, « ministre du Travail et de la Solidarité nationale » dont il dépend « légalement », Bruneton écrira : « J'ai eu connaissance d'une consigne que le maréchal Pétain m'aurait donnée le vendredi 29 septembre dernier. Or, le maréchal Pétain ne m'a jamais donné cette consigne. »
Bruneton continua à harceler le Maréchal et le général Debeney (lettres des 6, 12, 13, 21 octobre, 14 novembre).
Il est à la recherche d'un « signe ». Le 21 octobre 1944, il écrira ainsi : « Dites-moi de votre main que ce lien moral existe, que j'ai votre appui moral, votre confiance. Donnez-moi ce " signe ", le signe du Chef moral, dont je porte la marque (la francisque) au revers de mon veston. »
Pétain répondra ou fera répondre par Debeney qu'il ne peut se départir de la position qu'il a adoptée depuis le 20 août ; il fait confiance à Bruneton pour mener à bien sa « tâche difficile » auprès des travailleurs.

Usant de l'immense crédit qu'il conserve auprès du Maréchal, cet homme, qui aurait été le mieux à même de dire la vérité sur les années 40-44 telles qu'elles avaient été vécues par Philippe Pétain, si la mort n'était venue le prendre, le 31 mars 1947, bien avant le temps des Mémoires, s'emploiera à faire comprendre au Maréchal qu'il n'est nullement un roi en exil, mais un prisonnier, un prisonnier, un *Prisonnier* — le mot sera plusieurs fois répété dans la note du 2 octobre —, un prisonnier dont le premier et, en vérité, l'unique devoir est de se comporter en prisonnier.

Psychologiquement et politiquement, elle est de première importance cette note du 2 octobre. La constitution de la Délégation Brinon, la cérémonie des couleurs, le discours dans lequel Brinon s'est réclamé du Maréchal et a utilisé une phrase qui n'avait jamais été dite à Bruneton, autant de faits, écrit en substance Ménétrel, qui donnent occasion aux « radios du monde » de laisser entendre que « le Maréchal s'est mis à l'abri en Allemagne pour se ranger à ses côtés dans la lutte contre les Alliés ». « C'est un tournant très grave, ajoute-t-il. Il est indispensable que, cette fois, *le Maréchal ait le courage de choisir une position définitive, de s'y tenir* [1], et il faudra avoir la loyauté de lui dire ce que l'on pense être la vérité. »

Analysant la position dans laquelle se trouve le Maréchal, Ménétrel écrit aussi : « N'ayant plus la possibilité de faire quelque chose pour la France », il a le devoir « de ne rien faire qui puisse ternir sa mémoire » et il doit avoir le « courage [Ménétrel emploie à nouveau le mot comme s'il s'agissait de fouetter l'orgueil du vieil homme] de défendre son nom. S'il ne réussit pas cela, *il ne restera rien de sa gloire passée ni de sa doctrine* [1] ».

Comment, à Sigmaringen, le Maréchal peut-il accomplir son devoir ? Ménétrel l'explique en quelques courts paragraphes qui peuvent être résumés en quatre mots : « se comporter en prisonnier », donc, ne pas s'occuper de politique, ne pas recevoir de visites officielles, ne pas traiter de questions d'ordre gouvernemental. En ce qui concerne la France, « actuellement gouvernée par de Gaulle qui a remis en marche les administrations » et « reçoit partout, sans doute [...] un accueil enthousiaste », le Maréchal ne peut rien faire pour « entraver le succès de De Gaulle » ni pour « empêcher les désordres

---

1. Souligné intentionnellement.

qui se produisent probablement [...] avec le concours des communistes parés de l'auréole d'un patriotisme vengeur ».

Qu'il se garde donc de toute prise de position « positive » qui apparaîtrait « comme une activité proallemande [...]. Personne ne lui reprochera de ne rien faire puisqu'il est privé de liberté. Tout le monde lui reprochera, au contraire, une activité quelconque. Car il ne peut faire quelque chose qu'avec des hommes qui travaillent avec et pour les Allemands ».

La lucidité de Ménétrel est si grande qu'elle lui fait écrire cette phrase terrible : « *La politique du Maréchal est déjà difficile à défendre.* » Il la fait suivre de ces mots qui esquissent la stratégie de défense qui sera mise en œuvre lors du procès de 1945 : « Sa meilleure excuse [celle du Maréchal], pendant quatre ans, est la contrainte allemande et sa volonté d'éviter le pire... Sa seule sauvegarde pour l'avenir, c'est qu'il ne fasse plus rien et qu'il soit un prisonnier qui s'oblige à être passif et qui refuse à quiconque le droit de se réclamer de lui... »

Après avoir recommandé au Maréchal de ne pas lier définitivement « son sort à celui des hommes les plus haïs et les plus méprisés en France — et sans doute en Allemagne », Ménétrel, qui, mal connu, a souvent été historiquement malmené, achèvera sa note sur cette réflexion mélancolique et désabusée :

« Nous avons conscience d'avoir accompli une *dernière fois*[1] notre devoir et nous assurons le Maréchal que, désormais, nous resterons en dehors de toutes les questions politiques et que *nous cesserons de l'importuner*[1] par nos suggestions, récriminations ou critiques. »

Le « nous », ici, n'est nullement pluriel de majesté. Dans sa démarche, Ménétrel a pour alliés le général Debeney, l'amiral Bléhaut, qui a vainement demandé, dès le 1er octobre, soit à être transféré dans un camp de prisonniers de guerre, soit à être remis au gouvernement français, mais aussi Mme Pétain dont Ménétrel soulignera cependant, dans quelques pages détachées du journal, combien sa présence constante, le fait qu'elle faisait « chambre commune » et ce qu'il appelle « ses dévergondages intellectuels », ainsi que ses colères, irritaient Pétain, trop faible pour protester.

Pour faire échec aux assauts de Brinon et de sa bande, Pétain, dont

---

1. Souligné intentionnellement.

Ménétrel mentionne à plusieurs reprises que, « toujours préoccupé, il dort mal » et même, le 31 octobre, qu'il « descend peu à peu », n'est plus soutenu que par quatre « résistants ».

La note de Ménétrel se trouvera donc à l'origine de toutes les ripostes de Pétain. Et notamment de ces notes à Renthe-Fink et à Abetz par lesquelles, puisque les Allemands interdisent son retour en France, il demandera « instamment que la question de sa résidence soit réglée de manière à éviter toute équivoque et toute cohabitation avec ledit comité ».

Il s'agit naturellement du « comité Brinon », mais les Allemands, qui entendent laisser Pétain et Brinon face à face, se contenteront, selon le mot de Noguères, de « marquer les coups ». Ils ne répondront donc pas au désir de Pétain de quitter Sigmaringen et enregistreront avec satisfaction les épisodes d'une querelle qui permet à Brinon, le 4 octobre, de rappeler à Pétain ses « jugements sévères et justes » sur les hommes et les institutions de la IIIᵉ République, sur les trusts économiques et sur le communisme.

Qui lui permet aussi de dénoncer Ménétrel accusé de rédiger des tracts et de les faire distribuer aux prisonniers et travailleurs français. Tracts qui tendaient à démontrer qu'à Vichy le Maréchal n'avait agi et parlé que sous la pression allemande, et que les hommes du maquis avaient « l'approbation » de l'ancien chef de l'État [1].

« En continuant à vous servir ainsi, ajoute Brinon, on [c'est toujours Ménétrel qui est visé] détruira dans l'Histoire tout ce que vous avez été et tout ce que vous êtes. »

Pétain lui ayant fait dire par Debeney qu'il était avant tout préoccupé par le sort des « internés politiques », la première partie de la réponse de Fernand de Brinon vaut d'être citée. Sans doute Brinon ignore-t-il toutes les tragédies dont les camps sont le théâtre, mais qu'il écrive : « Les internés politiques sont, pour une bonne part, les adversaires les plus acharnés des idées et des doctrines que vous avez

---

1. Entendu le 8 juin 1945 par la commission d'instruction de la Haute Cour de justice, Pétain confirmera non que « les hommes du maquis avaient son approbation » mais qu'à Sigmaringen Ménétrel « jouait des tours aux Allemands » et qu'il était en relation avec des prisonniers et des travailleurs.

défendues publiquement comme chef de l'État et, pour une autre part, des égarés qu'une conduite gouvernementale plus ferme aurait défendus contre eux-mêmes », témoigne d'une étrange sécheresse de cœur [1], comme si les malheurs des déportés étaient parfaitement mérités.

En terminant, Brinon se pose comme le meilleur disciple de Pétain, qu'il s'agisse de la politique de collaboration ou de la protection des prisonniers et des travailleurs français.

La réplique à Brinon sera sobre. Elle prendra la forme d'une note rappelant la seule mission dont Brinon s'est trouvé investi le 6 septembre 1944 à Belfort : la protection des « internés civils » et non point la mise sur pied d'une Commission gouvernementale aux activités étendues.

Qu'importait aux Français de Sigmaringen le combat Pétain-Brinon ? Et, d'abord, combien étaient-ils ? 1 142, affirme Céline, qui ajoute : « Je savais exactement le nombre » ; 2 000 environ, écrit Brissaud. Quel que soit le chiffre, il est important pour Sigmaringen, ville de moins de 7 000 habitants.

Au moment de leur fuite en Allemagne, les collaborateurs et leurs familles avaient, pour la plupart, suivi leurs chefs. Les membres du P.P.F. s'étaient ainsi retrouvés près de Constance, à Neustadt, Bad-Mergentheim, Wiesbaden et Mainen. Les miliciens de Darnand étaient à Ulm, leurs femmes et leurs enfants dans des camps du Wurtemberg et dans le camp de Siessen où, au début de 1945, une épidémie due à la malnutrition et à l'absence de médicaments causa, en une semaine, la mort de 92 enfants.

D'autres réfugiés politiques avaient gagné Berlin. On en trouvait aussi dans de petites villes allemandes, des camps de travail, des usines, étrangers-volontaires perdus parmi les millions d'étrangers-esclaves, raflés sur toute la surface des terres conquises par le Reich.

---

1. Dans la seconde partie de sa réponse concernant les « internés politiques », Brinon fera remarquer qu'il est souvent intervenu en leur faveur auprès des Allemands, ce qui est exact, mais, très vite, les services allemands ont ordonné de ne donner aucune suite à ses requêtes, reflet des requêtes de Vichy, Brinon se contentant, le plus souvent, de transmettre.

A Sigmaringen, les privilégiés, ceux qui ont été acceptés après le double filtrage des miliciens de service et d'une administration locale qui s'efforce d'éviter l'engorgement de la petite ville, couchent par quatre ou cinq dans les chambres du *Lowen,* du *Boren,* du *Donau.* Les déshérités se réfugient dans les gymnases transformés en dortoirs, voire dans la salle d'attente et le buffet de la gare où, dans le bruit du piano sur lequel inlassablement un homme joue *Lili Marlène* et les beuglements des soldats de passage qui réclament bière et filles, il est impossible de trouver le sommeil. Faisant la queue au *Schön* où les tickets donnent droit à un petit déjeuner de pain blanc, de confiture ou de beurre ; se retrouvant dans les restaurants autour d'une « nauséeuse pâtée de choux rouges, de raves et de rutabagas [1] », la *Stammgericht,* ils sont donc plus de mille à se demander comment ils survivront lorsque l'armée américaine et l'armée française seront là, car ils ont presque tous « l'article 75 au cul [2] », l'article qui peut mener au poteau, et sont tous informés des premières exécutions de « collabos », leurs amis d'hier.

La France et surtout *Le Petit Parisien* font, en effet, largement écho à l'épuration française. Sous le titre « La " Libération " rouge », *La France* du 7 décembre annonce que vingt personnes ont été fusillées par les communistes, le 29 octobre, au sortir de l'église de Pesmes [3].

En deuxième page du *Petit Parisien,* une rubrique fait connaître, sous le titre « La terreur communo-gaulliste », les noms des « collaborateurs » condamnés à mort à Paris, Chambéry, Grenoble, Perpignan, Bordeaux, Périgueux, Marseille, les noms de ceux qui ont été frappés de peines de travaux forcés et de ceux qui ont été arrêtés.

Une place au moins aussi importante que dans les quotidiens français est accordée, en première page, aux procès de Béraud et de Maurras, à l'exécution de Paul Chack, de Brasillach, d'Angelo Chiappe, ancien préfet du Gard.

Comment les « collabos » réfugiés à Sigmaringen, Constance ou toute autre ville d'Allemagne pourraient-ils entretenir des illusions

---

1. Lucien Rebatet.
2. Céline.
3. Arrondissement de Gray (Haute-Saône). Ce qui est une fausse nouvelle, les autorités de Pesmes me l'ont récemment confirmé.

sur leur avenir en cas de victoire alliée ? Ceux qui tombent sous les salves des pelotons d'exécution, ceux qui sont condamnés à de lourdes peines leur sont connus. Ils ont partagé les mêmes opinions, se sont côtoyés dans les mêmes meetings de Doriot, de Darnand ou de Bucard, ont participé parfois aux mêmes opérations miliciennes contre le maquis [1].

Si Pétain et quelques autres « passifs » s'enferment dans le silence de leurs majestueux appartements, le château est également habité par des ministres « actifs » : Déat, Darnand, Luchaire, Bridoux, dont les services « ministériels », situés dans la Karlstrasse, offrent des « situations », des salaires et surtout des illusions

Marcel Déat, « délégué » à la Solidarité nationale et à la protection des travailleurs, créera ainsi, à Sigmaringen, une Direction de l'enseignement et une Direction de l'hygiène. « Tout cela, écrira-t-il dans ses *Mémoires politiques,* ne servira peut-être à rien, si le chaos s'accroît et si la guerre recouvre tout... [Mais], au fond, tous ces ministres devenus des ombres aimeraient assez redevenir des êtres vivants. »

Autour de ces ministères de pacotille et autour de ces services à broyer du vide, des hommes, qui comptaient hier à Paris ou terrorisaient leur province, s'agitent, spéculent, complotent, tisonnent de vieilles haines et, « malgré les protestations de Pétain — écrit Brissaud —, se croient ou feignent de se croire investis d'un pouvoir légal ».

Que savent-ils d'ailleurs des protestations de Pétain, les Français de Sigmaringen ? Tout le travail de Brinon consistera à les masquer et à laisser croire non seulement que Pétain lui a délégué ses pouvoirs mais que, *sans le dire,* il est en parfait accord avec lui

---

1. Dans l'exil, la crainte des lendemains est entretenue non seulement par l'annonce de ces décès, mais aussi par les articles de Dorsay (pseudonyme du journaliste Villette) qui, toujours dans *Le Petit Parisien,* exagérant les mesures d'épuration, explique que les accusations et les accusateurs visent « non seulement des paysans et paysannes, des commerçants et commerçantes, des ouvriers et des ouvrières, mais [encore] des chefs d'entreprise, petits ou grands. Même ceux qui ont exécuté des travaux de réparation dans les villes et les villages bombardés par les Anglo-Américains sont « suspects ».

C'est le 26 octobre, à l'occcasion de la parution du premier numéro de *La France,* qu'aura lieu le trucage le plus choquant. La première page du quotidien s'orne d'un grand portrait du Maréchal, portrait ainsi dédicacé : « *A Monsieur de Brinon, mon fidèle interprète auprès des autorités allemandes. 1er novembre 1941. P. Pétain.* » Qu'importe qu'entre le 1er novembre 1941 et le 26 octobre 1944 les sentiments du Maréchal aient radicalement changé. La publication de la photo et de sa dédicace a précisément été voulue pour laisser croire qu'ils demeurent les mêmes. L'éditorial de Brinon le confirme.

> « Quelques hommes, des hommes promis à l'Histoire, et une Commission gouvernementale française, voilà ce qu'abritent, sous le pavillon tricolore, les murs du château de Sigmaringen. Mais ces murs renferment aussi un bien commun à tous les Français, un bien incorruptible : le principe à partir duquel *le seul pouvoir du Maréchal est légitime*[1] au milieu des malheurs où nous voyons plongée notre malheureuse patrie. »

Dans le numéro 2 de *La France,* un article précisera d'ailleurs que « la Commission gouvernementale [est] présidée par M. l'ambassadeur de Brinon, dont la délégation personnelle *a été confirmée par le consentement du maréchal Pétain* ». C'est plus que ce que Pétain peut supporter après tout ce qu'il a enduré. Aussi riposte-t-il le 29 novembre par une note qui « met au défi » Brinon de produire « une seule ligne ou un seul document à l'appui » de ce qui vient d'être écrit par *La France.*

La fin de la note de Pétain, qui sera portée à Brinon, accompagnée d'un reçu que l'ambassadeur signera, est d'une grande sévérité. Noguères parlera à son propos d'une « dégradation » de Fernand de Brinon à qui Pétain écrit : « Je vous interdis une fois pour toutes de prononcer mon nom ou de vous réclamer de moi dans vos entreprises (journal, radio ou discours). Pour éviter toute équivoque, je vous demande de vous abstenir désormais de porter l'insigne de la francisque[2]. »

« Dégradé » — mais qui en était informé à Sigmaringen ? —, Brinon

---

1. Souligné intentionnellement.
2. Dans la liste des titulaires de la Francisque gallique (moins de 3 000), Fernand de Brinon avait le numéro 456.

continuera à agir et à parler comme s'il bénéficiait du soutien constant du Maréchal. Le 22 novembre 1944, il écrira au Maréchal pour lui annoncer que le général Bridoux allait partir pour Berlin où il devait remplacer Scapini, « ambassadeur des prisonniers », qui, ne reconnaissant pas la légalité de la Délégation gouvernementale, venait de démissionner.

En annonçant à Pétain le remplacement de Scapini par Bridoux, Brinon savait que son principal adversaire allait être éliminé.

C'est le 22 novembre, en effet, que le capitaine SS Detering arrêtait dans une rue de Sigmaringen Ménétrel, qui sera immédiatement placé en résidence surveillée à Scheer, localité située à dix kilomètres de Sigmaringen. En l'arrêtant, les Allemands privaient le Maréchal non seulement d'un médecin qui, physiquement et psychologiquement, le connaissait parfaitement, mais encore de son plus intransigeant et plus solide conseiller, celui dont Brinon — quel hommage ! — dénonçait, dans une lettre à Pétain[1], le cynisme et l'ambition, celui qui était l'objet des délations, colères et rancœurs de « délégués » qui ne lui pardonnèrent notamment pas d'avoir demandé, le 29 octobre, à Renthe-Fink que le Maréchal soit éloigné de Sigmaringen où les activités de « certaines personnalités » créaient chez lui « des soucis et des préoccupations qui le mainten[aient] dans un état d'irritation nerveuse et d'agitation [provoquant], en particulier, des insomnies [...] de nature à altérer sa santé ».

Si le Maréchal avait quitté Sigmaringen, Brinon aurait perdu toute chance de l'influencer. C'est donc Ménétrel qui sera écarté. « Il ne faudrait pas connaître les procédés et les raffinements nazis, écrit justement Louis Noguères, pour ne pas comprendre que retenir à quelques kilomètres seulement de son malade le médecin personnel du maréchal Pétain constituait, pour les gens du Reich — et d'autres —, un moyen de pression auquel tout donnait à penser que le vieillard ne résisterait pas[2]. »

---

1. Le 4 octobre 1944.
2. *La Dernière Étape, Sigmaringen.*

Le Maréchal réclamera à plusieurs reprises que Ménétrel lui soit rendu. Ingénument, il demandera, le 2 décembre, que le régime de résidence surveillée auquel est soumis son médecin soit « subi au château même de Sigmaringen ».

Le 12 décembre, le général Debeney interviendra auprès d'Abetz en évoquant des malaises du Maréchal « inhérents à la circulation et qui trouv[aient] habituellement leur remède dans une saignée périodique ».

Le 8 janvier 1945, le docteur Ménétrel lui-même dans une longue lettre à Renthe-Fink, après avoir protesté contre une réclusion dont il ignore toujours les raisons et rappelé qu'il se tenait pour responsable « vis-à-vis de tous les Français » de la santé du Maréchal, écrira que son honneur « ne saurait être atteint par les insinuations perfides et ridicules dont quelques vils compatriotes [...] se sont servis dans le but, sans doute, d'atteindre, à travers moi, le chef légal de la France »...

Aucune de ces lettres ne recevra de réponse.

Il en ira différemment de la lettre par laquelle, le 26 janvier 1945, écrivant à Ribbentrop, le maréchal Pétain sollicitait le retour d'un médecin qui, succédant à son père [1], l'avait soigné depuis quatorze ans « avec un dévouement et une compétence absolus ».

Le 15 mars, soit quarante-sept jours après l'envoi de cette lettre, Ribbentrop répondra par l'intermédiaire de Reinebeck, qui a remplacé Otto Abetz auprès du prisonnier de Sigmaringen. Il n'est pas question de donner satisfaction au Maréchal et, le lendemain, 16 mars, une nouvelle mesure sera prise contre Ménétrel, déporté cette fois en Bohême au SS Kommando d'Eisenberg.

Il ne reverra jamais le Maréchal.

A Sigmaringen, où Pétain a refusé les soins du docteur Schillemans [2], qui, libéré de son oflag sur intervention du général Bridoux, était arrivé précisément le 22 novembre pour remplacer Ménétrel, bien des choses ont changé.

---

1. Le père de Bernard Ménétrel avait été le médecin du général puis du maréchal Pétain pendant vingt-six ans.
2. *Cf.* p. 314.

Ménétrel éloigné, on aurait pu s'attendre à une vigoureuse reprise de l'offensive de Fernand de Brinon.

Mais, aux yeux des Allemands, Brinon, qui n'avait jamais réussi à être reçu par le Maréchal, alors que Ribbentrop lui avait accordé un délai de quinze jours à trois semaines pour convaincre l'ancien chef de l'État de revenir sur sa « démission » du 20 août 1944 et de constituer un gouvernement Doriot, était démonétisé.

L'échec de Brinon ouvrait la voie à Doriot. Pour lui — il l'a dit à Ribbentrop — il n'y avait « rien à faire » avec Pétain et c'est sur de Gaulle que le chef du P.P.F. désirait « prendre exemple ». Le chef du gouvernement provisoire de la France n'était-il pas « parvenu au poste qu'il occup[ait] sans aucune légalité » ?... Il restait à l'imiter. A tâcher d'imiter l'inimitable.

9

COLLABORATION : SUITE ET FIN

Le 30 août 1944, à Steinhort, au terme de son entretien avec Doriot, Ribbentrop avait décidé qu'au cas où le Maréchal « refuserait de jouer le rôle qu'on lui destinait le gouvernement du Reich, après un bref délai, adopterait sans Pétain » la solution proposée par Doriot, qui se voulait et se voyait chef d'un « gouvernement révolutionnaire ».

Le maréchal Pétain ayant refusé de jouer « le rôle qu'on lui destinait », Brinon ayant, aux yeux des Allemands, perdu l'essentiel de son crédit, Doriot allait-il devenir le « Führer français » ?

A sa façon, il s'y était préparé, cet homme dont, bien avant la guerre, le normalien Pierre Pucheu écrivait : « A vrai dire, je n'ai pas connu dans notre génération d'homme ayant reçu à tel point du ciel des qualités d'homme d'État[1] », même si ses familiers — et certains trouveront là une cause de rupture — devaient lui reprocher de s'être toujours refusé à « accepter le minimum de tension et d'ascétisme qu'exigeait le commandement du P.P.F.[2] »... et, à plus forte raison, de la France.

Avant 1940, la IIIe République était trop robuste encore pour ne pas condamner Doriot à une politique fluctuante et opportuniste. Après

1. *Refaire la France.*
2. Paul Marion dans sa lettre de démission du P.P.F.

l'échec électoral subi en 1937 dans son fief de Saint-Denis[1], s'abandonnant à sa véritable nature, il devait justifier le mot cruel de Fabre-Luce : « Quand le courant se renversa, il se consola dans les bordels. » Il se consolait aussi dans les restaurants, cet athlète dont Drieu La Rochelle avait décrit « la houle des épaules et des reins, le hérissement de [la] toison, la vaste sueur [du] front » ; dont les foules subissaient physiquement la fascination, mais qui engraissait, s'empâtait, prenait du poids, du menton, et finissait, en 1938, par être la caricature ventrue du jeune militant communiste des années 20.

La défaite de la France allait-elle être, pour lui, une chance, l'occasion d'un nouveau départ ?

S'il est présent à Vichy en juillet et en août 1940, c'est parce qu'il s'imagine que tout se jouera dans la capitale provisoire. Lorsqu'il découvre que l'entourage du Maréchal est hostile au parti unique, pour la direction duquel il se serait d'ailleurs trouvé en concurrence avec Déat ; lorsqu'il reçoit d'Otto Abetz, qui le considère toutefois comme « un des plus précieux appuis » de la politique allemande en zone occupée, des conseils (ou des consignes) de modération, il devient « un homme du Maréchal ».

« *Je suis un homme du Maréchal* »... Sous ce titre, il rassemblera, en février 1941, quelques-uns des articles assez plats rédigés pour *Le Cri du peuple* et pour *L'Émancipation nationale*. Il ne faut pas en conclure que Doriot *suit* le Maréchal, mais plutôt qu'il *le précède*. J'ai exposé, dans *Les Beaux Jours des collabos*[2], sa conception du ralliement en citant la conclusion du discours qu'il prononce le 22 juin 1941, au lendemain de l'attaque de l'U.R.S.S. par l'Allemagne.

« Voilà cinq ans que nous luttons pour la réalisation de ces choses [le programme du P.P.F.]. Mais, aujourd'hui, nous avons le vainqueur de Verdun qui marche *dans la même direction que nous. Alors, nous nous alignons derrière lui pour la France et pour la plus grande Europe*[3]. »

Lorsqu'il découvre que le chef de l'État ne marche pas « dans la

---

1. Au terme d'une enquête administrative sur sa gestion, Doriot, maire de Saint-Denis, fut révoqué en 1937. Une élection partielle ayant eu lieu le 20 juin, il n'obtint que 37,9 % des suffrages exprimés et la liste du Front populaire emporta les cinq sièges vacants. Doriot abandonnait alors son siège de député. Il ne se représenta pas, et le communiste Fernand Grenier battit facilement le candidat P.P.F.

2. Tome III de *La Grande Histoire des Français sous l'Occupation*, p. 373 et s.

3. Souligné intentionnellement.

même direction » que le chef du P.P.F., Doriot, très vite, s'impatiente. Il a été reçu à la table du Maréchal, son parti obtient, pendant un an, une subvention mensuelle de 150 000 francs, Vichy l'utilise contre Déat et, discrètement, contre Laval, rien ne va cependant à la vitesse de ses ambitions.

Du côté allemand a-t-il du moins reçu des espérances ?

Dans ses discours, ses actes, il a multiplié les gages de bonne volonté collaboratrice. Au nombre des fondateurs de la Légion des volontaires français contre le bolchevisme en juin 1941, il a été le seul chef de parti à se battre, pour l'exemple, sur le front de l'Est. Et son exemple a entraîné un nombre non négligeable de militants. Mais il ne sera pas payé de retour. Le 21 septembre 1942, le Führer, par l'intermédiaire de Ribbentrop, a fait savoir à Abetz que, « informé [...] des bruits persistants suivant lesquels Doriot remplacerait prochainement Laval », il donnait ordre « de s'opposer à ces bruits et de veiller à ce qu'il y soit mis fin ».

Qu'il prépare, par un vaste tour de la France occupée[1], ce congrès de novembre 1942 qui deviendra, dans la bouche des dirigeants et militants rassemblés à plus de 7 000 (chiffre surévalué) au Gaumont-Palace, le *congrès de pouvoir ;* qu'à l'annonce du débarquement anglo-américain en Afrique du Nord les doriotistes aient descendu les Champs-Élysées en scandant « Doriot au pouvoir », ne lui vaudra aucune faveur particulière de la part d'occupants qui jouent auprès du timide et inquiet petit monde de Vichy de la menace potentielle qu'il représente, mais ne sont pas décidés à lui laisser la bride sur le cou[2]

---

1. Les Allemands, après avoir interdit l'activité de tous les partis en zone occupée, ont tacitement autorisé le P.P.F. à se manifester.

2. Lorsque, les 16 et 17 novembre 1941, Doriot eut, avec Benoist-Méchin et Darnand, plusieurs entretiens au cours desquels fut envisagée une « marche sur Vichy », qui ne pouvait être décidée et menée à bien qu'avec l'accord et l'appui des Allemands, les comploteurs ne reçurent bon accueil ni de l'ambassade ni des SS tenus par l'ordre de Hitler du 21 septembre, ordre renouvelé le 4 décembre.

Ce jour-là, Ribbentrop télégraphiera à Schleier, qui, à Paris, a remplacé Otto Abetz, provisoirement en disgrâce :

« Le Führer a encore une fois déclaré qu'il n'est aucunement question pour vous de considérer Doriot comme le futur chef du gouvernement. Laval est, pour nous, la personnalité que nous souhaitons comme chef de gouvernement. »

Après avoir cru que la défaite de la France le conduirait progressivement au pouvoir, Doriot, en 1944, ne plaçait plus ses espoirs que dans la situation créée par les revers militaires allemands. Alors que les attentistes avaient, depuis longtemps, rallié le camp gaulliste et que beaucoup de collaborationnistes prudents s'étaient transformés en attentistes prêts à évoluer, le chef du P.P.F. imaginait que sa fidélité politique au Reich, son engagement personnel, le nombre de ses militants feraient comprendre à Hitler que, dans un péril extrême, il lui fallait s'appuyer, en Europe, sur des « éléments indiscutables ». Or qui était plus « indiscutable » que lui ?...

« Éléments indiscutables », les mots seront repris dans la *Déclaration commune sur la situation politique* que Barthélemy signera en son nom puisque, en juillet 1944, Doriot se trouve sur le front de Normandie où il a, follement, engagé 200 jeunes du P.P.F. du côté allemand.

Signée par Brinon, Bonnard, Bichelonne, Déat, l'amiral Platon et quelques autres ultras, la *Déclaration commune,* remise au maréchal Pétain le 9 juillet, dénonçait « la désagrégation de ce qui rest[ait] d'État français » et réclamait l'entrée dans le gouvernement d'« éléments indiscutables » capables, eux, d'« actes essentiels » et de sanctions pouvant aller « jusqu'à la peine capitale à l'égard de tous ceux dont l'action encourag[eait] la guerre civile ou comprome tt[ait] la position européenne de la France ».

Doriot n'imaginait pas qu'un autre que lui pût diriger le futur gouvernement de « salut public ». Il ira si loin dans le rêve que, le 6 août, en compagnie de Victor Barthélemy, qui l'avait rejoint près de Metz, dans la demeure de vacances du *Gauleiter* Bürckel, son ami et protecteur, il consacrera plusieurs heures à la formation de « son » ministère. Jeu puéril et grisant qui consiste à attribuer tantôt à l'un, tantôt à l'autre, de chimériques ministères, Doriot conservant pour lui la présidence et l'Intérieur[1].

Enfin, dans ce qui devait être le dernier numéro de *Je suis partout* — celui du 12 août —, Doriot donnait à Cousteau une interview dans laquelle, prisonnier de ses illusions, il affirmait : « Il suffira qu'un gouvernement révolutionnaire se décide à montrer l'exemple pour qu'immédiatement la grande masse des Français le reconnaisse comme

---

1. *Cf.* Victor Barthélemy, *Du communisme au fascisme. L'histoire d'un engagement.*

le meilleur gardien de nos traditions et *pour qu'elle l'adopte aussitôt*[1]. »

Quel aveuglement ! Une semaine plus tard — le 17 août —, dirigeants et militants parisiens du P.P.F. devaient — sur ordre allemand — se mettre en route pour Nancy où, encombrant pendant quelques jours l'école primaire de Boudonville, se querellant, procédant à des arrestations arbitraires, semblant, suivant une information policière, « jongler avec l'argent » comme ils jonglent avec les armes, ils allaient se rendre insupportables à la population[2].

Doriot ne quittera Paris que le 19 août pour se rendre directement chez Bürckel, à Neustadt, capitale du Palatinat et bientôt capitale provisoire du P.P.F., en attendant, après la mort soudaine de Bürckel, le transfert du chef et des militants dans la petite île de Mainau, au bord du lac de Constance. Au contraire des adhérents des autres partis de la collaboration que l'on retrouvera éparpillés dans toute l'Allemagne, les hommes de Doriot demeureront relativement groupés. Combien étaient-ils ? Cinq mille, écrira Doriot à Ribbentrop, chiffre que les représentants du ministère des Affaires étrangères du Reich trouvèrent exagéré et qui comprenait d'ailleurs femmes et enfants.

Quoi qu'il en soit, Doriot, qui, à l'image de ses concurrents, avait toujours surévalué ses partisans en espérant tromper des Allemands qui n'étaient pas dupes, devait s'efforcer de justifier le choix fait par Ribbentrop à Steinhort, comme au quartier général de Hitler.

Le 9 août, lorsque le ministre des Affaires étrangères du Reich l'avait choisi pour futur chef du gouvernement révolutionnaire, il lui avait dit : « Il faut créer en territoire occupé par les Américains un mouvement de résistance de plus en plus puissant et, pour finir, un vaste maquis national », façon, selon Ribbentrop, de « rendre à l'ennemi la monnaie de sa pièce ».

Doriot, qui laissait volontiers croire que ses hommes, demeurés à Paris, s'étaient trouvés à l'origine de la fusillade de Notre-Dame, avait, dès son arrivée en Allemagne, offert ses services au contre-espionnage allemand. Le 15 septembre, au cours de sa rencontre avec Himmler, le 23 septembre et le 10 octobre, lors de son voyage à Berlin, il avait mis au point un plan d'action reposant sur une vue totalement

1. Souligné intentionnellement.
2. Suivant les Renseignements généraux, 700 membres du P.P.F. se trouveraient à Nancy le 26 août.

irréelle de la situation politique française comme de l'état d'esprit des populations libérées.

Bien que les émeutes de Bruxelles et la guerre civile en Grèce[1] ne l'aient pas encore fortifié dans sa conviction d'une rupture prochaine entre l'U.R.S.S. et les alliés de l'Ouest[2], Doriot spéculait sur la faiblesse supposée de De Gaulle et sur l'audace surestimée des communistes français.

C'est dans cette perspective qu'il étudiera avec Himmler non seulement la meilleure façon d'utiliser ses partisans abandonnés en France, sans deviner qu'ils étaient infiniment plus soucieux de se terrer que de passer à l'action, mais encore l'aide technique que les services allemands pourraient apporter aux quelques militants du P.P.F. qui accepteraient d'être parachutés ou infiltrés pour y accomplir des actes de sabotage.

Mais c'est à la division — à la tentative de division — de la Résistance que Doriot allait consacrer l'essentiel d'une propagande basée sur son expérience communiste de manipulation des foules, sur ce qu'il savait des conflits, bien réels, qui avaient opposé maquis F.T.P. et maquis de l'Armée secrète, sur ce qu'il croyait savoir du mécontentement des Français devant la pénurie alimentaire, les excès locaux de l'épuration, l'amnistie accordée à Thorez et le poids d'une « occupation » américaine dont les collaborationnistes feignaient de croire qu'elle était plus pesante que la récente occupation allemande.

Il s'agissait essentiellement, pour Doriot et les siens, de jouer la carte d'un patriotisme anticommuniste rassemblant les adversaires de la veille.

---

1. Événements qui se produiront à la fin de l'année. *Cf. Les Règlements de comptes.*

2. Jusqu'aux derniers jours de l'Allemagne nazie, Hitler crut à une rupture entre Alliés. Il se rappelait, et rappelait autour de lui, les jours sombres de la guerre de Sept Ans. Frédéric le Grand avait alors été sauvé par la mort de la tsarine, mort qui avait provoqué un retournement des alliances.

L'annonce de la mort de Roosevelt, le 12 avril 1945, fut accueillie, pendant quelques heures, dans l'entourage de Hitler, comme un signe du ciel. C'était l'équivalent de « la mort de la tsarine ». Les événements se répétaient !

« Le Führer, écrit Ribbentrop, qui ne partageait nullement cet enthousiasme, est au septième ciel. Ce coquin de Goebbels l'a persuadé que la mort de Roosevelt marque un tournant. Quelle absurdité criminelle ! » Truman, successeur de Roosevelt, ne modifierait nullement la stratégie américaine et ne contrarierait même pas la poussée soviétique vers l'ouest en pressant l'avance des troupes américaines.

« Nous faisions savoir, dira plus tard Jean-Hérold Paquis, qui, après avoir parlé sur Radio-Paris, parlait, en Allemagne, sur Radio-Patrie, nous faisions savoir aux résistants français *véritablement patriotes*[1] que nous étions plus proches d'eux que des faux collaborationnistes français. »

Les « faux collaborationnistes » : essentiellement les hommes de Vichy.

Il s'agissait donc d'exaspérer, par des actions terroristes, la peur qu'en bien des régions suscitaient les communistes, de leur faire endosser, afin de provoquer une réaction de l'armée ainsi que la réconciliation de ces milieux de droite divisés par la Résistance, des actes dans lesquels ils ne seraient pour rien mais où, contre eux, joueraient les apparences.

La Cagoule n'avait pas agi différemment en 1937 lorsqu'elle avait organisé, contre la Confédération générale du patronat français, un attentat provocateur.

L'incident souhaité par les Allemands et par Doriot éclaterait au moment où Roosevelt, répondant à une invitation de De Gaulle, se rendrait en visite à Paris. En novembre 1944, le gouvernement français avait effectivement convié le président des États-Unis, mais Roosevelt avait décliné l'invitation. Les Allemands l'ignoraient puisque, le 8 décembre[2], dans un télégramme adressé à Ribbentrop, Reinebeck, ministre plénipotentiaire du Reich auprès de Doriot, écrivait : « Il est d'un intérêt considérable que ce voyage ne se présente pas comme un triomphe, mais soit perturbé par des incidents efficaces. »

Sur ce que pouvaient être ces « incidents efficaces », Doriot avait un projet : il s'agissait de fomenter des attentats contre les troupes américaines, attentats dont les communistes seraient tenus pour responsables. Dans le même temps, une campagne contre le détestable ravitaillement, contre les lenteurs de la reconstruction et la misère ouvrière, en exaspérant les tensions sociales, était susceptible de pousser les communistes à la faute, de les inciter peut-être, ici ou là, à reprendre le maquis contre un pouvoir déstabilisé, ce qui ne manquerait pas de provoquer une réaction de l'armée et l'affrontement entre « forces du mal » et « forces du bien », forces du bien au nombre desquelles se compteraient les doriotistes !

---

1. Souligné intentionnellement.
2. De Gaulle se trouve alors en U.R.S.S.

« Analyse délirante », écrit Jean-Paul Brunet[1].

A nos yeux, incontestablement. Mais, dans l'hiver 1944-1945, l'analyse de l'ancien communiste Jacques Doriot n'était pas aussi « délirante » qu'il le paraît. Tous les journaux communistes, tous les orateurs du Parti ne dénonçaient-ils pas — au nom d'une imparfaite épuration — la présence de « fascistes », de « collaborateurs » dans les administrations ?

Les accidents et incidents, nombreux, n'étaient-ils pas immédiatement présentés comme des « attentats » de la 5e colonne ? Leur répression immédiate ne justifiait-elle pas, sans enquête sérieuse, des exécutions sommaires ? On le vit, notamment, dans le Vaucluse, lors de « l'affaire » du château de La Simone. Une explosion accidentelle ayant provoqué la mort de trente-deux F.F.I., trente-sept personnes furent arrêtées, un « tribunal du peuple » constitué, quatre « suspects » condamnés à mort et l'un d'eux exécuté[2].

Par leur attitude et leurs réactions, les communistes justifiaient l'analyse de Doriot et le discours qu'il tenait aux Allemands. Puisque le Parti communiste luttait, en France, contre le fascisme et pourchassait les collaborateurs, n'était-ce pas une preuve de la réalité du premier, de l'existence des seconds ? Si les « collaborateurs » demeuraient aussi nombreux que le Parti communiste l'affirmait, les quelques hommes du P.P.F. parachutés, dans le but de créer des maquis anticommunistes, avaient donc toute chance d'être recueillis, aidés, informés, comme l'avaient été jadis les agents de Londres puisque, jusqu'à la fin, jusqu'à la création de son Comité de la libération française[3], Doriot, dans une situation militaire et psychologique fondamentalement différente, fera toujours mentalement référence au seul rival qui lui paraisse digne : Charles de Gaulle.

Et puisque les communistes, toujours armés, régnaient sur plusieurs régions françaises, qu'il n'était pas inimaginable de les voir constituer une « tête de pont » au bénéfice de cette armée soviétique dont les progrès — la propagande allemande l'avait assez dit — menaçaient toute l'Europe, l'armée française, traditionnellement anticommuniste, l'armée qui venait d'Afrique, et même l'armée gaulliste ne devaient-elles pas prendre les devants ?

---

1. *Cf. Jacques Doriot*, p. 479.
2. *Les Règlements de comptes*, p. 353 et s.
3. *Cf.* p. 348.

C'est tout le sens de l'appel que Doriot lancera le 25 janvier sur Radio-Patrie. Appel « *aux combattants de l'armée française d'Alsace* » et directement à Leclerc, Kœnig, de Lattre, Giraud, « à tous leurs officiers », appel que *Le Petit Parisien* publiera le 26 janvier.

Feignant de croire que l'armée était placée sous « la conduite du déserteur Thorez » (qui venait de rentrer à Paris le 27 novembre), insistant sur le péril que représentait le communisme pour des officiers qui, par le passé, s'étaient montrés non seulement hostiles au Front populaire mais avaient eu parfois des complaisances pour la Cagoule, n'ignorant pas que plusieurs généraux — et quelques-uns illustres — avaient, sans état d'âme, longtemps servi le Maréchal, le chef du P.P.F. appelait les chefs de l'armée française à la révolte contre « le général de Gaulle séduit par le bolcho-moscovisme [1] ».

Appel sans portée, mais révélateur.

Le 6 janvier, lorsqu'il a annoncé la création du Comité de la libération française, Doriot avait évoqué, d'ailleurs, la perspective d'une troisième guerre mondiale, dans laquelle les forces militaires françaises, « noyautées par les bolcheviks », seraient employées, « le moment venu, contre les Anglo-Saxons, pour le compte de Staline ».

Le texte de Doriot s'achevait sur ces mots : « Armez-vous. Défendez-vous contre les crimes du bolchevisme. *Les meilleurs d'entre vous ont déjà réagi, les armes à la main [2]...* »

« Les meilleurs »... Doriot songeait-il à ces quelques militants parachutés en France pour des opérations de sabotage, à ces équipes autour desquelles on a mené plus de bruit qu'elles ne le méritaient, car elles ont été peu nombreuses et sans efficacité ? A la fin de septembre 1945, la surveillance du territoire fera savoir qu'il y eut 31 parachutages. Sur les 95 hommes, parachutés par des avions américains de prise pilotés par des Allemands, 86 avaient été arrêtés, dont 16, jugés,

---

1. Doriot a-t-il essayé de prendre des contacts avec ce qu'il est convenu d'appeler la résistance anticommuniste ? D'après certains historiens qui n'apportent pas (et ne peuvent apporter) de preuves, Mme Louise Delbreil, femme d'un P.P.F. qui s'était enfui en Allemagne, se serait, avec l'accord de la Résistance (de la région de Lyon) et du 2e bureau du général de Lattre de Tassigny, rendue en Allemagne pour rencontrer Doriot et lui faire des offres... dont on ne sait rien.

Un chef milicien, Raymond Clemoz, rencontrera, en Suisse, un officier de l'entourage du général Giraud, mais cet entretien ne devait aboutir à rien et il ne pouvait en aller autrement.

2. Souligné intentionnellement.

étaient déjà exécutés, 4 s'étaient tués ou avaient été tués à l'atterrissage, enfin 5 se trouvaient toujours en fuite.

Placés sous le commandement d'Albert Beugras, l'ancien responsable de la puissante fédération de Lyon, ces doriotistes, car il s'agissait essentiellement, à l'exception de trois ou quatre miliciens, de doriotistes, avaient été entraînés dans deux au moins de ces écoles de sabotage allemandes dont les noms bucoliques dissimulaient la vocation. Elles s'appelaient *Pâquerette, Pensée, Rose, Violette.* On y enseignait les méthodes du renseignement, le chiffrage, la radiotélégraphie (Doriot avait fait croire aux Allemands que ses militants conservaient, en France libérée, la maîtrise de quinze postes radio clandestins), et la technique du sabotage. Sous la direction de Pierre Celor, qui avait été, en 1928, responsable des Jeunesses communistes, avant de se voir, deux ans plus tard, retirer tous ses mandats par le Parti, puis de rejoindre Doriot, les candidats parachutistes étaient également initiés à l'action politique clandestine.

Le passage à l'acte — c'est-à-dire le parachutage en France — était d'autant plus périlleux qu'aucun « comité d'accueil » ne se trouvait au sol. Les saboteurs étaient donc condamnés à l'arrestation presque immédiate, toutes les forces de l'ordre étant en alerte depuis les parachutages de décembre et, notamment, celui — rocambolesque — du lieutenant Pasthier.

Sous le titre *L'Affaire des parachutages de Limoges,* Louis Pasthier a donné sa version des conditions qui le conduisirent à accepter d'être parachuté en France. Difficilement crédible, elle mérite cependant d'être exposée. Officier prisonnier, Pasthier avait appris que sa femme sombrait dans la dépression nerveuse. « Il crut, selon ses propres mots, avoir découvert le moyen de la rejoindre lorsque les Allemands lui proposèrent, en septembre 1944, de diriger une équipe qui, une fois parachutée en France, y accepterait une mission à leur profit. »

Parachuté le 15 décembre, près de Tulle et à 70 kilomètres du point qu'il avait choisi, Pasthier et les dix volontaires qu'il avait entraînés dans l'aventure furent rapidement arrêtés[1]. Pasthier eut beau dire que sa seule intention était de rejoindre sa mère et sa femme, et qu'il se justifierait « devant l'autorité chargée de recueillir sa déposition », il

---

1. L'un d'entre eux, Tabardel, se suicida à l'aide d'une capsule de cyanure dissimulée dans son briquet. Chacun des hommes arrêtés avait sur lui des armes et de l'argent (25 000 francs, 500 dollars, 25 livres sterling).

se justifia mal. La fable, selon laquelle les Allemands lui avaient fait confiance parce qu'il avait « le type aryen très prononcé » pouvait-elle être crue[1] ? Après sept années de prison à Fontevrault, puis à Eysse, Pasthier sera gracié par le président Auriol. Libéré le 15 décembre 1951, il retrouva sa propriété en friche, sa mère vieillie et la femme pour laquelle il s'était — ou se serait — lancé dans une folle et dangereuse aventure, condamnée bientôt à une réhospitalisation définitive.

Pasthier avait été pris quelques heures après son parachutage. Il en ira de même pour Chiocca, Foubert, Ouette et Perennes lâchés, dans la nuit du 8 au 9 janvier, dans la région de Montargis et capturés à leur arrivée à Paris.

Quelques heures plus tôt, dans la nuit du 7 au 8 janvier, Georges Rouchouze avait été parachuté au-dessus de la Corrèze.

Né dans une famille ouvrière, courageux combattant lors de la « drôle de guerre », monarchiste, pétainiste et milicien, chef du service de réception de la Milice à Vichy, garde du corps de Bout de l'An, le second de Darnand, Rouchouze a bénéficié d'un traitement de faveur de la part de Delperrie de Bayac qui, dans son *Histoire de la Milice,* consacre huit pages à son aventure.

Il est vrai que, n'ayant pas renoncé à afficher ses convictions : « Vous me reconnaîtrez sur le quai, je porte la francisque à la boutonnière », me dira-t-il un jour, Georges Rouchouze, à qui il n'a jamais été reproché d'avoir du sang français sur les mains, donne l'impression d'avoir été le modeste acteur d'une aventure dans laquelle, anticommuniste convaincu, il s'était trouvé manipulé par ses chefs qui lui avaient fait croire — et peut-être certains le croyaient-ils — qu'il travaillait à la « libération » de la France...

Instruit pendant deux mois dans un centre proche de Sigmaringen en

---

1. René Hardy, qui avait été arrêté puis relâché par Klaus Barbie, avant de se rendre à la réunion de Caluire (en banlieue lyonnaise) où Jean Moulin devait être capturé le 21 juin 1943, dira, lors des interviews qu'il aura l'occasion d'accorder, que Barbie avait été (favorablement) impressionné par « son type aryen ». Il expliquait ainsi son inexplicable libération.

compagnie d'hommes destinés à être infiltrés par la Suisse[1] (Darnand, qui exagère vraisemblablement, dira qu'un millier environ étaient passés), Rouchouze partira d'une base secrète proche de Stuttgart.

Les Allemands lui ont donné et ont donné à ses deux compagnons, Bernard Paul et Limbourg, des pilules stimulantes pour vaincre la fatigue, un pistolet 7,65, un poignard, une mitraillette Beretta, deux grenades et trois pigeons destinés à être successivement libérés. De Vigier, ancien chef de la Milice d'Orléans, Rouchouze a reçu des cartes d'état-major; de Bout de l'An, 217 201 francs en billets et 43 pièces d'or. Cette somme, il devait partiellement la remettre à un milicien qui se cachait dans le Massif central. Elle devait également lui servir à préparer des refuges pour les miliciens qui, depuis l'Allemagne, rejoindraient... un jour la France.

Rouchouze devait être parachuté au-dessus de la Creuse, dans une région où il savait obtenir asile et retrouver sa fiancée. L'équipage de l'avion « allemand » — un Dakota capturé intact au Danemark — lâchera les trois Français, à la suite d'une erreur de navigation de plus de cinquante kilomètres, au-dessus de la Corrèze. Sans cette erreur, le cours des événements aurait-il été modifié ? Il est vraisemblable que non. Depuis plusieurs jours, les autorités militaires étaient alertées et, dans la neige, les traces des fugitifs étaient aisées à suivre. C'est Bernard Paul qui sera arrêté le premier près du bourg de Lagraulière. Sali par les vomissures provoquées par les turbulences du vol, son pardessus avait attiré l'attention des villageois. Rouchouze, qui a abandonné en chemin ses armes — et même le saucisson que les Allemands lui avaient remis en oubliant que la marque et les impressions en allemand avouaient son origine —, passera la nuit dans une cabane mais sera arrêté le 9 janvier par deux cultivateurs... et leur chien[2]. Quant à Limbourg, il réussira à gagner Tulle, puis Paris, où il

---

1. Dans un « droit de réponse » publié par *Le Monde* le 22 mai 1993, M. Goguillot, dit Roland Gaucher, ancien responsable du R.N.P. de Marcel Déat, révélera être passé clandestinement de France en Allemagne — via la Suisse —, afin de rencontrer Marcel Déat, puis être revenu en France aussi clandestinement au début de 1945. Opérant « avec des résistants antistaliniens », il s'agissait, écrira-t-il, soit d'« organiser des maquis anticommunistes que Déat aurait pu rejoindre », soit de mettre au point « l'évacuation de Déat vers l'Italie pour y trouver la protection du Vatican, ce qui fut fait ».

2. Condamné à quinze ans de travaux forcés en juin 1945, Georges Rouchouze bénéficiera d'une mesure de grâce et sera libéré de la prison de Limoges en 1953.

sera capturé. Il s'était depuis longtemps débarrassé du poste émetteur-récepteur dont il avait la responsabilité, mais qui ne lui aurait servi qu'à confirmer l'échec de la mission[1].

D'autres tentatives — celles de Muchery, de Delobel et de Joseph Vieux[2] parachutés le 10 février, du fils de l'amiral Platon, lâché au-dessus de la France, dans la nuit du 20 au 21 mars — n'eurent pas davantage de succès. Certaines opérations prirent fin avant de débuter. Ce fut le cas, le 9 janvier 1945, lorsque l'avion destiné à parachuter dix Français près de la frontière des Pyrénées s'écrasa au décollage à proximité de Stuttgart. Le bruit courut que les victimes avaient appartenu au gouvernement de Vichy. Aucun de leurs noms ne permet de l'affirmer.

Pasthier, interrogé le 16 décembre à Limoges, s'était entendu demander :
— Êtes-vous venu pour tuer le général de Gaulle ? Pour faire sauter des ponts ou des rails de chemin de fer ?
Questions « stupides » et « farfelues », estimera-t-il plus tard, en oubliant que son interrogatoire avait coïncidé avec le début de l'offensive allemande des Ardennes et que les parachutages de janvier avaient eu lieu au moment où les attaques de la Wehrmacht en direction de Strasbourg semaient dans l'opinion inquiétude et doute.

Ribbentrop avait demandé à Doriot — mais sans doute le chef du P.P.F. aurait-il agi sans ordre — de créer un mouvement de résistance

---

1. En décembre 1946, le tribunal militaire de Nancy condamnera à mort Jean Vallier, militant du P.P.F., parachuté en Lorraine derrière les lignes françaises pour des missions d'espionnage.
2. Joseph Vieux devait se suicider avant d'être capturé.

en zone occupée par les Américains. Ribbentrop suggérera également à Doriot la mise en place d'un « Comité français de libération ».

Copier de Gaulle, ses mots, ses formules, en imaginant que mots et formules auraient, pour l'homme du 6 janvier 1945 — date à laquelle Doriot annonce sur Radio-Patrie la création du Comité de libération —, des résultats identiques à ceux qu'ils avaient eus pour l'homme du 18 juin 1940 ? Il se peut. C'était compter sans les réalités militaires ; sans la psychologie des Français ; sans les différences de style, de caractère et de talents entre de Gaulle et son médiocre compétiteur.

Mais, en créant son Comité de libération, Doriot n'avait-il pas plutôt l'ambition d'absorber Brinon et sa Commission gouvernementale, d'ouvrir, selon le mot de Jean-Paul Brunet, « une brèche béante dans la forteresse en carton-pâte de Sigmaringen » ? C'est vraisemblable. Brinon et plusieurs de ses proches ont effectivement adhéré. Seuls Joseph Darmand et Marcel Déat — au grand dépit de Doriot qui voudrait « une entente complète avec tous les éléments révolutionnaires » — boudent toujours.

Évoquant, dans ses *Mémoires politiques,* l'entreprise de noyautage et d'encerclement entreprise par Doriot, Marcel Déat écrira qu'elle procédait de la « méthode communiste ». « On circonvient les gens, un par un, écrira-t-il, on leur fait des promesses, on exerce des pressions, on flatte ou on terrorise, selon l'occasion, jusqu'à ce qu'on ait fait vaciller les consciences. Au surplus, sauf exceptions, ces consciences ne sont pas bien solides. »

Si l'on en croit le chef — chef aux troupes réduites [1] — du R.N.P., la perspective « d'un emploi bien rémunéré, ou la crainte de perdre celui que l'on détient, au cas où les doriotistes prendraient " le pouvoir " *(oui, ces mots sont écrits),* en voilà assez pour décider des hommes qu'on aurait pu croire plus fermes ».

On aurait pu imaginer que le malheur des temps et la crainte de l'avenir avaient apaisé les vieilles querelles de ces quelques milliers de « collaborateurs », au bord du gouffre. Il n'en était rien.

Pour parler du conflit qui opposait ses hommes à ceux du P.P.F., Déat, qui s'efforçait de regagner par la parole ce que Doriot lui arrachait quotidiennement par l'action et, de conférences en journées d'études, livrait, dans des villes en ruine, une vaine bataille idéolo-

---

1. Selon Déat, seules quelques centaines de membres du R.N.P. auraient gagné l'Allemagne. La majorité se trouve à Sigmaringen.

gique, emploie les mots : « guerre à couteaux tirés », « dictature d'une faction, pour ne pas dire d'une bande », « incroyable bagarre ».

Lorsque Déat apprendra que Brinon vient d'adhérer au Comité de libération de Doriot, il l'accusera de trahison et lui signifiera qu'il rompt avec lui toutes relations... Brouillés, des époux font chambre à part. Pour matérialiser sa rupture avec Brinon, Déat fera... salle à manger à part. Il ne s'assiéra plus à la table de Brinon. On croit rêver !

Comme l'on croit rêver en lisant, sous la plume de Déat : « Le cercle se resserre autour de nous et je me demande jusqu'à quand nous pourrons résister à cet effritement qui se manifeste de toutes parts[1] », lorsque l'on sait qu'il ne s'agit nullement, en février 1945, de l'encerclement de l'Allemagne par les armées de l'Est et de l'Ouest, mais de « l'encerclement » de Déat, et des quelques fonctionnaires qu'il a affectés à une chimérique Direction de l'hygiène, par les « bandes » de Doriot !

Finalement Déat capitulera. Il acceptera une rencontre avec Doriot.

Les deux hommes doivent déjeuner à Mengen[2] le 22 février. A cet entretien qui ne pouvait avoir qu'un résultat dérisoire, Déat accorde une importance considérable. Dans ses *Mémoires,* il parle de « grande nouvelle » et se félicite de ce que les Allemands aient mis à sa disposition un gazogène..., l'essence étant alors réservée aux seuls véhicules militaires.

Le 22 février, le temps beau et froid facilitait la tâche des chasseurs anglo-américains. N'ayant plus rien à détruire dans un pays où tout était détruit, ils ne négligeaient pas les proies les plus modestes. Une voiture civile sur la route méritait, au même titre que « tout ce qui bouge[ait] : rigodon ! ptaf ! », écrira Céline, une rafale de mitrailleuse.

Pour rejoindre Mengen, Doriot avait quitté Mainau où il vivait depuis quelques semaines en satrape[3], en compagnie de sa mère, de

---

1. Marcel Déat, *Mémoires politiques.*
2. Déat écrit qu'il devait rencontrer Doriot en tête à tête. Tous ceux qui ont étudié la fin de la collaboration en Allemagne assurent que la présence de Darnand était prévue.
3. Marie Chaix (fille d'Albert Beugras) écrit qu'après une période de privations la vie à Mainau s'était radoucie et que, venus d'Italie, ne manquaient ni

son épouse, de ses deux filles, Jacqueline et Madeleine, de ses gardes du corps, gens de sac et de corde, commandés par l'assassin Francis André, de ses familiers de toujours, de ses journalistes et de ses informateurs, éléments d'une petite cour qui dansait encore sur un volcan.

La maîtresse de Doriot, jeune figurante du Lido, dont il avait fait la connaissance en 1942, et qui lui avait donné une fille en avril 1944, habitait de l'autre côté du lac, à Uberlingen, où elle vivait sous la protection de Jean Le Can, important entrepreneur de travaux publics bordelais, bailleur de fonds du P.P.F., chargé, depuis 1941, de veiller sur la famille légale du chef comme de protéger ses amours[1].

Le 22 février, lorsque Doriot quitte Mainau, vers 11 h 15, dans la Mercedes à gazogène du conseiller d'ambassade Struve, soixante-dix kilomètres le séparaient de Mengen où s'étaient regroupés la plupart de ses services et où Déat, venu de Sigmaringen proche, l'attendait déjà pour un entretien au terme duquel le ralliement du dernier opposant au Comité de la libération était prévisible.

Doriot n'arrivera jamais à Mengen.

Ceux qui l'attendaient ne s'inquiétèrent pas tout d'abord. Les alertes aériennes troublaient tous les horaires. Déat déjeunait lorsqu'un ami de Doriot vint discrètement le prévenir : la voiture de Doriot avait été mitraillée par un avion, le chef était mort.

Miraculeusement épargnée, la secrétaire de Doriot devait, quelques minutes plus tard, confirmer la nouvelle. Échevelée, haletante, le visage bouleversé, elle eut la force, avant de s'évanouir, de crier à Déat, Sabiani et Marschall qui s'avançaient : « Le chef !... Le chef ! »

Sur cette mort, on bâtira un roman. Les services allemands... et leurs amis du R.N.P.[2] auraient fait « exécuter » un Jacques Doriot coupable de trahison et de négociations avec le général de Lattre de Tassigny pour la poursuite de la lutte anticommuniste en France.

---

alcools, ni vins fins, ni denrées rares. Des dîners aux chandelles, « servis par de rondes Ukrainiennes », s'achevaient parfois par un bal costumé *(cf. Les Lauriers du lac de Constance)*.

1. En décembre 1945, Ginette G... sera condamnée à un an de prison.

2. C'est du moins ce que laisse entendre Déat. Se croyant plus important qu'il ne l'est, il écrira : « Un de ces jours, on nous accusera d'avoir tué Doriot » *(Mémoires politiques)*.

Lors des procès d'épuration, cette thèse[1] a pu servir quelques responsables du P.P.F. qui espéraient, en évoquant un « retournement de veste » de dernière heure, obtenir des circonstances atténuantes. La vérité est plus simple. Les balles des deux avions alliés qui avaient mitraillé la voiture dans laquelle se trouvait Doriot, après avoir ouvert d'énormes trous dans la portière droite, avaient atteint Doriot aux cuisses, crevé son œil gauche, fracassé joue et mâchoire, déchiré un poumon, perforé le cœur et le foie[2]. Jean-Hérold Paquis, qui, avec quelques autres, eut le courage de se rendre près de la voiture immobilisée sur le bas-côté de la route et d'où le chauffeur, grièvement blessé, avait été évacué, écrit que Doriot, « jambes presque détachées du corps, poitrine ouverte, tête comme un bloc de sang », était « méconnaissable ».

Par une étrange coïncidence, Jacques Doriot avait été tué le jour même où *Le Petit Parisien* publiait une interview de lui qui se terminait sur une phrase partiellement prémonitoire. Après avoir évoqué la personnalité de ceux qui venaient d'adhérer au Comité français de la libération française, n'avait-il pas déclaré à Maurice-Ivan Sicard : « La route qui mène à la victoire est semée de tombeaux. »

Il y aurait des tombeaux, il n'y aurait pas de victoire.

Les obsèques se déroulèrent devant l'hôtel de ville de Mengen, le dimanche 25 février. Après la levée du corps, qui eut lieu à 9 h 30, tous les membres du Parti populaire français furent admis à défiler dans la salle d'honneur et à saluer le cercueil, recouvert d'un drap tricolore et entouré de nombreuses couronnes de feuillage.

A partir de 16 heures, la cérémonie se poursuivit sur la place de l'Hôtel-de-Ville où une estrade avait été dressée. La famille de Doriot avait pris place à la droite du cercueil et la foule des assistants devinait,

---

1. A laquelle le livre de Saint-Paulien, *Histoire de la collaboration,* s'est efforcé de donner quelque crédit, mais que l'on retrouve dans le tout récent (1992) *Dictionnaire historique des fascismes et du nazisme,* de S. Berstein et P. Milza.

2. *Cf.* Jean-Paul Brunet, *Jacques Doriot,* p. 488-489.

Cf. aussi le communiqué du P.P.F. publié par *Le Petit Parisien.* Le communiqué parle de *deux attaques,* mais, dans le compte rendu des obsèques de Doriot par le même journal, il est bien question de deux avions attaquant successivement.

posées sur un coussin, les décorations : croix de guerre 14-18, médaille des T.O.E., croix de guerre 39-40, croix de guerre légionnaire[1], croix de fer de 2ᵉ classe, croix de l'ordre du Mérite, médaille du Front de l'Est, résumant la vie militaire et militante de l'homme qui, après s'être battu pour la France, s'était mis au service de l'Allemagne.

Les assistants étaient nombreux. Des « personnalités » du moment que le vent de la défaite emportait déjà : Brinon, Déat, Darnand, Luchaire, le général Bridoux, Marion, Abel Bonnard, ces deux-là représentants muets de Laval. Des hommes qui avaient suivi, aimé ou détesté Doriot. Certains pensaient sans doute que le destin venait de les débarrasser d'un rival... mais rival dans quelle compétition ? Quelques-uns, songeant au destin qui les attendait, pouvaient légitimement se demander si Doriot n'avait pas eu une « belle » mort. Tous savaient que la cérémonie était le convoi funèbre de la collaboration.

Les Allemands étaient représentés par l'ambassadeur Reinebeck, par Hoffmann et Struve ; le Japon, par l'ambassadeur Mitami ; l'Italie (ce qui restait d'Italie fasciste, celle de Mussolini), par le consul Longhini.

Et les anonymes étaient là : membres du P.P.F. naturellement, mais aussi du R.N.P., partisans de Bucard, anciens de la L.V.F., hommes et femmes abandonnant souvent toute pudeur pour céder aux larmes.

Certes, tous les membres du Bureau politique allaient prêter le même serment : « Je jure de conserver toutes mes forces jusqu'au sacrifice suprême à notre combat dont il [Doriot] reste pour moi le chef présent et agissant. Je jure de tout faire pour qu'à notre tête il rentre en France, notre Patrie, le jour de sa délivrance... » Mais quelle portée pouvait donc avoir pareil serment alors que l'Allemagne s'effondrait ?

— Et que pouvons-nous faire d'autre que de continuer le combat ? avait demandé Jacques Doriot, un jour de novembre 1942 alors qu'il croyait à la victoire de l'Allemagne et au succès de « la révolution nationale-socialiste ».

---

1. Décernée au titre de la Légion des volontaires français contre le bolchevisme.

Le 25 février 1945, après l'absoute donnée par l'abbé Louis Delcros, aumônier de la Milice, combien étaient-ils, parmi ceux qui, tristement, s'éloignaient du cimetière de Mengen, qui pouvaient croire encore à une possible victoire de l'Allemagne nazie ?

Et parmi les Français qui, les armes à la main, poursuivaient, à l'est, dans des conditions désespérées, un combat en retraite ?

Qui sont-ils ? Quel est leur nombre ?

Le 2 janvier 1945, lorsque André Bayle, qui s'est engagé à dix-sept ans, en mars 1943, et a combattu, en juillet et août 1944, dans les Carpates avec la brigade SS *Frankreich,* se présente au camp d'entraînement modèle de Wildflecken[1], il est interpellé par son camarade Vincent qui lui dit :

— Les choses ont bien changé, l'ambiance est très différente. Attention ! Ce n'est pas *notre*[2] SS.

Bayle découvrira rapidement les différences.

Alors qu'il se rend à l'état-major de la brigade SS *Charlemagne* — qui deviendra division le 10 février —, il est interpellé par un officier en uniforme de chasseur alpin français qui lui reproche de ne pas l'avoir salué.

C'est en allemand que Bayle décline son nom et son grade. Son interlocuteur l'ayant traité de « franco-boche », puis ayant exigé une présentation en français, Bayle riposte :

— D'accord mais, arrivant ici, je souhaite aussi savoir à qui j'ai affaire... votre tenue m'étant absolument inconnue.

— Milice ! répond sèchement l'officier que, dans ses souvenirs[3], Bayle traitera de « Gaulois ».

« Gaulois ! » Dans la bouche des « anciens » de la 7ᵉ brigade

---

1. Dans son livre *Les Hérétiques,* Saint-Loup, *alias* Marc Augier, parlera en ces termes de Wildflecken : « Construit en 1936, il représente un chef-d'œuvre de cet urbanisme militaire dans lequel excelle l'Allemagne. A première vue, c'est une forêt. Avec du temps et de la patience, on découvre, dans cette forêt, quarante bâtiments massifs — béton et pierre — ... dont chacun peut abriter l'effectif d'une compagnie. »
2. Souligné intentionnellement.
3. *De Marseille à Novossibirsk,* publié à compte d'auteur.

d'assaut de la Waffen SS[1], dont un bataillon, engagé en août 1944 dans de rudes combats pour la Vistule, a perdu, en tués, blessés et disparus, plus de quatre-vingts pour cent de son effectif, le mot « Gaulois » est presque une injure s'appliquant à des miliciens débarqués à Wildflecken, le 5 novembre 1944, au chant de *La Madelon*. Le serment qu'ils ont dû prêter à Hitler pèse encore aux « Gaulois ». Ils ne sont pas habitués aux commandements lancés en allemand ; à la pensée qu'il leur faudra bientôt abandonner leur uniforme ; aux menus volontairement spartiates des camps d'entraînement[2] ; à l'éloignement de leurs chefs politiques et chefs de clans — Darnand, Doriot, Bucard —, dont ils croyaient qu'ils deviendraient naturellement leurs chefs de guerre.

Or, les Allemands, qui ont très mal supporté la politisation de la Légion des volontaires français contre le bolchévisme[3], ne veulent à aucun prix voir se répéter les querelles « gauloises » de 1942. Nommé le 23 septembre 1944 Inspecteur des unités des volontaires français, le général Gustav Krukenberg[4], après s'être plaint des problèmes d'ordre posés par la brusque arrivée de plusieurs milliers de miliciens ;

---

1. C'est le décret du 22 juillet 1943, signé par Pierre Laval, qui avait donné aux Français l'autorisation de s'engager dans « les formations constituées par le gouvernement allemand (Waffen SS) pour y être groupés dans une unité française ».
La 7e brigade d'assaut regroupera environ 3 000 hommes dont la moyenne d'âge est de vingt ans. Un bataillon sera engagé dans la bataille pour la Vistule, les deux autres bataillons étant à l'entraînement.
2. Lors de l'entraînement, les hommes de la Luftwaffe reçoivent une tasse de faux café le matin, un litre de soupe sans viande à midi, 30 grammes de saucisse et 20 grammes de margarine à 17 heures, 400 grammes de pain et 3 cigarettes. Il s'agit de les mettre dans des conditions aussi rudes que celles du combat... et, notamment, du combat en retraite.
3. *Cf. Les Beaux Jours des collabos,* p. 243 et s.
4. De formation juridique et administrative, Krukenberg, qui avait terminé la guerre de 1914-1918 avec le grade de capitaine, s'était, en 1920, dirigé vers le ministère des Affaires étrangères puis, entre 1923 et 1931, avait rempli, pour l'industrie allemande, d'importantes fonctions en Hollande et en France.
Résidant à Paris de 1926 à 1931, il avait été délégué allemand du « Comité d'étude franco-allemand » qui s'efforçait de rapprocher personnalités du monde de la politique, de la science et de l'économie, avant d'être nommé commissaire du Reich en juin 1933.
Membre du parti avant l'arrivée de Hitler au pouvoir, il appartint, par la suite, à plusieurs unités Waffen SS (5e régiment SS, unités SS de montagne) et eut des responsabilités politiques et militaires à Riga. Fait prisonnier par les Soviétiques, en 1945, à Berlin, il ne sera libéré que onze ans plus tard.

par l'intervention des « politiques » de Sigmaringen et, notamment, de Darnand ; par la « guerre des portraits » à laquelle partisans de Doriot et de Darnand se livraient dans les chambrées ; par les prétentions d'hommes qui croyaient avoir acquis, au cours de quelques brèves rencontres avec le maquis, une science militaire suffisante pour affronter les Soviétiques, imposera sa volonté, c'est-à-dire celle des autorités allemandes.

Sans doute Edgar Puaud, qui avait commandé les trois bataillons de la L.V.F. et que Vichy avait promu, au début de 1944, au grade de général de brigade, est-il, avec le grade d'*Oberführer* (ce qui est davantage que colonel et moins que général), théoriquement, le chef de la *Charlemagne,* mais Krukenberg est le patron.

Cet homme de prestige — 1 m 87 et de nombreuses décorations —, respecté pour son courage, craint pour sa terrible rigueur, car il n'hésite jamais à envoyer devant le peloton d'exécution de modestes pillards et, dans les camps de concentration[1], les anciens de la L.V.F. qui refusent d'intégrer la Waffen SS, a l'ambition de réussir rapidement l'amalgame entre les anciens de la Waffen SS ou de la L.V.F. et les miliciens, nouveaux venus profondément déçus d'avoir dû quitter Ulm, où ils étaient encore entre eux, pour ce camp de Wildflecken où, isolés par la barrière de la langue et de la culture politique, ils découvrent un monde « européen » et militaire qui, depuis longtemps, a effacé Vichy de sa mémoire, tient pour rien, quand il ne les méprise pas ouvertement[2], leurs opérations de représailles contre le maquis, s'est choisi d'autres chefs que ces Doriot, Darnand, Bucard, qu'aigrissent les passions des vieilles et vaines querelles françaises.

Ainsi Darnand, qui croyait que l'on aurait besoin de lui, se verra-t-il brutalement éliminé. Il était arrivé le 11 novembre 1944, au camp de

---

1. Soixante-dix hommes de la L.V.F. seront ainsi enfermés au camp de Stutthof, près de Berlin. Certains seront rapidement libérés, d'autres iront partager l'existence des déportés de Sachsenhausen, puis de Mauthausen.

2. André Bayle rapporte qu'à Wildflecken un adjudant de la Milice, ayant montré à trois sergents de la brigade Frankreich un « calot à pompon d'un résistant français tué dans le Vercors », fut immédiatement chassé de la chambrée avec interdiction d'y remettre les pieds. *Cf. Historama,* mars 1984.

Wildflecken en uniforme de sturmbannführer[1] (commandant), pour assister à la prestation de serment à Hitler de ses 2 500 miliciens et prendre — croyait-il — de hautes responsabilités politiques. Il apportait en dot à la brigade *Charlemagne* le tiers environ d'un effectif qui, *théoriquement,* atteindra 8 300 hommes, si l'on additionne aux 2 500 miliciens de Darnand les 1 200 rescapés de la L.V.F., fidèles, pour la plupart, à Doriot, les 1 100 survivants de la brigade *Frankreich,* les 1 200 engagés venus de la *Kriegsmarine* et, beaucoup plus douteux quant à leurs sentiments et à leur combativité, les 2 000 volontaires de formations de l'arrière comme l'organisation Todt et la N.S.K.K., dont le rôle était de transporter ravitaillement et munitions aux troupes de l'avant[2].

Mais la déception de Darnand sera immédiate. Le général Krukenberg, à qui il a rappelé la promesse faite par le général Gottlieb Berger : « Je vous désigne pour être l'animateur politique de la brigade *Charlemagne* », réplique : « Si je vous prends, Doriot va venir. Il y aura donc, dans la même unité, Doriot et Darnand, ce n'est pas possible. »

En cette soirée du 11 novembre 1944, c'en est donc fini des ambitions du *Sturmbannführer* Darnand. A-t-il alors songé à un autre 11 novembre, le 11 novembre 1918, qui, grâce en partie à lui, sergent Aimé-Josèphe Darnand, auteur d'un coup de main historique[3], avait vu le triomphe des armes françaises ?

---

1. C'est en août 1943, au cours d'une cérémonie à l'ambassade d'Allemagne, que Joseph Darnand, devenu Sturmbannführer, avait prêté serment à Adolf Hitler, « Führer germanique et réformateur de l'Europe »... ce qui ne l'empêchera pas de devenir, à Vichy, responsable du Maintien de l'ordre, puis secrétaire d'État à l'Intérieur !

2. Ce chiffre, mathématiquement exact, est cependant excessif, s'agissant des effectifs combattants. La division *Charlemagne* ne réunit jamais plus de 7 000 combattants ; les miliciens inaptes reçurent une affectation au travail. Il est vrai que, recensant les hommes qui se trouvaient au dépôt de Grüffenberg, certains estiment à 10 000 soldats l'effectif total de la *Charlemagne.*

3. Sur le coup de main historique du 14 juillet 1918 et sur la part remarquable de Darnand dans un succès qui permit au commandement français, grâce aux renseignements obtenus des prisonniers (Darnand et ses hommes en capturèrent 24 sur 27), de briser quelques heures plus tard l'assaut de trente divisions allemandes et de reprendre l'initiative, *cf. L'Impitoyable Guerre civile,* p. 307.

On ne saura jamais quels sentiments ont traversé son âme...

C'est en spectateur boudeur qu'il assistera, le 12 novembre, à la prestation de serment de miliciens qui n'ont pas encore revêtu l'uniforme allemand.

Jean Bassompierre, qui venait de conduire ses hommes d'Ulm à Wildflecken, aurait obtenu — c'est du moins ce qu'il déclarera le 4 décembre 1946 à l'inspecteur Henri Jeanjean, qui l'interroge —, que le serment fût prêté à Hitler, chef de *la Waffen SS dans la lutte contre le bolchevisme,* serment qui était celui de la L.V.F., de préférence au serment à Hitler, *Führer germanique et réformateur de l'Europe,* qui était « le vrai serment SS[1] ».

S'expliquant sur sa position, Bassompierre déclarera, toujours lors de son interrogatoire : « Connaissant l'opinion de Darnand[2] sur la question, je ne voulais pas prêter un serment qui laisse la porte ouverte à un engagement éventuel sur le front de l'Ouest, c'est-à-dire contre les Alliés ou d'autres Français... » Les miliciens de Darnand, les hommes de la L.V.F. ou ceux de la brigade *Frankreich* auraient-ils pu se retrouver face aux troupes françaises, anglaises ou américaines ? La tentation a existé. Il faut rappeler qu'après le débarquement du 6 juin la L.V.F. avait été sur le point d'être embarquée pour participer, sur les arrières du front de Normandie, à la lutte contre les résistants français. Seule l'imprévisible et irrésistible offensive soviétique dans la région de Vitebsk avait conduit le commandement allemand à changer brutalement d'avis. Arrachée à la gare de Bohr, la L.V.F. avait été jetée en ultime barrage le long de l'autostrade Minsk-Moscou.

Ce qui n'avait pas été réalisé en juin 1944 pouvait-il l'être à la fin de l'année ou dans les premières semaines de 1945 ? Le 31 août, Doriot avait, sans être entendu, demandé à Ribbentrop que Waffen SS et légionnaires français fussent rappelés du front russe pour être engagés contre les maquis et il se peut qu'au moment de l'offensive des Ardennes quelques-uns aient imaginé que la division *Charlemagne* et

---

1. Selon Saint-Loup *(Les Hérétiques)* pour qui le serment de la L.V.F. était « anachronique ».

2. Darnand et Bassompierre avaient politiquement sympathisé avant la guerre. Aussi est-ce tout naturellement que Bassompierre répondra aux demandes successives de Darnand. Après être entré à la Légion des combattants, Bassompierre participera à la création du Service d'ordre légionnaire dont il deviendra, en janvier 1942, inspecteur général. Engagé dans la L.V.F., il prendra, en décembre 1942, sur le front de l'Est, le commandement de la 2ᵉ compagnie.

la division *Wallonie* — commandée par Degrelle — pourraient participer, une fois la percée réussie, à l'avance à nouveau victorieuse de l'armée allemande. Degrelle n'avait-il pas déclaré le 4 décembre : « Nous devons être assez forts pour être à la tête des troupes qui entreront dans Bruxelles et dans Paris. Je veux me trouver dans le premier char qui fera son entrée dans Bruxelles » ?

Les hommes, qui s'étaient engagés à la L.V.F. ou dans la Waffen SS — parfois pour ne pas aller combattre le maquis ou traquer les résistants —, et qui devinaient quel sort leur serait réservé s'ils tombaient entre les mains des maquisards, n'avaient toutefois aucune envie que soit modifié le contrat qui, pour la lutte à l'Est, les liait à l'Allemagne. Quant au commandement allemand, méfiant envers une entreprise à vocation trop souvent politique, et craignant des désertions si Français et Belges se retrouvaient « chez eux », c'est vers l'Est qu'il faisait embarquer la *Charlemagne* lorsque Bassompierre, qui avait été envoyé suivre un cours de chef de bataillon près de Berlin, regagna Wildflecken le 17 février.

On lui avait ordonné de demeurer au Dépôt.

Il réussira à monter dans le dernier train, scellant ainsi son destin.

La division *Charlemagne,* composée de deux régiments — le 57ᵉ Waffen-grenadier-régiment SS, commandé par Victor de Bourmont, qui dissimule sous « un rayonnement de brutalité... une timidité incoercible[1] », le 58ᵉ commandé par Émile Raybaud —, comprend également un groupe d'artillerie, un détachement antichar, des pionniers : au total, avec ceux qui devaient rejoindre, 7 000 hommes mal équipés et mal armés dont les convois, avançant lentement sur des voies encombrées et parfois bombardées[2], croisent de démoralisants convois de réfugiés fuyant les Soviétiques sur des plates-formes balayées par la neige.

---

1. Saint-Loup, *Les Hérétiques.*
L'ancêtre de Victor de Bourmont a trahi Napoléon en 1815, à la veille de la bataille de Ligny.
2. En gare d'Altdam, en Prusse-Orientale, le convoi de la *Charlemagne,* bombardé par l'aviation soviétique, perdra quatre tués et douze blessés.

Il était entendu qu'à Hammerstein — un ancien camp de représailles pour prisonniers de guerre français — la division compléterait son équipement et recevrait son matériel lourd. Habituelle dans l'armée allemande, la pratique de rééquiper les divisions montant en ligne sur les arrières du front se révélait catastrophique lorsque l'avance ennemie était trop rapide.

A Hammerstein — où la tête de la division est arrivée en six échelons le 22 février[1] —, c'est la déception. Les dix chars lourds « Tigre » prévus sont absents ; absents également les quinze chars légers « Skoda », raflés dans une gare inconnue, quelque part entre Tchécoslovaquie et Poméranie, par le commandement d'une unité en péril ; absents les douze canons de 105, les postes radio eux-mêmes, si bien que le lieutenant de Londaize assurera à cheval les liaisons du 57ᵉ régiment.

Le 22 février, lorsque les premières unités de la division *Charlemagne* débarquent à Hammerstein, les Russes sont encore à soixante kilomètres. Trois jours plus tard, c'est à dix-huit kilomètres au sud de Hammerstein que les bataillons Fenet et Obitz sont envoyés tenir quatorze kilomètres de front, afin de permettre le repli d'unités allemandes battues près de Könitz.

Après le passage des blessés et des traînards de la 32ᵉ division de la Wehrmacht et avant l'arrivée des premiers soldats russes, un silence trompeur règne sur la plaine blanche coupée de vastes massifs de sapins noirs.

Soudain, le vent glacé apporte la rumeur d'une foule en marche.

— *Ivan kommt!*

Dans *Les Hérétiques,* Saint-Loup a reconstitué, avec le talent de l'écrivain et la passion du partisan, une bataille de trente-deux heures. Unités éclatées ; paysannes allemandes et prisonniers de guerre français à la remorque des soldats en retraite ; hommes en fuite vers les bois momentanément protecteurs ; T.34 fonçant sur Elsenau où les Panzerfaust de la « compagnie d'honneur » du lieutenant Weber leur infligent de lourdes pertes[2] ; artilleurs tentant d'arrêter, avec leurs 105 d'instruction, les irrésistibles masses soviétiques.

---

1. 57ᵉ régiment ; le 58ᵉ débarquera à partir du 25, mais, ce jour-là, on attend encore six convois.

2. D'après Saint-Loup, 17 chars soviétiques auraient été détruits par la « compagnie d'honneur ». Dans leur offensive sur Hammerstein, les Russes perdront cinquante chars.

Hammerstein, encerclé, envahi, le bilan est terrible pour la *Charlemagne*. Du 25 au 26 février, elle a perdu 3 000 morts, blessés, disparus. Définitivement séparés par les masses soviétiques, les rescapés fuient en deux colonnes qui ne peuvent se porter secours. L'une, sous le commandement du général Puaud, marche en direction de Neustettin, Belgard, Kolberg, où les Allemands tiennent, au bord de la Baltique, une position de recueil provisoire[1] ; l'autre se dirige vers Dantzig, où elle participera à la défense.

Les Russes suivent, quand ils ne précèdent pas.

De maigres unités se sacrifient pour les retarder quelques heures.

Mais, engagés par petits paquets alors même qu'ils descendaient des trains qui les amenaient de Wildflecken, n'étant, pour la plupart — on songe aux miliciens —, préparés ni physiquement, ni psychologiquement, ni militairement à affronter la violence du choc de la défaite ; se déplaçant — piétaille traquée — au milieu d'encombrantes foules apeurées ; traversant des villages où de fortes patrouilles russes ont déjà laissé, en maisons pillées, femmes violées, paysans éventrés, une trace sanglante de leur passage ; obligés d'abandonner dans la neige des blessés qui se suicident s'ils en ont la force ou demandent la grâce d'être achevés ; affamés, assoiffés, mal armés ; se regroupant entre hommes que le même passé idéologique a soudés — c'est surtout vrai pour ceux de l'ex-brigade *Frankreich* ou de la L.V.F. —, ils sont rares ceux qui, avec le moral, n'ont pas perdu la raison.

C'est à Belgard que la division *Charlemagne* connaîtra le drame qui clôt son histoire.

Après l'infructueuse défense de Körlin, face à des Russes qui attaquent aussi bien de l'est et du sud que de l'ouest, le régiment de marche, commandé jusqu'à sa blessure[2] par le commandant Raybaud,

---

1. La défense allemande, faible en hommes et plus encore en matériel, est puissamment soutenue par deux destroyers dont le feu permettra l'évacuation de 60 000 civils et 4 000 soldats. 300 Français de la division Charlemagne (*cf. Les Hérétiques*) ont participé à la défense de Kolberg. Formés en compagnie de marche composée majoritairement d'anciens de la L.V.F., ils se battront jusqu'au 17 mars, date de la dernière évacuation. Dans les caves de la ville et au Casino, 300 autres Français — moralement vaincus — ne prendront part à rien.

2. Le commandant Raybaud (Rimbeau dans *Les Hérétiques,* de Saint-Loup) sera grièvement blessé à Körlin le 4 mars par un obus de char. Il pourra être évacué sur Kolberg.

puis par Bassompierre[1], et le régiment de réserve de Bourmont[2] tenteront de briser l'encerclement. Ils échoueront et, après avoir traversé Belgard, seront massacrés par des chars soviétiques découverts trop tard, lorsque le brouillard se dissipera.

Les officiers qui n'ont pas péri lors de l'attaque russe ont disparu, comme le général Puaud, que l'on a vu s'éloigner en direction d'un bois de sapins ; comme Bourmont, perdu au milieu d'une tempête de neige ; ou ont été capturés comme Bassompierre qui, au terme d'une longue errance, sera pris le 17 mars par des soldats polonais.

De la division *Charlemagne,* une seule unité demeure homogène. Elle est formée des hommes du bataillon Fenet et de ceux qui escortent le général Krukenberg. Appliquant la seule tactique possible, ils marchent de nuit, sans lumière, sans bruit, sans autre charge que leurs armes individuelles. A l'abri des massifs forestiers, ils n'empruntent jamais les routes mais les traversent en courant. Évoquant, bien des années plus tard, son aventure, Fenet dira : « Il y avait du plaisir à commander. » Il est vrai qu'il était à la tête d'anciens de la 7e brigade d'assaut formés à une discipline de fer.

Après avoir atteint la côte à Horst, où des milliers de réfugiés dorment à même les trottoirs dans l'attente d'une impossible évacuation car, dans le port, il ne se trouve que de mauvais bateaux de plaisance, le bataillon Fenet arrivera, dans la nuit du 9 au 10 mars, à Dievenow où les attendent déjà quelques unités russes. Soutenus par le tir de la marine de guerre allemande, traînant avec eux, sur le rivage et jusque dans l'eau glacée, des femmes et des enfants, dont beaucoup seront dans l'incapacité de suivre, les hommes de Fenet, bousculant les avant-gardes russes, rejoindront enfin les Allemands qui, depuis Swinemünde, leur tendent la main.

Lorsque les rescapés furent regroupés le 24 mars dans la région de Neustrelitz, la *Charlemagne,* de division devenue régiment, ne comp-

---

1. Deux bataillons de 750 hommes.
2. Deux bataillons de 900 hommes : les moins aptes au combat. Liberté d'action ayant été laissée à 700 hommes qui ne veulent plus combattre, la division *Charlemagne* ne comprend guère qu'un peu plus de 3 500 hommes.

tait plus que 800 hommes. Elle devait en compter moins encore à la fin du mois, Krukenberg ayant rendu leur liberté à 300 « volontaires malgré eux[1] ». Réduit à 500 hommes, le régiment comprenait trois bataillons, le 57ᵉ commandé par Fenet, promu capitaine[2] ; le 58ᵉ aux ordres de l'Allemand Jauss, ainsi qu'une unité lourde.

> « Vers la mi-avril, écrit Saint-Loup[3], les convois de réfugiés apparurent dans le secteur tenu par le régiment *Charlemagne*. Ce spectacle acheva de démoraliser les unités. Ici, plus personne, Allemands compris, ne croyait à la victoire de l'Allemagne. »

C'est pourtant à ces hommes, qui ricanaient lorsqu'ils entendaient parler des armes secrètes, que Krukenberg annonça qu'il avait reçu l'ordre de rejoindre Berlin. Des volontaires pouvaient l'accompagner. Combien seront-ils ? A son retour de captivité, en 1956, Krukenberg affirmera que 90 Français de la *Charlemagne* avaient, sous ses ordres, participé à la bataille de Berlin.

Henri Fenet m'a dit qu'aux premières heures du 24 avril il avait été chargé par Krukenberg de préparer l'embarquement, dans neuf camions de la Luftwaffe, de quatre petites compagnies. Selon lui, ce sont donc 360 hommes qui auraient pris le départ, mais, deux camions étant irrémédiablement tombés en panne, 280 Waffen SS de la *Charlemagne* se seraient retrouvés, après une journée de route vécue sous les bombardements, parmi la foule des réfugiés qui, du nord, se précipitaient vers le sud et, du sud, marchaient vers le nord, sous les pins de la forêt de Grünewald. Cette querelle sur les chiffres n'a guère d'importance, mais, puisqu'elle est encore un mince sujet de débat[4], il fallait l'évoquer.

Quel qu'ait été le nombre des Français engagés, le sort de Berlin ne pouvait naturellement se trouver modifié. Le geste des volontaires était d'ailleurs un geste de sacrifice idéologique puisque, livrant un combat sans espoir, ils se savaient, pour la plupart, condamnés. C'est pourquoi, même en étant hostile à leur engagement politique, il faut évoquer les jours qu'ils passèrent dans les ruines de Berlin à combattre

---

1. Ils constitueront un bataillon de travailleurs.
2. La croix de fer de première classe venait également de lui être décernée.
3. *Les Hérétiques*.
4. *Cf.* Mabire, *Mourir à Berlin ;* Rousso, *Pétain et la fin de la collaboration*.

sans autre but que de retarder de quelques minutes, ou de quelques heures, l'irrémédiable. « Tenir, toutes nos forces, écrira Fenet, ne tendent plus qu'à cela, c'est notre raison de vivre et de mourir à la fois[1]. »

Lorsqu'ils arrivèrent dans la banlieue de Berlin, Joukov et Koniev venaient de fermer le cercle de feu autour de la capitale. Pour protéger Berlin et sa région, les Allemands avaient bien rassemblé quatre armées, soit un million d'hommes disposant de 10 400 canons et 1 500 chars. Mais, face aux deux millions et demi de Soviétiques, à leurs 41 600 canons, à leurs 6 200 chars et 8 300 avions, la disproportion était trop grande. Toutes les tentatives allemandes de dégagement, toutes les contre-offensives vouées à l'échec, les combats que livreront, à partir de la matinée du 26 avril, les Waffen SS français de Krukenberg seront donc des combats de rue.

Qu'à l'aide des SS norvégiens de la division *Nordland* et quelques centaines de Hitlerjugend[2] ils gagnent du terrain à partir de l'hôtel de ville de Neukölln est sans importance puisque, menacés d'encerclement, ils doivent abandonner leur conquête dans la soirée ; que leurs chars d'accompagnement et leur *Panzerfaust* détruisent, ce jour-là, une trentaine de blindés ne cause qu'une blessure légère aux divisions soviétiques ; qu'ils infligent de lourdes pertes à l'infanterie russe ne compense pas les pertes qu'ils subissent.

Blessé à un pied, Fenet a été transporté à l'Opéra de Berlin. Uniformes, fusils, brodequins s'entassent au milieu des décors, tandis que des soldats épuisés s'efforcent de trouver quelque repos dans ces fauteuils d'où des générations d'hommes en habit et de femmes en robe du soir avaient vu Brunehilde périr dans les flammes[3]. Ce sont d'autres flammes que celles des artifices de théâtre qui, bientôt, menacent l'Opéra de destruction totale.

Transférés au métro *Stadtmitte,* où des croix de fer seront remises aux soldats qui, au *Panzerfaust* — c'est-à-dire à dix ou quinze mètres

---

1. *Historia,* numéro spécial 32.
2. Ainsi que d'un *Tigre,* deux *Panther* et plusieurs canons d'assaut.
3. *La Walkyrie.*

de distance —, ont détruit un char russe[1], les rescapés de la *Charlemagne* seront ensuite dirigés vers la place de la Belle-Alliance.

Barrant la Wilhelmstrasse, la Friedrichstrasse et la Surlandstrasse, ils ont ordre d'interdire l'accès à la Chancellerie. Mais, contrairement à ce que laissent croire certaines légendes, s'ils ont bien été parmi les derniers, ils n'ont pas été les seuls à lutter ainsi au cœur de Berlin.

Si, le 22 avril, 300 000 hommes environ, dont 80 000 seulement appartenaient aux forces régulières, étaient disponibles du côté allemand pour la bataille de Berlin, le samedi 28, à l'intérieur du Reichstag, de l'Opéra, du ministère de l'Intérieur, du jardin zoologique, de tous ces immeubles et moignons d'immeubles transformés en forteresses, et des immeubles situés sur la rive gauche de la Sprée, trois compagnies de fusiliers marins, plusieurs unités de Waffen SS danois et norvégiens, un bataillon du Volksturm et quelques dizaines de Français se battaient encore avec une telle obstination que les Soviétiques durent mettre en œuvre, contre ces acharnés, des obusiers de 152 mm et 203 mm ainsi que des lance-fusées multitubes.

Dans le bunker souterrain de la Chancellerie, pour la défense ou la possession duquel tant d'hommes souffraient et tombaient, Hitler, ayant perdu toutes ses illusions, sachant qu'aucune armée de secours ne briserait l'étreinte[2] ; que Russes et Américains, qui venaient de faire leur jonction à Torgau, n'entreraient pas, pas encore[3], en

---

1. Trois Français recevront, à l'occasion de la bataille de Berlin, la *Ritterkreuz,* décoration de chevalier de la croix de fer (l'une des plus hautes décorations de l'armée allemande) : le sergent Vaulot, qui avait appartenu à la L.V.F. et avait détruit sept chars soviétiques ; l'adjudant Apollot, de l'unité Weber, spécialisée dans la lutte antichars (six chars à son actif), et le capitaine *(Haupsturmführer)* Fenet, l'un des rares survivants des hommes de la division Charlemagne.
   Vaulot et Apollot seront tués le 2 mai.
2. Il avait, presque jusqu'au dernier moment, placé ses espoirs dans l'armée du général Wenck. Ancien chef d'état-major de Himmler, commandant du groupe d'armées de la Vistule, promu, en février 1945, à la demande de Guderian, Wenck avait été placé, par la suite, à la tête de cette XIIe armée dont le 20e corps devait vainement tenter, le 25 avril, d'atteindre Potsdam, afin d'ouvrir un couloir permettant aux défenseurs de Berlin de s'échapper.
3. Cependant, le 25 avril, à l'annonce qu'un désaccord avait éclaté entre Russes et Américains à propos de leurs secteurs respectifs d'occupation, il s'était

conflit ; que Mussolini et sa maîtresse étaient arrêtés (on lui annoncera leur mort le 29, mais lui apprendra-t-on qu'ils ont été pendus par les pieds et offerts ainsi aux crachats de la foule milanaise ?) ; que Himmler, Goering, bien d'autres encore trahissaient dans l'espoir de sauver leur peau ou, pour certains généraux, de sauver leurs hommes en les dirigeant vers l'ouest, organisait sombrement sa dernière mise en scène.

Rien qui ressemblât aux grandes fêtes de Nuremberg.

Ne voulant pas tomber aux mains des Russes de peur qu'ils ne l'exhibassent[1], l'homme qui, sur les champs de bataille et dans les camps de concentration, portait la responsabilité de la mort de millions d'hommes ; qui avait offert à l'Allemagne la provisoire domination de l'Europe et se trouvait désormais interdit de séjour hors des quelques mètres carrés du bunker ; que les foules avaient adulé et dont le nom, lourd de crimes, était promis à une haine peut-être éternelle, préparait une disparition qu'il voulait totale : « Après ma mort, mon corps sera brûlé et personne ne pourra jamais le découvrir. »

28 avril. La bataille sur la ligne de résistance des Waffen SS français atteint son point culminant. Privés désormais de l'appui des blindés et des antichars, ils se dissimulent dans des immeubles incendiés par les bombardements anglo-américains, puis mutilés par les obus soviétiques, immeubles dont les Russes s'efforcent de les chasser pour éloigner de leur infanterie le feu des tireurs d'élite et, de leurs chars, la menace des *Panzerfaust*[2].

écrié : « Ne serait-il pas possible que, d'ici à quelques jours — ou quelques heures —, la guerre éclatât entre les bolcheviques et les Anglo-Saxons à propos de leur proie : l'Allemagne ? »

1. C'est ce qu'il dira à plusieurs de ses généraux, notamment au général Weidling.

2. Le *Panzerfaust,* ou « poing blindé », est, je le rappelle, un tube sur lequel est adapté un projectile à charge creuse, propulsé par une charge de poudre. Pesant 3 kg, les premiers *Panzerfaust* (ils font leur apparition en 1943) utilisent un projectile de 1,500 kg, ayant une portée efficace de 25 à 30 mètres.

Des améliorations successives conduiront à l'augmentation du poids de l'arme, du projectile, de la portée efficace, qui passera à 60 mètres. Des blindages de 30 mm ne résistent pas au projectile. Ainsi un char sophistiqué et coûteux est-il détruit par une arme rudimentaire et d'un prix de revient négligeable.

Les chars russes, d'ailleurs, n'attaquent plus processionnellement, ce qui, le premier blindé atteint, avait pour résultat de bloquer la marche de la colonne, mais sur un front de six ou sept machines ouvrant simultanément le feu contre les Waffen SS de la *Charlemagne* qu'ils obligent à reculer jusqu'à la prochaine rue, en direction de la Chancellerie.

28 avril. A la Chancellerie, Hitler dictait à Traudl Junge son dernier testament politique. Parlant d'abondance, il affirmait que la guerre qu'il n'avait pas voulue « avait été provoquée exclusivement par les hommes d'affaires internationaux, soit juifs, soit à la solde des juifs ». S'il se disait décidé à mourir « le cœur léger », il n'en incitait pas moins ses généraux à poursuivre la lutte sous le commandement de l'amiral Dönitz, nommé président du Reich, du *nouveau chancelier* Joseph Goebbels — qui se suicidera le 1er mai avec sa femme et ses six enfants — et de Bormann, qui deviendra le responsable du Parti.

Poursuivre la lutte...

Dans les ténèbres berlinoises déchirées par l'explosion des obus et des bombes, par les langues de feu qui montent des chars détruits, illuminées par les torches des immeubles, ceux qui poursuivent encore la lutte se doutent-ils que, peu avant minuit, Eva Braun et Adolf Hitler, après avoir échangé des alliances prélevées dans le butin de la Gestapo[1], sont allés, bras dessus bras dessous, en compagnie de leurs huit invités[2], vers un buffet dressé dans une pièce voisine ?

Il était 0 h 30. Le 30 avril venait de commencer.

Le Führer parti, la tension retomba brutalement. Tous ceux qui étaient présents dans le bunker et qu'une longue tradition d'obéissance avait figés dans des attitudes conventionnelles se sentirent soudain libérés. Non seulement grades et distances semblaient abolis, mais, dans une cantine proche, ordonnances et serveuses se mirent à danser.

A côté du *Panzerfaust*, le *Panzerschreck* (« terreur des blindés »), appelé aussi « *Ofenrohr* » (« tuyau de poêle »), servi, lui, par deux hommes et dont la portée efficace est de plus de 100 mètres.

1. John Toland, *Hitler*. Alliances qui se révéleront trop larges.
2. Bormann, Goebbels et sa femme, Gerda Christian, l'aide de camp Bungdorf, le général Krebs, Arthur Axmann, chef des Jeunesses hitlériennes, et Fräulein Manzialy, la cuisinière.

Ils dansaient sur les ruines de l'Allemagne nazie. Ce lambeau d'Allemagne que défendaient encore quelques milliers de soldats, parmi lesquels moins d'une centaine d'hommes du régiment *Charlemagne* dont les lignes avaient été reportées en arrière sur la Puttkammerstrasse et raccourcies. Mais, comme elles barraient toujours la Wilhelmstrasse et la Friedrichstrasse, ils avaient l'impression d'être le dernier rempart de la Chancellerie.

Le 30 avril, aucun de ceux qui se battent n'imagine qu'à partir de 15 h 30 la Chancellerie, âprement défendue et dont les derniers murs menacent de s'effondrer, n'est plus qu'une coquille vide.

Dans son salon du bunker, au quatrième étage en sous-sol, Hitler s'est tué avec le pistolet, un Walther 7,65, dont il n'avait jamais voulu se séparer depuis les premières années du nazisme.

Tout ce qui avait précédé la mort du Führer : sa demande au major SS Otto Günsche de veiller à ce que son corps et celui d'Eva fussent brûlés ; ses dernières paroles à Hans Baur, le pilote qui, depuis 1933, avait toute sa confiance : « Que l'on inscrive sur ma tombe — mais il n'aurait jamais de tombe — cette épitaphe : " Il fut victime de ses généraux " » ; le suicide d'Eva, morte la première après avoir absorbé une capsule de poison ; tout ce qui suivit la mort de Hitler, la recherche de bidons d'essence dans le jardin bouleversé, le transport de son corps par Heinz Linge, le valet de chambre, comme du corps d'Eva par le colonel Kempka et par Günsche, la recherche, entre deux salves d'obus, d'un cratère où déposer les deux cadavres, le va-et-vient périlleux de Linge, Kempka et Günsche pour déverser sur les morts cent soixante-dix litres d'essence, le feu mis à un chiffon allumant lui-même l'incendie qui, trois heures durant, allait consumer les corps de Hitler et de sa femme, les combattants des ruines mettraient longtemps avant de l'apprendre [1].

---

1. On sait que, pour des raisons politiques, Staline émit des doutes sur la mort de Hitler. On le disait parfois réfugié en Argentine.

Il fallut attendre 1968 pour que le journaliste soviétique Lew Besymenski révélât le procès-verbal d'autopsie des corps d'Adolf et Eva Hitler dressé par la Commission médico-légale de l'Armée rouge. Ce procès-verbal, ne répondant pas à toutes les interrogations, ne mit pas fin à un débat auquel, périodiquement, la presse à sensation redonne vigueur.

C'est dans l'abri du ministère de l'Air que Fenet apprendra la mort de Hitler. Incrédule, en quête d'un officier avec qui il pourrait coordonner la défense pour la journée du 2 mai, il finit par découvrir un colonel qui fait coudre des draps destinés à former un immense drapeau blanc.

— C'est fini ! On ne tire plus ! Ici, nous capitulons à 8 heures !

Sur la ville immolée, le hurlement des orgues de Staline, le bruit des explosions et des tirs d'armes automatiques a cessé. Brutalement, le silence est tombé. Un silence troublé cependant par le ronflement des incendies et par l'effondrement de murs qui ne tenaient plus que par miracle et qui, brutalement, prennent congé[1].

Un silence rompu par le bruit inattendu, presque incongru, des klaxons.

De l'échelle qui lui a permis d'accéder jusqu'à une grille d'aération, Fenet, qui, par le souterrain du métro, s'était glissé aux abords de la Chancellerie avec l'espoir d'apprendre que le combat continuait, aperçoit aussi loin que son regard peut aller, des Russes, des véhicules qui descendent en tous sens...

— Maintenant, dit-il aux hommes qui l'ont suivi, il va falloir nous sortir de là. A mon avis, la seule solution est d'essayer de passer en direction de Potsdam où doit se trouver l'armée Wenck. Nous utiliserons le souterrain du métro le plus longtemps possible et nous profiterons de la nuit pour faire le reste du chemin[2].

Ils n'iront pas loin. A Potsdamerplatz, la ligne du métro sort de terre. Midi approche. Dans l'attente de la nuit, de petits groupes se dissimulent sous une arche de pont encombrée de pierres descellées et d'objets hétéroclites. Les uns après les autres, ils seront cueillis par les patrouilles soviétiques lancées à la recherche des soldats qui, par milliers, se terrent dans les ruines.

Le précaire entassement de ces corbeilles d'osier, sous lesquelles se blotissent Fenet, Wallenrodt, Dour, Georges, Bicou, Roger Albert[3], ne résiste pas aux coups de pied des soldats soviétiques. Les dénicheurs ont vite fait de ramener au jour les six Waffen SS, de les dépouiller prioritairement de leurs montres, puis de les insérer dans

---

1. Cinquante pour cent des habitations de la capitale de l'Allemagne ont été détruites. Les décombres représentent le chargement de quatorze millions de wagons.
2. *Historia*, numéro spécial 32.
3. Il s'agit, dans la plupart des cas, de pseudonymes.

l'une de ces colonnes de prisonniers qui vont, tête basse, jambes lourdes, cœur vidé, au milieu de la valse folle de camions chargés de soldats vainqueurs, rigolards et saouls, criant aux vaincus : « *Hitler kaput* », « *SS Kaput* ».

Dans le grand désordre de la défaite allemande, Waffen SS, miliciens, anciens de la L.V.F., qui ont échappé à la capture immédiate, revêtent des vêtements civils, prennent l'identité d'un travailleur du S.T.O., se joignent à un convoi de prisonniers libérés, trouvent, dans quelque ville allemande, la cachette qui leur permettra d'attendre le moment favorable pour atteindre l'Italie et, par la filière des couvents, de gagner l'un de ces ports où, clandestinement, on embarque pour l'Amérique du Sud.

Peu nombreux sont ceux qui réussiront dans des entreprises qui se heurteront à une double vigilance : aux frontières, celle des services de police, habiles à détecter les faux témoignages et les indices — qu'il s'agisse du tatouage sous le bras du Waffen SS[1] ou d'une grave blessure — qui distinguent le combattant de l'ouvrier du S.T.O. ; dans les villages français, celle des résistants, témoins des prises de position, des délations, des exactions ; celle des voisins du volontaire de la L.V.F. venu, en 1942, « montrer » son uniforme, du milicien retour d'expédition contre le maquis et se vantant de sa victoire sur les « terroristes ».

Ce qui, hier, était collectif ne relève plus que de l'aventure individuelle. On peut échouer au port... et, pour une heure, perdre la vie. Ce sera le destin de Bassompierre. Encerclé avec quelques-uns de ses hommes à Körlin, fait prisonnier le 17 mars 1945, interné en Estonie, transféré à Leningrad, puis au nord d'Odessa, il sera dirigé, en avril 1946, sur le camp de Siferentin, en Autriche, où sont regroupés des Français suspects de collaborationnisme.

Il s'évadera au cours du transfert en France puis, d'étape en étape,

---

1. Destiné, en cas de blessure, à préciser le groupe sanguin du soldat, ce tatouage avait été prévu à l'origine pour tous les hommes de la Wehrmacht, mais seuls ceux de la Waffen SS le reçurent.

franchissant le Rhin à Bonn, passant la frontière belge à Malmédy, la frontière française à Fumet, ne s'attardant pas à Paris, il rejoindra Albertville d'où, le 2 août, par le val d'Aoste, il gagnera Turin, Gênes et Rome. Dans la capitale italienne, il se mettra en quête de faux papiers qui lui permettraient de s'engager dans la Légion étrangère. N'ayant pas réussi, il rejoindra Naples avec l'espoir d'embarquer clandestinement sur un bateau qui le conduirait aussi loin que possible de la France gaulliste.

C'est dans les cales d'un navire, dont il ignore toujours le nom, mais dont il savait qu'il devait faire escale à Tanger, que Joseph Passemard — il a emprunté ce nom — est arrêté le 28 octobre vers 4 heures du matin.

Sa véritable identité percée par un capitaine anglais, Bassompierre sera transféré, menottes aux mains, de la prison de Naples à Paris, où il arrivera le 29 novembre 1946.

Sur ce qu'avait été son errance de cinq mois, nous ne savons que ce qu'il a mentionné — des noms de villes — dans son interrogatoire. Il emportera dans la mort le secret des indispensables complicités dont il a bénéficié.

Collaborateurs de base ou personnages hier encore influents; hommes ayant suivi un chef, chefs compromis dans des actions qui réclament justice ou vengeance, tous ceux qui ont été marqués du sceau de la collaboration ne songent, à partir des derniers jours d'avril, qu'à fuir l'Allemagne sur laquelle s'abattent des armées d'enquêteurs.

Tous regardent en direction de la Suisse neutre et qui assurerait (qui assure à ceux qui, à des titres divers, diplomatiques par exemple, sont déjà, depuis plusieurs mois, en place ou en poste) une sécurité absolue.

Mais la Suisse, accusée d'avoir trop longtemps commercé avec l'Allemagne, ne saurait, aux yeux du monde, abriter ceux qui, pour leurs écrits ou leurs actes au temps du nazisme triomphant, sont aujourd'hui réclamés par la justice de leur pays[1].

---

1. Sur les tribulations d'un collaborateur en Suisse, on lira le tome II des *Mémoires de Porthos,* d'Henry Charbonneau (p. 154-191).
Ancien responsable de la Milice, ayant combattu le maquis en Limousin, suivi

COLLABORATION : SUITE ET FIN

Puisque la Suisse est interdite, les collaborateurs en fuite se tournent, pour des raisons géographiques évidentes, vers l'Italie du Nord où la petite guerre entre fascistes et antifascistes continue, mais où un immense désordre offre des chances à des hommes d'initiative et d'audace qui savent d'ailleurs que l'Église, dans ses couvents et ses nombreuses retraites, se montrera généralement accueillante à ceux qui ont combattu le communisme.

Brinon, après avoir vainement essayé de passer en Suisse, s'était réfugié dans un petit village aux confins du Tyrol et de la Bavière où il sera arrêté le 9 mai par un détachement américain. C'est donc vers l'Italie que se dirigent trois des hommes qui, à Sigmaringen, avaient voulu jouer, à ses côtés, un rôle sans rapport avec les réalités du moment : Darnand, Luchaire, Déat.

C'est le 12 mars 1945 que Darnand a quitté Sigmaringen pour Gardone, près du lac de Côme. Il est accompagné de 250 miliciens qui ont pour mission de livrer combat aux partisans italiens. Ils le feront en deux occasions dont la seconde se terminera mal puisque, assiégé dans la caserne de Tirano, il devra rapidement capituler.

Comme, en Italie, rien n'est tout à fait comme ailleurs, Darnand obtiendra de passer une dernière fois ses troupes en revue et de leur adresser un petit discours. Prisonnier d'Italiens négligents, et qui donnent priorité à leurs règlements de comptes, c'est en civil qu'il sortira de la caserne mal gardée pour aller se réfugier chez la sœur du père Bonfiglio, qui acceptera par la suite, sans savoir, dira Darnand à son procès, « à qui il avait affaire » ni « de quoi il retournait », de protéger non seulement l'ancien chef de la Milice mais encore de mettre à l'abri dans son couvent le « trésor de guerre » que la Milice

---

Darnand en Allemagne, Charbonneau passera clandestinement la frontière italo-suisse au début de mai 1945. Ayant trouvé refuge dans un couvent, mais son autorisation de séjour n'ayant pas été renouvelée, il sera arrêté le 15 juin après avoir franchi la frontière française à Ferney-Voltaire, dans l'espoir de réussir à se « diluer dans la masse ».

avait constitué, le 6 septembre 1944, en « réquisitionnant », les armes à la main, 300 millions dans les caves de la Banque de France, de Belfort, trésor dont la majeure partie — 200 millions — sera d'ailleurs restituée par Darnand, lors de son arrestation.

Alors qu'il se préparait à quitter Edolo, son refuge dans la montagne, pour un asile plus sûr, le chef de la Milice a, en effet, été arrêté, le 25 juin, par les agents d'un service secret britannique. Remis aux autorités françaises, il sera, rapidement, jugé, condamné et exécuté[1].

L'histoire de Jean Luchaire est plus curieuse que celle de Darnand, plus symptomatique encore du « climat » qui règne dans l'Italie de l'été 45.

Né à Sienne, Luchaire, qui, de sept à dix-huit ans, avait vécu à Florence en compagnie de son père, directeur de l'Institut français, était arrivé à Merano avec sa femme et ses quatre enfants à l'instant où les Allemands évacuaient la ville et où les antifascistes « s'installaient », mot bien excessif, car l'heure était au chaos politique.

Se présentant aux nouvelles autorités, qui, conquises par son bagou, lui proposeront de faire partie du Comité de libération !... honneur qu'il refusera pudiquement, Luchaire, se souvenant — il en avait d'ailleurs conservé la preuve écrite — avoir reçu, au moment de sa majorité, une convocation devant le Conseil de recrutement italien, allait tout tenter pour faire admettre qu'Italien de cœur il était italien légalement. « *Italiano de cuore, Italiano legalmento.* » Il écrira cette phrase dans les documents qu'il remettra aux Italiens et aux Américains, à qui il demande de ne pas le livrer, lui, l'Italien *de cuore,* aux autorités françaises, autorités qui « ne pourraient pas éviter, étant donné l'état actuel de l'opinion publique en France, de le juger et de le condamner pour collaborationnisme à des peines sévères ».

Il vivra ainsi, pendant plusieurs semaines, en liberté dans un hôtel de Merano, avant d'être arrêté par un officier de la Sécurité militaire

---

1. *Cf.* chapitre 16.

française, « si peu catholique, déclara-t-il lors du procès au terme duquel il sera condamné à mort[1], qu'il avait été arrêté à son tour par la Sécurité militaire comme ancien agent de la Gestapo ».

A l'époque, il n'y avait, dans la transformation du gibier en chasseur, rien qui puisse surprendre.

Dans la nuit du 20 avril, à Sigmaringen, Marcel Déat et sa femme Hélène ont brûlé des souvenirs personnels. Le 21 avril, leur voiture a pris place dans la colonne où se trouvent les voitures du maréchal Pétain et de ses familiers, de Luchaire, du général Bridoux. A Feldkirch, au bord du lac de Constance, ministres « passifs » et « actifs », amis-ennemis de la veille vont se retrouver pendant une semaine dans un hôtel au confort médiocre, à la nourriture insuffisante. Les bruits qui leur parviennent : « Il paraît que Hitler se serait suicidé », « Il paraît que Mussolini aurait été tué », « Les Allemands prépareraient une résistance dans le Tyrol », les poussent à fuir toujours plus loin.

Avec une quinzaine d'amis, Déat décide de gagner l'Italie, « terre hospitalière, affirme-t-il, où l'Église est toute-puissante ». Comme bon nombre d'autres Français, il s'est assigné Merano pour objectif. Il ne l'atteindra pas. Errant dans la montagne, tout d'abord en compagnie d'une quinzaine de compatriotes, puis avec un seul ami[2], Marcel et Hélène Déat se réfugient dans une cabane où, sur la recommandation du curé de Naturno, un paysan mettra à leur disposition deux paillasses dans une pièce sans lumière. Pendant trois semaines, ils mèneront là une vie primitive. En état d'alerte permanente, le moindre aboiement devient pour eux signal d'alarme. Le 26 mai, informés que deux Français viennent d'être arrêtés dans la vallée, ils partent en direction d'une mauvaise cabane, perdue dans le brouillard à 1 800 mètres d'altitude. Ils s'interdisent tout feu qui les signalerait.

---

1. Jean Luchaire sera exécuté le 22 février 1946. Dans *Justice impossible*, Me Libman, qui a accompagné Luchaire le 22 février, a raconté avec émotion cette exécution.
2. Briant, qui, parti « en reconnaissance », ne reviendra pas.

Roulés dans des couvertures, transis de froid, ils finissent par s'endormir « dans une solitude redoutable[1] ».

Deux jours plus tard, Marcel Déat, qui traîne avec lui la vieille machine à écrire sur laquelle il a tapé des milliers d'articles et vient de se remettre à la frappe du journal qu'il tient depuis le début de la guerre, est averti par une jeune Italienne, accourue d'un hameau proche, que les Américains les recherchent.

Il faut repartir, et repartir allégés de tout ce qui ralentirait la marche. Machine à écrire et journal dissimulés sous un rocher, Déat sait bien qu'il ne retrouvera ni l'une ni l'autre.

C'est une rupture imposée avec le passé. Rupture encore lorsque, quelques heures plus tard, Déat oublie, au hasard d'une halte, ses jumelles d'officier conservées depuis la bataille de la Somme.

Nouvelle rupture. Volontaire cette fois. Longeant un ravin, Déat y jette son revolver.

De centres d'accueils en couvents, Marcel et Hélène Déat gagneront Milan, puis Gênes et Turin. Ils ont changé de nom. Ils sont Georges et Hélène Delaveau[2]. Ils deviendront Joseph Leroux et Hélène Buridant[3]. Ils se marieront religieusement. Et le dernier chef vivant de la collaboration rédige *Cinquante lettres sur la religion,* ainsi que des poèmes dédiés aux religieuses du couvent de la via Tomba où, chaque matin, il rejoint sa femme à 7 heures pour la quitter le soir, à 9 heures, lorsqu'elle l'a accompagné à la porte de la clôture[4].

Le passé est mort.

Le passé n'est pas mort.

Sur la machine qu'Hélène lui a offerte en 1946 et dont elle écrit qu'elle fut sans aucun doute « le plus beau cadeau de leur vie conjugale », Marcel Déat rédige les 946 pages qui paraîtront, en 1989, sous le titre *Mémoires politiques.*

---

1. Hélène Déat, à la suite des *Mémoires politiques* de son mari, a consacré plusieurs pages à leur vie de couple depuis le départ de Sigmaringen jusqu'en 1954 (Marcel Déat mourra le 5 janvier 1955).
2. Nom de famille d'Hélène. Marcel Déat a pris le nom du frère d'Hélène, tué dans la Somme en 1916.
3. Noms de famille de leurs mères respectives.
4. Hélène Déat écrira que religieux et religieuses n'étaient pas au courant de leurs activités passées, qu'ils voyaient simplement, en eux, des « Français de Pétain ».

« Il n'y a pas de bataille perdue, écrivait Albert Sorel, qui ne se regagne sur le papier. »

En noircissant des milliers de feuilles, Marcel Déat espérait-il regagner un jour la bataille de la collaboration perdue dans l'opinion ? Sans doute. Mais, bien qu'il n'ait eu aucune chance de réussite, son livre n'en constitue pas moins le témoignage indispensable à l'intelligence de l'époque ; un éclairage précieux sur le caractère, les illusions, les ambitions, les passions, les complots et les haines de ceux qui, à Paris et à Vichy, se disputaient un pouvoir dont seuls les Allemands étaient maîtres ; enfin, la reconstitution du long chemin suivi par Déat, depuis ce 2 août 1914 où, sortant de l'École normale, il entrait pour quatre ans dans la guerre de fantassin jusqu'à la modeste chambre de la via Tomba où il consacre l'une des dernières pages de ses *Mémoires* à faire revivre l'espoir qui l'avait habité, à l'instant de fuir Sigmaringen, espoir de « la brusque illumination qui empoignerait Churchill et Truman et d'un ordre sublime qui parviendrait à ces divisions blindées, les rangeant soudain aux côtés des débris des divisions allemandes, pour une ruée commune, coude à coude, contre les masses soviétiques déferlant sur Berlin »...

Insensibles à ce rêve, les armées alliées continuaient impitoyablement à disperser, détruire, capturer les débris des divisions allemandes.

10

DE ROYAN À BERLIN

« Les jours de la guerre étaient comptés », écrit de Gaulle, dans ses *Mémoires,* pour justifier l'attaque contre Royan et la pointe de Grave, attaque militairement sans objet à quelques jours de la capitulation allemande, mais qui trouvait sa raison d'être dans la volonté que fussent éliminées, par des forces françaises, ces échardes allemandes, Royan, Soulac, La Rochelle, Saint-Nazaire, Lorient, Dunkerque, toujours plantées dans le flanc du pays.

Si, depuis août 1944, les garnisons allemandes qui tenaient les poches de l'Atlantique n'avaient pas été débusquées par des régiments d'anciens maquisards, assez forts pour les contenir, impuissants à les vaincre, il était bien entendu, dans l'esprit du général de Gaulle, que leur sort serait réglé par les armes dès lors que l'heureuse évolution de la guerre permettrait de détacher, en direction des ports encore occupés, l'une ou l'autre de ces grandes et solides unités qui, à l'est, faisaient la fierté de l'armée française.

Les jours de la guerre étant comptés, la bataille n'aurait lieu cependant que pour Royan et l'estuaire de la Gironde.

C'est le 13 avril que le général de Larminat lançait l'ordre général n° 7.

« Le moment est venu de faire sauter la forteresse ennemie de Royan-Grave. Les moyens matériels sont réunis, le succès de

377

l'opération ne dépend plus que de l'audace et de la sagesse des chefs, de la valeur et de l'intelligence des soldats. L'ennemi est solidement retranché et puissamment armé. Tout porte à croire qu'il se défendra courageusement.

Soldats F.F.I. du front de l'Atlantique, vous recevrez l'aide de vos camarades chevronnés de la division Leclerc et de l'artillerie américaine... »

Il est vrai que, du côté français, les forces rassemblées étaient impressionnantes. Le 24 mai, lorsque, après sa reddition, l'amiral Michahelles, qui n'avait disposé que de 5 000 hommes et, pour l'essentiel, d'une artillerie de position, fut interrogé, il devait se montrer « étonné des moyens mis en œuvre pour réduire la forteresse de Royan[1] ».

Larminat avait annoncé aux F.F.I. qu'ils bénéficiaient de l'appui de « leurs camarades chevronnés de la division Leclerc ». Certes, mais le général Leclerc et ses hommes avaient reçu « comme une gifle[2] » l'ordre de se rendre sur le front de l'Atlantique alors qu'ils espéraient — en concurrence avec la Ire armée de De Lattre — franchir le Rhin et s'enfoncer en Allemagne.

Le 29 mars, Leclerc, qui avait vainement tenté d'échapper à ce qu'il considérait comme une corvée sans gloire, écrivait à Massu : « Les semaines que je viens de passer sont les plus dures que j'ai vécues depuis 1940. J'ai tout essayé et me suis heurté à un mur. L'argument dont le général de Gaulle n'a pas voulu démordre était qu'il y en avait encore pour longtemps et que nous aurions largement le temps d'arriver sur le Rhin. »

Même s'il se débattait, Leclerc, que de Gaulle avait promu, le 25 mars, au grade de général de corps d'armée, ne pouvait finalement qu'obéir et ses trois groupements, respectivement commandés par le lieutenant-colonel Rouvillois, les colonels de Gonfreville et Rémy[3],

---

1. Extrait de l'interrogatoire de l'amiral Michahelles.
La défense allemande comptait 300 canons, mais la plupart étaient tournés en direction de la mer. Quant aux pièces mobiles, tractées par des attelages de bœufs, elles étaient de déplacement difficile pendant les combats.
2. Maja Destrem, *L'Aventure de Leclerc*.
3. A ces groupements, il faut ajouter, toujours au sein de la 2e D.B., le 1er régiment de marche du lieutenant-colonel de Soultrait, le régiment blindé des fusiliers marins du capitaine de frégate Maggiar, le 13e bataillon du génie et le 22e groupe de F.T.A.

allaient rejoindre, devant Royan, les ex-F.F.I., qui, tout au long de l'automne et de l'hiver, mal armés, mal équipés, avaient mené un difficile et souvent dangereux combat de patrouilles et de coups de main. La 23ᵉ division d'infanterie, constituée le 11 février, regroupait ainsi en quatre régiments — 6ᵉ, 50ᵉ, 158ᵉ R.I., 18ᵉ chasseurs — les anciens des maquis *Bir-Hakeim, Foch, Rac, Roland,* de l'ex-demi-brigade de l'*Armagnac* et de l'ex-régiment *Z* [1].

Pour les deux jours de l'assaut, Larminat aura également sous ses ordres les forces de haute mer de l'amiral Rue ; le croiseur *Duquesne* et le cuirassé *La Lorraine,* avec leurs navires d'escorte [2], et il disposera de l'appui de 1 300 avions, dont 100 français, qui effectueront 5 400 sorties au cours desquelles le napalm fut, pour la première fois en France, utilisé massivement [3]. Dressant le bilan des forces en présence : près de 50 000 Français, auxquels il fallait ajouter les hommes de la 13th Field brigade artillerie du général Bank [4], contre 10 000 Allemands répartis entre Royan (5 500) et la pointe de Grave (4 500) de l'autre côté du fleuve, l'historien Jacques Mordal devait écrire qu'il « était difficile d'imaginer une opération montée dans des conditions plus confortables ».

Cependant, la bataille sera rude et coûteuse, les Allemands ayant eu le temps, depuis septembre 1944, de préparer, entre des zones de marécage qui interdisaient ou ralentissaient la progression, une défense fondée sur un réseau de casemates et de tourelles blindées, sur de nombreux champs de mines, sur des batteries d'artillerie aux champs de tir repérés, enfin sur des soldats qui, malgré leur hétérogénéité — il y avait parmi eux des Polonais, des Tchèques, des Ukrainiens —, malgré ce qu'ils savaient des décisifs progrès des armées alliées en Allemagne, devaient, pour la plupart, se battre, sans soutien de l'aviation ni des chars, avec une obstination et un courage auxquels les assaillants rendirent hommage.

---

1. Le bataillon de marche n° 2 (tirailleurs de l'Oubangui-Chari) et le bataillon de marche n° 5 avaient renforcé les F.F.I. en janvier 1944.
2. Frégates *La Surprise, Basque, Alcyon,* destroyer *Hova,* aviso *Amiral-Mouchez.* Une flottille de la marine royale canadienne participera aux opérations.
3. 1 120 tonnes larguées dans la seule journée du 15 avril. La première utilisation du napalm sur le front occidental remontait au 27 septembre 1944, à l'occasion d'un bombardement du fort Driant, devant Metz.
4. Un groupe de 203 et un groupe de 155.

Sous le nom de code *Vénérable,* la bataille débuta, en direction de Royan, le 14 avril à 6 h 35, par un intense bombardement de l'artillerie aussi bien que de l'aviation. Elle avait été préparée par des opérations de sabotage sur les lignes téléphoniques allemandes, opérations au cours desquelles plusieurs résistants locaux devaient trouver la mort.

Le général de Larminat avait réparti ses forces en deux groupements. Au groupement Nord du colonel Granger[1] l'attaque la plus difficile : celle de l'éperon boisé de Belmont, à quelques kilomètres de Royan. L'importance de ce « réduit blindé n° 3 » — telle était son appellation sur le plan de défense allemand — tenait moins à sa hauteur — 29 mètres — qu'à sa position entre deux zones marécageuses qui interdisaient toute tentative d'enveloppement, ainsi qu'à sa puissance défensive à peine amoindrie par l'attaque matinale de 250 bombardiers lourds. Le réduit ne pouvait, par ailleurs, être abordé qu'après une marche à découvert de deux kilomètres sous le feu et sur un terrain, bouleversé par les bombardements, qui freinait l'avance des blindés. Leurs munitions épuisées, c'est d'ailleurs à la grenade explosive et incendiaire qu'à la troisième tentative les équipages du *Mameluck* et du *Lansquenet,* conduits par Vezet et Le Gentil, réussirent à faire taire les blockhaus allemands.

Jean Burel, qui a participé avec le 4ᵉ zouaves à l'assaut de Belmont, écrit[2] qu'après la mort de quatre tirailleurs tués par l'explosion d'une mine son unité a fait 17 prisonniers et que, précédée par un Feldwebel autrichien, capturé quelques minutes plus tôt, et appuyée par les mortiers du sergent-chef Lorit, elle avait été la *première* à entrer dans Royan. Priorité que d'autres revendiqueront.

Quoi qu'il en soit, les ruines de Royan atteintes, ce n'est que le 17 avril que l'amiral Michahelles, son blockaus de l'hôtel du Golf enlevé à 10 heures par une compagnie du 4ᵉ zouaves[3], donnait à ses subordonnés l'ordre de cesser le combat.

---

1. Qui comprenait, avec le 4ᵉ zouaves et les chars lourds du 12ᵉ cuirassiers de la 2ᵉ D.B., des bataillons des 131ᵉ et 50ᵉ régiments d'infanterie, ainsi que le 3ᵉ escadron du régiment blindé des fusiliers marins.
2. Témoignage inédit.
3. Le 4ᵉ régiment de zouaves obtiendra, sous la signature du général de Gaulle, une très belle citation à l'ordre de l'armée, rendant compte de son action victorieuse contre « les casemates blindées, notamment celles des positions de

Royan était délivré.

Royan ? Un champ de ruines. Car, depuis le 5 janvier, Royan n'existait plus. Entre 750 et 1 000 habitants avaient été tués, 4 079 maisons détruites, à la suite d'un bombardement provoqué par la sottise et la vanité autant que par un manque évident de liaisons entre responsables et exécutants.

Le 10 décembre 1944, ignorant évidemment qu'une prochaine offensive allemande dans les Ardennes retarderait l'opération *Indépendance,* prévue pour le 1ᵉʳ janvier, le major général américain Ralph Royce, commandant le *1ˢᵗ Tactical Air Force,* était venu à Cognac proposer au général Larminat les « services » du *Bomber Command* britannique.

Il est possible — Robert Aron l'a écrit dans son *Histoire de la Libération* — que le général Royce ait, sur l'instant, trouvé dans l'entourage de Larminat des officiers favorables à l'idée de soumettre Royan au même traitement que les villes allemandes. Après tout, les civils avaient, dans cette affaire, infiniment moins d'importance que les militaires ennemis dont on imaginait qu'ils constitueraient une cible prioritaire puisque, après la visite du major général Royce, l'état-major de Larminat avait transmis à l'état-major du général Devers, dont dépendait Royce, une carte précisant les objectifs *militaires* que les Français désiraient voir « traités ». Il ne semble pas que cette carte ait influencé le commandement allié, bien qu'il en ait eu connaissance et en ait accusé réception, on le sait par l'historique du VIᵉ groupe d'armées américain [1].

La malchance venant prendre le relais de l'insouciance, le télégramme des forces aériennes du S.H.A.E.F. informant toutes les forces alliées du secteur que 200 appareils du *Bomber Command* attaqueraient Royan à 4 heures, le 5 janvier 1945, et que 100 autres les suivraient à 5 h 30, bien qu'arrivé à 20 h 20 au centre de transmissions de Cognac, ne devait être déchiffré, enregistré et communiqué au P.C. de Larminat qu'à 0 h 30 [2].

Belmont et de Jaffe » et lui attribuant la capture de « plus de 2 000 prisonniers dont l'amiral commandant en chef et tout son état-major ».

1. Publié par Jacques Mordal, *Les Roches de l'Atlantique.*
2. Selon l'historique du VIᵉ groupe d'armées américain, le texte était en anglais et, bien qu'il ait porté la mention « urgent », ce n'est qu'après le raid — à cause de la négligence d'un sergent américain des transmissions — qu'il fut traduit en français.

Prévenus avant 22 heures, les Français auraient-ils pu éviter la tragédie ? C'est peu vraisemblable, car nul n'aurait imaginé que les 354 Lancaster (et non 300 comme annoncé), qui s'apprêtaient à décoller des bases anglaises, lâcheraient leurs 1 637 tonnes de bombes explosives et 14 tonnes de bombes incendiaires sur une ville française où ne se trouvait *aucun* objectif militaire.

Pour expliquer le drame, on mettra en cause des exécutants dont on écrira qu'ils effectuaient un vol d'entraînement. On écrira aussi que le vent du nord avait déporté leurs balises de repérage. Il est vrai que le bombardement de Royan était la première opération à laquelle participait la majorité des pilotes et qu'un fort vent soufflait le 5 janvier, mais, aussi novices qu'ils aient été, les Anglais du *Bomber Command* n'avaient commis aucune erreur. Sur leurs cartes — on le constatera immédiatement, quelques pilotes ayant dû se parachuter près de Cognac après le télescopage de leurs appareils —, c'est bien la ville de Royan qui était cerclée, cernée au crayon gras[1].

Le cercle au crayon gras s'était transformé en cercle de feu.

Les habitants survivants — 1 300 environ parmi lesquels de nombreux blessés — n'avaient ni toit, ni ravitaillement, ni médicaments. Devant l'importance du drame, autorités allemandes et françaises se mirent d'accord sur une longue suspension d'armes (du 9 au 18 janvier) et les marins pompiers de La Rochelle furent autorisés à pénétrer dans la ville détruite pour porter secours à ceux qui pouvaient encore être secourus, aider à l'évacuation des rescapés et des premiers blessés qui n'arrivèrent d'ailleurs à l'hôpital de Saintes que le 17 janvier[2].

Les malheurs de Royan n'étaient d'ailleurs pas terminés, car ce qui n'avait pas été détruit dans la nuit du 5 janvier allait souvent être pillé dans les jours qui suivirent la libération[3].

---

1. D'après le témoignage de M. Edward H. de Neveu, ancien chef de la mission de liaison du général de Larminat auprès du VIe groupe d'armées, le général Royce aurait négligé de transmettre au Bombardement stratégique la carte préparée par le général de Larminat.
Nommé à son poste trois mois avant le bombardement de Royan, le général Royce devait être relevé de son commandement à la tête du *1st Tactical Air Force* le 29 janvier 1945.
2. Les Allemands perdirent 35 tués dans le bombardement du 5 janvier.
3. Représentant le quotidien *Sud-Ouest,* lors de la bataille de Royan, j'ai été à même de constater ces pillages.

L'opération *Vénérable* avait eu Royan — et ses ruines — pour objectif unique.

Si le groupement Sud du colonel Adeline, qui attaquait en direction de Saint-Georges-de-Didonne, avait pris un départ relativement aisé, il devait rencontrer devant Didonne une vive résistance. C'est devant cette petite ville que le lieutenant-colonel Tourtet, le capitaine Manuel ainsi que deux autres officiers de ce bataillon de marche n° 5, formé aux Antilles en 1943, étaient tués alors qu'ils réglaient l'avance de leur unité.

Au nord de la poche, le 16 avril, le corps franc marin du capitaine de corvette Fournier, après avoir franchi la Seudre, fleuve minuscule mais difficile, son cours étant augmenté par le volume des marais et des parcs à huîtres, s'emparait du réduit du Mus-du-Loup. De leur côté, les F.F.I. du 158ᵉ R.I., sous des tirs qui venaient de l'île d'Oléron toujours occupée, prenaient La Tremblade [1] avant de s'infiltrer en direction des positions fortifiées de la forêt de la Coubre, objectif du 12ᵉ chasseurs et du 12ᵉ cuirassiers qui s'étaient rejoints à Étaules.

Le 18 avril, à 7 heures, les derniers défenseurs de la Coubre — des hommes de la *Kriegsmarine* qui occupaient le phare — faisaient leur reddition.

Ce même 18 avril 1945, les Russes approchaient de Stettin, les Britanniques de Brême, les Américains de Nuremberg.

Ce même 18 avril, on se battait toujours de l'autre côté de la Gironde.

En août 1944, abandonnant le port de Bordeaux sans le détruire, les Allemands avaient interdit son accès puisqu'ils tenaient, avec Royan et avec Le Verdon, les deux rives de la Gironde.

Au Verdon, la poche, défendue par 4 500 hommes, sous le

---

1. L'un de mes lecteurs, M. Louis Bœllinger, qui a participé au franchissement de la Seudre avec le 158ᵉ R.I. (document inédit), écrit que le feu allemand venu d'Oléron obligea les bateaux qui transportaient les hommes du 158ᵉ à les débarquer « en catastrophe, non pas dans la zone prévue, mais plus loin, dans une zone " non déminée ". Il fallut débarquer, dans l'eau jusqu'aux genoux, puis dans la vase, sous la canonnade sans perdre notre matériel ; nous fûmes cloués au sol, dans un terrain fait de diguettes, de chenaux, de parcs à huîtres, de vase ».

commandement du colonel Sonntag, avait une forme triangulaire. Sa base s'étendait, à travers une zone marécageuse et inondable, de Montalivet, sur l'Atlantique — où des naturistes allemands devaient former plus tard une importante partie de la clientèle —, à Port-de-Saint-Vivien, sur la Gironde. Son sommet était situé à la pointe de Grave, et c'est à Soulac que Sonntag avait placé son poste de commandement.

Délivré de tout souci du côté de Royan, Larminat put renforcer la brigade *Médoc* du colonel de Milleret, que retardait une forte résistance allemande, appuyée sur les obstacles naturels des inondations et des marais, par des chars de la 2e D.B. Encore, pour rejoindre le Médoc depuis Royan, les blindés devaient-ils passer par Bordeaux. Au terme d'un parcours de 200 kilomètres, ils arrivèrent à temps pour soutenir, à partir du 18 avril, des hommes du 8e et du 38e régiment d'infanterie dans l'assaut du village des Huttes où résistaient encore, le 19, quelques éléments du *Narvik Bataillon,* cependant que, le 20, les derniers défenseurs de la pointe de Grave — l'équipage du contre-torpilleur *Z-24* — cessaient le combat après qu'ils eurent été assommés par les bombes des 24 Douglas du commandant Lainé.

Encore une opération militaire sur le front de l'Atlantique : la dernière.

Le 30 avril, alors que les combats pour Berlin approchaient de leur fin, le général de Larminat lançait, sous l'ambitieux nom de code *Jupiter,* l'assaut amphibie contre les 1 500 à 2 000 hommes du capitaine de corvette Schaeffer, qui tenaient Oléron.

La disproportion des forces était encore plus grande qu'à Royan. Les soldats de Schaeffer se trouvaient d'ailleurs noyés au milieu de 12 000 à 15 000 îliens hostiles dont les plus vaillants, comme Roudat, organisaient, depuis octobre 1944, des coups de main contre de petits postes ennemis ou encore, sous la direction du capitaine Leclerc, introduisaient des armes au profit de résistants qui, dès l'instant où l'ordre leur fut donné, se mirent en devoir de dresser des embuscades, de couper les lignes téléphoniques, puis de guider les libérateurs[1]. Ce

---

1. Qu'il s'agisse de la bataille de Royan, de celle du Verdon ou de l'île d'Oléron, on trouvera, dans l'ouvrage d'Henri Gayot, correspondant départemen-

qu'ils firent. En compagnie de mon confrère, François-Jean Armorin, nous fûmes ainsi accueillis, le 1er mai, à l'entrée de Saint-Pierre, par des résistants du groupe Bolotte qui nous prirent pour l'avant-garde de l'armée française et, quelques mètres plus loin, par une dizaine de soldats allemands qui firent la même confusion, alors que nous n'étions que deux journalistes un peu trop « en l'air ».

Les troupes du colonel Marchand débarquées le 30 avril, à 6 h 2, à la pointe du Gasteau pour établir la première tête de pont, ne trouvèrent guère de résistance et, quatre heures plus tard, quatre bataillons étaient déjà sur l'île.

Malgré une contre-attaque dans la région de Grand-Village, les Allemands ne purent interdire le franchissement des champs de mines. Les hommes du 158e et du 50e régiment d'infanterie, ceux du bataillon Dupin de Saint-Cyr submergèrent d'autant plus rapidement la défense ennemie que le corps franc Fournier avait débarqué très à l'est, à Arceau, dans la nuit du 30 avril au 1er mai.

Saint-Pierre-d'Oléron pris le 1er mai, à 15 heures, toutes les résistances cessaient dans la soirée

Ces deux journées avaient coûté 18 morts et 55 blessés aux Français. Les pertes allemandes étaient estimées à 300 tués — chiffre sans doute excessif [1] — et 1 700 prisonniers.

L'opération contre Royan avait été infiniment plus coûteuse en vies humaines : 377 morts [2], 1 567 blessés et 13 disparus, du côté français, et 1 000 morts allemands environ [3]. Dans l'attaque du Verdon, la brigade *Médoc* avait perdu 197 tués, 843 blessés et 5 disparus.

---

tal du Comité d'histoire de la Deuxième Guerre mondiale, *Charente-Maritime 1940-1945,* de très nombreuses précisions (horaires notamment), ainsi que les noms de centaines de participants aux événements.

1. M. Gayot, correspondant du Comité d'histoire de la Deuxième Guerre mondiale, écrit *(Charente-Maritime 1940-1945)* n'avoir relevé que 102 tombes allemandes dans l'île d'Oléron.

2. Auxquels il faut ajouter 141 victimes civiles (dont 49 femmes) lors des combats de la Libération.

3. M. Gayot estime à 1 280 les soldats allemands tués au combat en Charente-Maritime.

Alors que, de Charles de Gaulle au plus modeste des Français, tous savaient la fin de la guerre imminente, que des opérations de déblocage des ports encore occupés par les Allemands, si elles étaient justifiées en janvier, ne l'étaient plus à la fin du mois d'avril, que les armées françaises, sous le commandement de Giraud en Tunisie, de Juin en Italie, de Leclerc et de De Lattre en France et en Allemagne, avaient renoué avec le succès et, sur nos drapeaux, ramené la gloire, était-il nécessaire d'envoyer à la mort en si grand nombre de jeunes hommes — Français et Allemands —, d'accumuler de nouvelles ruines, de chasser de foyers qu'ils retrouveront souvent pillés par leurs libérateurs des milliers d'habitants des environs de Royan et du Verdon ?

Tout se jouait autour de Berlin, rien autour de Royan.

Dans un département éloigné du front — la Lozère —, le préfet relevait, le 18 juin, que « l'expédition de Royan a[vait] été jugée très sévèrement par la population. " Un général, poursuivait son rapport, qui voulait sa victoire ", a-t-on dit. Il était inutile, par un pilonnage d'artillerie intense, de massacrer des civils, de ruiner des villages et de faire tuer des soldats mal équipés, alors que chacun savait la capitulation allemande toute proche ».

A l'occasion de l'attaque contre Royan, l'opinion avait mis en cause Edgar de Larminat comme elle l'avait mis injustement en cause à l'occasion du bombardement de Royan.

Sans doute ce général de quarante-neuf ans, l'un des premiers ralliés à de Gaulle, avait-il exercé le commandement des deux brigades françaises qui opéraient en Libye et dont l'une s'était illustrée à Bir Hakeim. Mais il lui manquait la consécration d'une victoire « personnelle ». Il aurait pu l'obtenir à la tête du 2e corps d'armée qui regroupait les trois premières divisions françaises ayant débarqué en Provence, si un violent conflit de caractère ne l'avait opposé à « l'assez démoniaque[1] » de Lattre qui, dès le 20 août, le remplacera par le général de Monsabert.

Que Larminat, aux talents militaires certains, mais qui ne disposait, à la tête du détachement d'armée de l'Atlantique, que de troupes

---

1. Larminat, *Chroniques irrévérencieuses.*

fatiguées et d'autant plus mal équipées que le ministre de la Guerre, Diethelm, « un pauvre homme [1] », ne répondait pas aux demandes de matériel, lié par ailleurs, dans le secteur de La Rochelle, par une convention avec l'ennemi qui l'obligeait à ne jouer qu'à la « petite guerre », que Larminat ait eu l'ambition de prouver sa valeur, d'être enfin au « communiqué », d'arracher quelque rayon d'une gloire qui allait à des concurrents dont certains — Juin, de Lattre — avaient longtemps tardé avant de rejoindre de Gaulle, c'est évident.

Mais il est juste d'écrire qu'à l'ambition et à la volonté de Larminat correspondaient l'ambition et la volonté de ses troupes.

Les résistants des zones encore occupées, qui n'avaient cessé de renseigner et de saboter ; les F.F.I. et ex-F.F.I., qui avaient souffert du froid, de l'inaction, du désintérêt de l'opinion, et avaient dû se contenter de porter à la hauteur de faits d'armes de brefs engagements de patrouilles ; leurs chefs qui entendaient justifier les titres et les galons du maquis, presque tous désiraient une autre conclusion que la reddition sans combat d'un adversaire orgueilleux sur lequel, souvent, ils voulaient prendre une revanche idéologique et politique, dans le même temps où ils souhaitaient venger des camarades morts sous la torture ou en d'obscurs combats.

Lorsque, à la fin du déjeuner de victoire qui venait de lui être offert par la Chambre de commerce de Bordeaux, Larminat prononça un cinglant discours contre une ville cossue où triomphaient, dit-il, « égoïsme individuel, égoïsme de famille, de clan, de cité, de classe », il s'écria : « Ce n'est pas pour enrichir les Bordelais que se sont fait tuer en volontaires, à la pointe de Grave et à Royan, de braves garçons de chez nous... Le port de Bordeaux n'a pas été libéré par ces volontaires pour que les maisons de commerce de la ville reprennent leur négoce avec leurs méthodes d'antan », il se trouvait certainement en accord avec le sentiment d'hommes dont beaucoup attendaient de leurs combats et de leur victoire un profond changement social.

---

1. Larminat, *Chroniques irrévérencieuses.*

Volonté de bataille de Larminat et de ses hommes.

Incontestable volonté de bataille de De Gaulle.

Le 18 septembre 1944, de Gaulle, qui achève son premier grand voyage dans les turbulentes provinces du Sud-Ouest, a passé en revue, sur le terrain de Saintes, les troupes du colonel Adeline : « Plusieurs milliers d'hommes mal pourvus, écrira-t-il dans ses *Mémoires,* mais pleins d'ardeur. »

« Quand cet ensemble aurait reçu des armes et pris de la consistance, écrit-il également, on pourrait songer à l'attaque [...]. Je quittai cette force en gestation, résolu à faire en sorte que les combats de la côte atlantique finissent par une victoire française. »

Que l'on se reporte de la page 16 du tome III des *Mémoires de guerre* à la page 158 ; du 14 septembre 1944 au 14 avril 1945 ; on verra que, loin de faiblir, la résolution offensive du général de Gaulle est allée constamment en se renforçant.

Après avoir rappelé qu'il avait, dès octobre, désigné la 1re division « française libre » pour être envoyée au plus tôt sur l'Atlantique — ce qui se justifiait pleinement alors —, mais que le mouvement, retardé par le commandement interallié jusqu'en décembre, avait dû être interrompu lors de l'offensive allemande des Ardennes, de Gaulle s'attache à justifier une opération tardive à propos de laquelle il écrit : « Il s'agissait d'en finir avec les enclaves où l'ennemi s'était retranché. Depuis des mois, je le souhaitais. A présent, j'en avais hâte ; les jours de la guerre étaient comptés. »

Bousculant les objections, de Gaulle poursuit : « L'esprit de facilité pourrait, sans doute, nous conseiller de rester passifs sur ce front ; car les fruits y tomberaient tout seuls dès que le Reich aurait capitulé. Mais, à la guerre, la politique du moindre effort coûte cher. Là comme partout, il fallait frapper. Les coups que nous infligerions aux Allemands sur ce théâtre auraient leur répercussion sur la situation générale [...]. De toute façon, je n'admettrais pas que les unités allemandes puissent, jusqu'à la fin, rester intactes sur le sol français et nous narguer derrière leurs remparts. »

« *Narguer* »... Psychologiquement, c'est sans doute le mot essentiel. De Gaulle ajoute que son sentiment était partagé (je l'ai écrit quelques lignes plus haut) par les troupes du « Détachement d'armée de l'Atlantique » et que le général de Larminat « plus que personne » espérait ne devoir point « poser les armes avant d'avoir remporté quelque succès signalé ».

Après avoir évoqué le bombardement « américain[1] » de Royan, cette « opération hâtive » qui, tout « en démolissant les maisons de Royan, avait laissé presque intacts les ouvrages militaires », de Gaulle, sans faire allusion aux habitants écrasés sous les bombes, ajoute que, si l'attaque contre Royan réussissait, Larminat « porterait l'effort sur La Rochelle » et qu'une fois la Charente libérée des dispositions seraient prises « pour enlever les zones fortifiées de Saint-Nazaire et de Lorient ».

Depuis le 20 octobre 1944, la situation de la « forteresse de La Rochelle » est paradoxale.

Ce jour-là, en effet, le vice-amiral Schirlitz, qui avait été désigné deux mois plus tôt comme commandant en chef du secteur de défense de La Rochelle, avait paraphé la convention signée, le 18 octobre, par le colonel Adeline qui commandait le secteur Royan-La Rochelle, en attendant l'arrivée du général de Larminat appelé, le 14 octobre, au commandement des forces de l'Ouest, mais qui ne devait prendre ses fonctions que le 22.

Le sort de La Rochelle s'était sans doute joué à quelques heures, car il est douteux que Larminat, présent et informé, ait signé une convention qui stipulait que, devant La Rochelle, les Français s'interdisaient de franchir une ligne, dite *ligne rouge*, les Allemands renonçant à dépasser une ligne, dite *bleue*. Entre ces deux lignes, les adversaires avaient liberté de se livrer à une « guerre » limitée.

Ils ne s'en privèrent pas, les Allemands ayant le plus souvent l'initiative. Ils entendaient certes tenir leurs troupes en haleine et découvrir points forts et points faibles de l'adversaire. Mais le bétail qui paissait presque sous leurs yeux constituait l'objectif principal de leurs raids. Capturé, il assurait, en effet, des semaines de nourriture. L'opération la plus longue et la plus dure aura lieu entre le 15 et le 21 juin dans le secteur de Marans. Conduits par l'amiral Schirlitz, les

---

1. Il s'agit, en réalité, le 5 janvier 1945, d'un bombardement effectué par des bombardiers anglais Lancaster appartenant au *Bomber Command* de la Royal Air Force.

Allemands occuperont momentanément la petite ville qui, reprise le 16 par un bataillon du 4e zouaves, sera abandonnée, puis reconquise définitivement le 22[1]. Mais les Allemands ont eu le temps de rafler 864 vaches et veaux, 1 428 moutons, 36 chevaux, 76 porcs, 180 quintaux de céréales, 600 kg de sucre, 60 kg de café. A ce bilan, il faut ajouter 5 camions, 12 voitures de tourisme, 120 bicyclettes, 5 motos, 236 fusils anglais, 15 fusils-mitrailleurs, 18 mitrailleuses, du plastic et des détonateurs.

Dans la seule journée du 15 janvier, ils se sont également emparés — c'est infiniment plus important — de 304 soldats français[2]. Nos pertes conduiront d'ailleurs à la fusion et à l'envoi à l'arrière de deux bataillons du 93e régiment d'infanterie.

Le 1er mars, alors que le jour n'est pas encore levé, les Allemands, qui sont à court de ravitaillement, tenteront une opération contre Saint-Jean-de-Liversay et Nuaillé-d'Aunis. Après un succès initial, ils seront repoussés grâce à l'intervention de quelques chars et des hommes du 4e zouaves.

Retenant la leçon, l'amiral Schirlitz ne hasardera plus que discrètement ses troupes dans le périmètre de jeu — un jeu mortel souvent — que la « convention du 20 octobre » avait concédé aux adversaires.

Convention que Larminat tenait pour « inutile et peu glorieuse » et que certains anciens combattants ont longtemps considérée et considèrent peut-être encore aujourd'hui comme une « trahison[3] ».

Cette convention avait un « inventeur » : le capitaine de frégate Hubert Meyer. D'origine lorraine, parlant parfaitement allemand, Meyer avait reçu mission, le 23 août, alors qu'il se trouvait à Bordeaux, de gagner Rochefort pour tenter de préserver l'arsenal. Arrivé à Rochefort deux jours plus tard — après avoir effectué le

---

1. Dans les combats pour Marans, le régiment *Foch* s'est particulièrement distingué.
2. Au début du mois d'avril, l'effectif des F.F.I. prisonniers s'élève à 740 hommes. De nombreux échanges auront lieu. Il arrivera même aux Français de restituer (par mégarde) quatre déserteurs allemands qui seront immédiatement fusillés, ce qui freinera, on l'imagine, les velléités de désertion.
3. *Cf.* Troussard, *L'Armée de l'ombre. Le maquis Bir-Hakeim,* qui met en cause le colonel Adeline et le capitaine de frégate Hubert Meyer en ces termes : « Il n'en est pas moins vrai qu'un officier de marine français [Meyer] a conçu un tel document [la convention] et qu'un chef militaire de F.F.I., au plus haut niveau, le colonel Adeline, l'a signé avec le chef ennemi, ces deux chefs français sachant fort bien qu'ils condamnaient ainsi à mort leurs propres troupes. »

trajet à bicyclette —, il avait découvert le spectacle, alors fréquent, d'une ville dont les habitants fêtaient, avec quelques heures d'avance, leur libération cependant que les Allemands, revenus sur leurs pas, prétendaient venger deux motocyclistes abattus par un tireur isolé.

Trop d'otages avaient été fusillés, trop de maisons brûlées en représailles pour que Meyer prît la menace à la légère. Négligeant les subalternes, jouant de sa connaissance de l'allemand mais aussi — on le lui reprochera comme une complicité — de cette solidarité qui a souvent permis aux marins de nationalités différentes et de nations opposées de se comprendre, sinon de s'entendre, Meyer avait demandé une entrevue à l'amiral Schirlitz, commandant la poche de La Rochelle. C'est de Schirlitz qu'il obtiendra que Rochefort soit évacué sans combat. Le résultat de ces tractations s'écrit en deux lignes. Il n'était pas fatal. Le 18 septembre, lors de son voyage à Saintes, de Gaulle voulut bien en faire compliment à Meyer.

La suite des propos du Général permettait bien des interprétations. Opposé à ce que soit « conclu avec l'ennemi d'armistice local à caractère définitif, les poches allemandes de[vant] être réduites par la force », annonçant l'envoi à bref délai d'une division blindée française, le chef du gouvernement provisoire, tout en insistant sur le fait que les pourparlers ne devraient « jamais revêtir le caractère d'une négociation », approuvait, sous cette réserve, tout ce qui pourrait être fait « afin de sauvegarder La Rochelle et les ports occupés ».

C'est d'ailleurs afin de « sauvegarder La Rochelle » que de Gaulle avait promis qu'aucun bombardement aérien « non justifié » n'aurait lieu. C'est pour sauvegarder La Rochelle, mais aussi, on l'oublie trop, pour mettre fin à l'exécution sommaire de F.F.I., que le seul port du brassard ne protégeait pas [1], pour permettre l'échange des prisonniers, l'évacuation ou le ravitaillement de la population, que la convention du 20 octobre avait été signée.

Il fallait bien nourrir les 14 000 Rochelais et les 38 000 personnes qui vivaient encore dans la poche. En décembre 1944, Désiré Arnaud, secrétaire général de la préfecture de la Charente-Maritime, avait obtenu de l'amiral Schirlitz un laissez-passer pour se rendre à Paris. Au ministre de l'Intérieur, Adrien Tixier, il avait expliqué que le gouvernement devait choisir entre l'évacuation totale de la population

---

1. Le 14 septembre, à Ferrières, six blessés du groupe F.F.I. *Ricco* et sept civils avaient été massacrés.

ou son ravitaillement. Un ravitaillement qui ne pouvait s'effectuer qu'avec l'accord des occupants. C'est à cette solution que s'était rangé Paris et à laquelle, sur place, allaient travailler, en liaison avec les autorités françaises, Lars Almström, représentant du Conseil des Églises suédoises, et Rolf Nordling, représentant du consulat de Suède[1].

Les difficultés n'allaient pas venir des Allemands qui, le 23 décembre, interdisaient d'ailleurs toute vente de produits alimentaires aux membres de l'armée d'occupation, mais bien des Français libérés depuis août, de ceux qui se trouvaient en dehors de la poche et pour qui ravitailler les habitants de La Rochelle équivalait à ravitailler « les Boches et les collabos[2] ».

Si des camions venus de Niort avaient pu passer sans encombre le 23 novembre et le 16 décembre (il restait, ce jour-là, un « stock » de 50 kilos de sucre à La Rochelle), en janvier et février 1945, les trains de ravitaillement allaient être momentanément bloqués à Niort et Surgères et partiellement pillés[3] par des manifestants non dénués d'arrière-pensées politiques. Aussi décida-t-on d'affecter au transport deux chalutiers dont l'un, le *Messidor,* effectuera chaque mois quatre voyages, grâce à un équipage de marins pompiers de La Rochelle. Mais, le 6 mars, à Tonnay-Charente, le premier chargement donna lieu à des incidents si violents que la troupe dut faire dégager la foule conduite par une délégation de l'Union des femmes françaises[4] et qu'il fut décidé que toutes les opérations auraient lieu désormais à l'intérieur de l'arsenal de Rochefort.

---

1. Ils seront, l'un et l'autre, fait citoyens d'honneur de La Rochelle par le conseil municipal réuni le 19 février 1945.
2. Que des collaborateurs aient existé à La Rochelle, c'est évident. L'un d'entre eux, le milicien Jacques Sidos, condamné à mort le 6 janvier 1946, avait créé « une délégation atlantique du gouvernement français de Sigmaringen ».
3. Il faudra, en janvier, l'intervention de M. Schuhler, commissaire de la République, de M. Verneuil, préfet de la Charente-Maritime, et du général de Larminat; en février, celle du colonel Adeline, pour que les convois puissent reprendre leur route. En février, le pillage portera sur environ 10 % du ravitaillement transporté, mais les 700 kg de fromage disparaîtront en totalité.
4. Organisme à direction communiste. Le 15 mars, dans *L'Humanité,* Marcel Cachin écrivait : « Comment comprendre qu'on laisse sans approvisionnement suffisant les régiments ex-F.F.I. du front de La Rochelle, tandis que passent sous leur nez des trains de vivres dont la distribution aux civils de la zone occupée est remise à la discrétion des Boches? » Les Allemands n'opérèrent aucun prélèvement sur le ravitaillement envoyé aux habitants de La Rochelle.

Malgré l'apport indispensable des cargaisons du *Messidor* et du *Roland-Raymonde,* les difficultés du ravitaillement allaient rester au centre des préoccupations des « empochés ». Dans *La Gazette d'Aunis,* publication bi-hebdomadaire, des Rochelais proposaient du tabac contre des pommes de terre, « une belle garde-robe contre du ravitaillement », « un bon lapin contre un parapluie d'homme en bon état », du tissu contre la moitié d'un cochon et, dans son journal, Mlle Junca note, le 6 mars : « Attroupement autour d'une marchande de poisson qui vend des tacauds[1] minuscules dont, avant la guerre, les chats eux-mêmes n'auraient pas voulu : 50 F le kg. De rares privilégiés se procurent de la raie à 75 F le kg[2] ».

Très imparfaitement ravitaillée mais à l'abri de « toute destruction des installations portuaires et urbaines », grâce à l'article II de la convention du 20 octobre, La Rochelle n'était cependant pas définitivement sauvée, car l'article VII de cette même convention prévoyait qu'elle pourrait être dénoncée avec un préavis de quatre jours.

Or, le 10 avril, le général de Larminat faisait savoir à l'amiral Schirlitz qu'attaquant Royan il dénonçait la convention qui deviendrait caduque le 16 avril, à 0 heure. Le 30 avril, il donnait l'ordre au général d'Anselme de faire avancer ses troupes sur une profondeur de 5 à 6 kilomètres. Fallait-il aller plus loin et s'emparer de la ville, quitte à la détruire partiellement, à ruiner certainement les installations portuaires et à provoquer la mort de quelques centaines de civils et de soldats ?

Le 2 mai, à quelques heures de la fin d'une si longue guerre, il parut préférable, avant d'attaquer, de connaître l'état d'esprit de Schirlitz. Le général d'Anselme, qui maîtrisait l'impatience de ses troupes, et le général de Larminat renvoyèrent donc Meyer chez Schirlitz. L'amiral se dit résolu à résister si l'avance française se poursuivait. Du côté français, on décida donc de patienter. Il n'y eut pas longtemps à attendre. L'amiral Dönitz, successeur de Hitler, ayant fait savoir, le 4 mai, que le combat à l'ouest était désormais sans objet, des

---

1. Petite morue (moins de 30 cm) aux longues nageoires pelviennes.
2. Cité par Christiane Gachignard, *La Rochelle, « poche » de l'Atlantique.*

pourparlers allaient être engagés entre Allemands et Français pour mettre au point la reddition par les premiers, la libération symbolique par les seconds, d'une ville frémissante et sur laquelle, à côté des drapeaux à croix gammée, flottaient déjà les couleurs tricolores.

Tandis que les tractations s'achevaient pour la reddition sans drame de La Rochelle, les défenseurs de Lorient, Saint-Nazaire et Dunkerque s'apprêtaient également à mettre bas les armes.

A Lorient, le général d'artillerie Wilhelm Fahrmbacher avait bénéficié, le 3 août, du désintérêt, pour une trop mince proie, de son adversaire américain, le bouillant général John S. Wood. Aussi avait-il mis à profit les trois jours de délai qui lui avaient été involontairement accordés pour reprendre en main ses 25 000 soldats et marins, et pour dresser la barrière presque infranchissable de ses 197 pièces d'artillerie.

A Saint-Nazaire, l'investissement était assuré par la 19ᵉ division du général Borgnis-Desbordes et par la 25ᵉ division du général Chomel, également formées de F.F.I. courageux mais démunis, que la presse du temps décrivait « vêtus de toile, chaussés d'espadrilles [...], coiffés de calots, de bérets, de casques ou de rien », luttant enfin « avec les armes allemandes qu'ils avaient prises eux-mêmes [1] ».

Des escarmouches donc, mais pas de « vraie » guerre devant Lorient et Saint-Nazaire, les Français manquant de moyens, les Allemands de volonté offensive, sauf lorsqu'ils se lanceront, le 28 octobre, dans le secteur de Sainte-Hélène, à la conquête de terres à pommes de terre, exactement comme leurs camarades de La Rochelle se lançaient à la conquête de bétail. Venant du Reich assiégé, quelques sous-marins apportaient bien à Saint-Nazaire [2] des munitions, du

---

1. Jean Éparvier, *Le Figaro,* 16 novembre 1944.
2. C'est le 24 avril 1945 qu'un dernier sous-marin allemand atteindra Saint-Nazaire. L'*U-510* arrivait de Djakarta d'où il était parti, chargé d'étain, le 15 janvier. Jusqu'en 1959, il servit dans la flotte française sous le nom de *Bouan.*

courrier, courrier également transporté par des avions qui atterrissaient sur le terrain de La Baule-Escoubas. Ils apportaient aussi des vivres, mais en très faible quantité, ce qui donne tout leur sens aux raids de ravitaillement comme celui que tentera, le 3 mai 1945, la garnison de Belle-Île sur les petites îles de Hoëdic et Houat. Le raid sur Granville, dans la nuit du 8 au 9 mars 1945, avait, lui, eu pour objectif la capture d'un navire chargé de charbon que les marins allemands ramenèrent à Jersey après avoir coulé quatre cargos, fait sauter les installations portuaires, tué 15 soldats américains, 8 britanniques, 5 français, libéré 70 prisonniers et, dans l'aventure, abandonné l'un de leurs avisos-dragueurs, malencontreusement envasé.

Petits faits divers qui enrichiront, en marge d'une grande guerre, les chroniques locales[1].

Meyer avait évité que La Rochelle ne soit délivrée par la force. A Saint-Nazaire, dévasté par les bombardements alliés, abandonné par une population réfugiée à La Baule, Guérande, Savenay, Pontchâteau, mais dont les installations portuaires solidement protégées étaient, pour l'essentiel, intactes, le sous-préfet Tony Benedetti allait s'efforcer d'arriver à un résultat identique. Son devoir l'obligeait à demeurer en contact avec les autorités allemandes — le strict colonel Junck, le compréhensif lieutenant-colonel Rittmayer — mais, reçu à Nantes, le 15 janvier, par le général de Gaulle, venu remettre la croix de la Libération à la ville, il était sorti de l'entretien persuadé que la poche de Saint-Nazaire serait attaquée dès que les moyens militaires français le permettraient. En avril, informé de l'imminence d'une offensive qui s'inscrivait dans la logique de l'opération contre Royan et dans la logique de la volonté de De Gaulle[2], il avait repris la route de

---

1. Dans *Les Poches de l'Atlantique,* Jacques Mordal a consacré deux pages à l'engagement qui eut lieu, le 15 décembre 1944, dans les parages de Houat, entre quelques bateaux de pêche français armés par le capitaine de vaisseau Charrier et une force allemande supérieure. Les Français perdirent trois morts et une trentaine de blessés.

2. « Une fois la Charente libérée, écrit de Gaulle dans ses *Mémoires de guerre,* les dispositions sont prises pour enlever les zones fortifiées de Saint-Nazaire et de Lorient. Mais la capitulation du Reich survient avant l'opération. »

Paris afin de plaider la cause de sa sous-préfecture et de sa région auprès du général Juin et de son chef d'état-major, le général Sevez.

A Sevez, de Gaulle avait répondu qu'il voulait bien que l'attaque de Saint-Nazaire soit différée, mais non pas annulée. De retour dans la poche, c'est en vain que Benedetti avait tenté de convaincre le colonel Junck de capituler avant l'assaut.

L'effondrement militaire du IIIe Reich allait heureusement entraîner la reddition de la garnison de Saint-Nazaire, reddition qui ne fut officielle que le 10 mai lorsque, à bicyclette, les soldats du général Chomel, précédant les jeeps de la 66e division d'infanterie, entrèrent à Savenay.

A Lorient — où seuls une centaine de Français vivaient encore [1] —, la reddition officielle fut également signée le 10 mai. Le lendemain, dans la base sous-marine, les hommes du 4e régiment de fusiliers marins découvraient deux sous-marins et une vingtaine d'unités légères intactes qui, pour la plupart, devaient être remises en service par la marine française.

Restait la poche de Dunkerque, où ne vivaient plus, le 8 octobre, à Coudekerque-Branche, Saint-Pol-sur-Mer, Malo-les-Bains, Rosendaël, que moins de 800 habitants enfermés dans quelques maisons cernées de barbelés [2].

L'amiral Frisius, s'il aimait les fleurs et la musique classique, n'était pas homme à se laisser détourner de son devoir par le cours fâcheux des événements. Nommé le 19 septembre 1944 au commandement de la « forteresse de Dunkerque », dont les Canadiens du général Simonds s'étaient approchés sans pouvoir aller plus loin que Pont-à-Roseaux, où commençait une zone d'inondation de 70 kilomètres de

---

1. En direction de Saint-Nazaire (où la ration de viande était fixée à 60 grammes par semaine et où le bifteck s'achetait 200 francs le kilo au marché noir, alors que les salaires mensuels oscillaient entre 1 000 francs pour un terrassier de l'organisation Todt et 3 855 francs pour un employé de la raffinerie de Donge), dix convois de vivres furent envoyés par la Croix-Rouge entre septembre 1944 et mai 1945. Lorient et Quiberon devaient être ravitaillés depuis Vannes, à la suite d'un accord conclu avec les Allemands.
2. Le 3 octobre, 24 000 habitants avaient été évacués.

périmètre tendue depuis février, il avait autorité sur un territoire restreint que le grand amiral Dönitz lui avait donné mission, « conformément aux ordres du Führer, de défendre jusqu'au dernier homme ».

A ses 12 000 soldats et marins s'opposaient (les Canadiens ayant rapidement pris la direction d'Anvers) la brigade blindée tchèque du général Liska mais aussi deux bataillons du 110e régiment d'infanterie dont l'un — le deuxième, commandé par le capitaine Dewulf — avait cette particularité d'être constitué par des Dunkerquois engagés pour la durée du siège de Dunkerque plus trente jours.

Mal équipées et mal vêtues, ces forces insuffisantes, malgré le renfort d'un régiment d'artillerie anglais et de quelques chars, bousculèrent, le 28 octobre, le bataillon Walter auquel elles capturèrent 395 hommes. Le 5 novembre, une opération de même style se traduisit par un succès presque aussi important. Cependant, Frisius, qui avait repris ses hommes en main et multiplié les petites actions, allait s'offrir le luxe, le 9 avril — à un mois de la fin de la guerre —, de lancer l'opération *Blücher*, du nom du maréchal prussien qui, à Waterloo, avait fait basculer le destin. Espérait-il donc modifier le cours de la guerre ? Non, mais le coup porté dans la région du canal de Bourbourg fut si rude qu'à Gravelines le génie anglais fit sauter des ponts, qu'une ligne de défense fut préparée sur l'Aa et qu'à Lille on conçut quelque inquiétude.

Le 6 mai, les duels d'artillerie continuaient toujours et, le 7, Frisius, après avoir déclaré à ses officiers qu'ils n'avaient « plus que l'honneur à perdre », leur avait demandé de tenir deux jours encore. « Peut-être, avait-il ajouté, recevrons-nous l'ordre de capituler. Alors, notre honneur sera sauf et nous pourrons garder la tête haute, car nous n'aurons pas été battus... »

C'est en effet deux jours plus tard, le 9 mai, que l'amiral Frisius signait, au quartier général du général tchèque Liska, le document consacrant sa reddition.

Dunkerque avait été occupée pendant quatre ans, onze mois et quatre jours. Triste record.

Mais les Français ne devaient pas être immédiatement autorisés à revenir, ni même à pénétrer dans une ville que le préfet du Nord, Roger Verlomme, décrivait « détruite dans une proportion qui s'élev[ait] à 95 % [et où], tout [n'étant] plus qu'un amas de ruines et et de décombres, [il n'existait] pas d'hébergement possible avant longtemps, pas de moyens de travail, plus de maisons, plus d'outils... »

Ceux des Dunkerquois qui s'étaient accrochés aux ruines furent, sous prétexte d'assurer leur sécurité et d'enquêter sur leur passé, vivement expulsés en direction d'Hazebrouck.

C'est donc sur une « ville » fantôme qu'au sommet de la tour Saint-Éloi flottaient les drapeaux anglais, tchèque... et français, ce dernier n'ayant été hissé, en présence d'un seul officier français et de trois correspondants de guerre, qu'avec retard et après un incident avec des Britanniques qui, peut-être en souvenir des craintes que Dunkerque avait longtemps fait planer sur leur commerce et des exigences de démantèlement des fortifications, de comblement du port, qu'ils avaient présentées en 1713, se comportèrent en maîtres avant de consentir à rendre la cité aux autorités françaises[1].

Le 9 mai, il y avait quelques jours à peine que les combats avaient cessé sur un autre front oublié : celui des Alpes.

Le débarquement en Provence du 15 août 1944 n'avait pas troublé les troupes allemandes qui tenaient la frontière franco-italienne. Face à la solide 34e division allemande du général Liebe et au 3e régiment de la *Littorio,* les attaques françaises de l'automne et de l'hiver en Tarentaise et dans le Briançonnais n'avaient pas obtenu de résultats appréciables.

Le 1er mars, le général de Gaulle avait créé, sous le commandement du général Doyen, le détachement d'armée des Alpes. Il allait lui assigner des objectifs symboliques qui visaient à venger ce « coup de poignard à un homme déjà à terre[2] » donné par l'Italie, le 10 juin 1940, alors que le gouvernement abandonnait Paris.

« Nous devons, avant que le feu cesse, écrira plus tard de Gaulle, laver sur le terrain les outrages naguère subis, reprendre en combattant les lambeaux de notre territoire que l'ennemi tient encore,

---

1. Dans les numéros du *Figaro* des 10 et 11 mai 1945, Jean Éparvier donna un compte rendu de la reddition de l'amiral Frisius (qui avait, écrit-il, perdu 11 kilos pendant le siège) et de l'étrange comportement des Britanniques.
2. Réponse, le 10 juin 1940, de notre ambassadeur, M. François-Poncet, au comte Ciano, ministre italien des Affaires étrangères, qui vient de lui annoncer la déclaration de guerre à la France et à la Grande-Bretagne.

conquérir les enclaves qui appartiennent à l'Italie, aux cols du Petit-Saint-Bernard, de l'Iseran, du Mont-Cenis, du Mont-Genèvre, ainsi que les cantons de Tende et de La Brigue, artificiellement détachés de la Savoie en 1860. »

Faisant réflexion sur les combats qu'il avait livrés à des adversaires que certains actes d'héroïsme lui avaient appris à estimer [1], le général Le Ray — en 1945, lieutenant-colonel, commandant en Maurienne la 7e demi-brigade de chasseurs alpins — allait écrire des lignes qui méritent d'être reproduites en hommage aux soldats, morts et vivants, de la guerre des cimes, guerre « sans haine », comme avait été « sans haine » la guerre du désert.

> « Enfin et surtout, il y a l'admirable spectacle de ces deux adversaires qui se battent pour l'honneur, les uns sachant bien que tout est perdu pour eux, mais qu'il leur reste leur éternelle valeur de soldats à défendre, les autres n'ignorant pas que les

---

1. Ayant reçu l'ordre, le 5 mars, de préparer une opération contre les positions allemandes du Mont-Cenis, le lieutenant-colonel Le Ray, le capitaine Stéphane, le lieutenant Jacques Boell et un chasseur du 15e bataillon de chasseurs alpins entreprirent, par la face est, l'ascension de la pointe de Ronce (3 610 mètres) qui constituait l'observatoire idéal par rapport aux versants choisis pour l'attaque. Or, avant d'attaquer l'arête finale, Stéphane découvrit à la jumelle un homme seul et en survêtement blanc qui, sans les apercevoir, se dirigeait vers eux. Il s'agissait d'un officier allemand, Anton Hörle, familier de la haute montagne, que les Français capturèrent aisément et à qui ils intimèrent l'ordre de les accompagner à la pointe de Ronce.
Alors que les Français et l'Allemand se trouvaient sur un court replat de la crête, entre deux petites élévations rocheuses, replat dominant l'origine d'une goulotte neigeuse d'une extrême raideur, Hörle se jeta dans le vide pour échapper à la captivité. Miraculeusement, Hörle survécut à une chute de 500 mètres, suivie d'une longue glissade dans la neige fraîche.
Dans son ordre du jour du lendemain, le lieutenant-colonel Le Ray célébra un exemple extrême de courage et d'honneur. Et bientôt, la guerre achevée, les deux hommes, ennemis d'hier, se retrouvèrent pour des courses en montagne.
La mort d'Anton Hörle donna l'occasion au général Le Ray d'écrire un bel article, qui fut reproduit en allemand dans la revue des troupes de montagne, *Die Gebirgstruppe,* d'octobre 1961. Marcel Ichac, dans son film *Les Étoiles de Midi,* consacra une séquence à cet épisode.

objectifs pour lesquels ils combattent ne sont que d'arides pitons auxquels personne ne s'intéresse, mais qui veulent apporter à la France la contribution de leur sacrifice, afin qu'elle soit absoute de ses faiblesses d'hier et qu'entre les mains de son chef puisse être remis, au moment des négociations pour la paix, le gage de leur effort gratuit et de leur renoncement [1]... »

Le général de Gaulle étant venu, le 9 avril, annoncer à la foule niçoise que nos armes allaient « franchir les Alpes », le général Doyen ordonnait le même jour le passage à l'offensive.

En Maurienne, les combats avaient commencé le 5 avril. Il s'agissait d'emporter le Mont-Froid. Les montagnards, qui observaient la neige pourrie, avaient bien murmuré : « Un mois de trop, un mois trop tard », mais leurs observations étaient demeurées sans influence sur le commandement. Après les premiers succès acquis par les hommes de la compagnie Branche [2], le Mont-Froid devait être reconquis, le 12 avril, par les soldats du capitaine Rohleder qui avaient parfois lutté au corps à corps avant de submerger notre 6e bataillon de chasseurs alpins.

En Ubaye, le 159e régiment d'infanterie alpine, à peine relevé d'une dure campagne d'hiver en Alsace, et le 5e dragons, appuyés par une artillerie surclassant celle de l'adversaire — 8 000 coups tirés contre 160 [3] —, dégageaient le col de Larche après avoir neutralisé les ouvrages qui le protégeaient.

Mais la bataille la plus dure eut lieu pour la conquête de l'Authion. Édifié sur un massif montagneux de 2 000 mètres, à une cinquantaine de kilomètres de Nice, entre la Vésubie et la Roya, la position de l'Authion, protégée par les forts de Mille-Fourches, de la Forca, de Plan-Laval, des Trois-Communes, était naturellement tournée vers l'Italie. Du côté français, l'on y accédait par une route stratégique qui, depuis La Boisse-de-Turini, montait jusqu'au fort et ceinturait horizontalement le massif. Encore fallait-il y arriver. Aux Allemands, qui

---

1. *L'Éclaireur skieur.*
2. 11e bataillon de chasseurs alpins.
3. Ce qui permettra de limiter les pertes françaises : 15 tués.

avaient mis à profit l'automne et l'hiver pour miner les chemins d'approche et multiplier les emplacements d'armes automatiques, de Gaulle allait opposer la 1re division française libre qui reçut d'abord la mission comme un affront. Elle s'attendait à être logiquement envoyée en Allemagne pour achever le combat commencé dans l'automne 1940 et qui, de Bir Hakeim au djebel Garci, en Tunisie, du Garigliano et du lac Bolsena, en Italie[1], de Toulon à Lyon, Strasbourg et Colmar, l'avait menée sur tous ces champs de bataille où les sacrifices conduisaient à la gloire. Or, après l'avoir expédiée sur le front sans intérêt de l'Atlantique, d'où, Strasbourg menacé, on l'avait rappelée avant même qu'elle n'ait eu le temps de s'installer, voici, alors qu'elle bordait le Rhin à Marckolsheim, qu'on lui ordonnait, selon l'expression de De Gaulle, de « laisser à d'autres les lauriers qui jonchent le sol de l'Allemagne » et d'aller finir « sa » guerre dans un secteur isolé, ignoré, au relief tourmenté.

De cet exil loin de la véritable bataille, hommes et chefs rendaient de Lattre responsable[2]. De Gaulle, réunissant le 8 avril, à Menton, les chefs de corps de la division, ressuscitant pour eux le souvenir des soldats de Bonaparte, avait eu beau leur dire qu'ils descendraient « probablement la plaine d'Italie », tous savaient qu'une victoire en Italie n'aurait jamais le même poids politique, la même portée symbolique, la même influence sur les carrières qu'une victoire en Allemagne.

Même si leurs cantonnements ensoleillés de Cannes, de Beaulieu, d'Antibes et de tous les villages autour de Nice leur faisaient oublier leurs cantonnements boueux d'Alsace ; même si le sourire et le don des filles leur faisaient pardonner l'exaspérante désinvolture de garçons qui se moquaient bien de la conquête de l'Authion, les hommes de la 1re division française libre s'engagèrent, le 10 avril, avec leur courage habituel, mais sans l'enthousiasme qui les aurait soutenus en Allemagne, dans un combat dont nul n'imaginait qu'il allait être aussi coûteux.

---

1. C'est en Italie que la 1re D.F.L. (qui, même devenue 1re division motorisée — puis de marche — d'infanterie, restera pour tous 1re division française libre) avait perdu deux de ses chefs les plus remarquables : le colonel Laurent-Champrosay et le capitaine de corvette Aymot d'Inville.

2. Les démêlés de De Lattre avec le général Garbay, qui avait remplacé, à la tête de la division, le général Brosset, tué accidentellement le 20 novembre 1944, n'étaient ignorés de personne.

Pour la très difficile conquête de l'Authion, qui ne sera achevée que dans la soirée du 12 avril au terme d'assauts directs comme de longues manœuvres d'investissement, la 1re division française libre perdra, en effet, 100 morts et 228 blessés dont beaucoup tombèrent le premier jour, notamment lors de l'attaque de l'éperon de la Forca, où la compagnie du capitaine Picard eut 26 tués et 46 blessés.

Dans les batailles de poursuite qui ne s'achèveront que le 29 avril, jour où le général von Vietinghoff, commandant depuis février les armées allemandes d'Italie, signera avec les Américains une capitulation sans condition, bien des hommes encore trouveront la mort. Parmi eux, le modeste caporal Pecro, enfant de l'Assistance publique, titulaire de la médaille militaire, pointeur d'un 75 qui, à Bir Hakeim, avait détruit cinq chars et à qui, le 9 avril, à Nice, de Gaulle avait remis la croix de la Libération.

L'Italie s'offrait à eux. Partout l'ennemi décrochait. Partout, partisans communistes aux foulards... verts et partisans garibaldiens aux foulards... rouges escortaient nos soldats dont certains — ceux du bataillon de marche 21 rejoints par le colonel Delange et des éléments de la 4e brigade — avaient atteint la petite ville de Coni, à 90 kilomètres de Turin. Ils n'allèrent pas plus loin. Les Américains et les Anglais leur disputaient le terrain conquis. Ils voulaient les voir évacuer Tende, La Brigue et Vintimille, immédiatement rattachées au département des Alpes-Maritimes, ainsi que le Val d'Aoste, où notre présence encourageait la création de comités antifascistes favorables aux intérêts français.

On aura une idée de la violence qu'aurait pu revêtir l'affrontement entre Français et Américains en prenant connaissance des termes de la note du général Doyen au général Grittenberg, commandant le corps américain d'occupation. Doyen ne disait-il pas avoir reçu « l'ordre d'empêcher par tous les moyens nécessaires, *sans exception,* l'établissement d'un gouvernement militaire allié dans les territoires occupés par nos troupes et administrés par nous[1] » ?

---

1. Le 8 mai, le bataillon Simon (13e demi-brigade de la Légion étrangère) avait été envoyé en toute hâte au col de la Lombarde. Il avait pour mission de s'opposer à l'avance des Américains.

« Tous les moyens nécessaires, sans exception... » Il est évident que la formule ne pouvait que faire réagir, au-delà de Grittenberg, le président Truman.

Estimant que ses soldats pouvaient être menacés « par des soldats français portant des armes américaines », ému de la coïncidence d'un possible conflit avec l'anniversaire du débarquement en Normandie, le président américain, qui se refusait toutefois à porter à la connaissance de son peuple l'attitude du gouvernement français, demanda à de Gaulle de reconsidérer sa position, de retirer ses troupes des zones qu'elles occupaient en Italie et d'attendre sans réagir l'examen que les Alliés ne manqueraient pas de faire des revendications françaises[1].

Il terminait son message en précisant qu'afin d'écarter la menace « suspendue sur la tête des soldats américains » il donnait l'ordre qu'« aucune nouvelle livraison d'équipements ou de munitions ne soit faite aux troupes françaises ». Il voulait bien continuer à leur fournir des vivres...

Dans sa réponse, de Gaulle, s'efforçant d'atténuer ce que l'attitude du général Doyen, « plus apte à combattre qu'habile à négocier », écrira-t-il dans ses *Mémoires,* avait eu de maladroit, annonça l'envoi du général Juin auprès du général Alexander, afin que soit trouvée une solution à une « affaire » qui ne devait, en aucun cas, tourner à un affrontement franco-américain, mais qui pouvait, si elle se traduisait par « l'expulsion » de nos troupes, être mise en parallèle avec la politique que pratiquaient, à notre égard et dans le même moment, les Anglais en Syrie[2].

Pour de Gaulle, il s'agissait moins d'ailleurs de la conquête de quelques kilomètres carrés en Italie[3] que de l'affirmation de la

---

1. On trouvera le texte de ces messages dans le tome III des *Mémoires de guerre* (p. 537-540).
2. *Cf.* p. 454 et sq.
3. Le général de Gaulle recevra le 16 juillet 1945 M. Saragat, ambassadeur d'Italie, qui, par hostilité au régime fasciste, avait vécu dix-huit ans en France. Il lui dira que la France n'avait aucune prétention sur le Val d'Aoste et qu'elle était satisfaite des décisions arrêtées par le gouvernement italien en vue de garantir aux habitants un statut spécial « en matière linguistique et administrative », mais qu'elle attachait « une grande importance » aux rectifications de frontière dans la région de Tende et de La Brigue.
Recevant le 25 septembre Alcide de Gasperi, devenu ministre des Affaires étrangères, après la mort du comte Sforza, le général de Gaulle lui confirma ce qu'il avait dit à M. Saragat.
« Gasperi convint, avec quelques soupirs, que le traité pourrait comporter de

légitimité des ambitions de la France, qu'il voulait victorieuse au même titre que ses grands alliés et dont il entendait qu'elle touchât en gloire et en territoires, qui sont la petite monnaie de la gloire, le bénéfice de ses sacrifices, et qu'il fût acquis aux yeux de tous — et d'abord des Français — que 1940 n'avait été qu'un accident de l'Histoire.

Cette volonté de refus de capitulation manifestée dans la solitude du 17 juin 1940, cette volonté de remettre non des Français mais la France dans la guerre et de faire qu'elle y soit à son rang, puisqu'elle expliquait tout depuis le début de l'aventure gaulliste, expliquait l'entêtement à ne pas vouloir quitter Roccavione, Borgo San Dalmazzo, Demonde, Gaïode-Moïoca et ces autres tristes bourgades où les garçons du bataillon de marche 21 s'ennuyaient ferme en songeant aux bonheurs que, dans leur chevauchée en terre allemande, vivaient quotidiennement soldats de Leclerc et soldats de De Lattre.

La 1re division française libre avait reçu comme une punition l'ordre d'attaquer dans les Alpes ; la 2e D.B. avait reçu comme une punition l'ordre de prendre Royan. Dans les deux cas, il s'était agi, pour de Gaulle, de libérer, grâce aux mieux équipés et plus expérimentés de ses soldats, les derniers lambeaux du territoire.

Mais, si la 1re D.F.L. restait immobilisée entre Nice et Coni, la 2e D.B., étalée de Cognac à Châteauroux, faisait rapidement demi-tour en apprenant qu'elle était mise à la disposition de la VIIe armée du général Patch.

Le 26 avril, ses éléments avancés entraient en Allemagne ; le 27, ils franchissaient le Rhin à Mannheim [1].

La course commence, alors que seul le groupement Guillebon vient d'arriver à Halle où il reçoit mission des Américains de se rendre près d'Augsbourg, puis dans la région de Gauting, sur la route de Munich à

---

telles clauses (concernant le passage à la France de Tende, La Brigue, de prés et de bois dans les enclaves anciennement italiennes des cols du Petit-Saint-Bernard, de l'Iseran, du Mont-Cenis, du Mont-Genèvre) et que l'Italie y souscrirait sans rancœur. C'est ce qui eut lieu, en effet » (*Mémoires de guerre*, t. III, p. 184.)

1. La division, selon le général Massu, s'étire alors, entre France et Allemagne, sur 1 200 kilomètres.

Garmisch. Constitués en trois sous-groupements, B, D et S, d'après l'initiale du patronyme de leurs chefs : Barboteau, Delpierre, Sarrazac, les Français — 3ᵉ bataillon du Tchad, avec sa 3ᵉ compagnie de F.F.I. parisiens, 2ᵉ compagnie de chars de combat — avancent sur des routes balayées par des rafales de neige où, à l'exception de ponts rompus, ils ne rencontrent aucun obstacle. Ils traversent des villes écrasées sous les bombes, des villages où les Allemands ont attaché aux volets des draps, des torchons, des serviettes, des chemises de nuit, tout ce dont la blancheur, même ternie, même souillée, peut signifier « reddition ». « L'Allemagne capitule en robe de première communion », écrira Raymond Dronne. Ce n'était pas tout à fait exact. La robe était sale...

Si les soldats de Guillebon croisent sur les routes des colonnes de prisonniers libérés, s'ils sont reçus dans les villages par des habitants amorphes et peureux, ils découvrent aussi « leurs premiers déportés ». « En les voyant marcher, écrit Raymond Dronne [1], on dirait les personnages d'une danse macabre. Nous savions qu'il existait en Allemagne des camps de concentration, mais personne n'imaginait qu'ils atteignaient un tel degré de barbarie [2]. »

C'est le 3 mai que le groupement Guillebon, que les Américains de la 13ᵉ division blindée viennent de replacer sous le commandement du général Leclerc, reçoit l'ordre de dépasser l'Ill et de « se porter vers l'Est pour prendre Berchtesgaden ».

Dronne et bon nombre de ses camarades conçoivent la prise de Berchtesgaden et surtout du Berghof [3], où Hitler avait reçu ses

---

1. *L'Hallali, de Paris à Berchtesgaden.*
2. Le général Jacques Massu, dans *Sept ans avec Leclerc,* évoque, lui, la découverte des horreurs de Dachau. « Pour la première visite, écrit-il, j'ai emmené " fermement ", avec quelques-uns de mes officiers, une jeune Allemande, fille et femme d'officier de la Wehrmacht qui, la veille au soir, dans la maison où je cantonnais, niait ces " légendes " d'atrocité. [...] Après moi, beaucoup d'autres, de mon bataillon, feront les mêmes découvertes. Cela ne les rendra pas tendres ni doux avec les Allemands qu'ils doivent côtoyer chaque jour. »
3. Situé sur un éperon rocheux, l'Obersalzberg domine la ville. Goering et Borman se firent construire là des habitations. On édifia une caserne pour la garde SS.

généraux ainsi que les personnalités étrangères qu'il entendait séduire ou briser, et plus encore du « nid d'aigle » où il se retirait en compagnie d'Eva Braun et de quelques intimes, comme le couronnement, « le terme enivrant » de leur longue aventure de près de cinq ans.

Qui arrivera le premier, les groupements français ou les Américains de la 3ᵉ division d'infanterie du général O'Daniel et de la 101ᵉ division Airbone ? Dans la course engagée gagne celui qui dispose des moyens de franchissement. Si les Allemands n'ont pas regroupé autour de Berchtesgaden leurs dernières forces, comme le craignait Eisenhower [1], ils ont multiplié les coupures sur l'autoroute et fait sauter tous les ponts sur le Saalach. Un régiment de la 3ᵉ division d'infanterie américaine, ayant réussi à établir un passage au-dessus de l'autoroute et à aménager le pont de chemin de fer de Nauthsen, atteindra le premier le bourg, hérissé de drapeaux blancs, de Berchtesgaden.

Mais les Français du sous-groupement Barboteau, à qui le général O'Daniel avait donné l'autorisation d'utiliser ses ponts, se présenteront dans le sillage des Américains. Ils possèdent sur eux un avantage. Ils connaissent la topographie. Savent que c'est sur le plateau de l'Obersalzberg, puis sur le piton du Kehlstein, où se trouve « le nid d'aigle », qu'il faut planter le drapeau français.

Le 4 mai, vers 16 heures, le capitaine Touyeras, commandant la 31ᵉ batterie du 64ᵉ régiment d'artillerie, emprunte, avec l'autorisation de Guillebon, la route sinueuse qui monte au Berghof où se trouvent 45 SS, hâtivement transformés en secouristes grâce à un brassard *Nothilfe*.

Sur un plateau où le bombardement américain du 24 avril a détruit les villas de Hitler, de Goering, de Borman, ils n'opposeront aucune résistance au capitaine Touyeras et à Borg, son chauffeur, qui leur font croire que deux bataillons, avant-garde d'une division française, montent vers eux. En vérité, seule une section, commandée par le lieutenant Messiah, arrivera en fin d'après-midi. Comme il avait été symbolique que Samuel Kahn, premier soldat américain à avoir franchi le portail de Dachau, soit juif, il n'était pas moins symbolique que le lieutenant Messiah, premier officier français à avoir commandé

---

1. Encore y eut-il des engagements. C'est ainsi que le sous-groupement Delpierre, accroché par un bataillon SS au sud de Tegernsee, tua une quarantaine de SS et en captura 700.

l'unité qui, dans la nuit du 4 au 5 mai, occupait le saint des saints de l'hitlérisme, soit également juif.

Le lendemain, le capitaine de Castellane, le capitaine Touyeras, le lieutenant Hebling, le sous-lieutenant Catelain, l'adjudant Maréchal et quelques dizaines de leurs soldats se lançaient, par une route enneigée et difficile, en direction du « nid d'aigle ». Après quatre heures de marche, ils arriveront au pied de l'ascenseur menant à la salle à manger et à la salle de séjour occupées par Hitler lors de ses rares séjours au sommet du Kehlstein.

L'ascenseur étant saboté, c'est au terme d'une véritable escalade que le soldat Marcel Lhuillier puis le sous-lieutenant Catelain arrivèrent en vainqueurs au « nid d'aigle » où le drapeau français, trop grand pour le mât, ne fut pas hissé, si bien qu'il fallut le placer sur le bord du soutènement de la terrasse [1]. Il est 17 heures.

Le 5 mai, le général Leclerc, précédé du commandant Jean-Julien Fonde, traverse Berchtesgaden sans s'arrêter. Lui aussi désire atteindre le Berghof... avant les Américains, véritables concurrents dans la course aux trophées. Il peut d'autant plus facilement réussir que des officiers du 501ᵉ chars ont volontairement « mis en panne », en travers d'une route qui ne laisse aucune possibilité de déviation, deux de leurs engins.

Les Français ne pourront conserver longtemps leur conquête. Au Berghof, comme au « nid d'aigle », les voilà rapidement submergés par des soldats et des journalistes américains. Un conflit opposera d'ailleurs Français et Américains lorsque ces derniers voudront remplacer — et remplaceront — le drapeau français par la bannière étoilée.

Mais c'est dans la chasse aux souvenirs : tasses, napperons, verres aux initiales A.H., gravures, livres, photos, brevets de citoyen

---

1. Il figure sur la plupart des photos de l'époque.

d'honneur, dont certains enfermés dans des étuis cylindriques d'or ou d'argent sculptés, vins fins, liqueurs, œuvres d'art et, naturellement, voitures de luxe ayant appartenu aux dignitaires du Parti, que la compétition sera la plus vive. C'est ainsi que le commandant Dronne, entré le 24 août 1944 le premier dans Paris sur son half-track de commandement, reviendra à Paris dans une Mercedes noire « récupérée » dans « le garage de Hitler », garage découvert par une patrouille dans les bois proches du Berghof[1].

Politiquement et psychologiquement, le plus intéressant de tous ces trophées sera celui que découvrira le capitaine Rogé. Il s'agit d'une coupelle en porcelaine fabriquée à la manufacture de Sèvres, en 1943, à l'occasion du 1 100e anniversaire du traité de Verdun qui, en août 843, avait consacré le partage de l'Empire carolingien entre Louis le Germanique, Lothaire et Charles le Pieux.

A l'intérieur de la coupelle, une statue équestre de Charlemagne. Au dos, cette inscription :

IMPERIUM
CAROLI MAGNI
DIVISUM PER NEPOTES
ANNO DCCCXLIII
DEFENDIT
ADOLPHUS HITLER
UNA CUM
OMNIBUS EUROPAE POPULIS
ANNO MCMXLIII[2]

Alors que, le 5 mai, le capitaine Rogé prenait connaissance d'une inscription, vraisemblablement rédigée avant la catastrophe de Stalin-

---

1. Dronne (*L'Hallali*) écrit qu'avant de partir pour l'Indochine il remit cette voiture à l'Association des anciens de la 2e D.B. A son retour, il apprit qu'elle n'existait plus. « Un jour, le colonel de Guillebon en avait pris le volant et l'avait menée au fossé. Guillebon s'en tira, mais pas la voiture. »

2. « L'Empire de Charlemagne, démembré par ses héritiers en l'an 843, a été rétabli par Adolf Hitler avec le concours de tous les peuples de l'Europe en l'an 1943. »

grad, pour célébrer la très provisoire restauration, par Hitler, de l'Empire de Charlemagne, les armées du IIIe Reich, Hitler mort, s'apprêtaient à signer une capitulation sans condition.

A la cérémonie finale, preuve tout à la fois de sa résurrection et de sa victoire, de sa résurrection par la victoire, la France allait être présente grâce à de Gaulle[1].

On se souvient qu'après le combat au cours duquel, le 25 avril, le 18e corps d'armée SS avait été entièrement détruit le général Béthouart, commandant le 1er corps d'armée de *Rhin et Danube* — puisque tel est le nom que, le 24 avril, de Lattre venait de donner à la Ire armée française —, avait affirmé qu'il s'agissait pour ses troupes et pour lui du « dernier gros combat de la guerre ».

L'avance en territoire ennemi, c'est-à-dire, une fois l'ancienne frontière autrichienne franchie, en direction de l'Italie où de Lattre espérait rejoindre la Ve armée du général Clark, sera freinée moins par un adversaire qui ne résiste plus que sporadiquement et par les sérieuses difficultés de ravitaillement en essence que par des ordres américains restreignant le front accordé aux troupes françaises, puis arrêtant la progression de notre 1re division blindée.

La 5e division blindée, qui opérait entre la montagne et la frontière suisse, pouvait, en revanche, marcher à sa guise. Le *Combat Command 5* avançait, selon le mot de De Lattre, dans une Allemagne qui ne se rendait plus, mais « se donnait ». A côté des drapeaux blancs de la reddition flottaient drapeaux rouge et noir du Wurtemberg, puis drapeaux bleu et blanc de la Bavière, affirmation, les uns comme les

---

1. La population de Berchtesgaden devait, semble-t-il, conserver longtemps un mauvais souvenir de la présence française. Écrivant ces lignes (mai 1993), j'ai sous les yeux une publication de 90 pages publiée en plusieurs langues et vendue actuellement en Allemagne sous le titre « *L'Obersalzberg sous le IIIe Reich* ». On peut lire : « Les Français passant par le Hirschbichl parvinrent les premiers au sommet du Kehlstein. Un incendie fut allumé dans l'abri pour le charbon. Le feu brûla jusqu'à la mi-octobre. Une rage aveugle de destruction commença alors à se répandre [...]. Les troupes françaises et leurs unités marocaines se rendirent particulièrement impopulaires. Elles commirent de graves délits vis-à-vis de la population civile. »

autres, d'une volonté de séparatisme dans la défaite. De son côté, le régiment de marche de la Légion étrangère, sous le commandement du colonel Ollié, avait, le 30 avril, célébré l'anniversaire de Camerone en pénétrant le premier en Autriche.

Lorsqu'elles se manifestaient — comme à Wolfuhrt, à Lauterach et, surtout, à Bregenz —, les résistances n'étaient plus que le fait de quelques SS renforcés parfois, derrière leurs barricades, par de courageux éléments du Volksturm. Coupures de route, destructions, difficultés naturelles du terrain [1] étaient à l'origine des retards enregistrés, ici et là, dans une marche dont tous savaient qu'elle allait bientôt prendre fin.

Le 4 mai, des parlementaires envoyés par le général Schmidt, commandant une XXIVe armée allemande qui révélait son existence aux Français au moment de se rendre [2], s'étaient présentés aux avant-gardes du général Schlesser qui les avait dirigés sur le P.C. de l'armée installé, au bord du lac de Constance, dans la petite ville miraculeusement intacte d'Überlingen.

La XXIVe armée ne capitulera pas cependant entre les mains de De Lattre, son chef ayant, au dernier moment et alors que les pourparlers, menés du côté français par le général Laffargue, étaient bien engagés, préféré joindre son sort à celui de la XIXe armée qui, ainsi que la Ire, se rendait aux Américains du général Devers.

On comprend que de Lattre ait conçu quelque amertume de n'avoir pas été associé non seulement à la capitulation de cette inattendue XXIVe armée allemande, mais surtout de cette XIXe armée avec laquelle il n'avait cessé de se mesurer victorieusement depuis le débarquement en Provence.

Mais sa revanche n'allait pas tarder.

Le 4 mai, à 18 h 30, il avait reçu de l'état-major de la Défense nationale un télégramme lui annonçant qu'il était désigné « pour signer, au nom de la France, acte de capitulation ou déclaration de cessation hostilités ».

---

1. A ce titre, on se souviendra de l'exploit de la colonne, composée de spahis du 3e régiment de spahis marocains, de soldats du 20e bataillon de chasseurs alpins, de quelques guides autrichiens, qui, aux ordres du commandant de Castries, parcourut 120 kilomètres en montagne et dont les éléments les mieux entraînés, laissant les spahis à Baad, arrivaient le 6 mai au col de l'Arlberg d'où ils poussèrent vers Saint-Anton.

2. « Formée, comme écrira de Gaulle, d'une foule de débris », elle était composée de la 465e *Ersatz-Division* et de la 405e *Ersatz-Division*.

Ce n'est pas lui, toutefois, mais le général Sevez, chef d'état-major adjoint de la Défense nationale, assurant l'intérim du général Juin, alors délégué à la Conférence de San Francisco, qui, dans une école de Reims, le 7 mai, à 1 h 41, devait, en compagnie des généraux Bedell Smith, Morgan et Suslaparov, signer l'acte de capitulation de toutes les forces du Reich présenté par le général Jodl au nom de l'amiral Dönitz.

Nouvelle déception que de Gaulle tente d'atténuer par un télégramme dans lequel il explique à de Lattre qu'Eisenhower ne signant pas il ne pouvait, « étant donné grade et personnalité du général Bedell Smith », être « derrière Bedell » et conclut : « A tout prendre, je pense qu'il est mieux d'être le vainqueur que le signataire. » A tout prendre, de Lattre, vainqueur, eût préféré être aussi signataire.

Il le sera.

Le 8 mai, il est 1 heure du matin lorsqu'on lui remet, provenant de l'état-major de la Défense nationale, ce télégramme « extrême urgent ».

> « Vous êtes désigné par le général de Gaulle pour participer à signature acte solennel capitulation à Berlin — *stop* — Il est prévu que seuls général Eisenhower et représentant commandement russe signeront comme parties contractantes — *stop* — Vous signerez donc comme témoin, mais devez en tout cas exiger conditions équivalant à celles faites à représentant britannique, à moins que celui-ci signe pour Eisenhower. »

C'est après avoir reçu ce télégramme que le général de Lattre frappe à la porte du général Weygand, libéré quelques heures plus tôt, prisonnier quelques heures plus tard.

Il faut raconter ce face-à-face entre deux soldats liés par d'anciens et nobles sentiments. A de Lattre, qui respectait Weygand, auprès de qui il avait passé ses « plus fructueuses années de l'entre-deux-guerres[1] », auquel il avait conservé son « entier et respectueux attachement[1] », de Gaulle vient, en effet, d'ordonner de « mettre en état d'arrestation » le second de Foch pendant la Première Guerre mondiale ; le commandant en chef des armées alliées en mai et juin 1940, mais aussi l'homme

---

1. *Histoire de la première armée française.*

qui avait plaidé en faveur de l'armistice lorsqu'il avait jugé la bataille perdue et surtout qui, n'ayant pas répondu aux appels au ralliement adressés, depuis Londres, par de Gaulle, en termes respectueux le 20 juin 1940, avec hauteur dans le ton[1] pendant l'hiver 1940-1941, avait conservé, à l'égard du maréchal Pétain, une fidélité lucide mais publiquement sans failles.

Dans leur avance, les armées alliées avaient libéré des hommes politiques et des personnalités dont le sort, infiniment moins dramatique que celui des déportés d'Orianenburg ou de Buchenwald, même lorsqu'ils avaient plus ou moins durablement séjourné aux frontières de l'un ou l'autre de ces camps, n'en avait pas moins été pénible.

Ce sont des Français, longtemps prisonniers au château d'Itter, à quelques kilomètres d'Innsbruck, au cœur de l'un des plus beaux, des plus sévères et des plus froids paysages du Tyrol, qui venaient d'arriver, dans la soirée du 7 mai, à Lindau, P.C. du général de Lattre.

A la suite du débarquement anglo-américain en Afrique du Nord, les Allemands avaient décidé de les éloigner de France. Après un passage dans les annexes d'un camp de concentration, ils leur avaient assigné pour résidence le château d'Itter, érigé en 902, détruit pendant la Jacquerie et reconstruit en 1532, où, sous la surveillance débonnaire[2] de l'*Hauptsturmführer* SS Wimmer et de ses soixante hommes[3], ils allaient vivre jusqu'en mai 1945 dans des chambres-cellules d'où ils avaient permission de sortir pour des promenades sur un chemin de ronde long de 150 mètres.

---

1. Le 31 juillet 1945, lors du procès du maréchal Pétain, M. Pierre-Bloch, juré, demandera au général Weygand, qui témoigne, quelle suite il avait donnée aux lettres qui, dans l'hiver 1940-1941, alors qu'il se trouvait en Algérie, lui avaient été envoyées par M. Churchill, par le colonel Dewavrin (Weygand répondra n'avoir jamais reçu de lettre du colonel Dewavrin) et par le général de Gaulle. Le général Weygand dira, à propos de la lettre de De Gaulle : « Je l'ai gardée. C'est une lettre qui se terminait par ces mots : " Je vous envoie mes respects, si votre réponse est oui. " Eh bien, non, on ne m'écrit pas comme cela. »

2. Après la fin de la guerre, Mme Wimmer obtint de tous les anciens internés d'Itter un certificat en faveur de son mari, compris au nombre des criminels de guerre.

3. Initialement, Wimmer avait eu sous ses ordres 12 hommes ; ce chiffre passa ensuite à 40 puis à 60.

Le 2 mai 1943, Édouard Daladier, le général Gamelin et Léon Jouhaux, jusqu'alors internés dans une maisonnette du camp de Buchenwald, où se trouvait également Léon Blum, étaient arrivés les premiers à Itter. Venant du camp de concentration d'Orianenburg, Paul Reynaud et Jean Borotra, champion de tennis mondialement connu, mais aussi ancien commissaire aux Sports du gouvernement de Vichy, les avaient rejoints le 12 mai.

Les Allemands ayant fait savoir qu'ils accorderaient à quelques internés de marque : Léon Blum, Daladier, Jouhaux, Gamelin, la possibilité de faire partager leur captivité par un membre de leur famille ou par un proche, Mme Augusta Brenkleim, collaboratrice de Léon Jouhaux et bientôt sa femme, arrivait à Itter le 19 juin 1943[1]. Dans le train qui l'avait conduite de Paris à Munich, elle avait été surveillée par un lieutenant allemand et par une femme de la Gestapo. La surveillance concernait également Mme Léon Blum qui descendit à Iéna pour rejoindre Buchenwald où son mari demeurait enfermé.

Au début du mois de juillet, après un sévère emprisonnement de dix mois à Fresnes et un passage à Ravensbrück, Mlle Mabire, secrétaire de Paul Reynaud, et plus tard son épouse, était elle aussi transférée à Itter. C'est de Dachau qu'en juillet 1943 était arrivé Marcel Granger, frère du gendre du général Giraud, arrêté à Bizerte par la Milice et livré aux Allemands.

Dans la soirée du 5 décembre 1943, les Français d'Itter apprirent avec surprise que le général et Mme Weygand venaient de les rejoindre. Ils arrivaient de Garlitz, au sud-ouest de Hambourg, où ils avaient été gardés — sans indulgence ni excès de sévérité — depuis janvier 1943[2]. Le 5 janvier 1944, Michel Clemenceau et le colonel de La Rocque étaient conduits à Itter où aboutirent enfin, le 15 avril 1945, M. et Mme Caillau, sœur et beau-frère du général de Gaulle, incarcérés pendant quatorze mois à Fresnes, puis déportés, Mme

---

1. Sous le titre *Prison pour hommes d'État* et sous le nom d'Augusta Léon Jouhaux, Mme Brenkleim a laissé un intéressant récit de la captivité à Itter.

2. Le général Weygand, rappelé à Vichy pour consultation par le maréchal Pétain le 8 novembre 1942, avait été arrêté par les Allemands le 12 novembre, c'est-à-dire au lendemain du franchissement de la ligne de démarcation. Il avait auparavant conseillé au Maréchal d'ordonner le cessez-le-feu en Afrique du Nord et de faire partir la flotte. Chaque mois, et le plus souvent le 12, jour anniversaire de son arrestation, il adressera une lettre de protestation — il y en aura 27 — au gouvernement allemand.

Caillau à Bad-Godesberg, son mari à Buchenwald, et qui s'étaient trouvés, au moment de l'avance alliée, emportés eux aussi dans le cruel exode des camps.

Même si d'autres personnalités politiques étaient passées à Itter entre mai 1943 et mai 1945[1], ce sont ces dix hommes et ces quatre femmes que les Américains venaient de libérer et que de Lattre accueillait le 7 mai.

En regroupant dans un même château-prison deux anciens présidents du Conseil — Daladier et Reynaud —, deux anciens chefs de l'armée française — Gamelin et Weygand —, le secrétaire général de la C.G.T. et le colonel de La Rocque qui, à la tête des Croix-de-Feu, puis du Parti social français, s'était attiré l'hostilité des partis de gauche, les Allemands avaient-ils agi par ignorance ou par machiavélisme ?

Il se peut qu'ils aient imaginé que ces Français qui ne s'aimaient pas, que la préparation, la conduite de la guerre, l'armistice et la politique de Vichy avaient opposés, se déchireraient publiquement. Leur propagande n'eût pas alors manqué de tirer profit d'affrontements que le confinement dans lequel ces hommes étaient maintenus aurait naturellement exaspérés. Mais, par une sorte de convention tacite, et grâce à Mme Brenkleim ainsi qu'à Jean Borotra, constants intermédiaires, inlassables pacificateurs, les Français eurent la pudeur de dissimuler leurs sentiments devant leurs gardiens.

Reynaud et Gamelin ne saluaient jamais Weygand, à peine inclinaient-ils la tête devant Mme Weygand ; Clemenceau chercha à La Rocque une sotte querelle, qui nécessita la constitution d'un jury

---

1. A Itter séjournèrent également l'ancien président du Conseil italien, Nitti, et l'un de ses amis, M. Georgini. Ils arrivèrent le 1er septembre 1943. Le 3 septembre, Albert Lebrun, président de la République en juin 1940, mais qui n'avait pas démissionné, bien que la fonction présidentielle ait été pratiquement supprimée par l'acte constitutionnel qui attribuait au Maréchal le titre de chef de l'État, et André François-Poncet, ancien ambassadeur de France en Allemagne, furent également internés à Itter. Malade, le président Lebrun, dont la présence imposait à ses codétenus une attitude protocolaire pesante, devait partir le 6 octobre pour sa propriété de Vizille où il allait vivre jusqu'à la Libération en résidence surveillée. A la mi-novembre, quelques jours après le départ du président Lebrun, l'ambassadeur François-Poncet, puis MM. Nitti — le 28 novembre — et Georgini — le 30 — furent transférés à Hirschberg, d'où ils furent libérés en mai par les soldats du colonel Durosoy. Il semble que le départ de MM. Nitti et Georgini ait eu pour cause la prochaine arrivée du général et de Mme Weygand pour lesquels il était nécessaire de libérer deux chambres.

d'honneur [1], et les internés, après l'arrivée des Weygand, prirent leurs repas par tables « politiquement » séparées : Reynaud, Gamelin, Mlle Mabire, Clemenceau ensemble ; Jouhaux, la future Mme Jouhaux, Granger et très rarement Daladier, qui préférait l'intimité de sa chambre, de leur côté, et, à la troisième table, ceux qui avaient été proches de Vichy au moins dans la première année : le général et Mme Weygand, Borotra, La Rocque. Ces mesquineries ne pouvaient échapper au chef du camp ; il ne semble pas qu'il en ait fait état dans ses rapports à ses supérieurs.

Les internés d'Itter, qui avaient obtenu la permission de posséder un poste de radio et de recevoir des journaux allemands, dont Mme Brenkleim, née à Strasbourg, assurait une parfaite traduction, guettaient avec impatience et anxiété la progression des armées alliées. Comme tous les prisonniers, ils s'interrogeaient sur le destin qui leur était réservé.

Les restes de la division *Grossdeutschland* qui se repliaient dans la vallée ne seraient-ils pas tentés par une dernière bataille ? Aussi avaient-ils décidé de préparer leur défense. L'un de leurs vieux gardiens ayant ouvert l'armoire aux armes et aux munitions, Paul Reynaud, Borotra, La Rocque, Clemenceau allèrent se poster sur le chemin de ronde, cependant que le capitaine américain Lee, arrivé en enfant perdu à Itter, avec quelques-uns de ses hommes, prenait position à une fenêtre de la chambre de Paul Reynaud.

Le château était également défendu par Gangl, un officier de la Wehrmacht, bien décidé à éviter le massacre des prisonniers français. Des obus venant de détruire la chambre du général Gamelin, c'est en tentant de convaincre les SS de cesser le feu que Gangl allait d'ailleurs être tué d'une balle en plein cœur. La chance, qui avait accompagné tout au long de ses campagnes cet homme de bonne volonté, venait de l'abandonner.

Impatient, Jean Borotra prit alors la décision de se glisser au travers du cercle des assaillants afin d'informer les Américains de la précarité de la situation. Déguisé en paysan, portant musette et tenant bâton, il réussit à traverser les fluides lignes SS et à prendre contact avec le lieutenant C. J. Reinhard du 142ᵉ régiment d'infanterie, puis avec le

---

1. Présidé par Édouard Daladier et qui lava La Rocque de tout soupçon de collaboration avec les Allemands. On trouvera le récit de cet incident dans le *Journal de captivité* de Daladier. Il occupe les pages 264 à 269.

colonel Coyle, responsable de l'« opération Itter ». Parti bâton à la main, Borotra reviendra au château en uniforme de G.I., arme au poing. Mais déjà, le précédant, une colonne américaine avait libéré les prisonniers d'Itter.

On était au début de l'après-midi du 5 mai 1945.

Vers 17 heures, encadrés par des chars américains, les Français abandonnèrent leur château-prison pour l'inoubliable repas offert à Innsbruck par le général MacAuliffe et le confort relatif d'un hôtel réquisitionné.

Le 6, on les conduisit, à travers la Bavière dévastée, jusqu'à Augsbourg, où Daladier eut la joie de retrouver son fils Jean, sous-lieutenant à la 3e demi-brigade de chasseurs du colonel Jacquot.

Installés pour la nuit au Grand Hôtel, le seul que les bombardements aient épargné dans une ville détruite où les vainqueurs s'éclairaient à la bougie, les Français, reçus le lendemain à déjeuner par le général Patch[1], commandant la VIIe armée américaine, furent pris en charge dans l'après-midi par le capitaine Sider, chef du deuxième bureau de la 1re division blindée française, qui avait mission de les escorter jusqu'à Lindau où de Lattre les attendait.

> « Nous allons nous mettre à table, écrit de Lattre, quand on m'annonce l'arrivée à l'hôtel Bad-Schachen de plusieurs personnalités politiques et militaires françaises, déportées par les nazis et libérées par les Américains.
>
> J'abandonne aussitôt mes hôtes pour aller les saluer. Mon élan, qui devrait être sans réserve dans un pareil moment, est pourtant retenu par un nouveau message de Paris qui m'ordonne de " mettre en état d'arrestation celles des personnalités qui ont, à un moment quelconque, rempli une fonction auprès du gouvernement de Vichy ". Le télégramme vise nommément le général Weygand. " Quels que soient, précise-t-il, les sentiments personnels que vous avez pu garder à son égard[2]. " »

---

1. Selon Jacques Weygand *(Weygand, mon père)*, un message venu de Paris aurait demandé au général Patch de « s'assurer de la personne du général Weygand et de le garder sous surveillance en zone américaine jusqu'à nouvel avis », ce que Patch refusa.

2. *Histoire de la première armée française*, p. 595.

SUR LES ROUTES D'AVRIL...

D'interminables convois de prisonniers libérés sont en marche vers l'ouest, vers la France. Il arrive que des femmes les accompagnent dans l'espoir d'échapper aux soldats soviétiques. *(Ph. Keystone.)*

Les portes des camps de concentration (ici Mauthausen) se sont ouvertes sur les survivants de millions de déportés. Mais le souvenir d'un effroyable passé ne les abandonnera jamais. *(Ph. Keystone.)*

EISENHOWER : « ILS SAURONT CONTRE QUI ILS SE BATTENT. »

Le 12 avril 1945, Eisenhower découvre les horreurs du camp d'Ohrdruf, un commando dépendant de Buchenwald. Horrifié, Eisenhower décide que les civils allemands devront se rendre sur les lieux des crimes nazis, alerte l'opinion américaine et déclare : « On nous dit que les soldats américains ne savent pas pourquoi ils se battent. Maintenant, au moins, ils sauront contre qui. » *(Ph. Keystone.)*

LES GRANDS RETOURS DE MAI

Mai 1945 sera le mois des grands retours. L'armée américaine, dont bon nombre d'avions ont été libérés par l'effondrement de l'Allemagne, contribuera au rapatriement rapide des déportés regroupés à Paris à l'hôtel Lutétia pour recevoir les premiers soins et donner les premières indications sur des camarades dont les familles demeurent sans nouvelles. *(Ph. Tallandier.)*

Par avion, mais aussi par la route et le rail, les prisonniers de guerre (ils étaient au début de 1945 plus de 900 000 en Allemagne) arriveront dans une France transformée et qu'ils ont souvent du mal à reconnaître. Photo prise à la gare d'Orsay. *(Ph. Keystone.)*

IMAGES DE VICTOIRE ET DE GLOIRE

L'armée française, après avoir, en janvier 1945, sauvé Strasbourg à nouveau menacé, a franchi le Rhin le 30 mars, mais c'est à Colmar « sous le silence immobile des régiments » que le général de Gaulle avait, dès le 11 février, décoré de Lattre et Leclerc ainsi que plusieurs de ces généraux américains dont les troupes s'étaient trouvées associées aux combats de la Iʳᵉ armée française.

(A gauche : Ph. Roger-Viollet. A droite : Ph. Edimédia et Roger-Viollet.)

LE CONTRASTE DES PHOTOS

Quel contraste entre ces photos ! A Lyon, Charles Maurras – à qui son « interprète »
doit, pour cause de surdité, parler contre le front – est condamné, le 27 janvier, à la
réclusion perpétuelle cependant que, dans le château de Sigmaringen, le maréchal
Pétain, qui se considère comme prisonnier, attend le jour où il pourra regagner la
France. *(Ph. AFP et J. Mainbourg.)*

La France, le 8 mai, acclame de Gaulle, venu à l'Arc de triomphe célébrer la victoire,
une victoire à laquelle, grâce à lui, notre pays s'est trouvé associé par la présence, à
Berlin, du général de Lattre le jour où capitula l'Allemagne. *(Ph. Lapi-Viollet et Keystone.)*

VICHY DEVANT LA JUSTICE DES HOMMES

L'année 1945 verra comparaître devant la Haute Cour de justice le maréchal Pétain (en août), Pierre Laval (en octobre). Mal préparés, se déroulant dans un climat passionné, ces deux procès ne permettront pas de donner aux Français les éclaircissements qu'ils attendaient sur les années d'occupation.
(Ph. AFP et Roger-Viollet.)

Ce télégramme, dont le général de Gaulle est, sinon l'auteur, du moins l'inspirateur, mais dont il ne fait mention à aucun moment dans ses *Mémoires,* on comprend qu'il ait suffisamment embarrassé et chagriné de Lattre pour que le chef de la Ire armée française ne le communique pas immédiatement à Weygand.

Dans un texte rédigé à la fin du mois de mai 1945 et publié par son fils Jacques[1], le général Weygand écrit que le général de Lattre ne parut que tardivement et qu'à l'hôtel Bad-Schachen les officiers présents, à l'exception de ceux qui venaient de l'armée d'Afrique, se montrèrent à son égard réservés ou indifférents[2].

C'est seulement au milieu du repas, qu'il prend, comme à Itter, en compagnie de Borotra et de La Rocque, que Weygand, toujours selon son récit, aurait été informé de la prochaine venue du général de Lattre. C'est un homme ému et pressé qui arrive vers 22 h 30. « Nous nous accolons », écrit Weygand, qui félicite « de tout cœur » le chef de la Ire armée française : « Marseille, Toulon, l'Alsace, le Rhin, le Danube ; que de belles inscriptions sur [vos] drapeaux et [vos] étendards ! J'espère bien qu'ils vont vous faire Maréchal de France ! »

Mais de Lattre, qui déteste le rôle de policier que lui fait jouer de Gaulle, et ne veut ni ne peut évoquer en public les consignes reçues, trouve un prétexte — celui d'un entretien avec Paul Reynaud, subitement redevenu vedette et qui, « torse bombé, l'œil brillant d'espoir[3] » comme s'il reprenait les choses au point où elles ont été interrompues avant la bataille perdue de juin 40 — pour promettre de revenir plus tard, lorsque Weygand et Mme Weygand auront regagné leur chambre.

Il est plus de 1 heure du matin lorsque de Lattre, qui vient

---

1. *Weygand, mon père.*
2. Ce qui se trouve confirmé par le capitaine Sider et par Jean Borotra. *Cf.* Bernard Destremau, *Weygand.*
Jacques Britsch, dans son journal de marche, *Nous n'acceptons pas la défaite,* écrit, à la date du 7 mai 1945, que Weygand, « sérieusement vieilli », lui a assez longuement parlé, commençant ainsi : « Je suis heureux de voir où vous êtes arrivé et comment vous finissez la guerre ! Moi, j'ai fait ce que j'ai pu !... »
Britsch écrit qu'à l'hôtel Bad-Schachen Daladier a tout de suite parlé politique avec les journalistes ; il évoque Reynaud « qui n'a pas changé, bien habillé, bonne mine, souriant, le nez en l'air », et Borotra, « toujours jeune, mais un peu maigri et l'œil fatigué ».
3. *Cf.* « Souvenirs sur la signature de Berlin, du commandant René Bondoux », in *Reconquérir* (maréchal de Lattre).

d'apprendre qu'il est désigné par de Gaulle pour participer à la signature de l'acte de capitulation qui doit avoir lieu dans quelques heures à Berlin, ayant frappé à la porte de Weygand[1], lui donne connaissance des instructions du gouvernement.

— Voyons, de Lattre, réplique Weygand, qui ne peut cacher une indignation que Mme Weygand dissimule moins encore, vous me connaissez. Vous savez que pas un jour depuis l'armistice, et de toute mon âme, je n'ai cessé de lutter contre l'Allemagne. Elle, du moins, n'en a pas douté et a agi en conséquence. Et voilà comment on me traite à l'instant où j'ai enfin la joie de retrouver la France victorieuse !

— Oui, mon général, je vous connais et je connais votre ardent patriotisme. Je n'ai pas oublié nos dernières conversations à Alger avant votre limogeage d'Afrique du Nord. Aussi soyez sûr qu'il n'y a pas de gendarmes à la Ire armée pour exécuter un tel ordre. Demain matin, à l'heure que vous fixerez pour votre départ, les « chocs » avec leur drapeau vous rendront les honneurs. Puis mon aide de camp, le commandant Borie, sera à votre disposition jusqu'à Paris avec ma voiture personnelle[2]...

C'est ainsi que les choses se passeront.

Dans son livre, *Weygand, mon père,* Jacques Weygand souligne que, « malgré l'étiquette infamante qui leur était attachée depuis la veille, ils furent traités avec le tact le plus attentif et le plus déférent » par les deux officiers de la Ire armée qui avaient reçu mission de les accompagner.

Hébergés à Montbéliard, à l'hôtel de la Balance, où leur convoi s'arrêta à 17 heures, et devant lequel l'annonce de l'arrivée du général Weygand provoqua le rassemblement de 150 à 200 sympathisants, le général Weygand, Mme Weygand, Borotra et leur escorte en partiront le 9 mai au matin pour Paris. C'est en fin d'après-midi qu'ils pénétrèrent dans la cour du ministère de l'Intérieur, place Beauvau. Jacques Weygand, qui reçut les confidences paternelles, note que le général dut attendre assez longtemps, « sous les regards insolents de

---

1. Le général de Lattre a informé Borotra, que visaient les mêmes ordres, avant de se rendre chez le général Weygand.
2. De Lattre, *Histoire de la première armée française.* Le livre a été publié en 1949 et, à ma connaissance, le général de Gaulle n'a jamais commenté le passage concernant la mise en état d'arrestation du général Weygand, non plus que les réactions du général de Lattre.

jeunes attachés qui venaient toiser sa détresse », le moment où lui fut remis, sous la signature du juge Bouchardon, un mandat d'amener spécifiant que « *le nommé Weygand, ancien ministre de la Défense nationale, était prévenu de complot contre la sûreté intérieure de l'État* ».

Conduit quai des Orfèvres, après qu'on lui eut refusé l'autorisation de se rendre à son domicile, avenue de Friedland, pour y prendre des vêtements moins fatigués que ceux qu'il portait depuis le 12 novembre 1942, le général Weygand partagea, avec Jean Borotra, une pièce meublée de deux lits de camp, d'une cuvette et d'un pot à eau. Des policiers compréhensifs leur permirent toutefois de faire venir du restaurant Le Vert galant un léger repas.

Tout occupée à célébrer la signature de la capitulation de l'Allemagne, la presse du lendemain — toujours aussi modeste dans sa pagination — n'accorda que peu de place aux conditions du retour à Paris du général Weygand. Mais l'armée, et particulièrement l'armée venue d'Afrique du Nord, allait demeurer longtemps blessée par des mesures qui lui semblaient dictées moins par le souci de la justice que par l'âpre volonté d'assouvir une rancune qui se manifestera encore, en janvier 1965, lorsque fut refusé au cadavre de Weygand une simple messe de requiem dans cette chapelle des Invalides où, selon le mot d'Hubert Beuve-Méry, qui avait dénoncé dans *Le Monde* « un geste sans grandeur, une injustice, une faute », « tant de lieutenants font bénir leurs jeunes amours[1] ».

---

1. Le 10 mai, après une intervention d'Édouard Weygand, le général, qui devait être enfermé à Fresnes, fut conduit au Val-de-Grâce et placé, sous la surveillance d'un gendarme qui interdisait sa porte, dans un service d'urologie. Jacques Weygand écrit qu'à trois reprises le fourgon cellulaire de Fresnes vint chercher son père et qu'à trois reprises le directeur de l'hôpital et le médecin-chef de service « refusèrent de le livrer ». C'est seulement, écrit encore Jacques Weygand, « lorsque, en janvier 1946, Félix Gouin devint chef du gouvernement provisoire [que] la menace de transfert en prison s'estompa ».

Après une nuit passée en compagnie du général Weygand au dépôt, Jean Borotra fut « assigné à résidence » à son domicile personnel. Aucune poursuite n'eut lieu contre lui et la décision de classement anticipée présente un caractère unique dans les annales de la Haute Cour.

Le 8 mai 1945, à 3 heures du matin, de Lattre s'était séparé d'autant plus difficilement du général Weygand que son ancien chef, les traits ravagés par l'émotion, la parole encore plus tendue que de coutume, avait tenu à lui dire qu'en obéissant aux ordres de De Gaulle il ne faisait que son devoir.

Regagnant son P.C. à la recherche d'un difficile sommeil, le chef de la Ire armée française avait été réveillé un peu avant 5 h 30 par son officier d'ordonnance, porteur d'un télégramme du VIe groupe d'armées l'informant qu'un avion viendrait le prendre à 9 heures, sur le terrain de Mengen, afin de le conduire à Berlin-Tempelhof où il devait arriver avant midi pour participer à la signature de l'acte de capitulation de l'Allemagne prévue pour 13 heures.

De ce que fut la cérémonie à Berlin, le capitaine René Bondoux, chef de cabinet de De Lattre[1], qui, avec le colonel Demetz, chef d'état-major, fut du voyage, a laissé un long récit[2], annoté en marge par le général, et qui a été utilisé pour le texte plus personnel qui se trouve dans l'*Histoire de la première armée française*[3].

A l'aide des souvenirs de Bondoux et de De Lattre, il est possible de faire revivre ce que fut, pour les Français présents à Berlin, cette journée historique du 8 mai 1945 qui, cinq ans après le désastre de 1940 — le 8 mai 1940, Hitler donnait, en effet, les derniers ordres pour l'offensive —, marquait pour notre pays le terme de cruelles humiliations, même s'il allait être suggéré, au cours des cérémonies, qu'il n'était pas encore tout à fait un « allié » comme les autres.

C'est à 10 heures, donc avec une heure de retard sur l'horaire prévu, qu'un Dakota, aménagé en bureau de travail et vide, ce qui fit regretter à de Lattre de ne pas s'être fait accompagner d'officiers en plus grand nombre, et surtout de journalistes et de photographes, se présente sur le terrain de Mengen. Vers midi, l'appareil atterrit à

---

1. Le capitaine Bondoux avait commandé un escadron du 2e dragons avant d'être nommé chef de cabinet du général de Lattre.
2. Publié dans *Reconquérir,* p. 288-305.
3. Il faut également faire mention de la conférence faite par de Lattre aux officiers de son état-major le 10 mai. On la trouvera dans *Reconquérir,* p. 309-313.

Magdebourg, à une centaine de kilomètres de Berlin. Il aurait dû repartir sous la protection de chasseurs soviétiques. Les *Yak 9* escortant quelque autre personnalité, de Lattre, qui n'entend pas manquer son rendez-vous avec la victoire, presse le mouvement. Que l'on reparte ! D'ailleurs, la Luftwaffe n'est plus à craindre. Une demi-heure plus tard, l'appareil, après avoir survolé des faubourgs en ruine, « Pompéi triste et lugubre, sans soleil et sans monument [1] », se pose sur la seule piste utilisable de Tempelhof.

Sur le terrain, l'impassibilité russe, qui contraste avec l'impatience française, finit par céder lorsque de Lattre rappelle l'objet de sa présence. Le général Sokolovski, adjoint du maréchal Joukov, invite alors de Lattre, Demetz et Bondoux à prendre place dans deux voitures américaines aux sièges déchirés qui, trois quarts d'heure durant, roulent à travers une « Babylone dévastée [2] ».

Au bout de trois quarts d'heure, les Français arrivent enfin à Karlshorst, une banlieue berlinoise moins ravagée que les autres, où le maréchal Joukov a installé son quartier général. Dans une villa occupée par des officiers soviétiques, on leur désigne leur logement : une pièce meublée d'un fauteuil, de deux chaises et de trois matelas posés à même le sol, mais recouverts, il est vrai, de draps d'une éblouissante blancheur.

Mission remplie, les Russes saluent et s'en vont, laissant de Lattre, Demetz et Bondoux à leur faim — une faim qu'ils miment sans succès puisque, au lieu de sandwiches, on leur apporte un phonographe —, les laissant surtout à leur soif d'information. Ils ignorent tout, en effet, des lieux où doit se dérouler la cérémonie de la signature, de la place qu'occupera le représentant de la France, du rôle qu'il jouera.

C'est grâce à des correspondants de presse de l'Armée rouge [3] que Bondoux finira par découvrir la salle où se prépare la cérémonie de la signature. De Lattre, de son côté, a pu rencontrer le maréchal Joukov alors qu'il conférait avec le maréchal britannique Arthur Tedder, le général américain Spaatz et l'amiral Bourrough. Le drame éclate dès l'instant où de Lattre apprend par Tedder que signeront, seuls, le maréchal Joukov, commandant des troupes du front de l'Est, et lui,

---

1. Bondoux.
2. La comparaison est de De Lattre, *Histoire de la première armée française*.
3. « Il y a vraiment des " types internationaux " des représentants de certaines professions, note Bondoux. Les journalistes ont les leurs. »

Tedder, représentant le général Eisenhower, commandant les troupes du front Ouest, ainsi que le maréchal Keitel, au nom de la puissance et des armées vaincues. La France ne sera donc pas représentée ! La bonne volonté de Tedder, à qui de Lattre déclare : « Si je rentre en France sans avoir rempli ma mission, c'est-à-dire en ayant permis que mon pays soit exclu de la signature de la capitulation du Reich, je mériterai d'être pendu. Pensez à moi... », ainsi que la compréhension de Joukov permettront de trouver un arrangement, mais de Lattre a vite fait de découvrir que seuls trois drapeaux : le russe, l'anglais, l'américain, ornent le mur de la salle des signatures.

Dans les souvenirs de De Lattre, « l'affaire du drapeau » occupe plus d'une page. Il s'agit, il est vrai, d'un symbole et non d'un caprice. Le drapeau français absent, c'est la France qui, aux yeux de tous ceux qui découvriront la cérémonie à travers les actualités cinématographiques, serait absente.

Certains, d'ailleurs, ne souhaitent pas la présence du drapeau français. « Et pourquoi pas la Chine ? » a demandé avec aigreur un brigadier-général britannique.

D'autres font remarquer qu'à Karlshorst on serait bien en peine de trouver un drapeau tricolore. Qu'à cela ne tienne. Une étoffe rouge arrachée à un pavillon hitlérien, une toile blanche et une combinaison de mécanicien en serge bleue feront l'affaire. Après quelques retouches — les trois couleurs ont tout d'abord été cousues les unes au-dessus des autres —, le drapeau français se trouvera enfin fixé entre celui de la Grande-Bretagne et celui des États-Unis.

Il est 20 heures.

Les dactylos russes, qui ont travaillé à la lumière de bougies, achèvent de taper en russe, anglais et allemand les dix-huit exemplaires du texte de la capitulation qui seront signés respectivement — voilà l'« arrangement » — par Joukov et Tedder en tant que parties contractantes, par de Lattre et Spaatz comme témoins.

Dans la salle de conférences, dont la porte s'est ouverte sur le maréchal Joukov, sur les généraux alliés et les officiers qui les accompagnent, c'est soudain, selon le mot de Bondoux, « un paradis de lumière », sunlights et projecteurs transformant la pièce en studio pour scène à grand spectacle.

Et c'est bien de l'un des plus grands spectacles de l'histoire du monde qu'il s'agit. Au centre de la table présidentielle, et sous le faisceau des drapeaux, le maréchal Joukov. A sa droite, Tedder et

Vychinski, délégué pour les Affaires politiques, qui vient d'arriver de Moscou. A sa gauche, Spaatz et de Lattre.

Il est 0 h 6 lorsque le maréchal Joukov prononce quelques mots de bienvenue ; 0 h 10 lorsque le maréchal Keitel, dans sa tenue à parements rouges sur laquelle brillent ses deux croix de fer, après avoir claqué des talons, salue, de son bâton de maréchal, une assistance qui s'abstient de répondre.

C'est à cet instant qu'ayant aperçu le drapeau français et découvert de Lattre il murmure : « *Ach !* Il y a aussi des Français ! Il ne manquait plus que cela... » Ou ceux-là.

A la droite de Keitel, le général Stumpf, successeur de Goering à la tête de la Luftwaffe ; à sa gauche, cadavérique, l'amiral de la Flotte von Frendenburg. Derrière leurs chefs, six officiers qui resteront au garde-à-vous. Pas un seul de ces hommes, « magnifiques, qui portent la croix de fer avec glaives et diamants », n'appartient à la Wehrmacht. Des aviateurs ; des marins. Comme si l'Allemagne voulait pouvoir dire, un jour, que la Wehrmacht n'a pas capitulé [1].

Après que Keitel, à la demande de Joukov, eut exhibé ses pouvoirs, puis réclamé, en vain, un délai de vingt-quatre heures pour faire cesser le feu sur la totalité du front, la cérémonie des signatures commence à 0 h 16. A 0 h 28, elle est achevée pour les trois Allemands. Signent à leur tour le maréchal Joukov, le maréchal de l'air Tedder, puis les généraux Spaatz et de Lattre qui, ayant oublié leur stylo, emprunteront celui du colonel Demetz [2].

Il est 0 h 45.

C'est fini.

Keitel se lève, salue de son bâton et se retire.

A peine a-t-il franchi la porte qu'éclate la joie contagieuse des officiers russes. Ils se précipitent sur leurs homologues anglais,

---

1. Dans son récit, René Bondoux, évoquant ces six officiers allemands, écrira :

« L'armée allemande a voulu mourir en beauté. Ce sont des gaillards magnifiques qu'elle a choisis pour être les témoins de son acte de décès. Ils sont là, sanglés dans leurs tenues impeccables, couverts de décorations attestant leurs actes héroïques : croix de fer avec glaives et diamants. Mais ces hommes sont jeunes ; ils vivent leur drame, désespérés de leur impuissance. Leurs mâchoires sont contractées. Et j'en vois un qui se mord les lèvres au sang pour se dominer et refuser à ses ennemis l'orgueil de le voir sangloter. »

2. Le stylo du colonel Demetz est exposé au musée des Invalides.

américains, français qui, d'abord surpris, cèdent à la fantasia, échangent bourrades, tapes dans le dos et sur les épaules, crient, chantent leur victoire, « comme les supporters d'une équipe de football qui a gagné son match [1] ».

Les photographes vont d'un groupe à l'autre, immortalisant, ici, Joukov, à la bonne face placide de curé de campagne, au bras de Tedder et de De Lattre ; là, Spaatz et Sokolovski ; ailleurs, des généraux, des colonels qui ont eu leur heure de gloire et vont rentrer dans le morne anonymat des casernes.

Pendant que participants et témoins de la capitulation allemande, repoussés dans les couloirs et antichambres, se congratulaient et que leurs rires leur tenaient lieu d'esperanto, la salle de conférences était transformée en salle de banquet.

Couvertes de cristaux, d'argenterie, de fleurs, mais aussi de bouteilles de vin du Caucase et de vodka, de zakouski, de caviar, de mets divers et riches, les tables, aux nappes d'une blancheur étincelante, sont prêtes pour un souper qui se prolongera jusqu'à près de 7 heures du matin au son d'un orchestre militaire qui fera succéder airs populaires et bans saluant bruyamment des toasts portés par des convives de plus en plus joyeux.

Encadré par les généraux Malinovski [2] et Sokolovski [3], c'est avec une attention passionnée que de Lattre écoute le colonel interprète placé derrière lui traduire, à son intention, le discours que prononce le maréchal Joukov. Vibrant hommage au maréchal Staline et à l'Armée rouge, hommage au président Roosevelt et aux États-Unis ; hommage

---

1. Bondoux.
2. De Lattre parle, dans l'*Histoire de la première armée française,* du « général » Malinovski. En réalité, Malinovski avait été promu maréchal en août 1944, alors que ses troupes venaient de conquérir Odessa. Elles devaient également être victorieuses devant Budapest et Vienne. Pour la petite histoire, il faut signaler que Rodion Iakovlevitch Malinovski avait fait partie, en 1916, du corps expéditionnaire russe en France et qu'il s'était engagé à la Légion étrangère.
3. La carrière de Vassili Danilovitch Sokolovski fut, pendant presque toute la durée de la guerre, liée à celle de Joukov dont, en avril 1945, il était l'adjoint, après avoir été son chef d'état-major en octobre 1941. Sokolovski sera élevé au rang de maréchal en 1946.

à Winston Churchill et à la Grande-Bretagne. Le nom de la France n'a pas été prononcé. Celui de De Gaulle a été omis. De Lattre se tourne vers l'interprète.

— Si j'ai bien compris, pas un mot n'a été dit pour la France.

— C'est ainsi, Excellence.

On commence à servir. Vin et nourriture, de Lattre refuse tout. Sokolovski demande à l'interprète :

— Le général est-il malade ?

— Je me porte très bien, mais je ne puis manger ni boire lorsqu'en une heure aussi solennelle on oublie de parler de ma patrie, réplique de Lattre.

Sokolovski fait répondre à de Lattre qu'il le comprend. Réponse qui ne saurait satisfaire le chef de la Ire armée française qui demande que ses paroles soient traduites au général Malinovski, afin qu'il en fasse part au maréchal Joukov. Silence de Malinovski. De Lattre ordonne au colonel interprète : « Recommencez ! »

Malinovski abandonnerait peut-être sa chaise si Tedder ne se levait pour lire un discours — comme Joukov avait lu le sien — dans lequel pas un seul mot ne concerne la France.

Le discours du Britannique achevé, de Lattre fait demander à Malinovski de prévenir le maréchal Joukov de ce qu'il ressent. Cette fois, Malinovski se décide et, après avoir parlé à l'oreille du maréchal Joukov, il revient porteur de l'heureuse nouvelle.

— Le maréchal vous fait dire que, bientôt, vous pourrez boire et manger[1].

Encore faut-il écouter le toast de Spaatz puis deux autres encore qui, pas plus que les premiers, ne font mention de la France.

Joukov se lève enfin et, « dans une chaleureuse improvisation, annonce qu'il tient maintenant à porter un toast spécial à la France, à son esprit de résistance personnifié par le général de Gaulle et à son armée qui, malgré l'invasion, a su se reformer et contribuer dans une large part à la victoire des nations alliées[2] ».

Les propos de Joukov libèrent ovations, *Marseillaise*, toasts à la France, à de Gaulle, réponse de De Lattre en faveur de l'union des Alliés car « les ruines [de l'Allemagne] se relèveront un jour ». Dans

---

1. Ce récit suit le texte du général de Lattre, *Histoire de la première armée française*.
2. De Lattre, *Histoire de la première armée française*.

un grand bruit d'orchestre, de Lattre lève enfin son verre à la santé de Joukov, à la gloire de Staline et à celle de l'Armée rouge.

Vychinski, qui improvise, ayant rappelé à son tour que la France avait été le berceau de tous les soulèvements populaires et comparé maquisards de 1944 et volontaires de 1792, de Lattre peut s'associer sans complexe à la fête, à ces vingt-sept toasts portés, successivement, aux chefs d'État, aux généraux alliés, à l'infanterie, aux chars, à l'aviation, à l'artillerie. Pour demeurer fidèle à la tradition qui veut que l'on vide son verre à la fin de chaque toast et que l'on renouvelle ce geste après le ban de l'orchestre, ce furent bien des verres de vodka que les Français durent avaler — « héroïquement », écrit de Lattre —, pour ne pas perdre la face devant leurs camarades de combat soviétiques, plus accoutumés qu'eux à ces libations.

C'est après 5 heures du matin que le général de Lattre, le colonel Demetz et le capitaine Bondoux rejoindront leur chambre pour prendre, sur leurs matelas, un bref repos avant que l'avion ne les ramène à Mengen, d'où ils rejoindront le P.C. de Lindau.

Sur la table-bureau installée dans l'appareil américain, de Lattre trace à l'intention de ses soldats les premiers mots de l'ordre du jour n° 9 qu'il datera de Berlin.

« A *Berlin,* j'ai la fierté de signer, au nom de la France, en votre nom, l'acte solennel de capitulation de l'Allemagne. Dignes de la confiance de notre Chef suprême le général de *GAULLE,* Libérateur de notre pays, vous avez, par vos efforts, votre ferveur, votre héroïsme, rendu à la Patrie son rang et sa grandeur.

Fraternellement unis aux soldats de la Résistance, côte à côte avec nos camarades alliés, vous avez taillé en pièces l'ennemi partout où vous l'avez rencontré.

Vos Drapeaux flottent au cœur de l'Allemagne.

Vos Victoires marquent les étapes de la Résurrection française. De toute mon âme, je vous dis ma gratitude. Vous avez droit à la fierté de vous-mêmes comme à celle de vos exploits. »

Dès son arrivée à Lindau, de Lattre indiquera par télégramme à de Gaulle les difficultés rencontrées : l'oubli volontaire du représentant de la France pour la cérémonie de signature ; l'absence de nos couleurs ; le fait que ni le nom de la France ni celui de De Gaulle n'aient été mentionnés lors des premiers toasts, difficultés rencontrées qui, grâce à lui, de Lattre, avaient été autant de difficultés vaincues[1].

Ces problèmes de préséance avaient une importance capitale.

Le 8 mai, à Berlin, la France n'avait pas été initialement considérée par ses alliés comme une alliée à part entière. Mais, parce que de Gaulle, depuis l'origine, avait affirmé une « inflexibilité d'indépendance et de souveraineté, une rigueur obstinément centralisatrice[2] », de Lattre avait pu revendiquer et obtenir que l'Allemagne capitule devant la France, au même titre et dans les mêmes conditions que devant la Russie et les États-Unis, deux nations fortement mais tardivement engagées[3], que devant la Grande-Bretagne, alliée du premier jour mais qui nous avait ménagé son secours dans les batailles décisives de mai et juin 1940.

Lorsque de Lattre dit à Tedder, le 8 mai, que, s'il revient en France en ayant accepté que son pays soit exclu de la capitulation du Reich, il mériterait d'être pendu, symboliquement il dit vrai.

De Gaulle ne lui aurait jamais pardonné une défaillance d'orgueil national.

Dans un monde où la guerre avait bousculé les frontières, éveillé à l'indépendance bien des peuples endormis, remis partout en cause les hiérarchies et les pouvoirs, la France ne retrouverait pas une place honorable sans épreuves et sans batailles.

On allait très vite le découvrir.

---

1. Demetz et Bondoux iront faire à de Gaulle un récit complet de la signature de capitulation.
2. Discours du 15 mai 1945 devant l'Assemblée consultative.
3. Et du fait de l'Allemagne qui envahit l'U.R.S.S. et déclara la guerre aux États-Unis.

11

8 MAI : UNE GUERRE FINIT, D'AUTRES GUERRES COMMENCENT

Depuis plusieurs jours, tout laissait prévoir la fin imminente de la guerre. Aux États-Unis, la nouvelle de la capitulation de l'Allemagne avait même été diffusée le 28 avril par tous les réseaux de radio et, devant la Maison-Blanche, vingt mille personnes, lançant en l'air chapeaux et journaux, avaient crié leur joie.

Les titres des quotidiens français annonçaient, le 29 avril, que Himmler, à l'insu de Hitler, avait tenté de prendre contact avec les Alliés, venait d'offrir aux Anglais et aux Américains (aux Français aussi, de Gaulle en fera la révélation dans ses *Mémoires*[1]) la capitulation de l'Allemagne. Le 3 mai, ils clamaient la mort de Hitler qui, « pour la sombre grandeur de son combat et de sa mémoire, avait choisi de ne jamais transiger ou reculer », ainsi que l'écrira de Gaulle dans un passage des *Mémoires de guerre;* passage que l'on ne cite et ne connaît pas assez, alors qu'il éclaire avec une foudroyante concision l'avant-guerre, la guerre, et comprend ces phrases qui valent pour tous les hommes d'aventure : « Pourtant, Hitler allait rencontrer l'obstacle humain, celui que l'on ne franchit pas. Il fondait son plan gigantesque sur le crédit qu'il faisait à la bassesse des hommes. Mais ceux-ci sont des âmes autant que du limon[2]... »

---

1. De Gaulle écrit (*Mémoires de guerre*, t. III, p. 175) que Himmler lui fit parvenir « officieusement un mémoire qui laisse apparaître la ruse sous la détresse ».
Il donne un texte : « C'est entendu ! Vous avez gagné, reconnaît le document. Quand on sait d'où vous êtes parti, on doit, général de Gaulle, vous tirer très bas son chapeau... », dont on doute qu'il soit le texte original du « mémoire ».
2. *Mémoires de guerre*, t. III, p. 172-175.

Le 5 mai, tous les journaux faisaient savoir que l'annonce de la fin de la guerre était proche, Russes et Américains ayant fait leur jonction sur l'Elbe et les combats pour Berlin n'ayant plus pour objet que la réduction des derniers centres de résistance. Et, le 6 mai, dans ce même *Figaro* où il était écrit qu'Anglais et Américains mettaient au point les conditions à imposer aux vaincus, James de Coquet, correspondant de guerre auprès de la IXe armée, décrivait « l'agonie éclair de la Wehrmacht » qui se délitait dans un « chaos sans précédent dans l'Histoire », les soldats abandonnant chars, canons et mitrailleuses pour fuir, en compagnie de civils épouvantés, en direction de l'ouest. En direction des Américains.

Le 7 mai, la nouvelle qu'à Reims, dans une modeste école, le général Bedell Smith, chef d'état-major d'Eisenhower ; le général russe Souslaparov ; le général britannique Morgan et le général Sevez [1] ont signé l'acte de capitulation totale présenté par le général Jodl [2], au nom de l'amiral Dönitz, « n'a rien d'une surprise qui puisse provoquer l'explosion des sentiments [3] », tant l'opinion était préparée à l'événement.

Même si, en 1945, la fête de la Victoire ne saurait être comparée à la fête de la Victoire de novembre 1918 qui sanctionnait enfin, après les grandes peurs de juin et juillet, lorsque Paris avait failli tomber, le courage de nos soldats et le talent de leurs chefs ; même si la joie de mai 1945 ne ressemble en rien à celle, tumultueuse, exubérante, vengeresse, un peu folle dans l'explosion de sentiments longtemps contenus, du mois d'août 1944, il y a cependant, le 7, le 8 et le 9 mai, des manifestations populaires, des salves de canons, des cloches qui se

---

1. Le général Sevez est sous-chef d'état-major de la Défense nationale. Le général Juin se trouve alors à San Francisco.
2. Jodl, reconnu coupable de crimes de guerre et de crimes contre l'humanité, sera condamné à mort par le tribunal de Nuremberg et pendu le 16 octobre 1946.
3. De Gaulle, *Mémoires de guerre*, p. 178.

répondent, des foules qui crient : « C'est fini, c'est fini ! » et la lumière qui revient.

Depuis le début du conflit, en septembre 1939, les villes françaises — comme toutes les villes de l'Europe en guerre — se trouvaient plongées, la nuit venue, dans l'obscurité d'un camouflage que les bombardements avaient rendu toujours plus strict. Du 7 mai, plus que des drapeaux au fronton des bâtiments officiels et des journaux puis, par contagion, aux fenêtres de nombreux immeubles ; plus que des éditions spéciales, vite arrachées, et qui annoncent la capitulation allemande ; plus que des joyeux cortèges sur les avenues, demeure, dans tous les souvenirs, la résurrection d'une lumière oubliée.

L'Arc de triomphe, l'Opéra, la colonne Vendôme, l'hôtel de Crillon, le Panthéon, les Invalides sortent de la nuit. Paris redevient « la Ville lumière ». Les vitrines sont aussi pauvrement garnies que les jours précédents, mais, éclairées, elles font illusion, et tout ce qui rappelait les camouflages de la veille a été arraché.

Des milliers, des centaines de milliers de Parisiens ne se lassent pas d'un spectacle qui a, soudain, comme un goût d'avant-guerre. Beaucoup d'entre eux prennent en famille le métro — dont les couloirs résonnent de flonflons patriotiques[1] —, pour se rendre place de la Concorde que des avions, tous feux allumés — là aussi c'est une nouveauté —, survolent à faible hauteur et grand bruit.

Deux radioreporters, Madeleine Blomet et Maurice Seveno, se sont mêlés à la foule. Leurs micros happent les « *Vive de Gaulle !* », les « *bravos, hip hip, hourrah !* », « *Vive la France !* » et les réponses émues à leurs questions, toujours les mêmes.

— Et vous, madame, qui vous promenez sur les Champs-Élysées, qu'est-ce que vous ressentez ?

— Je suis tellement heureuse, mais oui, mais oui, on explose, on ne sait plus comment réagir.

— Monsieur, quelles sont vos impressions ?

— C'est épatant, je n'ai jamais vu une journée pareille.

— Vous êtes de l'armée Leclerc ?

---

1. Exceptionnellement le métro restera ouvert jusqu'à 1 h 30.

— Oui, monsieur.

— Vous êtes en permission à Paris ?

— Oui, monsieur.

— C'est parfait, vous tombez juste pour la fête de la Victoire.

— Je trouve que c'est un peu dommage, je trouve que l'Allemagne n'a pas encore assez souffert pour le mal qu'elle a fait à la France.

— Vous avez sûrement raison, n'est-ce pas, madame ?

— Oh oui, sûrement !

Il y a ceux qui disent : « Tout le monde est aimable, y en a un qui m'a marché sur les pieds, je suis content quand même » ; ce gosse dont le papa prisonnier est rentré la veille ; cette veuve de guerre qui pleure doucement et ce couple, dont le fils est déporté, à qui les journalistes affirment : « Mais il reviendra, il reviendra, tous reviendront. » Au Quartier latin, une petite fille sollicitée à son tour : « La petite fille, la petite fille, dis-moi quelque chose », finit par s'écrier d'une voix étranglée : « Vive de Gaulle, vive de Gaulle que nous suivrons toujours », cependant que des étudiants, à qui l'on a demandé de chanter devant le micro, ne trouvent qu'à entonner :

> *Et l'on s'en fout*
> *D'attraper la vérole*
> *Et l'on s'en fout*
> *Pourvu qu'on tire un coup*[1].

Le 8 mai sera le grand jour.

Les titres explosent en lettres d'affiche : « Le Reich nazi abattu » *(Le Populaire),* « L'Allemagne à genoux » *(France libre),* « La guerre est finie » *(Les Nouvelles du matin).* Titres sans originalité mais qui confirment ce que tous les Français savaient déjà par la radio.

Dans la matinée, cinq cents jeunes gens se sont précipités en direction de l'hôtel Matignon, ont bousculé la garde et, depuis la cour, réclamé à grands cris le général de Gaulle qui présidait le Conseil des

---

1. Tous les documents proviennent des archives de l'Institut national de l'audiovisuel.

ministres. Quittant ses travaux, le Général viendra sur le perron et, après avoir chanté *La Marseillaise* avec les étudiants, il leur dira : « Vous qui êtes l'avenir de la patrie, unissez-vous pour faire une France plus belle et plus forte. »

La journée ne sera fériée qu'à partir de midi[1], mais déjà le travail, un peu partout, a cessé. Sous un ciel de printemps, la foule, fleurie de petits drapeaux alliés, déborde sur la chaussée. Dans le centre de Paris, elle ne laisse plus qu'un mince passage aux camions militaires pris d'assaut ; aux jeeps dont l'humoriste Pierre Dac, lorsqu'il était correspondant de guerre auprès de la 1re division d'infanterie motorisée, parlait comme « d'un compromis entre le vélomoteur, le triporteur, le parachute, la locomotive haut le pied, le pédalo et la machine à battre » ; aux cars de police dont les toits et les marchepieds sont joyeusement encombrés de soldats hilares et de filles aux robes légères.

Aux fenêtres, où l'on a ressorti les drapeaux de la Libération, des mains battent, des bouches s'ouvrent pour des cris inaudibles.

Le bruit du ressac ne cesse par enchantement qu'à 15 heures lorsque de Gaulle commence à parler et que son discours est retransmis par des haut-parleurs hâtivement installés, mais aussi par tous les postes de radio de la ville, de toutes les villes de France, des villages et de ces cités mutilées par la guerre où l'on vit pour longtemps encore dans les ruines.

Ses affirmations claquent.

> « La guerre est gagnée ! Voici la victoire ! C'est la victoire des nations unies et c'est la victoire de la France !
>
> L'ennemi allemand vient de capituler devant les armées alliées de l'Ouest et de l'Est. Le Commandement français était présent et partie à l'acte de capitulation. »

Ah ! sans doute n'est-ce pas le meilleur discours de De Gaulle[2], mais les mots essentiels sont dits, qu'ils évoquent « les rayons de la gloire [qui], une fois de plus, [font] resplendir nos drapeaux », la

---

1. Le 9 mai sera également férié.
2. Le chef du gouvernement provisoire prononcera, le 15 mai, un important discours devant l'Assemblée consultative, discours tout entier consacré aux problèmes que pose la victoire.

mémoire de ceux qui sont morts pour la France, de ceux qui ont, « pour son service, tant combattu et tant souffert », les « vaillants alliés », leurs armées, leurs chefs et « tous ces hommes, toutes ces femmes qui, dans le monde, ont lutté, pâti, travaillé pour que l'emportent, à la fin des fins ! la justice et la liberté ».

> « Honneur ! Honneur pour toujours ! A nos armées et à leurs chefs ! Honneur à notre peuple, que des épreuves terribles n'ont pu réduire, ni fléchir ! Honneur aux nations unies qui ont mêlé leur sang à notre sang, leurs peines à nos peines, leur espérance à notre espérance et qui, aujourd'hui, triomphent avec nous !
> Ah ! Vive la France ! »

« Vive la France ! » Le cri sera repris à travers le pays par des millions de voix. Lorsque les haut-parleurs ont fini de jeter à tous les échos les hymnes alliés, la foule parisienne brise le silence. Elle était figée. Voilà que l'énorme masse se met en mouvement.

Au premier étage de l'immeuble de la radio, 118, avenue des Champs-Élysées, Jacques Sallebert décrit pour la France entière le prodigieux spectacle qui se déroule sous ses yeux.

> « ... Toutes les voitures sont décorées de drapeaux français et américains... Des cortèges se forment et s'acheminent lentement et en bon ordre, tout de même, vers l'Arc de triomphe. Des monômes sont en train de se former. Des soldats américains remontent en farandole les Champs-Élysées, toutes les voitures font donner leur klaxon, les jeeps, les camions, les voitures civiles, c'est absolument du délire... Des barrières ont été installées, mais il y a bien longtemps qu'elles sont par terre, que tout le monde est sur la chaussée, que tout le monde crie sa joie avec une ardeur jamais égalée à ce jour... Il n'y a pas une fenêtre qui ne soit décorée. Les photographes de tous pays, les Américains surtout, sont montés sur toutes les voitures, sur tous les balcons pour emporter chez eux, en Amérique, un souvenir de ce jour inoubliable : la paix à Paris. »

Des milliers d'inconnus cousinent, femmes qui embrassent les soldats, soldats qui entraînent des filles qui vont, écrira *Le Monde*, dans une comparaison osée, « d'un air triomphant sur leurs cothurnes, de sorte qu'elles semblent autant de petites victoires de Samothrace » ; gamins à qui l'on répète qu'ils vivent un jour historique ; anciens combattants de l'autre guerre, pour eux, la Grande, qui tentent de convaincre leurs voisins qu'en 1918 c'était « plus beau » ; étudiants qui, selon *L'Humanité,* remontent en monôme le boulevard Saint-Michel au cri de « Pétain au poteau ! » ou encerclent la statue de la République d'une joyeuse farandole.

Le bruit, comme d'un volcan qui bout, est si fort qu'il couvre le bruit des sirènes qui, pendant trois minutes, lancent le signal de fin d'alerte ; si fort qu'il couvre le bruit des cloches, qu'il couvrirait presque le bruit des avions volant si bas que, selon le mot d'un chroniqueur, ils semblent « vouloir descendre se mêler au public ».

De Gaulle, qui, à 17 heures, s'est rendu, en compagnie du général Kœnig et des membres du gouvernement, sur la tombe du Soldat inconnu, portera plus tard témoignage de la tempête qui succède à la minute de silence. « Malaisément, écrira-t-il, je m'arrache au torrent [1]. »

Ce jour-là, il a reçu, en hommage de Mme Louis Mante-Rostand, un bel exemplaire de *L'Aiglon.* Quelques jours plus tard, il remerciera l'expéditrice en lui confiant, avec toute la mélancolie de celui qui attend des jours tissés d'ingratitude, avoir souvent répété ces vers d'Edmond Rostand :

> *Je ne veux que voir la victoire !*
> *Ne me demandez pas après.*
> *Après ! Je veux bien la nuit noire*
> *Et le soleil sous les cyprès !*

Nuit. Nuits, partout en France, sous les jolies bleues, les belles vertes, fusées qui ne sont plus à craindre. A minuit, les clairons des

---

1. *Mémoires de guerre.*

sapeurs-pompiers ont sonné, devant les mairies et aux principaux carrefours, le cessez-le-feu.

Les journaux du 9 mai disent brièvement ce qui s'est passé dans le monde. A Londres, où une immense ovation a salué l'apparition, au balcon du palais de Buckingham, de Churchill — le véritable vainqueur moral de cette guerre —, du roi George VI, de la reine Mary et des princesses ; à Bruxelles, où une foule délirante a improvisé une gigantesque et truculente kermesse ; à New York, où la victoire n'a été fêtée, selon les agences de presse, qu'avec « discrétion, modération et une extrême dignité », car la guerre contre le Japon se poursuit. De Moscou, rien encore, car ce n'est que le 9 mai, à 1 h 10 du matin, que la radio annoncera la capitulation allemande.

Dans la matinée du 9, un Te Deum solennel a été chanté à Notre-Dame de Paris en présence de nombreuses personnalités et d'une foule frémissante qui débordait largement sur le parvis. De Gaulle est là, « à la place que la tradition [lui] avait assignée dans le chœur[1] », se sentant envahi « des mêmes sentiments qui avaient exalté nos pères chaque fois que la gloire couronnait la patrie[1] ».

Dans l'après-midi, les grandes associations symphoniques donnent des concerts dans la cour du Palais-Royal, au Luxembourg, place des Vosges. Place de la Nation, c'est *L'Humanité* qui a pris l'initiative de rassembler les soixante exécutants des Concerts Colonne. Il y a ainsi, un peu partout dans la ville, des fêtes musicales que vient troubler, à 18 heures, le bruit du défilé aérien : douze appareils formant une croix de Lorraine, suivis d'une soixantaine de Marauder, des groupes de bombardement *Bretagne, Maroc, Gascogne, Bourgogne, Franche-Comté et Sénégal.*

La guerre était finie.
D'autres guerres commençaient.
Des guerres auxquelles on mettrait longtemps à donner leur nom.

---

1. *Mémoires de guerre.*

Le 8 mai, à 8 h 30, alors que la France entière s'apprête à fêter la victoire sur l'Allemagne nazie et que des cérémonies patriotiques doivent avoir lieu dans ces départements algériens d'où tant de libérateurs étaient partis, la troupe scoute musulmane de Sétif se met en marche pour se rendre au monument aux morts. Elle est immédiatement suivie d'un cortège de 7 000 à 8 000 hommes dont certains portent des pancartes réclamant la libération de Messali Hadj, le leader du Parti du peuple algérien, alors interné à Brazzaville, ou des slogans sans ambiguïté : « Nous voulons être vos égaux », « Vive l'Algérie indépendante », « Vivent les Nations unies ».

C'est à 9 heures, rue de Constantine, à hauteur du Café de France, qu'ont lieu les premiers heurts entre les manifestants et la police qui a reçu l'ordre de faire disparaître les pancartes. Des coups de feu éclatent. Les manifestants, dispersés par les deux compagnies du chef de bataillon Rouire [1], se répandent dans la ville, attaquant à coups de feu, de bâton ou de couteau, les Européens rencontrés dans les rues. Deux heures plus tard, l'ordre est enfin rétabli, mais, dans la ville, on relève vingt et un cadavres d'Européens.

A Périgotville, où douze Européens ont été sauvagement massacrés, à Sétif, Sillègne, El-Nouricia, Aïn-Magranem, dans d'autres villes du département de Constantine, tombent donc, ce jour-là, 39 des 86 civils qui seront victimes des émeutes de mai.

Les circonstances ont partout été les mêmes. Prétexte à rassemblements nationalistes, précédés par des scouts musulmans et encadrés par des porteurs de slogans, la célébration de la victoire sur l'Allemagne s'est transformée en manifestation antifrançaise.

Dans la nuit du 8 au 9 mai, et dans la journée du 9, l'agitation va faire tache d'huile et se transformer en révolte. C'est à Chevreul (5 morts européens), à Kerrata (8 tués), à Lafayette (4 morts), dans la région nord de Sétif, où 6 gardes forestiers et 6 membres de leur famille ont été massacrés, que les violences ont pris le tour le plus dramatique.

Partout dans la campagne du Constantinois, des fermes abandonnées par leurs propriétaires ont été pillées et incendiées.

Partout dans les villages et les petites villes, des centres de résistance ont été improvisés dans une caserne, lorsqu'il en existe une, à la

---

1. D'après le journal de marche de la subdivision pour la journée du 8 mai, les militaires avaient interdiction de tirer, sauf en cas de légitime défense.

gendarmerie, à la mairie ou à la poste, par des gendarmes comme par des civils qui prendront part non seulement à la défense, mais aussi, comme ce sera le cas à Guelma — isolée pendant cinq jours du reste du territoire —, à des opérations de représailles qui conduiront à de lamentables excès, lorsque des prisonniers musulmans seront arrachés à leurs cellules et fusillés[1].

Le 14 août 1944, avant de quitter Alger pour les ovations populaires et le sacre politique de Paris, le général de Gaulle, recevant le général Henry Martin, commandant du corps d'Alger, lui avait dit : « Il s'agit d'empêcher que l'Afrique du Nord ne nous glisse entre les doigts pendant que nous libérons la France. » Jean Lacouture, qui rapporte la phrase[2], y voit une nouvelle preuve du « prophétisme » de Charles de Gaulle.

En vérité, les indices d'une crise prochaine ne manquaient pas dans des départements encadrés par deux pays — Maroc et Tunisie — où les poussées nationalistes se faisaient vives.

Au Maroc, après les fièvres de 1937, le débarquement anglo-américain avait donné un nouvel élan aux mouvements nationalistes. La France, humiliée par les Allemands sur les champs de bataille de 1940, l'était et, de façon plus visible encore pour les autochtones, par des Américains qui, à partir de novembre 1942, faisaient étalage de forces superbement dotées auprès desquelles les troupes françaises avaient bien modeste figure. Leur influence triomphait. Ils seraient demain — ils étaient déjà — les maîtres d'un monde hostile à tous les colonialismes. En janvier 1943, à la fin d'un dîner, le président

---

1. La loi du 18 septembre 1875 reconnaissait le droit à l'autodéfense des petits centres de colonisation et des fermes isolées. Le 11 mai 1945, le général Henry Martin a ordonné la mise en place des gardes territoriaux et des groupes de défense partout où l'autorité préfectorale le jugerait utile. Mais, à Guelma, sans doute à l'inspiration du sous-préfet Achiary, qui, en 1942, commissaire de police à Alger, avait contribué à la préparation du débarquement, la levée de la milice précéda l'ordre préfectoral. Sur les événements dans l'arrondissement de Guelma, où 13 Européens furent tués, on se reportera au *Journal officiel,* séances du 10 et du 18 juillet 1945, ainsi qu'aux rapports militaires cités dans *La Guerre d'Algérie par les documents* (publié par le Service historique de l'armée de terre), t. I, p. 249-252, 255, 259 et 260. Les deux commissions d'enquête constituées sur le moment ne purent mener à bien leurs travaux.

2. *De Gaulle,* t. II, *La Politique.*

Roosevelt, s'entretenant en tête à tête avec le sultan Mohammed V, lui avait promis d'aider le Maroc à conquérir son indépendance. C'est donc avec le soutien discret du palais impérial que le parti de l'Istiqlal avait développé son action en faveur de l'indépendance jusqu'à l'instant où, ses leaders arrêtés, éclateraient, à Rabat et à Fès, des émeutes qui firent, en janvier 1944, 60 morts et conduisirent Paris et le résident général, Gabriel Puaux, à proposer des réformes jugées immédiatement très modestes.

Face à l'agitation, de Gaulle, qui écrit : « Nous sommes les maîtres du jeu[1] », « entame aussitôt la partie[1] ».

Souverain ne voulant avoir affaire qu'aux souverains, c'est le sultan du Maroc qu'il invite d'abord. A l'occasion des manifestations du 18 juin, il déroule pour lui le tapis rouge de prévenances qui n'abusent sans doute pas un homme aussi fin que Mohammed ben Youssef.

« Je le reçois, écrit de Gaulle dans ses *Mémoires,* comme un chef d'État qui a droit aux grands honneurs, un féal qui s'est montré fidèle dans les pires circonstances. » Féal : « partisan dévoué », n'est-ce pas beaucoup dire ? Et, fait pour flatter, le mot n'est-il pas blessant ?

Mohammed V assistera donc, aux côtés du général de Gaulle, à l'impressionnante prise d'armes qui, pour la première fois, commémore librement, sur le sol parisien, l'Appel du 18 juin. Il recevra, des mains du Général, la croix de la Libération ; accompagnera le chef du gouvernement en Auvergne où il aura sa part des acclamations des foules « impressionnantes[2] », des villes comme du peuple « touchant[2] » des campagnes, avant de se rendre en Allemagne occupée où, reçu avec faste par le fastueux de Lattre, il inspectera ces vaillantes troupes marocaines qui, si elles avaient partout combattu au service de la France, avaient aussi eu l'occasion — leurs officiers le signaleront — de porter sur la France et sur les Français, mais aussi sur les Françaises, un regard de plus en plus critique.

De ce séjour et de ce voyage organisés pour séduire, de Gaulle attendait qu'ils créent une ambiance favorable aux entretiens qui allaient suivre.

Si l'on en croit le Général, qui, au passage, a égratigné Roosevelt et

1. *Mémoires de guerre,* t. III, p. 223.
2. *Idem.*

l'Amérique[1], les deux chefs d'État auraient convenu de procéder par étapes à l'élaboration d'accords de coopération.

De Gaulle avait suggéré que Mohammed V et lui-même se tiennent en liaison personnelle pour tout ce qui regardait l'union des deux pays. « A supposer, naturellement, aurait-il ajouté, que je demeure en fonctions. »

La phrase est écrite treize ans après la rencontre avec le sultan du Maroc, comme pour donner le regret de ce qui n'a pas été et de ce qui aurait pu être.

De Gaulle demeuré au pouvoir, les rapports entre la France et le Maroc auraient-ils pris un tour différent de celui, anarchique et sanglant, qu'ils devaient prendre ? C'est possible, l'instabilité gouvernementale française ayant constamment aggravé une situation difficile. Ce n'est pas certain, car de Gaulle, qui avait prêché à Mohammed V prudence, lenteur et modération : « Par le temps qui court, la liberté, pour qui que ce soit, ne peut être que relative. N'est-ce pas vrai pour le Maroc qui a encore tant à faire avant de vivre par ses propres moyens[2] ? », aurait sans doute été dépassé par l'explosion d'un nationalisme que Mohammed V, avec plus de jubilation que de regrets, se serait vu condamné à suivre, sous peine de se couper d'un peuple qui se cherchait un chef.

Après avoir reçu le sultan du Maroc, le général de Gaulle recevra le bey de Tunis, qu'il associera aux manifestations du 14 Juillet. Deux ans plus tôt, à la suite de la victoire alliée en Tunisie, Sidi Lamine avait succédé à Moncef bey, qui avait payé d'un internement à Laghouat[3] sa volonté affichée de ne pas se laisser enfermer dans un rôle honorifique, son discret soutien au Néo-Destour, l'adhésion de certains de ses proches aux thèses développées depuis longtemps par la propagande

---

1. « Quand, à Anfa, le président Roosevelt fit miroiter à Votre Majesté les merveilles de l'immédiate indépendance, que vous proposait-il en dehors de ses dollars et d'une place dans sa clientèle ? »
2. *Mémoires de guerre.*
3. Moncef bey sera, par la suite, transféré à Pau où il mourra.

italienne et la satisfaction affichée de quelques nationalistes[1] lorsque les contre-attaques de von Arnim et de Rommel, en direction de Kasserine, pouvaient laisser croire à un rétablissement de la Wehrmacht face à des Anglo-Américains inexpérimentés et à des Français mal armés.

Le triomphe allié allait contribuer à retarder l'explosion de la crise tunisienne dans la mesure où des poursuites pour « intelligence avec l'ennemi » permettaient d'emprisonner et de réduire au silence les nationalistes, où l'influente bourgeoisie italienne était expulsée, où, dans un pays touché par les bombardements et par la famine, les problèmes de l'heure mobilisaient momentanément toutes les attentions.

Pour ces raisons, comme pour des raisons qui tenaient au tempérament bien différent des deux hommes, le « ton » de Sidi Lamine devait être plus « assourdi[2] » que celui de Mohammed V. Mais, ainsi que l'écrira de Gaulle, la « chanson » était la même.

De ces deux rencontres, le général de Gaulle devait, avec optimisme, tirer la conclusion qu'il était possible et nécessaire de passer avec les deux États des accords « de coopération conformes aux exigences du temps, « accords », qui, dans un monde mouvant, régler[aient] les rapports tout au moins pour une génération[3] ».

Trois pages des *Mémoires de guerre* pour le Maroc et la Tunisie. Les six pages qui suivent sont consacrées à l'Indochine[4]. Dans cet ensemble, trois lignes égarées, trois lignes seulement, concernent l'Algérie. « En Algérie, un commencement d'insurrection, survenu dans le Constantinois et synchronisé avec les émeutes syriennes du mois de mai, a été étouffé par le gouverneur général Chataigneau[5]. »

Sachant ce que l'on sait, et combien ils pèseront sur le destin de la France et sur le destin personnel du général de Gaulle, ces événements, où l'on a vu justement la préface de la révolte de 1954, auraient mérité mieux que trois lignes, même si les mots ont dû être soigneusement pesés. Silence étrange du chef. Silence constant

---

1. En janvier et février 1943. Bourguiba prendra la parole sur le poste fasciste de Radio Bari.
2. *Mémoires de guerre.*
3. *Ibid.*, t. III, p. 226.
4. *Cf.* p. 000.
5. Dont tous les historiens s'accordent à dire le caractère pacifique. Hostile aux réactions militaires excessives, le gouverneur général Yves Chataigneau se trouvait à Paris le 8 mai 1945.

puisque l'Algérie n'est pas davantage évoquée dans les *Notes et Carnets* du général de Gaulle, non plus que dans le scrupuleux journal de Claude Mauriac.

Cependant, les autorités civiles et surtout les autorités militaires n'avaient pas manqué de signaler la déception des populations devant les réformes limitées prévues par l'ordonnance du 7 mars 1944. Elles avaient relevé ces inscriptions qui demandaient aux musulmans de se préparer « à l'heure H ». Elles avaient insisté sur l'influence de Ferhat Abbas et de son association « les Amis du Manifeste et de la Liberté » et, plus encore, sur l'influence de Messali Hadj auprès d'adolescents qui, dans un monde saisi d'un grand frisson de liberté, rêvaient d'indépendance. Enfin, le caractère préinsurrectionnel de certaines manifestations du 1er Mai ne leur avait pas échappé.

Mais, aussi surprenant que cela paraisse, les procès-verbaux du Comité de défense nationale, présidé par le général de Gaulle, ne font à aucun moment mention d'une séance consacrée à l'Algérie, à aucun moment allusion aux événements qui s'y déroulent[1].

Événements qui se prolongeront pendant une dizaine de jours dans une zone depuis longtemps favorable aux troubles[2]. Car, si, dans son rapport, le général Henry Martin signale bien que « l'insurrection proprement dite est terminée », il ajoute que « des régions étendues ne sont pas sûres » et que, si « les insurgés des 8, 9, 10 mai » ne descendent plus sur les villages, ils « surveillent les routes, sabotent les lignes téléphoniques, voire les ponts et les voies ferrées ».

Des villages entiers sont vides. La population européenne les a évacués. La population indigène les a fuis de peur des représailles. Représailles — ou plus exactement, selon le terme employé par le général Duval, commandant la division territoriale de Constantine, « répression par les armes » — qui, en principe, ont pris fin le 25 mai[3].

---

1. Ils ont été consultés par les collaborateurs de l'ouvrage *La Guerre d'Algérie par les documents,* publié par le Service historique de l'armée de terre.
2. Et qui auront des répercussions dans d'autres régions (Saïda dans la nuit du 18 au 19 mai, Haussonvillers le 23 mai). Un complot a été découvert à Cherchell.
3. Télégramme officiel en date du 23 mai. « Les actions de répression par les armes peuvent être considérées comme virtuellement terminées du fait redditions déjà obtenues. »
Le 17 mai, le général Duval avait donné l'ordre « d'éviter, dans la mesure du possible, [les] actions de représailles afin [de] limiter au maximum les pertes », d'agir « de préférence par intimidation » et « de respecter scrupuleusement femmes et enfants dans [les] tournées de police ».

Si l'on connaît le chiffre des victimes européennes des émeutes : 102 morts dont 14 militaires et 2 prisonniers italiens, 110 blessés et 10 femmes violées, il est impossible, aujourd'hui encore, de s'accorder sur le chiffre des victimes musulmanes.

En août 1945, les recherches s'étant faites plus efficaces auprès de populations qui avaient parfois dissimulé les cadavres, les chiffres officiels des morts musulmans allaient atteindre un total de 2 628, sans compter les victimes des tirs du *Duguay-Trouin* [1].

Commentant ce chiffre — auquel il faut ajouter les 33 musulmans condamnés à mort et exécutés dans le Constantinois [2] —, les auteurs de *La Guerre d'Algérie par les documents,* qui ont eu accès aux archives du Service historique de l'armée de terre, leur éditeur, écrivent :

> « Nous sommes conscients de ce que ce décompte peut avoir de critiquable, mais il convient de ne pas le minorer. Près de 3 000 morts, c'est 7,5 pour cent du total des 40 000 insurgés des premiers jours du mois de mai 1945, selon le préambule du rapport [du général] Henry Martin. Il s'agit là d'un pourcentage de pertes, sans compter les blessés, les disparus et les prisonniers déférés devant le tribunal militaire de Constantine, particulièrement élevé, se rapprochant plus des opérations de guerre en Europe que des guerres coloniales traditionnelles. L'insurrection de mai 1945, si l'on retient cette estimation de moins de 3 000 tués, *constitue la plus grande fracture de l'histoire algérienne entre la fin de la conquête et la Toussaint de 1954* [3]. »

---

1. Soit 1 500 tués relevant de l'autorité civile, 928 relevant de l'autorité militaire dont 755 tués par l'armée et 173 par la gendarmerie (lettre du général Duval au général Henry Martin le 9 août 1945).

L'aviation, d'après un rapport de son chef, le général Weiss, aurait été à l'origine de 200 morts (au maximum). Les chiffres communiqués par la marine (contre-amiral Amanrich) n'ont pas été retenus car jugés trop faibles.

Les munitions d'artillerie consommées en mai 1945 ont été de 658 coups dont 440 en fusant haut, dans un but d'intimidation (rapport du général Duval le 30 juin 1945).

2. Sur 3 630 suspects déférés devant le tribunal militaire de Constantine, 157 ont été condamnés à mort et 33 exécutés. Il y eut 1 028 non-lieux et 577 acquittements.

3. Souligné intentionnellement.

Trois mille morts d'après les autorités militaires. Robert Aron écrira 6 000. Mais, à la sous-estimation française, répondra une surestimation algérienne puisque, du côté musulman, il sera immédiatement question de 15 000, bientôt de 30 000 victimes. Pour les besoins de la propagande du F.L.N., ces chiffres passeront à 45 000 puis, le 8 mai 1985, dans un numéro anniversaire d'*El Moudjahid*, à 80 000. Excès symptomatique de la volonté de faire du « commencement d'insurrection », pour reprendre les mots de De Gaulle, le prologue de la révolte de 1954 et de lier les deux événements afin que le début de la guerre d'Algérie soit symboliquement daté du 8 mai 1945, ce que les historiens ne découvriront qu'avec retard, les métropolitains et les pieds-noirs avec un retard plus grand encore.

Sur l'instant, comme au moment de la rédaction du tome III des *Mémoires de guerre,* le désintérêt apparent du général de Gaulle pour la révolte du Constantinois est d'autant plus surprenant que l'Empire avait toujours été au cœur de ses espérances.

Dès les premiers mots de l'Appel du 18 juin, de Gaulle fait référence à l'Empire français, alors le second du monde : « Car la France n'est pas seule ! Elle n'est pas seule ! Elle n'est pas seule ! Elle a un vaste Empire derrière elle. »

Paul Reynaud n'ayant pas, malgré ses conseils, gagné Alger, l'armistice étant sollicité, il pressera — notamment dans son discours du 30 juin — hauts-commissaires, gouverneurs généraux, gouverneurs, administrateurs et résidents de nos colonies et protectorats de se joindre à lui.

Dans le premier tome des *Mémoires de guerre,* au chapitre « La France libre », récit des débuts londoniens, succède le chapitre « L'Afrique ». « Dans les vastes étendues de l'Afrique, écrit le Général, la France pouvait [...] se refaire une armée et une souveraineté, en attendant que l'entrée en ligne d'alliés nouveaux, à côté des anciens, renversât la balance des forces. Mais, alors, l'Afrique à portée des péninsules, Italie, Balkans, Espagne, offrirait, pour rentrer en Europe, une excellente base de départ qui se trouverait être française. »

Écrivant en 1954, l'ancien chef de la France libre résume certes ce qui s'était passé. Mais ce qui s'était passé (cette reconquête d'une armée et d'une souveraineté), il l'avait ardemment voulu et il y avait travaillé contre vents et marées, amis et ennemis en Afrique-Équatoriale en 1940, en Syrie et au Liban en juin 1941, comme deux ans plus tard en Afrique du Nord.

Chaque colonie ralliée, chaque territoire arraché à Vichy, ou soustrait à l'influence de ces « giraudistes », pour lui encore trop barbouillés de pétainisme, augmentait le nombre de ses soldats, celui des villes, des postes et des bases sur lesquels flottait le drapeau à croix de Lorraine, et, auprès des Alliés comme auprès de l'opinion française, accroissait son influence et son prestige.

Sans l'Empire, de Gaulle n'aurait été que ce soldat « seul et démuni de tout » qu'il décrit s'envolant pour l'Angleterre le 17 juin 1940, le chef d'une petite légion de combattants valeureux vite épuisée parce que sans renforts possibles, un général en exil et, pour toute chose, dépendant étroitement du bon vouloir britannique.

Il aurait certes existé sans l'Empire — bien qu'aujourd'hui, l'Empire ayant disparu, son aventure telle qu'elle a été vécue soit inimaginable —, il aurait parlé, agi, mais c'est l'Empire dont les richesses, les bases et les soldats augmentent sans cesse l'importance de son mouvement, le crédit de sa parole, et lui donnent, allié intransigeant, face à des alliés mal commodes, une relative liberté de jeu.

Cependant, la soudaine et brutale défaite de la France avait partout amoindri le prestige de notre pays, partout fait lever des convoitises, partout ranimé les espérances de nationalistes qui trouvaient dans l'Amérique de Roosevelt un allié idéologique plus puissant encore que le vieil allié britannique et allaient bientôt pouvoir compter sur le secours politique de la Russie soviétique comme de la Chine de Mao.

Les premiers craquements dans l'Empire ne s'étaient d'ailleurs pas fait sentir en Algérie, mais en Indochine, en Syrie, au Liban.

Lointaine Indochine dont de Gaulle parlera dans ses *Mémoires* comme d'un « grand navire désemparé » qu'il s'était « juré » de « ramener un jour »... Le jour où il en aurait les moyens.

Mais les moyens ne devaient jamais être à la mesure de problèmes mal connus, mal évalués et mal perçus par les Français et par de Gaulle lui-même qui, tout à l'idée de redonner à la France impériale de 1944 la grandeur, les limites, la population de la France impériale de 1939, s'il voyait qu'il fallait bouleverser les structures vieillies et sensiblement modifier les rapports entre colonisateurs et colonisés, s'il percevait clairement de quel poids seraient les pressions, différentes dans le style, conjuguées quant à l'objectif, des États-Unis, de la Grande-Bretagne et de la Russie, entendait octroyer et non se faire arracher.

Or, en Indochine, la situation s'était radicalement modifiée à partir de juin 1940. Les Japonais, qui luttaient contre la Chine de Tchang Kaï-chek, avaient immédiatement pris prétexte de la défaite française pour exiger ce qu'ils n'avaient jamais cessé de réclamer : la fermeture de notre frontière avec la Chine par laquelle transitaient armes, munitions, ravitaillement.

Les relations maritimes avec la métropole interrompues, les Américains et les Anglais nous faisant savoir, chaque fois qu'ils étaient sollicités et ils l'avaient souvent été[1], qu'ils ne pouvaient rien pour notre armée de 60 000 hommes dont seulement 10 000 Français, les revendications japonaises, acceptées d'abord par le gouverneur général Catroux puis, après sa révocation, par l'amiral Decoux[2], allaient se multiplier.

Cependant, limitée d'abord à 35 000 hommes, l'armée japonaise basée en Indochine, si elle utilisait ports et aérodromes indochinois contre les Britanniques installés en Birmanie et en Malaisie, ne sortait guère de ses cantonnements. Quant au Japon, il avait reconnu la souveraineté française[3], laissé en place l'administration française, l'amiral Decoux allait s'efforcer de garder toujours l'Indochine « dans l'œil du cyclone[4] ».

Pour réussir à atteindre, en ayant préservé l'essentiel, ce jour encore

---

1. Les Français demanderont l'aide et l'intervention des États-Unis, non seulement le 18 juin 1940 (Catroux), mais encore en août de la même année et en juillet 1941. Les Américains refusèrent de livrer du matériel de guerre à Decoux, de peur qu'il ne tombe entre les mains des Japonais.
2. C'est le 20 juillet que Decoux remplacera Catroux à qui le gouvernement du maréchal Pétain avait reproché d'avoir trop facilement cédé aux Japonais. Relevé de ses fonctions et rappelé en France, Catroux gagnera Le Caire, puis Londres, le 17 septembre, et se ralliera au général de Gaulle qui lui fera une place toujours plus grande.
3. Par l'accord de Tokyo du 30 août 1940.
4. Jacques Dalloz, *La Guerre d'Indochine*.

lointain où les Japonais, vaincus par les Américains, abandonneraient pacifiquement l'Indochine, Decoux devait gagner du temps en résistant aux demandes d'occupants rendus toujours plus exigeants par leurs défaites, comme en s'opposant aux complots de gaullistes rendus toujours plus audacieux, donc plus imprudents, par la succession des victoires alliées[1].

Politique d'équilibre bien peu exaltante dont l'amiral ne devait pas être récompensé[2], mais dont Jacques Dalloz, bon observateur, écrira qu'elle fut menée « non sans courage, non sans habileté[3] ».

Politique qui ne pouvait être celle du général de Gaulle pour qui, partout, la guerre devait déterminer la place future de la France dans le monde.

Dans une déclaration du 8 décembre 1943[4], de Gaulle, après avoir rappelé que la France libre était entrée en guerre contre le Japon au lendemain de Pearl Harbor, avait promis aux peuples de l'Union indochinoise un nouveau statut économique et politique et, au début de 1944, le Comité français de libération nationale avait pris des contacts avec le général Mordant, commandant supérieur des troupes d'Indochine. Dans le même temps, il était décidé de former un corps expéditionnaire chargé de participer au combat mené dans le Pacifique par Anglais et Américains.

Qu'allait-il se passer au moment où le général de Gaulle s'installait à Paris ? Vichy évanoui, l'amiral Decoux avait mis en vigueur une loi (non publiée au *Journal officiel*) qui lui donnait les pleins pouvoirs « en cas de rupture des communications avec la métropole », puis il s'était rangé sous l'autorité du pouvoir gaulliste, tout en renouvelant ses avertissements contre toute action susceptible d'inquiéter les Japonais et de les amener à réagir.

La prudence recommandée par Decoux se heurtera à l'impatience de De Gaulle qui n'ignore rien de l'hostilité de Roosevelt à la présence

---

1. Non content de poursuivre sur le territoire les « dissidents », l'amiral Decoux avait imaginé de reprendre, le cas échéant avec l'appui japonais, la Nouvelle-Calédonie dominée « par cette triste légion d'égarés qu'on nomme gaullistes ».
2. Mis en état d'arrestation sur l'ordre de l'amiral Thierry d'Argenlieu, son successeur en Indochine, l'amiral Decoux sera incarcéré à son arrivée à Paris. Traduit devant la Haute Cour de justice, il bénéficiera d'un non-lieu le 17 février 1949 et sera plus tard réintégré dans son grade et ses prérogatives.
3. Jacques Dalloz, *La Guerre d'Indochine*.
4. Deux ans après l'attaque contre Pearl Harbor.

française, présence que le président des États-Unis voudrait voir remplacée — et il a, sur ce point, « le soutien total du généralissime Tchang Kaï-chek et du maréchal Staline[1] » — par une commission internationale de tutelle.

De Gaulle fait donc savoir à Decoux qu'il devra désormais se contenter des apparences d'un pouvoir, dont le général Mordant aura les réalités[2]. C'était humilier l'un sans donner du caractère et du talent à l'autre.

Imbus des méthodes de la Résistance, qui, en France occupée, avait connu des succès essentiellement dus à l'adhésion populaire, les responsables du gouvernement français préparaient depuis l'Inde, la Chine, la Birmanie, le parachutage de quelques hommes chargés d'implanter des réseaux de renseignements[3] ou de prendre la place des fonctionnaires fidèles à Vichy.

Comment les Japonais auraient-ils ignoré que des complots se tramaient contre eux ? Comment auraient-ils pu accepter, en perdant l'Indochine, de compromettre leurs lignes de communication avec l'Inde orientale, l'Indonésie, la Malaisie[4], toutes positions qu'ils tenaient encore ?

Aussi leur réaction sera-t-elle brutale.

Le 9 mars 1945, à 19 heures, l'ambassadeur japonais exigeait de Decoux qu'en prévision d'un prochain débarquement américain les troupes françaises, la police et l'administration soient placées sous commandement nippon. L'ultimatum expirait à 21 heures. Sans attendre la réponse de Decoux, les forces nippones, sur tout le territoire, attaquaient les troupes françaises. Des troupes peu et mal armées, parfois trahies par les contingents indigènes et qui, à de rares exceptions près[5], seront surprises par l'assaut.

---

1. Lettre du 2 janvier 1944 de Roosevelt au secrétaire d'État Cordell Hull. « Il y a presque cent ans, écrit Roosevelt, que la France exerce son empire sur ce pays — trente millions de gens dont le sort est pire maintenant qu'au début [...]. Il y a cent ans que la France saigne ce pays. Le peuple d'Indochine mérite un sort plus enviable. »
2. *Cf. Mémoires de guerre*, t. III, p. 164.
3. Paul Mus, spécialiste du Viêt-nam, sera ainsi parachuté en mars 1945. Il a pour mission de prendre contact avec les milieux indigènes.
4. C'est le 12 septembre 1945 seulement, donc plusieurs semaines après la capitulation du Japon, que la reddition solennelle des troupes japonaises du Sud asiatique aura lieu à Singapour.
5. Le général Sabattier, qui avait pris la précaution d'évacuer préventivement Hanoi, pourra, avec 6 000 hommes, gagner la Haute Région. Avec le général

Les combats pour l'honneur se poursuivront quelques heures ou quelques jours. Ils se termineront souvent par des massacres, car les Japonais « ont la décapitation facile [1] ».

Decoux et les siens immédiatement arrêtés ; le colonel Robert, second de Mordant, mais véritable chef de la Résistance, assassiné ; fonctionnaires et militaires internés dans des conditions abominables, des gouvernements « indépendants » installés par les Japonais à Huê, Phnom Penh, Luang Prabang [2], la présence française disparaît.

Pierre Messmer, chargé des fonctions de commissaire de la République du Tonkin et parachuté trop loin de Hanoi le 25 août 1945, sera arrêté, avec ses deux équipiers, par des villageois qui les livreront aux communistes occupant déjà la région. Après deux mois de captivité et une extraordinaire évasion, il gagnera Hanoi puis Saigon où il arrive le 7 novembre. Racontant son aventure à Paul Mus, conseiller politique de Leclerc, et l'un des rares hommes au jugement sûr, il s'entendra répondre :

— Pour les Vietnamiens, le « mandat céleste », en vertu duquel nous avons gouverné, nous a été retiré le jour où les Japonais ont éliminé notre armée et notre administration. Les villageois attendent désormais un autre pouvoir [3].

A Paris, de Gaulle, qui n'attachait sans doute qu'une importance relative au « mandat du ciel » et croyait que le sang versé nous serait « un titre imposant » pour l'avenir, avait vu, avec une satisfaction qu'il avouera dans ses *Mémoires* [4], le conflit s'étendre à l'Indochine.

Alessandri, il s'établira dans la région de Diên Biên Phu, mais les Japonais l'en chasseront et les colonnes françaises, après une marche épuisante dans la jungle, réussiront à atteindre la Chine nationaliste.

1. Jacques Dalloz, *La Guerre d'Indochine.*
2. Les Japonais maintiendront sur le trône l'empereur Bao Dai ainsi que les rois du Cambodge et du Laos.
3. Decoux n'avait pas écrit autre chose le 30 août 1944, en mettant en garde de Gaulle : « Tout changement d'autorité, même provisoire, risque de susciter de très grands obstacles au rétablissement de la souveraineté française. »
4. « ... Je dois dire que j'envisageais volontiers qu'on en vînt aux mains en Indochine. Mesurant l'ébranlement infligé au prestige de la France par la politique de Vichy, sachant quel était, dans l'Union, l'état d'esprit des populations, prévoyant le déferlement des passions nationalistes en Asie et en Australie, connaissant la malveillance des Alliés, surtout des Américains, à l'égard de notre position en Extrême-Orient, je tenais pour essentiel que le conflit ne s'y achevât pas sans que nous fussions, là aussi, devenus des belligérants » (*Mémoires de guerre,* t. III, p. 163-164).

Annonçant, le 14 mars 1945, à des Français mal informés les « durs combats » qui se déroulaient depuis six jours sur le territoire indochinois, revendiquant des actes de résistance qu'il comparait, bien à tort, aux actes de résistance exécutés en France dans un climat psychologique et avec des moyens très différents, de Gaulle avait promis que l'Union indochinoise trouverait « en elle-même, avec l'aide de la France, les conditions de son propre développement dans tous les domaines : politique, économique, social, culturel, moral, où l'attend son grand avenir ».

Une déclaration précisait, dix jours plus tard, la place que devait tenir la Fédération indochinoise dans la future Union française, Union dont le nom apparaissait ainsi officiellement pour la première fois. Affirmant qu'il n'y aurait plus désormais dans l'Union que des citoyens bénéficiant des mêmes droits démocratiques, qu'à égalité de qualification les Indochinois auraient accès à tous les grades, que le territoire disposerait de son autonomie économique, cette déclaration du 24 mars 1945 aurait, en d'autres temps, paru généreuse et audacieuse [1].

Mais les temps changeaient. Les Japonais avaient accordé l'indépendance à des États dont les plus hauts dignitaires, Bao Dai à Huê, Norodom Sihanouk à Phnom Penh, immédiatement, déclaraient caducs les traités de protectorat qui les liaient à la France. Presque partout, une administration autochtone remplaçait, vaille que vaille, l'administration française. En Annam, le gouvernement du professeur Tran Trong Kim avait finalement obtenu des Japonais que le Tonkin et la Cochinchine fussent replacés sous l'autorité de Huê, ce que les Français, divisant pour régner, avaient toujours refusé [2].

Mal connue d'ailleurs des intéressés, la déclaration du 24 mars, qui prévoyait, l'Indochine une fois libérée de « l'envahisseur », la constitution d'un gouvernement fédéral présidé par un gouverneur général

---

1. Cette déclaration, bien accueillie par la presse française, presse de gauche comprise, avait pour auteur principal Laurentie, administrateur colonial, secrétaire général du gouvernement, organisateur de la conférence de Brazzaville.
2. La Cochinchine, dite « colonie incorporée », faisant juridiquement partie du territoire de la République, était représentée à Paris par un député. Au Tonkin, les villes principales (Hanoi et Haiphong) sont territoires français. Cambodge, Annam et Laos ont, avec des variantes, le statut de protectorat. Cet ensemble hétéroclite est soumis au gouverneur général qui dépend du ministère des Colonies, enfin le mot « Viêt-nam » est banni.

(français) entouré de ministres français et indochinois, assisté d'une assemblée mixte aux pouvoirs limités, ne pouvait donc que paraître très en retrait sur ce que les Indochinois avaient déjà obtenu et, plus encore, sur ce qu'ils pouvaient espérer obtenir le jour où les Japonais seraient définitivement vaincus.

L'explosion de la bombe d'Hiroshima, qui annonçait la capitulation prochaine du Japon, devait avoir, pour l'Indochine, des conséquences dont toute l'histoire du pays serait durablement marquée.

Entraînant, le 8 août, la chute du gouvernement Kim composé de nationalistes formés à la culture française, elle allait provoquer, après l'abdication de Bao Dai, l'arrivée au pouvoir du Viêt-minh[1], dont beaucoup d'Européens n'avaient pas encore découvert qu'il était l'instrument du Parti communiste indochinois.

Appuyé par la Chine de Tchang Kaï-chek, qui n'avait jamais renoncé à satelliser le Tonkin ; ménagé par les Japonais ; aidé, au nom de l'anticolonialisme, par les Américains ; ayant pris pied, à partir de 1943, dans les zones montagneuses du pays et mis un peu partout en place une organisation révolutionnaire lui permettant de contrôler les populations villageoises, le Viêt-minh devait se révéler d'autant plus efficace que, longtemps souterrain, il était dirigé par un leader charismatique, Nguyên Ai Quôc, devenu Hô Chi Minh, et qu'il pouvait compter sur une armée de 5 000 hommes déjà commandée par Giap.

En quelques jours — 14-25 août —, le Viêt-minh fera non seulement flotter son drapeau sur le Tonkin, l'Annam, la Cochinchine, mais il procédera à des éliminations symboliques, nouera, avec les modérés, des alliances qu'il dénoncera plus tard, réussira des implantations politiques, policières et militaires dont les Français éprouveront bientôt la solidité. Même si tout est allé trop vite pour que l'on en prenne alors nettement conscience, « la révolution d'août, selon le mot de Giap, est la première victoire du marxisme-léninisme dans un pays colonial et semi-féodal ».

---

1. Abrégé de *Viet Nam Doc Lap Dong Minh,* soit « Ligue pour l'indépendance du Viêt-nam ».

Avant d'abandonner le pouvoir, Bao Dai, qui avait demandé aux Américains, aux Britanniques, aux Chinois et aux Russes de faire obstacle à tout retour de l'ordre colonial, a adressé ces lignes à de Gaulle : « Je vous prie de comprendre que le seul moyen de sauvegarder les intérêts français et l'influence spirituelle de la France en Indochine est de reconnaître franchement l'indépendance du Viêt-nam [1] et de renoncer à toute idée de rétablir ici la souveraineté ou une administration française sous quelque forme que ce soit. »

« Martial à court terme, libéral à long terme », selon l'excellente définition de Jean Lacouture [2], de Gaulle ne saurait prendre en considération les recommandations de Bao Dai qu'il avait d'ailleurs souhaité remplacer sur le trône d'Annam par le prince Vinh San, favorable pendant la guerre à la France libre [3].

Pas davantage il n'accordera suffisamment d'attention à ce passage de la Déclaration d'indépendance de la république du Viêt-nam : « ... Nous, membres du gouvernement provisoire, représentant la population entière du Viêt-nam, déclarons n'avoir plus désormais aucun rapport avec la France impérialiste, annuler tous les traités que la France a signés au sujet du Viêt-nam, abolir tous les privilèges que les Français se sont arrogés sur notre territoire. »

De Gaulle, pour qui l'unité française s'étend à l'Empire tout entier et qui, dans son discours du 14 mars, a, par amour excessif des comparaisons patriotiques, placé Hanoi, avec Nantes, Lyon, Paris, au rang des villes héroïquement résistantes, est d'autant plus pressé d'agir qu'à la conférence de Potsdam il vient d'être décidé que, d'un côté et de l'autre du 16ᵉ parallèle, Chinois et Anglais pénétreraient en Indochine pour procéder au désarmement des Japonais.

---

1. Indépendance proclamée le 2 septembre 1945, jour de la capitulation japonaise. La Déclaration d'indépendance de la république du Viêt-nam s'ouvre par un extrait de la Déclaration d'indépendance des États-Unis d'Amérique en 1776. Elle se poursuit — après la citation de ce passage de la Déclaration des droits de l'homme et du citoyen de 1791 : « Les hommes naissent et demeurent libres et égaux en droits » — par un violent réquisitoire contre les Français qui ont imposé « des lois inhumaines, édifié plus de prisons que d'écoles, imposé l'usage de l'opium et de l'alcool, inventé des centaines d'impôts injustifiables », et se sont « rendus à genoux » devant les Japonais.

2. *De Gaulle*, t. II.

3. Le prince Vinh San, ancien empereur d'Annam, déposé en 1917 par la France, devait périr dans un accident d'avion, quelques jours avant de prendre le chemin de l'Indochine.

Dès la fin de l'année 1943, le principe d'un corps expéditionnaire français appelé à participer à la lutte en Extrême-Orient avait été décidé. Mais il n'avait pas été possible de passer à un début de réalisation avant la libération du territoire métropolitain.

Hiroshima et Nagasaki précipiteront les réactions françaises. C'est le 15 août que de Gaulle nomme l'amiral d'Argenlieu commissaire en Indochine en lui donnant, pour première mission, « le rétablissement de la souveraineté française dans l'Union indochinoise ». Il aura pour subordonné le général Leclerc, commandant supérieur des troupes. Deux hommes psychologiquement et politiquement mal faits pour s'entendre.

Après avoir cosigné, le 2 septembre, sur le cuirassé *Missouri*, l'acte de capitulation du Japon, le général Leclerc, arrivé à Saigon le 5 octobre, a montré sa force là où elle était efficace, c'est-à-dire dans le Sud[1]. Sans doute espérait-il arriver à un accord avec Hô Chi Minh, et il y était encouragé par Jean Sainteny qui représentait officiellement la France au Tonkin où il s'efforçait de protéger les Français contre tout coup de force, tout en déconseillant à Paris une intervention militaire aux lendemains mal assurés. Mais, à Saigon, l'amiral d'Argenlieu, prisonnier de son caractère dogmatique et des restrictions contenues dans la déclaration du 24 mars, l'était aussi de la lettre rigide que de Gaulle, méfiant à l'égard de tous et, ici, sans vision historique à moyen terme, lui avait adressée le 16 septembre : « Ne prenez et ne laissez prendre à l'égard des gens du Viêt-minh aucun engagement quelconque. Vous pourrez accepter certains contacts, à condition qu'ils soient directs et ne comportent aucun intermédiaire, ni anglais, ni chinois, ni américain. Quand, du côté allié, on nous proposera des " bons offices ", refusez catégoriquement... Sans quoi, nous verrons se renouveler en Indochine l'ignoble jeu des Anglais en Syrie. L'intérêt français consiste à ne rien régler quant aux gouvernements locaux, tant que nous n'aurons pas la force. »

Malgré tous les sacrifices consentis de 1945 au 7 mai 1954, où Diên Biên Phu succomba, nous ne devions jamais avoir la force.

---

1. Et notamment à Saigon où, le 25, plusieurs centaines d'Européens (le chiffre de 400 est ordinairement retenu) avaient été massacrés par des bandes manipulées par le Viêt-minh.

« Sans quoi nous verrons se renouveler en Indochine l'ignoble jeu des Anglais en Syrie » : de Gaulle à d'Argenlieu, le 16 septembre 1945.

Que l'on se reporte aux pages indignées et amères que, sous le titre *L'Orient,* de Gaulle a consacrées, dans le premier tome de ses *Mémoires de guerre,* aux événements qui, en juin et juillet 1941, ont eu pour théâtre la Syrie et le Liban et l'on comprendra mieux la phrase rancunière.

En pénétrant militairement sur des territoires placés sous l'autorité de Vichy pour une opération dont il attendait un important bénéfice, de Gaulle avait décidé que la France libre ferait connaître sa volonté de mettre fin au régime du mandat confié à la France en 1920 par la conférence de San Remo et de conclure des traités garantissant l'indépendance et la souveraineté de la Syrie et du Liban. Mais, dans son esprit, ces modifications capitales ne prendraient effet qu'après la fin des hostilités.

En attendant le moment où il ferait part « à la Société des Nations du remplacement au Levant du régime du mandat par un régime nouveau [1] », moment qu'il se réservait de choisir, il était entendu, dans son esprit, que la France libre « garderait naturellement au Levant le pouvoir suprême du mandataire, en même temps que ses obligations ».

C'était compter sans l'action des « acharnés arabisants britanniques » — le mot est de De Gaulle — qui, dans le droit-fil d'une politique traditionnellement antifrançaise, poussaient partout leurs avantages.

Les choses étaient allées au point que, jouant à se faire peur, Churchill et de Gaulle avaient envisagé, en août 1941, une rupture dont la probabilité avait considérablement ému la délégation de la France libre à Londres [2], ce qui avait permis au Général de répliquer superbement à ses trop timides représentants : « Notre grandeur et notre force consistent uniquement dans l'intransigeance pour ce qui

---

1. Lettre du 29 juin 1941 au général Catroux.
2. Le 10 août 1941, la délégation de la France libre avait rappelé au général de Gaulle que, « militairement et financièrement », la France libre ne pouvait « exister sans l'appui de l'Angleterre ».

concerne les droits de la France. Nous aurons besoin de cette intransigeance jusqu'au Rhin inclusivement [1]. »

En août 1942, revenu à Beyrouth avec la volonté de « marquer dans les faits et dans les esprits la prédominance de la France [2] », de Gaulle avait accompli, à travers le pays, un voyage au cours duquel « la tempête d'acclamation », « l'enthousiasme » et « la ferveur de l'accueil », pour reprendre les mots employés dans les *Mémoires de guerre,* au souvenir de cette agréable farandole, lui avaient bien certainement masqué — et continuaient à lui masquer — les réalités.

Dans ses *Mémoires,* il évoque les vœux d'indépendance des élites syriennes et libanaises. Mais sans s'attarder, en écrivant simplement que cette indépendance, quitte à décevoir « les politiques de profession », exigerait d'assez longs délais, et que, pour y conduire, les transitions nécessaires seraient trouvées, « si l'Angleterre ne gâchait pas le jeu ».

« Mais elle le gâchait bel et bien... Dans tous les domaines, tous les jours, partout, c'était, du fait de nos alliés, des ingérences multipliées par une armée d'agents en uniforme [3]. »

Aussi, dès son arrivée à Beyrouth, de Gaulle, conforté par les acclamations qui montaient vers lui, allait-il entretenir avec Churchill une aigre et volumineuse correspondance.

Au Général, qui se plaignait de la violation des accords de Gaulle-Lyttelton du 24 juillet 1941 [4], suivant lesquels les Britanniques s'interdisaient toute visée politique sur les États du Levant, Churchill rappelait que l'Angleterre devait veiller à ce que la promesse d'indépendance faite, le 9 juin 1941, à l'occasion de l'entrée en Syrie des troupes anglo-gaullistes, soit rapidement suivie d'effet.

La partie politique bientôt transportés sur le vaste théâtre des susceptibilités et transformée en partie de cache-cache [5], c'est seule-

---

1. Télégramme du 13 août 1941 daté de Beyrouth. Le général de Gaulle avait été blessé par la position de la Délégation de la France libre qui, le 7 juillet 1941, avait adopté un texte reconnaissant « au général britannique qui exerce le commandement en chef des forces alliées [...] l'autorité suprême [en Syrie], aussi bien dans le domaine militaire que dans le domaine civil ». De Brazzaville, il avait fait savoir, le 13 juillet, que « l'autorité suprême en Syrie appartient à la France et n'appartient aucunement, à aucun degré, à un commandant en chef étranger ».

2. *Mémoires de guerre,* t. I, p. 159.

3. *Ibid.,* t. II, p. 20.

4. M. O. Lyttelton était ministre d'État dans le gouvernement britannique.

5. M. Casey, ministre d'État dans le gouvernement britannique, ayant invité de Gaulle à venir conférer au Caire, le Général avait répondu qu'il ne pouvait pas

ment le 30 septembre 1942 que de Gaulle et Churchill devaient se retrouver à Londres pour une rencontre de crise et de cris dont le Général a fait le récit dans ses *Mémoires de guerre*[1].

Il montre un Churchill exigeant d'abord que des élections aient immédiatement lieu en Syrie et au Liban puis, devant le refus de De Gaulle, laissant éclater sa colère et retirant sa promesse de coopérer avec les gaullistes à Madagascar dont les Anglais achèvent la conquête face aux faibles forces de Vichy. Protestation de De Gaulle. Instituer à Madagascar une administration contrôlée par les Britanniques constituerait une atteinte aux droits de la France. Fureur de Churchill et fureur d'autant plus grande que le Premier britannique se sent coupable de dissimuler à de Gaulle les préparatifs du débarquement en Afrique du Nord.

— Vous dites que vous êtes la France ! Vous n'êtes pas la France ! Je ne vous reconnais pas comme la France ! La France ! Où est-elle ? Je conviens, certes, que le général de Gaulle et ceux qui le suivent sont une partie importante et respectable de ce peuple. Mais on pourra sans doute trouver, en dehors d'eux, une autre autorité qui ait, elle aussi, sa valeur...

Aux cris de Churchill, le calme Anthony Eden mêla sa plainte. Et, comme il arrive souvent en ce genre d'affaire, ce fut occasion de surenchère, Churchill s'emportant jusqu'à dire à de Gaulle que, « dans son attitude d'anglophobie, [il était] guidé par des soucis de prestige et par la volonté d'agrandir, parmi les Français, [sa] situation personnelle ».

A plusieurs reprises, il lui répétera qu'au lieu de « faire la guerre à l'Allemagne » il la faisait à l'Angleterre, qu'il avait « semé le désordre partout où il était passé » et qu'il n'avait pas de « pire ennemi que lui-même[2] ».

Une fois de plus, on avait, momentanément, frôlé la rupture. On la frôlera à nouveau en 1943.

A la suite d'élections, dont le résultat s'était traduit, au Liban, par une victoire nationaliste, le Premier ministre libanais avait annoncé

---

s'éloigner de Beyrouth ; Churchill l'ayant prié, le 31 août, de hâter son retour en Grande-Bretagne, de Gaulle avait fait savoir que la situation ne lui permettait pas de quitter Beyrouth « actuellement »...

1. T. II, p. 32-33.
2 François de Kersaudy, *De Gaulle et Churchill.*

son intention de déposer plusieurs amendements constitutionnels dont l'adoption aurait nécessairement conduit à l'indépendance. Approuvé par de Gaulle, qui lui écrira ces phrases surprenantes : « Les mesures de force que vous avez cru devoir prendre étaient probablement nécessaires. En tout cas, je considère qu'elles l'étaient, puisque vous les avez prises », l'ambassadeur Helleu, dont la pondération n'était pas la vertu première, avait fait arrêter, le 11 novembre, le président libanais Bechara el-Khoury, son Premier ministre Riad es-Sohl et quatre ministres.

Comment ce coup de force n'aurait-il pas provoqué de violentes manifestations populaires ? Comment ces manifestations n'auraient-elles pas entraîné une riposte de l'armée française ? Comment cette riposte, aux sanglantes conséquences, n'aurait-elle pas soulevé l'émotion intéressée et les menaces des Britanniques ?

Tout s'apaisera finalement. Mais, comme au lendemain de chaque crise, la position de la France se trouvera un peu plus amoindrie.

En 1930, détaché au Levant, le commandant de Gaulle, responsable du 2e et du 3e Bureau (renseignements et opérations), avait écrit à l'un de ses amis parisiens : « Le Levant est un carrefour où tout passe : religions, armées, empires, marchandises, sans que rien ne bouge. Voilà dix ans que nous y sommes. Mon impression est que nous n'y pénétrons guère et que les gens nous sont aussi étrangers (et réciproquement) qu'ils le furent jamais. »

Que ne s'était-il souvenu, dans les années de guerre, de sa lucidité de 1930 ? Il se fût épargné — et à la France — bien des déboires mal camouflés sous la séduisante éloquence des *Mémoires*.

« Les gens nous sont aussi étrangers (et réciproquement) qu'ils le furent jamais. » Pour l'avoir oublié ou, plus exactement, pour avoir été séduit par les vivats qui avaient accompagné son voyage de 1942, vivats dont il avait mesuré la densité sans chercher à en apprécier la sincérité [1] ; pour avoir, au nom de l'histoire éternellement recommen-

---

1. De Gaulle, télégraphiant le 4 septembre 1942 à Pleven et Dejean, parle « des preuves éclatantes fournies par les populations de leur attachement à la France à l'occasion de mes récents voyages dans les diverses parties du pays ».

cée, prêté aux Britanniques, et particulièrement à Churchill, plus de constance et d'acharnement dans la gallophobie qu'ils n'en mettaient[1], de Gaulle n'avait pas compris la puissance d'un nationalisme syrien et libanais d'ailleurs sans originalité dans un monde où tous les grands pays en lutte contre le fascisme, et même les plus étrangers aux idées de liberté, avaient brandi l'étendard de l'indépendance des peuples.

La crise de 1945 sera la dernière. La plus violente. La plus humiliante. Elle débutera en janvier et février à Damas et à Beyrouth, mais revêtira toute son ampleur, en avril, lorsque de Gaulle, dans l'espoir de renforcer nos positions face à la « perfide Albion », décidera de l'envoi à Beyrouth de deux bataillons[2]. Faute de navires de charge — mais eussent-ils existé qu'on ne les aurait pas trouvés —, ces bataillons devaient être transportés sur deux croiseurs, le *Jeanne-d'Arc* et le *Montcalm*. Ce fut une levée de boucliers. Dans le monde arabe d'abord et, particulièrement, en Syrie et au Liban, où l'on parla de provocation à l'égard de gouvernements dont la fraîche indépendance exigeait qu'ils fussent débarrassés de toute présence militaire étrangère et récupérassent les « troupes spéciales » toujours sous commandement français. Les Britanniques entrèrent avec volupté dans un jeu dont, en vérité, ils n'étaient jamais sortis. Ils offrirent des navires marchands pour transporter à Alexandrie nos troupes qui seraient acheminées ensuite par camions vers le Liban. C'était un camouflet.

---

1. On trouvera, dans le livre de François Kersaudy, *De Gaulle et Churchill*, de nombreux exemples de conseils de modération donnés par Churchill à ses représentants au Levant. Au nom d'ailleurs du simple bon sens. C'est ainsi qu'il écrit au général Spears (qui ne l'écoute guère, il est vrai, et sera remplacé par le plus obéissant Terence Shone) : « Tous les arguments et les moyens de pression utilisés par les populations du Levant contre les Français pourraient un jour se retourner contre nous ; avec toutes les façades de verre que nous avons dans la région, il vaut mieux dissuader les gens de recourir au lance-pierres et prêcher la modération, faute de quoi nous irons au-devant de graves ennuis. Il ne saurait être question de prendre la place des Français au Levant. »

2. Tous les historiens parlent de trois bataillons. Dans sa conférence de presse du 2 juin 1945, de Gaulle, à la question « Quel est l'effectif français en Syrie et au Liban ? », répond : « Il y avait trois bataillons français, nous en avons envoyé deux, cela fait cinq. »

Pour faire pièce à nos deux bataillons, le général Paget, commandant en chef britannique au Moyen-Orient, achemina une division vers la « zone sensible ». Le 5 mai, Churchill donna de la voix à la Chambre des communes. Le 8, il écrivit à Duff Cooper, son ambassadeur à Paris, qu'il était prêt à rencontrer « discrètement » de Gaulle pour une tentative de médiation. Il était trop tard. Pour de Gaulle, il n'y aurait pas de désordres, « à moins qu'ils ne soient fomentés par les Anglais eux-mêmes ». Or, les premiers désordres — il faudrait parler plutôt des premiers « nouveaux » désordres — venaient d'éclater le 8 mai.

Comment la date n'aurait-elle pas frappé de Gaulle ? Dans les trois lignes des *Mémoires* qu'il consacrera à l'Algérie, il n'hésitera pas, on le sait, à écrire que « le mouvement d'insurrection survenu dans le Constantinois » avait été « synchronisé avec les émeutes syriennes du mois de mai ». Comme d'autres voyaient partout la main de Moscou, il voyait partout l'argent et les intrigues du Colonial Office.

La violence ayant gagné Damas, le général Olivia-Roget, à qui l'infériorité des forces avait fait perdre le contrôle de ses nerfs, employa, le 28[1] et le 29 mai, une batterie d'artillerie et un avion contre des émeutiers auxquels la gendarmerie syrienne était venue prêter le secours de ses armes. Parmi les victimes de la répression — mille, dira-t-on, sans en apporter la preuve — se trouvaient des Britanniques. Ce n'est pas leur mort qui incita Churchill à réagir. De Gaulle, dans ses *Mémoires,* l'accuse de n'être sorti de sa « passivité » qu'à l'instant où « l'émeute s'effondrait ».

Il aurait donc choisi ce moment pour souffler sur les braises.

Massigli, notre ambassadeur à Londres, convoqué le 30 mai, s'entendit signifier que le gouvernement britannique demandait au gouvernement français de faire cesser le feu à Damas. La poursuite de l'action, précisa le Premier britannique, entraînerait l'intervention des forces anglaises basées en Syrie et au Liban.

---

1. Date citée par de Gaulle et généralement par tous les historiens, de Gaulle écrivant : « Le 28 mai, à Damas, tous nos postes furent attaqués par des bandes d'émeutiers et des unités constituées de la gendarmerie syrienne, le tout armé de mitraillettes, mitrailleuses et grenades anglaises. »

Dans son livre *De Gaulle et Churchill,* Kersaudy remarque qu'à Damas personne « ne semble avoir vu ou entendu ces attaques du 28 mai » et que le général Olivia-Roget déclarera n'avoir été attaqué que le 29 mai à 19 h 15.

Quels que pussent être « les sentiments qui bouillonnaient dans son âme[1] », de Gaulle se résigna à faire télégraphier l'ordre de cessez-le-feu. Il était 23 heures le 30 mai.

Aux lecteurs des *Mémoires,* il dissimule ce qui fut une humiliation sous le prétexte que « notre action militaire avait atteint son but ». Faute de combattants, il était naturel que le combat prît fin...

Cependant, le pire restait à venir. Le 31 mai, à 15 h 30, Anthony Eden lut, à la Chambre des communes, un message de Churchill qui « invitait » le gouvernement français, afin d'empêcher toute nouvelle effusion de sang et « toute collision entre les forces britanniques et les forces françaises », à donner à ses troupes l'ordre de « cesser le feu et de se retirer dans leurs cantonnements ». Or, non seulement de Gaulle avait *déjà* donné l'ordre exigé par les Anglais, mais il ne recevrait qu'à 16 h 30 le message qu'Eden, une heure plus tôt, avait porté à la connaissance des parlementaires britanniques !

« Ce retard, écrira-t-il, qui ajoutait à l'insolence du texte une atteinte à tous les usages, ne pouvait avoir d'autre but que d'éviter que je ne puisse, à temps, faire connaître que le combat était arrêté à Damas et enlever tout prétexte à l'ultimatum britannique[2]. »

Se souvenant des complots dont il avait été l'objet depuis 1940 de la part d'alliés qui le jugeaient insupportable, gardant mémoire des concurrents qu'ils avaient suscités ou encouragés, de Gaulle, une fois encore, imagine qu'en agissant comme ils viennent de le faire, les Anglais espéraient provoquer « une secousse qui entraînerait pour de Gaulle un affaiblissement politique, peut-être même la perte du pouvoir ».

Dans son livre *De Gaulle et Churchill,* François Kersaudy, premier historien, sans doute, à avoir mis scrupuleusement en parallèle informations de source britannique et informations de source française, à avoir relevé les « inexactitudes » qui « émaillent » le récit de grand style de Charles de Gaulle, écho d'une dignité patriotique, du bûcher de Rouen à Fachoda, outragée depuis des siècles par l'Angleterre, décharge Churchill d'un certain nombre de responsabilités. Sans nourrir cependant d'illusions sur la politique britannique, il montre le

---

1. *Mémoires de guerre.*
2. *Idem.*

Premier ministre plus soucieux de rechercher un règlement que d'envenimer la querelle[1].

Ce qu'un historien peut établir, l'homme politique, réagissant dans l'instant, ne le voit pas. Dans sa conférence de presse du 2 juin, qu'il a voulue « sans insultes, mais sans ménagements », le général de Gaulle évoquera les incidents qui « se sont produits depuis que le malheur provisoire de la France a accru démesurément, chez son partenaire [britannique], les possibilités d'empiétements » et il suggérera que « les grandes puissances, les États arabes, d'autres encore » soient invités à se prononcer sur un problème qui cesserait ainsi d'être limité au face-à-face franco-britannique, extension qui ne pouvait qu'inquiéter les Britanniques, jaloux de leur « chasse gardée[2] »... et augmenter la confusion dans une région où l'Égypte, la Palestine, l'Irak « frémissaient du désir d'être affranchis des Britanniques[3] ».

Si de Gaulle devait achever en assurant qu'il n'y avait chez lui « pas la moindre colère, la moindre rancune, à l'égard du peuple britannique », il précisera toutefois : « Il y a des intérêts que l'on oppose aux nôtres d'une façon que nous n'acceptons pas. Il faut que les intérêts soient conciliés. [...] Telle est la volonté de la France qui fait [...] tout ce qu'elle peut pour y parvenir et qui continuera de le faire, mais seulement jusqu'à la limite où elle serait poussée à bout. »

Poussé à bout, le général de Gaulle devait l'être, le 4 juin, lorsqu'il déclara à l'ambassadeur de Grande-Bretagne : « Nous ne sommes pas, je le reconnais, en mesure de vous faire actuellement la guerre. Mais vous avez outragé la France et trahi l'Occident. Cela ne peut être oublié. »

L'entrevue avait duré une demi-heure « très désagréable », écrivit à Churchill Sir Alfred Duff Cooper. Sa version diffère toutefois sensiblement de celle du général de Gaulle puisqu'il indiqua simplement que le

---

1. C'est ainsi que Churchill télégraphiera au général Paget : « Dès que vous serez maître de la situation, il vous faudra témoigner les plus grands égards aux Français [...]. Votre plus grand triomphe sera d'établir une paix sans rancune. »
Au président syrien, il demandera de ne pas lui rendre « la tâche plus difficile par des violences et des exaspérations ».
2. Dans ses *Mémoires de guerre,* de Gaulle précise : « Notre projet [d'associer au règlement France, Angleterre, États-Unis, Union soviétique, Chine] fut, naturellement, repoussé par les Anglais et les Américains avec une sombre fureur. Il en fut de même de celui que nous avançâmes ensuite de porter toute l'affaire d'Orient devant les Nations unies qui venaient d'être constituées. »
3. *Mémoires de guerre,* t. III, p. 198.

Général « n'aurait pu être plus raide s'il nous avait déclaré la guerre ».

Mais l'ambassadeur Duff Cooper, grand ami de la France, avait peut-être volontairement atténué les propos du général de Gaulle dont il sentait combien la blessure infligée lui était cruelle.

Que de Gaulle ait souffert de l'hostilité britannique, hostilité dont il exagérait la portée en ne tenant pas assez grand compte des fièvres populaires, c'est certain. Qu'il ait peut-être davantage encore souffert de l'anglophilie traditionnelle des diplomates français qui noyaient dans une molle littérature ses consignes de fermeté et des réactions d'une presse dont il n'appréciait pas qu'elle n'attachât pas suffisamment d'importance aux événements [1] et critiquât la franche ténacité du chef du gouvernement provisoire plus que les fourberies des Britanniques, de longs passages des *Mémoires de guerre* en portent témoignage [2].

Mais c'est l'attitude de certains hommes politiques — ceux qu'il appelle « les étranges Jacobins » — qui le bouleversa, le désarçonna, suis-je tenté d'écrire, et lui fit comprendre « la profondeur du désaccord qui, au-dessous des apparences, [le] séparait des catégories politiques quant aux affaires extérieures du pays [3] ».

L'Assemblée consultative aborda le 15 et le 19 juin [4] un sujet qui, depuis trois semaines, faisait l'actualité.

Le 15 juin, Georges Bidault, ministre des Affaires étrangères, dans un discours solide, apporta d'importantes précisions sur les humiliations qui nous étaient toujours infligées au Liban et en Syrie où, d'ordre britannique, nos avions avaient interdiction de décoller, nos navires de quitter le port. Lui succédèrent à la tribune Mme Viénot, qui, au nom du Parti socialiste, répandit ce que de Gaulle devait appeler « la justice distributive » ; Maurice Schumann, éloquent défenseur de l'œuvre accomplie par la France en Orient ; Georges Gorse ; le communiste Florimond Bonte, qui reprocha au gouvernement de n'avoir pas suffisamment épuré les officiers ralliés après les combats de Syrie, ce

---

1. Lorsque l'on se reporte aux collections des quotidiens de l'époque, la critique du général de Gaulle paraît excessive. Il faut rappeler que la presse de 1945 subit de rudes restrictions de papier (elle paraît sur une feuille et souvent sur une demi-feuille) ; il faut rappeler également qu'elle est tributaire des seules dépêches d'agence et des déclarations officielles. Les envoyés spéciaux n'ont pas encore repris la route de l'Orient.

2. T. III, p. 195-196.

3. *Ibid.*, t. III, p. 197.

4. Et non le 17 juin, comme l'écrit dans ses *Mémoires* le général de Gaulle, qui ne fait d'ailleurs allusion qu'à une seule séance.

qui lui attira une vive réplique de De Gaulle [1] ; le R. P. Carrière, enfin.

Mais, dans la liste qu'il dresse avec amertume de ceux qui firent, avec le procès de la France, le sien, le général de Gaulle signale « surtout M. Pierre Cot ».

Lors de la séance du 19 juin, Pierre Cot s'était, il est vrai, montré particulièrement agressif.

Proche des communistes, qui, dès 1945, le feront constamment élire en Savoie, mais plus intelligent et plus sournoisement habile que les communistes, cet ancien ministre de l'Air, qui portait dans l'opinion le poids de la carence numérique et qualitative de l'aviation française dans les batailles de 40, carence dont il était loin d'être l'unique responsable, pratiquait l'art de blesser et d'humilier l'adversaire dont il discernait rapidement les points faibles. Le 19 juin, il s'agissait pour lui de ramener l'homme du 18 juin à la taille d'un président du Conseil de la IIIᵉ République.

Il refusera donc de se joindre au chœur de ceux qui accusent Churchill d'intervenir systématiquement en Syrie et au Liban. Pour dédouaner le Premier ministre britannique, il emploiera un argument qui fera broncher une partie de l'Assemblée. « Si M. Churchill, dira-t-il, ne s'était pas mêlé des affaires françaises en juin 1940, le général de Gaulle n'aurait pas eu, à ce moment, le moyen d'adresser au monde l'appel historique que nous fêtions hier. »

Il fera l'éloge des États-Unis et de l'Union soviétique qui, conjointement, mais avec des objectifs différents, condamnent le colonialisme.

Il dénoncera — ce qui, à l'époque, est aussi neuf qu'audacieux — « le dogme de l'infaillibilité présidentielle, l'une des pierres angulaires de notre système de gouvernement ».

Irrité par les critiques de Pierre Cot et par le fâcheux parallèle qu'il vient d'établir entre les promesses d'indépendance faites en juin 1941 aux Syriens et aux Libanais par Catroux, au nom de De Gaulle, et le discours du 10 novembre 1943 dans lequel ce même de Gaulle avait déclaré que le mandat continuait d'exister, le chef du gouvernement provisoire, sans lui en demander l'autorisation, interrompra l'orateur. Il lui reprochera de ne citer que quelques mots de son discours de novembre 1943, d'« exagérer quelque peu dans la forme », d'oublier les circonstances qui avaient conduit les Français libres en Syrie et au

---

1. Le général de Gaulle lui rappela que la moitié des soldats de Bir Hakeim, « quelques mois plus tôt, tiraient sur nous devant Damas ».

Liban, de n'avoir pas évoqué l'œuvre accomplie par la France dans les deux territoires sous mandat.

Élevant brusquement le débat, visant, par-delà Pierre Cot, ceux, socialistes et communistes, dont Cot est aujourd'hui l'audace et qui le soutiennent de leurs applaudissements, de Gaulle va s'écrier : « On dirait vraiment que la France ne pense qu'à se déchirer elle-même, si elle s'exprimait par votre bouche, et par l'entremise de ceux qui vous ressemblent ; on dirait qu'elle renie tout ce qu'elle a fait, toute son œuvre, tous ses mérites. Je n'insiste pas. Je suis convaincu que le peuple français, lui, l'a profondément senti. »

Mais il n'est applaudi qu'à droite « et sur quelques bancs au centre », rapporte le *Journal officiel.*

Pierre Cot reprend la parole et l'Assemblée va assister à un bref duel au terme duquel le président du gouvernement provisoire sera obligé de s'incliner.

> « *M. Pierre Cot :* Monsieur le président, si vous ne m'aviez pas interrompu, peut-être auriez-vous constaté que j'allais dire, sinon tout cela, du moins une partie de cela[1] [*exclamations*]. Mais il est un peu trop facile, monsieur le président du gouvernement provisoire, lorsque je suis en train de déclarer qu'après avoir apporté une proclamation admirable[2] nous avons essayé d'ergoter, de réduire et de minimiser le sens de votre déclaration et de faire une politique de malentendu...
>
> *M. le président du gouvernement provisoire :* Mais non ! Seulement, nous nous sommes trouvés dans des circonstances...
>
> *M. Pierre Cot :* Monsieur le président du gouvernement, vous aurez la parole tout à l'heure. Je ne vous interromprai certainement pas plus — c'est-à-dire une fois — que vous ne l'avez fait, et je me réserve de vous répliquer comme vous venez de le faire. »

Ah ! ce « Monsieur le président du gouvernement, vous aurez la parole tout à l'heure », comme il a dû être rude à de Gaulle ! Qui avait jamais osé l'interpeller ainsi ? Étant inscrits au *Journal officiel,* les mots survivraient à leur auteur comme à leur destinataire.

Pierre Cot, en terminant son discours, allait enfin attaquer de

---

1. C'est-à-dire rappeler l'importance de l'œuvre de la France.
2. La proclamation par laquelle le général Catroux promettait l'indépendance à la Syrie et au Liban.

Gaulle sur le terrain où il se croyait inattaquable et imbattable : celui de la grandeur de la France.

> « Quand on parle de la France dans le monde entier, on ne parle jamais de la France puissante ou forte, on parle de la douce France, de ce pays de finesse, d'humanité et d'intelligence qui, le premier, a apporté au monde, pour les hommes de toutes les couleurs, de toutes les conditions et de toutes les races, un message éternel de liberté, d'égalité et de fraternité. Restez fidèle à ce message ! C'est le meilleur moyen d'arriver à la grandeur de la France [...]. En terminant, laissez-moi vous donner ce conseil : avec les alliés, soyez plus solidaire et plus fraternel, avec les Arabes, les Syriens et les Libanais, soyez plus compatissant et plus généreux. Avec les uns et les autres, soyez toujours plus humain. Et la grandeur, alors, vous viendra par surcroît. »

Pierre Cot donnant à de Gaulle, sous les applaudissements de la majorité de l'Assemblée consultative, des « conseils » pour « arriver à la grandeur de la France », par quel stupéfiant aveuglement idéologique la chose a-t-elle été possible alors que l'image, l'idée et l'ambition de la grandeur de la France n'avaient cessé d'habiter de Gaulle, de guider son action, d'inspirer ses décisions ?

Grandeur. Le mot se trouve en ouverture des *Mémoires de guerre,* lorsque de Gaulle, qui « toute [sa] vie s'est fait une certaine idée de la France », écrit qu'elle ne saurait être réellement elle-même qu'au premier rang » et « ne peut être la France sans la grandeur [1] ».

Et le mot se trouve dans cette page qui clôt les *Mémoires de guerre* . « Vieille France, accablée d'Histoire, meurtrie de guerres et de révolutions, allant et venant sans relâche de la grandeur au déclin, mais redressée, de siècle en siècle, par le génie du renouveau [2]. »

Pierre Cot avait lancé à de Gaulle : « Il faudra bien qu'un jour nous confrontions nos conceptions de la grandeur. » Il lui avait également lancé, aux seuls applaudissements de la droite de l'hémicycle : « Nous avons encore besoin de vous voir à la tête de la France, monsieur le président du gouvernement. »

Les conceptions de la grandeur étaient, chez Pierre Cot et chez de Gaulle, fort différentes. La suite de l'Histoire le prouvera.

---

1. *Mémoires de guerre,* t. I, p. 1.
2. *Mémoires de guerre,* t. III, p. 290.

La pénible séance du 19 juin allait s'achever par le vote d'une motion sans colonne vertébrale, sans rigueur et sans vigueur, dont le général de Gaulle, qui devait déclarer sur l'instant qu'elle n'engageait pas le gouvernement, jugera plus tard qu'elle « exprimait en fait le consentement [1] » à l'abandon.

Des diplomates, des journalistes [2], des hommes politiques, des « gens d'influence et des personnages en place [3] », de Gaulle attendait un sursaut d'orgueil, l'affirmation que notre faiblesse provisoire ne nous inclinait pas à renoncer à nos droits.

La mollesse des réactions parisiennes n'avait échappé ni aux Britanniques, qui expulsèrent rapidement nos nationaux et nos troupes de Damas, d'Alep, de Homs, de Hama, de Deir ez-Zor, ni aux Syriens, dont les « troupes spéciales », encore sous notre commandement, assassinèrent parfois leurs officiers, cependant que la population, protégée par une gendarmerie armée par les Anglais, pillait les maisons abandonnées par les Français [4].

Faisant réflexion sur ces événements [5], de Gaulle écrira, bien plus tard : « Quant à la suite, je ne doutais pas que l'agitation soutenue au Levant par nos anciens alliés déferlerait dans tout l'Orient contre ces apprentis sorciers et qu'au total les Anglo-Saxons paieraient cher, un jour ou l'autre, l'opération qu'ils y avaient menée contre la France. »
Pauvre consolation.

---

1. *Ibid.,* t. III, p. 197.
2. Dans *Combat,* Albert Camus, tout en demeurant anonyme, s'était signalé, le 3 juin, par une violente critique des positions prises par le général de Gaulle dans sa conférence de presse de la veille, conférence de presse consacrée à la Syrie. François Mauriac relèvera, dans *Le Figaro* du 5 juin, le dédain du « jeune maître ».
3. *Mémoires de guerre,* t. III, p. 195.
4. L'évacuation des civils eut lieu en direction du Liban. Nos troupes furent cantonnées à l'extérieur de quelques villes et mises dans l'impossibilité de réagir.
5. Le 4 janvier 1946, quinze jours avant sa démission et alors qu'il s'apprête à partir méditer à Antibes, de Gaulle mettra en garde Francisque Gay, ministre d'État, chargé par intérim du ministère des Affaires étrangères contre un « soi-disant accord avec les Anglais qui apparaît comme une tromperie ». « J'exige, écrira-t-il, qu'aucune décision nouvelle ne soit prise en mon absence dans cette matière capitale. »

QUATRIÈME PARTIE

LES GRANDS PROCÈS

« La maxime fondamentale de toute justice, politique ou autre, est que l'accusé est présumé innocent jusqu'à ce que le juge ait décidé qu'il est coupable. Pour décider si l'homme qu'on lui défère est coupable ou non du crime qu'il hait, le juge ne doit pas, ne peut pas haïr cet homme. Dans la même conscience du juge doivent cohabiter les haines vigoureuses contre le crime et l'impartialité scrupuleuse vis-à-vis de l'homme accusé du crime. Le terrible problème de toute justice politique est là... »

Léon BLUM
Le Populaire

EN ATTENDANT PÉTAIN

Allait-on juger Pétain alors qu'il était toujours prisonnier des Allemands à Sigmaringen ?

Après la Libération, l'impatience était grande. Elle se manifestait dans la presse communiste, elle s'exprimait à la tribune de l'Assemblée consultative provisoire où M. Jacques Debu-Bridel, dont l'étiquette d'homme de droite dissimulait très mal une adhésion totale aux thèses communistes, demandait, le 28 décembre 1944, que le « procès du traître Philippe Pétain » soit instruit sans tarder.

> « On nous objectera peut-être, ajoutait Debu-Bridel, que nous n'avons pas Pétain, qu'il est en Allemagne, mais qu'importe ! Ce qui nous importe, ce n'est pas la carcasse de ce vieillard, c'est ce qu'il fut, ce qu'il représente. Ce que nous demandons, c'est une condamnation par contumace, qui suffira à éclairer le pays sur le caractère de l'homme. »

Deux mois plus tard, le 20 février 1945, le délégué communiste, M. Gillot, président de la commission de la justice, réclamait qu'un « rythme de choc » soit imprimé aux travaux de la Haute Cour de justice. « Il ne s'agit pas, déclarait-il, après avoir, lui aussi, réclamé que Pétain, Laval et Brinon fussent jugés par contumace, il ne s'agit pas encore d'écrire l'Histoire, mais de faire justice. »

Le 24 avril, alors que le Maréchal demandait à la Suisse le passage vers la France, *L'Humanité* annonçait que le procès par contumace s'ouvrirait le 17 mai.

En se présentant au poste frontière de Vallorbe, Philippe Pétain allait troubler le scénario de ceux qui désiraient qu'il fût jugé sans être entendu.

Mais trois procès, déjà, avaient successivement été annoncés à l'opinion comme une « préface au procès Pétain » : celui de Charles Maurras, en janvier, devant la cour de justice de Lyon ; ceux, en mars et avril, de l'amiral Esteva et du général Dentz.

Que Charles Maurras ait été hostile à l'Allemagne — à toutes les Allemagnes —, sa vie et son œuvre en apportent la preuve et c'est justement qu'à son procès cet homme, né en 1868, pourra dire que l'antagonisme des Français et des Allemands avait dominé sa jeunesse.

Ennemi de toutes les entreprises, et particulièrement des entreprises coloniales, qui détournaient les regards français de l'Alsace et de la Lorraine ; rallié, lui monarchiste, à Clemenceau et à Mandel dans la mesure où ils « faisaient la guerre » ; opposé, en 1929 et en 1930, à l'évacuation de la Rhénanie, dont il écrivait qu'elle galvaniserait le nationalisme allemand, Maurras n'avait pas, comme certains lecteurs de *L'Action française,* été séduit par Hitler [1].

Certes, il avait approuvé Munich, désapprouvé la guerre : « D'abord et avant tout pas de guerre, puis armons, armons, armons-nous ! » Mais, la guerre déclarée, il avait placé sa plume au service du pays, ses espoirs dans le courage de nos soldats et le talent de leurs chefs.

Le 13 juin, alors que *L'Action française* était repliée à Poitiers, où six numéros paraîtront, il écrit ces lignes qui seraient prophétiques chez tout autre que lui :

> « Nous avons affaire à ce que l'Allemagne a de plus sauvagement barbare, c'est-à-dire une cupidité sans mesure et des ambitions que rien ne peut modérer, des visées politiques, sociales, morales dont nous avons à peine une idée. Les biens, les

---

1. En 1937, il rassemblera sous le titre *L'Allemagne éternelle* des articles publiés entre 1895 et 1935.

personnes, les libertés, les vies sont également menacés par cette horde et *son système* [1] d'un nivellement tel que rien, rien, rien ne saurait en rester ni libre ni sauf. [...] Ce qui s'est vu dans la Roumanie de 1918 et dans la Pologne de 1939 se reverrait dans la France de 1940 et des années suivantes... »

Dès le 15 août 1940, Maurras chassait de *L'Action française,* où il tenait la rubrique musicale, Dominique Sordet, à qui il reprochait sa « collaboratrice et [sa] protectrice : l'Allemagne victorieuse ».

Et, le 2 septembre de la même année, dans une longue lettre à Tixier-Vignancour, directeur, à Vichy, de la radio nationale, il refusait d'être associé en esprit à Marcel Déat, le « malheureux [qui] met tout sur le tapis et l'y jette ».

Maurras méprisait Déat. Déat détestait Maurras. Dans les extraits de la presse de la collaboration parisienne que Maurras remettra au président et aux jurés lors de son procès, on trouvera certes des textes signés par Rebatet : « Le pire juif n'eût pu envier à Maurras sa diatribe sur le barbare allemand [2] », des articles de Suarez dans *Aujourd'hui,* de Guy Crouzet dans *Les Nouveaux Temps,* de Gaston Denizot dans *La Gerbe,* ainsi d'ailleurs que des articles agressifs de la *Parizer Zeitung,* mais c'est Déat qui, dans *L'Œuvre,* aura été le plus violent et le plus constant. Il appelle Maurras « sinistre vieillard », « metteur en scène inlassable de tout ce qui se prépare de pire aux bords de l'Allier [3] », il l'accuse de s'être refusé plus « obstinément à comprendre l'Allemagne nationale-socialiste qu'à supporter l'Allemagne impériale » et prétend que « ses simagrés antiaméricaines ne font pas oublier ses agenouillements devant Roosevelt [4] ».

Pourquoi cet écrivain dont Malraux avait écrit, dans sa jeunesse, il est vrai : « Il est une des plus grandes forces intellectuelles d'aujourd'hui », ce journaliste dont ses adversaires eux-mêmes n'ont jamais sous-estimé le talent et l'immense culture classique, ce polémiste que cet autre polémiste, Lucien Rebatet, définissait, *en 1942,* comme « le germanophobe le plus passionné qui eût jamais vu le jour chez nous », se retrouve-t-il inculpé de trahison le mercredi 24 janvier 1945 dans la salle des assises du palais de justice de Lyon, face au président

---

1. Je souligne intentionnellement.
2. *Les Décombres.*
3. *L'Œuvre,* 1ᵉʳ novembre 1943.
4. *Ibid.,* 5 avril 1943.

Vainker, au commissaire du gouvernement Thomas, à cinquante journalistes arrivés la veille de Paris et à une foule qui, contrairement à la foule parisienne fiévreuse des grands procès, conservera toujours calme et dignité ?

L'explication tient à l'adhésion immédiate et totale de Charles Maurras à la personne comme à la politique du Maréchal, adhésion qui jamais ne faiblira, même lorsque le Maréchal ne sera plus que le prête-nom d'une politique étrangère à ses vœux.

Que seul le Maréchal puisse garantir l'unité française, Maurras, journaliste intègre et pauvre [1], qui n'acceptera jamais pour son journal les subventions distribuées mensuellement par Vichy à tous les quotidiens parisiens repliés [2], ne cessera de l'écrire même lorsque cette unité aura volé en éclats et que les « quarante millions de pétainistes » se seront répartis entre familles adverses.

> « Le Maréchal est là, ce qu'il fait sera bien fait. On le suivra les yeux fermés jusqu'au bout du monde. »

Cette phrase, extraite d'un article du 16 avril 1942, résume parfaitement la position d'un monarchiste satisfait que la France soit sortie de « ce régime de la discussion dans lequel tout allait à vau-l'eau parce qu'il ne pouvait recevoir aucune direction continue ».

Au lendemain de Montoire, Charles Maurras publiera d'ailleurs, le 1er novembre, sous le titre éloquent « Ne pas prendre parti », un article, sous forme de dialogue, qui pouvait d'autant plus surprendre que les Français, après le choc de Montoire, commençaient précisément à prendre parti.

> « — Êtes-vous partisan de cette collaboration ?
> — Je n'ai pas à en être partisan.
> — Adversaire alors ?

---

1. Comme directeur de *L'Action française,* Charles Maurras s'est attribué un salaire mensuel de 5 000 francs. Son codirecteur, Maurice Pujo, gagne 7 500 francs, somme fixée par le barème pour les journaux de deuxième catégorie.

2. Au début de l'année 1941, le secrétaire à l'Information proposa à tous les journaux de Paris repliés en zone Sud une somme mensuelle variant entre 250 000 et 300 000 francs. A l'exception de *L'Action française,* qui ne se fit nullement gloire de son refus, tous acceptèrent. Lors des périodes difficiles, *L'Action française,* dont le tirage était en moyenne de 65 000 exemplaires, faisait appel à la générosité de ses lecteurs.

— Non plus.
— Neutre ?
— Pas davantage.
— Vous l'admettez donc ?
— Je n'ai pas à l'admettre ni à la discuter [...]. Là où l'État existe, où il fait son métier, notre devoir est double : d'abord, le lui laisser faire, et puis le lui faciliter. Le grand malheur de la France serait qu'on prît parti pour ou contre la " collaboration " et que les factions contraires se forment là-dessus ; cette dispersion et cette division nous seraient funestes. Tout doit aller au retranchement et au resserrement. »

C'est donc au nom du « retranchement » des positions personnelles et du « resserrement » de l'esprit critique que Maurras sera amené à approuver systématiquement et à suivre « aveuglément » tout ce que dit et fait le Maréchal. Le Maréchal et non, toujours, les ministres.

Sans doute — et il le dira abondamment lors du procès — Maurras a-t-il protesté contre certaines décisions, certains propos de Laval, mais il n'est guère entendu car, s'il est vrai que le Maréchal le consulte sur son projet de Constitution, lui envoie pour avis ses messages et fait « au plus français des Français » l'hommage d'une dédicace précieuse[1], il n'est pas, auprès de lui, ce que Malraux sera auprès de Charles de Gaulle.

Sans doute écrit-il des articles critiques, mais la censure, malgré les instructions du Maréchal[2], les supprime ou les retarde indéfiniment. Ils existent, mais, ne paraissant pas, sont sans influence. Même s'il arrive qu'ils soient distribués clandestinement, ils ne sauraient contrebalancer l'indiscutable efficacité politique des articles publiés.

Le 18 mars 1954, sous la Coupole, dans sa réponse au duc de Lévis-

---

1. Dédicace de *La France nouvelle,* recueil des discours du Maréchal.
2. En décembre 1942, le Maréchal insistera « pour que les services de la censure manifestent, à l'égard des écrits de M. Maurras, la plus grande largeur de vue et lui permettent de s'exprimer aussi librement que par le passé, dans la mesure où sa pensée répond si bien à celle du chef de l'État ».
Mais l'information (donc la censure) dépend de Pierre Laval, et Maurras, ayant écrit un article — refusé — pour s'indigner du discours dans lequel se trouvait la phrase « Je souhaite la victoire de l'Allemagne », il est évident qu'il ne bénéficiera pas d'avantages particuliers. On peut citer d'autres exemples ; c'est ainsi que le 7 avril 1944 Maurras écrira un article contre la Milice qui sera différé, puis refusé.

Mirepois, qui venait d'être reçu au fauteuil de Charles Maurras[1], Jacques de Lacretelle évoquera le douloureux déséquilibre entre articles non parus et textes imprimés.

> « A un ami qui s'étonnait de ces articles si durs, si entiers et si favorables, indirectement, à la cause de l'occupant, il [Maurras] aurait répondu qu'il en écrivait autant contre l'Allemagne, mais que la censure supprimait tout. Admettons. Seulement, il nous restait, si je puis dire, le squelette de sa pensée. »

Ce sont ces articles « si durs, si entiers » que l'accusation, comme il se doit, va citer longuement lorsque Maurras et Pujo — récent codirecteur de *L'Action française* mais surtout ami d'un demi-siècle et fidèle de Maurras qui l'a choisi pour successeur — comparaissent le 24 janvier 1945 devant la cour de justice de Lyon, après avoir été arrêtés le 9 septembre 1944[2].

De Gaulle — il le dira devant Claude Mauriac — aurait voulu Paris pour théâtre du procès. Maurras également. Yves Farge, commissaire de la République, obtint qu'il se déroulât à Lyon où, après une brève escale à Limoges, *L'Action française* avait été publiée depuis le 28 octobre 1940. C'est donc dans le box des accusés de la salle des assises du palais de justice de Lyon que Charles Maurras se présentera, un peu amaigri, vêtu d'un pardessus beige, qu'il abandonnera très vite pour apparaître sanglé dans un veston noir, à la boutonnière duquel

---

1. En application de l'ordonnance selon laquelle la dégradation nationale entraînait *ipso facto* la radiation de tous les ordres, distinctions et appartenance à un corps constitué, Maurras sera donc, après sa condamnation, radié de l'Académie française, mais, comme pour Pétain, et au contraire de ce qui se passera pour Abel Bonnard et Abel Hermant, le siège ne sera déclaré vacant qu'après sa mort survenue le 16 novembre 1952.

2. En août 1944, Maurras et Pujo avaient quitté leur domicile pour se réfugier rue Vaubécour sous des faux noms (respectivement M. Berre et M. Austin). Lyon libéré le 3 septembre, Yves Farge signera le jour même un mandat d'amener contre Maurras qui sera arrêté le 9 après être tombé dans un « piège ». Maurras ayant, en effet, accordé clandestinement une interview à des journalistes anglo-saxons, Farge prit prétexte de cette interview pour convoquer courtoisement (par l'intermédiaire de Louis-François Auphan, qui était dans le secret de la résidence secrète) Maurras et Pujo à la préfecture du Rhône. La « conversation » promise le 8 septembre se muera en arrestation le 9. Maurras et Pujo seront enfermés à l'hôpital-prison de l'Antiquaille, puis dans une chambre de l'infirmerie de la maison d'arrêt Saint-Paul — Saint-Joseph.

est épinglée une francisque [1]. A ses côtés, Pujo, que le journaliste Geo London a décrit « avec sa barbe [blanche], son visage hautement coloré, sa grosse canne de touriste, [comme] un bon grand-père venant de faire sa promenade quotidienne ».

Près de Maurras, puisque, en raison de sa surdité, il faut lui parler à la racine du nez, deux « traducteurs » : Roger Joseph [2] et Marie-Aimée Boulard de Gathelier.

Ne se privant pas d'appeler contre ses adversaires aux solutions extrêmes, Maurras avait toujours été un polémiste d'une rare violence. On se souvient qu'en 1935, au moment du débat sur les sanctions à mettre en œuvre contre l'Italie, qui venait d'envahir l'Éthiopie — sanctions auxquelles il était opposé —, il avait menacé de mort cent quarante parlementaires de gauche qu'il appelait « assassins de la paix ». « Comme la guillotine, écrivait-il le 28 septembre 1935, n'est pas à la disposition des bons citoyens ni des citoyens logiques, il reste à dire à ces derniers : Vous avez quelque part un pistolet automatique, un revolver ou même un couteau de cuisine ? Cette arme, quelle qu'elle soit, devra servir contre les assassins de la paix, dont vous avez la liste. »

Le « couteau de cuisine » devait rester célèbre dans les annales du journalisme de combat. Mais, en 1935, *Le Populaire* pouvait répondre sur le même registre et en proférant des menaces identiques. « Si la guerre survient un jour, c'est parce que MM. Béraud et Maurras l'auront voulue. [...] Que sonne l'heure de la mobilisation et, avant de partir sur la route glorieuse de leur destinée, les mobilisés abattront MM. Béraud et Maurras comme des chiens [3]. »

Entre 1940 et 1944, alors que ses ennemis, sauf dans des feuilles clandestines, se trouvaient dans l'impossibilité de répliquer, alors que les Allemands et la Milice devenaient le poing armé de la répression, que guillotine, pistolet automatique, revolver étaient tout autre chose

---

1. Maurras a reçu la francisque n° 2068.
2. Dans son livre consacré à Charles Maurras, Yves Chiron écrit que Roger Joseph fut interné cinq mois au « centre de séjour surveillé » de Pithiviers, sans avoir été jugé et simplement pour avoir prêté assistance à Charles Maurras durant le procès.
3. Ce texte du 1er novembre 1935 est généralement « oublié » par les historiens.

que des armes de papier, les phrases de Maurras avaient une tout autre portée.

Ce sont ces phrases que rappelleront le greffier donnant lecture de l'exposé des faits, le président Vainker, l'avocat général Thomas. Elles visaient les communistes, les gaullistes, les juifs contre lesquels, souvent, Maurras proposait l'application d'une stricte politique d'otages.

Il suffira à l'accusation de puiser dans ces textes écrits, notamment en 1943 lorsque se développeront les attentats antiallemands et anticollaborationnistes, pour lier une gerbe de propositions terribles.

« Le 30 août 1943, Maurras écrivait ainsi : " Le dur régime des otages [...] choisis parmi les chefs communistes est peut-être terrible, il serait terrifiant. " Et, quelques jours plus tard, le 8 septembre : " Ceux qui ont attiré des représailles contre la France les subiraient aussi de sa part. [...] Mieux vaudrait traiter un certain nombre de prisonniers communistes comme otages et les exécuter sans tarder. " Le 27 septembre 1943 encore : " Puisqu'on tient en gage quelques-uns des chefs du mouvement communiste auxquels nous devons ces homicides éhontés, pourquoi ne pas faire un tri parmi eux et ne pas passer par les armes les plus hauts gradés en attendant que les coupables directs, enfin saisis, soient châtiés ? " »

Voilà contre les communistes et il ne s'agit là que de courts extraits.

Contre les gaullistes, Maurras, réagissant avec la même violence, se félicitait d'avoir pu écrire, dès le 9 août 1941, que « les plus âpres, les plus longues campagnes antigaullistes sont de nous et nous les renouvelons tous les jours ».

Cette âpreté dans le propos le conduira à réclamer contre les gaullistes les affreuses sanctions qu'il a réclamées contre les communistes. Le 1er septembre 1943, il écrivait : « Si la peine de mort ne suffit pas pour venir à bout des gaullistes, il faut prendre des otages parmi les membres de leur famille et les exécuter. » Et le 27 avril 1944 : « Les gaullistes sont des partisans armés qui n'ont rien de régulier et qu'une armée française aurait le droit de fusiller à leur capture. »

Maurras profitait d'ailleurs des malheurs des temps pour régler des comptes avec ses vieux ennemis démocrates-chrétiens. « Il n'y aurait, écrit-il le 25 février 1943, qu'à rééditer quelques colonnes de leur journal L'Aube pour envoyer ces messieurs par les voies les plus rapides jusqu'au poteau d'exécution. » Et il désignait de la plume Francisque Gay, Georges Bidault, Champetier de Ribes...

Les Allemands n'avaient certes pas attendu les incitations de Charles Maurras pour mettre en œuvre la politique des otages et ce n'est pas dans *L'Action française* qu'ils prenaient des leçons de cruauté. Mais Maurras, qui affirmait qu'il fallait suivre et non dépasser le Maréchal, le dépasse souvent, en la circonstance. Qu'il approuve, qu'il demande ces représailles aveugles qui constituent l'un des actes les plus abominables de la guerre, voilà qui serait incompréhensible si l'on ne savait que, enfermé dans une terrible et aveugle logique, Maurras croit, en agissant comme il le fait, protéger, grâce à la répression gouvernementale, les Français des excès allemands ! Il dira à plusieurs reprises aux pouvoirs publics : « Soyez sévères de manière à éviter le pire, le pire c'est d'abord la terreur qui appelle la contre-terreur, ensuite la guerre civile et, enfin, les interventions étrangères. »

Ce sera sa défense. Sa longue défense puisqu'il parlera pendant sept heures et que, contrairement à la majorité des accusés, il ne se laissera intimider ni par le président, à qui il dira : « Vous prenez mal cette affaire... Laissez-moi parler, permettez-moi de dire tout ce qui est nécessaire », ni par l'avocat général, l'avocat de « la femme sans tête [1] », à qui il lancera : « Vous osez me traiter de sophiste. Et qu'est-ce que vous diriez si je vous traitais de fumiste ? », et encore : « La violence, c'est que vous soyez à la place où vous êtes et que je n'y sois pas. »

Maurras aurait voulu établir des distinctions, des hiérarchies de sanctions en un temps où hiérarchies et distinctions n'étaient plus possibles. Ainsi pour les juifs.

Il a accueilli avec satisfaction les lois du 17 et du 22 juillet 1940 contre les étrangers, donc contre beaucoup de juifs, et le statut des juifs du 3 octobre sera commenté par lui en ces termes : « Nos lecteurs se rappellent la vieille distinction constante faite à *L'Action française* entre l'antisémitisme de peau et l'antisémitisme d'État. » « Nous

---

1. Allusion à une phrase du socialiste Sembat, ami de Jaurès, qui appelait la République « la femme sans tête ». C'est « la femme sans tête, dira Maurras, [qui] a certainement conçu l'organisation de ce procès ».

avons toujours réprouvé l'antisémitisme de " peau ", rappelait-il encore, dans un article du 30 septembre 1941. L'antisémitisme d'État, qui est propre à *L'Action française,* nous rend aussi sensibles qu'il est possible de l'être à celles des réclamations juives qui signalent une erreur ou accusent une injustice envers les personnes [...]. Il ne s'agit pas de flétrir une race. Il s'agit moins encore de persécuter ou de diffamer une religion. Il s'agit de garder un peuple, le peuple français, du voisinage d'un peuple qui, d'ensemble, vit en lui comme un corps distinct de lui. »

Dans une biographie sympathique à son personnage, Yves Chiron relève que Maurras « n'a jamais appelé au pogrom ou à la déportation des juifs », qu'il n'a pas écrit une ligne pour approuver l'étoile jaune, les rafles, les convois vers les camps de concentration.

C'est exact. Contrairement à ce qui est écrit dans l'acte d'accusation, Maurras n'a pas « rejoint le Dr Goebbels dans ses persécutions contre les juifs », mais il a manqué de charité, de clairvoyance et de prudence en approuvant des mesures gouvernementales françaises qui avaient leur place dans les plans hitlériens conduisant au génocide.

Au procès, on lui reprochera plus : la dénonciation d'une famille gaulliste et celle d'un juif, M. Worms, assassiné par des miliciens à Saint-Jean-Cap-Ferrat.

Dans le premier cas, Maurras s'est fait l'écho, le 4 et le 17 octobre, en première page de *L'Action française,* de la lettre de Francisque Girard, un milicien de Bourg, victime de la Résistance qui, à plusieurs reprises, avait chez lui placé des bombes. Maurras, dans ses articles, ne cite aucun nom de personne, aucun nom de ville ou de département. Mais une plainte, en termes presque identiques à l'article que devait écrire Maurras, ayant été adressée (les noms étant, cette fois, indiqués) à la Gestapo, l'accusation rendra Maurras coresponsable d'un drame qui a coûté la vie au gaulliste Yves Dupont, fusillé en janvier 1944, qui a entraîné l'arrestation de M. Fornier et de l'un de ses fils, la déportation de deux autres de ses fils ainsi que celle de son futur gendre.

La défense de Maurras, qui rappelle n'avoir cité aucun nom, sera de dire que « l'intervention de la Gestapo, l'intervention de l'étranger occupant, [n'était] pas due aux plaintes des Français [mais] à l'inertie de l'administration de la justice et de l'administration de la police[1] »

---

1. Intervention de Charles Maurras le 26 janvier 1945.

qui n'avaient pas « protégé » nos nationaux, « coupables » d'actes de résistance, « en les enfermant dans nos prisons ».

Piètre et lamentable défense. Comme si les Allemands se privaient de puiser dans « nos prisons » !

La seconde accusation de dénonciation concernait un article du 2 février 1944 dans lequel Maurras, sous le titre « Menaces juives », écrivait : « On voudrait avoir des nouvelles d'un certain Roger Worms, millionnaire et Front populaire. [...] On serait curieux de savoir si la noble famille est dans un camp de concentration ou en Angleterre, ou en Amérique, ou en Afrique ou si, par hasard, elle a gardé le droit d'épanouir ses beaux restes de prospérité dans quelque coin favorisé de notre Côte d'Azur. »

Maurras poursuivait en évoquant « la loi du talion ».

Quelle forme de talion ? Au président Vainker, Maurras répliquera qu'il s'agissait simplement de répondre par une menace d'expulsion à la menace d'invasion que faisaient peser les juifs d'Europe centrale sur le France.

A la question que le président prie Roger Joseph de « traduire » à Maurras : « Demandez[-lui] s'il ignorait, en février 1944, que désigner un juif à l'attention publique, c'était pour lui et sa famille presque irrémédiablement la spoliation, le camp de concentration, peut-être la torture et la mort ? », Maurras répliquera que, s'il a bien, dans son article, parlé de la Côte d'Azur, 50 000 à 100 000 juifs vivaient alors entre Toulon et Menton[1].

« Si je vous donnais, ajoutera-t-il, l'adresse de quelqu'un en disant qu'il se trouve sur la Côte d'Azur, je crois que vous mettriez longtemps pour le trouver. »

Les miliciens n'avaient pas mis longtemps, eux, pour retrouver la famille Worms. A défaut de pouvoir arrêter Roger Worms (Roger

---

1. Au président qui « lui fait la leçon », Maurras répliquera : « Monsieur le président, la prochaine fois, je dirai à mes lecteurs : si les juifs vous menacent, ne les menacez pas, parce que les juifs sont chez eux, tandis que, vous, vous n'êtes pas chez vous. Je leur dirai : Écoutez tout, supportez tout, ne posez même pas un regard sur eux, parce qu'ils sont vos maîtres et vos rois. C'est-à-dire qu'à l'occupant allemand nous substituerons un autre occupant, l'occupant juif. »
Lors du procès, le commissaire du gouvernement Thomas, parlant après avoir prononcé son réquisitoire, dira avoir reçu un télégramme du parquet de Draguignan l'informant que M. Worms avait été tué en janvier 1944, donc avant la publication de l'article de Maurras. Mais, après enquête, ce télégramme devait se révéler être un faux.

Stéphane dans la Résistance, puis en politique et en littérature), ils assassineront son père dans la nuit du 5 au 6 février 1944.

Même si la plupart des témoins, c'est vrai pour Francisque Gay, pour François Bidault, le frère de Georges, pour Joseph Folliet, refusent d'accabler « un adversaire désarmé[1] », les articles par lesquels Maurras avait demandé l'exécution d'otages communistes et gaullistes, les articles contre les résistants de Bourg et contre Roger Worms entraîneront — bien qu'il ait bénéficié de circonstances atténuantes — sa condamnation à la réclusion perpétuelle et à la dégradation nationale. Pujo, de son côté, était condamné à cinq ans d'emprisonnement, à 20 000 francs d'amende et à la dégradation nationale.

M. Thomas, commissaire du gouvernement, avait requis la peine de mort contre Maurras. En attendant le verdict, le directeur de *L'Action française,* en apparence indifférent à son sort, discutait de poésie avec son avocat et récitait des vers de Racine et d'André Chénier.

Lorsqu'ils quittèrent la salle d'audience pour rejoindre la prison Saint-Paul et, de là, être transférés à la prison de Riom, Pujo cria : « Vive la France ! » et Maurras s'exclama : « C'est la revanche de Dreyfus ! »

Commandant en chef des forces maritimes françaises en Méditerranée, puis résident général en Tunisie, l'amiral Esteva n'aimait ni les Allemands ni les Italiens.

Le 23 juin 1940 — alors que les négociations d'armistice s'achevaient —, il avait adressé à Darlan une très longue lettre en faveur de la résistance. Dans ce texte[2], Esteva écrivait notamment que « nous ne pouvions laisser l'Angleterre continuer seule la bataille contre l'Allemagne et l'Italie sans y participer, même indirectement, par nos colonies et, avant tout, par l'Afrique du Nord ».

Comment l'homme qui, de sa main, avait tracé des lignes empreintes d'un patriotisme blessé, l'homme qui devait s'écrier : « On

---

1. Joseph Folliet.
2. On le trouvera reproduit *in extenso* dans le livre de Louis Noguères, *La Haute Cour de la Libération,* où il occupe cinq pages.

peut haïr et détester les Allemands autant que moi mais, plus que moi, c'est impossible », pourra-t-il, le 25 février 1943, lancer à l'intention des troupes françaises qui se battent en Afrique du Nord, aux côtés des Américains et des Anglais, un appel à la désertion et, le 28 février, inviter les Français de Tunisie à lutter contre les Alliés en leur assurant que « l'armement fourni par l'armée allemande sera[it] de qualité supérieure » ?

Il y a là une cruelle contradiction qu'Esteva s'efforcera d'expliquer en mettant en avant cette « obligation de discipline spirituelle » à laquelle il avait fait allusion dans un message adressé, le 15 janvier 1943, au gouvernement de Vichy. Après avoir protesté le 9 novembre 1942 contre l'atterrissage en Tunisie de bombardiers et d'avions de transport de la Luftwaffe envoyés en réaction au débarquement anglo-américain du 8, Esteva acceptera l'ordre de Laval[1] de mettre les bases françaises à la disposition des Allemands.

L'acte d'accusation lu le 12 mars 1945, dans le cadre de la première chambre de la cour d'appel de Paris, le lui reprochera et lui reprochera d'avoir recruté pour l'ennemi[2] des travailleurs et des combattants ; d'avoir accepté d'être utilisé par une propagande qui le faisait assister et participer à des « parades », lui demandait sa signature (et l'obtenait) sous des textes hostiles aux Alliés[3].

Encore tous les documents n'avaient-ils pas été produits au procès. Était notamment ignoré des jurés le compte rendu de la conversation d'Esteva avec le colonel von Engelmann qui lui demandait, le 26 avril 1944 — la bataille de Tunisie étant perdue pour l'Allemagne —, de rejoindre sans plus tarder la France sur l'un des derniers appareils allemands susceptibles de déjouer la surveillance alliée.

A l'amiral qui refusait de partir et avait dit ne pas craindre un inévitable procès, Engelmann avait répondu que « le Maréchal et le gouvernement français avaient besoin de [lui] pour continuer la

---

1. Expédié le 11 novembre.
2. Quatorze de ces combattants capturés sur le front de Tunisie par des unités françaises et fusillés après un jugement rapide portaient sur eux des pièces justifiant leur appartenance à la Phalange africaine signées de l'amiral Esteva.
3. A son procès, l'amiral Esteva dira que c'est par la contrainte que, rapatrié de force le 7 mai, il a défilé devant un peloton de la Wehrmacht et que c'est par la contrainte qu'à l'hôtel Ritz, où il était, ce qui est exact, gardé à vue après la défaite allemande de Tunisie, « l'occupant a obtenu de lui les témoignages que l'accusation lui reproche ».

politique de collaboration », politique qu'Esteva dans une lettre adressée à Laval, le 24 avril, s'était vanté d'avoir efficacement favorisée. Ribbentrop le reconnaîtra, en félicitant l'amiral d'avoir « facilité la coopération de la population tunisienne avec les autorités germano-italiennes et, par là même, la conduite de la guerre par les puissances de l'Axe [1] ».

Le procès Esteva n'occupera que trois audiences. En renonçant à convoquer des témoins à charge, le procureur général Mornet avait déclaré, comme il le fera lors du procès Laval, que les pièces du dossier suffisaient à prouver que « l'amiral Esteva avait été un des agents responsables de l'avilissement de la France ». Mais la personnalité moralement insoupçonnable de l'amiral ; son religieux attachement au devoir d'obéissance ; le « fétichisme » — le mot sera employé à plusieurs reprises lors des débats — qui le liait spirituellement au maréchal Pétain, le fait que *tous* les témoins entendus aient rappelé comment, lors de l'arrivée des Allemands, il avait assisté les juifs, libéré les communistes, permis aux diplomates américains de s'enfuir, le fait que l'amiral Muselier lui-même, que l'on avait vu déchaîné contre Henri Béraud [2], soit venu de son plein gré lui apporter « un secours véhément [3] » ; la question posée par le président Mongibeaux aux jurés : « Il vous appartient de déclarer si l'homme que vous voyez devant vous fut un *complice* ou une *victime* », tout devait contribuer à faire de ce premier procès en Haute Cour un procès d'autant plus complexe que le défenseur d'Esteva, le bâtonnier Chresteil, avait élargi le débat de la responsabilité de son client à la responsabilité du procureur général Mornet qui venait de réclamer la peine de mort.

D'évoquer l'activité qui avait été celle de M. Mornet sous l'Occupa-

---

1. *Cf. Les Passions et les Haines,* p. 392 et s.
2. *Cf. Les Règlements de comptes,* p. 226-228. L'amiral Muselier a demandé à témoigner. En vertu de son pouvoir discrétionnaire, le président Mongibeaux acceptera sa requête.
3. Le mot est d'Édouard Helsey qui assure, pour *Le Figaro* du 14 mars, le compte rendu du procès. Muselier rejettera toutes les responsabilités sur Darlan, qu'il poursuit toujours de sa haine.

tion, de le faire longuement, courageusement, donnait l'impression d'un pavé jeté dans la mare du nouveau conformisme.

On s'évadait momentanément de ce manichéisme absurde qui voulait que les accusateurs aient tous résisté depuis le 17 juin 1940, les accusés tous trahi depuis la même date.

Même si la majorité de la presse avait dissimulé la déclaration du bâtonnier Chresteil, *Le Figaro*, dont bien des lecteurs n'avaient pas fini d'évoluer entre le pétainisme frémissant de 1940 et le gaullisme résigné de 1945, en lui accordant, le 16 mars, une place importante, sous la signature d'Édouard Helsey, en avait fait l'un des éléments essentiels du procès.

Qu'avait dit le bâtonnier Chresteil ?

« — Je défends un homme de cœur pur, celui que vous avez là devant vous, je ne défends pas le maréchal Pétain. Quand vous lui ferez son procès, qui, en bonne logique et selon les lois d'une saine justice, aurait dû précéder celui-ci, une pleine clarté, souhaitons-le, élucidera définitivement son cas. Mais, hier, vous avez reproché à l'accusé d'avoir été le complice conscient du Maréchal dont la trahison, disiez-vous, effective dès avant la guerre, était, depuis des années, évidente à tous les yeux. Et vous avez ajouté que la seule apparence de la collaboration constituait un crime, parce qu'elle offrait de la France au monde une image avilie et mensongère. Or, vous-même, qu'avez-vous fait, monsieur le procureur général ? En 1940, vous étiez à la retraite. Vous êtes rentré dans l'activité pour vous associer aux mesures judiciaires décidées par le gouvernement de Vichy. Pendant quatre ans, vous avez vice-présidé la commission chargée des retraits de naturalisation, commission dont le président est aujourd'hui en prison.

— Oui [avait répondu Mornet]. J'ai accepté d'expulser de la nation ceux qui étaient ses ennemis, ceux qui en étaient indignes, ceux qui formaient une collectivité dans la collectivité française [1].

---

1. Mornet joue avec la vérité. La commission à laquelle il a appartenu était effectivement une commission chargée de prononcer la déchéance de la nationalité française, mais elle visait tout particulièrement les juifs et non « les ennemis de la nation », à moins que Mornet n'adopte (ce qui est impensable en 1945) la thèse, fort en faveur entre 1940 et 1944, qui faisait des juifs des « ennemis de la nation ». Qu'au sein de cette commission, qui manifestait d'ailleurs peu d'enthousiasme à sa tâche, Mornet ait freiné les décisions est, en revanche, certain.

Mais, si je n'ai pas refusé cette charge, c'est à la demande des malheureux juifs qui se voyaient traqués et qui avaient besoin d'être défendus.

— J'enregistre votre réponse. Mais vous aussi avez péché par apparence. Vous avez apporté à un gouvernement que vous accusez de trahison le prestige et le crédit de votre réputation [1]. »

Parlant du bâtonnier Chresteil, le journaliste du *Figaro* évoquera « son infaillible justesse de ton, la sûreté de son vocabulaire, la rigueur et la précision de sa dialectique », toutes qualités qui éviteront à l'ancien résident général en Tunisie la peine de mort réclamée par l'avocat général Mornet.

Mais, condamné à la détention perpétuelle, à la confiscation de ses biens et à la dégradation militaire, cette humiliation suprême pour un soldat « semble[ra] le frapper en plein cœur plus sûrement que les balles d'un peloton d'exécution [2] ».

Le 15 mars 1945, lorsque Esteva est condamné, le maréchal Pétain est toujours en Allemagne. Il en ira de même le 18 avril lorsque le général Dentz se présentera devant la Haute Cour de justice.

Dans un volume précédent [3], j'ai consacré un chapitre au drame de juin 1941. Il avait eu pour origine la volonté allemande de porter secours aux Irakiens soulevés contre l'Angleterre en faisant transiter des armes par les aérodromes syriens, alors sous contrôle français, et la volonté du général de Gaulle de mettre à profit cette preuve évidente de provisoire collaboration militaire acceptée par Darlan et par Pétain, imposée à Dentz, haut-commissaire et commandant en chef des

---

1. *Le Figaro*, 16 mars 1945.
2. *Ibidem.*
L'amiral Esteva, interné à Clairvaux, sera gracié pour raisons de santé le 11 août 1950. Il mourra quelques mois plus tard.
3. *Les Beaux Jours des collabos, cf.* « Syrie : la tentation des stukas », p. 169-194.

troupes du Levant, pour pénétrer en force en Syrie et au Liban et tirer parti de cette victoire, pour augmenter le crédit diplomatique, les effectifs et l'influence politique de la France Libre.

Dentz, qui pas plus qu'Esteva « n'aimait » les Allemands, qui avait même envisagé des mesures pour résister à « l'ex-ennemi » s'il précisait ses visées sur les territoires dont il avait la responsabilité[1], allait être indirectement victime de la révolte de l'ancien Premier ministre irakien Rachid Ali Gaylani contre l'Angleterre à qui le traité de 1930 avait accordé des bases et des avantages dans le pays.

Il allait également être placé par Vichy devant le fait accompli.

L'Allemagne, désireuse d'utiliser les événements d'Irak pour couper les Anglais du pétrole de Mossoul, avait saisi l'occasion de pourparlers avec Darlan — reçu par Hitler les 11 et 12 mai —, pourparlers qui conduiront à ce que l'Histoire appellera les « protocoles de Paris[2] », pour exiger de la France la cession à l'Irak des trois quarts du matériel de guerre stocké au moment de l'armistice, ainsi que le droit d'escale pour les avions allemands et italiens sur les terrains syriens et, tout particulièrement, sur celui d'Alep.

L'envoi à destination des Irakiens révoltés de 15 000 fusils, 4 000 000 de cartouches, 200 mitrailleuses, 4 pièces de 75, même si Dentz devait dire, pour sa défense, que ce matériel était souvent en mauvais état ; le stationnement sur les terrains syriens d'une centaine d'avions alle- mands même si, le 6 juin, le soulèvement irakien ayant échoué, Hitler avait ordonné leur retrait, autant d'actes de guerre qui ne pouvaient qu'inquiéter l'Angleterre menacée en Méditerranée et que de Gaulle incitait à réagir[3].

Lorsque les Anglais et les gaullistes avaient attaqué le 8 juin, il est bien vrai qu'il ne restait plus à Alep qu'une demi-douzaine d'avions allemands, leurs quelques pilotes et mécaniciens.

Le prétexte avait disparu, ce qui permettait à Pétain, Darlan et

---

1. Son télégramme du 30 avril 1941 aux ministres de la Guerre et des Affaires étrangères en fait foi.
2. « Protocoles » dont l'intervention du général Weygand contribuera à affaiblir considérablement la portée en ce qui concerne l'Afrique occidentale française et l'Afrique du Nord, mais il était trop tard pour empêcher l'accord de jouer en Syrie.
3. De Gaulle dans sa conférence de presse du 2 juin 1945. « C'est la France libre qui prit l'initiative d'entrer en Syrie en 1941, en y entraînant l'Angleterre. L'Histoire établira la chose sur documents. »

Dentz une hypocrite indignation. Mais la faute avait été commise, ce qui permettait aux Anglais, comme aux gaullistes, d'affirmer que « l'infiltration allemande en Syrie [avait] commencé et [que] le gouvernement de Vichy continu[ait] à prendre des mesures qui [auraient] pour effet de placer la Syrie et le Liban sous le complet contrôle allemand ».

Les combats qui dureraient plus d'un mois devaient être tout autre chose qu'un baroud d'honneur[1]. Vichy n'en aurait pas voulu, les Allemands, qui guignaient nos réactions, ne s'en seraient sans doute pas contentés et ils auraient *peut-être* tiré prétexte de la faiblesse des réactions de Dentz pour s'emparer, en Afrique du Nord, de territoires dont le gouvernement du Maréchal aurait montré, en Syrie, qu'il était incapable d'assurer la défense[2].

Le 21 avril 1945, la Haute Cour, dans son arrêt condamnant à mort le général Dentz, stigmatisait la « résistance acharnée » ordonnée par le commandant en chef des troupes du Levant. Elle dénonçait également la livraison du matériel de guerre à l'Irak[3], l'autorisation d'atterrissage et d'envol accordée à des avions de l'Axe ; la tentation pressante, mais plusieurs fois écartée, de demander l'aide des stukas pour des troupes françaises accablées.

C'est en vain que M⁰ Vésinne-Larue, l'un des défenseurs de Dentz, après avoir, lui aussi, rappelé l'attitude du procureur général Mornet pendant l'Occupation[4], avait « placé le débat sur son véritable terrain

---

1. 1 195 morts chez les soldats de Dentz ; 187 tués ou disparus chez les soldats de De Gaulle ; un peu moins de 1 500 morts parmi les troupes britanniques.

2. C'est la thèse que défendra le général Dentz dans un mémoire qu'il rédigera en août 1945, à Fresnes. Après avoir écrit que nul à Vichy (ou depuis Vichy) ne lui avait laissé entendre qu'il devait se cantonner dans une résistance de façade, il ajoutera : « Désobéir et partir avec une armée de 30 000 hommes en une dissidence retentissante, en mai ou juin 1941, à un moment où ni les États-Unis ni la Russie n'étaient en guerre, où l'Angleterre tenait à grand-peine l'Égypte, où l'Allemagne victorieuse dans les Balkans dominait la Méditerranée, de Palerme à Rhodes, c'était livrer à l'occupation la France et l'Afrique du Nord, c'est-à-dire ruiner l'avenir et pour la France et — la suite l'a prouvé — pour les Alliés eux-mêmes. En fait, le général Dentz a défendu, en Syrie, l'Afrique du Nord contre les Allemands... »

3. Ce matériel, suivant la note secrète établie le 29 mai 1941 par le cabinet militaire du haut-commissariat de la République française en Syrie et au Liban, était « livré au représentant du Reich qui en donn[ait] décharge et acheminé jusqu'à la frontière syro-irakienne ».

4. *Cf. Le Monde*, 21 avril 1945. M⁰ Vésinne-Larue parlera d' « engagement volontaire dans la justice du Maréchal ». Il ajoutera certes, que Mornet avait, ce

et abordé de front le problème qui, plus encore peut-être dans ce procès que dans le procès Esteva, dominait tout : celui de l'obéissance militaire ».

Il est bien vrai que Darlan et le Maréchal portaient une très lourde responsabilité dans les actes et les réactions de Dentz.

Darlan, d'abord, qui lui avait ordonné, le 6 mai, de faciliter l'atterrissage et le décollage d'avions allemands à destination de l'Irak, puis, quelques jours plus tard, lui avait demandé d'accueillir « dans le plus grand secret » plusieurs officiers et officiels allemands.

Le maréchal Pétain, ensuite, qui, le 15 mai, avait télégraphié à Dentz pour lui indiquer qu'il insistait « personnellement » sur « la haute portée » des négociations franco-allemandes et, pressentant les possibles, les probables réactions britanniques, sur sa volonté de le voir « défendre, par tous les moyens, le territoire placé sous [son] autorité, assurer, comme à Dakar[1], la liberté de son ciel, d'y donner, dans des conditions [...] politiquement et matériellement délicates, la mesure de notre désir de collaboration à l'ordre nouveau ».

Anglais et Français libres ayant attaqué le 8 juin, le maréchal Pétain, dans son message aux Français du Levant, après avoir affirmé que jamais la France n'avait songé à livrer à l'Allemagne les territoires dont elle avait la responsabilité, et minimisé le nombre des appareils allemands arrivés passagèrement en Syrie, précisait d'ailleurs : « Vous combattez pour une juste cause. »

Durant la bataille, Dentz n'avait cessé d'être en liaison avec Vichy et, avant la fin des négociations qui devaient aboutir, le 14 juillet, à l'arrêt des combats, c'est le maréchal Pétain lui-même qui avait annoté la réponse du gouvernement de Vichy au mémorandum contenant l'exposé des conditions britanniques en vue de la cessation des hostilités.

S'adressant à ses subordonnés, le général Dentz s'était donc montré

---

faisant, agi « pendant quatre ans dans l'intérêt de la France ». Le procureur général avait répliqué : « C'est une infamie que de prétendre que j'ai été au service du Maréchal. J'ai été au service des persécutés. Je sais ce que l'on prémédite contre moi. Ne vous faites pas, maître, l'instrument de la Cinquième colonne. » Le président Mongibeaux, prenant alors la parole, avait dit, phrase surprenante dans sa bouche, que les « prises à partie personnelles » de Me Vésinne-Larue ne pouvaient que « nuire aux intérêts mêmes de la défense ».

1. L'allusion à Dakar montre bien qu'à Vichy on craint une attaque conjuguée des Britanniques et des gaullistes.

formel. « Il n'y a [...] pas, comme je l'entends dire parfois, de cas de conscience individuel. Votre unique devoir consiste à obéir aux ordres du Maréchal. »

Principe qu'il s'était appliqué.

Me Vésinne-Larue, défenseur de Dentz, était donc dans la logique de son client lorsqu'il plaidait que « le soldat doit obéissance aveugle et immédiate ».

Il ajoutait : « Pour le soldat, désobéir c'est un crime... Pour lui, juger, c'est se rebeller. [...] Les ordres de Vichy ont enlevé au général Dentz la liberté de ses réflexes. »

Argument qui ne pouvait toucher des jurés pour qui la désobéissance avait été une vertu d'hommes libres. Argument qui ne pouvait émouvoir des soldats qui, s'étant demandé avec Vigny « jusqu'à quel rang sera laissée libre l'intelligence et, avec elle, l'exercice de la conscience et de la justice[1] », avaient répondu en choisissant la rupture avec « la hiérarchie, les idées dans le respect desquelles [ils avaient] été élevés[2] ».

Lorsque Me Alcide Delmont, son autre avocat, vint l'embrasser après sa condamnation à mort, le général Dentz, que des journalistes avaient décrit à l'ouverture du procès comme « satisfait de lui[3] », chancelait, et il lui fallut plusieurs minutes pour reprendre ses esprits avant d'être emmené par les gardes.

Sans doute se souvenait-il à cet instant des engagements précis pris envers lui, le 11 juillet 1941, aussi bien par les Anglais que par le général de Gaulle.

« Les Alliés n'éprouvent aucun ressentiment à l'égard des Français de Syrie. [...] Ils n'engageront aucune poursuite contre le commandement, ni contre les autorités, ni contre les troupes. [...] Le général de Gaulle, qui n'a jamais sévi contre aucun de ses camarades de l'armée qui ont combattu contre lui, *en exécution*

---

1. *Servitude et grandeur militaires.*
2. Pierre Messmer, *Après tant de batailles.*
3. Georges Ravon dans *Le Figaro,* 19 avril 1945.

des ordres qu'ils ont reçus[1], n'a pas l'intention de le faire dans les circonstances présentes. »

Les « circonstances » de 1945 n'étaient sans doute plus celles de 1941.

Évoquant la condamnation à mort du général Dentz et le fait qu'en raison de son âge la peine avait été commuée par le général de Gaulle, le 24 octobre 1945, en travaux forcés à perpétuité, puis en détention perpétuelle, le président Louis Noguères[2] avait écrit, en conclusion de son livre, *La Haute Cour de la Libération :* « Le général de Gaulle, en graciant le condamné [...], agissait dans la logique de sa pensée et le respect de sa parole. »

Certainement pas[3].

Le général Dentz, qui avait traîné pendant deux cent cinq jours les

---

1.   Je souligne intentionnellement.

2.   Louis Noguères, député socialiste des Pyrénées-Orientales, fut, le 5 février 1946, le premier président élu par l'Assemblée constituante pour conduire les débats de la Haute Cour de justice.

3.   Dans ses *Mémoires de guerre,* t. III, chapitre « L'Ordre », de Gaulle écrit : « rien ne justifiait plus l'immunité que j'avais pu naguère envisager à son sujet » (celui de Dentz). Le Général expliquait son évolution par la « *lutte à outrance* » ordonnée par Dentz, par l'appel à « *l'appui direct de l'aviation allemande* », par l'accord direct passé par le haut-commissaire de Vichy avec les Britanniques de préférence aux Français libres, enfin par la précipitation mise à soustraire troupes et cadres de Vichy à tout contact avec les gaullistes. Or, le 19 juin 1941, lorsque le général de Gaulle avait fait savoir à l'ambassadeur et au commandant en chef britanniques, interrogés par les Américains, qu'il était d'avis de « conclure un arrangement avec le haut-commissaire au Levant », le point 6 de sa note précisait : « Le général de Gaulle, qui n'a jamais fait passer en jugement ceux de ses camarades de l'armée qui ont combattu en exécution des ordres reçus, n'a aucunement l'intention de le faire. »

Britanniques et gaullistes ayant pénétré en Syrie le 8 juin, le général de Gaulle pouvait, le 19 juin, constater que Dentz avait ordonné « une lutte à outrance ». Il est vraisemblable qu'il savait également que, si l'appui des stukas basés en Crète avait bien été demandé, le 16, par Dentz, et par l'amiral Gouton, Vichy avait refusé une aide qui ne se manifestera pas. On ne peut imaginer que les deux dernières raisons mises en avant par de Gaulle (accord avec les Britanniques, refus de tout contact entre troupes de Vichy et gaullistes) aient suffi à modifier, en 1945, la position adoptée par le général de Gaulle, le 19 juin 1941...

fers que portaient aux chevilles tous les condamnés à mort, devait succomber à Fresnes le 13 décembre 1945.

Ses dernières lettres à sa femme disent ce que fut l'agonie de cet homme malade dans une infirmerie non chauffée.

« 3 décembre. — J'écris absolument frigorifié dans une cellule où l'humidité dévore tout. L'eau coule le long des murs et je suis obligé de mettre mon linge sur le lit pour le tenir un peu au sec.

7 décembre. — Une voiture (cellulaire) était venue me chercher pour m'emmener à Poissy[1]. J'étais intransportable et le directeur l'a renvoyée. Il semble qu'il y ait quelqu'un qui s'acharne contre moi[2]...

10 décembre. — Je suis frigorifié. Il y avait − 9° cette nuit... Le jour tombe déjà, je vais me coucher, au moins j'aurai chaud.

13 décembre. — L'humidité a gagné partout ; les murs coulent comme des cascatelles de grottes... Le meilleur moment est celui où l'on se couche. Il fait chaud sous les couvertures et, pendant quelques heures, on oublie tout[3]... »

Il n'eut pas la force d'ajouter un mot. On le retrouva mort, assis sur son lit.

Lorsque Dentz meurt, il y a plusieurs mois déjà que les Britanniques nous ont chassés de Syrie et que le général de Gaulle a regretté de n'être pas « en mesure » de leur faire la guerre[4].

---

1. Poissy où se trouvaient alors réunis les prisonniers considérés comme inamendables et dangereux.

2. Il est impossible de dire si « quelqu'un » s'acharnait contre Dentz. On peut simplement faire remarquer que le général Dentz avait suscité des inimitiés tant par sa longue résistance que par l'attitude qu'il avait prise, le 13 octobre 1941, à Arles, en dénonçant « les tarés, endettés, ambitieux et aigris » qui avaient rallié la France libre après la fin des combats de Syrie.

3. Le texte se trouve dans le livre du général André Laffargue, *Le Général Dentz*.

4. *Cf.* p. 461.

Lors du procès Maurras, lors du procès Dentz, lors du procès Esteva, l'accusation et la défense avaient évoqué longuement — comment en aurait-il pu aller autrement ? — la responsabilité du grand absent : Philippe Pétain.

Le procureur général Mornet pour dire au procès Dentz : « L'affaire actuelle [...] est un épisode, mais un épisode sanglant de la conjuration qui, pendant quatre ans, a groupé autour du maréchal Pétain un noyau de partisans dont la politique n'avait d'autre but que de se maintenir au pouvoir en faisant d'une France qu'ils avaient condamnée à accepter sa défaite le satellite d'une Allemagne assez puissante pour imposer au monde sa victoire... En réalité, il n'y a qu'un seul procès, celui de la trahison, trahison à l'armistice, à Montoire, en Syrie, en Tunisie. »

Me Vésinne-Larue, défenseur de Dentz, pour affirmer : « Le maréchal Pétain a pris publiquement, dès le mois d'octobre 1940[1], la responsabilité de la politique que vous accusez de trahison et il faut le condamner avant de pouvoir juger le général Dentz. »

C'est ce qu'avait répété Me Alcide Delmont, autre défenseur de Dentz : « Les subordonnés, avait-il dit, ne doivent pas être jugés avant le chef et [ce n'est] pas la condamnation des premiers qui [doit] déterminer le verdict contre celui qui ordonnait. »

Le général Dentz est condamné à mort le 20 avril.

Le 24 avril, le maréchal Pétain, qui, absent, avait été au cœur de tous les débats importants, demandait à la Suisse de lui accorder la possibilité de se rendre en France pour s'y présenter devant ses juges.

Sa décision surprenait tout le monde.

Et, d'abord, le général de Gaulle qui s'est expliqué, dans un passage de ses *Mémoires de guerre*[2] où plus, peut-être, que dans tout autre passage, les mots ont été attentivement pesés.

> « Les procès faits aux serviteurs du triste régime de Vichy déterminèrent bientôt la Haute Cour à ouvrir celui du maître. *Le*

---

1. Après Montoire.
2. T. III, p. 111.

17 mars, elle décida que le maréchal Pétain serait jugé par contumace. C'était là une échéance lamentable et inévitable. Mais, autant il était à mes yeux nécessaire, du point de vue national et international, que la justice française rendît un verdict solennel, autant je souhaitais que quelque péripétie tînt éloigné du sol de France cet accusé de quatre-vingt-neuf ans, ce chef naguère revêtu d'une insigne dignité, ce vieillard en qui, lors de la catastrophe, nombre de Français avaient mis leur confiance et pour qui, en dépit de tout, beaucoup éprouvaient encore du respect ou de la pitié. Au général de Lattre qui me demandait quelle conduite il devait tenir s'il advenait que ses troupes, approchant de Sigmaringen, trouvassent là ou ailleurs Pétain et ses anciens ministres, j'avais répondu que tous devraient être arrêtés mais que, pour ce qui était du Maréchal lui-même, *je ne désirais pas qu'on eût à le rencontrer* [1]. »

Mais que faire alors que de Gaulle a, depuis les premiers jours de juillet 1940, accablé Philippe Pétain sous des mots toujours plus durs et des accusations toujours plus infamantes ? Et que faire alors que le Comité français de Libération nationale, sous la signature de De Gaulle et de Giraud, s'est, le 3 septembre 1943, engagé à livrer à la justice « Philippe Pétain et ses ministres » ? Alors que le général Stehlé, juge d'instruction militaire, a, le 20 octobre 1944, mandé et ordonné à « tous agents de la force publique d'arrêter et conduire en la prison de Fresnes... le sieur maréchal Pétain » et que la Haute Cour, créée le 11 novembre par le général de Gaulle, a été chargée de juger « une personne ayant participé, sous la dénomination de chef de l'État, à l'activité des gouvernements ou pseudo-gouvernements depuis le 17 juin 1940 » ?

Il y avait flagrante et totale contradiction entre cette volonté constamment affirmée de justice — qui n'impliquait pas une justice sommaire, mais, on est en droit de le penser, un procès précédé d'une instruction — et la volonté très clairement revendiquée par de Gaulle en 1945, et dans ses *Mémoires* encore, que tout dût être expédié au cours d'un procès en contumace dont l'accusé, comme sa défense, eussent été absents.

La justice française ne pouvait certainement pas rendre ce « verdict

---

1. Souligné intentionnellement.

solennel » que de Gaulle dit, dans ses *Mémoires,* avoir souhaité « du point de vue national et international », au terme d'un procès par contumace qui se fût, à l'évidence, terminé par une condamnation à mort et qui, ne satisfaisant personne, aurait entraîné une incessante campagne de presse contre la Suisse, asile du condamné, contre le condamné et contre de Gaulle lui-même, rendu responsable d'une situation dont on finirait bien par apprendre qu'il l'avait désirée.

On demeure donc fondé à s'interroger sur les raisons profondes qui conduisirent Charles de Gaulle, informé par Carl L. Burckhardt de la prochaine arrivée en Suisse du maréchal Pétain, à dire au représentant du gouvernement fédéral que « le gouvernement français n'était absolument pas pressé de voir extrader Pétain ».

Voulait-il, comme il l'a écrit, épargner cet « accusé de quatre-vingt-neuf ans », ce chef, qui avait été longtemps le sien, et le protéger des fureurs du moment ?

Plusieurs témoins — Georges Duhamel, Claude Mauriac, d'autres encore — l'entendirent, dans l'automne de 1944, évoquer pour Pétain quelque retraite « du côté de la Côte d'Azur » où il attendrait que l'oubli puis la mort viennent le cueillir. Au chef d'escadron Alain de Boissieu, son futur gendre, il dit même qu'il s'était « engagé[1] » à fournir au Maréchal, acceptant de se réfugier en Suisse et de n'en point bouger, « tous les collaborateurs et toute la documentation qu'il voudrait pour justifier son attitude en 1940[1] ». Mais le général de Gaulle ne pouvait ignorer qu'il s'agissait là de solutions que la violence des passions, qu'il avait lui-même soulevées, rendait impossibles...

Défenseur de Pétain, Jacques Isorni, lui, n'a jamais cru à la thèse de la clémence. Sur l'attitude du général de Gaulle demandant à la Suisse de conserver Pétain sur son territoire, il eut ce mot terrible : « Il ne désirait que le déshonorer, sans le faire souffrir physiquement[2]. »

C'est imaginer systématiquement le pire.

Pourquoi ne pas juger plutôt la réaction de De Gaulle, favorable à un asile *temporaire* en Suisse, en fonction de ces appels à un châtiment rapide qui se multipliaient, venant aussi bien du Conseil national de la Résistance qui, le 27 avril, demandait qu'une condamnation à mort soit rapidement prononcée et rapidement exécutée, que de la puissante presse communiste.

---

1. Alain de Boissieu, *Pour combattre avec de Gaulle,* p. 322.
2. Jacques Isorni, *Pétain,* p. 431.

Que l'on relise *L'Humanité*. On y trouvera de quotidiens appels à une immédiate condamnation à mort, à une immédiate exécution.

Le 25 avril, l'éditorial de Georges Cogniot est titré : « Pour Pétain-Bazaine, la mort des traîtres ». Celui du 26 avril, sous la même signature, s'intitule : « Pétain au poteau et sans retard inutile ». Et, le 30 avril, le quotidien communiste établissant une comparaison entre l'Italie et la France d'après la Libération, ne titrait-il pas : « Mussolini fusillé et Pétain dorloté » ?

La découverte récente des horreurs des camps de concentration ayant exaspéré dans le pays la haine des collaborateurs et des responsables de Vichy, le printemps de 1945 voit donc les règlements de comptes reprendre de la vigueur.

Encouragée par le Parti communiste, la passion populaire pouvait être à l'origine de troubles qui, à l'approche des élections municipales, eussent été lourds de conséquences.

Le général de Gaulle, qui se voulait insensible aux influences, ne fait pas allusion à cette hypothèse et à cette hypothèque révolutionnaires. Est-il impensable qu'elle ait joué ?

Mais, si un procès par contumace était souhaitable pour de Gaulle, il était inacceptable par Pétain.

Le 24 avril, lorsque le maréchal Pétain, Mme Pétain, l'amiral Bléhaut, le général Debeney et sept policiers et chauffeurs[1] franchirent la frontière suisse à Saint-Margrethen, il était 8 h 40.

Le douanier salua Pétain d'un :

— Bon anniversaire, monsieur le Maréchal.

Il était né, en effet, quatre-vingt-neuf ans plus tôt, le 24 avril 1856, à Cauchy-à-la-Tour.

Les autorités suisses logèrent le Maréchal et les siens dans un hôtel de Weesen, le château de Mariahalden, sur les rives du lac de Walenstadt. Sur ordre des autorités, les quarante-sept clients présents

---

1. MM. Sarazin, qui appartient au Service de sûreté ; Sentenac, motocycliste ; Blanchard, Ollaguier, Pauron, Marinot, chauffeurs ; Perrey, valet de chambre. A leur arrivée en France, toutes ces personnes, membres du petit personnel, seront internées à Fresnes. Le 27 mai 1945, le maréchal Pétain écrira au procureur général pour demander leur libération.

avaient été congédiés, mais les propriétaires de l'hôtel, loin de marquer quelque humeur des tracas qu'on leur imposait, eurent immédiatement l'impression de se trouver associés à une page d'histoire.

De ce que fut le séjour du Maréchal à Mariahalden, Mme Mariell Wehrli-Frey devait laisser, plus tard, un long récit recueilli par le journaliste suisse J.-P. Thevoz et publié dans le n° 187 du *Journal de la France*. Junon au port altier, au corsage agréable, Mme Mariell Wehrli-Frey assuma pendant deux jours plusieurs rôles. Hôtesse préparant elle-même les repas du Maréchal, des repas qui n'avaient plus rien de commun avec les tristes menus d'Allemagne [1], s'occupant de faire remettre en état ses chemises effrangées et ses souliers éculés, elle allait aussi devenir confidente d'un instant. Parce que femme et belle femme, et que Pétain prenait plaisir — il le lui dira — à la voir « trotter allègrement » devant lui, elle eut le privilège de quelques promenades au cours desquelles le Maréchal évoqua ce qui l'attendait, croyait-il, en France. « Voyez-vous, madame, ils vous font Maréchal de France et, après — il esquissa le geste de se couper le cou —, ils vous font ça. »

C'est à Mariahalden que Pétain reçut, le 25, la visite de Stucki. L'ancien ministre de Suisse à Vichy, l'un des diplomates dont Pétain avait été (avec l'amiral Leahy) le plus proche, venait, d'ordre de son gouvernement, l'informer qu'il pouvait, s'il le désirait, demeurer en Suisse.

De Gaulle n'ayant pas voulu que sa demande fût connue, Stucki présentait donc comme une invitation de la Suisse ce qui était le résultat d'une suggestion française. La conversation Pétain-Stucki dura deux heures. Ayant finalement convaincu Stucki de sa volonté de rentrer en France pour se présenter et se justifier devant la Haute Cour, le Maréchal signa une déclaration par laquelle il s'engageait à « se conformer strictement aux instructions du gouvernement suisse concernant un court séjour éventuel en Suisse, la route du transit, ainsi que la date et le lieu où la frontière franco-suisse doit être traversée [2] ».

---

1. Voici ce qui fut servi au premier déjeuner pris au château de Mariahalden : « Potage à la crème, perches du lac de Walenstadt, tournedos aux champignons, haricots, laitue pommée en salade, tranches d'ananas à la crème russe. »

2. Le 24 avril, le communiqué du Département politique fédéral, publié dans la presse du soir, après avoir précisé que le maréchal Pétain avait sollicité, « pour

Le départ de l'hôtel Mariahalden eut lieu le 26, à 9 heures du matin. Il pleuvait légèrement. Mme Wehrli devait dire — mais les années et son goût pour la littérature avaient sans doute influencé sa mémoire — qu'avant de quitter l'hôtel le Maréchal s'était incliné devant un crucifix et aurait murmuré : « Jésus-Christ, je vous ai oublié depuis longtemps, et voici que vous approchez tout près de moi. Je vous remercie [1]. »

Par un itinéraire qui devait rester secret, mais le secret fut relatif puisque, tout le long de la route, des habitants manifestèrent leur sympathie et qu'à Wädenswil, lors de la halte pour le repas, ce fut une véritable foule qui, avec des fleurs, accueillit le Maréchal, le cortège gagna Vallorbe où il arriva à 16 h 45.

Un fonctionnaire français avait franchi la frontière pour demander à Mme Pétain si elle souhaitait partager le sort de son mari, c'est-à-dire être internée jusqu'au verdict en sa compagnie. Elle répondit affirmativement.

Pétain et Mme Pétain, qui s'étaient reposés au buffet-hôtel de Vallorbe, reprirent la route pour gagner la frontière suisse où, sous le commandement du major Rapp, des soldats de la Confédération lui rendirent les honneurs.

Il était 20 h 26 (heure française) lorsque le Maréchal se présenta au poste frontière français de La Ferrière-sous-Jougne où attendaient le commissaire du gouvernement Carrive ; le général Kœnig, gouverneur militaire de Paris ; le lieutenant-colonel Heustel ; M. Mairey, commissaire de la République à Dijon, et le médecin-capitaine Tartarin.

L'Agence France-Presse, après une première dépêche, refusée le 26 avril par le contrôle des informations, devait faire, en ces termes, le 27 à 11 h 45, le récit de l'événement :

> « C'est à 20 h 26 que Pétain est descendu de voiture devant la barrière qui marque la frontière franco-helvétique. Le poste de la

---

sa femme et quelques personnes de sa suite, l'autorisation d'entrer en Suisse [...] pour se rendre en France où il entend se présenter aux autorités judiciaires », ajoutait qu'il attendait « les instructions du gouvernement français relatives au lieu et à l'heure fixés pour son passage de la frontière française ».

1. Jacques Isorni remarque (*Pétain*, p. 430) que, si Mme Wehrli « rapporte exactement la pensée du Maréchal, sa conviction d'être crucifié et la possibilité d'un retour à la foi de son enfance », il est douteux que cette pensée ait pris une forme aussi solennelle.

douane se trouve au hameau du Oreux, situé dans un paysage mélancolique, sur un vallon aux pentes abruptes couvertes de bois de hêtres et de sapins. L'étroite route qui se faufile à flanc de coteau a vu, en juin 1940, passer la horde de nos soldats et le troupeau égaré des femmes et des enfants qui fuyaient devant l'Allemand. Pétain, très calme, s'approche du général Kœnig et lui tend la main. Celui-ci, au garde-à-vous, porte alors la main à son képi[1]. L'ancien chef du gouvernement de Vichy, qui est en civil, vêtu et coiffé de gris, ne sourcille pas et remonte en voiture après s'être vu signifier son arrestation par le commissaire du gouvernement Carrive[2].

La voiture s'arrête ensuite devant la douane française, cent mètres plus loin. Pétain descend à nouveau et pénètre dans le modeste bureau où le receveur des douanes examine ses bagages et compte son argent[3]. Puis le numéro de sa voiture est relevé.

A 20 h 28[4], l'opération est terminée.

Pendant le temps des formalités, le piquet de la garde a maintenu la crosse des fusils en l'air[5].

Le convoi se forme en tête de la voiture du commissaire du gouvernement suivie de celles du général Kœnig et du colonel Heurtel et, en quatrième position, l'automobile à la francisque, suivie de celles de " la suite ", puis deux cars de gardes mobiles.

A 20 h 45, il part en direction du village des Hôpitaux, où se trouve le train spécial qui doit amener Pétain à Paris. »

---

1. Le Maréchal aurait tendu la main à Kœnig à trois reprises. Kœnig serait resté dans la même position, la main au képi. A Isorni, le général Kœnig aurait dit plus tard qu'il avait eu recours à ce qui est pour un soldat la première marque du respect, le salut militaire, et qu'il lui avait paru impensable de serrer la main du Maréchal et de l'arrêter quelques secondes plus tard.

2. Questionné sur son identité, le Maréchal précisa que son véritable prénom n'était pas le premier, Henri, mais le second, Philippe. Il ajouta : « Je crois bien que je suis encore Maréchal de France. »

3. 400 francs, qui seront confisqués à Montrouge.

4. Qu'il ne se soit déroulé que deux minutes entre le moment (20 h 26) où le Maréchal se présente à la frontière et le moment (20 h 28) où les formalités sont terminées paraît un délai bien court.

5. Ce détail a souvent été nié. Il se trouve cependant également précisé dans cette dépêche A.F.P. du 26 avril qui avait été refusée par le contrôle des informations.

Le train réservé, selon la formule administrative, à « des autorités françaises[1] » était arrivé à la gare de Lyon. Il comprenait deux voitures de première classe, deux voitures de seconde et un wagon spécial. *L'Humanité* du 27 avril s'indignera du confort réservé au prisonnier, à qui le général Kœnig avait cédé son compartiment. « Quand les rapatriés de Buchenwald et les prisonniers de guerre reviennent dans les wagons à bestiaux, un wagon-salon, un wagon-couchette, des 1res classes pour ramener Pétain à Paris... Comme si un wagon cellulaire n'aurait pas suffi ! »

C'est d'ailleurs à l'appel du Parti communiste qu'à Pontarlier 1 500 à 2 000 personnes se rassemblèrent autour du convoi immobilisé. Aux cris « Pétain au poteau ! Pétain à mort ! Fusillez le vieux traître ! » s'ajoutèrent des jets de pierre. Mme Pétain, sortie du compartiment, interpella Kœnig, inquiet, désolé et impuissant. « Est-ce ici qu'on doit nous assassiner ? »

Le train repartit sous les huées. Quelques minutes plus tard, des pétards ayant explosé sur la voie, il stoppa à nouveau et la sarabande des cris recommença.

A 8 heures du matin, le train s'arrêta à Igny, dans la banlieue parisienne. Le Maréchal et Mme Pétain, qui avaient pris place dans une conduite intérieure noire, furent conduits au fort de Montrouge pour y être écroués et enfermés dans deux pièces situées « juste en face des buttes où, jusqu'à présent, avaient lieu les exécutions capitales des condamnés par la Cour de justice[2] ».

S'employant de jour et de nuit pendant quarante-huit heures, deux cents ouvriers avaient travaillé à aménager ces deux pièces, à les rendre habitables et, surtout, à en renforcer la sécurité. Mais ces travaux allaient susciter l'indignation de *L'Humanité*. Sous la plume de Cogniot, on pourra lire[3] que des éclairages « opalins » ont été prévus, que Pétain disposera d'une « cuisinière de grande maison, [d']une sonnette électrique pour appeler un personnel dûment stylé », ainsi que d'une « compagnie féminine pour abréger la longueur des heures ».

---

1. Lettre en date du 31 mai 1945 du chef de la subdivision du contrôle des recettes voyageurs qui réclame au ministre de l'Intérieur une somme de 175 080 francs, dont 3 040 francs pour les repas et 172 040 francs pour un trajet aller retour de 1 012 kilomètres.
2. Dépêche A.F.P. du 27 avril.
3. *L'Humanité*, 29 avril.

A ce confort supposé — et imaginaire —, *L'Humanité* opposait la misère des sinistrés qui « manquent de tout[1] ». Sous la plume des journalistes communistes, Montrouge devenait systématiquement Montrouge-Palace. H.-P. Gassier — dessinateur maison — allait donner, dans le quotidien du 4 mai, une caricature bien faite pour plaire aux foules qui, en province comme à Paris, avaient manifesté le 1er mai sous des banderoles réclamant certes la revalorisation des salaires, la diminution du prix du pain, la nationalisation des trusts, mais aussi « le châtiment rapide et implacable de Bazaine-Pétain ».

Gassier avait dessiné un Philippe Pétain confortablement installé dans un fauteuil et fumant le cigare. Sa robe de chambre était constellée d'étoiles. Sur ses pantoufles, des croix gammées. Auprès de lui se tenaient une infirmière ainsi qu'un valet de chambre portant, sur un plateau, plusieurs bouteilles d'apéritif. Près d'une jeune femme aux bras chargés de fleurs, un lieutenant saluant obséquieusement...

La vérité était bien différente.

L'administration pénitentiaire avait fourni deux lits convenables, deux chaises et une grande armoire. A la demande du docteur Racine, l'un des deux médecins qui surveillaient la santé du Maréchal, un fauteuil fut bien apporté. On le fit disparaître avant la visite d'une commission de l'Assemblée consultative venue vérifier les conditions de détention du prisonnier. Il reparut le 28 mai, ce qui provoqua, le 1er juin, de sévères remarques de la part de nouveaux inspecteurs. Pas de valets de chambre, mais des religieuses qui se succédaient et des gardiens dont Isorni écrit qu'ils avaient été « choisis parmi les meilleurs ».

Breton haut en taille et en couleur, ayant appartenu à un réseau de résistance alors qu'il était greffier à la maison centrale de Clairvaux, Joseph Simon, directeur de la prison, qui devait rester attaché à Pétain pendant plusieurs années, allait, par humanité de caractère, tenter d'adoucir discrètement les conditions de vie des prisonniers en évitant que ces améliorations infimes ne fussent connues de la presse.

Par Mme Pétain, qui a noté les événements au dos d'une enveloppe, puis sur deux feuillets quadrillés, nous savons ainsi que la première nuit, celle du 27 au 28 avril, fut très froide, que le froid persista toute la journée du 28, qu'il neigea « partout » le 1er mai et que c'est seulement

---

1. *L'Humanité,* 28 avril.

le 21 juin, soit près de deux mois après son internement, que le Maréchal, qui avait beaucoup maigri, eut droit à un bifteck.

Mais, en avril 1945, tous les Français souffraient du froid. Beaucoup souffraient de la faim.

Le 30 avril, le Maréchal reçut la visite de M. Bouchardon, président de la commission d'instruction près la Haute Cour de justice, qui venait lui demander s'il désirait désigner un défenseur ou s'en voir désigner un d'office.

Le Maréchal cita le nom du bâtonnier Fourcade. Il était mort. Celui du bâtonnier Aubépin. Il était mort également. Le Maréchal dit alors :

— Je n'ai pas d'avocat, mais je demande instamment à ·M. le bâtonnier de me donner une liste réduite de ses confrères, sur laquelle je choisirai, et je lui serai reconnaissant de m'indiquer un ordre de préférence. C'est peut-être le hasard mais, si extraordinaire que cela soit, je me trouve en ce moment ne connaître aucun membre du barreau.

Le 3 mai, le bâtonnier Charpentier se rendit au fort de Montrouge. Il n'apportait au Maréchal — écrit Mme Pétain qui avait été inculpée la veille d'intelligence avec l'ennemi [1] — que deux noms dont celui de Vincent de Moro-Giafferi. Pétain demanda avec vivacité au bâtonnier Charpentier s'il le prenait pour Landru qui, dans la cuisinière de sa villa de Gambais, avait brûlé dix femmes ! L'avocat de Landru récusé, le bâtonnier Charpentier proposa Me Chresteil, qui fut effectivement désigné, mais qui, après avoir accepté, refusa la mission.

Il ne se passa rien jusqu'au 8 mai.

Ce jour-là, ce grand jour, c'est la « fin de la guerre », et Mme Pétain écrit ces quatre mots en capitales sur son aide-mémoire. Le président Bouchardon vint cependant interroger le Maréchal deux heures durant.

---

1. Mme Pétain écrira à ce sujet sur l'enveloppe où elle consigne les événements : « 2 mai. Je vois M. Berry — inculpée !!! »
Sur une feuille, elle compléta l'information : « Froid. Le juge d'instruction Berry vient m'apprendre que je suis inculpée d'intelligence avec l'ennemi et d'avoir fait de la politique autrefois. C'est tellement fou que ça m'impressionne à peine... »
Mme Pétain prendra Me Delzons comme avocat.

L'ancien chef de l'État avait consenti à répondre sans avocat.

Sa mémoire battait la campagne. Pensant mieux se défendre, il lui arrivait de « nier des faits d'évidence[1] » comme le message à l'intention des combattants de la Légion des volontaires français contre le bolchevisme ou encore un télégramme adressé au général Dentz lors des événements de Syrie. « Oubliant » les ordonnances antijuives d'octobre 1940, il affirma avoir « toujours et de la façon la plus véhémente défendu les juifs », parmi lesquels il comptait, dira-t-il, beaucoup d'amis. Il ajoutera qu'il s'était opposé à l'introduction de l'étoile jaune en zone non occupée[2] et qu'il avait traité Darquier de Pellepoix, commissaire aux Questions juives, de « tortionnaire ».

A une question sur son refus de quitter le sol de la métropole, notamment le 11 novembre 1942, lors de l'invasion de la zone libre, il répondit que, « toujours hypnotisé devant ce don de [sa] personne [qu'il] avait fait à la France », il aurait voulu remettre à l'Assemblée nationale les pouvoirs qu'elle lui avait délégués le 10 juillet 1940, mais que les Allemands, « qui avaient mis la main sur tous les moyens de transport » et avaient entouré Vichy d'une « véritable garde », ne lui avaient pas permis de la convoquer[3].

A la fin de son interrogatoire, Bouchardon demanda au Maréchal s'il avait fait choix d'un avocat. Le prisonnier répondit : « J'ai écrit au bâtonnier Payen et j'attends sa réponse. S'il accepte, je le prendrai pour conseil. »

En réalité, c'est le lendemain, 9 mai, que Philippe Pétain écrivit à Mᵉ Payen qui lui avait été recommandé par la famille du général Debeney et par Mᵉ Wateau, avoué, général d'aviation et ancien juge à la cour de Riom.

Le 11 mai, à 14 h 15, le président Bouchardon revint pour un nouvel interrogatoire. Il se heurta au silence de Pétain. Le procès-verbal d'interrogatoire de ce jour tient, en effet, en trois lignes.

— Je ne répondrai à vos questions qu'en présence de mon avocat.

— Avez-vous fait le choix d'un avocat ?

— Je prends maître Payen, je lui ai du reste écrit.

Le 12 mai, Mᵉ Payen vint au fort de Montrouge pour confirmer à l'ancien chef de l'État qu'il acceptait de le défendre.

---

1. Jacques Isorni, *Philippe Pétain*.
2. Ce qui était exact.
3. Le 25 mai, le Maréchal adressa une note au président Bouchardon pour « récuser complètement » les déclarations qui lui avaient été « prêtées » le 8 mai.

Il revint le 14 afin de communiquer au Maréchal le réquisitoire, « affreux et faux », écrira Mme Pétain, rédigé par le procureur général Mornet, lorsqu'il avait été question d'un procès par contumace.

Ce jour-là, Pétain demanda à Mᵉ Payen de s'adjoindre un avocat, un certain Jacques Isorni, dont il ne pouvait imaginer quel cours il allait imprimer à sa défense.

13

ACCUSÉ, LEVEZ-VOUS !

Le 16 mai, au début de l'après-midi, l'homme qui se hâte depuis la porte d'Orléans est en sueur. La chaleur a succédé aux abondantes chutes de neige du 1er mai. Encore quelques kilomètres et le fort de Montrouge sera atteint. Des voitures passent. Elles sont rares, malgré le « scandale des permis de circuler[1] » dénoncé par les journaux, et elles ne s'arrêtent certes pas pour un piéton parmi beaucoup d'autres piétons, car l'immense majorité des Français se déplace encore à pied ou à bicyclette.

« Étranger au monde extérieur, croisant mille gens sans les voir[2] », songeant avec fierté à la rencontre qu'il va faire, au rôle encore mineur, mais dont il est bien décidé à amplifier l'importance, qui déjà est le sien, Me Jacques Isorni avance.

C'est la veille, en fin de matinée, dans son bureau de la rue Geoffroy-Saint-Hilaire, alors qu'il écoutait les doléances d'un mari abandonné, qu'il a reçu un appel du bâtonnier Payen. Le jeune avocat, il va avoir trente-quatre ans, n'a rencontré le bâtonnier qu'une seule fois dans sa demeure Directoire de L'Île-aux-Moines. La mer, les oiseaux, les arbres avaient été leur unique sujet de conversation. Aussi

---

1. C'est le titre d'un article de Michel-P. Hamelet dans *Le Figaro* des 12-13 août 1945. A cette date, et pour la région parisienne, il y aurait 12 200 permis de circuler permanents ainsi que quelques milliers de permis temporaires. Avant la guerre, 230 000 voitures circulaient dans la même région parisienne. Ces chiffres ne concernent que les véhicules de tourisme. Selon Michel-P. Hamelet, les faux permis de circuler sont nombreux.
2. Jacques Isorni, *Souffrance et mort du Maréchal.*

est-il surpris d'un appel enveloppé de mystère. Le bâtonnier Payen lui a fixé rendez-vous pour l'après-midi au Palais de justice, mais a tu les raisons de cette entrevue. Isorni a cependant soupçonné qu'il pourrait s'agir de la défense du Maréchal. Il en a reçu confirmation lorsque, installé sur un banc de cette « galerie marchande », où gens de robe et public défilent dans un constant bruissement de conversations, le bâtonnier Payen, « beau visage distingué d'officier de cavalerie, ravagé par les tics, la tête toujours en arrière, le port un peu hautain [1] », lui a proposé de l'aider à préparer la défense du maréchal Pétain. Oh ! Il s'agissait d'une tâche secondaire. Des documents en nombre considérable s'accumulaient à la commission d'instruction qui siégeait à la Questure du Palais-Bourbon. Payen se trouvait dans l'impossibilité de les consulter tous. Isorni aurait à faire des recherches dans ces liasses et à recopier — à la main, bien sûr — les textes qui sembleraient les plus importants.

Comment ne pas être déçu par cette mission servile ? Timidement — car Payen était connu pour sa froideur ironique —, Isorni avait demandé s'il pouvait espérer obtenir un jour un rôle plus actif que celui de copiste. Le bâtonnier avait répondu, fraîchement, que l'on verrait plus tard. La promesse n'en était certes pas une, mais Isorni espérait occuper rapidement, dans la défense du Maréchal, une place infiniment plus importante que celle qui lui avait été assignée par Payen.

En marchant vers le fort de Montrouge, en touchant dans sa poche le permis de communiquer avec le dénommé « Pétain Philippe » qui lui avait été remis par le président Bouchardon, il traçait un plan, esquissait des arguments, s'enthousiasmait pour une cause qui avait alors peu de défenseurs avoués.

A 13 h 15, Isorni se trouve devant l'entrée du fort de Montrouge. Comment ne songerait-il pas (en vérité, cette pensée ne l'a jamais quitté) à ce 6 février où, dans ce même fort, Brasillach, son « client » devenu son ami, son frère, avait été fusillé au pied d'une butte de gazon ?

C'est Brasillach qui l'a conduit à Pétain. Sa plaidoirie pour le polémiste de *Je suis partout,* mais aussi pour le poète, avait suscité l'admiration de plusieurs journalistes en un temps de férocité journalistique. A son propos, Jacques Vico avait même noté, dans

---

1. Jacques Isorni, *op. cit.*

Le Populaire, qu'elle avait été d'une « belle élévation de pensée[1] ».

Sortant de l'ordinaire des premiers procès de la collaboration, où les défenseurs s'efforçaient de minimiser jusqu'au ridicule le rôle de leurs clients et de rejeter sur d'autres — Pétain, Laval, Darlan, Darnand — le poids de leurs responsabilités, Isorni avait plaidé avec intelligence, chaleur et provocation, n'hésitant pas à dire que Brasillach avait tenté, à sa place, de « sauver ce qui pouvait être sauvé ».

Cet avocat, dont la passion n'était pas seulement le reflet de la jeunesse puisqu'elle l'habiterait durant toute son existence, dont les connaissances juridiques étaient vastes et qui n'hésitait pas à allier habileté et courage pour tendre des pièges à des juges qui s'étaient plus ou moins compromis pendant l'Occupation, comment n'aurait-il pas été remarqué de ceux qui souhaitaient, pour le Maréchal, un défenseur qui engageât sa conscience, son honneur et, peut-être, sa vie ?

C'est l'ancien ministre Henry Lémery, vieil ami du Maréchal, qui, sur les conseils de son ancienne collaboratrice Jeanine Alexandre-Debray, avait suggéré le nom d'Isorni et l'avait proposé à Philippe Pétain et au bâtonnier Payen.

Ayant présenté ses papiers d'identité au garde républicain de service, Isorni, assis entre deux gardiens dans le vestibule d'entrée précédant le parloir, attendait maintenant d'être introduit auprès du Maréchal avec lequel s'entretenait déjà Payen. De cette première rencontre, il a laissé le souvenir.

> « On me fit appeler. J'entrai dans le " parloir ". J'étais en face du Maréchal. Vêtu d'un complet-veston gris, il se tenait debout, très droit. Ce qui me frappa tout d'abord, ce fut son allure " jeune ", l'équilibre de son physique, la fraîcheur presque irréelle de son visage rose, couronné de cheveux blancs, et son regard. Le Maréchal me tendit la main en disant à la cantonade : " Il est grand... au moins de taille. " Ce n'était pas tout à fait la manière de me mettre à l'aise[2]. »

A l'aise, tout en demeurant respectueux, Isorni le deviendra cependant très vite. C'est l'attitude du bâtonnier Payen face au

---

1. Sur le procès de Robert Brasillach et la plaidoirie de Me Isorni, *cf. Les Règlements de comptes*, p. 240-248.
2. Jacques Isorni, *op. cit.*

Maréchal et l'attitude du Maréchal face au président Bouchardon, lors du premier interrogatoire, qui le déterminent à prendre l'initiative.

Il se trouve, en effet, immédiatement en désaccord avec Payen qui a décidé, dès l'instant où il a été chargé du dossier, de plaider l'excuse de l'âge et de ses atteintes. « Plaider gâteux » pouvait être de quelque effet devant les juges, mais quelle déchéance pour le Maréchal réduit à l'état d'infirme intellectuel, belle façade derrière laquelle il n'y aurait rien eu et quelle injure à l'égard de ceux qui l'avaient honnêtement suivi, passionnément aimé, et qui devraient donc avouer, lorsque leur tour viendrait d'être jugés, avoir aimé, suivi un vieillard dont la sénilité n'aurait pas dû leur échapper.

Certes, à maintes reprises, Pétain semblera donner raison à Payen qui, satisfait des trous de mémoire du Maréchal, frappe alors de la pointe de son pied gauche le pied droit d'Isorni et lance à son collaborateur un regard dont le sens est clair : « Vous voyez, j'ai raison. Il est gâteux. Mon système de défense est le seul possible. »

Trous de mémoire. Le Maréchal ne se souviendra pas avoir « négocié » avec l'Angleterre — au moment même de l'entrevue de Montoire et par l'intermédiaire du professeur Rougier — un accord selon lequel Vichy promettait de défendre l'Empire contre toute entreprise allemande si Londres s'engageait de son côté à ne pas attaquer, ni aider de Gaulle à attaquer, les colonies et territoires encore fidèles[1].

Le Maréchal ne se souviendra pas de la lettre par laquelle Roosevelt l'informait, le 8 novembre 1942, du débarquement en Afrique du Nord. « Si j'avais connu cela, affirmera-t-il à Isorni, j'aurais dit : " Tout est sauvé. " »

Il a connu la lettre de Roosevelt. Il l'a oubliée.

Comme il a oublié les conditions dans lesquelles il a formé son gouvernement et les raisons qui ont poussé Daladier, Reynaud, Blum à être bientôt témoins à charge à son procès.

— Mais pourquoi m'en veulent-ils ? Qu'est-ce que je leur ai fait ? demandera-t-il à ses avocats.

Il faudra que ceux-ci lui rappellent le procès de Riom et l'internement de Reynaud et de Mandel au Portalet... Encore n'est-il pas sûr que la mémoire revienne absolument.

---

1. *Cf.* note de la page 557.

Isorni, qui prend quotidiennement de brèves notes, signalera ainsi, le 21 mai : « Le Maréchal est fatigué. Il n'a pas envie de travailler. » Le 24, il note encore : « Je vois le Maréchal tout à fait en fin d'après-midi. Il est fatigué. J'ai quelques difficultés à faire comprendre certaines de mes explications. » Et, le 30 mai, voici ce qu'il écrit : « Nous avons travaillé pendant une heure et demie sur le " Conseil de justice politique[1] ". Travail difficile. Le Maréchal a des absences. Il était fatigué. Tout à coup, il me demande : " Est-ce que je suis toujours chef de l'État ? " »

Mais, pour Isorni, ces passages obscurs sont largement compensés par d'étonnantes plages de lucidité.

> « Que de fois, écrira-t-il[2], des gens peu avertis ou mal intentionnés m'ont posé des questions sur la lucidité du Maréchal ! D'autres, qui ne savaient rien, prétendaient qu'il n'était lucide que deux heures par jour ; d'autres encore qu'il était gâteux. Pour ma part, j'ai toujours constaté chez lui une exceptionnelle lucidité et une incroyable acuité de jugement. Je ne connais rien qui se puisse comparer à la vivacité, au mordant, au " ramassé " de ses reparties. Il en faudrait faire un recueil. Le seul trait, tout naturellement imputable à l'âge, c'étaient ces pertes de mémoire qui l'obligeaient tout à coup à redécouvrir des événements qu'il avait parfaitement connus. »

Si Isorni refusait l'image que Payen voulait donner de Pétain, il n'acceptait pas davantage l'image que Pétain avait donnée de lui-même au cours de cet interrogatoire où le président Bouchardon, questionnant volontairement à bâtons rompus, n'avait obtenu que des réponses « naïves, décousues, noyées de brume[2] ».

Il fallait redonner sa solidité et sa stabilité au vieillard que Bouchardon avait étourdi comme un enfant aux yeux bandés ; lui faire prendre confiance en lui-même ; refaire de lui ce qu'il avait été.

Isorni reconstruira Pétain.

Parfois, il sera lui-même Pétain, écrivant ces déclarations essentielles que l'ancien chef de l'État n'aura plus qu'à « polir », qui ne sont pas de lui, mais que l'Histoire lui attribuera.

------

1. Institué par le décret du 29 septembre 1941.
2. Jacques Isorni, *Mémoires*.

C'est dans la nuit du 17 au 18 mai qu'Isorni a pris la décision qui orientera le procès dans une direction toute différente de celle voulue par Payen et de celle à laquelle Pétain s'était résigné.

Le 18 mai, lorsque Isorni arrive au fort de Montrouge — il a enfourché sa bicyclette verte —, il est 8 h 30 et le Maréchal ne peut qu'être inquiet d'une aussi matinale visite.

— Qu'y a-t-il ? demande-t-il à cet homme jeune et frémissant, qu'il connaît à peine, mais à l'enthousiasme duquel il est prêt à se réchauffer.

« Ce qu'il y a », Isorni s'efforce de l'expliquer en évoquant Jeanne d'Arc, Louis XVI, Napoléon, tous ceux que leur prison, leur procès, leur mort avaient grandis parce qu'ils avaient refusé de s'abaisser. Il va rudoyer — il l'écrira — le prisonnier, lui rappelant que des hommes étaient emprisonnés pour l'avoir suivi ; que certains avaient été jugés, condamnés et exécutés pour avoir été fidèles sinon à toutes ses pensées, du moins à l'idée qu'ils s'étaient faite de son personnage. Pouvait-il leur faire défaut devant la Haute Cour en offrant le spectacle d'un vieux monsieur à la voix chevrotante, à l'esprit battant la campagne, à la mémoire dérangée, face à un procureur redoutable, à des jurés hostiles, à des témoins ayant conservé, eux, le souvenir des souffrances infligées par l'accusé ou en son nom ?

Isorni s'enhardit jusqu'à dire au Maréchal :

— Je vais vous expliquer, vous écrire, qui vous êtes, ce que vous avez fait, pourquoi vous l'avez fait.

S'emparant de quelques feuilles, rédigeant d'une grosse écriture des pages aux idées simples, pages dont Pétain s'empare dès qu'elles sont terminées pour les ranger dans son portefeuille et bientôt les relire, les travailler, les débarrasser de tous les mots superflus, Isorni va ainsi, en une heure, réaliser ce qu'il appellera « l'abécédaire » de la défense du Maréchal[1].

---

1. Dans ses *Mémoires,* Isorni dira qu'il s'est vainement efforcé de retrouver ces textes écrits de sa main dans les quelques papiers laissés par le Maréchal à Montrouge. Il pense que Philippe Pétain les a détruits.

« Il n'aimait pas laisser la moindre trace du travail de ceux qui avaient préparé des textes dont il prenait l'entière responsabilité. Ils pouvaient être la marque de ses défaillances ou, pis, la preuve qu'il n'était pas l'auteur. Suivant la tradition, il oubliait volontiers ses nègres. »

Il s'établit alors entre les deux hommes un rapport de complicité. Car Isorni et Pétain sont convenus de dissimuler cet entretien au bâtonnier Payen qui n'en aurait pas supporté le principe. Joseph Simon, le geôlier, mis dans la confidence, acceptera de ne pas trahir le secret.

Au moment de se retirer et alors que le Maréchal lui dit : « Surtout, surtout, ne m'abandonnez pas ! », Isorni lui prend la main et lui déclare : « Monsieur le Maréchal, je suis là, je vous aiderai. Je vous aiderai jusqu'à l'extrême limite de mes moyens. »

Puis, emporté par le souvenir d'une phrase de l'allocution qui, le 17 juin 1940, avait annoncé aux Français la demande d'armistice, il ajoute :

— Monsieur le Maréchal, je vous fais le don de ma personne.

Il n'y a là ni ironie ni ridicule. Isorni dit vrai. Et il s'engage pour infiniment plus longtemps qu'il ne l'imagine alors. Il s'engage pour la vie [1]. Il sera jusqu'à son dernier souffle « l'avocat du Maréchal », ce qui le fera entrer dans l'histoire, mais ne favorisera pas sa carrière.

Au printemps et dans l'été de 1945, « le don de sa personne » représente, pour Isorni, un immense travail. Il se rend une fois par jour (parfois deux) au fort de Montrouge. Il assiste aux interrogatoires du juge Béteille. Il étudie les dossiers, dans la mesure où il est possible en quelques semaines de prendre connaissance d'une partie de l'énorme masse de documents qui s'entassent dans les couloirs du Palais-Bourbon et résument quatre années de Vichy.

Le 27 octobre 1944, sous la direction du commissaire George Kern,

---

1. Isorni partagera même les secrets d'un amour ancien de Philippe (qui avait eu beaucoup d'amours) et deviendra, un temps, porteur de billets et de messages, ce qui lui attirera de vifs reproches de Mme Pétain.

Dans ses *Mémoires*, l'avocat raconte avoir reçu, un jour, la visite d'une dame « âgée, vêtue de noir, fort distinguée sous la chevelure grisonnante », qui lui fit confidence de son amour — partagé — pour le Maréchal. Veuve d'un général tué pendant la guerre de 1914-1918, elle avait, passé le temps du deuil, éprouvé un vif sentiment pour Philippe Pétain, alors maréchal de France Lui-même se montrait attaché et attentif. Il avait été question de mariage.

Si le mariage ne se fit pas, le Maréchal épousant Mme de Hérain en 1920, les sentiments apaisés s'étaient transformés en une tendre et durable affection. La dame « âgée, vêtue de noir, fort distinguée », dont la petite histoire se souvient sous le surnom de Mella, avait demandé à Isorni de dire à Philippe Pétain qu'il « avait vu Mella ». L'avocat transmit le message verbal. Le surlendemain, c'est un billet qu'il remit au Maréchal, mais Mme Pétain surprit le message et prit sèchement à partie le messager.

avaient eu lieu, en effet, des perquisitions dans les pièces occupées naguère à Vichy par le Maréchal, par Mme Pétain, par le docteur Ménétrel, mais aussi dans les chambres 131, 135, 147 qui contenaient les archives de plusieurs cabinets ministériels. Des hôtels et bureaux que les différents ministères et tous les services administratifs avaient occupés on avait également extrait une masse imposante de documents, et Paris — où se trouvaient non seulement les correspondants de tous les ministères installés à Vichy, mais encore les services allemands et les partis de la collaboration — avait considérablement ajouté au flot d'une documentation que magistrats et défenseurs ne pouvaient évidemment pas dépouiller, étudier et analyser en temps utile. Ce manque de délais et de moyens permettrait plus tard à Louis Noguères, ancien président de la Haute Cour, d'écrire *Le Véritable Procès du Maréchal Pétain* et au journaliste Pierre Bourget de consacrer, en octobre 1961, dix-huit articles dans *L'Aurore* au contenu, jusqu'alors jamais révélé, de la « malle du Maréchal », une caisse de 80 centimètres de long sur 55 de large, qui contenait des documents qui eussent été précieux pour l'accusation et plus encore pour la défense.

En contradiction formelle avec celle de Payen, la tactique d'Isorni est de répondre à « la violence inouïe des accusateurs par une égale violence[1] ». Pour lui, « devant l'opinion publique, un procès est gagné, même perdu devant les juges, dès l'instant qu'on n'accepte pas ».

Une occasion de ne pas accepter s'était rapidement présentée. Dans la perspective d'un jugement par contumace, le procureur général Mornet avait — en partie sur la foi de ragots — rédigé à la hâte son réquisitoire. Il s'y trouvait une accusation stupéfiante que le procureur général disait basée sur un « document décisif ».

> « Un document vient d'être porté à la connaissance des magistrats instructeurs : il s'agit d'un procès-verbal relatant les

---

1. *Mémoires.*

révélations faites par Alibert en novembre 1942 et d'où il résulte que ledit Alibert faisait partie de la Cagoule, ainsi que Darlan, Huntziger, Déat, Laval et les autres, et aussi le maréchal Pétain, qui en était le drapeau ; que leur intention était de prendre le pouvoir pour instituer un régime sur le modèle de Franco, en utilisant les services de celui-ci et, au besoin, l'appui de Hitler.

Profitant de son ambassade à Madrid, Pétain, selon les dires d'Alibert, s'était servi de Franco *comme intermédiaire auprès de Hitler, lequel s'était montré favorable au projet des conjurés, leur avait même fourni un concours financier, en même temps que promis un appui militaire*[1]. Alibert ajoutait qu'après que la guerre eut éclaté et que l'armée française eut été vaincue, l'armistice fut demandé selon les termes qui *avaient été convenus d'avance avec Hitler*[1], mais que celui-ci ne tint nullement ses promesses et, au lieu d'aider à refaire la France sans République, laissa son parti nous imposer des conditions draconiennes, d'où rupture entre ceux qui, comme Alibert, ne voulaient plus avoir de relations avec Hitler et ceux qui, comme Laval et Déat, voulaient, au contraire, s'engager dans la voie de la collaboration. »

Pétain, justement indigné, avait demandé au bâtonnier Payen de se mettre sans tarder en quête du « document décisif ». Trop occupé, Payen — qui n'attachait peut-être pas une importance excessive à la chose — n'en avait rien fait. Isorni s'était rendu chez Mornet, acte d'accusation en main, et lui avait demandé de produire « le document décisif ». Sans faire preuve d'un excessif trouble de conscience, le procureur général avait reconnu que le document *n'existait pas* et que son texte avait été en partie rédigé à l'écoute des bruits qui avaient couru dans la Résistance.

— Tout ça, c'est de la politique ! avait-il conclu.

Décidé à ne pas se contenter de cette courte défaite, Isorni rédigera à l'intention du président Bouchardon, mais « dans le tempérament du Maréchal », une lettre de protestation signée Philippe Pétain.

Dans l'acte d'accusation lu au cours de la première audience de la Haute Cour de justice — celle du lundi 23 juillet —, on retrouvera toutefois sans qu'un mot y ait été changé le passage sur le fameux « document décisif » qui n'en était pas un.

---

1 Souligné intentionnellement.

Mornet poursuivait d'ailleurs en expliquant que « le document en question proje[tait] un singulier jour sur le rôle de Pétain lorsqu'il était ambassadeur à Madrid ».

Et il ajoutait : « A ce point de l'exposé des faits reprochés à l'inculpé, la preuve de l'attentat contre la sûreté intérieure de l'État, dont il s'est rendu coupable, est incontestablement établie, celle du crime d'intelligence avec Hitler dans la période précédant la guerre ne l'est pas moins. »

L'acte d'accusation était daté, il est vrai, du 23 avril 1945, c'est-à-dire du jour où la commission de la Haute Cour venait de décider de renvoyer le Maréchal devant la Haute Cour de justice, mais aussi de la veille du jour où Pétain avait demandé à la Suisse de lui ouvrir le passage en direction de la France.

Mornet n'avait non plus rien modifié d'un réquisitoire consacré pour une large moitié — plus de trois colonnes sur six au *Journal officiel* et huit lignes seulement pour les persécutions raciales — à tenter de prouver la thèse du « complot ».

Il s'agissait certes de l'acte d'accusation rédigé lorsque Pétain devait être jugé par contumace — ce qui n'excusait ni la fausseté de la démonstration ni la légèreté de la « preuve » — mais, dans un complément d'information en onze points daté, lui, du 11 juillet, le procureur général Mornet, pour ne pas se déjuger, s'enferrait.

> « Au sujet, écrivait-il, du document relatif aux révélations faites par Alibert à un interlocuteur de M. Jean Rist, aujourd'hui décédé, révélations dont il n'a pas été possible d'identifier l'interlocuteur désigné dans le procès-verbal par la lettre N [1], l'honorabilité de M. Jean Rist n'en demeure pas moins une garantie d'authenticité des propos rapportés par lui. »

Ainsi un mort (M. Jean Rist) était-il appelé à cautionner des « révélations » faites à un personnage que le procureur général n'avait pu identifier ! Et pas n'importe quelles révélations puisqu'elles concernaient un complot Pétain-Hitler-Franco-Laval-Darlan-Huntziger-Déat

---

1. Dans sa lettre de protestation au président Bouchardon, le maréchal Pétain avait désigné M. Vergniaud comme interlocuteur d'« un nommé Rist ».

pour installer en France un régime semblable à celui que la guerre civile avait fait triompher en Espagne[1].

Les jours qui passent voient, à Montrouge, s'aggraver les différends entre le bâtonnier Payen et Isorni.

Le premier sent bien que le second a capté non seulement l'affection du Maréchal, mais encore et surtout qu'il est bien décidé à orienter comme il l'entend cette partie de la défense dont il aura la charge et qu'il tirera moralement bénéfice d'une plaidoirie qui, à défaut d'être pénalement efficace, ce qui ne pourrait être obtenu qu'en soutenant la thèse d'un homme irresponsable pour cause de trop grand âge, sera brillante et mémorable.

Le conflit avait pris une telle ampleur que Payen et Isorni se mirent également à la recherche d'un troisième avocat qui leur éviterait un tête-à-tête désormais insupportable. Le choix d'Isorni s'était porté sur Me Pierre Véron, père de famille, résistant, beau-frère d'un ministre M.R.P., mais, alors que Véron avait accepté, Fernand Payen avait déjà désigné Me Jean Lemaire. Ce faisant, il ignorait qu'il fournissait à Isorni un allié robuste.

« Important, rond, cordial... d'apparence toujours réjouie[2] », Me Lemaire — dont le personnage est trop négligé, Isorni ayant attiré sur lui toute la lumière — était doué d'une qualité précieuse en un lieu aussi triste que Montrouge, en un moment aussi redoutable : une inépuisable bonne humeur, une drôlerie à ce point communicative que Mme Pétain, le Maréchal et Isorni ne résistaient pas à ses boutades. A l'île d'Yeu, un jour de retrouvailles avec les avocats, Mme Pétain, soudain amusée par une réflexion de Lemaire, s'écriera :

— Ah ! Je n'avais jamais tant ri depuis Montrouge !

Immédiatement convaincu de la justesse de la position d'Isorni, se

---

1. C'est en vain que la défense (Me Isorni) demandera à la cour, dès l'ouverture du procès, de donner acte « de ce que l'acte d'accusation par contumace fait état, comme document décisif résultant de prétendues révélations de M. Alibert, d'un procès-verbal qui ne figure pas à la procédure ».

Le 13 août, Me Lemaire reviendra dans sa plaidoirie sur « le document décisif ». Cf. p. 569.

2. Jacques Isorni, *Mémoires.*

séparant du bâtonnier Payen pour entrer dans un système de mystères et de cachotteries, Lemaire, par-delà le procès, devait très longtemps rester fidèle au maréchal Pétain, à sa cause et à sa mémoire.

Parmi les questions importantes qui se posaient aux défenseurs, celle de savoir de quelle façon le Maréchal répondrait aux questions, nombreuses, variées, déconcertantes, qui lui seraient posées à l'occasion du procès, était la plus importante.

Lorsque, le 1ᵉʳ juin, le Maréchal, convoqué devant la commission d'enquête au grand complet, avait dû répondre à des questions sans lien entre elles, portant sur la Milice, puis sur Montoire, sur la Syrie, la Relève, la synarchie, l'armistice, selon l'inspiration ou la malice des commissaires, il ne s'était pas tiré à son bénéfice de la confrontation. Il ne pouvait en aller autrement. Intimidé et bousculé ce jour-là, il risquait de l'être bien davantage au cours de ce long procès où ni le président, ni le procureur, ni les jurés, ni certains des témoins n'auraient pitié de la mémoire à éclipses d'un homme de quatre-vingt-neuf ans.

Isorni allait découvrir la solution.

— Vous ne répondrez pas. On trouvera n'importe quel motif. Je vous propose de soutenir que la Haute Cour ne représente pas le peuple français et que vous n'avez de comptes à rendre qu'à lui. Vous ferez une déclaration pour justifier vos actes. Puis vous garderez le silence[1].

L'idée d'un « dernier message[1] » enchanta et rassura Pétain.

Encore fallait-il le rédiger.

Si l'impatience du Maréchal était grande, Isorni se trouvait ralenti dans une difficile rédaction par le labeur quotidien.

Enfin, un soir, et selon son aveu « après avoir bu beaucoup de champagne, dans cet état d'exaltation et de lucidité légère qu'il procure à doses raisonnables », l'avocat se mit au travail. Il écrivit d'un trait le texte — une colonne et demie dans le *Journal officiel* — que Pétain devait lire à l'audience du 23 juillet. Mais de « l'Isorni », il fallait faire « du Pétain », ce qui demanda des semaines de mise au

---

1. Jacques Isorni, *Mémoires*.

point. Éliminant ce qui n'était pas verbe, sujet, complément ; raturant, rétablissant, raturant encore ; rappelant avec satisfaction, dès l'instant où il s'agissait de choisir et de défendre le mot exact, qu'il était de l'Académie française et de l'Académie des sciences morales et politiques, Pétain, en travaillant, apprenait ainsi un texte qu'il lira sans hésitations ni redites devant la Haute Cour[1].

Entre bien des problèmes, un problème de taille se posait. Il mettait, en effet, en cause la susceptibilité et la vanité des défenseurs. Que plaiderait-on ? Qui plaiderait ? Et, si Isorni et Lemaire avaient la possibilité de lire autre chose que des documents utiles à la défense, comme le bâtonnier le leur avait d'abord demandé, dans quel ordre plaiderait-on ?

Une dizaine de jours avant l'ouverture des débats, Payen et Isorni s'affrontèrent en présence de Lemaire.

Fort de son ancienneté, de son talent reconnu, le bâtonnier, premier défenseur du Maréchal, entendait bien imposer sa méthode de défense. De son côté, Isorni refusait que vieillesse et gâtisme puissent conduire à un adoucissement de peine. Il y eut échange de mots. Payen menaça de retirer à Isorni son dossier. « Vous n'êtes plus, lui dit-il, l'avocat du maréchal Pétain. » C'est lorsqu'il comprit que, s'il devait choisir, Pétain ne sacrifierait jamais Isorni qu'en apparence du moins le bâtonnier se résigna.

Dans le même mouvement, il admit qu'Isorni et Lemaire avaient non seulement le droit de déposer des conclusions d'incompétence de la Haute Cour, de stigmatiser des magistrats qui acceptaient de juger le Maréchal après lui avoir prêté serment et qui avaient bâclé l'instruction, mais aussi de plaider le dossier. Dans quel ordre les avocats de la défense se présenteraient-ils ? Cette importante question donna lieu à une scène de comédie ! Isorni proposa de plaider le premier. Payen rétorqua que c'était à lui de commencer. Alors, il plaiderait le dernier. Le bâtonnier voulait également conclure. Finalement, on se mit d'accord sur ce qu'Isorni appelle « la plaidoirie en sandwiches ». Payen plaiderait le premier, lui succéderait Me Lemaire,

---

1. *Cf.* p. 525, l'intégralité de la déclaration du Maréchal.

puis le bâtonnier reprendrait la parole, viendrait alors le tour de Jacques Isorni, Me Payen ayant la responsabilité de conclure.

C'est ainsi que les choses se passèrent les 13 et 14 août. Mais, avant d'arriver à ces jours d'août, que d'événements !

Quel lieu pouvait donc convenir au procès le plus important de notre histoire ? On avait évoqué la possibilité d'utiliser le Sénat, siège traditionnel de la Haute Cour, ou le Palais-Bourbon. Les communistes réclamaient la plus vaste enceinte possible et certains imaginaient que la condamnation — qui ne faisait aucun doute — fût suivie d'une dégradation publique : au pied de l'Arc de triomphe, et par un simple soldat, avait suggéré André Le Troquer, ancien commissaire à la Guerre de De Gaulle. L'homme avait même proposé que le bâton de maréchal fût alors solennellement brisé. « Peut-être, avait répliqué Edgar Faure, choqué par tant de rancœur, peut-être pourrait-on même le briser sur la tête du Maréchal. »

Finalement, « aucun magistrat n'aim[ant] qu'on le sorte de ses habitudes, de ses lambris familiers[1] » ; le gouvernement craignant qu'une trop vaste salle ne se prêtât à des mouvements de foule encouragés par la propagande communiste, on choisit la première chambre de la cour d'appel au Palais de justice. Dans ces locaux, déjà, la Haute Cour s'était réunie pour juger l'amiral Esteva et le général Dentz.

Mais, dans cet espace restreint, comment éviter, selon le mot de Joseph Kessel écrivant pour *France-Soir,* que « ce procès géant [ne] prenne figure d'un pauvre drame bourgeois » ?

Ce serait aux magistrats, à l'accusé, aux témoins, aux avocats, à la presse aussi qui, malgré sa modeste pagination, allait donner aux comptes rendus des audiences une place importante[2], de lui conserver sa grandeur.

---

1. Jacques Isorni, *Philippe Pétain.*
2. Pierre Brisson, directeur du *Figaro,* annoncera à ses lecteurs la suppression de certaines rubriques, le journal entendant conserver sa deuxième et dernière page au compte rendu de l'audience de la veille.

Le samedi 21 juillet, les menuisiers avaient achevé la mise en place des installations qui permettaient de doubler la contenance de la première chambre et d'accueillir quatre cents « privilégiés ».

Derrière le tribunal où allaient siéger le premier président Mongibeaux et ses assesseurs, les présidents Donat-Guigue et Picard, étaient disposées une centaine de chaises recouvertes de velours cerise à l'intention du corps diplomatique, des magistrats et des fonctionnaires invités.

Dans la tribune, quatre rangées de gradins venaient d'être disposées d'où l'on surplombait la salle. Au centre de celle-ci, devant les places réservées d'un côté aux juges parlementaires, de l'autre aux juges émanant des mouvements de résistance, quatre-vingt-dix journalistes de la presse étrangère et française [1] devaient s'installer, chacun disposant d'un « espace vital » de cinquante centimètres.

Entre les bancs réservés à la presse, un passage de un mètre de large permettrait au procureur général Mornet d'aller occuper sa place et au maréchal Pétain d'aller s'asseoir dans le fauteuil de bois recouvert de cuir vert qui lui était destiné.

Dans les dépendances de la première chambre était aménagé ce que certains appelèrent « les appartements » du Maréchal. Il s'agissait d'une pièce de trois mètres sur quatre transformée en cellule, la haute fenêtre ayant été obturée à moitié par un muret de briques au-dessus duquel étaient scellés des barreaux horizontaux. Le lavabo des magistrats de la cour devait servir de toilette. Directeur du fort de Montrouge, religieuses affectées au service du Maréchal, gardiens étaient fort mal installés dans les bureaux de la présidence où des lits de soldat avaient été disséminés.

Jusqu'au 15 août, Philippe Pétain, Mme Pétain, ceux qui étaient chargés de les surveiller, éventuellement de les soigner, dormiront, mangeront et vivront dans ces étroits espaces.

---

1. La presse de province se plaindra de n'avoir pu disposer que de dix places.

C'est dans l'après-midi du dimanche 22 juillet que le Maréchal fut transféré du fort de Montrouge au Palais de justice. Le transport eut lieu dans un fourgon cellulaire plus communément appelé « panier à salade », voiture comprenant, de chaque côté d'une allée centrale, cinq à six petites cellules closes et dotées d'un siège. La photo existe de Philippe Pétain, en costume gris et feutre gris clair, montant, aidé par un gardien, dans le « panier à salade ». Sur lui, on ne ferma pas cependant la porte de la cellule, mais deux gardes mobiles, arme à la main, vinrent s'installer dans le couloir cependant que Mme Pétain prenait place à côté du chauffeur.

« Depuis la Libération, écrit Georges Blond dans son livre consacré à Pétain, le panier à salade avait transporté des ministres, des généraux, des amiraux, des préfets, des journalistes, des écrivains, des acteurs et même des femmes du monde [...]. Mais jamais, jusqu'à ce dimanche de canicule, aucun fourgon cellulaire n'avait transporté un maréchal de France.

« Le désir d'humilier Pétain, écrit encore Georges Blond, n'était pas la raison principale du choix du véhicule. On avait craint les manifestations. »

Isorni ne partage pas cette opinion. Dans tous les ouvrages qu'il a consacrés au procès de son illustre client, il reproche violemment à Pierre-Henri Teitgen, ministre de la Justice de l'époque, ainsi qu'au général de Gaulle, le choix de « cette voiture infamante [1] ».

Dans ses Mémoires, parus sous le titre *Faites entrer le témoin suivant...*, Pierre-Henri Teitgen écrit qu'il n'eut à intervenir dans l'affaire Pétain que « pour assurer la sécurité du condamné à sa sortie du Palais de justice. Comme je l'avais prescrit, poursuit l'ancien ministre, il le quitta par une porte dérobée dans une voiture de police banalisée tandis qu'une voiture pénitentiaire, vide mais escortée de motards, attirait sur elle les cris de mort des manifestants massés devant les grilles du Palais ».

Teitgen parle de la sortie du Palais de justice.

Il ne parle pas de l'arrivée. Il y eut bien, alors, transport dans le « panier à salade ».

---

1. Jacques Isorni, *Mémoires*.

Dès la fin de la matinée, le lundi 23 juillet, les abords du Palais de justice, boulevard du Palais[1], sont en effervescence. Des gendarmes, des gardes mobiles examinent cartes d'accès et cartes d'identité, et les opérations de contrôle se répéteront à l'intérieur du Palais.

Dans la salle de la première chambre, dès 12 h 30, arrivent successivement, après les journalistes et les invités, les premiers témoins : le président Albert Lebrun, Louis Marin, Charles Roux, Paul Reynaud, Michel Clemenceau, l'abbé Rhodain, le pasteur Bœgner, Léon Noël. Ils vont prendre place et, devant eux, s'installent la sœur Monique ainsi que deux médecins militaires chargés de parer à toute défaillance de l'accusé.

Sur les quatre rangées de la tribune, cent quatre-vingts invités sont déjà assis. Au fond de la salle, debout, des avocats et les quelques privilégiés qui forment « le public ».

L'Agence France-Presse allait décrire, avec la nécessaire objectivité d'une grande agence d'information, l'arrivée du maréchal Pétain. Et la dépêche serait reprise à travers le monde par des milliers de journaux.

> « A 13 h 10, Pétain fait son entrée dans la salle d'audience. Il est en uniforme de maréchal de France et ne porte comme décoration que la médaille militaire.
>
> Il tient à la main un rouleau de papier et des gants de cuir jaune.
>
> Il reste un moment debout devant son fauteuil pendant que s'affairent les photographes et les dessinateurs assis au pied de la tribune présidentielle. Pétain s'assied. Il pose devant lui son képi à triple rang de feuilles de chêne et ses mains, qui tremblent, dénouent et déroulent son papier.
>
> A côté de lui, un garde armé. Derrière, ses trois avocats : le bâtonnier Payen, Mes Isorni et Lemaire.
>
> Pendant les lourdes minutes qui s'écoulent entre l'arrivée de l'accusé et l'entrée de la cour, les photographes et les cinéastes

---

1. Les grilles de la place Dauphine demeureront hermétiquement closes.

s'en donnent à cœur joie. Des bancs des témoins, des protestations s'élèvent... »

Le témoignage de Jean Schlumberger, qui écrit dans *Le Figaro*, va plus loin. Romancier, Schlumberger s'essaie à un rapide portrait psychologique de l'homme qui vient de prendre place dans son fauteuil et qu'il voit portant « vingt ans de moins que son âge ».

> « S'il doit s'effondrer, ajoute Schlumberger qui, sans le savoir, rejoint la thèse d'Isorni, [il] ne le fera pas sous le poids de la sénilité, mais bien d'arguments irréfutables. Aucun tic, aucun tremblement des mains. Après qu'il a pris place dans son fauteuil et que, en attendant l'entrée de la cour, les photographes tournent autour de lui, braquant de toute part leurs appareils comme sur un animal de ménagerie, son impassabilité garde de l'allure [1]. »

Mais la meilleure description de cet instant, où tout demeure suspendu encore, de ce moment où — à quelques exceptions près — les assistants, qui, avant de pénétrer dans la salle, n'en avaient ni la volonté ni le désir, se sont spontanément levés à l'apparition du maréchal de France comme si l'on se trouvait toujours à Vichy et non sous les ors et les allégories du Palais de justice, oui, la meilleure description se trouve sous la plume de Jules Roy.

Il est symptomatique que dans sa biographie, *Philippe Pétain*, Isorni, témoin capital, écrivain doué, se soit effacé devant Jules Roy à l'instant où Pétain allait prendre place devant ses juges.

Jules Roy, cependant, n'avait pas assisté au procès.

En 1966, grâce aux articles d'une trentaine de journalistes et aux 386 feuillets du *Journal officiel* que, jeune capitaine d'aviation, il avait, comme beaucoup de ses camarades, commandé puis laissé jaunir dans sa cantine, il allait, dans son livre *Le Grand Naufrage,* reconstituer les débats avec précision, richesse d'information, émotion dans le cœur et dans l'écriture. Isorni avait donc cité Jules Roy qui empruntait les détails, les observations, les choses vues et devinées par d'autres, pour en faire une page qui n'appartiendrait qu'à lui.

---

1. *Le Figaro,* 24 juillet 1945.

« Il marchait très droit, avec une raideur et une dignité de prince blessé, dans un silence impressionnant où l'on entendit le bruit du talon de ses bottines vernies [1], le battement de robe des trois avocats et le ronronnement des caméras. Sous la moquette bleue, par endroits, le parquet craquait. Chacun reconnut l'homme dont l'image avait paru dans les journaux depuis trente ans et sur les murs de France pendant l'Occupation : cette peau rose, ce regard de ciel, cette bonne face de patriarche taillée dans le marbre, ce crâne noble, cette couronne de cheveux de neige et cette moustache de crins blancs peu à peu rognée, depuis Verdun. " Nous, Philippe Pétain... " Chef de l'État français ou roi de France ? La différence était mince. Parce qu'on s'attendait à voir un vieillard défait, chacun s'étonnait de la verdeur de cet homme de près de quatre-vingt-dix ans. Les joues s'affaissaient en plis tragiques. La tristesse durcissait et pochait les yeux qui clignaient sous les éclairs au magnésium, et creusait des sillons sur le front. Du col si étroit qu'il repoussait la cravate sortait une peau flétrie et blême.

Le garde déplaça la tablette devant le fauteuil vide. Le Maréchal s'assit et disposa précautionneusement devant lui son képi, ses gants et le rouleau de papier qui se déplia et s'étala. On s'aperçut alors qu'il se composait de feuillets dactylographiés avec de grands caractères royaux. La salle se rassit à son tour et bruit comme un torrent. »

Quelques minutes plus tard — il est 13 h 15 —, l'huissier annonce : « Monsieur le premier président Mongibeaux, Monsieur le procureur général. »

Le premier président, homme affable et imposant, pareil, avec sa barbiche pointue, à un d'Artagnan épaissi — la comparaison se retrouvera sous toutes les plumes —, vint prendre place. Il sera encadré, pendant tout le procès, de M. Donat-Guigue, président de la chambre criminelle de la Cour de cassation, un ami de la famille Pétain, et de M. Picard.

Tous ceux qui observaient avec passion une scène dont on savait qu'elle serait historique remarquaient que Philippe Pétain, pour laisser

---

1. Isorni écrira *(Philippe Pétain)* que ce détail était inexact.

passer le procureur général qui demanderait contre lui la peine de mort, tirait légèrement la tablette où il avait disposé son képi et ses gants.

Chaque jour, il renouvellerait ce geste de courtoisie à l'égard du procureur général Mornet, vieil oiseau de proie « emplumé de rouge[1] », qui avait été choisi parce qu'il incarnait, depuis l'autre guerre, la lutte contre la trahison la plus vile, ce qui était, aujourd'hui, une façon supplémentaire d'humilier l'accusé.

La pièce pouvait commencer.

Tout était en place.

Tous étaient en place.

Les magistrats, les douze jurés parlementaires choisis parmi les députés et sénateurs qui, le 10 juillet à Vichy, avaient voté « non » ; les douze jurés résistants qui avaient échappé aux récusations de la défense[2] ; les avocats, les témoins et ceux, journalistes et invités, qui diraient au monde ou à leurs intimes comment les débats se déroulaient, l'accusé enfin.

— Accusé, levez-vous !

Le *Journal officiel* ne porte pas trace de cette phrase traditionnelle qui a bien été lancée après que le président Mongibeaux eut, dans une déclaration liminaire, affirmé qu'il importait que le procès, « un des plus grands de l'Histoire », se déroulât dans « la sérénité et la dignité » et ajouté cette formule dans laquelle il espérait enfermer quatre ans d'évolution sentimentale des Français :

---

1. Jules Roy, *Le Grand Naufrage*.
2. Le samedi 21, le président Mongibeaux avait procédé au tirage au sort des jurés. La défense récusa deux jurés dont elle savait qu'ils appartenaient au Parti communiste. Ignorant son appartenance, elle ne récusa pas M. Prot, député communiste de la Somme, ce qui eut sans doute une influence au moment du vote, la condamnation à mort n'ayant été acquise qu'à une voix de majorité.
La défense récusa également Mme Lucie Aubrac et M. Pimienta qui s'écria : « Je remercie la défense de l'honneur qu'elle me fait. Cela n'empêche pas que Pétain soit un traître. Il aura ses douze balles dans la peau. Et, s'il faut un volontaire pour l'exécuter, je suis là. » *Cf.* Isorni, *Philippe Pétain*.

« L'accusé qui comparaît aujourd'hui a suscité, pendant de longues années, les sentiments les plus divers : un enthousiasme que vous vous rappelez, une sorte d'amour. A l'opposé, il a également soulevé des sentiments de haine et d'hostilité extrêmement violents.

A la porte de cette audience, où les sentiments de passion s'éteignent, s'arrêtent, nous ne connaissons ici qu'une seule passion sous un triple aspect : la passion de la vérité, la passion de la justice, la passion de notre pays. »

Le premier président Mongibeaux acheva en disant que l'Histoire « jugerait les juges », qu'elle jugerait même « l'atmosphère » dans laquelle le procès se serait déroulé, ce qui constituait une invitation à la sérénité dans une affaire où les blessures étaient trop récentes, les rancœurs trop vives, les obscurités trop nombreuses pour qu'il y eût sérénité.

— Accusé, levez-vous. Quels sont vos nom, prénom, âge et qualité ?

Dans le silence absolu, le Maréchal, debout, le teint pâle, la bouche sèche malgré les pastilles qu'il avait sucées avant l'audience, répondit :

— Pétain, Philippe, maréchal de France.

Il avait fait l'impasse sur l'âge. Il avait alors quatre-vingt-neuf ans et quatre mois moins un jour.

Le Maréchal s'était assis.

Le bâtonnier Payen se leva pour développer des conclusions tendant à prouver l'incompétence de la Haute Cour puisque, constitutionnellement, selon lui, c'était le Sénat qui devait juger l'ancien chef de l'État et non cette cour qui se prononcerait « en violation de toutes les traditions » et dont certains membres avaient, « il n'y a pas si longtemps », prêté serment de fidélité à celui qui comparaissait devant eux.

Le procureur général Mornet se débarrassa rapidement de ce serment. Il ne l'avait pas prêté, non par excès de vertu républicaine — pour la France entière un seul magistrat l'avait refusé —, mais tout bonnement parce qu'il se trouvait à la retraite depuis dix-huit mois. En

523

activité, l'eût-il prêté ? Peut-être, parce qu'il considérait qu'« un tel serment imposé à des fonctionnaires publics par les détenteurs d'une autorité exercée sous le contrôle de l'ennemi [...] n'a[vait] aucune espèce de valeur ».

Il y eut des murmures dans la salle. Mornet, qui ne pouvait ni ne voulait laisser passer l'occasion de blanchir les fonctionnaires qui avaient prêté serment, insista, malgré les grondements d'une partie de la salle qu'il déclara, à la mode de l'époque, immédiatement suspecte de receler des agents de « la cinquième colonne ».

Puisque le serment était bien sans valeur morale et que le refus eût été dangereux — l'unique réfractaire (M. Didier) avait d'ailleurs pâti de son refus —, pourquoi n'avoir pas fait un geste qui n'était autre chose qu'un banal mouvement du bras, pourquoi n'avoir pas prononcé des mots qui n'engagaient pas la conscience ? Telle était la thèse de M. Mornet [1].

En niant la portée du serment, le procureur général facilitait d'ailleurs la défense de tous ceux qui viendraient dire qu'à l'intérieur du système de Vichy, recrutés et soldés par Vichy, ils avaient en réalité desservi et abusé Vichy. Partout croîtraient alors, se multiplieraient, s'épanouiraient les fleurs somptueuses ou discrètes du double jeu.

Mornet se débarrassa de la conclusion d'incompétence soulevée par le bâtonnier Payen. Le Sénat était bien le juge naturel du président de la République, mais Pétain n'était que « le gestionnaire de la République, ce qui n'est pas la même chose ». La Haute Cour était donc compétente. Elle lui donna raison. Après des escarmouches à la conclusion prévisible, M. Jean Lot, le greffier, donna lecture, d'une petite voix pâle, de l'acte d'accusation.

En réalité, de deux actes d'accusation.

Celui, très long — six colonnes du *Journal officiel* —, que le procureur général Mornet avait signé le 23 avril alors que le Maréchal était toujours prisonnier en Allemagne.

Celui, bref, une colonne du même *Journal officiel*, signé le 11 juillet et qui complétait et parfois rectifiait le premier. On a vu précédemment ce que comportaient ces textes — la longue évocation d'un complot en liaison avec la Cagoule, Hitler et Franco — et ce qu'ils ne faisaient qu'effleurer : Montoire, la Syrie, les lois raciales, l'aide

---

1. Plus tard dans le procès, ce serait le 27 juillet, M. Léon Blum dirait qu'il ne considérait pas, lui, le serment comme « une formalité dérisoire ».

économique apportée à l'Allemagne, les paroles prononcées en faveur du combat contre le bolchevisme.

Marc Ferro écrit dans son *Pétain* que ce réquisitoire fut lu « devant une salle hébétée de stupeur ».

En cours de route, Mornet abandonnera la thèse du complot. Là où il avait vu « préméditation », il ne verra plus que « méditation », mais, le 23 juillet, la salle l'avait bien entendu affirmer que Pétain, Philippe, maréchal de France, était accusé d'avoir « entretenu des intelligences avec l'ennemi en vue de favoriser ses entreprises en corrélation avec les siennes ».

L'appel des témoins est terminé. Le président Mongibeaux annonce qu'il va « procéder à l'interrogatoire de l'accusé ». C'est alors que le bâtonnier demande que la parole soit donnée au Maréchal qui désire faire une déclaration. Cette déclaration, qu'il a travaillée longuement avec Isorni qui en fut l'inventeur, il la connaît presque par cœur et, d'une voix « beaucoup plus ferme [1] » que celle que les Français avaient l'habitude d'entendre à la radio, il la lit sans lunettes, une fois développé le rouleau de papier qu'il tient à la main.

« C'est le peuple français qui, par ses représentants, réunis en Assemblée nationale le 10 juillet 1940, m'a confié le pouvoir. C'est à lui que je suis venu rendre des comptes.

La Haute Cour, telle qu'elle est constituée, ne représente pas le peuple français, et c'est à lui seul que s'adresse le Maréchal de France, chef de l'État.

Je ne ferai pas d'autre déclaration.

Je ne répondrai à aucune question. Mes défenseurs ont reçu de moi la mission de répondre à des accusations qui veulent me salir et qui n'atteignent que ceux qui les profèrent.

J'ai passé ma vie au service de la France. Aujourd'hui, âgé de quatre-vingt-dix ans, jeté en prison, je veux continuer à la servir, en m'adressant à elle une fois encore. Qu'elle se souvienne. J'ai

---

1. La remarque est de Jean Schlumberger, *Le Figaro,* 24 juillet 1945.

mené ses armées à la victoire, en 1918. Puis, alors que j'avais mérité le repos, je n'ai cessé de me consacrer à elle.

J'ai répondu à tous ses appels, quels que fussent mon âge et ma fatigue.

Le jour le plus tragique de son Histoire, c'est encore vers moi qu'elle s'est tournée.

Je ne demandais ni ne désirais rien. On m'a supplié de venir : je suis venu.

Je devenais ainsi l'héritier d'une catastrophe dont je n'étais pas l'auteur, les vrais responsables s'abritaient derrière moi pour écarter la colère du peuple.

Lorsque j'ai demandé l'armistice, d'accord avec nos chefs militaires, j'ai accompli un acte nécessaire et sauveur.

Oui, l'armistice a sauvé la France et contribué à la victoire des Alliés, en assurant une Méditerranée libre et l'intégrité de l'Empire.

Le pouvoir m'a été alors confié légitimement et reconnu par tous les pays du monde, du Saint-Siège à l'U.R.S.S.

De ce pouvoir, j'ai usé comme d'un bouclier pour protéger le peuple français. Pour lui, je suis allé jusqu'à sacrifier mon prestige. Je suis demeuré à la tête d'un pays sous l'Occupation.

Voudra-t-on comprendre la difficulté de gouverner dans de telles conditions ? Chaque jour, un poignard sur la gorge, j'ai lutté contre les exigences de l'ennemi. L'Histoire dira tout ce que je vous ai évité, quand mes adversaires ne pensent qu'à me reprocher l'inévitable.

L'Occupation m'obligeait à ménager l'ennemi, mais je ne le ménageais que pour vous ménager vous-mêmes, en attendant que le territoire soit libéré.

L'Occupation m'obligeait aussi, contre mon gré et contre mon cœur, à tenir des propos, à accomplir certains actes dont j'ai souffert plus que vous, mais, devant les exigences de l'ennemi, je n'ai rien abandonné d'essentiel à l'existence de la patrie.

Au contraire, pendant quatre années, par mon action, j'ai maintenu la France, j'ai assuré aux Français la vie et le pain, j'ai assuré à nos prisonniers le soutien de la nation.

Que ceux qui m'accusent et prétendent me juger s'interrogent au fond de leur conscience pour savoir ce que, sans moi, ils seraient peut-être devenus.

ACCUSÉ, LEVEZ-VOUS!

Pendant que le général de Gaulle, hors de nos frontières, poursuivait la lutte, j'ai préparé les voies à la libération, en conservant une France douloureuse mais vivante.

A quoi, en effet, eût-il servi de libérer des ruines et des cimetières?

C'est l'ennemi seul qui, par sa présence sur notre sol envahi, a porté atteinte à nos libertés et s'opposait à notre volonté de relèvement.

J'ai réalisé, pourtant, des institutions nouvelles; la Constitution, que j'avais reçu mandat de présenter, était prête, mais je ne pouvais la promulguer.

Malgré d'immenses difficultés, aucun pouvoir n'a, plus que le mien, honoré la famille et, pour empêcher la lutte des classes, cherché à garantir les conditions du travail à l'usine et à la terre.

La France libérée peut changer les mots et les vocables. Elle construit, mais elle ne pourra construire utilement que sur les bases que j'ai jetées.

C'est à de tels exemples que se reconnaît, en dépit des haines partisanes, la continuité de la Patrie. Nul n'a le droit de l'interrompre.

Pour ma part, je n'ai pensé qu'à l'union et à la réconciliation des Français. Je vous l'ai dit encore le jour où les Allemands m'emmenaient prisonnier parce qu'ils me reprochaient de n'avoir cessé de les combattre et de ruiner leurs efforts. »

Le Maréchal poursuivit en affirmant qu'en le condamnant « des millions d'hommes » (tous ceux qui lui gardaient leur fidélité) seraient condamnés. Et « la discorde de la France » s'en trouverait aggravée ou prolongée.

Voici maintenant les derniers mots d'un texte de sept minutes que ne commenteront guère les journalistes qui s'attendaient à un interrogatoire étalé sur deux ou trois audiences au moins :

« Mais ma vie importe peu. J'ai fait à la France le don de ma personne. C'est à cette minute suprême que mon sacrifice ne doit plus être mis en doute.

Si vous deviez me condamner, que ma condamnation soit la dernière et qu'aucun Français ne soit plus jamais condamné ni détenu pour avoir obéi aux ordres de son chef légitime.

Mais, je vous le dis à la face du monde, vous condamneriez un innocent en croyant parler au nom de la justice et c'est un innocent qui en porterait le poids, car un Maréchal de France ne demande de grâce à personne.

A votre jugement répondront celui de Dieu et celui de la postérité. Ils suffiront à ma conscience et à ma mémoire. »

Pétain (ou Isorni) avait prévu de terminer son allocution par « Vive la France ». Sur le manuscrit, les mots, rayés, ont été remplacés par : « Je m'en remets à la France », phrase qui, par-delà juges et jurés, faisait appel à l'opinion du moment mais, plus encore, à celle des générations futures.

Presque indifférente à la déclaration de Pétain, la presse se passionnera pour l'altercation qui mit aux prises Me Jean Lemaire et le procureur général Mornet. Faisant allusion[1] à un article publié le 28 avril 1945 dans *L'Aurore,* article dans lequel, trois mois avant l'ouverture des débats, Mornet n'avait pas caché qu'il réclamerait la peine de mort, Me Jean Lemaire avait provoqué, de la part du procureur général, une réaction de coléreuse négation.

Massés au fond de la salle, de nombreux avocats avaient réagi par de peu discrets murmures. Exaspéré, Mornet s'était alors écrié : « Il y a en vérité trop d'Allemands dans cette salle... », puis, sous les « hou ! hou ! » d'une partie de l'assistance, il s'était à demi rétracté, tandis qu'Isorni et Lemaire, se relayant, voulaient l'obliger à reconnaître qu'il avait bien parlé d'« Allemands » et que le président Mongibeaux, à plusieurs reprises, menaçait de suspendre l'audience, ce qu'il finissait par faire à 15 h 50.

Cette longue escarmouche entre une défense pressée d'en découdre et un procureur général gêné par la partialité de ses récentes déclarations, comme par son passé au service de la justice de Vichy, avait retardé l'entrée en scène du premier témoin : Paul Reynaud.

Mais quel acteur que l'ancien président du Conseil !

Le teint hâlé ; le corps entretenu par une gymnastique quotidienne

---

1. Me Lemaire en donnera lecture.

pratiquée jusque dans ses prisons ; dressé sur ses ergots pour ne pas perdre un pouce de sa petite taille ; la voix haute, aigre parfois ; à soixante-dix ans en paraissant cinquante-six ; doué de l'admirable mémoire de l'homme qui a cent fois revécu en pensée les événements et les a modelés à sa convenance ; intarissable dès lors qu'il s'agit de parler de sa personne et de son action ; l'esprit agile et la repartie prompte ; le goût des belles et harmonieuses périodes ; les sens constamment en éveil, Paul Reynaud allait occuper la seconde partie de l'audience du 23 juillet et la quasi-totalité de celle du 24.

C'est lui qui avait appelé Pétain et Weygand dans les premiers jours de la bataille perdue de mai 1940. Il lui fallait donc expliquer non qu'il s'était trompé, mais qu'il avait été trompé par deux hommes qui s'étaient rapidement ligués pour réclamer puis imposer l'armistice.

Il allait longuement exposer les raisons du choix de Pétain et de Weygand ; faire revivre l'angoisse des batailles perdues ; se camper en « résistant » face à deux hommes — le Maréchal, le général — qui faisaient — il le dira — passer « leurs haines politiques et leurs ambitions personnelles » avant le patriotisme ; expliquer comment il avait « failli » transporter ce qui restait de nos forces dans le réduit breton ou en Afrique du Nord, « failli » relever Weygand de son commandement, « failli » accepter le projet d'union franco-britannique, mais comment il avait été empêché de prendre ces décisions qui eussent pu changer le cours de l'Histoire par l'action de « comploteurs » — Pétain, Weygand — qui, la défaite militaire se précisant, recrutaient, jour après jour, des alliés parmi les ministres.

Après avoir affirmé, pour répondre à d'anciennes et viles attaques, que la politique ne l'avait pas enrichi, Reynaud allait se livrer ensuite à une étude psychologique de Pétain. Très longuement (neuf colonnes du *Journal officiel*), puisqu'il commençait à Verdun son entreprise de démolition de la légende, la poursuivait en évoquant 1918, puis 1934 lorsque Pétain avait été nommé ministre de la Guerre ; 1939 et l'ambassade espagnole ; 1940 avant que ne débute la guerre éclair.

A grand renfort de citations de Poincaré, Clemenceau et Lloyd George, Paul Reynaud allait s'efforcer de démontrer qu'entre 1916 et 1918 Pétain n'avait été qu'un velléitaire, que ses heures glorieuses étaient des heures volées à d'autres. L'âge venant, ce timoré serait, toujours selon Reynaud, devenu un ambitieux forcené, « débauchant », selon le mot employé, des complices haut placés et n'hésitant pas à dire en mars à Monzie, alors ministre des Travaux publics, que,

« dans la deuxième quinzaine de mai », le gouvernement aurait besoin de lui. Prescience suspecte qui ne pouvait qu'accréditer la thèse du complot puisque c'est bien dans la deuxième quinzaine de mai que, devant la violence victorieuse des assauts allemands, le président du Conseil avait fait appel au Maréchal. Louis Noguères devait, plus tard, faire justice de cette accusation[1] mais, devant la Haute Cour, devant les journalistes et le public, elle complétait le portrait noir d'un homme dont Reynaud allait dire, en terminant, qu'« ayant une première fois manqué à l'honneur » il n'avait jamais pu « se redresser » et, une fois au pouvoir, avait, « marche à marche, aux applaudissements insultants de la presse allemande, [descendu] l'escalier du déshonneur ».

Reynaud avait abaissé Pétain, l'homme de l'armistice prémédité, pour mieux se grandir, lui, l'homme qui rêvait de poursuivre le combat au-delà des mers, mais comment, après une si éloquente description de la faiblesse de Pétain en 1916-1918, de sa fourberie alors qu'il était ambassadeur à Madrid, de sa « trahison » lorsque, venu au pouvoir, il sollicitait l'armistice, comment expliquer le choix qu'il avait fait en faveur de Pétain en mai 1940 et ses prises de position au moment de la défaite ?

Ayant dit ce qu'il avait dit, Paul Reynaud n'était-il pas coupable d'avoir, en mai 40, fait appel à Pétain, publiquement et bruyamment exalté ses qualités militaires et ses vertus civiques, puis démissionné le 16 juin en sachant quel serait son successeur, enfin accepté pendant quelques jours d'être, à Washington, l'ambassadeur de ce même Pétain ? N'était-il pas coupable de n'avoir pas pris part, à Vichy, au scrutin du 10 juillet alors que sa blessure[2], si elle l'avait « empêché » de voter, ne lui avait nullement interdit d'écrire, ce jour-là, au maréchal Pétain pour lui dire qu'il « gardait [du] travail en commun un tel souvenir qu'il [lui] serait odieux qu'il [puisse] être terni par un soupçon » ?

---

1. Louis Noguères, *Le Véritable Procès du maréchal Pétain*. Pétain ne vint pas à Paris en mars 1940, comme l'écrit par erreur Anatole de Monzie dans ses *Mémoires,* mais à la fin du mois d'avril et au début du mois de mai. A ce moment — et alors que la guerre éclair n'avait pas débuté —, il était à nouveau question, au gouvernement, de faire appel au Maréchal.
2. Paul Reynaud avait été blessé quelques jours plus tôt au cours d'un accident de voiture qui avait coûté la vie à Mme de Portes. Des photos le montrent, la tête bandée, à Vichy, le 10 juillet, en conversation avec des parlementaires qui vont participer au vote sur les pleins pouvoirs.

Après quelques questions mal formulées du bâtonnier Payen, questions dont Paul Reynaud s'était débarrassé comme on chasse les mouches, Jacques Isorni avait insisté sur ces contradictions et la salle avait entendu ce dialogue.

« *Me Isorni :* Voulez-vous me répondre d'une manière brève ? L'armistice a été signé le 25 juin. Vous avez considéré que c'était une trahison ?

M. Paul Reynaud : Je n'ai jamais dit que l'armistice était une trahison. J'ai déclaré que l'armistice était contraire à l'honneur et à l'intérêt de la France. Je l'ai écrit dix fois au maréchal Pétain.

Me Isorni : Donc, le 25 juin 1940, vous estimez que le maréchal Pétain vient de commettre un acte contraire à l'honneur de la France...

M. Paul Reynaud : C'est exact.

Me Isorni : ... Et le 10 juillet vous lui écrivez une lettre pareille ?

M. Paul Reynaud : Oui, parce que j'avais gardé pour le maréchal Pétain, je l'avoue...

Me Isorni : Malgré l'armistice ?

M. Paul Reynaud : Malgré l'armistice, parfaitement. Comme l'immense majorité des Français...

Me Isorni : Vous cherchiez à ce que, dans le souvenir du Maréchal auquel vous attachiez une telle importance, il ne puisse s'introduire aucun soupçon ? Allons ! Voilà la lettre en présence de laquelle vous êtes et que je ferai passer à la Haute Cour.

M. Paul Reynaud : Je le répète : comme la majorité des Français. Si on avait fait voter les Français à ce moment-là, les Français croyaient au maréchal Pétain. »

Pour faire comprendre à la Haute Cour comment il avait pu, si longtemps, faire erreur sur la nature et le caractère d'un personnage dont il avait fait son second dans les heures tragiques que traversait la France, Paul Reynaud allait utiliser cette comparaison : « De même que, lorsqu'on développe une plaque photographique, on voit l'image apparaître et se préciser, de même c'est dans mes prisons que, peu à peu, j'ai compris. »

C'était une explication. Elle ne faisait cependant pas honneur à la perspicacité d'un homme politique depuis longtemps aux affaires.

A 17 h 45, le 24 juillet, après une interruption de vingt-cinq minutes, Daladier succédait à la barre à Paul Reynaud.

Lui aussi avait été au pouvoir. Lui aussi désirait se justifier. Il le ferait en expliquant longuement le 24 juillet et le 25 encore que, ministre de la Guerre avant d'être président du Conseil, il avait doté l'armée française, à qui il ne manquait que d'être bien commandée, d'un nombre considérable de canons et de chars[1].

Au contraire de Reynaud, Daladier, qui parlait d'une voix lente, lourde, un peu triste, n'attaquait Pétain qu'avec discrétion. Bien que le Maréchal lui ait, en 1939, refusé son concours alors qu'il le pressait d'entrer dans son gouvernement[2], bien qu'il l'ait fait, plus tard, jeter en prison, il était de ceux qui avaient longtemps cru, malgré l'armistice et peut-être parce qu'il avait été fantassin de 14-18, à un sursaut du vainqueur de Verdun.

Il le dira avec émotion en évoquant le débarquement anglo-américain du 8 novembre 1942 en Afrique du Nord.

— Ah! messieurs, s'il l'eût fait (s'il avait donné le signal de résistance au peuple), quelle page magnifique il aurait écrite dans sa longue vie [...]. Je l'ai cru ; je l'ai espéré ; je l'ai souhaité de tout mon cœur. Quand j'ai appris que, le 8 novembre, les Américains et les Anglais débarquaient en Afrique du Nord, je me tournai, derrière les

---

1. Daladier comparera les chiffres de 1936 et ceux de mai 1940, lorsque s'engagera la bataille de France. Il dira notamment que l'armée française, qui avait à sa disposition 1 280 canons antichars en 1936, en possédait au total 7 155 en mai 40, et qu'elle comptait alors 3 600 chars modernes alors que les Allemands, qui nous attaquaient, mettaient en ligne 3 200 chars.

Ces chiffres ne sont pas inexacts, mais Daladier, les citant, omettait de dire qu'au moment de la bataille beaucoup d'unités ne disposaient pas encore des canons antichars et que les chars français, dont les canons étaient souvent inférieurs à ceux des chars allemands (*cf.* général de Boissieu), étaient éparpillés au lieu de se retrouver rassemblés au sein de divisions blindées.

2. Daladier expliquera, au cours de l'audience, qu'en 1939 Pétain n'avait accepté d'entrer dans son gouvernement qu'à condition que Pierre Laval entrât également. Daladier ayant refusé la participation de Laval, Pétain accepta puis se déroba deux jours plus tard. Cette révélation fit mauvais effet car elle pouvait passer pour la preuve d'une complicité Pétain-Laval.

barreaux de ma cellule[1], je me tournai vers la direction de Vichy, espérant que j'allais recueillir, à travers l'espace, un cri qui aurait annoncé la révolte finale d'une âme, d'une âme française dans les circonstances que traversait notre patrie...

Un pacte — on ne le saura que plus tard par Isorni — avait été conclu entre la défense et Daladier. L'ancien président du Conseil, dont Jules Roy écrira qu'il avait « les pattes cassées et le savait[2] », était alors violemment attaqué par les communistes qui ne lui pardonnaient pas d'avoir dissous le Parti et fait emprisonner des milliers de militants après le pacte germano-soviétique d'août 1939.

La défense n'évoquerait pas les décisions anticommunistes de Daladier. En revanche, l'ancien président du Conseil n'accablerait pas le Maréchal. C'est fort de cet accord[3] secret que le bâtonnier Payen put demander :

— Croyez-vous qu'il [le Maréchal] ait trahi son pays ?

La réponse vint après quelques secondes de réflexion.

— En toute conscience, je vous répondrai que, selon moi, le maréchal Pétain a trahi les devoirs de sa charge.

— Ce n'est pas la même chose, se hâta de dire le bâtonnier Payen.

Ce qui amena Daladier à préciser que, le mot trahison ayant « des sens divers et nombreux », du maréchal Pétain il dirait « franchement, et bien que cela [lui] soit pénible, qu'il a[vait] trahi son devoir de Français », phrase qui bouleversa Pétain lorsqu'il en prit connaissance. Il entendait peu, il entendait mal, les témoins lui tournant le dos, le président parlant d'une voix faible et le bâtonnier Payen étant obligé de lui transmettre, presque de bouche à oreille, les questions des jurés

---

1. Daladier avait été arrêté le 8 septembre 1940 par le gouvernement de Vichy, interné à Bourassol, puis au fort du Portalet, avant d'être traduit, le 11 février 1942, devant la Cour suprême de justice de Riom. En mars 1943, l'ancien président du Conseil sera déporté en Allemagne avec plusieurs autres anciens dirigeants politiques français. *Cf.* p. 412.

2. *Le Grand Naufrage.* Allusion au surnom de Daladier, « le taureau du Vaucluse », département dont il était l'élu.

3. Isorni fit cependant une rapide allusion aux mesures anticommunistes prises par Daladier. Celui-ci les confirma et ajouta, ce qui n'était pas pour plaire au Parti communiste, attaché à faire croire qu'il était entré en résistance dès juin 1940 : « A partir d'une certaine période, et surtout à partir du moment où la Russie est entrée en guerre, où elle a été annexée par l'Allemagne, les communistes — et c'est à leur honneur — ont pris leur place dans le combat national... »

lorsque plusieurs d'entre eux : MM. Malbrut, Pierre-Bloch, Perney, réclamèrent des éclaircissements sur le télégramme de félicitations signé Pétain, qui avait été, de Vichy, envoyé à Hitler après que les troupes allemandes eurent fait échec, à Dieppe, à la tentative de débarquement anglais, ainsi que sur un télégramme proposant à l'Allemagne « la participation de la France à sa propre défense[1] ».

Alors que le Maréchal, le 23 juillet, avait annoncé au début de sa déclaration qu'il ne répondrait à aucune question, il lui arrivera de rompre le silence. Il le fit de façon maladroite précisément à propos de ce qu'il est convenu d'appeler « les télégrammes de Dieppe », affirmant notamment qu'il n'avait rien entendu et, ce qui souleva des protestations, qu'il ne savait « même pas de quoi il s'agi[ssait] ».

Le président Lebrun succéda à Édouard Daladier. De l'ancien président de la République, qui, par absence de pouvoirs et de caractère, n'avait joué aucun rôle au moment du drame (et de Gaulle s'en souviendra en préparant la Constitution que les Français adopteront le 28 septembre 1958), on n'apprit rien d'important.

Le président Lebrun avoua cependant avoir été soulagé, le 16 juin 1940, lorsque le Maréchal lui montra une liste en lui disant : « Voilà mon gouvernement », ce qui le changeait de ces difficiles constitutions de ministère qui duraient, dira-t-il en se tournant vers les jurés parlementaires : « Vous vous le rappelez, trois ou quatre jours[2]. » Il dit aussi — et cela rejoignait la vérité de l'époque, une vérité trop facilement oubliée — à qui lui demandait s'il ne lui aurait pas été possible de conseiller à Paul Reynaud de former « un cabinet composé

---

1. Le débarquement du 19 août 1942 fut un échec sanglant pour les Anglo-Canadiens. Le télégramme de félicitations signé Pétain fut suivi, toujours sous la même signature, d'un télégramme daté du 21 août dans lequel une alliance militaire était proposée à l'Allemagne, « en raison de l'agression britannique ». Il semble que ces deux télégrammes, signés Pétain, aient eu Brinon pour auteur (*cf.* Robert Aron, *Histoire de Vichy*). A l'audience du 26 juillet, Mᵉ Lemaire donna lecture de la réponse faite par le maréchal Pétain au président Bouchardon, réponse dans laquelle il précisait n'avoir jamais donné l'ordre d'envoyer le télégramme incriminé à Hitler.

2. Il ajoutera : « Tandis que je l'avais à la minute [la composition du gouvernement], je trouvais cela parfait. »

uniquement de résistants », qu'en juin 1940 « il n'y avait rien ». Rien à quoi se raccrocher, le maréchal Pétain excepté. Le maréchal Pétain à qui, précisément, le président, brave honnête homme pusillanime et courtois, avait écrit en janvier 1941, donc plus de deux mois après Montoire abhorré, pour lui souhaiter « santé, courage, moral et chance », ces « faveurs si utiles au bon accomplissement de [sa] haute mission ».

Le 26 juillet, on entendit le président Jeanneney raconter les jours de Bordeaux et les jours de Vichy, et ce fut l'occasion pour la défense de rappeler que, le 9 juillet 1940 — à la veille du vote décisif donc —, Jeanneney, président du Sénat, avait assuré le Maréchal de la « vénération et de la pleine reconnaissance qui lui [étaient] dues pour un don nouveau de sa personne ».

Au bâtonnier qui lui demanda, en faisant allusion à ceux qui tenaient l'armistice pour un crime, s'il considérait que le Maréchal, en sollicitant l'armistice, s'était comporté en criminel, M. Jeanneney allait répondre : « Si j'avais tenu le maréchal Pétain pour un criminel, l'Assemblée n'aurait pas entendu les propos que j'ai prononcés au Sénat », ce qui ne l'empêcha pas de dire que le vote du 10 juillet en faveur du Maréchal — auquel il avait invité les parlementaires à donner une réponse positive — avait été « extorqué » et qu'il s'agissait d'un « entôlage ».

Résumant la déposition du président Jeanneney dans *Le Figaro* du 27 juillet, Jean Schlumberger écrivit avec une feinte compassion que l'ancien président du Sénat n'avait pas voulu « repousser la chance d'un regroupement de la France autour du seul homme qui apparût alors comme une possible bouée de sauvetage ».

Louis Marin, député de Nancy, témoigna ensuite. Il rappela les termes de l'accord qui nous liait à l'Angleterre, débattit avec Paul Reynaud, rappelé à la barre pour la circonstance, du nombre des ministres hostiles et des ministres favorables à l'armistice, fit honte à la France de Pétain d'avoir — seule parmi toutes les nations envahies — cessé le combat.

Mais ce valeureux résistant avait, jusqu'aux premiers mois de 1944, coulé une vie paisible à Vichy. Nul ne l'avait inquiété. Et peut-être, en juillet 1945, témoignant contre Pétain, regrettait-il de n'avoir pas été arrêté par la police de Pétain..., ce qui eût donné davantage de poids à ses accusations.

Avant de prêter serment, M. Louis Marin avait indiqué comme profession « député de Nancy ». Le 27 juillet, M. Léon Blum, ancien président du Conseil, dira « journaliste ».

M. Marin n'avait pas souffert de Vichy.

M. Léon Blum avait été interné, à partir de septembre 1940, à Chazeron, Bourassol, puis au fort du Portalet, avant d'être traduit, au nom de ses prétendues responsabilités dans l'impréparation militaire de la France, devant la Cour suprême de justice de Riom. En mars 1943, les Allemands l'avaient transféré, en compagnie de Mandel, près de Buchenwald. Il avait de nombreuses raisons de rancœur. Cependant, il allait s'exprimer, selon la juste expression de Schlumberger, avec une « modération frémissante [1] ». Dans sa déposition, il y eut toutefois des moments où le frémissement indigné l'emporta sur la modération d'un homme qui se voulait psychologue et qui dira à Me Isorni, après un long développement sur les changements qu'au fil des années peut subir la nature profonde d'un homme : « Je vous donne cette consultation bien volontiers [2]. »

Si Léon Blum affirma que jamais Marx Dormoy, son ministre de l'Intérieur en 1936, n'avait prononcé le nom du maréchal Pétain dans les affaires liées à la Cagoule, ce qui démontait cette partie du réquisitoire fondée sur « le complot », il aura, pour évoquer l'armistice « livré point par point, pièce par pièce », des mots très durs. Cherchant une définition exacte de la trahison, il dira ceci, qui va loin :

> « Ce peuple [français], il était là, atterré, immobile et, en effet, se laissant tomber à terre dans sa stupeur et son désespoir. Et on a dit à ce pays : " Eh bien ! non, non, l'armistice que nous te

---

1. *Le Figaro,* 28 juillet 1945.
2. Léon Blum répondait à la question suivante d'Isorni : « Monsieur le président, vous avez déclaré que le maréchal Pétain avait fait illusion. Ne pensez-vous pas que, lorsque cette illusion peut durer de 1914 à 1939... cette illusion peut tout de même receler un certain nombre de réalités ? »
C'est alors que Léon Blum fit allusion aux changements qui peuvent intervenir « lorsque, au sortir d'une vie de devoir quotidien, d'astreinte et de discipline », des hommes « se trouvent engagés dans des activités et dans des préoccupations nouvelles ».

proposons, qui te dégrade, et qui te livre, ce n'est pas un acte déshonorant, c'est un acte naturel, c'est un acte conforme à l'intérêt de la patrie. " Et un peuple qui n'en connaissait pas les termes, qui ne l'avait pas lu, qui ne le comprenait pas, qui n'en a saisi la portée peu à peu qu'à l'épreuve, a cru ce qu'on lui disait, parce que l'homme qui lui tenait ce langage parlait au nom de son passé de vainqueur, au nom de la gloire et de la victoire, au nom de l'armée, au nom de l'honneur.

Eh bien ! Cela qui, pour moi, est l'essentiel, cette espèce d'énorme et atroce abus de confiance moral, cela, oui, je le pense, c'est la trahison. »

Après l'audition de M. François Charles-Roux, ambassadeur de France, secrétaire général du ministère des Affaires étrangères du 18 mai 1940 jusqu'au lendemain de Montoire, qui exposa avec nuance et componction ce que furent les rapports entre la France, la Grande-Bretagne et les États-Unis, on entendit Michel Clemenceau. Le fils de son père se dressa en accusateur. Comme Isorni lut l'éloge de Pétain par Georges Clemenceau, il déclara : « Si mon père était encore, monsieur, de ce monde, il serait le premier à se frapper la poitrine en disant *mea culpa* ! Car c'est lui qui l'a élevé à la dignité de Maréchal. Je vous jure qu'à l'heure actuelle il le regretterait. »

Après avoir rendu visite à Georges Mandel et à Paul Reynaud dans leur prison du Portalet, Michel Clemenceau avait été reçu par le Maréchal au cours de l'été 1942. Il lui parla du sort de ses amis internés et lui dit qu'il aurait fallu poursuivre la guerre en Afrique du Nord. Pétain répondit qu'il n'y entendait rien et ils en restèrent là[1].

A la fin de la déposition du général Doyen, qui avait été président de la mission française à la Commission d'armistice de Wiesbaden du

---

1. Plus tard (le 30 mai 1951), M. Michel Clemenceau écrivit à M. Annette (qui m'a communiqué sa lettre) qu'il était prêt, « dans un but de conciliation générale, à faire toutes les démarches que l'on jugera opportunes pour hâter la révision du procès ou bien [à] demander audience au président de la République pour que le maréchal Pétain soit remis en liberté ». M. Clemenceau ajoutait, en *post-scriptum :* « Vous pouvez faire usage de cette lettre comme bon vous semble. »

12 septembre 1940 au 20 juillet 1941, et qui avait été récompensé de ses prises de position courageuses par un internement à Évaux.[1] M. Paul Reynaud, plus coq de combat que jamais et qui ne désarmait pas, vint reprocher à « crime » — il employa le mot — au Maréchal, ministre de la Guerre cinq mois durant en 1934, de n'avoir pas fait voter le service militaire de deux ans. Le bâtonnier Payen donna alors lecture d'un article de Daladier en date du 13 juin 1934, dans lequel se trouvait cette phrase : « Ni le Parlement ni le pays n'admettraient en ce moment l'extension de la durée du service qui donnerait à l'Europe le signal retentissant de la course aux armements », ce qui ne troubla nullement Reynaud, ambitieux d'avoir toujours raison.

C'est à cette audience du samedi 28 juillet que parut le premier président Caous[2]. Il avait présidé la Cour suprême de Riom de février à avril 1942 et venait défendre contre Léon Blum, qui avait dit que « les juges auraient condamné parce qu'ils avaient prêté serment de fidélité », l'honneur de ses collègues. Le procureur général Mornet s'étant éloquemment et imprudemment associé à l'hommage rendu aux magistrats de la cour de Riom, Isorni en profita pour lui demander, avec une feinte innocence, de « démentir publiquement la rumeur qui a couru tout Paris, aux termes de laquelle il aurait sollicité de faire partie de la cour ».

— C'est une infamie ! hurla le procureur général.

Le premier président Caous reprit la parole pour dire que M. Mornet, alors président honoraire de la Cour de cassation, n'avait rien demandé, mais que lui, Caous, l'avait sollicité.

— A ce moment-là, ajouta-t-il, il a accepté d'en faire partie [de la Cour suprême de justice de Riom]. Il n'a pas été désigné. Ceci est en dehors de lui et en dehors de moi.

Mornet se défendit très mal. Oui, il avait accepté le poste, mais il n'aurait jamais accepté de « proclamer la responsabilité de la France » dans la guerre et il se serait retrouvé alors dans un camp de concentration, voire en Allemagne... Le premier président Caous le remit sèchement à sa place :

— Je suis sûr d'une chose, monsieur le procureur général, c'est qu'en ces matières vous n'auriez fait ni plus ni mieux que nous.

---

1. Selon Yves Farge, le général Doyen aurait voulu présider le conseil de guerre chargé de juger et de condamner le Maréchal.

2. Le premier président Caous avait été mis à la retraite d'office.

— L'incident est clos, s'écria le président Mongibeaux, qui s'empressa de suspendre l'audience.

L'accusation avait bien mal choisi les témoins suivants. M. Winkler avait combattu dans l'armée autrichienne pendant la guerre précédente, ce qui ne lui donnait pas les qualités nécessaires pour attaquer le vainqueur de Verdun et il n'apporta d'ailleurs à l'audience qu'une brassée de ragots. Mlle Petit, « artiste lyrique » et secrétaire, avait interprété, quinze ans plus tôt, une opérette signée d'Isorni, de Louis-Gabriel Robinet et d'André Lavagne — ce qui était une circonstance atténuante. Pendant l'occupation — la secrétaire relayant l'artiste lyrique —, elle avait été au service du directeur de *L'Italie nouvelle* à Paris, puis au service de la *Pariser Zeitung* et de plusieurs journaux de la collaboration. Devant le tribunal, elle se fit gloire d'avoir été déléguée du personnel de l'agence Inter France. « Parce que j'étais gaulliste », dit-elle, ce qui était vraiment tenir pour négligeable la perspicacité de Dominique Sordet, le très collaborationniste patron d'Inter France.

Le président Mongibeaux vola au secours de la pauvre fille en évoquant cette « mission périlleuse qui s'appelle l'espionnage » et Mlle Petit disparut d'une scène trop vaste pour son mince talent.

M. Édouard Herriot, ancien président de la Chambre des députés, était naturellement d'une tout autre pointure que Mlle Petit[1]. « Vague, ronflant, haletant, criard et larmoyant par moments[2] », il témoigna le lundi 30 juillet. *Le Figaro* du lendemain écrivit en titre qu'il avait « rappelé ses efforts opiniâtres pour continuer la lutte et précisé comment la dictature fut substituée à la République ». C'était faire beaucoup trop d'honneur à un homme qui, à Bordeaux, avait

---

1. Mlle Petit dit à l'audience avoir été renvoyée d'Inter France le 12 juin 1944. Elle dit aussi avoir appartenu à des réseaux de résistance.
2. Jules Roy, *Le Grand Naufrage*.

réveillé le maréchal Pétain pour lui demander que Lyon, sa ville, soit déclaré « ville ouverte » — ce que le Maréchal avait accordé — et qui, à Vichy, le 9 juillet, avait solennellement déclaré : « Autour de M. le maréchal Pétain, dans la vénération que son nom inspire à tous, notre nation s'est groupée dans sa détresse. Prenons garde de ne pas troubler l'accord qui s'est ainsi établi sous son autorité. »

Le président Édouard Herriot était, en principe, le dernier témoin de l'accusation. Mais, déjà, des voix s'étaient élevées pour s'étonner de l'allure du procès et de l'amnésie des accusateurs.

Dans *Le Figaro,* François Mauriac avait écrit, le 26 juillet :

> « Si nous avons mérité d'avoir Pétain, nous avons mérité aussi, grâce à Dieu, d'avoir de Gaulle : l'esprit d'abandon et l'esprit de résistance, l'un et l'autre se sont incarnés parmi les Français et se sont mesurés dans un duel à mort. Mais chacun de ces deux hommes représentait infiniment plus que lui-même et, puisque le plus modeste d'entre nous partage la gloire du premier résistant de France, ne reculons pas devant cette pensée qu'une part de nous-mêmes fut peut-être complice, à certaines heures, de ce vieillard foudroyé. »

Dans *Libres*[1], François Mitterrand devait se montrer plus net encore et plus vigoureusement décapant.

> « Dans ce procès de trahison, tant de petites trahisons s'étalent qu'on en a le cœur fatigué. Pauvre régime qui eut pour derniers défenseurs des hommes qui ne savent que discourir sur leurs erreurs. Un maréchal de France a mis la République dans sa poche. Un président de la République avait ses nuits troublées par les visages de Foch, de Poincaré, de Clemenceau. Mais il s'inclinait " constitutionnellement " devant un vote arraché à Vichy par un Auvergnat madré. Un président du Conseil, ministre de la Guerre, foudroie, cinq ans après, les généraux félons qu'il avait cependant le pouvoir de destituer. Quel Français ne se sent secrètement irrité de cette contredanse rétrospective ? »

---

1. Quotidien du soir, organe du Mouvement national des prisonniers de guerre et déportés.

François Mitterrand avait terminé son article en écrivant que le peuple français « se ferait un vrai plaisir de mettre dans le même sac » « accusés ou accusateurs, complices dans la trahison ou dans la lâcheté, complices de notre malheur ».

Le commandant Georges Loustaunau-Lacau, que le président Mongibeaux entendait en vertu de son pouvoir discrétionnaire, ne dit pas autre chose. Mais il le dit, fort de son passé de soldat héroïque des deux guerres ; de résistant, chef d'un réseau qui avait payé son activité de 303 fusillés et 520 déportés non rentrés. Déporté lui-même, il était revenu le corps brisé, l'âme farouche, et, dans un silence total, ce héros jadis turbulent, qui ne devait rien au Maréchal, qu'il avait si longtemps personnellement servi et qui ne l'avait pas sauvé, se déclara « écœuré par le spectacle de ceux qui, dans [la] salle, essa[yaient] de refiler à un vieillard presque centenaire l'ardoise de toutes leurs erreurs ».

En homme qui avait connu le dessous de tous les complots de droite, il expliqua que Pétain était demeuré totalement étranger à la Cagoule.

Pour évoquer la propagande antimilitariste du Parti communiste entre les deux guerres, il eut ce mot terrible : « C'était un temps où les communistes n'avaient pas encore découvert la patrie dans la défaite... » et, parmi les jurés résistants, nul, sur l'instant, n'osa broncher.

Loustaunau-Lacau poursuivit en évoquant la première Légion des combattants, celle dont, avec quelques camarades à l'héroïsme égal, il avait été le patron et mit en garde le gouvernement de Gaulle contre « la sorte de demi-terreur » qui régnait dans les villes et les campagnes où des légionnaires, « qui avaient payé le prix du sang contre l'Allemagne », étaient inquiétés et n'osaient plus lever la tête.

Nul ne protesta. L'homme qui parlait n'avait à recevoir de leçon de courage et de résistance de personne.

Avant de s'en aller, arc-bouté sur ses deux cannes, et sans saluer la cour, il eut ces mots :

— ... En ce qui concerne le maréchal Pétain, je veux dire, bien qu'il m'ait odieusement lâché, je demande, ici, que l'on réfléchisse qu'il y a assez, pour le malheur de la France, du sang de Marie-Antoinette et de celui du maréchal Ney[1].

---

1. Au cours de l'audience du 30 juillet, la cour entendit également la déposition de Mme Psichari-Renan, dont le fils, officier de marine, était mort à Oran le 8 novembre dans le combat livré aux Américains.

14

PÉTAIN : SILENCES ET PAROLES

La journée du 31 juillet allait être celle du général Weygand. Mais la déposition du général avait été précédée, ce jour-là, par les dépositions de Marcel Paul, responsable communiste, et de Me Arrighi, déportés l'un à Buchenwald, l'autre à Mauthausen. Ces deux dépositions sont généralement passées sous silence. A tort. Jusqu'alors, le procès du maréchal Pétain avait été celui de l'armistice. Marcel Paul et Arrighi montraient quelques-unes des conséquences, imprévisibles en 1940, de cet armistice et de la politique suivie ensuite par Vichy.

Avec le général Weygand — en traitement au Val-de-Grâce, mais prisonnier en France[1] après l'avoir été deux ans et demi en Allemagne, ce qui blessait secrètement beaucoup de Français —, on revivra, depuis le 20 mai, jour où le général prit le commandement, tous les épisodes de la bataille. Weygand, « vêtu, selon Claude Mauriac, avec l'élégance de qui revient des courses, sec, digne, hautain », parla pendant trois heures, et son propos, coupé par une brève interruption de séance, occupe vingt-six colonnes du *Journal officiel*.

Comment résumer correctement une aussi longue déposition ? Il importait pour Weygand, après avoir convaincu son auditoire qu'il n'avait jamais été un comploteur, mais toujours un soldat, d'établir les conditions dans lesquelles, appelé au moment le plus critique, il avait,

---

1. Il est alors inculpé de complot contre la sûreté intérieure de l'État.

avec des troupes réduites en nombre[1] et en qualité, conduit les batailles de l'Aisne et de la Somme ; constamment informé président du Conseil et gouvernement des dangers grandissants jusqu'à ce 12 juin où il avait dit, à des hommes politiques qu'il jugeait indiffé- rents aux sacrifices de la troupe comme aux souffrances des popula- tions, qu'il fallait demander l'armistice.

Paul Reynaud lui avait répondu qu'il était décidé à suivre l'exemple de la reine des Pays-Bas qui avait gagné l'Angleterre et prescrit à son chef d'état-major général de capituler.

— C'est le parti que je vais prendre et je vous demande de capituler.

Weygand avait obstinément et violemment refusé une solution qu'il jugeait déshonorante pour l'armée et dramatique pour le pays.

Le 31 juillet, devant la Haute Cour de justice — et devant Paul Reynaud qui, impatient, l'écoute et prépare ses répliques —, Weygand expliquera que la capitulation, punie de mort par le code militaire, aurait eu pour conséquence de livrer immédiatement la totalité du territoire métropolitain.

L'Empire eût-il du moins été préservé ? Non, dira Weygand, car en juin 1940 aucune force ne pouvait défendre l'Afrique du Nord. Le 1er août, le général Georges expliquera, à son tour, que l'Afrique du Nord avait été vidée de ses ressources militaires au profit du front français et qu'il aurait été impossible, dans le désastre et le désordre de juin, de transporter les troupes et le matériel indispensables à sa défense.

Par la capitulation, ajoutera Weygand, « on aurait perdu l'honneur, le territoire français et l'Afrique ». Et il s'efforcera de montrer — tout en disant sa souffrance de chef qui, en novembre 1918, avait lu les conditions d'armistice aux plénipotentiaires allemands — que l'armis- tice avait été la « moins désavantageuse » des solutions.

Il se tiendra à cette position. Parfois en faisant preuve de violence.

Lorsqu'un juré, M. Marcel Lévêque, lui dira que « tout le procès », c'est « l'effroyable trahison » du maréchal Pétain, il répliquera :

---

1. Quand commence la bataille sur l'Aisne et sur la Somme, sont perdues les 22 divisions belges, les 9 divisions du corps expéditionnaire britannique, 24 divi- sions françaises d'infanterie, 6 divisions cuirassées ou mécaniques, 2 divisions légères mécaniques.

L'armée française ne dispose plus alors que d'un total de 70 divisions. Elle a non seulement perdu le tiers de ses effectifs, mais les éléments les mieux armés.

— Non, monsieur le juré, ce n'est pas tout le procès. Tout le procès, c'est : armistice ou capitulation.

Après que M. Lévêque eut proféré un « Oh, non ! » qui suscitera des protestations dans la salle, un bref échange mettra aux prises le général et le juré.

> « *Le général Weygand :* ... Moi, je vous dis que je connais la question. Le procès, c'est armistice ou capitulation. Voilà le procès et on ne peut passer à côté, car il sera dit que le procès n'aura pas été jugé.
> *M. Lévêque :* La question, c'est la trahison.
> *Le général Weygand :* Non, monsieur. En tout cas, parlant du maréchal Pétain, jamais on ne me fera prononcer un mot pareil, parce que ma conscience s'y refuse. »

Cette passe d'armes n'est rien à côté de celle qui opposera bientôt M. Paul Reynaud, qui défend la thèse de la capitulation — il l'appelle d'un mot moins humiliant : « cessez-le-feu » —, et le général Weygand.

Mais c'est le lendemain 1er août que le conflit prendra toute sa densité entre deux hommes de même morphologie, également dressés sur leurs ergots, également prompts à la repartie courtoisement féroce, gladiateurs qui dissimulent leurs poignards pour mieux abattre un ennemi surpris.

Étrange journée que cette journée du mercredi 1er août. Comme le président Mongibeaux a déclaré que le procès s'égarait et qu'il importait surtout de savoir ce que le Maréchal avait fait du pouvoir à partir du 10 juillet 1940, on entendit, avec stupéfaction, le procureur général déclarer que le procès « n'était pas celui de l'armistice », que le procès n'était pas « davantage le procès du vote du 10 juillet ».

De Gaulle, profondément scandalisé par un abandon qui contrariait toute sa philosophie de l'Histoire et son geste du 18 juin[1], dira alors à

---

1. Dans ses *Mémoires,* il écrira que « toutes les fautes que Vichy avait été amené à commettre ensuite [...] découlaient infailliblement de cette source empoisonnée » : l'armistice.

Claude Mauriac : « Remarquez bien qu'ils n'ont combattu le Maréchal que pour ce qu'il leur proposait précisément de bon. Pas un député, pas un ne s'est élevé contre l'armistice. Ceux qui s'opposaient à Pétain lui reprochaient seulement d'attenter à leurs prérogatives parlementaires, ce qui, dans un tel moment, avait vraiment de l'importance ! »

Lorsque, le 1er août 1945, Mornet déclara que le procès n'était pas celui de l'armistice et qu'il fallait que « l'on commence à examiner les faits reprochés au Maréchal à partir du 11 juillet 1940 », la défense s'engouffra naturellement dans le vide créé par le procureur général et le félicita d'avoir abandonné « la plus grande partie de l'accusation ». « Je n'ai rien abandonné du tout », répliqua Mornet, qui établira de subtiles et sinueuses différences sur le « *complot* », pour lequel il reconnaissait ne pas avoir de preuves, et sur la « *préméditation* » qu'il se faisait fort de démontrer.

Comment Weygand et Reynaud refirent-ils surface alors que ni le premier président, ni le procureur général, ni les jurés, ni même la défense ne voulaient plus les entendre, on le démêle mal, mais, c'est un fait, ils reparurent pour un dernier et terrible échange.

Paul Reynaud attaqua : « Les faits qui sont venus à ma connaissance depuis l'armistice, dit-il à la cour, m'ont apporté la preuve que, dès le premier jour, il [Weygand] a songé, en acceptant de mes mains le commandement de l'armée française, à faire une opération politique, et je le prouve. »

Les sept preuves que Paul Reynaud se fit fort d'apporter n'étaient que le reflet des jugements désagréables, et souvent sommaires, du général Weygand (et, avec lui, de nombreux militaires) sur la gent politique.

Weygand répliqua avec une telle cruauté et un tel bon sens que, le lendemain, dans *Le Figaro,* Jean Schlumberger écrivit qu'il avait semblé « gagner aux points ».

En réalité, il avait crucifié Reynaud par des phrases désormais inséparables de l'histoire de mai 1940.

Il avait évoqué les « épaules trop faibles [de M. Paul Reynaud] incapables de supporter le poids dont elles s'étaient avidement chargées ». Et il avait poursuivi ainsi : « Depuis, que s'est-il passé ?

C'est que, quand on est avide d'autorité, on doit être avide de responsabilités. [...] Dans cette affaire, M. Paul Reynaud, président du Conseil dans des circonstances graves, a fait preuve du crime le plus grave que puisse commettre un chef de gouvernement, il a manqué de fermeté et il n'a pas suivi les grands ancêtres, certes pas [1]. »

M. Paul Reynaud reprit pendant quelques instants la parole. Le général Weygand ayant, selon lui, commis « un certain nombre d'inexactitudes graves », si l'on désirait qu'il s'explique, eh bien ! il s'expliquerait.

Personne ne lui demandant rien, l'ambassadeur du Chayla vint donner lecture de la lettre (roses et épines mêlées [2]) que l'amiral Leahy, ancien ambassadeur des États-Unis, avait fait parvenir au Maréchal en réponse à une lettre que l'ancien chef de l'État lui avait adressée le 10 juin 1945.

Ce jour-là, on entendit encore le général Héring qui avait connu Philippe Pétain depuis l'autre avant-guerre ; le général Georges, qui rapporta un propos de Churchill selon lequel l'armistice avait rendu service à la Grande-Bretagne [3], et le prolixe général Vauthier que Pétain arrêta d'un : « Oui, assez de tactique. »

Le lendemain parurent Léon Noël, invité par la défense, mais qui se mua en accusateur ; le général Serigny, l'officier qui était allé troubler dans ses amours le général Pétain à l'hôtel Terminus de la gare du Nord, le 24 janvier 1916, au moment où la bataille pour Verdun prenait mauvaise tournure, et Charles Trochu, ancien président du conseil municipal de Paris, héros de guerre qui, fidèle à son passé comme à son caractère, déposa courageusement en insistant sur l'isolement du Maréchal à Vichy.

Ces témoins intéressants, on les écoutait, cependant, l'esprit ailleurs.

---

1. Le général Weygand avait reproché à Paul Reynaud de n'avoir pas osé le destituer « à propos de cette question de capitulation » et d'avoir donné sa démission alors qu'il savait que le maréchal Pétain demanderait l'armistice.
2. Beaucoup de compliments et une critique d'importance, cette phrase : « Cependant, je dois, en toute honnêteté, répéter mon opinion, exprimée à vous-même à l'époque, qu'un refus positif de faire la moindre concession aux demandes de l'Axe, qui pouvait amener immédiatement des peines supplémentaires à votre peuple, n'en aurait pas moins, à la longue, été avantageux pour la France. »
3. Le général Georges avait immédiatement pris note des propos de M. Winston Churchill tenus le 8 janvier 1944 à Marrakech. Il est important de préciser que des liens d'amitié très forts et anciens existaient entre Georges et Churchill.

Pierre Laval, que Franco, désireux de donner des gages aux Alliés, avait réexpédié la veille sur un terrain autrichien dans ce même *Junkers 88* qui, le 2 mai, l'avait amené d'Allemagne, avait été remis aux autorités françaises d'occupation par le général américain Copeland.

Transféré à Strasbourg, un avion aux couleurs françaises l'avait transporté au Bourget le 1er août. A 17 h 45, il se trouvait enfermé à Fresnes dans la cellule 163 [1].

17 h 45. Au Palais de justice, l'audience, suspendue à 15 h 40, venait d'être reprise depuis trente-cinq minutes. Le premier président expliquait qu'au cours de cette longue interruption la cour avait délibéré sur le point de savoir si l'on entendrait ou non « un homme dont le nom a déjà très souvent été invoqué, M. Pierre Laval ». La réponse avait été positive. Elle devait le rester, malgré l'opposition de la défense qui, craignant les attaques que Laval pourrait lancer contre son client, demandait qu'une longue instruction précédât l'audition.

On entendrait donc Pierre Laval.

On se pressait dans la salle comme au meilleur spectacle de l'année. Comme à un match où le sang coulerait.

Laval avait déclaré — le bruit du moins en avait couru — que, pour se défendre, il attaquerait. L'audience aurait-elle donc le ton d'une confrontation entre deux hommes que le malheur de la France avait enchaînés alors que rien n'aurait dû les rapprocher ?

Le service d'ordre avait été renforcé. Le secrétaire général de la Haute Cour avait été sollicité par mille amateurs de billets. Se bousculant, les photographes faisaient éclater leurs flashes sous le nez d'un homme si souvent photographié, mais jamais dans cette attitude misérable, le visage fripé, le teint terreux, le corps flottant dans un complet gris mal ajusté, la démarche prudente et douteuse face à ces juges, à ces journalistes parmi lesquels il cherchait désespérément quelque visage qui ne fût pas fermé par la haine.

Pour tous, il était entendu qu'il avait été « le mauvais génie » du Maréchal ; celui par qui tous les malheurs étaient arrivés et qui les avait tous provoqués.

---

1. Sur le retour de Pierre Laval, *cf.* le chapitre 15.

« Un mauvais génie », cela a de l'allure. Laval, ce jour-là, n'en avait pas.

Mais, peu à peu, au fur et à mesure qu'il parlait — Mongibeaux lui avait donné la parole en lui demandant à quelle date avaient commencé ses « relations politiques » avec le Maréchal —, il retrouvait cette assurance faite de connaissance des hommes plus que des dossiers et de roublardise auvergnate qui, par le passé, en parlementaire rodé à tous les auditoires, lui avait permis de convaincre.

« On attendait le vice et le crime réunis, écrivit Maurice Clavel dans *Combat*. On eut un idiot de village d'Auvergne s'adressant au juge de paix pour la première fois... » Non ! S'avançant prudemment d'abord, comme en terrain miné, Laval avait très vite compris que ce président, qui lui avait demandé d'être bref, serait bien incapable de le maîtriser et le laisserait parler à sa guise.

« C'est le procès Pétain que nous sommes en train de juger... », répétait, impuissant, M. Mongibeaux.

Mais Laval savait qu'il s'agissait aussi du procès Laval. Alors, il parlait, déterrant les événements à la racine, commençant en 1931, évoquant ses relations avec l'Italie, l'Angleterre, la Russie, ses tentatives d'encerclement de l'Allemagne, sa volonté d'éviter la guerre, car il avait toujours détesté la guerre et n'avait jamais aimé que son pays, il le redira plusieurs fois avec force : « J'aime passionnément mon pays et, pour tout dire, je n'aime que mon pays. »

Tout de même, le président Mongibeaux finissait par le ramener à sa première question : « A quel moment [était-il] entré en relations politiques avec le Maréchal ? »

Le Maréchal ? Il l'avait fort peu connu, guère rencontré, avant juin 1940 à Bordeaux, lorsque Pétain, formant son gouvernement, lui avait offert le ministère de la Justice qu'il avait refusé[1] et, en tout cas, il ne fallait pas compter sur lui pour inventer « un roman [celui du complot] pour être agréable à ceux que ce roman intéresse ».

Pressé par le président — le dialogue s'était enfin noué —, il en venait au récit des jours décisifs de juillet 40, aux conditions dans lesquelles l'Assemblée nationale avait été amenée à voter la loi donnant au Maréchal les pleins pouvoirs constituants, exécutifs et législatifs.

---

1. Il désirait le portefeuille des Affaires étrangères. Pétain aurait accepté, mais Weygand avait fait obstacle.

— Ce coup d'État a-t-il été fait par le Maréchal seul ? avait demandé Mongibeaux.

— Jamais je n'ai fait de « coup d'État », avait répliqué Laval.

— Mettons, si vous voulez, cette « opération politique », si le mot vous déplaît.

Le portrait que Laval, par petites touches, au fil des deux journées d'audience, allait dessiner de Pétain serait celui d'un homme incertain et flottant, nul en politique, donnant raison à tous ceux qui se présentaient.

— On allait le trouver, le Maréchal, assura Laval, et il disait : « D'accord. »

— Il disait : « D'accord » ? demandera Mongibeaux avec quelque surprise.

— Je le présume, poursuivra Laval, battant légèrement en retraite. Je n'y étais pas... Vous me posez des questions sur des choses que je n'ai pas connues. Quand quelqu'un allait dans son cabinet, si je n'y étais pas, je ne sais pas ce qu'il lui disait, mais je présume qu'il lui disait comme à moi : « D'accord. »

— Le connaissant très bien, vous vous rendiez compte que, généralement, par faiblesse, par ignorance, par inexpérience politique, il se mettait assez facilement d'accord, même sur des mesures graves.

— Vous pouvez, monsieur le président, faire un monologue ; cela, je pourrais le dire moi-même, mais je ne suis pas chargé de répondre à une question comme celle-là.

Laval, qui ne voulait pas être le « mauvais génie » — « je suis là, dira-t-il, pour essayer de rectifier la mauvaise légende » —, se présentait en homme de conciliation. Sans doute lui arrivait-il de s'opposer au Maréchal « sur beaucoup de questions », mais alors il expliquait longuement au chef de l'État les difficultés auxquelles il avait à faire face et finissait par « trouver une formule d'accord ».

Les contradictions ne l'embarrassaient guère. Après avoir décrit un Maréchal sous influence, il n'hésitait pas, lorsque Mongibeaux lui demandait : « Il avait une volonté et une lucidité parfaites ? », à répondre catégoriquement : « C'est sûr. »

Des mots malheureux lui échappaient. C'est ainsi qu'il dit : « Croyez-vous qu'en 1940 un homme de bon sens pouvait imaginer autre chose que la victoire de l'Allemagne ? » ; qu'il parla de « l'agression en Normandie » pour immédiatement se reprendre, sous les rires.

Il présentait sa politique moins comme celle du moindre mal que comme celle de la nécessité. Si l'Allemagne avait gagné la guerre — possibilité en laquelle il crut presque jusqu'au dernier jour —, toute sa politique ne se serait-elle pas trouvée justifiée ?

Il dit, avec une sincérité teintée d'habileté :

> « Si je me suis trompé, si les événements ont été autres que ceux que j'avais prévus, que la logique faisait prévoir, eh bien ! je vous dirai une chose : je vous dirai que la France doit avoir un jeu complet, qu'il ne doit pas lui manquer une seule carte dans la main et, même si la carte de l'Allemagne était incertaine, même si elle était mauvaise, parce que c'était une carte, il fallait qu'elle soit dans le jeu de la France.
>
> De Gaulle faisait la politique de l'autre côté. Il avait raison. Il était patriote... »

C'est d'ailleurs en se fondant sur la théorie du « jeu complet » qu'il expliquera et justifiera son retour au pouvoir en avril 1942.

Le président Mongibeaux interviendra à cet instant.

— Vous rentrez au gouvernement le 22 avril 1942[1] et, exactement deux mois après, vous tenez, vous vous en souvenez certainement, car c'est quelque chose de très important dans votre vie et dans la vie du pays, vous tenez ce fameux propos.

— Oui, « je souhaite... »

— L'avez-vous tenu ?

— Oui, monsieur le président.

— D'accord avec le Maréchal ?

Laval expliquera qu'il avait soumis à Rochat sa phrase : « Je crois et je souhaite la victoire de l'Allemagne parce que, sans elle, le communisme, demain, s'installerait partout », et que le chef de l'État, pris comme arbitre, lui avait déclaré que, « n'étant pas militaire », il n'avait pas le droit de dire « je crois ». Était resté ce « je souhaite » dont Laval dira, le 3 août 1945, qu'il avait été « comme une goutte d'acide sulfurique sur l'épiderme de gens qui souffraient[2] ».

---

1. En réalité le 17 avril.

2. En vérité, les choses ont été plus complexes. J'ai montré — le premier, je pense — dans *Les Passions et les Haines,* p. 93-101, que Pierre Laval avait, *antérieurement* au 18 juin 1942, publiquement dit qu'il « souhaitait » la victoire de l'Allemagne, ce qui est confirmé par plusieurs journaux parisiens.

Tassé sur lui-même, grognon, « l'œil terne, le nez osseux, la mâchoire avalée », selon *Le Monde*[1], effectivement et volontairement sourd à tout ce qui se disait, le Maréchal était resté, en apparence, indifférent tout au long de la déposition de Laval.

L'évocation de son rôle dans le choix des mots « je crois », « je souhaite », semblait ne pas l'avoir atteint.

C'est lorsque Laval aura quitté la salle d'audience, et seulement à ce moment, qu'il réagira pour déclarer qu'il avait « bondi » lorsqu'il avait entendu « la phrase » à la radio. Il croyait que Laval l'avait supprimée et se dira « navré » qu'elle soit restée.

Le lendemain — car Laval revint à l'audience du samedi 4 août —, l'ancien chef du gouvernement maintint sa position, et il n'y eut ni réaction du Maréchal, ni réaction de ses défenseurs lorsque, à la question piège du premier président : « Alors, à la suite de l'émotion que le Maréchal dit avoir manifestée, il ne s'est produit absolument rien ? », Laval répondit sèchement : « Rien, il n'y a pas eu d'émotion. »

D'ailleurs, c'était un autre Laval qui se présentait devant la cour. La belle et impérieuse Francine Bonitzer, qui assurait le compte rendu pour *L'Aurore,* l'avait immédiatement remarqué.

> « On sent, dès qu'il entre, que ce n'est pas le même homme que la veille. Plus de trouble, d'hésitations, de faux-fuyants. Sa résolution était prise. Il ne tentera pas de se désolidariser du Maréchal, mais, au contraire, s'associera à lui, dans une responsabilité commune[2]. »

---

1. Pétain sera profondément vexé par ce portrait.
2. *L'Aurore,* 5 août 1945.

De quoi allait-on parler ce jour-là, parler rapidement, car aucun sujet ne serait abordé au fond ? Des problèmes les plus douloureux : le débarquement anglo-américain en Afrique du Nord et ses suites, qu'il s'agisse des combats ou du sabordage de la flotte ; la Relève ; les persécutions raciales ; la Milice ; la nomination de Darnand comme secrétaire général au maintien de l'ordre ; les cours martiales.

Or Laval, cumulant, à partir d'avril 1942, la fonction de chef du gouvernement avec celles de ministre-secrétaire d'État à l'Intérieur, aux Affaires étrangères et à l'Information, assurant enfin la « direction effective de la politique intérieure et extérieure de la France », en vertu de l'acte constitutionnel n° 11 du 18 avril, avait réduit le Maréchal à un rôle de « potiche ».

L'associer à tout ce qu'il avait fait était donc, de sa part, d'une habileté... diabolique.

— Je mettais le Maréchal au courant. Il m'approuvait quand je défendais notre pays, dira-t-il après s'être longuement expliqué sur la chasse aux « terroristes ». J'étais en plein accord avec lui. J'ai le devoir de le dire devant vous puisque c'est lui qui est l'accusé, mais je le dis aussi pour moi et je le dis aussi pour nous.

Ainsi, il compromettait subtilement Pétain, son chef, un chef dépouillé de l'essentiel de ses pouvoirs.

La réaction de Francine Bonitzer est symptomatique. Elle écrivit, après l'audience, que, puisque pas un Français n'aurait fait confiance au seul Pierre Laval, c'est à Pétain, avant tout, que l'on « en voulait » maintenant.

> « Ses soldats l'adoraient, le peuple le vénérait. Il était gloire nationale. Le chemin qu'il montrait ne pouvait être que le meilleur[1]. »

Plus dure était la chute.

Avant de quitter sous escorte cette salle du Palais de justice où il reviendra dans deux mois pour son procès, Laval lança à une défense muette cette phrase :

— Si le défenseur devait me mettre en cause sur un point quelconque, j'aimerais, puisque je suis aussi un accusé, qu'il me le dise

---

1. *L'Aurore,* 5 août 1945.

et, s'il parle sur un point important et précis, sur un document par exemple, qu'il puisse profiter de ma présence ici pour que, très librement et très franchement, comme je crois vous en avoir donné la preuve depuis hier, je m'en explique.

— Sur aucun document et aucun point précis, répondra le bâtonnier Payen[1].

Laval disparu de la scène, les audiences, à partir du lundi 6 août, se poursuivent, mais la passion est retombée.

Après le passage de si nombreuses « vedettes », cela tient au rôle généralement mineur des témoins qui vont suivre.

Cela tient, surtout, à un événement considérable : le lancement, sur Hiroshima, de la première bombe atomique.

Annoncée modestement d'abord, le 7 août, sur trois colonnes, la nouvelle ne tarde pas à prendre de l'importance journalistique.

Dès le 8 août, Camus, écrivant dans *Combat* : « Il est permis de penser qu'il y a quelque indécence à célébrer ainsi une découverte qui se met d'abord au service de la plus formidable rage de destruction dont l'homme ait fait preuve depuis des siècles », prouve bien que des hommes ont immédiatement compris le danger de la bombe atomique. Elle peut, en effet, suivant le mot de Mauriac, conduire « à un suicide planétaire », car il n'y a « pas d'exemple que la découverte de quelques-uns ne devienne très vite celle de tous[2] ».

Trois jours plus tard, le 11 août, c'est sur toute la largeur de leur première page que les quotidiens annoncent l'offre de capitulation du Japon. Le 12 août, présentation identique pour apprendre aux Français que le Japon vient d'accepter les conditions des Alliés.

« Fin d'*une* guerre », annonce avec pessimisme l'éditorialiste du *Monde*, qui se demande si la faculté de destruction de la bombe atomique — qui, après Hiroshima, vient d'anéantir Nagasaki — ne

---

1. Me Isorni, prenant la parole immédiatement après le bâtonnier Payen, amènera cependant Laval à préciser que le Maréchal n'avait pas signé le décret qui instituait les cours martiales, car c'est à Pierre Laval qu'avaient été délégués les pouvoirs de signature.

2. *Le Figaro,* 10 août 1945.

menace pas « toute civilisation ou même l'existence matérielle de notre globe[1] ».

Devant pareils bouleversements militaires et politiques, comment le procès Pétain n'aurait-il pas été relégué au second plan ?

Que retenir des témoignages de ces hommes — six, voire sept par audience — qui se succèdent ?

Les journalistes que ces « fournées » de témoins à décharge prolixes ou prudents — plus ou moins vieux généraux, ministres ou fonctionnaires de Vichy — ennuyaient ne leur attacheront pas grande importance.

Cependant, dans tout ce qu'ils ont dit, il y avait à glaner. Le prince Xavier de Bourbon-Parme, chef de maquis, déporté à Nasweiler et à Dachau, dira — au contraire de ce qu'avait affirmé Marcel Paul[2] — que ses compagnons de déportation n'avaient « jamais » médit du Maréchal, « car ils considéraient qu'il s'efforçait de sauver le maximum de vies françaises[3] ». Il dira surtout que, dans les conversations qu'il eut avec lui — le 18 mai 1943 encore —, le Maréchal avait toujours témoigné de sa foi en la victoire alliée.

Ce même 6 août, le général André Lafargue se présenta à la barre. Il fit sensation et, sur les bancs des jurés de la résistance, fit scandale. Il avait cinquante-deux ans, était en uniforme et arrivait tout droit de l'armée de Lattre. Il eut le malheur de déclarer que, dans le maquis, il y avait « pas mal d'indésirables », ce qui lui valut une réprimande du résistant Germinal ; le malheur de défendre « la nécessaire politique de duplicité » de l'ancien chef de l'État. Il fut tourné et retourné sur le gril par des jurés qui oubliaient qu'en novembre 1942, au moment de l'invasion de la zone libre, il avait été le seul, avec de Lattre, à tenter de faire sortir ses soldats de leur garnison, mais ne lui pardonnaient

---

1. *Le Monde,* 15 août 1945.
2. *Cf.* p. 543.
3. Témoignage du 6 octobre. Le prince de Bourbon-Parme ajoutera que, sans les interventions du Maréchal et sans l'armistice, « nous n'aurions pas été 200 000, nous aurions été peut-être deux millions de déportés qui serions morts dans les camps d'Allemagne ».

pas une présence bavarde et brouillonne qu'ils prenaient pour une provocation.

Le 18 août, on apprit qu'il était relevé de ses fonctions...

Le 7 août, M. Marcel Peyrouton, ancien ministre de l'Intérieur de Pétain, indiqua comme domicile : « Prison de Fresnes. »

Nommé par Giraud gouverneur général de l'Algérie le 19 janvier 1943, il avait, contraint et forcé par de Gaulle, démissionné le 1ᵉʳ juin, avant d'être arrêté « préventivement » le 21 décembre 1943. Témoin au procès Pétain, il ignorait certes qu'avant d'être acquitté, le 22 décembre 1948, il avait encore trois ans et plus de quatre mois de prison *préventive* à accomplir[1], mais toute sa déposition sera placée sous le signe de la prudence et de l'amnésie.

La défense l'avait convoqué pour le faire parler du 13 décembre 1940 et de l'arrestation de Laval dont il avait été l'instigateur, mais les jurés se moquaient du 13 décembre! En revanche, ils traquaient le gendre de Malvy, l'ancien affilié au Grand Orient de France, l'ancien haut fonctionnaire, déjà relevé de ses fonctions de résident général de France au Maroc par le gouvernement de Front populaire, et plus encore l'homme qui avait fait arrêter Vincent Auriol, Jules Moch, Marx Dormoy; signé les premières lois raciales; suspendu des municipalités républicaines.

Peyrouton ne se souvenait de rien, ne savait rien, n'avait rien fait. Cet homme, dont on avait toujours vanté le goût et le sens de l'autorité, s'effaçait derrière son ombre. De lui, il donnera cette définition : « Je ne suis pas républicain, je ne suis pas antirépublicain, je suis un agent du gouvernement français, je suis un fonctionnaire. »

Il sortit, sans répondre au président Mongibeaux qui venait de lui demander s'il avait oublié les conditions dans lesquelles Édouard Herriot avait été chassé de sa mairie de Lyon.

Le vice-amiral Fernet, ancien secrétaire général de la présidence du Conseil, n'avait pas perdu la mémoire. Il se souvenait parfaitement — il avait en poche son agenda d'audiences — de la mission de « conciliation » avec la Grande-Bretagne à propos de laquelle, le

---

1. *Cf.* Marcel Peyrouton, *Du service public à la prison commune.*

20 septembre 1940, le professeur Rougier avait reçu l'accord du Maréchal. Il se souvenait également que, le 10 novembre, c'est-à-dire seize jours après Montoire, Rougier, retour de Londres, rapportait au Maréchal la substance et le résultat des entretiens qu'il avait eus tant avec le secrétaire d'État au Foreign Office qu'avec M. Winston Churchill[1].

Le général de division aérienne et ancien ministre de l'Air Jean Bergeret, qui témoigna le 8 août, savait[2] que les Américains allaient débarquer en Afrique du Nord. Ses renseignements lui permirent d'ailleurs de se trouver à Alger le 6 novembre, soit deux jours avant le débarquement. Il avait proposé au Maréchal — il le dit à l'audience — de l'emmener avec lui, mais le chef de l'État refusa. « Il y avait, lui déclara-t-il, 1 500 000 prisonniers dont il était le protecteur naturel. » Bergeret évoqua également les deux télégrammes secrets par lesquels, depuis Vichy, l'amiral Auphan faisait savoir à Darlan que le Maréchal, s'il donnait ouvertement des ordres de résistance, responsables d'ailleurs de bien des morts, approuvait en secret la cessation de la lutte. Ce sont ces télégrammes, authentifiés, qui avaient permis, au milieu de novembre, le ralliement de l'Afrique-Occidentale française[3].

---

1. Les documents Rougier furent remis entre les mains de la direction des Affaires étrangères. Les Anglais prenaient l'engagement de ne pas attaquer les colonies et bases demeurées fidèles au gouvernement du Maréchal. Celui-ci s'engageait à ne pas tenter de reprendre de force les territoires passés à la France libre. Le blocus de la Méditerranée par la flotte britannique devait être allégé. Enfin, la France renouvelait sa promesse de ne jamais livrer sa flotte aux Allemands.
M. Jacques Chevalier, ancien secrétaire général à l'Instruction publique, témoigna également le 7 août. Intime de lord Halifax (pour quelques jours encore à la tête du Foreign Office), il avait été à l'origine, par l'intermédiaire de M. Pierre Dupuis, ministre du Canada à Vichy, d'un accord *modus vivendi* semblable en tout point à l'accord Rougier.
2. Le général Bergeret était vraisemblablement informé par le général Giraud avec lequel il se trouvait en liaison. Bergeret avait vu le Maréchal le 30 ou le 31 octobre.
3. Le 8 août, la Haute Cour entendit également les témoignages de M. Jean Berthelot, ancien secrétaire d'État aux Communications, qui était détenu à

De ces télégrammes, le capitaine de vaisseau Édouard Archambaud allait parler avec autorité au début de l'audience du 9 août. Chef de cabinet de l'amiral Auphan, c'est lui qui les avait personnellement chiffrés à l'intention de Darlan grâce à un code qui échappait à tout contrôle allemand.

Certain d'avoir rempli une mission historique, passionné par la défense de l'amiral Auphan, Archambaud ne se laissait manœuvrer ni par les jurés ni par le procureur général qui déniaient toute valeur à des textes secrets auxquels ils opposaient les ordres de résistance aux Américains publiquement lancés par le Maréchal.

Ils n'avaient pas tort. Mais Archambaud n'avait pas tort non plus d'attacher de l'importance à des télégrammes dont le général Juin — dans une déclaration écrite lue le lendemain — dira le rôle auprès de certains chefs qui s'estimaient toujours liés par leur serment au Maréchal.

Fresnes ; de l'amiral Bléhaut qui avait accompagné le Maréchal à Sigmaringen ; du général Campet qui avait été pendant trois ans chef du cabinet militaire du Maréchal et dira avec une naïveté terrible pour Pétain : « Il ne s'agissait pas de savoir si le Maréchal désirait la victoire des Alliés ou des Allemands, mais de savoir qui l'emporterait dans la guerre de façon à se raccrocher au vainqueur et à profiter de la victoire du vainqueur. »

Furent également entendus le général Debeney, qui avait accompagné le Maréchal à Sigmaringen, et le général Martin, ancien commandant supérieur des troupes auprès du général Catroux, alors gouverneur général de l'Indochine. Le général Martin fit connaître les termes du télégramme qu'à la suite de l'ultimatum japonais — qu'il avait accepté — le général Catroux avait envoyé au gouvernement de Bordeaux. Dans ce télégramme se trouvait le paragraphe suivant : « L'heure n'est plus de parler ferme aux Japonais. Quand on est battu, quand on a peu d'avions et de D.C.A., pas de sous-marins, on s'efforce de garder son bien sans avoir à se battre et on négocie. C'est ce que j'ai fait. » Personne, à l'audience, ne fit de rapprochement avec la France de juin 1940. On sait que, relevé de ses fonctions, rappelé en France pour avoir accepté l'ultimatum japonais, le général Catroux rallia Londres le 17 septembre et se rangea aux côtés du général de Gaulle.

Finalement, en août, un accord avait été signé entre Vichy et Tokyo, accord dont les clauses étaient à peu de chose près semblables à celles acceptées par Catroux.

Personne, de l'accusation ni de la défense, n'avait demandé la comparution de Fernand de Brinon et de Joseph Darnand.

Ils vinrent cependant, solidement encadrés : l'un, Brinon, l'ancien ambassadeur de France, malade, mourant, traînant ce reste de vie qui, bientôt, allait lui être arraché ; l'autre, Darnand, l'ancien des corps francs et l'ancien de la Milice, le pas lourd, la carrure épaisse, dans un costume trop étroit qui le faisait ressembler à un ouvrier agricole endimanché.

Tous deux allaient desservir Pétain.

Brinon en affirmant, à plusieurs reprises, qu'à son sentiment le maréchal Pétain n'avait jamais joué le double jeu.

Isorni, que cette déclaration accablait, protestera en vain.

— On ne parlait pas à M. de Brinon quand il s'agissait de double jeu.

— C'est le témoin que nous entendons, répliquera Mornet, et non pas les avocats.

Darnand, de son côté, dira que le Maréchal n'ignorait rien des activités de la Milice et que le seul blâme qu'il ait reçu du chef de l'État datait du 6 août 1944, « lorsque les Américains étaient à Rennes », ajoutera-t-il pour marquer qu'il venait bien tard.

Le témoin suivant, Charles Donati, ancien préfet d'Eure-et-Loir et de Maine-et-Loire, exaspéra les jurés en rappelant — ce qui était vrai, ce qui se disait partout — que le ravitaillement avait été meilleur (ou moins mauvais) du temps du Maréchal que sous son successeur. Il se fit un malin plaisir de rappeler que trois créations du Maréchal : le Secours national, la corporation paysanne et la régionalisation de l'administration, avaient été reconduites et termina, sous les protestations et les exclamations des jurés et d'une partie de l'assistance, par cette profession de foi qui ne manquait pas de courage, si elle manquait de prudence en des temps encore troublés :

— Des millions et des millions de Français pensent que ce procès est une immense erreur politique qui risque d'aboutir... (Le bruit ayant interrompu sa phrase, il reprit :) Messieurs, depuis un an que nous sommes libérés...

Le procureur général Mornet l'interrompit :

— Monsieur le préfet, on voit que vous avez présidé beaucoup de réunions publiques ; or, ici, ce n'est pas une réunion publique.

Entêté, Donati poursuivit :

— Je demande la permission de dire publiquement un sentiment qui habite le cœur des Français qui, depuis un an que la liberté nous est rendue, soi-disant, n'a pu être dit en public.

Des cris « A Fresnes ! A Fresnes ! » fusèrent et l'agitation était grande encore lorsque le capitaine de vaisseau Jean Tracou, qui avait été directeur du cabinet du Maréchal de la fin de l'année 1943 jusqu'en juillet 1944, fit son entrée.

Fidèle et fin, Tracou, en quelques phrases, décrivit un chef d'État asservi, privé de tous pouvoirs, à qui son geôlier Renthe-Finck, qui habitait l'hôtel du Parc et aurait voulu que son bureau voisinât celui du Maréchal, dictait ce qu'il devait écrire et décidait de ce qu'il devait dire, tout en refusant de saisir les protestations qu'on lui tendait.

Tracou donna surtout lecture d'une partie de la lettre qu'au nom du Führer Ribbentrop avait adressée à Pétain, en novembre 1943. En d'autres temps et d'autres circonstances, cette lettre eût pu remplacer toutes les plaidoiries[1]. Il s'agissait, en effet, d'une justification de l'action de Pétain puisque Ribbentrop reprochait au Maréchal non seulement de ne pas en avoir « fait assez », mais surtout d'avoir saboté la collaboration.

« ... Si on jette un regard sur les rapports franco-allemands depuis trois ans, écrivait-il, il apparaît incontestable que les mesures que vous avez prises comme chef de l'État français n'ont eu malheureusement que le résultat trop fréquent de contrarier la collaboration.

Cette lutte constante contre tout travail de reconstruction a, par contre, pour conséquence, Monsieur le Maréchal, par votre résistance permanente, de rendre impossible la nomination aux postes les plus importants du gouvernement et de l'administration française des hommes dont l'attitude loyale aurait assuré l'exécution d'une politique de consolidation.

---

1. Le bâtonnier Payen, à la demande des jurés, la lira dans son intégralité à la fin de sa plaidoirie.

560

Pour toutes ces raisons, vous ne pourrez être surpris, Monsieur le Maréchal, que le gouvernement du Reich ait observé votre activité de chef de l'État avec une réserve toujours croissante, et une chose est établie, à savoir que l'État français s'est engagé dans une voie que le gouvernement du Reich ne saurait approuver et qu'il n'est pas disposé à accepter à l'avenir en tant que puissance occupante. »

Étrangement, la défense ne sut pas utiliser ce document. Et c'est Jean Schlumberger qui, dans *Le Figaro* du 11 août, allait faire, à propos des dernières audiences, la réflexion la plus juste.

« Il y en eut [des témoignages] d'aussi courageux que naïfs, de la part d'hommes venus pour attester le rayonnement moral qu'exerçait autour de lui le Maréchal. Bien que souvent maladroits et verbeux, ils étaient la preuve d'une conviction, et cette chaleur humaine aurait peut-être pu produire quelque impression sur d'autres juges que ceux d'un procès politique.

Diverses dépositions vinrent confirmer, sur une multitude de faits précis, que les choses n'avaient pas été aussi simples que se l'imaginent les stratèges et diplomates de réunions publiques. De loin et après coup, il n'est pas sorcier de déclarer : " On n'avait qu'à... " Si ç'avait été aussi facile, des hommes qui n'étaient pas tous des sots et des pleutres, et qui étaient de bons Français, auraient trouvé cette issue tout seuls. »

En apparence, la lettre de Ribbentrop n'avait guère retenu l'attention.

La déposition écrite du général Juin n'allait pas davantage émouvoir. Et, cependant, elle était d'un évident intérêt historique.

Pour éviter qu'il ne fût soumis à quelques questions gênantes sur son voyage à Berlin [1] en compagnie de Darlan, et sur les accords passés avec Goering, dans la perspective d'un repli des forces de Rommel en

---

1. Juin voyageait sous le nom de « commandant Dupont » *cf.* Benoist-Méchin *A l'épreuve du temps* p. 277 et ss.

Tunisie, pour empêcher qu'il ne donnât trop d'éclat à la défense du Maréchal, le général de Gaulle avait momentanément éloigné de Paris le chef d'état-major général de la Défense nationale. Juin avait donc répondu par écrit.

Après avoir rendu hommage au général Weygand, à qui il avait militairement succédé en Afrique du Nord, Juin avait écrit que l'armée d'Afrique, dans son ensemble, « voyait dans le vainqueur de Verdun un chef dont le patriotisme ne pouvait être mis en doute et dont elle espérait qu'il donnerait, un jour, le signal de la reprise du combat ».

Les télégrammes d'Auphan, envoyés par l'intermédiaire du commandant Archambaud, Juin en parlera pour dire qu'ils avaient été d'un « grand secours » à ceux qui, comme lui, s'employaient non seulement à faire cesser les combats, mais à rallier « un grand nombre de consciences tourmentées par le serment et encore hésitantes ».

A la question : « Le nom du maréchal Pétain a-t-il été utile pour maintenir l'unité et la tranquillité en Afrique du Nord ? », Juin avait répondu : « Le gouvernement de Vichy n'était qu'une fiction pour les gens avertis, mais, pour l'Empire lointain, c'était tout de même un gouvernement ayant à sa tête un homme qui avait gardé un grand prestige aux yeux des musulmans d'Afrique du Nord. C'est un fait que, jusqu'en novembre 1942, l'Afrique du Nord demeura intérieurement tranquille malgré l'intense propagande de l'ennemi et les lourdes servitudes économiques imposées au pays. »

Dehors, il pleuvait.

Des soldats américains, drapeaux déployés et filles sur le capot des jeeps, parcouraient toujours les rues pour fêter la victoire sur le Japon. Au Palais de justice, tout le monde avait hâte d'en finir. Le 15 août approchait. Aussi est-ce dans une atmosphère désabusée que l'on entendit les derniers témoins. Ce vendredi 10 août, M. Lagarde parla de l'armistice ; le commandant Le Roch vint affirmer qu'en novembre 1942 la flotte n'aurait pu s'échapper de Toulon ; l'honnête et scrupuleux André Lavagne, ancien directeur adjoint du cabinet civil du Maréchal, témoigna de la violence et de la fréquence des tensions existant entre la France et l'Allemagne ; M. Charles Bareiss, chef de la résistance d'Alsace, ancien déporté, et Paul Estèbe, également ancien déporté, firent au Maréchal l'hommage de leur fidélité.

La défense voulait finir par un coup d'éclat, un coup de clairon. Elle avait cité le général Éon. C'était l'un des premiers généraux à avoir rallié de Gaulle. L'un des premiers, aussi, à s'être publiquement séparé de lui. Mais il s'agissait d'un personnage bavard et prétentieux, un inutile dont Isorni, par crainte, et Mongibeaux, par charité, stoppèrent le vain discours.

Si, au cours du procès, l'armée s'était souvent et, vu le climat politique du temps, courageusement manifestée [1], l'Église catholique, qui, longtemps, avait chanté saint Philippe et incité les fidèles à suivre le chef de l'État, s'était abstenue de paraître devant le tribunal des hommes [2].

Le cardinal Liénart, évêque de Lille, qui ne viendra pas, avait cependant écrit ce que le premier président Mongibeaux appellera « une lettre pastorale ». Reçu une seule fois par le Maréchal en avril 1942, avant le retour de Pierre Laval au pouvoir, il avait trouvé, lui, l'ancien soldat de Verdun, un chef « égal à lui-même, faisant face à l'adversité avec la même fermeté qu'autrefois, uniquement préoccupé de la France et s'obstinant à tenir jusqu'à ce qu'elle puisse être délivrée ».

« Quand un homme, ajoutera-t-il en conclusion, a eu à gouverner dans des circonstances aussi tragiques, il faut, pour le juger équitablement, dresser, en face des maux qu'il n'a pu éviter à la France, la liste de ceux, plus graves encore, qu'il a réussi à lui épargner. »

---

1   Vingt officiers parurent à la barre.

2.   A l'exception pour l'Église catholique de l'abbé Rhodain, aumônier des prisonniers, qui avait brièvement témoigné le 9 août. Le pasteur Bœgner, qui, pendant l'Occupation, avait été reçu à six reprises par le Maréchal et avait, dès 1940, élevé de vigoureuses protestations contre les mesures antisémites, avait témoigné — à la demande de la défense — le 30 juillet. Mais certains journaux ayant considéré son témoignage comme « accablant » l'accusé, Bœgner allait se reprocher très vite (*Carnets* à la date du 11 août 1945) de n'avoir pas dit exactement ce qu'il avait eu l'intention de dire : « Jamais je n'ai recueilli du Maréchal Pétain une parole d'approbation en faveur des lois antisémites. Il m'a toujours donné l'impression d'être en complet désaccord avec son gouvernement. »

Bœgner regrettera également d'avoir omis de citer « l'histoire d'un Conseil des ministres où le Maréchal avait donné son appui à Joseph Barthélemy contre une loi particulièrement déshonorante visant les juifs ». « Cette omission, poursuit-il, a " déséquilibré " ma déposition, semble-t-il, et rendu possible l'impression ressentie par certains journalistes, et j'en suis consterné. »

L'émotion qui n'était pas née de la déposition du général Éon, le général de Lannurien allait la provoquer.

A la demande du président Mongibeaux : « Votre dernier témoin, monsieur le bâtonnier? », Payen avait répondu : « Le général de Lannurien, aveugle de guerre, directeur de l'École supérieure de guerre. Vous allez vous en apercevoir. »

L'homme qui avançait, sa canne blanche à la main, canne insuffisante dans ce labyrinthe, si bien qu'un huissier dut le guider jusqu'à la chaise des témoins, « parut sortir d'une scène de Sophocle[1] ». Il bougeait en parlant et il fallut à plusieurs reprises le replacer face à la cour. Il avait bien connu le Maréchal et rapportait des phrases de 1942, de 1943, qui toutes confirmaient que Philippe Pétain n'avait jamais songé à abandonner la France, même s'il discernait parfaitement les avantages douillets d'une retraite à Villeneuve-Loubet ou d'une gloire renouvelée à Alger.

Le Maréchal, un soir de mélancolie et de prescience, lui avait dit :

— Les Allemands pourront m'emmener de force, s'ils le veulent. Les Français pourront me faire passer en jugement, s'ils le désirent, mais, moi, tant que je serai libre, je ne partirai pas.

Et voici, selon les mots du général de Lannurien, que « ces propos de table se sont réalisés. Le Maréchal, poursuivit-il, a été emmené en Allemagne, le Maréchal est traduit devant une Haute Cour. [...] Tous les jours, sous les coups d'une critique, il est traîné dans la boue. Il est déchiré. Il est dépouillé. Laissez-moi dire un mot, monsieur le président, pardonnez-moi. Je sais très bien qu'il ne faut pas ici d'émotion, mais, cependant, permettez à un ancien combattant de Verdun, qui a été blessé quatre fois dans la troupe, dont deux fois à Verdun, et qui est à plus de cent pour cent mutilé de guerre, permettez, je ne vous parle qu'en mon nom, de dire certaines choses »...

Le général de Lannurien haletait en parlant. La salle, muette, le regardait et l'écoutait dans une émotion grandissante.

— Si par malheur... si par malheur !... on dégradait cet homme [...] une fois jouée l'infâme comédie, quand il passerait devant les rangs, courbé par l'âge, pâli sous l'affront, mais la tête haute, loin d'être diminué, il en serait grandi et, le soir, nous penserions tous que c'est nous, nous seuls et la France avec nous, que nous aurions salis.

---

1. Jules Roy, *op. cit.*

Il plaidait, le général de Lannurien, et nul n'osait l'interrompre. Il s'adressait aux jurés parisiens « fins et compréhensifs » qu'il ne voyait pas, mais qu'il devinait, proches, à distance de souffle.

Il répétait ces mots « Prenez garde... prenez garde ».

— Prenez garde qu'un jour le sang et le prétendu déshonneur de cet homme, par notre faute et de nos propres mains, ne retombent sur la France tout entière, sur nous-mêmes et sur nos enfants...

Sa voix s'étranglait. Du fond de la salle, des applaudissements crépitèrent et vinrent mourir au pied de la cour.

— Pas de manifestations !... C'est un scandale ! cria le premier président.

Un juré, M. Germinal, demanda la parole.

Mongibeaux la lui refusa tout d'abord, mais Germinal imposa une question en apparence innocente. Que pensait le général du maquis, de la répression contre le maquis ? En réalité, Germinal possédait dans ses dossiers une lettre dans laquelle le général de Lannurien félicitait Pétain de son action personnelle contre le terrorisme et célébrait Darnand et Henriot.

— Vous ne reniez pas, je pense, monsieur (monsieur et non « mon général »), demanda Germinal, vous ne reniez pas ce que vous avez écrit le 15 mars 1944 ?

Le général de Lannurien, qui « ne reniait rien », essaya d'expliquer qu'il avait toujours établi la différence entre résistance et terrorisme.

Alors que la tragédie s'achevait de façon imprévue et désastreuse pour la défense, le Maréchal, très pâle et frémissant, se leva.

« Je demande la parole.

Je prends la parole pour une fois, pour dire que je ne suis pour rien dans la présence du général de Lannurien ici. Je ne savais même pas qu'il devait se présenter devant la cour. Tout ceci s'est passé en dehors de moi. »

Le président se hâta de clore l'audience et de la renvoyer au lendemain samedi 11 août, « à 13 h 30 précises ». On entendrait le réquisitoire du procureur général Mornet.

— Comment sera Mornet ? avait demandé Pétain avant l'audience.

— M. Mornet demandera votre tête avec la plus grande courtoisie, avait répondu Isorni.

Mais, avant d'en arriver là, Mornet allait parler pendant plus de quatre heures[1]. Avec la plus grande courtoisie, comme Isorni l'avait suggéré ? Non, ce vieillard qui réclamerait la tête d'un autre vieillard mettait toute sa force de conviction et toute sa hargne dans sa démonstration. Pour être à la hauteur de la tâche qu'il s'était assignée, il fallait qu'il puise dans ses souvenirs d'hier, lorsqu'il faisait condamner les traîtres de l'autre guerre. « Trahison », c'est le mot qu'il emploiera d'ailleurs à la fin du premier paragraphe de son réquisitoire.

Il se battait avec ses lorgnons, il battait la mesure avec ses lorgnons ; sa barbe jaunâtre prolongeant son long visage se hérissait, sa robe rouge l'enveloppait ; ramassé sur lui-même, le dos rond, l'œil d'un oiseau de proie, il était la vengeance patriotique poursuivant le crime.

Isorni — oui, Isorni — ne pourra s'empêcher d'écrire, plus tard, que « son début avait eu grande allure » et que, « sans emphase, il avait su trouver des accents solennels ».

De Pétain, d'abord, il allait tracer le portrait d'un « ambitieux vieillard, jaloux de son pouvoir et de son autorité », ennemi de la République, puisque ami de Charles Maurras.

Quatre colonnes du *Journal officiel* pour démontrer que Philippe Pétain, critique du « régime qui [s'était] effondré dans la défaite[2] », chantre d'un « ordre nouveau » et de la Révolution nationale, désirait, avant tout, « la suppression de la République et son remplacement par un monarque héréditaire ».

Progressant dans la destruction de la légende et de l'image, Mornet, s'il reconnaissait n'avoir pas découvert la preuve que Pétain ait été personnellement mêlé à un complot, n'en faisait pas moins d'abondantes citations de ces articles — ceux de Gustave Hervé, ceux de Pemjean — qui, avant la guerre, présentaient le Maréchal comme l'homme providentiel, seul capable, face aux périls, de rassembler les Français.

Si le procureur général abandonnait « le document décisif[3] » sur lequel il avait fondé son premier réquisitoire, ce n'était donc pas sans

---

1. L'audience sera suspendue pendant cinquante minutes, à partir de 15 h 45.
2. 4 avril 1943.
3. *Cf.* p. 510.

en avoir rappelé l'esprit aux jurés. Puis il analysait très longuement —
et dans un certain désordre — le rôle de Pétain en Espagne, son action
au sein du gouvernement Reynaud, le vote du 10 juillet 1940, les
attaques contre de Gaulle et le gaullisme, le « je souhaite la victoire de
l'Allemagne » de Laval. Très longuement, il opposait les propos
« tenus à un très petit nombre de personnes dans le silence du
cabinet » aux messages amplement répercutés, les accords « secrets »,
et sans suite, avec l'Angleterre aux avantages effectifs accordés à
l'Allemagne.

Pétain, écrit Isorni, écoutait « avec une vive attention, ne perdant
pas un seul mot ». Tenté parfois de protester, son visage rosissait alors
et il triturait ses gants blancs.

Après s'être accordé près d'une heure de repos, le procureur général
Mornet allait reprendre habilement son réquisitoire en citant un
passage du quatorzième discours à la nation allemande de Johann
Gottlieb Fichte, écrit et prononcé en 1808, alors que les rues de Berlin
résonnaient sous le pas des patrouilles françaises.

> « Nous avons été vaincus. Voulons-nous, en outre, qu'on nous
> méprise ? Voulons-nous ajouter la perte de l'honneur à toutes les
> autres pertes ? Gardons-nous d'inciter nos vainqueurs à nous
> mépriser. Le plus sûr moyen serait de renoncer à notre manière
> de vivre et d'essayer de leur ressembler en adoptant la leur. »

« Que n'a-t-on suivi le conseil de Fichte ? » demandait Mornet. Il
semble, ajoutait-il, qu'on ait voulu en prendre le contre-pied. Et il
évoquait les lois raciales ; les sections spéciales ; le tribunal d'État ; la
cour de Riom ; l'affaire de Syrie ; le télégramme de félicitations envoyé
à Hitler à la suite de l'échec du débarquement britannique à Dieppe ;
les ordres de résistance donnés à l'armée d'Afrique du Nord après le
8 novembre ; les messages d'encouragement envoyés aux travailleurs
français en Allemagne.

Aucun des textes et des faits que citait Mornet n'était inconnu des
juges et du public de la Haute Cour. Toute leur force venait de leur
juxtaposition et de leur nombre. En les rassemblant, Mornet en avait
fait, selon le mot de Schlumberger, « un amas effrayant » qui lui
permettait de conclure : « Le gouvernement de Pétain, né de la défaite
et d'un abus de confiance, n'a pu se maintenir pendant quatre années
qu'en acceptant l'aide, le soutien de la force allemande, en mettant sa

politique au service de la politique allemande, en collaborant dans tous les domaines avec la politique de Hitler. Cela, messieurs, c'est la trahison. »

Quelle peine le procureur général allait-il demander? Encore quelques minutes... quelques minutes pour affirmer aux Français que, sans gouvernement, leur situation n'eût pas été plus mauvaise et que, d'ailleurs, « la pire catastrophe » — il citait Juvénal — c'était « de perdre ce qui fait la raison de vivre, c'est-à-dire l'honneur ».

Les derniers mots de Mornet, les voici maintenant :

> « ... Songeant à tout le mal qu'a fait, qu'ont fait, à cette France, un nom et l'homme qui le porte avec tout le lustre qui s'y attachait, parlant sans passion, ce sont les réquisitions les plus graves que je formule au terme d'une longue carrière, arrivé, moi aussi, au déclin de ma vie, non sans une émotion profonde, mais avec la conscience d'accomplir ici un rigoureux devoir, c'est la peine de mort que je demande à la Haute Cour de prononcer contre celui qui fut le maréchal Pétain. »

Il était 18 h 20.

Dans l'après-midi du dimanche 12 août, Isorni et Lemaire se rendirent au Palais de justice pour réconforter le Maréchal qui, sans être effondré, répétait : « C'est incroyable, incroyable qu'un magistrat puisse dire des choses pareilles. »

Dans ses *Mémoires,* Isorni écrit que les jurés avaient été fâcheusement impressionnés par la visite qu'au nom du général de Gaulle leur avait (aurait?) rendue Gaston Palewski. Selon Isorni, le Général demandait aux jurés de condamner à mort en annonçant qu'il se réservait de gracier. L'un des jurés, il s'agissait de Lecompte-Boinet, gendre de Mangin, fit même cette réflexion à l'avocat du Maréchal : « Si nous le condamnons à mort, on nous traitera d'assassins et c'est le général de Gaulle qui aura tout le bénéfice de la grâce. Si nous ne le condamnons pas à mort, on nous traitera de lâches. »

Le temps des plaidoiries était venu.

Elles commencèrent le lundi 13 août à 13 h 35 par celle du bâtonnier Payen ou, plus exactement, par la première des trois plaidoiries qu'il avait résolu de prononcer.

Aux citations lancées par Mornet pour prouver l'ambition de Pétain, Payen allait répliquer par une contrebatterie de citations. Il convoquait Painlevé, Pershing, Foch, Clemenceau, Poincaré, Léon Blum, et il s'attachait à démontrer, avec l'aide de tous ces illustres, que Pétain, « qui avait toujours servi son pays », n'avait jamais eu d'ambition dictatoriale. Que l'on ne change pas à quatre-vingt-quatre ans, il s'efforçait d'en convaincre les jurés. L'armistice ? On lui avait opposé un Philippe Pétain farouche partisan de l'armistice, mais — et c'est sans doute le point historiquement le plus intéressant de sa plaidoirie — il apportait la preuve qu'au comité de guerre du 25 mai Paul Reynaud et le président de la République, les premiers, avaient évoqué la perspective de l'armistice.

Écoutait-on Payen ? Sans doute, mais, selon Isorni, on entendait mal sa voix faible et l'attention se dispersait. Dans la chaleur d'août, magistrats et jurés s'étaient assoupis.

Me Lemaire les réveilla.

A peine Lemaire s'est-il dressé qu'il mène, à la surprise de Payen et d'Isorni qu'il s'est bien gardé de mettre dans la confidence, une violente charge contre le procureur général, qu'il accuse d'être un serviteur du pouvoir et, surtout, de n'avoir pas laissé aux oubliettes ce que Mornet avait appelé, dans son premier acte d'accusation, « le document décisif ».

— Cet acte d'accusation demeurera. Dans vingt ans, dans cinquante ans, les historiens le retrouveront lorsqu'ils ouvriront ce dossier. [...] Je me tourne vers vous, messieurs les juges, je vous pose la question : que se serait-il passé si le maréchal Pétain avait été jugé par contumace ? [...] L'honneur du Maréchal était définitivement atteint et personne n'aurait rien soupçonné.

Mornet a beau interrompre Lemaire de : « C'est inexact... c'est inexact » répétés, l'avocat n'en poursuit pas moins sa démonstration pour mettre en cause, à travers ce que la défense appelait déjà « le faux Mornet », et la personne et le discours du procureur général.

Et, comme dans ce procès on a fait abus de citations, Lemaire cite, à son tour, Blum, Daladier, Jeanneney, Herriot, tous ceux qui, lors des audiences, avaient nié que le maréchal Pétain ait été associé à un complot, ceux qui, à Vichy, le 9 juillet, l'avaient assuré de leur « vénération ».

Il termine par ces mots, lancés en coup de clairon :

— Non, il n'y a pas eu de crime contre la République et contre la nation, et je vous demande de laver l'honneur du Maréchal de cette accusation.

Le Maréchal va se montrer si satisfait d'avoir été défendu de façon offensive, lui que l'on disait depuis toujours partisan de la défensive, qu'à la surprise générale il déclarera :

— Je ne peux qu'approuver ce qu'a dit mon défenseur.

A sa femme il dira, quelques minutes plus tard :

— Lemaire a été épatant ! Qu'est-ce que Mornet a pris !...

La bagarre l'avait revigoré.

C'était le dernier jour. Que l'on fût arrivé à l'échéance rendait anxieux et fébriles les avocats de la défense.

Aussi le bâtonnier Payen commença-t-il sa plaidoirie le 14 août, sans préambule, en entrant dans le vif du sujet, ce qu'il appelait « le tuf de l'affaire ». Mais la passion de l'histoire continuait à habiter tous les protagonistes. Mornet avait parlé de Fitche en 1808. Payen parlera de Metternich écrivant, en 1809, à l'empereur d'Autriche : « Nous ne trouverons notre sûreté qu'en nous appuyant sur le système triomphant de la France. » Il parlera de Stein et de Scharnhorst, conseillant au roi de Prusse de livrer à Napoléon un corps d'armée. Il parlera de Thiers, offrant au maréchal Manteuffel l'hospitalité de son hôtel. En 1814, Metternich n'avait pas été poursuivi devant les tribunaux. Les Allemands avaient donné le nom de Scharnhorst à l'un de leurs plus fameux croiseurs de bataille. Et Thiers avait été sacré « libérateur du territoire ».

Ces hommes à qui l'on pouvait, en apparence, adresser de si cruels reproches, pourquoi avaient-ils été honorés ? Parce qu'ils rusaient et trichaient tout en collaborant ouvertement. Eh bien ! Pétain avait rusé et triché plus qu'eux. C'est ce que s'efforçait de démontrer Payen qui parlait de « feinte » et, « pour ce qui n'était pas l'essentiel [...], de gages, de compensations ».

Mais le bâtonnier ne pouvait tout expliquer aussi aisément.

Rochat, qui se trouvait auprès de Laval lorsque celui-ci avait soumis au Maréchal sa phrase : « Je crois à la victoire de l'Allemagne et je la souhaite », ayant confirmé, dans une lettre lue à la fin de l'audience du 11 août, que le Maréchal n'avait demandé *que* la suppression des mots « je crois », le bâtonnier crut trouver l'explication du triste « je souhaite » en plaidant l'excuse de l'âge.

Payen eut alors ce qu'Isorni, consterné, appelle « la phrase fatale ». « Si, dans l'espoir de servir son pays, espoir dont vous ne doutez pas, déclarera-t-il, il a trop présumé de ses forces, est-ce que c'est un crime ? C'est au fond cela que vous jugerez. »

Ainsi, il « plaidait gâteux » et le Maréchal, qui n'avait cessé, pendant cette partie du discours de Payen, d'agiter ses gants dans un geste de dénégation, le dira à Isorni lors de la suspension d'audience : « Il a plaidé gâteux ! », ajoutant, en mimant un combat de boxe : « Qu'il vienne donc un peu se mesurer avec moi, il verra si je suis gâteux [1]. »

Était venue l'heure d'Isorni.

La veille de sa plaidoirie, Madeleine Jacob, qui, même au banc d'une presse hostile, faisait figure de « tricoteuse », était discrètement venue trouver l'avocat.

— Je veux que ce soit bien, lui avait-elle dit. Il ne faut pas que vous manquiez de forces. Et vous devez être fatigué. On ne trouve plus de médicaments. Je vous apporte un peu de Rophéine. Prenez-en un cachet avant de plaider [1].

Malgré la Rophéine de Madeleine Jacob, Isorni avait le trac et ses jambes flageolaient.

Un juré — c'était Gabriel Delattre — lui avait dit que tout dépendait de lui. Sa voix tremblait un peu lorsqu'il commença à parler, le regard tendu vers les jurés. Il s'agissait de les convaincre que le Maréchal était le contraire de la caricature combattue par la Résistance.

---

1. Isorni, *Mémoires*.

Isorni s'était efforcé de ne pas faire un cours d'histoire. L'histoire n'avait été que trop souvent convoquée aux débats. Il voulait surtout, chez les jurés, « déterminer des sentiments ». Revenant, dans ses *Mémoires*, sur ce qui avait été le procès de sa vie, le grand moment de sa vie, il écrira :

> « Je marchais vers ce que je pensais l'essentiel, c'est-à-dire essayer, en quelques pensées, en quelques phrases, ramenant à cette minute tout ce qui avait été dit ou qui avait atteint leur sensibilité, de modifier leur décision. »

Appliqué, dès les premiers mots, à définir les politiques opposées du Maréchal et de la Résistance, Isorni allait s'efforcer de montrer ce que le Maréchal avait sauvé. Il ne pouvait esquiver ni les lois raciales, ni la L.V.F., ni les sections spéciales, ni la Milice. Mais il tentait d'expliquer que Pétain n'avait jamais tout su, qu'il se trouvait dans l'impossibilité de tout contrôler et que, lorsque des excès vinrent à sa connaissance, il avait réagi. Tardivement, souvent parce qu'« à partir du moment où la Résistance [était] devenue active » il ne « gouvernait plus » mais « vivait dans une espèce de zone de silence » au caractère tragique.

Convoqués par la défense, certains témoins avaient attaqué la Résistance. Isorni ne tombait pas dans ce piège. Au contraire. Il lui fallait laisser supposer aux jurés de la résistance que le Maréchal avait été, au fond, proche d'eux, plus proche certes de l'Armée secrète que du « jaillissement populaire venu des profondeurs de la nation ».

> « Je pense, messieurs, dira-t-il, que la Résistance, c'est le signe de la vitalité d'un peuple ; je pense que la Résistance, c'est sa volonté de vivre. Pourquoi voudriez-vous que celui qui fut un des plus glorieux soldats français ait été hostile à cette Résistance ? »

Mais, plus qu'à la démonstration, Isorni songeait à sa péroraison. Cette péroraison qu'il allait prononcer comme dans un état second. Protégeant le Maréchal de ses bras tendus, le visage bouleversé, la voix frémissante, il parlait de ceux qui étaient morts sous les balles allemandes en criant : « Vive le Maréchal ! Vive la France ! », de ceux qui avaient été déportés — plusieurs avaient témoigné — par fidélité au Maréchal. « N'était-ce pas le même combat ? » demandera-t-il à ces hommes délégués par la Résistance.

Les choses étaient naturellement infiniment plus complexes qu'il n'essayait de le faire croire, mais il lui fallait instiller le doute dans l'esprit de ceux qui l'écoutaient. Il lui fallait également faire lever la peur d'un spectacle inhumain, insoutenable : l'exécution du dernier maréchal de France

Mornet avait demandé la mort.

Isorni s'emparait de l'idée pour toucher les consciences. Voici ses dernières paroles, improvisation apparente, fruit d'une longue et laborieuse méditation :

> « Si, malgré tout ce que je viens de dire, si, malgré le sentiment de vérité qui est en moi, vous deviez suivre le procureur général dans ses réquisitions impitoyables, si c'est la mort que vous prononcez contre le maréchal Pétain, eh bien ! messieurs, nous l'y conduirons. Mais, je vous le dis, où que vous vous trouviez à cet instant, que vous soyez à l'autre bout du monde, vous serez tous présents. Vous serez présents, messieurs les magistrats, vêtus de vos robes rouges, de vos hermines et de vos serments. Vous serez présents, messieurs les parlementaires, au moment où la délégation que le peuple vous a donnée de sa souveraineté s'achèvera. Vous serez présents, messieurs les représentants de la Résistance, alors que ce peuple n'aura pas encore consacré vos titres à être ses juges.
>
> Vous serez tous présents ! Et vous verrez, du fond de vos âmes bouleversées, comment meurt ce maréchal de France que vous aurez condamné. Et le grand visage blême ne vous quittera pas. Car j'imagine qu'il ne s'agit pas de vous abriter derrière d'autres responsabilités que les vôtres.
>
> Et je ne l'évoque, ce tragique, cet inhumain spectacle du plus illustre des vieillards lié à la colonne du martyre, je ne l'évoque que pour vous faire peser tout le poids de votre sentence.
>
> [...]
>
> Ô ma patrie, victorieuse et au bord des abîmes ! Quand cessera-t-il de couler ce sang, plus précieux depuis qu'il n'y a que des frères pour le répandre ? Quand cessera-t-elle la discorde de la nation ?
>
> Au moment même où la paix s'étend enfin au monde entier, que le bruit des armes s'est tu et que les mères commencent à respirer, oh ! que la paix, la nôtre, la paix civile, évite à notre

terre sacrée de se meurtrir encore ! Magistrats de la Haute Cour, écoutez-moi, entendez mon appel. Vous n'êtes que des juges, je le sais ; vous ne jugez qu'un homme, je le sais. Mais vous portez dans vos mains le destin de la France. »

A la suspension d'audience, Mornet fendit la foule pour féliciter Isorni : « Ah ! vous avez dit tellement tout ce que je pensais. » D'autres félicitations attendaient l'avocat. Celles du Maréchal qui le serra dans ses bras, l'embrassa longuement ; celles de Mme Pétain qui lui dit, parlant de son mari : « Je ne l'ai jamais vu aussi bouleversé. Il vous considère comme un fils. »

D'après Isorni, le président Mongibeaux fit demander au bâtonnier Payen de renoncer à la parole. « Il estimait qu'après l'émotion que la Haute Cour avait ressentie elle ne voterait plus la mort[1]. » Encore fallait-il que cette émotion ne s'évaporât pas. Mais renoncer à plaider trois heures durant dans pareil procès, renoncer à conclure, n'était-ce pas ouvertement reconnaître la supériorité d'un confrère ? Le bâtonnier estimait également avoir beaucoup de faits utiles à rappeler aux jurés. L'orgueil et la nécessité le conduisirent donc pour la troisième fois à la barre.

Reprenant où il avait abandonné avant l'intervention d'Isorni — c'est-à-dire aux événements de Syrie en 1941 —, Payen plaida sans flamme ni souci excessif de la chronologie, parlant de l'entrevue Pétain-Goering du 12 décembre 1941 ; de l'Alsace-Lorraine ; du S.T.O. ; puis des conditions du retour de Laval ; de la L.V.F. ; du sabordage de la flotte et de cette lettre violemment critique que, le 29 novembre 1943, Ribbentrop avait adressée au Maréchal et dont le commandant Tracou, le 7 août, avait donné partiellement lecture.

Dans les dernières minutes, le bâtonnier Payen s'essaya à faire monter l'émotion. Mais il avait l'éloquence sèche et brève. Il parlait

---

1. Isorni, *Mémoires*. Le fait est confirmé par *le Populaire* du 15 août dans lequel André Fontain écrit : « Il eût été préférable pour la cause même de Pétain que la Cour délibérât aussitôt après cette belle plaidoirie [celle d'Isorni], si belle, il faut bien le dire, que M. le Procureur général soi-même, pendant la suspension qui suivit, congratula longuement Mᵉ Isorni. »

avec sa raison plus qu'avec son cœur. Et son hommage à la révolte de De Gaulle, mise en parallèle avec le sentiment « moins chevaleresque mais pas moins courageux » qui avait conduit Pétain à accepter pendant quatre ans de débattre, discuter, marchander, pouvait choquer plus que séduire.

Après le « Vive la France ! » qui mettait un point final à une plaidoirie pleine de bonnes intentions et d'arguments médiocres, le président Mongibeaux demanda rituellement à l'accusé s'il avait « quelque chose à ajouter pour [sa] défense ».

Il était 21 h 1.

Pétain se leva dans la pénombre qui envahissait la salle.

D'une voix « vieille et forte [1] », que l'on avait beaucoup entendue pendant quatre ans, mais que l'on n'entendrait plus, il lut une déclaration, choisie entre plusieurs textes préparés par Isorni et par Lemaire et qui avait pour objectif d'atteindre, par-delà les juges, le peuple français tout entier.

> « Oui, je veux bien prendre la parole.
>
> Au cours de ce procès, j'ai gardé volontairement le silence, après avoir expliqué au peuple français les raisons de mon attitude. Ma pensée, ma seule pensée, a été de rester avec lui sur le sol de France, selon ma promesse, pour tenter de le protéger et d'atténuer ses souffrances.
>
> Quoi qu'il arrive, il ne l'oubliera pas. Il sait que je l'ai défendu comme j'ai défendu Verdun [2].
>
> Messieurs les juges, ma vie et ma liberté sont entre vos mains, mais mon honneur, c'est à la patrie que je le confie.
>
> Disposez de moi selon vos consciences. La mienne ne me reproche rien car, pendant une vie déjà longue et parvenu par mon âge au seuil de la mort, j'affirme que je n'ai eu d'autre ambition que de servir la France. »

Le Maréchal se rassit. Un jeune homme cria : « Vive Pétain ! Vive la France ! » Il fut arrêté comme dix autres l'avaient été au cours du procès.

---

1. Isorni, *Mémoires*.
2. Pétain a modifié la phrase initialement écrite par ses défenseurs : « J'ai défendu la France comme je l'ai défendue à Verdun. »

Le premier président annonça que, les débats étant clos, la cour se retirait pour délibérer. Il était 21 h 5.

Il se fit un grand remue-ménage.

La salle d'audience se vidait bruyamment. Les assistants, délivrés d'une longue attente, s'ébrouaient, discutaient, risquaient des pronostics, cependant que les jurés gagnaient le cabinet du premier président où un buffet froid avait été disposé et que le Maréchal rejoignait sa chambre où l'attendait son épouse. Après avoir pris quelque nourriture, il s'étendit sur son lit, sans dormir.

Lorsque les jurés eurent achevé le colin, l'assiette anglaise et la salade russe préparés sans préméditation par les services de la préfecture de police, M. Mongibeaux, qui, en se dépouillant de ses vêtements, avait perdu de sa majesté, invita ses deux assesseurs, le président Picard et le président Donat-Guigue, ainsi que les vingt-quatre jurés, à prendre place dans la salle de délibération où ils s'installèrent sous un lustre qui éclairait deux tables juxtaposées recouvertes d'un tapis vert à franges. Ils faisaient face au buste d'un « inconnu qui trônait dans un médaillon[1] ». C'était Achille Ier de Harlay qui, en mai 1588, avait refusé de rejoindre le camp des ligueurs. Il avait répondu au duc de Guise : « C'est grande pitié quand le valet chasse le maître. Au reste, mon âme est à Dieu, mon cœur à mon roi, mon corps est entre les mains des méchants ; qu'on en fasse ce qu'on voudra[2]. »

Qu'allait-on faire du corps de Pétain ?

Le président Mongibeaux surprit tout le monde en demandant aux jurés :

— Que penseriez-vous d'une condamnation à cinq ans de bannissement ?

Du côté des jurés de la Résistance, qui étaient installés à sa gauche, on le regarda avec stupéfaction. Cinq ans de bannissement, cela correspondait à un acquittement, et c'était impensable. Mais ni le

---

1. Jules Roy, *Le Grand Naufrage.*
2. Le président de Harlay fut embastillé. Il sortira de prison après l'assassinat d'Henri III.

premier président Mongibeaux ni les présidents Picard et Donat-Guigue ne croyaient à la trahison[1]. Ils le dirent. Le temps passait sans que l'on prît de décision, et le président Mongibeaux décida de consulter individuellement chaque juré en commençant par les jurés de la Résistance.

Pierre-Bloch, l'un de ceux-ci, demanda lecture des articles 75, 87 et 80 du Code pénal. Les deux premiers prévoyaient la peine de mort pour le crime d'intelligence avec l'ennemi, mais l'article 80 prévoyait au maximum une peine de travaux forcés à perpétuité qui, à partir de soixante-dix ans, n'était d'ailleurs pas accomplie. On vota à bulletin secret sur l'article à retenir, étant bien entendu, précisa Mongibeaux, que le vote ne comportait aucun engagement en ce qui concernait la décision finale. Au dépouillement, dix-huit bulletins portaient « article 75 », huit bulletins l'indication « article 80 ». Il fallait maintenant se prononcer sur la peine, en sachant que la mort pouvait être retenue, mais il était impossible de le faire sans un ample débat.

D'après ce que l'on sait, Gabriel Delattre, premier juré parlementaire, qui devait, plus tard, faire des révélations, « plaida » longuement contre la mort.

— Si vous prononciez la mort, dit-il notamment, [les Français] seraient traumatisés et ne nous le pardonneraient pas. Les plaies ne sont pas près d'être cicatrisées. Qui sait si, dans quelques années, Pétain ne sera pas absous et vos enfants montrés du doigt comme les fils de ceux qui l'auront condamné à mort ? Le Maréchal doit être condamné, mais pas à mort.

M. Lévy-Alphandéry adopta une position semblable.

— Comme vous le savez, dit-il, je suis israélite et j'ai eu plus que tout autre à me plaindre de l'action du nazisme dont j'ai beaucoup souffert, moi-même et ma famille. Mais, devant ce que j'ai appris, je déclare que je ne voterai pas la peine de mort.

En revanche, Pierre-Bloch fit observer « qu'il aurait des comptes à rendre aux veuves de ses camarades [de résistance et] qu'en ce moment il pensait d'abord à elles ». Pour lui, la trahison ne faisait aucun doute mais, comme d'autres jurés, Stibbe, Seignon, Lecompte-

---

1. Mornet lui-même, avant de rentrer dans son bureau, avait dit au juré Pétrus Faure : « J'ai moi-même demandé la peine de mort mais, vous, il ne faut pas la voter. »

Boinet, il ne s'opposait pas à ce qu'un vœu soit émis afin que la condamnation ne fût pas exécutée.

Sous la présidence indolente de Mongibeaux, les arguments s'entre-choquaient, la discussion s'éternisait.

Après que les présidents Mongibeaux, Picard et Donat-Guigue, qui tous les trois étaient contre la mort, eurent pris la parole, une consultation orale donna une majorité de voix à la mort : 14 contre 13. On vota à bulletin secret portant la mention « oui » ou « non ». Le résultat ne fut pas modifié.

Une voix de majorité.

Comme pour Louis XVI. Tout le monde en fit la réflexion.

Qui avait voté « pour » ? Selon les calculs — et les confidences — d'un juré [1], quatre parlementaires socialistes sur six et le seul parlementaire communiste, M. Prot, que la défense, ignorant son appartenance au Parti, n'avait pas récusé, ainsi que neuf jurés de la Résistance. C'est le premier juré de la Résistance, M. Seignon, qui demanda le vote d'une motion exprimant le vœu que la peine ne fût pas appliquée. A bulletin secret, elle obtint 17 voix contre 10. Seignon avait défendu cette proposition « afin de faciliter la tâche du général de Gaulle en vue de rapprocher les Français », mais certains jurés, sachant bien que de Gaulle gracierait, auraient voté la motion afin de retirer au chef du gouvernement le bénéfice de la grâce.

Il y eut encore un vote, Stibbe réclamant la dégradation militaire du condamné. Il obtint quatre voix. D'ailleurs, Pétain était condamné à la peine de mort, mais aussi à la confiscation de ses biens et à l'indignité nationale. Cette dernière peine avait pratiquement les mêmes consé-quences que la dégradation.

La rédaction de l'arrêt par cinq jurés [2] — car les magistrats, qui avaient voté contre la mort, avaient refusé d'y prêter la main — dura

---

1. On apprit beaucoup de choses par deux jurés, MM. Delattre et Pétrus Faure. Ce dernier fut poursuivi le 28 mars 1966 devant le tribunal correctionnel de la Seine pour violation du secret professionnel. Il fit paraître le compte rendu de son procès sous le titre *Le Procès de Pétrus Faure*.
2. Selon Isorni et selon Pétrus Faure, ils n'étaient que trois.

de 1 h 30 à 3 h 30. « Nous supprimons, nous ajoutons, a écrit l'un de ces hommes, et l'idée qui domine c'est de ne pas insister sur le complot et la destruction de la République, car je suis persuadé que les Français sont beaucoup plus intéressés par la trahison que par des motifs uniquement politiques. » Ces travaux achevés, le jury reprit ses délibérations et accepta le rapport qui lui était présenté.

Il était 4 heures du matin lorsque les magistrats, ayant repris leurs robes rouges et leur dignité, firent leur apparition dans une salle des séances plongée dans une demi-obscurité que ne dissipaient pas les premières lueurs de l'aube. Le premier président Mongibeaux alluma les quatre lampes du bureau présidentiel. On était allé chercher le Maréchal qui, après avoir assisté à la messe et communié des mains de Mgr Potevin, s'était légèrement assoupi, mais dont le visage était marqué par la fatigue. Il resta assis pendant la lecture de l'arrêt qui dura une vingtaine de minutes. Entendit-il, comprit-il les mots prononcés par le président Mongibeaux qui avait lutté pour qu'ils ne fussent pas écrits ?

Selon Isorni, il ne prit conscience de rien : ni de sa condamnation ni de la demande de grâce formulée par les juges. Aucun des derniers mots de l'arrêt n'était arrivé jusqu'à son esprit. Et, cependant, lus dans un silence absolu, ils étaient terribles.

> « Attendu enfin qu'il n'est pas douteux qu'il a entretenu des intelligences avec l'Allemagne, puissance en guerre avec la France, en vue de favoriser les entreprises avec l'ennemi ; crimes prévus et punis par les articles 75 et 87 du Code pénal,
>
> Par ces motifs,
>
> Condamne Pétain à la peine de mort, à l'indignité nationale, à la confiscation de ses biens.
>
> Tenant compte du grand âge de l'accusé, la Haute Cour de justice émet le vœu que la condamnation à mort ne soit pas exécutée. »

— Gardes, ajouta Mongibeaux, emmenez le condamné.

La phrase ne figure pas au *Journal officiel*.

— Quoi, c'est fini ? demanda le Maréchal qu'Isorni pressait de se lever et, sous escorte d'un garde, de le suivre en compagnie du bâtonnier Payen et de Mᵉ Lemaire.

Il fallait lui expliquer ce qui venait de se passer en insistant sur la grâce[1] car, à plusieurs reprises, devant Simon, il avait exprimé la crainte d'être fusillé de façon déshonorante, le visage tourné contre un mur.

Isorni écrit que, pour sa femme — dont la présence allait lui être retirée quelques instants plus tard —, pour ses défenseurs, pour ses gardiens, il affectait de sourire, trouvant même que les juges « avaient été bien gentils ».

Maintenant, il devait abandonner son uniforme de maréchal. La dégradation, n'était-ce donc que cela ?

Lorsque ses avocats l'eurent quitté, il revêtit un costume civil bleu foncé et passa un chandail.

Le directeur de l'administration pénitentiaire vint se présenter à lui. Il s'appelait Amor.

— Amor ? fit Pétain, qui avait retrouvé son ironie. Tiens, comme moi.

Le gouvernement provisoire, c'est-à-dire de Gaulle, qui prévoyait la condamnation et avait décidé de gracier, même si la Haute Cour n'en manifestait pas le vœu, avait fait garder, depuis le 14 août, le terrain d'aviation de Villacoublay. C'est dans une ambulance, où se trouvaient également le Dr Racine et Simon, que Philippe Pétain y arriva.

L'ambulance ainsi que la voiture du préfet de police Luizet et de son directeur de cabinet, Edgar Pisani, roulèrent jusqu'à l'extrémité du terrain où attendait le Dakota offert naguère par Churchill à de Gaulle.

L'avion atterrit à Pau à 8 h 30, et, de là, un cortège de voitures gagna le fort du Portalet. Depuis le 13 août, alors que Payen et Lemaire plaidaient, les gardes mobiles occupaient le fort, cependant que des éléments du génie et des transmissions s'attachaient à rendre à peu près « habitables » les cinq chambres de prisonniers. Toutes disposées de même façon, leurs fenêtres aux forts barreaux donnant sur le gave ; toutes identiques : chambre comprenant un lavabo et des W.-C., à côté desquels s'ouvrait une petite pièce. Le commandant de Balincourt, qui représentait la subdivision militaire, choisit pour un

---

1. C'est le 18 août que les avocats sauront officiellement que la peine de mort est commuée en détention perpétuelle.

prisonnier dont il ignorait le nom, mais dont il soupçonnait naturellement l'identité, la cellule la plus grande, la moins sombre et la moins humide, dans un fort où l'humidité ruisselait sur tous les murs. C'était la cellule n° 5, celle qu'avait occupée Georges Mandel [1], mais, après le transfert de Mandel en Allemagne, elle avait été abandonnée et présentait, selon Michel Larré, chargé de l'entretien du fort, un aspect repoussant avec son petit lit de troupe, sa paillasse, sa pauvre table de bois blanc tachée de larmes de bougie.

Il était 10 h 40 environ, le 15 août 1945.

Tandis qu'un gardien enfermait Pétain — les gardes mobiles croisés dans l'escalier avaient eu ordre de ne pas répondre à son salut —, François Mauriac écrivait l'article que les lecteurs du *Figaro* découvriraient le lendemain.

Il s'y trouvait ces phrases prémonitoires que Mauriac, qui voulait ne céder ni « à l'injuste haine [ni] à l'injuste amour », fut le seul à écrire :

> « Un procès comme celui-là n'est jamais clos et ne finira jamais d'être plaidé. N'est-ce pas pour cela, au fond, que Pétain a voulu se livrer ? [...]
>
> Si Pétain avait honteusement cherché refuge au bord d'un lac suisse, son affaire eût été classée. On n'aurait plus jamais parlé de sa fin, sans y ajouter l'épithète " misérable ". Mais, parce qu'il s'est livré à notre justice, rien n'est achevé pour lui, le dialogue de l'accusation et de la défense va se poursuivre. Pour tous, quoi qu'il advienne, pour ses admirateurs, pour ses adversaires, il restera une figure tragique, éternellement errante, à mi-chemin de la trahison et du sacrifice. »

---

1. D'après *Le Populaire* (16 août) la décision d'affecter la cellule de Mandel au Maréchal aurait été prise par Adrien Tixier, ministre de l'Intérieur.

15

CELLULE 163

— Vous venez voir Pierrot ?

C'est par ces mots qu'après avoir déverrouillé la grille intérieure l'un des gardiens de la prison de Fresnes accueille, le 22 août 1945, au début de la matinée, Me Jacques Baraduc.

« Pierrot », Pierre Laval.

L'ancien chef du gouvernement et sa femme étaient arrivés, au Bourget, vingt et un jours plus tôt, le 1er août à 17 h 45[1].

Venant de Barcelone, un avion allemand, un *Junkers 88*[2] sans marque d'identification, les avait déposés la veille sur l'aérodrome autrichien de Horsching-Linz en zone américaine. Immédiatement, Laval s'était entendu dire par le général John E. Copeland qu'il avait « le devoir de [l]'arrêter et de [le] remettre aux autorités françaises », autorités représentées par Yves Perrussel, chef de la sûreté publique en zone française d'occupation, qui avait pris en charge le couple et, après une nuit passée à Innsbruck, l'avait escorté jusqu'à Strasbourg.

En compagnie de Mme Laval, qui n'avait jamais participé à sa vie publique : « Je suis, dira-t-elle au juge Marchal, d'une génération où la femme était la gardienne du foyer et ne faisait pas de politique sur la

---

1. Contrairement à ce qui est écrit par plusieurs auteurs, Laval est arrivé au Bourget le mercredi 1er août et non le 2.
2. Le *Junkers 88* a été souvent confondu avec le stuka (*Ju-87*), mais il s'agit d'un appareil polyvalent conçu initialement comme un bombardier rapide.

place publique[1] », mais l'avait fidèlement accompagné, en août 1944, lorsque les occupants l'avaient entraîné dans leur retraite. Laval était donc monté, à Strasbourg, dans ce Beach-Craft aux couleurs françaises qui venait de s'arrêter sur la piste du Bourget.

Lorsque Laval et son épouse descendent, ils sont attendus par les commissaires Léoni et Mathieu, par le juge Béteille, par une trentaine de gardiens de la paix, des aviateurs, du personnel de la base, des ouvriers venus de quelque chantier voisin, des journalistes qui, faute de place, ne consacreront que quelques lignes à l'événement, mais parleront de « la cargaison de cigarettes et de conserves[2] », des « quinze malles et des caisses d'eau minérale[3] » transportées par l'appareil, des photographes enfin dont les clichés, s'ils ne sont pas publiés dans les jours qui viennent, auront valeur pour l'Histoire.

Précédé par Mme Laval, dont la tête est enveloppée dans une écharpe grise, Pierre Laval, cravate blanche, chapeau gris clair à bande noire, canne à la main, avance lentement. Il porte une serviette dont le contenu sera mis sous scellés le lendemain, à Fresnes, comme seront mis sous scellés (et parfois volés) tous les bagages, certains frappés aux initiales de Josée Laval, ainsi que toutes les notes qu'il avait rassemblées à Sigmaringen, à Willflingen et à Monjuich, en prévision de sa défense.

Il a le teint cuivré d'un homme malade plus que bronzé — comme on l'écrira — par le soleil catalan. Guidé par un officier de police, il lui faut, avant d'atteindre la voiture qui le conduira à Fresnes où le guettent des journalistes auxquels il ne dira rien, passer devant des hommes qui l'insultent, crient déjà : « Laval au poteau ! », manifestants qui voient en lui, comme alors l'immense majorité des Français, « le mauvais génie du Maréchal », du Maréchal dont le procès, menacé d'entrer dans la somnolence des jours ordinaires[4], regagnera

---

1. Témoignage de Mme Laval à son juge d'instruction (interrogatoire du 7 septembre). Mme Laval avait refusé l'assistance d'un avocat.
2. *L'Aube,* 1er août.
3. *L'Humanité,* 2 août.
4. La première partie de l'audience du 1er août avec la conclusion de l'affrontement entre Paul Reynaud et le général Weygand remuera encore les passions,

en passion à l'annonce que Laval est de retour et qu'en vertu de son pouvoir discrétionnaire le président Mongibeaux a décidé qu'il serait entendu par la Haute Cour le vendredi 3 août.

En août 1944, la prison de Fresnes, vidée de résistants, est remplie de collaborateurs.

On a réservé à Laval la cellule 163, située dans la troisième division. Elle est humide comme toutes les cellules d'une prison bâtie sur les marais de la Bièvre. Elle est sommairement meublée comme toutes les cellules de toutes les prisons du temps : un lit de fer avec un matelas et deux couvertures. Pas de table encore, malgré la demande de Laval. C'est donc appuyé sur le rebord de la fenêtre que, le 2 août, après que M. Béteille accompagné de son greffier, M. Parsy, a procédé à son interrogatoire d'identité, qu'il écrira sa première lettre à Mme Laval, enfermée dans le quartier des femmes.

> « Jeudi 2 août
> Nous pourrons nous écrire deux fois par semaine. Le jeudi en particulier. Je suppose que tu as eu le même renseignement. Demande du papier, des enveloppes et de l'encre. Nous pourrons recevoir de l'extérieur chacun un colis par semaine contenant 3 kg de nourriture ou de vêtements [...]. Ne te laisse pas démoraliser. Sois patiente et forte. Reste courageuse et noble [1]. »

Pendant sa première nuit de captivité, sans doute Pierre Laval a-t-il songé à la façon dont les événements s'étaient déroulés depuis le 16 avril 1945, jour où il avait obtenu de l'ambassadeur Reinebeck, successeur d'Otto Abetz, cet Allemand qu'il avait toujours considéré comme « différent des autres », l'autorisation de franchir la frontière allemande.

---

mais l'intérêt devait retomber lors des dépositions des généraux Hering, Georges, Vauthier.
1. Lettre inédite due à l'amabilité de M. René de Chambrun.

Comme lui, ils étaient des milliers de Français, de « collabos », à vouloir s'échapper avant que le piège des armées franco-américaines ne se refermât sur eux.

Avec la candeur d'un homme qui a oublié que la défaite n'avait pas d'amis, Laval espérait — au nom d'un passé récent et d'amitiés nouées dans les années de pouvoir — bénéficier du secours des représentants de l'Espagne et de la Suisse.

C'est à l'Espagne qu'il avait tout d'abord songé.

L'Espagne de Franco, dont il conservait précieusement, moins comme un talisman que comme un possible moyen de pression politique, une lettre dans laquelle le Caudillo le remerciait « chaleureusement » de l'attitude qu'il avait adoptée pendant la guerre civile.

L'Espagne de Franco, mais aussi et surtout celle de son « bien cher ami » Félix de Lequerica qui, à Vichy, où il était ambassadeur, n'avait cessé d'approuver sa politique et de manifester à Josée et René de Chambrun une bruyante et chaude amitié.

C'est donc à Lequerica, devenu ministre des Affaires étrangères, que Laval, le 19 avril, adressera son premier appel au secours. Un télégramme que transmettront les Allemands.

« Excellence et bien cher Ami [...]. Ce n'est ni l'homme d'État, ni l'ami qui vous demande aide et assistance, mais simplement l'homme. L'Allemagne me met en demeure de quitter son territoire menacé désormais par les avances alliées [...]. Je vous demande, en mon nom propre, comme en celui de mon épouse et de mon fidèle ami, Maurice Gabolde, l'autorisation de pouvoir pénétrer en Espagne en attendant des jours meilleurs. Aujourd'hui, c'est un vieillard[1] usé et fatigué qui vous écrit. Et, en souvenir de notre longue amitié, je vous dis à l'avance merci. »

La réponse tardant, mais les soldats de De Lattre précipitant leur avance, Laval, son épouse, ses proches : Gabolde, Marion, Mathé, Rochat, escortés de Kaiser et Wilhelm, les deux hommes de la Gestapo, quitteront Willflingen pour aller se mêler à l'épouvantable exode. A Wangen, où leur route s'arrêtera provisoirement, ils retrouveront, venus de Sigmaringen en misérable appareil, tous ceux

---

1. Laval a soixante-deux ans.

et toutes celles qui, dans l'été brûlant de 1944, avaient fui la France.

C'est le 22 avril, après avoir refusé de quitter la voiture qui leur a servi d'abri durant toute la nuit, qu'ils reprendront la route en direction de Feldkirch, petite ville épargnée, proprette et fleurie, à proximité de la frontière suisse. La halte de sept jours à l'hôtel Zum Löwen ne serait pas désagréable si elle ne se déroulait dans un insupportable climat d'attente. La réponse espagnole n'arrivant toujours pas, Laval, qui s'est présenté en vain au poste frontière suisse le plus proche, se décidera à solliciter directement Walter Stucki, chef du département politique à Berne.

Le ton de sa lettre est tout différent du ton employé dans le télégramme au « bien cher Ami » Lequerica[1]. Laval sait que, si, à Vichy, le représentant de la Suisse était « l'homme du Maréchal », il n'éprouvait pour lui aucune sympathie. En février 1944, lorsque le chef du gouvernement lui avait expliqué que l'Allemagne *ne pouvait pas* perdre la guerre, Stucki l'avait contemplé avec un scepticisme peu diplomatique. Aussi Laval n'allait-il pas demander asile à la Suisse. Qu'elle lui accorde seulement « un répit pour mettre au point tous les éléments de l'exposé » qu'il aurait à faire dès son arrivée en France.

En attendant la décision de l'Espagne et celle de la Suisse, Laval tentera sa chance du côté de la paisible principauté du Liechtenstein (170 km^2 et moins de 25 000 habitants) englobée entre Autriche et Suisse.

Respecté par la guerre, appelé à devenir bientôt l'un des plus fameux refuges de capitaux, le Liechtenstein, où aucune exécution n'avait eu lieu depuis 1785 et dont la prison ne comptait que vingt-quatre cellules, refusera l'entrée de Laval. D'ailleurs, quelle protection ce minuscule État sans armée aurait-il assuré à l'ancien chef du gouvernement face à l'irruption d'un commando français ?

La Suisse finira par faire connaître un « oui » équivalant à un « non », puisqu'elle n'accordera à Laval qu'un droit de transit de vingt-quatre heures en direction de la France[2].

---

1. La lettre à Stucki — comme le télégramme à Lequerica — a été dactylographiée par Gabolde (témoignage de Gabolde à Alain Decaux qui a reçu, de l'ancien ministre de Vichy, de précieuses indications).
2. Après la publication du livre de Walter Stucki, *La Fin du régime de Vichy*, Mme Josée de Chambrun adressera, le 18 juin 1947, une lettre très sévère à l'ancien représentant de la Suisse à Vichy, lettre dans laquelle elle évoquera les trains qui, venant de Suisse, apportaient en Allemagne « l'armement que votre

C'est le 29 avril que Laval apprendra la réponse positive de l'Espagne. Encore faut-il, en ces jours où l'armée allemande agonise, découvrir un avion disponible. C'est par le gauleiter de Salzbourg que les Français apprendront l'existence à Bolzano — ville que les Autrichiens avaient cédée à l'Italie en 1918 — d'un *Junkers 88* de six places mis à la disposition de « M. Laval pour le conduire là où il voudra ».

C'est Laval qui choisira ceux qui, en compagnie de sa femme, auront le droit d'accéder, par la trappe située sous le fuselage, jusqu'à l'intérieur de l'appareil : Gabolde, Néraud[1], Abel Bonnard et son frère, que l'ancien ministre de l'Instruction publique refuse d'abandonner.

Piloté par deux as de l'aviation, Gerhardt Böhm et Helmut Funck — dont Abel Bonnard, à l'œil intéressé, n'oubliera jamais que, l'un blond, l'autre brun, ils étaient tous deux « jeunes et beaux[2] » —, l'avion décollera dans la matinée du 2 mai. Après avoir, une fois les Alpes franchies, volé au ras des flots afin d'échapper à l'omniprésente chasse alliée, il se posera à 11 heures du matin à Barcelone.

Que feront les Espagnols de ces Français que, manifestement, ils n'attendaient pas[3] ? Corea Veglison, gouverneur de Barcelone, qui s'est rendu sur le terrain où il a pris contact avec Pierre Laval, s'efforce fébrilement d'obtenir des instructions du ministre des Affaires étrangères : Lequerica.

---

pays a fabriqué jusqu'à la dernière minute. Je sais bien, ajoutera-t-elle, que, comme Vichy, votre gouvernement a laissé faire cela pour éviter le pire, mais comment alors pouvez-vous critiquer l'action d'un homme qui n'avait d'autre objet que de réduire chaque jour les souffrances de son propre pays occupé par l'armée allemande ? »

1. Le meilleur ami et presque le sosie de Pierre Laval. N'eût été la faible différence d'âge (treize ans et demi), on aurait pu prendre Néraud pour le fils de Laval.

2. Dit, bien plus tard, à Alain Decaux.

3. Lequerica a certes accepté que Laval se rende en Espagne mais, à la fin d'avril et le 2 mai plus encore, il était fondé à croire, au vu de la situation militaire, qu'aucun avion allemand ne pourrait être mis à la disposition de l'ancien chef du gouvernement de Vichy.

Lors de l'arrivée de Laval et de ses amis à Barcelone, le régime se trouvait en grand péril.

Franco avait certes gagné la guerre civile, mais sa victoire l'avait laissé à la tête d'un pays exsangue ; d'une économie ruinée ; d'une population décimée par combats, représailles réciproques, arrestations, émigration. Aussi n'avait-il ni pu, ni voulu, dans l'automne 1940, se ranger militairement aux côtés des Allemands et des Italiens qui l'avaient si efficacement aidé à vaincre.

Encadrant les deux rencontres de Montoire, la très importante rencontre à Hendaye, avec Hitler, le 23 octobre 1940, a été négligée par les historiens français. Le Caudillo craignait trop le blocus britannique et la mauvaise humeur américaine pour s'engager avec l'Allemagne autrement qu'en paroles.

L'envoi de la division *Azul* en Russie [1] ne devait modifier sa position qu'en apparence. En sacrifiant une vingtaine de milliers d'hommes, Franco faisait une concession mineure à l'Allemagne. En sacrifiant, le 2 septembre 1942, un seul homme, le germanophile Serrano Suner, son ministre des Affaires étrangères, pour le remplacer par le général Jordana, dont les sentiments favorables aux Alliés n'étaient pas un mystère, il donnait, en revanche, un gage aux Américains et aux Anglais.

Malgré plusieurs signes de « bonne volonté » et de changement de cap, l'Espagne de Franco, à la fin de la guerre, était toujours suspectée, aux yeux des « démocrates » — le plus intransigeant étant Staline —, du péché de fascisme [2].

Isolé par le monde des vainqueurs, Franco était menacé de l'intérieur par les vaincus de la guerre civile qui attendaient des

---

1. La division *Azul* ou division bleue, comprenant 19 148 hommes dont 641 officiers, en principe tous volontaires, sera engagée à partir d'octobre 1941. Devenue 250ᵉ division d'infanterie, elle participe, sous le commandement du général Muñoz Grandes, à la deuxième offensive sur le front Nord et doit faire face aux contre-offensives soviétiques le long de la Volkhov. Recomplétée, la division — dont les soldats combattent sous uniforme allemand et ont prêté serment à Hitler — sera dirigée ensuite devant Leningrad. Les pertes de la division seront estimées à environ 13 000 hommes.

2. A Yalta, l'Espagne, implicitement condamnée, se verra exclue de la conférence de San Francisco où seront jetées les bases des Nations unies (son admission aura lieu le 14 décembre 1955 seulement) et il est recommandé alors à toutes les nations de rappeler leurs ambassadeurs en poste à Madrid.

démocraties qu'elles favorisent leur revanche, comme par les monarchistes qui, par la voix du prétendant au trône, le comte de Barcelone, « exigaient » son départ.

Si la Grande-Bretagne et les États-Unis évoluent progressivement en fonction de leurs intérêts, la France campait sur les principes. Notre pays avait vécu la guerre civile espagnole presque comme une tragédie nationale, et la victoire de Franco avait été d'autant plus douloureusement ressentie par la gauche que la présence sur notre sol de centaines de milliers de républicains, misérables et souvent condamnés à survivre dans des camps que l'on n'appelait pas encore « de concentration » mais qui, par certains côtés, leur ressemblaient fort, constituait pour beaucoup un humiliant rappel.

La participation aux combats pour la libération de nombreux Espagnols et d'anciens des Brigades internationales ; le poids politique que ces hommes, souvent communistes, représentaient dans les villes du Sud-Ouest où l'administration gaulliste peinait à se mettre en place et dont l'armée régulière demeurait absente ; leur incessante activité dans des départements-frontières qu'ils utilisaient pour leurs raids en Espagne ; l'influence au gouvernement comme dans la presse française, des communistes et des socialistes, tout contribuait à tendre, jusqu'à la rupture, de bien fragiles relations[1].

L'hostilité française était d'ailleurs presque quotidiennement exaspérée. Franco ne se contentait pas de faire arrêter les infiltrés venus, en armes, de France. Ils étaient rapidement jugés, condamnés, fusillés ou garrottés. Or, la plupart de ces hommes avaient participé à la Résistance française, beaucoup avaient eu des grades, des responsabilités et, au moment où Pierre Laval se trouve en Espagne, *L'Humanité* et les autres quotidiens communistes mènent campagne en faveur de Santiago Alvarez et Zapirain, condamnés à mort par Madrid. Ce n'est là qu'un exemple. On en pourrait citer bien d'autres.

Dans le même temps où le régime franquiste fait exécuter les amis de ceux qui sont au pouvoir à Paris... et plus encore à Toulouse, il accueille leurs ennemis. D'après Mathieu Séguéla[2], ce sont, en effet,

---

1. Le 15 septembre 1945, un accord commercial franco-espagnol sera bien signé mais, les choses allant en s'aggravant, la France prendra l'initiative de fermer sa frontière avec l'Espagne entre le 1er mars 1946 et le 10 février 1948. En février 1946, les communications postales et télégraphiques avaient été interrompues.
2. *Pétain-Franco, les secrets d'une alliance.*

entre 2 000 et 5 000[1] miliciens, militants du P.P.F. et des autres partis de la collaboration, fonctionnaires menacés, personnages que leurs actes auraient vraisemblablement conduits au poteau, comme Darquier de Pellepoix, ancien commissaire général aux Questions juives, qui auraient trouvé refuge en Espagne pour n'en sortir qu'à l'instant où ils jugeront pouvoir le faire sans péril ou n'en plus jamais bouger.

Alors, pourquoi accueillir les uns et rejeter le seul Laval ?

Il *semble* que Lequerica, interprète en la circonstance de son gouvernement, après avoir fait immédiatement interner Laval et ses compagnons dans un pavillon neuf de la citadelle de Monjuich où ils furent conduits le 2 mai peu avant minuit, pavillon dont ils ne pourront sortir que pour des promenades sur les glacis et où ils ne disposeront d'aucun moyen de communication, ait voulu, *avant tout,* se débarrasser d'un hôte que sa personnalité et son passé pouvaient rendre dangereux pour le régime qui avait besoin de reconnaissance internationale et de rapports économiques avec la France voisine.

Dans l'esprit de Lequerica, le gouvernement français n'accepterait jamais que Laval, sur lequel se cristallisaient alors toutes les haines, vive protégé en Espagne.

Avant de faire signifier à Laval, dès le 3 mai, qu'il ne bénéficierait pas du droit d'asile, Lequerica avait pris soin de le dépouiller de la lettre de remerciements de Franco, ainsi que de quelques documents qui eussent pu lui servir d'arme diplomatique[2].

Hostile à la présence prolongée de Laval sur le territoire espagnol, l'Espagne ne voulait pas toutefois le rendre — du moins directement — à la France. La France qui, par l'intermédiaire de Jacques Truelle,

---

1. Après un demi-siècle, l'imprécision des chiffres ne manque pas de surprendre.
2. *Cf.* p. 586. Dans sa prison, Pierre Laval évoquera, à plusieurs reprises, cette lettre et il laissera éclater sa colère contre ceux qui l'ont dépouillé de ce document. Après avoir écrit : « C'est Franco qui a livré Laval. Il n'a peut-être pas pu refuser de donner ce gage à ses adversaires », Me Naud (cf. *Pourquoi je n'ai pas défendu Pierre Laval*) rapportera que « Laval, de temps en temps, s'indignait contre ce qu'il appelait la félonie de Franco, et il éprouvait un plaisir vengeur à me montrer la copie d'une lettre débordante d'affection reconnaissante que le Caudillo lui écrivit après l'écrasement des rouges ».

« représentant du gouvernement provisoire de la République française », après avoir été représentant du gouvernement d'Alger[1], réclamait que soit réglée « l'affaire Laval », c'est-à-dire que l'ancien chef du gouvernement soit conduit à un quelconque poste frontière franco-espagnol. Solution moralement déplaisante pour les Espagnols qui, à plusieurs reprises, devaient suggérer à Laval que l'avion qui venait de le conduire à Barcelone le transportât en Irlande. Par traditionnelle hostilité à l'égard de l'Angleterre, l'Irlande s'était, en effet, enfermée dans une farouche neutralité. A la fin des hostilités, elle avait décidé de ne tenir aucun compte du veto mis par les Alliés à l'admission des hauts personnages compromis avec l'Allemagne.

Pressé par le gouverneur civil, Corea Veglison, venu lui faire savoir, le 31 mai, que le gouvernement espagnol ne pouvait pas « le conserver davantage et qu'il devait prendre l'avion la nuit même[2] », Laval s'était décidé pour un départ matinal en direction de Dublin. Il se ravisera dans la nuit. Lorsqu'une voiture viendra le chercher à 2 heures du matin pour le conduire à l'aéroport, il annoncera non seulement qu'il renonce à l'Irlande, mais encore qu'il notifiera au gouvernement espagnol sa décision de revenir en France.

Quelles sont les raisons d'une décision fatale ? Crainte que l'avion pour l'Irlande ne soit abattu en vol, même si les hostilités ont pris fin depuis plusieurs jours ? Désir de ne pas paraître moins courageux que Philippe Pétain qui, un mois plus tôt, a rejoint la France « pour défendre son honneur » ? Certitude de triompher par la parole, de convaincre les plus obstinés de ses adversaires, de gagner le procès dès l'instant où on lui permettrait de plaider son dossier ? Sans doute faut-il privilégier cette voie. Laval dira à Me Jaffré, au soir de la première audience : « J'aurais pu fuir, bien sûr, mais où aller ? Et puis cela n'est pas dans mon caractère. J'étais si sûr de ma bonne foi que je ne craignais pas un procès où j'aurais toutes les garanties pour me défendre... »

Il faut ajouter qu'il avait quitté la France en août 1944. Les seules écoutes radiophoniques n'avaient pu lui permettre de prendre la mesure de l'opprobre qui frappait tous ceux qui, de loin ou de près,

---

1. Jusqu'au mois d'août 1944, où il fit savoir qu'il se trouvait dans l'impossibilité de remplir ses fonctions, l'ancien ministre François Pietri était ambassadeur de France en Espagne.
2. *Cf.* Alain Decaux, *Nouveaux Dossiers secrets.*

s'étaient trouvés en contact avec Vichy, de la puissance des organisations communistes, des traumatismes nés de la découverte des camps de concentration et de la mutation des principes juridiques qui, « ayant dépouillé l'erreur de tous ses facteurs humains », en avait fait « une formule mathématique positive ou négative[1] ».

S'il est vrai qu'un rideau d'ignorance sépare toujours les dirigeants des peuples, le rideau séparant Laval des réalités françaises était opaque. S'il en était allé autrement, comment Laval aurait-il écrit, le 5 juin, au général de Chambrun, père de son gendre[2], pour lui demander s'il devait « ou non rentrer *immédiatement*[3] [en France] ou surseoir à son retour » ?

Le billet mit vingt-deux jours avant d'atteindre, à Paris, son destinataire. Au terme d'une réunion de famille, élargie au grand peintre José-Maria Sert, ami de René de Chambrun, et à Carmen de La Torre, conseillère à l'ambassade d'Espagne, le général, après avoir consulté sa femme Clara, son fils et Josée, sa belle-fille, rédigea une longue réponse. Il déconseillait formellement le retour. « Jamais, écrivait-il, je n'aurais éprouvé moins d'embarras tant la réponse s'impose à qui observe chaque jour ce qui se passe en France. Vous devez rester là-bas. »

Carmen de La Torre avait proposé de porter la lettre du général de Chambrun à Lequerica, afin qu'elle soit transmise à Pierre Laval. Le message ne parvint jamais, et René de Chambrun devait accuser Lequerica de l'avoir « intercepté[4] ».

D'ailleurs, le « bien cher Ami » Lequerica, qui avait si peu agi en faveur de Laval, allait être remplacé, le 21 juillet, par Alberto Martin Artajo. Un ministre des Affaires étrangères qui, n'ayant

---

1. Le mot est de l'un de ses avocats, Me Naud.
2. Le comte Albert de Chambrun, qui vivait aux États-Unis, s'était engagé en 1892 dans l'armée française comme canonnier de deuxième classe. Devenu sous-lieutenant, il participa à l'expédition Fourreau-Lamy qui traversa le Sahara. En 1916, devant Verdun, il sera à la tête de l'artillerie de la 40e division et jouera plus tard un rôle important en assurant la liaison entre le général Pershing, commandant des troupes américaines qui débarquaient en France, et le général Pétain, commandant en chef des troupes françaises. *Cf.* René de Chambrun, *Général, comte de Chambrun sorti du rang.*
3. Souligné intentionnellement.
4. René de Chambrun, *Laval devant l'Histoire*, p. 215. D'autres lettres émanant de la famille de Pierre Laval n'atteignirent pas davantage leur destinataire.

pas de souvenirs, n'aurait aucune raison d'entretenir des scrupules.

Le 30 juillet, le commandant Gonzalo, chef de la Sûreté militaire de la capitainerie générale, annonce donc à Laval qu'il lui faudra, dans l'après-midi, prendre l'avion qui empruntera « la route de son choix ». C'est vraisemblablement à Gonzalo que Laval confie alors, selon les termes du procès-verbal de son interrogatoire du 8 septembre, « une valise contenant 38 500 000 francs en billets de banque français », reliquat du crédit de fonds spéciaux mis à la disposition du chef du gouvernement pour l'exercice 1944.

Cette valise, Pierre Laval a prié l'officier espagnol de la remettre au consul général de France à Barcelone, afin que l'argent soit restitué au Trésor, mais elle connaîtra un étrange destin, puisque c'est seulement *en 1982* qu'elle sera découverte à Madrid, dans une pièce du ministère des Affaires étrangères servant d'entrepôt à des documents d'archives envoyés de Barcelone à la fin de la guerre civile.

La valise, découverte et ouverte par un haut fonctionnaire du ministère, contient non seulement 38 500 000 francs en billets qui n'ont évidemment plus cours [1], mais aussi une lettre de Pierre Laval, intitulée « Fonds spéciaux », lettre inédite et dont je révèle ici l'essentiel.

Après avoir écrit que les 38 500 000 francs provenaient des crédits spéciaux attribués au chef du gouvernement pour l'exercice 1944, Laval ajoutait que cette somme était en sa possession « parce que aucune personne n'était qualifiée, à l'hôtel Matignon, lors de [son] départ contraint et précipité dans la nuit (du 17 août 1944), pour la recevoir ».

Dans la suite de la lettre, il indique, c'est le plus intéressant, l'emploi qu'il désirait faire de ces fonds spéciaux. Il se proposait, écrit-il, d'« affecter une somme de dix millions à l'Institut Pasteur au profit d'un nouveau service en création pour la recherche et la fabrication de sérums et de vaccins pour les animaux ».

Il se proposait également de « procéder à l'achat du château de Villandry pour sa conservation et pour y créer des bourses au profit, chaque année, des trois ou quatre meilleurs élèves de l'École nationale

---

1. En fonction de l'évolution des prix à la consommation, la valeur économique en 1982 aurait été de 2 156 000 000 francs. En effet, entre 1944 et 1982, les prix ont été multipliés par 56.

d'horticulture de Versailles, à l'effet de préparer en France une pépinière de grands paysagistes ».

Enfin, il désirait « faire acheter, en Sologne ou dans le Berri, un château et une grande propriété destinés à recevoir des journalistes vieux ou malades et dénués de ressources ».

Laval terminait sur ces mots : « Ces renseignements sont donnés à titre indicatif, mais je ne saurais en aucune manière m'opposer au reversement pur et simple au Trésor de ces crédits non utilisés. »

Ni l'Institut Pasteur, ni l'École d'horticulture de Versailles, ni les journalistes « vieux ou malades » ne bénéficieraient, en 1982, d'une manne démonétisée.

Le commandant Gonzalo a précisé à Pierre Laval que l'avion prendrait la route de « son choix », et Laval a choisi la zone d'occupation américaine en Autriche dont, lucidement, il ne peut attendre qu'elle constitue un asile. A Abel Bonnard qui a murmuré : « Vous allez chez les Américains. Peut-être vous garderont-ils ? », il a répondu : « Pensez-vous ! Ce n'est qu'un détour pour aller à l'abattoir. »

A la suite d'ennuis mécaniques, l'appareil, dont Böhm et Funck constituent toujours l'équipage, ne pourra décoller le 30 juillet. Dans un chambrette de l'aéroport de Barcelone, Laval et sa femme passeront donc une dernière nuit en Espagne : lui, écrivant des lettres, à des destinataires dont on peut seulement soupçonner l'identité, Franco, Lequerica, de Gaulle ; elle, l'observant, assise sur l'un des lits, un mouchoir dans ses mains croisées.

A 6 heures du matin, lorsque le couple quitte le pavillon, aucun des lits n'a été défait[1].

Il est un peu plus de 6 h 30 lorsque l'appareil décolle.

Pierre et Jeanne Laval vivent leurs dernières heures d'intimité.

---

1. Alain Decaux, *Nouveaux Dossiers secrets*.

Après avoir déposé, le 3 et le 4 août, au procès Pétain et l'avoir fait, une fois surmontés les tâtonnements du début, lorsque à presque tous il était apparu comme un « pauvre hère[2] », « aux yeux de bête inquiète[3] », avec une assurance de minute en minute accrue, au point qu'il avait pu croire, au bénéfice de sa prodigieuse mémoire et de son incontestable habileté politique, avoir ébranlé les convictions de la Haute Cour, de la presse et même des défenseurs du Maréchal, Pierre Laval va « s'atteler » à la préparation de son procès. Un procès qu'il considère comme « une manière d'interpellation (parlementaire) au cours de laquelle il aurait à conserver ou à conquérir une majorité pour ne pas " tomber " », observera Me Naud.

Mais, pour l'instant, il n'a pas encore d'avocats.

> « Je viens de recevoir ta première lettre, écrit-il le dimanche 6 août à Mme Laval *[dont la cellule 24 ne se trouve qu'à quelques centaines de mètres de la cellule 163, mais les lettres, retenues par la censure de Fresnes, mettent trois ou quatre jours pour aller de l'un à l'autre]*. J'ai été entendu pendant deux audiences au procès du Maréchal... Je me préoccupe d'avoir un avocat[1]. »

Le 8 août, il écrit à Jeanne qu'il a reçu le représentant du bâtonnier Poignard et s'est entendu avec lui pour le choix de ses avocats.

Le 13 août : « Je n'ai pas encore d'avocats mais je crois que l'un d'eux doit rentrer le 20 et nous sommes déjà le 13 [...]. Pendant que je t'écrivais, j'ai été appelé au parloir et j'ai vu Josée, qui devait ensuite aller vers toi. Comme elle est affectueuse et intelligente[1]. »

Le 15 août, il exprime son regret de n'avoir pas encore vu son ou ses avocats et il ajoute : « Le Maréchal a été condamné à mort et déjà gracié[1]. » Que d'espoirs dans ce « déjà » !

Enfin, le 20 août, bonne nouvelle : « Maître Baraduc, l'un de mes avocats, doit venir me voir demain. »

L'échange entre les deux prisonniers est aussi fréquent que le permet le règlement de la prison. La troisième lettre de Mme Laval fait allusion à sa comparution devant le juge Marchal.

---

1. Albert Naud, qui deviendra l'un de ses avocats.
2. Y.-F. Jaffré, qui deviendra également l'un de ses avocats.
3. Inédit.

« Mardi, à midi, on vient me dire de me tenir prête dans une heure, que j'allais être interrogée par le juge et que j'allais partir en voiture. J'étais couchée, bien malade mais, sous le coup de la joie, mes jambes ne tremblaient plus et je fus prête lestement. Quelle ne fut pas ma joie de trouver Bussière[1] dans le véhicule, nous avons donc fait le trajet seuls à l'aller et au retour. Il m'a dit qu'il était le seul à n'avoir rien eu de fâcheux, pire, ses agents l'avaient protégé, que Bouffet[2], Taittinger[3], etc., étaient arrivés couverts de sang [...]. Nous avons parlé ainsi jusqu'à la rue Boissy-d'Anglas où avaient lieu les interrogations. Je t'en fais un résumé succinct et petit-nègre, mais fatiguée.

Renvoie-moi les lettres de Josée ; elles me tiennent compagnie. Je t'ai écrit 10 pages + deux lettres Josée[4]. »

Dans ses lettres, Jeanne Laval manifeste une grande tendresse à l'égard de son mari : « Mon ami, courage, je te câline, je t'embrasse sur tes yeux », lui écrit-elle le 22 août, à la fin d'une lettre dans laquelle elle s'inquiétait de cet amaigrissement qui avait surpris le public du procès Pétain.

« Je suis heureuse que tu sois débarrassé de ce petit kyste et, pourtant, un peu anxieuse du procédé ; car un kyste est une tumeur qui ne doit pas se percer ni s'extirper. Tu aurais pu profiter d'être à l'infirmerie pour y séjourner quelque temps, en raison de ce grand amaigrissement qui est anormal. On ne peut, sans une raison grave, perdre plus de 20 kg en si peu de mois ; pour cette raison également, ta balle a pu se déplacer[5], donc une radio s'impose[6]. »

Jeanne Laval, qui ignore les raisons pour lesquelles elle se trouve emprisonnée, fait retour — toujours dans sa lettre du 22 août — sur un passé récent, et ses dernières lignes laissent percer les regrets de

---

1. Ancien préfet de police de la Seine.
2. Ancien préfet de la Seine.
3. Ancien président du conseil municipal.
4. Inédit (Fondation Josée et René de Chambrun).
5. La balle qui a blessé Pierre Laval lors de l'attentat du 27 août 1941 n'avait pu être extraite.
6. Lettre inédite.

l'épouse qui, sans succès, avait demandé à son mari de ne pas revenir au pouvoir en avril 1942.

« Il faut être supérieur à ses infortunes, dit-on, oui, mais parfois c'est cruel. Il y a plus d'un an que je n'ai pu embrasser mon enfant. Pourquoi ? Je n'ajoute rien. J'ai eu la force de la voir lundi à travers 2 grillages.

Plus d'un an déjà que nous avons tout quitté, tout ce que nous aimions, pour nous laisser emmener par qui ? pour quoi ? Que d'horreurs. Vois-tu, les événements dépassent souvent les humains, les choses sont plus fortes qu'eux quand on marche dans leur sens, quand on est soutenu par elles, tout est aisé. Mais, quand on les contrarie, on s'épuise en vain en vagues efforts et un succès éphémère n'est que le prélude d'une catastrophe. On peut exalter une idée généreuse, galvaniser des êtres pour une sainte cause, mais on ne peut *rien pour une chose malsaine*[1]. »

C'est seulement le jeudi 30 août que Jeanne Laval fera connaître à Pierre les véritables conditions de son existence en détention. Depuis près d'un mois, pour ne pas l'inquiéter, elle lui cachait qu'elle se trouvait placée au secret.

« Mon ami [...]. Je suis sans lumière et je ne dors plus. Je suis privée de quelques cigarettes et je fumais depuis 40 ans. Je n'ai jamais joué aux cartes de ma vie mais, depuis 3 ou 4 mois, pour tuer le temps, je faisais parfois une réussite. On me dit que c'est défendu. J'ai demandé ma boîte à coudre, on me l'a refusée, c'est défendu. Il n'y a rien contre moi mais je n'ai encore pu embrasser ma petite Josée. C'est défendu. Et, un de ces jours-ci, est-ce qu'il sera défendu d'en finir ?

Puis, je ne te l'ai jamais dit pour ne pas te contrarier, mais je suis au secret depuis mon arrivée ici, je n'ai le droit de parler à quiconque, personne ne doit m'adresser la parole et je suis surveillée de jour et de nuit[2]. »

---

1. Souligné par Mme Laval. Lettre inédite.
2. Lettre inédite.

Quelques jours plus tard — le 13 septembre —, elle lui écrira : « Tu figures dans le nouveau dictionnaire Larousse et tu es une exception. Il n'y a pas d'hommes politiques vivants et très peu de disparus. Les Caillaux, Herriot, Tardieu, Chautemps, Daladier, Boncour, Sarraut, etc., n'y sont pas inscrits[1] », et terminera par ces mots : « La libération m'intéresse dans la mesure où je puis t'être utile. »

Utile ? Oui mais, en vérité, dans sa cellule, Laval, qui fut avocat jusqu'en 1926, date à laquelle il abandonna le barreau en devenant garde des Sceaux, a toujours cru qu'il serait le plus efficace défenseur de sa cause, une cause que tous donnaient pour perdue. Sa famille n'en doutait pas davantage.

Lorsque, pour la première fois, avant de se rendre à Fresnes, Mes Naud et Baraduc, commis d'office par le bâtonnier Marcel Poignard, rencontreront René et Josée de Chambrun, ils se trouveront en présence d'un couple passionné et qui, avec passion, rassemble, à l'intention du prisonnier, une immense et désordonnée documentation dont les deux avocats ne devaient être, en somme, que les « véhicules entre l'air libre et la cellule ».

Josée et René de Chambrun font comprendre à ces deux hommes, que bien involontairement ils blessent, que « papa », que le « beau-père », n'a pas grand besoin d'avocat puisqu'il lui suffira de « parler pour convaincre[2] » et que le procès sera occasion non seulement de justifier sa politique des années d'occupation, mais... de « rallier à elle l'immense majorité de l'opinion publique[2] ».

Ils le croient.

Et, dans sa cellule, Laval, qui sait que son procès sera le plus difficile à gagner de tous les procès qu'il a plaidés depuis 1910, lorsqu'il était le défenseur des syndicalistes sans le sou, s'est jeté à cœur et corps perdus dans le travail.

De sa petite écriture serrée, parfois difficilement lisible, il jette sur

---

1. Inédit.
2. Me Albert Naud.

le papier — un papier rare, il ne cessera de réclamer qu'on lui en envoie — ce qu'il appelle un « schéma ».

Quel intérêt peuvent avoir aujourd'hui, pour le lecteur, les deux premières lignes du « schéma » établi par Laval : *1931. Paris. Londres... Washington — 1934-1935. Genève. Rome... Moscou ?*

Pour Laval, qui n'entend pas que son rôle soit réduit à la rencontre de Montoire, au terrible : « Je souhaite la victoire de l'Allemagne... » — sa tunique de Nessus —, au gouvernement d'un pays tout à la fois occupé et révolté, ces lignes, ces noms de villes rappellent et symbolisent les heures les plus glorieuses de sa vie politique lorsque, à la tête d'un pays puissant et qui le serait resté, pensera-t-il toujours, si on l'avait écouté, il comptait parmi ceux qui régnaient sur le monde occidental.

1931, c'est l'année où, président du Conseil, il a non seulement ouvert un crédit de 100 millions de dollars à la Reichsbank défaillante, mais où il s'est rendu à Berlin, en compagnie de Briand, pour rencontrer le chancelier Brüning et tenter de préserver la République de Weimar de l'hitlérisme naissant.

1931, c'est, pour lui, l'année où il a sauvé la livre. Alors qu'il avait déjà ouvert un crédit de 50 millions de livres à la Banque d'Angleterre, il avait été réveillé, dans la nuit du 18 septembre, par Ronald Campbell, ce même Ronald Campbell qui, ambassadeur d'Angleterre, quittera Bordeaux presque clandestinement le 23 juin 1940, mettant fin ainsi aux relations de la Grande-Bretagne et de la France. Mais, le 18 septembre 1931, Campbell a fait savoir à Laval que la Banque d'Angleterre, dépouillée par des retraits d'or massifs, ne pouvait plus faire face à ses obligations. Laval a donné immédiatement les ordres nécessaires pour que le Trésor britannique soit renfloué[1]. Les Anglais oublieront. Il n'oubliera jamais.

1931, c'est enfin, pour Laval, l'année du voyage triomphal aux États-Unis. *Time* le sacre *homme de l'année*. Il est le premier Français à obtenir cet honneur. Il aura un « successeur »... Charles de Gaulle, en 1958.

En 1934, il était ministre des Colonies dans le gouvernement Doumergue lorsque, le 9 octobre, Barthou, ministre des Affaires étrangères, succombe, à Marseille, dans l'attentat qui vient de coûter

---

1. - L'effort français se révélera insuffisant. Le 21 septembre 1931, l'Angleterre abandonnera l'étalon-or et, sans prévenir la France, dévaluera de 40 p. 100.

la vie au roi Alexandre de Yougoslavie. Il succédera à Barthou six jours plus tard.

S'ouvre alors la période inoubliable. Pendant l'Occupation, croyant servir d'intermédiaire entre des nations et des hommes qui se livraient une guerre sans merci, Laval répétera à qui veut l'entendre qu'il a conféré avec Mussolini, avec Staline, qu'il a été reçu par le pape. Et 1934 comme 1935 ont été effectivement, pour lui, des années de diplomatie heureuse.

Que ce soit lorsqu'il évite, avec l'aide de Mussolini, une guerre entre la Yougoslavie et la Hongrie ; lorsqu'il est l'un des artisans de l'accord de Stresa destiné à préserver l'Autriche des ambitions hitlériennes ; lorsque Staline, qu'il rencontre longuement en mai 1935, signe un texte qui, sans engagement militaire de la part de la France, facilite le réarmement de notre pays en faisant taire les incessantes et violentes campagnes antimilitaristes des communistes ; lorsque, à Cracovie, où il s'est rendu pour les obsèques du maréchal Pilsudski, il a, avec Goering, une conversation destinée à détendre le climat entre France et Allemagne, Laval peut légitimement, comme l'écrira Fred Kupferman, son meilleur biographe, se sentir « investi d'une mission », et la plus haute : celle de maintenir la paix...

Non pas « à n'importe quel prix », comme on l'a souvent écrit et comme on l'écrit encore.

Aussi bien devant les représentants des prisonniers, salle Wagram, le 10 juillet 1943, que devant les maires du Cantal, à Vichy, le 9 novembre 1943, il a répété que, s'il a toujours eu une « horreur profonde de la guerre », un peuple « peut faire la guerre quand il a faim ; un peuple doit faire la guerre quand il se défend », ajoutant : « En 1939, nous n'avions pas faim et nous n'avions pas à nous défendre puisque nous n'étions pas attaqués[1]. »

L'audience que lui accorde, et avec lui à sa femme et à sa fille, le pape Pie XI comme le mariage, le 20 août 1935, de Josée avec le comte René de Chambrun, fils du général, descendant du marquis de La Fayette, et de la comtesse, née Longworth, mettent un comble à l'ascension « mondaine » de celui qui restera toutefois, au fond du cœur, paysan de Châteldon. Trois mois plus tard, en novembre 1935,

---

1. Ce qui est nier toute valeur aux alliances. Or, Laval lui-même avait conclu des alliances dont il était fier et, quelques mois avant la guerre, il devait proposer un « encerclement » diplomatique et militaire de l'Allemagne.

son succès au premier tour des sénatoriales (malgré ses décrets-lois qui avaient fait chuter salaires et prix, les seconds plus que les premiers, mais seule la baisse des salaires a ému l'opinion), à la fois dans le département de la Seine et dans le département du Puy-de-Dôme [1], met, semble-t-il, un comble à l'ascension politique de l'homme, depuis le 6 juin, redevenu président du Conseil.

Écrites dans la misère de sa cellule, ces deux lignes, « *1931. Paris. Londres... Washington — 1934-1935. Genève. Rome... Moscou* », rappel des années fastes où il avait entendu le pape dire : « Après Dieu, je compte sur Pierre Laval pour sauver le monde de la guerre [2] », sont suivies par une soixantaine de lignes qui concernent essentiellement les années d'occupation, suites inévitables d'une guerre perdue, et perdue, Laval en demeurera jusqu'à la fin convaincu, par ces radicaux qui, en le chassant du pouvoir, ont fait le lit du Front populaire [3].

« Déclaration de guerre, on vote des crédits.
Juin 1940. Bordeaux — Armistice.
Mes fonctions dans cabinet Pétain.
Mes voyages à Paris.
Montoire.
[...]
Mon retour au gouvernement. »

Sept lignes plus loin, on découvre ces mots sur lesquels quatre traits verticaux, en marge, attirent l'attention.

---

1. Il choisira d'être l'élu du Puy-de-Dôme.
2. A l'intérieur d'un porte-cigarettes offert au grand fumeur qu'il était, cette dédicace : « Genève, le 5 décembre 1934. A Son Excellence, M. Pierre Laval, ministre des Affaires étrangères. Inaugure l'ère de paix qui vous sera due. Anthony Eden, Edvard Benes, Aloisi » (ministre italien des Affaires étrangères).
3. Abandonné par Herriot et les radicaux, le ministère Laval « tombera » le 22 janvier 1936. Sa chute est, en grande partie, la sanction des décrets-lois et de la politique de déflation.

« la question juive. Les juifs séparés de leurs enfants. ma protestation. le résultat. mes difficultés avec Darquier[1]. Son éviction. »

Laval évoque encore les occasions qu'il avait eues de quitter le pouvoir en 1942, le bilan de la guerre, les subventions à l'école libre, les débats, en conseil des ministres, sur le problème toujours angoissant du ravitaillement.

Et il sollicite ses codétenus, parmi lesquels il se trouve de nombreux anciens ministres, de lui fournir des notes. La plus intéressante, sinon la plus volumineuse, de ces notes aura René Bousquet pour auteur. Publiée dans *Hoover Institute : La vie de la France sous l'Occupation*[2], elle regroupe, en vingt-deux pages, des études au bénéfice de la défense sur les cours martiales, les tribunaux d'exception, le maquis, la Milice, l'annexion de l'Alsace-Lorraine, l'assassinat (par des miliciens) de Maurice Sarraut[3], enfin sur ce que Bousquet appelle « la protection des juifs ».

Informant Laval et lui fournissant des arguments, Bousquet prépare également son dossier. Il précise ainsi que tous les témoins entendus, « même révoqués » par Vichy, lui ont été favorables. Il rappelle que, préfet de la Marne, il s'est rendu en uniforme sur la tombe de deux otages communistes fusillés par l'occupant, et a déposé deux gerbes ornées d'un ruban tricolore.

A Laval, Bousquet conseillera de se « dissocier totalement et brutalement de tout ce qui a été fait à partir de 1944[4] ». « Vous devez, ajoute-t-il, le faire sans aucune réserve, en situant l'action de la Milice

---

1. Darquier de Pellepoix, nommé commissaire aux Questions juives à la place de Xavier Vallat, avait exigé de ses services, selon le mot de l'historien Henri Michel, un « antisémitisme de combat ». Laval l'acculera à la démission en février 1944.
   Sur le problème de la déportation des enfants juifs, *cf. Les Passions et les Haines*, p. 330 et s.
2. P. 1556 et s.
3. Maurice Sarraut, très influent directeur de *La Dépêche de Toulouse*, a été assassiné le 2 décembre 1943. Les journaux de la collaboration rejetteront le crime sur la Résistance, puis la police découvrira très vite que les miliciens ont été les instigateurs et les auteurs du meurtre. Bousquet, ayant fait arrêter les responsables, entrera en conflit avec Darnand qui, venu au gouvernement, les fera libérer.
4. Moment où lui-même, Bousquet, a été remplacé par Darnand.

sur son véritable plan, qui est celui de l'Allemagne — ou plutôt du parti nazi. Vous devez dire nettement comment Darnand a été investi par Oberg avant que notification des exigences allemandes vous ait été faite. »

La note IX porte pour titre : « *Protection des juifs* ».

Elle est particulièrement digne d'attention dans la mesure où, devant les médias, la justice et l'opinion, la responsabilité de Bousquet dans la rafle des 16 et 17 juillet 1942 n'a cessé, au fil des ans, de grandir jusqu'à l'instant où il sera inculpé pour crime contre l'humanité. Or, dans le texte qu'il fait parvenir — de cellule à cellule — à Laval, l'ancien secrétaire général à la police de Vichy, s'il écrit bien : « On vous parlera sans doute de la déportation des juifs étrangers en 1942 », *ne souffle mot de son action*. Quarante-cinq lignes, certes, mais au long desquelles, à une exception près[1], il ne paraît jamais. Il ranime les souvenirs de Laval, rappelant ce que l'ancien chef du gouvernement lui a dit de ses tumultueux entretiens avec les Allemands. « A votre retour de la conversation avec Oberg, vous m'avez dit que les Allemands voulaient déporter tous les Juifs français et que vous n'aviez pu éviter cela qu'en renonçant à garder en France les juifs étrangers », mais jamais il n'est acteur, comme s'il était demeuré loin, très loin de tout ce qui s'était passé en juillet 1942 !

Le travail que font pour lui quelques anciens hauts fonctionnaires et ministres, Pierre Laval entend le compléter.

A Jacques Baraduc, l'un de ses avocats, il dictera de nombreuses notes destinées à raviver la mémoire d'éventuels témoins. Que Baraduc aille voir Bigot, qu'il lui rappelle qu'il avait accepté, « avec le plus grand plaisir, d'être son collaborateur... Il pourra facilement réfuter la légende que j'ai été l'homme des Allemands » ; que Baraduc rencontre Cannac, secrétaire particulier de Laval, à partir de juillet

---

1. Bousquet écrit que, devant la menace qui pesait — en zone non occupée — sur les juifs ressortissant à des pays occupés ou alliés du Reich, Laval avait chargé Rochat d'alerter les légations étrangères (ce qui est exact) et il ajoute : « J'ai fait personnellement des démarches semblables pour essayer de provoquer une réaction générale. »

1940[1] ; Frey, maire de Strasbourg[2] ; les docteurs Briault et Roueix, qui pourront confirmer qu'il est intervenu auprès de Hitler pour sauver la vie de quatre résistants. Que Baraduc recueille les souvenirs de Robert Weinmann, commissaire général au Travail obligatoire : « C'est devant lui, dicte Laval, que j'ai demandé à Sauckel s'il n'était pas l'envoyé du général de Gaulle pour susciter le maquis[3] » ; qu'il obtienne le témoignage du colonel Émile Bernon, commissaire du pouvoir, artisan, sur ordre du chef du gouvernement, de la libération, après avril 1942, de nombreux prisonniers[4].

Dans les notes, on découvre ainsi les noms d'une cinquantaine de personnes dont Laval attendait le témoignage. Parmi celles-ci, Mme Jean Zay, dont le mari a été assassiné par la Milice. « Lui demander une lettre. Elle pourrait dire que je l'ai bien accueillie et que j'ai eu une bonne volonté évidente pour faire chercher où était son mari. Elle a pu constater mon indignation et aussi toute ma sympathie devant sa douleur. »

Même s'il était traversé de périodes de doute et d'inquiétude qui lui faisaient dire à ses avocats, en parlant des hommes au pouvoir, plus que des magistrats : « Ils sont pressés », et encore : « Vous voulez que je vous dise le scénario. Il n'y aura ni instruction ni procès. Je serai condamné et supprimé avant les élections », Laval, écrivant sans cesse, lui qui d'ordinaire écrivait si peu, allait faire montre, tout au long de son séjour à Fresnes, d'une incroyable et parfois brouillonne activité.

Un espoir animait cette activité : celui d'un procès au cours duquel il

---

1. La note écrite par M. Bigot et par M. Cannac sera publiée sans nom d'auteurs, avec pour seule mention « Secrétariat particulier de Pierre Laval », dans *Hoover Institute*, t. II, p. 1026-1033.

2. *Cf. Hoover Institute*, t. III, p. 1539.

3. *Ibid.*, t. III, p. 1518-1519. Il est exact que le S.T.O. fut à l'origine des maquis qui, sans lui, n'auraient pas pris, aussi rapidement, l'ampleur qui fut la leur.

4. Selon le rapport (*cf. Hoover Institute*, t. II, p. 656-658), la Commission de libération des internés administratifs, créée en janvier 1943 par Pierre Laval, procéda à la libération de 20 000 des 26 000 internés administratifs politiques (communistes, gaullistes) dont 14 000 environ en zone Sud.

pourrait s'exprimer longuement, cependant que de nombreux témoins viendraient donner leur point de vue sur les exigences allemandes sans cesse plus pressantes, plus pesantes, et sur la façon (souvent discutable) dont Laval avait cherché à gagner du temps puisqu'il ne s'était pas contenté de donner des mots, mais avait, aussi, livré des hommes.

Ses avocats nourrissaient le même espoir.

Me Albert Naud, premier de la promotion 1934-1935, Me Jacques Baraduc, second de cette même promotion, avaient, on le sait, été commis d'office le 18 août par le bâtonnier Poignard pour assurer la défense de Pierre Laval. Ils ont trente-sept ans. Ils seront rejoints, trois jours plus tard, par Me Yves-Frédéric Jaffré, jeune collaborateur du bâtonnier. Il a vingt-quatre ans.

Trois hommes bien différents : Naud s'était rapidement engagé dans la Résistance ; Baraduc, adolescent, avait épinglé dans sa salle d'études des photos de Laval ; Jaffré, avocat d'un détenu de Fresnes, voisin de cellule de Benoist-Méchin, avait eu, par ce dernier, l'occasion de rencontrer brièvement Laval qui lui avait demandé de prendre contact avec sa fille, ce qu'il avait fait, et Josée avait parlé de lui à Baraduc.

Trois hommes différents, unis par la même passion de la défense en un temps de tumulte et de haine où plaider pour Laval réclamait du courage ; trois hommes vite « séduits » par leur client ; rapidement indignés par « la bagarre judiciaire destinée, selon le mot de Naud [1], à couvrir un assassinat ». Car, s'ils avaient reçu des assurances, ils n'allaient pas tarder à découvrir combien elles étaient trompeuses.

Lorsque Naud et Baraduc se rendent, le 21 août, au Palais-Bourbon qui abrite les cabinets d'instruction de la Haute Cour, ils sont accueillis par le président Bouchardon qui leur dit : « Bien entendu, ce sera très long. Il s'agit d'une instruction de longue haleine qui, d'ailleurs, ne commencera pas avant le début d'octobre. J'interrogerai Laval pendant les vacances de M. Béteille, qui est plus spécialement chargé de l'affaire et qui l'interrogera à son tour. »

Bouchardon ajoutera qu'il avait autorisé Laval, « un intoxiqué de la nicotine », à fumer autant qu'il le souhaitait, et tous ses avocats décriront bientôt, « comme un lieu irréel dont les murs s'estompaient derrière un brouillard de fumée », la cellule inoccupée qui leur tenait

---

1. *Pourquoi je n'ai pas défendu Pierre Laval.*

lieu de parloir au premier étage de la 3ᵉ division, Naud ajoutant même que Laval était d'une tristesse infinie tant qu'il n'avait pas fumé une vingtaine de cigarettes.

Autre concession, moralement plus importante — car Laval et sa fille étaient liés d'un amour plus fort que l'amour —, Bouchardon autorisera le père à embrasser sa fille chaque fois qu'il se rendra à l'instruction.

M. Béteille, qui reçoit ensuite les deux avocats, leur annonce qu'il interrogera Laval une fois avant de partir en vacances, puis reprendra les interrogatoires dans les premiers jours d'octobre.

Mais il a préparé un plan d'instruction dont il remet un exemplaire à Naud et à Baraduc. Composé de trois parties respectivement intitulées : *Les origines de la trahison*[1], *Consommation de la trahison*[2], *Exécution du programme de trahison*[3], l'examen de ce plan, qui comprenait un total de treize dossiers, aurait nécessité au minimum vingt-cinq interrogatoires[4].

Il y en aura quatre, le cinquième, interrompu pour cause d'horaire tardif et renvoyé « à une date ultérieure », ne devant jamais être repris.

Le 23 août, le premier interrogatoire fut assez longuement consacré à la fortune de Pierre Laval. Puis, picorant parmi vingt sujets possibles, M. Béteille, en une heure, demanda à Laval d'évoquer l'annexion de l'Alsace-Lorraine, les lois raciales, les mesures contre les francs-maçons, la Milice, les réquisitions de main-d'œuvre, le sabordage de la flotte.

« Les choses, écrit Naud, se passaient agréablement. Laval fumait, le magistrat fumait, les avocats et le greffier fumaient. Derrière la porte, la presse attendait notre client comme une mêlée de rugby attend le ballon. »

---

1. Antécédents politiques de Laval, son attitude générale avant la guerre, origine de sa fortune.
2. Le rôle de Laval dans les événements qui se sont succédé entre le 10 mai et le 16 juin 1940. L'armistice. L'acte du 10 juillet 1940.
3. Cette partie recouvre l'étude du rôle joué par Laval dans les différents gouvernements « dits de l'État français », les rapports franco-allemands, la politique extérieure et la politique intérieure (un seul paragraphe concernait la « législation établissant une discrimination quelconque fondée sur la qualité de juif »).
4. Mᵉ Naud écrit : « Plus de quarante interrogatoires étaient prévus. »

« L'instruction, ajoute encore Naud, ressemblait à une causerie. »
Souvent brillant, sachant pousser ses avantages dès l'instant qu'il
croyait tenir son auditoire sous le « charme », s'évadant alors du sujet
imposé, se complaisant habilement en longues digressions sur sa vie
antérieure, effleurant les questions, les abandonnant, y revenant, sans
toujours distinguer entre les arguments, Laval éprouvait d'autant plus
de peine à se plier à une discipline que le magistrat, intéressé, oubliait
de la lui rappeler.

Entre le 23 août et le 6 septembre, treize jours sans interrogatoires.
Baraduc absent, Jaffré assure le contact avec Laval. Tous les jours, il
se rend à Fresnes[1].

Immédiatement conquis, il écoute Laval évoquer son enfance, le
temps où il était pion au lycée de Bayonne, puis surveillant à Louis-
le-Grand, Châteldon, « un endroit comme il n'y en a pas deux au
monde », son château, une vieille baraque du XIIᵉ siècle, « achetée
pour une bouchée de pain ».

Monologue sur la jeunesse.

Monologue sur la vie politique au temps de la IIIᵉ République.

Le monologue se poursuit par le récit du vote de l'Assemblée
nationale à Vichy, par un jugement sévère sur Pétain, qui n'aimait pas
la République, et sur son entourage de « travailleurs du chapeau »,
par un jugement plus sévère encore sur de Gaulle, mauvais « professeur de républicanisme », et sur les maîtres du jour, « pour la plupart
de petits salauds qui m'ont l'air d'avoir les dents pas mal longues et qui
veulent être payés de l'héroïsme qu'ils ont déployé à Londres et à
Alger ».

Monologue sur les Allemands.

« Il n'y avait pas " les Allemands ", il y avait " des Allemands ". Je
n'avais pas affaire à une espèce d'automates qui s'appelaient " les
Allemands ". J'avais affaire à des hommes en chair et en os. » En
vertu de ce raisonnement, Laval établira d'importantes différences

---

1. Il s'y rendra soixante-douze fois.

entre Abetz, accessible [1], Dannecker (« je n'avais jamais rencontré un excité pareil »), Sauckel et Oberg.

Jaffré lui parle-t-il de Hitler, il le définit : « Homme d'État incomplet qui, malgré les apparences, n'a jamais eu une politique bien cohérente... Son idée fixe de ne capituler à aucun prix était de la folie pure. Il a couvert son pays de ruines et de cadavres. C'est probablement ce qui nous serait arrivé, à nous aussi, si nous n'avions pas conclu un armistice. »

Le 6 septembre, les interrogatoires reprendront sur le mode courtois et objectif signalé par les trois avocats de la défense.

Deux jours plus tard, la présence de deux représentants de la commission d'instruction, MM. Max André et Chazette [2], donnera à l'interrogatoire un ton qui annonce celui du procès. On le vit bien lorsque Max André — « un cannibale », dira plus tard l'inculpé — interrompit les longues explications de Laval (il évoquait les lois antijuives) par un sec :

— Vous cherchez à noyer le poisson et à faire durer votre instruction ; nous n'avons pas de temps à perdre. Répondez par « oui » ou par « non ».

C'est le même Max André qui répliquera à Laval, revendiquant son droit de « s'expliquer » :

— Il n'y a pas besoin d'instruction pour vous...

Comment ce mot n'aurait-il pas alerté les avocats ?

Toutefois, lorsque M. Béteille clôt l'interrogatoire du 11 septembre sur cette phrase reproduite au procès-verbal : « En raison de l'heure tardive, l'interrogatoire est renvoyé à une date ultérieure », qui pouvait imaginer qu'il n'y aurait pas d'autre interrogatoire, à l'exception d'un supplément d'information de pur « bricolage », demandé par M. Mongibeaux au conseiller Schnedeker, où il fut question de survol

---

1. Le clan pronazi de Paris détestait Laval, « ce salaud, ce gnome hideux, ce métis de juif et de Tzigane », écrit Drieu la Rochelle dans son *Journal*, et méprisait Abetz, « un faible, un irrésolu, un timide... l'équivalent exact d'un médiocre député radical bombardé ambassadeur à Rome » (Drieu, toujours).
2. L'un est M.R.P., l'autre socialiste.

de la zone libre par l'aviation allemande, survol que Laval eût été bien en peine d'empêcher[1], et du « don forcé » aux Allemands de *L'Agneau mystique,* chef-d'œuvre des frères Van Eyck[2], dont l'ancien chef de gouvernement, s'il ne l'avouait pas, se moquait éperdument, cet agneau paraissant, écrit Naud, « une bien petite chose dans le drame sanglant de l'Occupation » ?

Le Méridien, journal né en août 1945 et qui disparaîtrait à la fin de l'année[3], annonça le premier que, l'instruction contre Laval étant close, l'accusé comparaîtrait devant ses juges dans les premiers jours d'octobre.

La défense ignorait tout. Elle eut beau faire observer que les promesses — vingt-cinq interrogatoires ! — étaient bafouées, que toutes les règles de la procédure pénale étaient violées, protester, le 19 septembre, dans une lettre à l'adresse de Bouchardon, laisser entendre qu'elle avait demandé à être déchargée de ses commissions d'office, rien n'y fit.

Dès qu'il avait eu connaissance de l'acte d'accusation, Laval s'était mis au travail, répondant longuement — et de mémoire — à tous les « considérants ».

---

1. L'un des télégrammes autorisant ce survol, qu'il n'était pas au pouvoir de Vichy d'empêcher, était signé du général Revers, qui comptait, en 1945, au nombre des chefs de l'armée française. Acquis à la Résistance, Revers avait appartenu, pendant l'Occupation, au cabinet de l'amiral Darlan.

2. Évacué de Belgique en France lors de l'exode, le tableau avait été finalement livré aux Allemands dans des conditions dont Laval — selon Me Naud — ignorait à peu près tout. A Jaffré, Laval dira : « Comme si je n'avais pas d'autres chats à fouetter ! C'est Bonnard qui s'est occupé de cette histoire. »

Lors de l'instruction du procès en contumace d'Abel Bonnard, la livraison aux Allemands de *L'Agneau mystique* sera effectivement retenue à charge. (Cf. *Le Figaro,* 8 juin 1945.)

3. *Le Méridien* a pour directeur politique Roger Giron, un proche de Paul Reynaud. Au journal collaborent Joseph Laniel, Édouard Helsey, Florise Albert-Londres, Géo London.

Ils concernaient les débuts de sa vie politique dans « des partis extrêmes » et l'évolution de sa fortune « qui a[vait] suivi [son] ascension politique », « sa haine tenace contre l'Angleterre », ses rapports avec l'Italie, les événements de Bordeaux, la formation et la marche du premier gouvernement Pétain, la loi « mettant les juifs hors du droit commun », Montoire, le 13 décembre, son retour au pouvoir en avril 1942, ce qui lui donnerait occasion de préciser qu'il n'avait pour le Maréchal « aucun attachement » et qu'il le jugeait « avec sévérité pour toutes les fautes qu'il avait commises dans l'exercice d'un pouvoir qu'il ne voyait que sous l'aspect des satisfactions puériles qui lui étaient offertes[1] ».

Naud a montré Laval rédigeant, du matin au soir, des notes volumineuses en réponse à chacun des « considérants ».

Il écrivait comme il parlait : d'abondance. Sans plan ; sans documentation, plus attaché d'ailleurs à ressusciter l'avant-guerre — qui n'intéressait personne, en ces jours de passion — que les années d'occupation, années pendant lesquelles, voulant tout justifier, n'admettant pas « son » droit à l'erreur, expliquant avec une foi aveugle jusqu'à son inexplicable et inutile et crucifiant « Je souhaite la victoire de l'Allemagne », il estimait avoir évité le pire au prix de concessions que les Français, ignorant ce qu'eût été le pire, et jugeant que l'on aurait pu demander davantage à leur patriotisme, ne pardonnaient pas.

> « La bonne foi de Laval était totale, écrit Me Naud. *Il avait cru à la victoire allemande et avait construit la politique française sur cette conviction, pensant réserver à son pays une chance de survivre*[2].
>
> C'était cela le procès et pas autre chose. Mais il fut impossible de réaliser, entre la défense et l'accusé, une harmonie totale sur une thèse aussi claire et aussi conforme à la vérité. »

En réalité, Laval dominait ses avocats.

Avocat lui-même, il influençait des confrères beaucoup plus jeunes,

---

1. On trouvera les réponses de Pierre Laval dans *Laval parle... Notes et Mémoires rédigés à Fresnes d'août à octobre 1945,* ouvrage préfacé par Mme Josée de Chambrun.
2. Souligné intentionnellement.

peut-être trop jeunes : l'inconditionnel Baraduc ; l'admiratif et pieux Jaffré, Las Cases de celui qui n'était pas Napoléon ; le réticent et parfois rétif, mais finalement consentant, Naud.

En homme politique, qui adorait qu'on l'écoutât mais depuis longtemps n'écoutait plus, il avait pris, dès le début, la direction de sa défense avec une conviction d'autant plus grande que, dans les couloirs de la prison, il « plaidait » devant des gardiens qui, depuis longtemps, ne l'appelaient plus « Pierrot », mais « Monsieur le président », ou devant quelques internés amis, et que, chaque fois, il se retrouvait brillamment acquitté. Naud et Baraduc, lorsqu'ils avaient, pour la première fois, rencontré la fille et le gendre de Laval, avaient bien compris qui serait « le patron »...

Cependant, ayant appris que le tirage au sort des jurés aurait lieu le 3 octobre et que le procès suivrait, ils devaient s'activer.

Encore leur fallait-il obtenir la copie des procès-verbaux et des pièces essentielles promis par M. Béteille et pouvoir consulter le millier de pièces placées sous scellés dans le cabinet du juge.

Las, M. Béteille, parti en vacances, avait par mégarde emporté la clef de son coffre, et nul n'était capable de dire dans quelle région de France le magistrat abritait son repos.

Quant au président Bouchardon, il demeurait également introuvable.

Les avocats avaient l'impression de brasser le vide.

Leurs demandes restaient sans réponse.

On ne répondait pas davantage à Mme Pierre Laval qui, libérée le 23 septembre, avait écrit le 30 au garde des Sceaux, Pierre-Henri Teitgen, pour lui demander l'autorisation de rejoindre son mari « au plus tôt dans sa cellule », afin de veiller sur sa santé.

Le silence n'empêchait pas les événements de se précipiter.

Le 3 octobre, Laval était transféré au Dépôt pour toute la durée du procès. Il aurait souhaité être reconduit chaque soir à Fresnes ou, comme cela avait été accordé au Maréchal, être logé au Palais de justice dans les dépendances de la première chambre. On lui avait refusé ces faveurs. Ce serait le Dépôt. Quartier des femmes.

16

LA MORT DE PIERRE LAVAL

Le temps passait.

On cherchait des jurés.

Il en fallait trente-six : vingt-quatre titulaires et douze suppléants qui devaient être tirés au sort à partir d'une liste de cinquante parlementaires n'ayant pas voté « oui » le 10 juillet 1940 et de cinquante résistants.

Parmi les journalistes qui fumaient et bavardaient, le bruit courait que le premier président Mongibeaux avait dû envoyer quérir d'urgence deux parlementaires qui accepteraient de se dévouer.

Tiré de sa cellule du Dépôt le 3 octobre, Laval attendait, dans une pièce voisine de la grande salle de la chambre criminelle de la Cour de cassation, en fumant cigarette sur cigarette.

Enfin, le président Mongibeaux donna l'ordre au greffier de procéder à l'appel des jurés. Les trente-six présents répondirent. Ils n'étaient que trente-six. Trente-six fois, Mongibeaux plongea donc la main dans l'urne et en tira un billet. Lorsqu'il eut terminé — et sans s'inquiéter de ce qui n'était pas un « tirage au sort » puisque seuls trente-six noms se trouvaient dans l'urne —, le premier président annonça :

— Je vous donne rendez-vous, messieurs, pour l'affaire Laval, à demain 13 heures.

Il ajouta, ce qu'il nierait faiblement par la suite, mais ce qu'avaient entendu Naud, Baraduc, Jaffré et plusieurs journalistes : « Il faut en finir avant les élections (elles étaient fixées au 21 octobre), la Haute Cour dût-elle siéger de jour et de nuit. »

Avant d'être appelé pour assister à la comédie du tirage au sort, Pierre Laval s'était trouvé dans la même pièce que Joseph Darnand qui, indifférent à tout, attendait, isolé lui aussi, que l'on décidât de son sort.

Jaffré raconte avoir dit un jour à Laval que Darnand, dans sa cellule de Fresnes, abandonné de tous, était l'un des détenus qui souffrait le plus de la faim dans un temps où, selon Marcel Peyrouton, la nourriture étant « infâme », les prisonniers sans argent ou sans famille recevaient, pour toute pitance, « du pain souvent glaireux et une soupe aux inévitables choux, aux inéluctables pommes de terre [1] ».

D'une boîte, Laval avait sorti quelques vivres.

— Allez donc porter ça à Darnand, avait-il dit à un surveillant. Il paraît qu'il en a plus besoin que moi.

Et, à l'intention de Jaffré, il avait ajouté :

— Pourtant, quand je pense à tous les emmerdements que ce Darnand m'a causés ! C'est un inconscient, une brute, et aussi un soldat magnifique. Mais il a autant d'intelligence politique qu'une borne !

Le 3 octobre, Laval était tout de même allé dire un mot à la « borne » et Me Naud, le résistant Naud, qui, en août 1944, aurait volontiers exécuté Darnand, s'était approché de cet homme qui, sa grosse tête carrée appuyée sur une main, « observait déjà le néant au-delà des hommes ».

Que dire à un homme dont on sait qu'il va mourir ?

Des mots de faux espoir.

En guise d'encouragement, Naud murmura :

— Je ne pense pas que ce soit pour aujourd'hui.

— Vous croyez ? J'aime autant qu'on en finisse vite. Je n'ai plus que quelques jours à vivre. Je suis très préparé à la mort, alors, vous savez...

— Rien n'est encore sûr...

— Maître, vous êtes bien bon de vous intéresser à moi. Je vous répète que je suis prêt à mourir...

---

1. Marcel Peyrouton, *Du service public à la prison commune.*

On ne tarda d'ailleurs pas à venir chercher Darnand. Quelques instants encore et il comparaîtrait devant ses juges. Darnand parti, Laval s'était avancé vers sa chaise.

— Pas celle-là ! s'écria Baraduc.

Et Laval s'était éloigné « comme quelqu'un qui a frôlé le feu[1] ».

Procès vite expédié que celui de Darnand.

Mais procès exemplaire.

Faisant mentir la maxime de La Rochefoucauld, Darnand était capable de regarder fixement la mort.

Ce courage suprême, hérité du courage qu'il avait toujours manifesté sur les champs de bataille, mais dans lequel il entrait, cette fois, une dose de résignation devant l'inéluctable, allait inciter l'ancien chef de la Milice à ne pas se dérober à ses lourdes responsabilités. « Je ne suis pas, déclara-t-il, de ceux qui vont vous dire : " Monsieur le premier président, j'ai joué le double jeu. " Moi, j'ai marché. » Parce qu'il sait parfaitement — il le dira — que « l'arrêt est rendu » et qu'il n'y a « rien à faire », il ne se réfugiera pas derrière les arguties, dans les faux-fuyants et la chicane.

En cet après-midi du 3 octobre, nul n'ayant d'illusions sur le verdict — pas plus le père Bruckberger, unique témoin de la défense[2], que les avocats et que l'accusé —, le procès, à la lecture, se présente presque comme un « examen de passage — de la vie à la mort — entre le président Mongibeaux et Darnand, le second se contentant de rectifier, sans passion et sans mettre en cause le fond, ce que les affirmations du premier peuvent avoir d'erroné.

---

1. Jacques Baraduc.
2. L'accusation n'avait pas produit de témoin, mais le premier président donnera lecture d'une lettre de l'Amicale des anciens détenus de la maison centrale d'Eysses, impliquant Darnand dans la très sévère répression de la tentative d'évasion du 19 février 1944. Selon ce texte, une cinquantaine de prisonniers avaient été condamnés à mort « sur les ordres de Darnand ». La lettre mettant en cause le milicien Chivot, Me Colin, l'un des défenseurs de Darnand, protesta contre « les lacunes de l'instruction », Darnand n'ayant jamais été confronté avec Chivot. Sur l'amitié qui, au moment de la « drôle de guerre », avait lié Darnand et Bruckberger (deux hommes qui allaient politiquement se séparer), *cf. Le Peuple du désastre,* p. 246-247 et *Quarante millions de pétainistes,* p. 367-369.

Tout au long de l'audience — qui ne durera que quelques heures —, Darnand ne nie rien d'essentiel. Alors que tant d'autres se sont « défilés », se « défilent » et se « défileront », son désir est de protéger « ses hommes » en prenant sur lui — parce qu'il fut leur chef — les responsabilités, de faire non seulement qu'ils soient, autant que possible, relativement épargnés, mais encore que la Haute Cour de justice et, par-delà la Cour, l'opinion, ne les confonde pas dans la même haine, ne les jugent pas à la même aune.

— Pour eux [les miliciens], je ne voudrais pas qu'on puisse penser en France, dira-t-il, qu'il n'y a eu, là-dedans, que des gangsters. Il y a eu des hommes de qualité. Il y a des avocats de talent qui ont fermé leurs cabinets, des médecins, des industriels, des commerçants, des paysans qui ont abandonné leurs fermes. Il y a des gens qui, vraiment, ont marché par idéal [...]. Ce que je vous demande [...], c'est de ne pas oublier que tous ces Français, tous ces camarades, tous ceux qui ont milité avec moi, ceux qui sont morts, ceux qui vivent, leur famille, ceux qui sont entrés dans toutes vos prisons, qui attendent leur libération, ce que je vous demande en grâce, c'est de penser que, bientôt, tous ces Français devraient se réconcilier, qu'ils devraient servir derrière le gouvernement régulier du pays...

Exemplaire, le procès Darnand l'est également comme illustration du drame de « l'engrenage », lorsque la victime devient acteur de son malheur.

« Autant d'intelligence politique qu'une borne », a dit Laval à Me Jaffré. « Un homme, déclarera le père Bruckberger en témoignant le 3 octobre, qui, de son propre aveu, ne peut pas se passer des gens qui réfléchissent, des gens qui raisonnent. »

Et Me Charles-Antoine Colin, l'un des avocats de Darnand : « Mais, voyez-vous, des hommes comme Darnand ne reviennent pas sur ce qu'ils ont fait, une fois décidé, une fois qu'ils se sont donnés, ils ne se reprennent pas. »

« Une borne », « un homme à l'intelligence limitée », « un soldat qui, lorsqu'on lui a montré le chemin, atteint du premier coup l'objectif », bref l'un de ces « simples » dont l'Histoire peut faire des héros ? En grande partie, oui, à condition que l'on veuille bien comprendre que « simplicité » ne signifie nullement sottise.

Lorsque le premier président Mongibeaux, s'interrogeant plus qu'il n'interroge, dit à Darnand : « On est un peu surpris de voir qu'un brillant soldat comme vous soit passé d'une attitude aussi nettement héroïque à une attitude qui est en contradiction avec tout ce que vous aviez été jusque-là... », la réponse de Darnand vaut beaucoup d'autres qui, sans aller aussi loin que lui, emprunteront les mêmes chemins :

— Comme vous venez de le dire, je me suis battu. Je ne connaissais aucun Allemand lorsque la guerre s'est terminée, et je n'en ai pas connu avant 1942. Ceux que j'avais connus, je les avais connus au feu, en face de moi, dans les tranchées [...]. Naturellement, mon cœur se rapprochait davantage de la Résistance [...]. En face, il y avait la politique du Maréchal. Pour moi, *qui suis un homme simple*[1], le Maréchal représentait une grande figure, un grand soldat. C'était le Maréchal de France...

La ligne de défense de Joseph Darnand s'appelle : « le Maréchal de France ».

S'il est vrai que le Maréchal, qui lui avait remis la médaille militaire sur le front des troupes, après le succès du coup de main historique du 14 juillet 1918, lui a demandé de prendre la présidence de la Légion des combattants à Nice ; l'a encouragé, lorsqu'il s'est installé à Vichy, pour diriger le Service d'ordre légionnaire aux mots d'ordre et aux objectifs antisémites, anticommunistes, antigaullistes ; l'a placé à la tête de la Milice[2] ; enfin l'a admis à la table du Conseil des ministres, alors qu'il était le candidat du général Oberg pour le poste de secrétaire général au Maintien de l'ordre, il ne l'a jamais incité à prêter serment à Hitler, à revêtir l'uniforme allemand, à admettre et cautionner les crimes de certains miliciens et la complicité de la Milice avec la Gestapo.

Mais il n'a jamais rien fait, rien dit[3], avant cette lettre de reproches

---

1. Souligné intentionnellement.
2. « Les S.O.L. sont la force jeune et dynamique de la Légion. Ils doivent être l'avant-garde du maintien de l'ordre à l'intérieur du territoire français, en accord avec les forces de police. Pour faciliter leur tâche, j'estime qu'il leur faut une certaine autonomie. C'est pourquoi, sous les ordres de leur chef national Darnand, ils dépendront désormais du chef du gouvernement sous la forme de la Milice nationale. » Pétain, le 5 janvier 1943. *Cf. L'Impitoyable Guerre civile*, p. 324.
3. « Au Conseil des ministres, dira Darnand à ses proches, j'étais amené à rendre compte de mes activités. On me questionnait. On me demandait où on en

à l'allure d'alibi, du 6 août 1944[1], qui ait empêché Darnand de se perdre et de perdre, avec lui, beaucoup de ceux qui, en lui faisant confiance, croyaient faire confiance au Maréchal.

Puisque Darnand était un « soldat » (et il aurait pu l'être dans l'autre camp si le hasard, qui est à l'origine de tant de destins, l'avait déposé, en juin 1940, sur les rivages de l'Angleterre), il est certain qu'il aurait été sensible aux observations et aux remontrances du Maréchal de France.

Il n'y eut ni observations ni remontrances.

Ni désaveu.

En 1942, Darnand avait tenté de « passer chez de Gaulle » pour aller reprendre le combat contre les Allemands... en attendant de reprendre la lutte contre le communisme[2], mais il était trop tard, bien trop tard. On ne voulait pas de lui. Dans la balance gaulliste, les inconvénients d'une terrible compromission l'emportaient de beaucoup sur les avantages d'un éclatant ralliement. Il ne restait plus à cet homme, qui, selon le mot du père Bruckberger, « se tromp[ait] constamment », qu'à aller jusqu'au bout de sa route, une route qui s'achèvera au fort de Châtillon, le 10 octobre, à 9 h 40, sous les fusils d'un peloton de soldats du 150e régiment d'infanterie.

Malgré une instruction indigente — c'était la loi du temps — et la brièveté de l'audience, il y eut un procès ; le premier président Mongibeaux, le procureur général Carrive, l'accusé, les avocats interprétant sans passion leur partition.

Il n'y eut pas de procès Laval.

était, ce qu'on faisait. Les ministres posaient des questions. Le chef du gouvernement parlait. Le Maréchal lui-même a parlé. J'ai été félicité. C'est officiel, cela ne peut être contesté. J'ai été encouragé. »

1. « Il importe, écrit le Maréchal à Pierre Laval, que M. Darnand, secrétaire général de la Milice et secrétaire d'État à l'Intérieur, prenne des mesures urgentes pour enrayer le drame qui se prépare, sinon la France, un jour libérée, verra son territoire se transformer en un vaste champ clos de règlements de comptes. » Lorsque Pétain signe cette lettre, les Américains, ainsi que le fera remarquer justement Darnand, sont « aux portes de Paris », ce qui lui enlève beaucoup de valeur.

2. Sur cette tentative et les contacts également pris avec le colonel Groussard, cf. *L'Impitoyable Guerre civile*, p. 347 et s.

Le 3 octobre, Mes Naud et Baraduc avaient rédigé, à l'intention du président Mongibeaux, une lettre dans laquelle, constatant la hâte suspecte mise à ouvrir les débats, hâte qui avait conduit à l'interruption brutale de l'instruction, ils annonçaient renoncer à défendre leur client[1].

Le jeudi 4 octobre à 13 h 30, à la surprise d'une foule aussi nombreuse que celle qui avait assisté aux premières journées du procès Pétain, Laval se présentait seul devant ses juges pour une audience qui, hachée de fréquents incidents, se déroulera mal.

Naud et Baraduc ayant, dans leur lettre, reproché à Mongibeaux la déclaration, rapportée par les journaux, selon laquelle le tribunal siégerait, « s'il le fallait, le matin, l'après-midi et le soir, afin que le procès fût terminé pour les élections », le premier président s'était défendu en affirmant qu'il n'était nullement responsable de ce qu'écrivaient les journaux et que, dans le passé, n'ayant été « intimidé par personne », il ne le serait certes pas aujourd'hui. Que le procureur général Mornet ait voulu, lui aussi, faire étalage d'incorruptibilité était dans la logique d'un personnage que tout le Palais savait compromis[2], mais qu'il ait expliqué que l'instruction n'avait pas été brusquée puisque l'affaire aurait pu « venir à l'audience sans qu'il soit besoin de la faire précéder d'une instruction judiciaire préalable », car l'instruction était, pour lui, commencée le jour même de l'accession au pouvoir du Maréchal, qu'elle s'était poursuivie au fil de l'Occupation, chaque acte, chaque parole de Laval valant preuve et charge sans qu'il soit besoin de rassembler des éléments d'information et d'entendre des témoins, c'était plus que n'en pouvait accepter Laval.

Comme Mornet venait de parler de la « poursuite des patriotes », des actes de la Milice, des cours martiales, Laval lâchait cette terrible vérité :

> — Mais vous étiez tous aux ordres du gouvernement à cette époque, vous tous qui me jugez, magistrats, et vous, monsieur le procureur général.

---

1. Me Jaffré, qui n'avait pas été commis d'office, s'était déclaré solidaire de ses confrères.
2. *Cf.* ch. 12 p. 486 et suiv., les attaques des avocats de l'amiral Esteva et du général Dentz contre Mornet.

M. le premier président : Je vous répète une fois de plus...

M. Pierre Laval : Vous pouvez me condamner, me faire périr, vous n'avez pas le droit de m'outrager.

M. le premier président : ... que si vous dites quoi que ce soit qui puisse constituer un outrage à l'égard des magistrats, nous passerons outre aux débats...

M. Pierre Laval : Je suis français, j'aime mon pays, je n'ai servi que lui *(les sténographes ont noté ici* [1] *: bruits dans la salle)*. Je vous prouverai...

M. le premier président : Vous avez une attitude...

Nouvelle intervention des sténographes qui notent que l'on peut « observer à ce moment qu'une certaine émotion s'est manifestée dans les rangs des jurés non parlementaires... », mais c'est un juré parlementaire qui va intervenir.

M. Demussois, juré : Un peu plus de modestie, fourbe !...

M. Pierre Laval : Vous le verrez quand j'aurai parlé, messieurs les jurés, je vous le prouverai tout à l'heure.

M. le procureur général : Je ne tolérerai pas plus longtemps cette attitude inconvenante.

M. le premier président : Garde, emmenez l'accusé.

M. Pierre Laval : Excusez-moi, monsieur le premier président... Je vous prie d'accepter mes excuses...

Mongibeaux ayant accepté les excuses d'un Laval soudain « petit garçon », l'audience avait repris, mais elle devait se terminer sur un éclat. Alors que l'audience touchait à sa fin, le président Mongibeaux, jugeant le duel verbal trop inégal, menaçait à nouveau l'accusé d'expulsion, ce qui arrachait cette exclamation à Laval : « Condamnez-moi tout de suite, ce sera plus clair » et, dans la salle, provoquait le cri du jeune Jean-Claude Cathala, l'un des fils de l'ancien ministre des Finances de Vichy : « Vive Laval ! ».

Tandis que l'on arrêtait le perturbateur pour le conduire au Dépôt [2],

---

1. *Cf. Collection des grands procès contemporains. Le procès Laval. Compte rendu sténographique.*
2. Ce qui sera fait, M. Jean-Claude Cathala, après une nuit au Dépôt, sera reconduit à son domicile qui fera l'objet d'une fouille sévère.

un juré communiste, M. Prot, eut cette réflexion : « C'est la cinquième colonne, la clique. » Un autre juré, dont les sténographes, indulgents, ne feront pas passer le nom à l'Histoire, proféra cette indécence : « Il mérite, comme Laval, douze balles dans la peau[1]. »

Entre les deux incidents de l'après-midi, Laval, Laval qui tenait — et il insistera sur ce point · — à ce que le compte rendu de son procès soit publié au *Journal officiel* comme allait l'être celui du maréchal Pétain, ne cesserait de réclamer le droit de s'expliquer, avec le secours de ses avocats, d'une « manière complète ». Pour le faire, encore fallait-il du temps. Qu'on lui donne et que l'on donne à ses avocats huit jours, huit jours seulement.

A plusieurs reprises, au cours de cette audience du 4 octobre, dont le compte rendu occupe quatre-vingt-dix pages du volume publié sous le titre *Le Procès Laval,* l'accusé reprendra la même idée dans l'espoir d'ébranler les magistrats et, par-delà eux, Teitgen, garde des Sceaux, et, par-delà lui, de Gaulle. « Que pouviez-vous craindre d'une instruction véritable ? » demandera-t-il. Et encore : « Qu'est-ce que vous avez à craindre ? Je suis en prison, je ne m'évaderai pas... Alors, ne m'étranglez pas, ce ne serait pas grand pour la Justice. [...] Si vous me traitez comme on traitait les Français sous l'Occupation, alors, qu'auriez-vous à me reprocher ? [...] Vous avez donné aux Français le bulletin de vote. Le 21 octobre, il va parler. Pourquoi cette hâte à éteindre ma parole ? Pourquoi ? Qu'avez-vous à redouter ? La vérité ?... »

L'allusion à la date du 21 octobre est importante. Ce jour-là, en effet, en répondant à la première question posée par le référendum : « *Voulez-vous que l'Assemblée élue ce jour soit constituante ?* », les Français diraient si la Constitution de 1875 demeurait en vigueur. Dans ce cas, Laval, c'était du moins son fragile espoir, échapperait à la

---

1. Les avocats massés dans la salle, ayant manifesté à plusieurs reprises leur réprobation devant la façon dont se comportaient le premier président et le procureur général, eurent droit à des remontrances d'un juré non parlementaire, M. Germinal, qui demanda s'ils avaient « véritablement le droit de venir manifester dans cette enceinte ».

compétence de la Haute Cour de justice pour être soumis au Sénat qui seul, sous la IIIe République, avait vocation d'être constitué en Haute Cour pour juger le président de la République ou les ministres pour crimes commis dans l'exercice de leurs fonctions[1].

Du temps gagné, une instruction obligatoirement refaite, Laval, sénateur depuis 1927, se retrouvant jugé par des sénateurs, même nouvellement élus, tout serait sans doute changé dans l'allure des débats comme dans le verdict.

Après le violent incident que j'ai rapporté, le premier président avait conclu :

— Demain, monsieur l'huissier, vous appellerez le premier témoin. Je ne poursuivrai pas un interrogatoire dans ces conditions, et l'audience se poursuivra en l'absence de l'accusé.

La nuit avait porté conseil. Le bâtonnier Poignard ayant demandé à Mes Naud, Baraduc et Jaffré de se présenter à la barre ; le premier président Mongibeaux ayant assuré qu'il ne persisterait pas dans sa décision de poursuivre les débats hors de la présence de l'accusé ; le bruit de ce double revirement ayant couru, c'est dans une salle pleine à craquer, où, selon Naud, « entre le public, les journalistes et les jurés, aucune frontière bien précise n'avait été observée », que s'ouvrit l'audience du 5 octobre.

On en attendait beaucoup. Elle apporta peu. Nerfs tendus d'un côté comme de l'autre de la barre, on s'observait. Le président Mongibeaux cherchait l'incident : « Ne poursuivez pas sur ce ton, dira-t-il à Naud », à qui il intimera l'ordre de parler avec « décence et modération », alors que l'avocat s'efforçait — comme le fera Baraduc — de tenir grande ouverte la blessure d'une instruction volontairement incomplète.

Les conclusions de la défense tendaient au renvoi de l'affaire Pierre

---

1. Au cours de l'audience, le procureur général Mornet affirmera à Laval que son argumentation « ne vaut rien ». Seuls les radicaux s'étant déclarés favorables à la Constitution de 1875, il est bien évident que Laval ne pouvait nourrir grand espoir, mais il déclara que la Constituante, qui allait être élue le 21 octobre, pouvait avoir la volonté d'« imaginer une autre juridiction »..., ce qui sera d'ailleurs le cas.

Laval « à telle date qu'il plaira à la Haute Cour de fixer pour permettre aux défenseurs d'assister utilement leur client ». Elles furent rejetées.

Naud, à qui la longueur de la délibération — une heure — avait donné quelque espoir, s'en montra surpris et, avec lui, une partie de ce public où il se trouvait, il est vrai, de très nombreux avocats qui, s'étant bien « tenus » pendant l'Occupation, supportaient de plus en plus mal le sectarisme de deux vieillards — Mongibeaux et Mornet — qui, selon le mot de Claude Roy dans *Combat,* n'étaient « même pas irréprochables[1] ».

Sensible aux réactions de la presse qui avait immédiatement décelé qu'il s'attardait sur le secondaire afin d'esquiver l'essentiel, mais qui, même lorsqu'elle lui était férocement hostile, ne pouvait s'empêcher d'écrire qu'il avait « un certain courage », « de l'estomac », « une bonhomie assurée qui en impose » (Madeleine Jacob dans *Libération*) ou de le montrer (le dessinateur Gassier dans *L'Humanité*) dirigeant les débats, Laval crut habile, à la reprise de l'audience du 5 octobre, de se livrer à l'un de ces exercices de roublarde séduction qui, par le passé, lui avaient valu, « vieux parlementaire » s'exprimant devant de vieux parlementaires, tant de succès. Mais les temps et les positions avaient changé. Il parla longuement, trop longuement, et ses interminables développements sur la naissance du régime de Vichy comme sur les nuisances de la Légion des combattants « furent écoutés par un jury glacial sur lequel aucun argument ne sembla porter[2] ».

A 6 h 15, fatigant et fatigué, Laval demanda grâce.

— Je suis bien portant, vous me voyez parler. Je suis prolifique [*sic*] comme cela, j'ai l'air, mais je vous affirme que hier soir, par exemple, quand je suis rentré, j'étais incapable de faire le moindre travail.

— Je vous ai déjà dit que, sur le plan de l'humanité, vous me trouveriez toujours très disposé à vous écouter, répondit le premier président. Si vous êtes fatigué, l'audience est renvoyée à demain 13 heures.

1. *Combat,* 6 octobre 1945.
2. Albert Naud, *op. cit.*

De retour au Dépôt, Laval avait dit à ses avocats que, le lendemain, il ouvrirait le dossier de l'Alsace-Lorraine, annexée par l'Allemagne.

— C'est le chapitre auquel l'opinion sera le plus sensible, ajouta-t-il, ça peut être une belle audience... Pour moi ! Pas pour lui[1]...

Lui, Mornet.

Une « belle audience » ? Ce fut presque immédiatement une audience mouvementée, âpre, houleuse, scandaleuse à la fin.

Comme des épées, les répliques s'entrechoquaient.

Laval, oh ! ce n'était pas Darnand, sage dans son complet de déjà condamné à mort, Laval répliquait à Mornet qui lui reprochait les lois qu'il avait signées :

— Et que vous avez appliquées !

Le premier président critiquait l'accusé pour le trouble qu'il apportait « sciemment » à l'audience ; le procureur général déclarait d'un ton léger que, si Laval, arrêté à la Libération, avait été immédiatement fusillé, « ce n'eût pas été une erreur judiciaire[2] », et la réponse ironique fusait, pour la plus grande joie de journalistes avides de mots et de cruautés : « Cela m'aurait privé du plaisir de vous entendre ! » ; et les avocats jetaient à la face de Mornet et de Mongibeaux qui venaient, une fois de plus, d'affirmer que la défense avait disposé de tous les documents nécessaires : « C'est faux. Non ! Non ! Non ! Sur l'honneur, je l'affirme. »

Les positions se durcissaient. Le premier président et Laval échangeaient des répliques sèches. Toujours plus violents, les mots n'étaient plus contrôlés. Présents, mais comme évanouis, les avocats assistaient à un spectacle dont ils imaginaient bien la conclusion. Le premier président ayant dit que l'on n'était plus « dans une salle d'audience de justice », il se peut que ces mots aient libéré des jurés dont beaucoup se sentaient l'âme de 1793, dont certains — c'est leur excuse, c'est aussi la faute historiquement impardonnable d'un système qui avait transformé des victimes en juges — avaient cruellement souffert de l'occupation allemande et de Vichy et qui n'avaient obtenu aucune des

---

1. Jacques Baraduc, *Pierre Laval devant la mort.*
2. Voici la phrase exacte du procureur général : « Et, véritablement, je puis vous dire que si, au lendemain de la Libération, au mois d'août ou au mois de septembre 1944, Pierre Laval avait été appréhendé et conduit devant un tribunal militaire — qui ne juge pas avec toutes les formes extérieures auxquelles vous étiez astreints — eh bien ! sa condamnation, *suivie de ce que vous savez,* n'eût pas été une erreur judiciaire. »

garanties qu'on leur demandait d'assurer à l'accusé. Enfin, tous vivaient — il faut le rappeler — dans l'horreur des récits des déportés.

Quoi qu'il en soit, Laval, échauffé, venant de répondre au président Mongibeaux qu'il vaudrait mieux « s'en tenir là pour la sérénité et la majesté de [la] justice [...] qui est au-dessus de nous tous », M. Biondi, un juré parlementaire socialiste, s'écria :

— Elle passera, la justice !...

Le mot allait rebondir.

— Oui, elle passera, la justice ! s'écria un juré dont l'anonymat a été préservé.

— Elle passera, oui !... Mais la vérité subsistera, reprit Laval.

— Elle sera française, crut bon d'affirmer un autre juré.

Le premier président, qui ne maîtrisait pas l'incident et que troublaient les constants reproches de mollesse de la presse communiste, risqua un truisme :

— Quelqu'un aura le dernier mot : c'est la Haute Cour.

— Vous l'avez ! répliqua Laval.

— Vous ne voulez pas répondre.

— Non !...

— Réfléchissez bien à l'attitude que vous prenez ! Vous ne voulez pas répondre à mes questions ?

— Non, monsieur le président, devant votre agression, devant la manière dont vous m'interrogez : vous formulez les questions et les réponses.

— L'audience est suspendue. Emmenez l'accusé.

Il faut, ici, simplement reproduire les phrases de la sténographie du procès Laval. Elles reflètent une situation unique dans les annales de la Haute Cour de justice et qui n'eut pas sur l'instant, dans une presse globalement conformiste, tout l'écho qu'elle méritait.

> « Les magistrats se lèvent. A ce moment, debout mais encore à leurs places respectives, les jurés parlementaires lancent, à l'adresse de l'accusé, des mots qui s'entrecroisent et qui sont couverts en partie par le tumulte qui règne dans la salle. Les sténographes, sans pouvoir identifier les auteurs, entendent les jurés proférer :

— C'est vous le provocateur.
— Salaud !
— Douze balles[1]...
— Il n'a jamais changé !
M. le premier président, debout près de son fauteuil : Je vous en prie, nous ne sommes pas dans une réunion publique !
M. Pierre Laval : Les jurés !... Avant de me juger !...
Un juré parlementaire : On vous a déjà jugé, et la France vous a jugé aussi ! »

Rouge d'indignation et de colère, Laval, revenu dans la petite salle où l'attendent Mme Laval et Josée de Chambrun, était d'autant plus décidé à ne plus répondre, à ne plus paraître, que Mme Laval lui avait murmuré : « Finis, Pierre, mais finis grand. Plus tard, le monde saura qui tu étais. »

A la reprise de l'audience, le premier président, feignant d'ignorer que plusieurs jurés venaient de trahir leur serment, ayant demandé à Pierre Laval de s'expliquer sur la deuxième inculpation, celle d'« intelligence avec l'ennemi », Laval ayant dit qu'il préférait se taire, aucun témoin n'étant présent, l'audience était à nouveau suspendue pendant une demi-heure.

C'était plus de temps qu'il n'en fallait à Laval pour répondre à la sommation de comparaître qui lui était faite par M. de Saint-Denis, huissier d'audience. La lettre au président Mongibeaux, par laquelle il dénonçait « le crime judiciaire qui se prépare », s'achevait sur ces mots : « La Haute Cour, comme si elle redoutait la vérité, me condamnera, mais elle ne m'aura pas jugé. Je lui laisse toute la responsabilité de ses décisions. J'attends de l'opinion et de l'Histoire le jugement qui m'est refusé[2]. »

---

1. D'après Me Naud, l'un des jurés, M. Jean Germinal aurait été l'auteur de cette phrase qu'il aurait ainsi complétée : « Tu gueuleras moins fort dans quinze jours. » Dans quinze jours, Laval aura été fusillé. (M. Worms-Germinal devait, en octobre, être élu député socialiste de la Dordogne.)
2. L'audience ayant cependant repris, le tribunal entendit le témoignage de M. Albert Lebrun. Répétant ce qu'il avait dit au procès Pétain, l'ancien président de la République insista sur le rôle de Pierre Laval en juillet 1940. Sollicité par le procureur général Mornet, il affirma : « Mieux eût valu, dans l'intérêt de la France et dans l'intérêt de son honneur, un gauleiter que le gouvernement qui fut constitué ensuite. »

Dans la matinée du 7 octobre, Naud alla trouver Laval au Dépôt. Indignation retombée, l'homme était las, désabusé, inquiet.

— Qu'est-ce qu'on dit dans la presse ?

— En général, la presse vous donne tort. Elle voit une manœuvre dans votre refus. C'est sûrement un mot d'ordre. Par contre, le public s'émeut.

— Ah !... En somme, votre impression est plutôt mauvaise.

— Oui.

Naud avait tout à la fois tort et raison. *Le Figaro* intégralement, *Le Monde* [1] avec d'importantes restrictions avaient donné le compte rendu des incidents et des injures des jurés. Dans un éditorial non signé, publié le 9 octobre sous le titre « Un pitoyable résultat », *Le Figaro* osait écrire que « la misérable atmosphère du procès n'[était] pas un accident », mais la suite logique de la décision prise avant et après la Libération de privilégier une « justice de guerre » qui ne cherchait nullement à « entrer dans le secret des intentions ».

Le Monde, qui jugeait Laval « roublard, fielleux et vulgaire [2] », s'était scandalisé de son indécent souci de « provoquer les rires ». Et il est vrai qu'à *neuf reprises,* au cours de la seule audience du 5 octobre, Laval avait soulevé les rires du public, ce qui ne s'était jamais vu et ne se verrait jamais plus dans un procès en Haute Cour, mais c'était aussi la première, et seule fois, que comparaissait un homme qui, pour avoir été, avant 1940, trois fois président du Conseil et quatorze fois ministre, possédait le sens de la repartie et du maniement des assemblées. Toutefois, *Le Monde* avait évoqué les jurés « sortant d'une élémentaire réserve [...] pour finalement se répandre en injures et même en menaces à l'égard de Pierre Laval, le tout au milieu d'un tumulte où le public eut sa part [3] ».

Libération Soir écrivait, de son côté, qu'il était « désormais impossible de le fusiller [Laval], sans l'avoir fait comparaître devant une autre juridiction plus sereine » et *Le Populaire,* bien que ne faisant qu'une

---

1. Quotidiens des 7-8 octobre 1945.
2. 6 octobre.
3. 9 octobre.

banale allusion aux incidents, parlait d'« une audience tumultueuse qui risqu[ait] de discréditer le jugement de la France et laiss[ait] tenir à Laval un rôle invraisemblable[1] ».

Pour sa part, *L'Aube* (M.R.P.) du 8 octobre, après avoir constaté que « les juges de la Haute Cour avaient en face d'eux le joueur le plus redoutable, [celui] qui pouvait le mieux lasser leur patience et, par des incidents savamment répétés, les amener eux-mêmes à l'incident », ajoutait que Laval avait décidé d'échapper à la bataille judiciaire « au moment qu'il jugerait le plus favorable pour la légende de victime qu'il voulait créer autour de lui comme une dernière ressource ».

Cette thèse de la provocation, le général de Gaulle la fera sienne dans ses *Mémoires de guerre*. « [...] Laval, écrit-il, joua le tout pour le tout, adopta vis-à-vis de ses juges une attitude provocante et suscita, de leur part, quelques fâcheuses invectives. Prenant aussitôt prétexte de cette inconcevable sortie, il refusa de comparaître désormais devant la Cour. Ainsi cherchait-il à faire en sorte que son procès parût entaché de quelque chose d'irrégulier et que la justice fût amenée, soit à recourir à une nouvelle procédure, soit à commuer la peine capitale que l'accusé sentait inévitable... »

L'époque — et de Gaulle, écrivant en 1959, demeure, quatorze ans plus tard, toujours en accord avec l'époque — veut des accusés soumis — Darnand s'était montré, en ce domaine, exemplaire — qui se refusent le droit d'utiliser les moyens — et le rire en est un, Laval en fera la réflexion — capables de déstabiliser l'accusation.

La défense, indignée, récusera l'expression que *Le Monde* avait placée dans la bouche de Laval au sortir de l'audience du 5 octobre : « Alors, je l'ai bien vendue, ma salade ! » Je ne la trouve pas scandaleuse. Alors que Pétain avait refusé de participer à son procès autrement qu'en statue, Laval s'était jeté à corps perdu dans le combat avec le désir fou de parler, parler, parler, d'expliquer, de noyer, oui, bien sûr, les magistrats qui connaissaient mal le dossier, sous les faits pittoresques ou négligeables qu'il tirait de sa fabuleuse mémoire ; de tendre aux jurés parlementaires le miroir des vieilles complicités politiques ; d'aller jusqu'au tutoiement — « Attends, attends », dira-t-il à Chaussy[2] —, car peut-on condamner quelqu'un qui vous tutoie

---

1. 6 octobre.
2. Député socialiste de Seine-et-Marne.

comme, hier, il vous tutoyait à la buvette de l'une ou l'autre Assemblée ? d'impressionner les journalistes — Géo London, qu'il a sauvé pendant la guerre, ne s'est-il pas glissé jusqu'à la salle où on l'enfermait avant l'audience pour lui dire : « Je souhaite la victoire... de Laval » ? de « vendre sa salade », pourquoi pas, puisque, en Laval comme en tout homme politique, il y a du bonimenteur, mais aussi de tenter de combler les immenses et, historiquement, impardonnables lacunes de l'instruction.

Car il est bien vrai qu'au cours de ce qui ne fut pas un procès rien d'essentiel n'avait été abordé. La France avait vécu quatre années tragiques. Sa justice avait devant elle l'homme qui, entre juin et décembre 1940, entre avril 1942 et août 1944, avait plus que tout autre, infiniment plus que le maréchal Pétain, assumé les responsabilités les plus lourdes. Et il n'était interrogé de façon sérieuse à l'audience ni sur Montoire, ni sur le 13 décembre et le secours qui lui était venu alors d'Abetz, ni sur les mesures antisémites qui avaient conduit aux dramatiques rafles de juillet et d'août 1942, ni sur tant de phrases favorables à l'Allemagne — dont il pouvait croire qu'elles servaient sa politique, mais dont il est certain qu'elles blessaient et humiliaient les Français — ni sur le sabordage de la Flotte, ni sur le Service du travail obligatoire, ni sur la Milice, ni sur les cours martiales.

Que Laval ait voulu gagner du temps, égarer l'accusation, parfois « vendre sa salade », c'est l'évidence, mais que le premier président et le procureur général, auxquels le gouvernement — de Gaulle le reconnaîtra plus tard[1] — avait fait connaître « son désir de voir la procédure aboutir dès que possible », se soient montrés indignes de leur mission d'accoucheurs de la vérité, de grands auxiliaires de l'Histoire, c'est tellement évident que, le lendemain de l'exécution de Pierre Laval, *Le Populaire* écrira, sous le titre : « Une vague de fond contre le président Mongibeaux », que, « toute la magistrature » étant désormais tenue pour responsable des « insuffisances des deux grands magistrats qui conduisirent les débats de la Haute Cour », il ne restait plus à Mongibeaux — inamovible — qu'à démissionner.

---

1. *Mémoires de guerre*, t. III, p. 248. De Gaulle fait allusion à trois procès : ceux de Pétain, de Laval et de Darnand. Il fait précéder le membre de phrase que je cite des mots : « Sans intervenir aucunement dans l'instruction menée par la Haute Cour, le gouvernement avait fait connaître... »

Si Darnand était un homme depuis longtemps préparé à la mort, Laval se débattait pathétiquement pour ne pas mourir.

A la relecture de la sténographie de cette audience du 6 octobre, au cours de laquelle Laval allait s'évader en quelque sorte du procès, je vois moins dans sa décision un « prétexte », comme l'écrit de Gaulle, qu'un « réflexe » explicable par la montée en violence des phrases échangées avec le premier président, ainsi que par l'exaspération que ce faux débat provoquait chez un accusé dont on oublie trop, aujourd'hui, qu'il n'était pas né à la politique en juin 1940 et avait la volonté de rechercher les causes lointaines de la défaite de 1940. Que l'on fouille ce passé n'intéressait nullement un peuple alors satisfait qu'une guerre absolument perdue ait été miraculeusement transformée en guerre relativement gagnée.

Quant aux rescapés de la politique, ils ne voulaient pas que l'on refasse le procès de Riom. Le mot fut dit à l'occasion du procès Laval.

L'accusé sommé de comparaître mais se réfugiant dans l'abstention, le président Mongibeaux renonçant à faire usage de l'article 9 de la loi du 9 septembre 1835 sur les cours d'assises, qui lui donnait le droit de faire amener Laval de force devant la cour, l'audience allait reprendre le lundi 8 octobre.

Au banc des avocats avait pris place un garde républicain indifférent. Un journaliste appuyait son bloc-notes sur l'accoudoir du fauteuil qui avait été celui de Laval, et la cour, dépassionnée, entendit le témoignage du général Doyen, ancien président de la Commission d'armistice française à Wiesbaden, et celui de M. de La Pommeraye, secrétaire général honoraire du Sénat. Les deux hommes avaient des comptes à régler avec Laval. Ils le firent. Et M. de La Pommeraye répéta — il l'avait dit au procès du Maréchal et obtenu, en le disant, le plus grand succès de curiosité de toute sa vie — que Pierre Laval lui avait déclaré, en août 1940 : « Et voilà comment on renverse la

République ! » Laval n'avait pas nié la phrase, mais discuté le ton sur lequel elle avait été prononcée. Il est vrai qu'elle était plus que de « mauvais goût » — Laval s'était réfugié derrière cette excuse — cette phrase, à un moment où tant de battus du suffrage universel, tant d'adversaires historiques de la « gueuse », piétinaient ce qu'ils croyaient être le cadavre de la République.

L'intérêt de la journée du 8 octobre allait se déplacer du Palais de justice, où, succédant à Doyen et à La Pommeraye, M. Beauchamp entretenait la cour de la responsabilité de Laval dans l'envoi des travailleurs en Allemagne, au ministère de la Justice, place Vendôme.

Pierre-Henri Teitgen, garde des Sceaux, avait en effet invité les avocats de la défense à venir examiner une situation déplaisante pour lui, que les communistes accusaient de mollesse dans l'épuration ; embarrassante pour le gouvernement, à qui la presse anglo-saxonne reprochait de ne pas mettre fin aux procès révolutionnaires.

Que pouvait demander ce ministre, « vêtu de couleur sombre, la figure un peu jaunâtre, la mise négligée, la cravate fripée et de guingois[1] », mais très vite sympathique aux avocats sur qui il fit d'abord « une excellente impression[1] » ? Que la défense reprît place à la barre.

Certes, il savait que la Haute Cour « était ce qu'elle était » ; que M. Mongibeaux n'avait accepté de présider — après le refus de sept magistrats — qu'une fois récompensé par la première présidence de la Cour de cassation ; que le procureur général était le seul (encore son cas était-il « douteux ») à n'avoir pas prêté serment au Maréchal et qu'il n'avait pas, lui, garde des Sceaux, possibilité de modérer des jurés violents et passionnés.

Tout cela était vrai, déplorable mais, au nom de la France... et de De Gaulle, il demandait à la défense de surmonter ces désagréments.

Que pouvaient réclamer les avocats ? Qu'il soit mis fin, ne serait-ce qu'en faisant droit à une nouvelle demande de complément d'information, à un procès engagé et conduit dans de regrettables conditions.

---

1. Albert Naud, *op. cit.*

Qu'allait répondre Teitgen ? Qu'il n'y aurait pas de nouvelle instruction, mais qu'il donnerait des ordres au président et au procureur général pour que Laval puisse parler tout à sa guise, que la défense aurait accès à toutes les pièces, qu'elle ferait venir à la barre les témoins utiles à la cause de son client, enfin que les élections du 21 octobre ne constituaient pas, dans son esprit, une « date butoir ». Si le procès n'était pas achevé avant le vote, eh bien ! les audiences reprendraient plus tard.

— Voilà, messieurs, ce que j'avais à vous dire.

— Et si Laval refuse ? demande Naud.

— Si Laval refuse, il sera jugé demain et, dans quelques jours, il y aura... la suite que vous connaissez. Je ne puis rien vous proposer de mieux. Faites comprendre cela à votre client [1].

Immédiatement informé par ses avocats de la teneur de leur entretien avec le garde des Sceaux, Laval hésitait. Il avait écrit à Teitgen dans l'après-midi du dimanche 7 octobre : « Je pensais que l'énormité même des charges relevées contre moi m'apportait la garantie d'une justice qui doit se montrer d'autant plus stricte et impartiale qu'elle se propose une sanction plus sévère. »

Le 8 octobre, après avoir entendu ses avocats qui, avec une véritable angoisse, s'étaient interrogés sans pouvoir s'accorder sur la solution la moins mauvaise — paraître à l'audience ou ne pas y revenir —, il dicta une nouvelle lettre à l'intention de Teitgen.

> « Je serais très désireux, et je vous prie instamment de me croire, de répondre favorablement au désir que vous avez

---

1. Cette scène est reconstituée d'après les livres de Mes Naud, Baraduc, Jaffré, mais son exactitude est confirmée par Pierre-Henri Teitgen qui, dans son livre *Faites entrer le témoin suivant...*, après avoir évoqué Mongibeaux et Mornet, « médiocres et maladroits », écrit qu'ils tombèrent dans « le piège qui leur était tendu par Laval » et dénonce des jurés « indignes de leur fonction ».

Il ajoute que, « ne pouvant couvrir les maladresses des magistrats et le comportement scandaleux des jurés », il avait demandé à ses interlocuteurs de conseiller à leur client, « dans son intérêt et dans celui de l'Histoire, de recomparaître devant la cour, [s']engageant à faire tout ce qui serait possible pour assurer désormais la sérénité des débats » exprimé [revenir à l'audience]. Nul n'est plus qualifié que vous pour me donner un conseil.

Si je ne me présente plus à l'audience, je serai condamné. Si je désire poursuivre ma défense, je serai également condamné[1]. »

Ce n'est pas manquer de respect envers la Justice que d'écrire que Laval voyait juste.

Devant la Haute Cour telle qu'elle était composée, et dans le temps où elle jugeait, il n'existait pas d'alternative.

Laval suggérait donc à Teitgen que le procureur général requît un complément d'information. « Il est peu vraisemblable, ajoutait-il, d'imaginer que ses réquisitions seraient rejetées [...]. L'opinion serait certainement satisfaite d'apprendre que mon procès ne sera pas étouffé et que je serai ainsi mis en demeure non seulement de faire des allégations, mais de les prouver. »

Illusion. A la lecture des rapports sur « l'état de l'opinion », mensuellement adressés par les préfets au ministre de l'Intérieur, on découvre que, si les Français sont hostiles à l'arrestation du général Weygand, s'ils éprouvent, majoritairement, quelque indulgence pour le Maréchal, « même si, généralement, ils n'osent pas, selon les mots du préfet de Haute-Savoie[2], exprimer publiquement le scandale qui est, pour eux, [sa] condamnation », leur hostilité à Laval, qui incarne la collaboration en ce qu'elle a eu de plus haïsssable, est intense. « Laval, écrit le préfet de l'Indre, a la presque unanimité de l'opinion contre lui et l'on espère qu'il sera rapidement jugé et exécuté. » Quant à celui de l'Isère[3], il estime que, si le procès de Laval a été suivi « avec un intérêt assez grand, l'attitude de l'accusé n'a pas diminué le sentiment de mépris unanime manifesté par la population qui ne doutait pas de la condamnation du traître ». Lorsque le sentiment de l'opinion évoluera, il en tiendra compte et le fera savoir à son ministre[4].

Plus symptomatiques encore ces lignes dans lesquelles le préfet de la Haute-Loire mêle deux notions qui devraient demeurer parfaitement

---

1. Souligné intentionnellement.
2. Rapport du 15 août 1945. D'après le préfet de Haute-Savoie, seule « une assez forte minorité » de l'opinion tenait à une condamnation à mort du Maréchal.
3. Rapport du 15 octobre.
4. *Cf.* p. 657.

étrangères l'une à l'autre, mais qui reflètent les réactions du moment :
« Le procès Laval, écrit-il, n'a pas suscité dans l'opinion de mouvements importants : *l'impopularité*[1] du condamné *justifiait*[1] le verdict
malgré le déroulement insolite des audiences... »

Une nouvelle instruction, loin de « satisfaire » l'opinion, comme
Laval l'avait écrit à Teitgen, l'aurait vraisemblablement exaspérée. De
cette décision, le Parti communiste, dont Pierre-Henri Teitgen était
l'une des cibles favorites, aurait politiquement tiré profit, à la veille
d'élections capitales, en multipliant les manifestations de masse contre
les lenteurs de l'épuration et le « vichyssisme » de la justice.

Le 9 octobre, Laval n'eut d'ailleurs pas longtemps à se demander s'il
comparaîtrait ou ne comparaîtrait pas à l'audience.

Aucune sommation ne lui ayant été adressée, peut-être put-il
imaginer que l'audience n'était pas commencée, peut-être put-il, un
court instant, espérer que son affaire avait été renvoyée.

Il n'en était rien. L'audience avait bien repris, même si l'ambassadeur Léon Noël, par le passé, proche collaborateur de Laval et son
obligé, avait refusé de déposer en l'absence de l'accusé[2].

Le temps était venu pour le procureur général Mornet de parler.

Il le fit d'autant plus brièvement — son réquisitoire occupe toutefois
trente-sept pages du compte rendu sténographique du procès —
qu'aucune voix ne devait lui répondre.

Après avoir dit de Laval qu'il était l'un de ces hommes « dont la
situation à laquelle ils parviennent dans leur pays, le rôle qu'ils y
tiennent, l'influence qu'ils y exercent sont faits pour déconcerter le
moraliste autant que les historiens » ; après avoir évoqué longuement
la séance du 10 juillet 1940 à Vichy, brièvement la rencontre de
Montoire, les mesures antisémites (il est vrai qu'il avait accepté d'y
être associé) ; les problèmes posés par l'annexion de l'Alsace et de la
Lorraine ; le « Je souhaite la victoire de l'Allemagne » ; le recrutement
de la main-d'œuvre pour l'Allemagne ; la lettre du 22 novembre 1942,
par laquelle Laval envisageait, « pour la reconquête de l'Afrique du
Nord », une action commune avec l'Allemagne ; le soutien apporté à

---

1. Souligné intentionnellement.
2. Léon Noël avait déposé au procès Pétain et le premier président renverra à
cette déposition. Selon Léon Noël, « Pierre Laval considérait la victoire de
l'Allemagne comme un fait définitif devant lequel il ne restait plus qu'à s'incliner
en s'y adaptant ».

Darnand, chef de la Milice ; les ordres donnés aux magistrats pour la répression de la Résistance, Mornet va conclure.

Il avait demandé et obtenu la mort pour Pétain.

Il demandera la mort pour Laval, le « joueur qui a joué jusqu'au bout en se disant : ils n'oseront pas ».

— Eh bien ! dira-t-il, j'oserai. Et j'ose.

A la suite d'une délibération, dont la durée serait discutée[1], la Haute Cour rendit son verdict.

Il est 5 heures lorsque Baraduc, qui était allé s'informer, revint.

— La mort ? demanda Laval qui, attablé à la table du parloir, fumait nerveusement.

— Oui.

Laval écrivit alors à sa femme et à sa fille. Lorsque Me Henri Tard, huissier audiencier, et M. Maurice, directeur de la police municipale, vinrent, à la demande du président Mongibeaux, l'« aviser » de sa condamnation, puisqu'« il n'avait pas assisté à la lecture de l'arrêt », il écrivait toujours[2].

A M. Maurice qui, par charité, lui avait dit que l'arrêt ne pourrait être exécuté, il se contenta de répondre : « Pensez-vous ! Ils vont me fusiller entre deux portes, à la sauvette. »

Dans la matinée du 10 octobre, Laval était reconduit à Fresnes.

Sur la route, la voiture cellulaire qui le transportait croisa la voiture cellulaire transportant Darnand qui, quelques minutes plus tard, serait exécuté au fort de Châtillon.

Le 8 octobre, fidèle à l'attitude qu'il avait adoptée pendant le

---

1. *Le Procès Laval* la dit « très longue », Jacques Baraduc « brève » en ajoutant : « Pas un confrère, pas un journaliste qui ne m'ait dit : " Il est impossible qu'ils aient eu le temps. " »
2. L'arrêt de la Haute Cour lui fut officiellement signifié le 11 octobre à la prison de Fresnes par Me de Saint-Denis.

procès, l'ancien chef de la Milice avait sollicité l'indulgence de De Gaulle pour ses camarades. « Ils n'ont, écrivit-il, que commis l'erreur d'être fidèles au Grand Soldat et ils ont été à peu près les seuls à ne pas vouloir trahir leur serment, à ne pas abandonner une cause perdue[1]. »

Dans une dernière lettre, confiée au père Bruckberger à la veille de son exécution, Darnand avait fait ses « adieux » et donné ses « consignes » à ses miliciens. Reconnaissant que des éléments sans scrupules « avaient commis, sous le masque du combat milicien, des fautes impardonnables », rapide concession à la vérité, car il n'y avait pas que des « éléments sans scrupules » parmi les délateurs, les assassins d'otages, les tortionnaires et les juges masqués des sections spéciales, il justifiait longuement l'action menée et s'efforçait de dégager la Milice du crime de collaboration étroite, constante et, malheureusement, bien souvent terriblement efficace avec l'occupant.

Aux miliciens emprisonnés, Darnand affirmait d'ailleurs qu'ils étaient sanctionnés *uniquement*[2] pour s'être trouvés « à la pointe du combat anticommuniste », ce qui avait pu se révéler exact, mais seulement dans le tohu-bohu de la Libération lorsque l'anticommunisme simplement verbal avait, ici et là, été tenu à crime. L'homme qui allait mourir demandait d'ailleurs aux hommes qui l'avaient suivi de reprendre, « en son nom », le combat anticommuniste en se groupant « derrière ceux qui se révéleraient les plus dignes et les plus capables de l'accomplir ».

De qui s'agissait-il ?

Que voulait dire Darnand lorsqu'il écrivait : « Déjà, cependant, quelques-unes des idées qui nous ont guidés sont reprises publiquement » ?

Par qui, en octobre 1945, étaient-elles donc publiquement reprises ?

Si le message d'adieu de Darnand à ses miliciens avait été rapidement ébruité, il aurait certainement alimenté la campagne que menaient déjà les communistes contre plusieurs membres de l'entourage de De Gaulle, contre les sensibles réductions de peine dont bénéficiaient des miliciens condamnés[3] et contre l'engagement des

---

1. Après avoir évoqué « l'exécution des responsables et le jugement de quelques criminels de droit commun qui restent à juger », Darnand suggérait au chef de gouvernement des mesures permettant aux miliciens de prouver, « au besoin en combattant [en Indochine ?], leur attachement à la patrie ».
2. Souligné intentionnellement.
3. *Cf.* p. 682.

plus jeunes et des moins compromis d'entre eux — à l'appel de véritables recruteurs — dans l'armée qui, en Indochine, menait, sans que l'aveu officiel en soit encore fait, un combat contre le communisme [1].

Lorsque, dans l'après-midi du 10 octobre, Yves-Frédéric Jaffré se rendit à Fresnes, dans le quartier des condamnés à mort, où le silence n'était troublé que par le bruit des huit kilos de ferraille reliant les deux anneaux rivés aux chevilles de tous les condamnés, il éprouva un choc.

Laval était vêtu de « l'uniforme » des condamnés à mort : veste de bure grossière et de couleur pisseuse, pantalon « mexicain », en droguet gris, avec, sur le côté, et de haut en bas de chaque jambe, une rangée de boutons permettant au condamné de se déculotter sans se débarrasser des chaînes, obligatoires à chaque instant du jour comme de la nuit.

Grâce au petit foulard tricolore croisé sur sa chemise de soie, il se distinguait toutefois des autres condamnés à mort.

— Regardez-moi bien, Jaffré, dit Laval. Vous reverrez d'autres présidents du Conseil... Vous n'en reverrez jamais dans la position où vous me voyez. Pourtant, je ne me suis jamais senti aussi grand.

Il s'était rapidement remis au travail dans la cellule-parloir qu'il gagnait à petits pas, en soutenant, à l'aide d'une ficelle tenue à la main, la chaîne reliant les deux anneaux des chevilles. « Il avait, écrira Naud, pour remonter [la ficelle] un geste menu comme pour relever une jupe imaginaire et marchait les pieds écartés, à la manière de Charlot. »

Connaissait-il le poème de Brasillach ?

> *Je n'ai jamais eu de bijoux.*
> *Ni bague, ni chaîne au poignet.*
> *Ce sont choses mal vues chez nous,*
> *Mais on m'a mis la chaîne au pied.*

---

1. Un combat au cours duquel, souvent engagés, peu ménagés, un grand nombre d'anciens miliciens allaient trouver la mort.

Depuis que Brasillach l'avait écrit le 29 janvier — sept jours avant son exécution —, il avait beaucoup circulé dans la prison, et on en retrouvera des copies dans les papiers abandonnés par des condamnés partant pour la mort.

Dans sa cellule, Laval parlait, « sur un ton presque objectif », écrit Jaffré, de sa mort sans doute proche. Toutefois, il avait, selon son expression, « fichu à la porte » l'aumônier qui était venu lui annoncer, presque joyeusement, que l'exécution de Darnand « s'était très bien passée ». Dans la matinée du 11, derrière sa porte dont le judas avait été, comme tous les autres judas, brusquement fermé, il avait entendu les préparatifs qui précédaient le départ pour le poteau de Jean Hérold-Paquis et de trois policiers de la Gestapo[1].

— Ça a duré un bon moment. J'ai entendu l'autre [*il parlait de Paquis*] chanter sa petite chanson. C'était plutôt lamentable.

Jean Hérold-Paquis, qui, pendant l'Occupation, s'était fait connaître des Français, exaspérés d'abord puis ironiques, par la formule : *L'Angleterre comme Carthage sera détruite,* et auquel, le 17 septembre, M. Pailhé, premier président près la cour d'appel, avait fait réentendre non seulement plusieurs de ses chroniques radiophoniques furieusement démenties par les événements, mais aussi cette émission dans laquelle il osait affirmer : « Les amis en uniforme, ce sont ceux qui sont en feldgrau[2] », était, en effet, parti à la mort en chantant « Ce n'est qu'un au revoir mes frères ».

Lui, Pierre Laval, ancien président du Conseil, ne voulait pas « chanter sa petite chanson ». Il entendait être informé par ses avocats du jour et de l'heure afin de ne pas « être pris comme un lapin ». Ayant, sans en faire confidence, choisi depuis longtemps l'arme de sa mort, il fallait qu'il disposât du temps nécessaire à écrire des messages d'explication.

De sa cellule, il lançait aussi des appels au secours.

---

1. Oberchmukler, Collignon et Solina. La quadruple exécution eut lieu à 9 h 25 au fort de Châtillon.
2. Parti avec le P.P.F. pour l'Allemagne, Jean Hérold-Paquis avait poursuivi ses chroniques sur Radio-Patrie, le poste doriotiste installé à Bad-Mergentheim.

A Léon Blum, dont il avait peut-être sauvé la vie en interdisant, après l'assassinat de Mandel, qu'il fût — et Reynaud avec lui — livré à la Milice, comme les Allemands en avaient fait le projet, il demandait d'intervenir auprès de De Gaulle.

> « Voulez-vous m'aider, voulez-vous me sauver ? Vous êtes le chef du plus grand parti à l'Assemblée, de Gaulle ne peut pas faire disparaître, contre votre gré, un ancien chef de gouvernement. Un geste de vous, c'est la vie pour moi. Un refus me conduirait à la mort. »

Naud et Baraduc avaient déjà rencontré Blum le 11 octobre. Sans se dérober, le leader socialiste s'était déclaré impuissant. « Je suis sans influence [ce qui n'était pas exact] et sans fonctions politiques [ce qui était vrai] », avait-il dit aux avocats tout en les autorisant à faire état, auprès du général de Gaulle, de son opinion sur une caricature de procès.

Mais, sensible au désespoir que trahissait la lettre de Laval, Blum — que l'Histoire classera au nombre des hommes les plus respectables d'un temps où les frénétiques et les trembleurs étaient légion — allait, presque au dernier instant, écrire à de Gaulle.

> « Je pense qu'on ne peut exécuter une condamnation capitale après un procès comme celui-là. Il ne s'agit pas d'une grâce, mais d'un redressement de la justice. Aucune sympathie quelconque ni même aucune communauté de vues ne nous a jamais liés l'un à l'autre, et vous savez que ce n'est pas de la reconnaissance que je lui dois[1]. Mais j'ai rendu la justice en un autre temps, et je la respecte, et je voudrais qu'elle fût respectée[2]. »

De son côté, Laval, qui, dès le 7 octobre, avait projeté de s'adresser à de Gaulle — « J'ai tout de même représenté la France avant lui », dira-t-il à Baraduc —, s'était décidé à rédiger huit pages-brouillon d'un message qui n'atteindra jamais son destinataire.

---

1. La belle-fille de Léon Blum avait rappelé à Laval, dans une lettre du 11 juillet 1944, la promesse qu'il avait faite à Mᵉ Le Troquer (avocat de Léon Blum) : « Tant que je serai là, on ne touchera pas à Léon Blum. » « Je sais, ajoutait-elle, que je peux compter sur votre promesse. »
2. Lettre découverte par Jean Lacouture (*Léon Blum*).

Refaisant l'historique de son « procès », il rappelait qu'il n'avait récusé aucun juré, n'avait nullement cherché à provoquer des incidents qui eussent nui à sa cause, mais qu'il avait dû abandonner les débats devant l'attitude « révoltante » des magistrats et des jurés.

Aussi bien était-ce à de Gaulle, « chef de la France libérée », « arbitre dans les difficultés », qu'il s'adressait. Ses mots devenaient autant de cris.

« J'en appelle à vous pour vous demander de ne pas donner l'ordre d'éteindre ma voix. Laissez-moi d'abord parler. La loi vous en donne le moyen. Le droit régalien dont vous disposez vous le permet. Ne me faites pas descendre au tombeau avant qu'un tribunal régulier m'ait entendu et jugé, avant que la France ait connu la vérité. Mon exécution, avec un tel arrêt d'un tribunal, qui a jugé dans de telles conditions, ne serait qu'un vulgaire assassinat.

[...]

Une France libre juge, mais elle n'assassine pas. Vous en êtes le chef. J'ai confiance dans votre décision [1]. »

Il est vrai que la décision appartient à de Gaulle.

Il ne tardera pas à donner une réponse à la demande d'un nouveau procès, demande exprimée aussi bien par Léon Blum que par la famille de Laval, ses avocats, Laval lui-même.

Lors de sa conférence de presse du 12 octobre, au retour du triomphal voyage effectué à Bruxelles, le général de Gaulle sera interrogé par des journalistes anglo-saxons.

— Pouvez-vous, mon Général, nous indiquer si vous envisagez un nouveau procès Laval ?

— Certainement non [2] !

---

1. Le brouillon de lettre à de Gaulle se trouve intégralement reproduit dans *Mes combats pour Pierre Laval*, de René de Chambrun.
2. Naud écrit que cette réponse fut donnée en anglais.

— Pouvez-vous nous dire, s'il vous plaît, si vous avez l'intention de recevoir, dans les prochains jours, les avocats de Laval ?

— Vous apprendrez bientôt ce qui a été fait à cet égard.

Le soir même, à 19 heures, Mes Naud, Baraduc et Jaffré étaient reçus rue Saint-Dominique, au ministère de la Guerre, par le chef du gouvernement provisoire.

Courtois, fatigué et triste, les yeux fixés sur un point du mur de son bureau, toujours le même, de Gaulle ne posa aucune question.

Selon un journaliste, les trois monologues n'auraient duré que sept minutes [1] : quatre pour celui de Naud, deux pour celui de Baraduc, un pour celui de Jaffré. Naud estime que l'entrevue fut un peu plus longue. Qu'importe cette dérisoire comptabilité. Naud, qui rappela son passé de résistant, Baraduc et Jaffré, avec des mots différents, demandèrent la révision d'un procès compromis par une instruction défaillante, faussé par la coupable indécence de plusieurs jurés. « Jamais, dit Jaffré, même aux jours les plus sombres de la Terreur, un accusé n'a été agressé par ses juges comme le fut Laval. Ce procès a donné lieu à des incidents qui rejailliront sur la justice de notre pays jusqu'à la fin des temps. Vous seul avez l'autorité suffisante pour en ordonner la révision. »

Que de Gaulle ait écouté en silence, qu'il se soit contenté de saluer brièvement les avocats : « Maîtres, je vous remercie, je vous ai entendus », ne signifie nullement qu'il n'ait pas étudié le dossier Laval et soit demeuré indifférent à la choquante conduite du procès. Les plus hostiles reconnaissent qu'il consacrait de longues heures à examiner scrupuleusement les charges reprochées à ceux dont la mort ou la vie dépendait de sa décision [2]. Une décision dont il entendait demeurer

---

1. Me Jaffré indique le même horaire : « Nous étions entrés dans le cabinet du chef du gouvernement provisoire à 19 heures. Nous en étions sortis à 19 h 7 » *(Les Derniers Propos de Pierre Laval)*.
2. *Cf. Les Règlements de comptes*, p. 659 et s. Un point demeure controversé. Me Isorni, avocat de Brasillach, fut, comme tous les autres avocats, reçu silencieusement par de Gaulle. Or, le recours en grâce de Brasillach *aurait* été rejeté au vu d'une photo sur laquelle il avait été confondu avec Jacques Doriot, alors en uniforme allemand.

S'il avait été interrogé, Me Isorni aurait mis un terme à la confusion. *Cf. Les Règlements de comptes*, p. 664 et s.

seul maître. S'il est un domaine où les critiques, plus encore qu'insupportables, lui sembleront inadmissibles, presque impudiques, c'est bien celui-là. Toujours, il refusera de s'expliquer sur « la façon dont il empl[oyait] ce droit de grâce [1] en regard de sa conscience [2] ».

Mais, Laval ayant refusé de signer un recours en grâce, il ne pouvait s'agir que de savoir si le procès serait ou non recommencé. C'est la question que, dans une brève lettre, de Gaulle posa à Pierre-Henri Teitgen qui multipliait alors en Bretagne des réunions électorales au cours desquelles les communistes locaux, reprenant les thèmes élaborés à Paris, lui reprochaient les lenteurs de l'épuration et ses « manœuvres » en faveur de Laval.

Le 9 octobre, avec l'évidente intention de faire pression sur les jurés qui allaient rendre leur verdict, *L'Humanité* avait évoqué des « *marchandages entre Laval et M. Teitgen* », ainsi qu'une « possible maladie providentielle du président Mongibeaux » permettant le renvoi du procès. Le 10, le quotidien communiste félicitait la Haute Cour d'avoir tenu bon « contre les pressions ministérielles ». Le 11, l'éditorial intitulé « Pas de grâce pour Laval, Monsieur Teitgen » s'achevait par une très nette et menaçante allusion au scrutin du 21 octobre.

Le bénéfice que le Parti communiste, remarquable organisateur de manifestations « spontanées », aurait tiré d'un renvoi du procès Laval est certain, mais cette certitude a-t-elle influencé Pierre-Henri Teitgen et Charles de Gaulle ? On peut estimer que non, quoique juger des événements d'octobre 1945 en ignorant ou en sous-estimant le contexte politique dans lequel évoluait alors le pays conduirait à de fâcheuses erreurs d'interprétation.

Quelques heures avant de recevoir les avocats, de Gaulle avait déclaré, devant trois cents journalistes, qu'il n'y aurait pas de nouveau procès Laval. Et voilà qu'il demandait, le même jour, à Pierre-Henri Teitgen de lui indiquer la décision à prendre. « Mon cher ministre... Il faut régler l'affaire Laval [...]. Le point à fixer est donc le suivant : convient-il de recommencer le procès ou non ? »

---

1. Sur 1 554 condamnés à mort, 998 bénéficièrent de la grâce.
2. Dit en réplique à Daniel Mayer le 2 mars 1945 (*Les Règlements de comptes*, p. 673).

Cette étonnante contradiction n'eût pas manqué, elle non plus, d'être exploitée si le procès avait été recommencé.

De Gaulle écrivait-il à Teitgen pour lui faire endosser la responsabilité d'une décision déjà prise ? Pareille ruse ou marque de faiblesse est difficilement imaginable.

L'avion qui emportait officiellement à Rennes la lettre de De Gaulle à Teitgen emportait — clandestinement — une autre lettre à l'adresse de Teitgen.

Elle était écrite par « l'incontournable » (j'emploie le mot avec respect) François Mauriac chez qui les avocats s'étaient précipités — en compagnie de Josée de Chambrun —, après avoir été reçus par le chef du gouvernement provisoire. Les avocats l'avaient surpris dans le désordre de valises entrouvertes. Il arrivait, lui aussi, de Bruxelles.

Encore écrire, solliciter, aller à contre-courant ? Il ne faisait que « cela » dans les colonnes du *Figaro,* mais aussi par de discrètes interventions. La difficile position de son frère, le doyen Pierre Mauriac, fervent pétainiste — et même davantage —, alors interné à Bordeaux, lui permettait de comprendre la douleur des familles des prisonniers politiques, cependant que son action dans la Résistance lui donnait la possibilité de plaider en faveur de la charité sans craindre les foudres des communistes qui avaient eu besoin de sa caution au Front national [1] comme lui, pour son ministère, avait encore besoin de leur silence.

Après avoir dit aux avocats qu'ayant été incapable de sauver Brasillach il ne serait d'aucun secours pour Laval, il s'était décidé.

De la lettre qu'il écrira à Teitgen, il faut retenir ces lignes :

> « Je vous dis simplement que, si j'étais à votre place, je n'hésiterais pas un instant [à casser la sentence]. Vis-à-vis de l'étranger, il faut que ce procès soit jugé dans la clarté, dans la sérénité de la vraie justice. Mais vous n'avez pas besoin qu'on vienne, dans une heure si grave, vous donner des conseils... Vous

---

1. François Mauriac, en compagnie d'autres personnalités modérées, a démissionné du Front national quelques jours plus tôt (septembre 1945).

êtes de ceux qui se recueillent à ces heures-là... Que Dieu vous inspire et vous éclaire, cher Ami ! »

Pierre-Henri Teitgen ne répondra pas à François Mauriac. Il répondra immédiatement au général de Gaulle.

En précisant, dès les premiers mots, qu'il avait « cru comprendre » que le Général ne statuerait sur l'affaire Laval que le lundi 15 octobre, jour où il serait de retour à Paris, il lui faisait, « en conscience », connaître son opinion.

Pour Teitgen, « les incidents survenus aux audiences du procès Laval, s'ils [étaient] évidemment regrettables, [avaient] été voulus et provoqués par l'inculpé qui, sachant ce qu'il méritait, [avait] cherché par tous les moyens à retarder son jugement ».

Or, c'est au nom de ces mêmes incidents que la défense réclamait un nouveau procès. Si l'inculpé — et non le président et certains jurés — en portait la responsabilité, alors la logique voulait, « la procédure suivie en l'absence de l'accusé défaillant ayant été celle que prévoit la loi », que la condamnation, « au fond, parfaitement justifiée, soit ramenée à exécution ».

En conclusion, Teitgen, tout en estimant qu'une prévisible émotion de l'opinion étrangère[1] ne devait pas « conduire à refuser l'exécution d'un arrêt investi de l'autorité de la chose jugée », proposait à de Gaulle, s'il jugeait « plus nécessaire de mettre en pleine lumière la culpabilité de Laval que de lui appliquer immédiatement la peine qu'il [avait] méritée », une procédure permettant le renvoi de Laval à une nouvelle session de la Haute Cour.

« Je me présenterai lundi, à midi, à votre cabinet, ajoutait-il, pour recevoir votre décision, l'exécution pouvant, me semble-t-il, être, en toute hypothèse, retardée jusqu'à mardi[2]. »

---

1. « L'opinion étrangère » était généralement sévère. Le *Daily Telegraph* mettait en parallèle la longue préparation qui avait précédé le procès des grands criminels de guerre qui devait s'ouvrir le 20 novembre et « la situation alarmante, pour les amis de la France, issue de la confusion » du procès Laval.
2. D'après René de Chambrun (*Mes combats pour Pierre Laval*), Teitgen aurait connu et approuvé, le 13 octobre, l'ordre d'exécution donné pour la matinée du 15 octobre. « Par conséquent, écrit Chambrun, il ne pouvait pas ignorer que, lorsqu'il se présenterait le 15, à midi, au cabinet du général de Gaulle " pour recevoir sa décision ", Pierre Laval aurait déjà été fusillé. »
Pierre-Henri Teitgen (*Faites entrer le témoin suivant...*), après avoir évoqué les critiques de ceux qui lui attribuent « l'entière responsabilité de l'exécution de

L'exécution ne sera pas retardée.

Arrivé à Fresnes à 8 h 30 le samedi 13 octobre, Jaffré trouva Laval en train de bavarder cordialement avec ses gardiens. Le surveillant-chef Eydoux avait pris, la veille, la responsabilité de lui faire enlever les chaînes. Sa démarche était plus libre, mais il parut à Jaffré, comme plus tard à Naud, fatigué, « agité, anxieux et d'humeur sombre [1] ». Il avait passé la nuit à écrire des textes que l'on découvrirait quelques heures plus tard (ou même bien des années plus tard) et, notamment, ces lignes qu'il avait intitulées *Pendant la veillée de la mort*. Après avoir demandé : « Pourquoi me supprimer si vite, puisque je suis enchaîné et en prison ? », il affirmait n'avoir rien à redouter d'un « débat politique » — il écrivait « débat politique » alors que le temps n'était plus au « débat » — et poursuivait :

> « Je ne craignais rien et j'aurais désarticulé et détruit tous les griefs retenus. J'aurais fait tomber l'une après l'autre les mauvaises légendes. On m'a toujours combattu par le mensonge et j'aurais fait tomber le mensonge. Ma personne, qu'on a truquée pour me faire haïr, aurait fait place à l'homme qui se présente à visage découvert et que connaissent bien mes adversaires. C'est celui qu'on redoute et dont on a voulu éteindre la voix. »

Laval avait achevé son texte sur ces mots : « J'attends et je recevrai la mort avec sérénité, car mon âme survivra. J'aime mieux la mort que les chaînes. »

La mort.

Oui, mais « comment cela se passe-t-il au juste ? » avait-il demandé

Laval », parle du passage de la lettre dans lequel il indiquait au général de Gaulle la procédure à suivre pour soustraire le condamné au peloton. Il ajoute qu'il avait été surpris par la « précipitation » de la décision d'exécuter Laval.

1. Naud, *op. cit.*

à Jaffré qu'il avait obligé — « J'ai été chef du gouvernement français. Vous n'avez rien à me cacher. J'ai le droit de tout savoir » — à dire à peu près tout ce qu'il savait de la sanglante cérémonie d'une exécution.

— L'ennui, avait-il remarqué sombrement, c'est qu'on vous tue salement.

A Baraduc, qui rejoignit Fresnes dans l'après-midi, il fit cette réflexion qui, pour la suite, valait décision :

— Je ne veux pas qu'ils me défigurent. Je ne reconnais ce droit qu'à la terre.

Aux avocats, il avait demandé aussi :

— Est-ce qu'on fusille le dimanche ?

— Non, sûrement pas, avaient-ils répondu.

— Alors, ce sera pour lundi.

Ils n'osèrent pas protester... ce qui revenait à acquiescer.

Naud, Baraduc et Jaffré, ayant décidé de ne pas laisser Laval passer, dans la solitude de la cellule, son dernier dimanche, c'est Mᵉ Jaffré qui allait assurer la plus longue veille. Il l'avait promis à la famille de Pierre Laval, il se l'était promis, et ses deux confrères étaient retournés à Paris pour d'ultimes démarches[1] succédant aux démarches des jours précédents, lorsque Josée avait indistinctement sollicité anciens amis et anciens ennemis de son père, dans l'espoir d'arracher une lettre qui ébranlât de Gaulle.

Ce que fut cette journée, dans une cellule où les deux hommes tournaient en rond, Yves-Frédéric Jaffré l'a rapporté avec une fidélité émue[2].

Comme la défense de Pétain devait, pour la vie, marquer Isorni, la

---

1. Mme de Chambrun et Baraduc convainquirent Mgr Chevrot, dont on disait qu'il était le confesseur de De Gaulle, de demander à Mlle de Miribel, secrétaire du général de Gaulle, et dont on se souvient qu'elle avait dactylographié l'appel du 18 juin, de « tout faire » pour que Mme de Chambrun soit entendue par le chef du gouvernement. « Si vous aimez un peu le général de Gaulle, écrivait le prélat, empêchez-le de sanctionner un déni de justice. » Mlle de Miribel reçut Mme de Chambrun, qui lui confia une lettre par laquelle elle sollicitait du Général une audience. Le Général fit répondre qu'il avait bien lu la lettre, mais qu'il n'existait pas de « fait nouveau » susceptible de modifier le cours des choses.

2. *Les Derniers Propos de Pierre Laval.*

dernière de ses soixante-douze rencontres avec Laval allait marquer Jaffré pour la vie.

Le jeune avocat ne croyait pas que l'on fusillât le lundi. Pourquoi ? Parce que cela ne s'était jamais fait. Il insistait : « Jamais fait. » Laval était sceptique. « On peut très bien assassiner un homme un lundi quand on l'a jugé de la façon dont j'ai été jugé [...]. Tout ce que vous me dites, c'est pour me faire plaisir. »

Jaffré répétait que cela ne s'était « jamais fait ». Et peut-être finissait-il par convaincre Laval, mais cette fragile conviction était ébranlée par le rapide passage de quelques détenus qui, appelés par leurs avocats, profitaient d'un moment d'inattention des gardiens, d'ailleurs volontairement quelque peu négligents, pour se glisser jusqu'au condamné[1].

— Bon courage, président.

Laval en embrassait certains.

A d'autres, il disait :

— Ne vous inquiétez pas pour moi... Je leur montrerai comment meurt un président du Conseil français.

Les heures passaient.

Dans le silence de son cabinet et de sa maison vide, assis près du téléphone, Naud attendait.

Chaque sonnerie lui donnait les mêmes battements de cœur. Chaque conversation inutile lui procurait une délivrance. Vint l'appel dont il avait peur.

— Maître, je suis chargé de vous informer que l'exécution de Pierre Laval aura lieu demain matin.

— Ah ! très bien[2].

— Rendez-vous demain matin, à 8 heures, devant le Palais, une voiture vous est réservée. Au revoir, maître.

— Au revoir, monsieur[3].

_____

1. Le quartier des condamnés à mort n'était pas encore matériellement séparé de la première division, ce qui explique l'intensité de la circulation d'un étage à l'autre.

2. Me Naud souligne qu'il répondit « sans savoir ce [qu'il] disait » (*op. cit.*).

3. Me Baraduc avait reçu la même communication.

Fallait-il informer Laval ? Revenu à Fresnes en fin d'après-midi, en compagnie de Baraduc, Naud y renonça malgré l'avis de Jaffré, qui avait tout compris.

— Il faut le lui dire !

— Nous ne le pouvons pas. Nous n'en avons pas moralement le droit. Il en sait assez comme cela.

Laval, d'ailleurs, ne posait plus de question. Arpentant la cellule-parloir, il dictait d'une voix qui se faisait toujours plus saccadée des notes et des notes.

— Il faut faire vite. Il faut joindre le général de Gaulle, Léon Blum, Herriot, Mayer, Cachin, tous les gens que j'ai connus, alerter le monde entier. Ils ne peuvent pas me tuer comme cela. Allez, vite, vite, prenez du papier.

Les feuillets s'accumulaient. Jaffré, maintenant, avait remplacé Naud dans cette inutile course au sursis.

Pour évoquer cette fin de soirée, ils useront, plus tard, du même mot : « cauchemar ». Naud interrompra la « pathétique comédie » en disant qu'il se faisait tard et qu'ils devaient regagner Paris pour mettre au net les notes prises.

Laval serra les mains de ses avocats ; « avec quelque effusion », écrit Jaffré ; pour Naud, ses « yeux désespérés » cherchaient à lire le message qui lui avait été caché ; pour Baraduc, il souriait, mais son sourire volontaire était d'un « jeu parfait ».

Trois hommes, trois regards différents sur l'homme qu'ils ne reverront qu'à l'instant de lui annoncer qu'il va mourir.

— Alors, à demain matin, venez de bonne heure, dit Laval d'une voix calme.

— Nous serons là à 8 heures, répond Naud.

— Mais le parloir n'ouvre qu'à 8 heures et demie.

— Nous serons tout de même là à 8 heures[1].

Il y eut un court silence. Laval ne pouvait pas ne pas avoir compris ce message pudique.

---

1. Jaffré, *op. cit.*

Il fit simplement : « Ah !... », avant d'entrer dans sa cellule dont le gardien ferma la porte.

Le lendemain lundi 15 octobre, à 9 h 15, le secrétariat de permanence de la préfecture de police enregistrait ce « message téléphoné par M. le procureur général Mornet, depuis la prison de Fresnes, à transmettre à M. le garde des Sceaux, direction du cabinet — sous-direction des affaires criminelles[1] » :

> « Un incident grave s'est produit ce matin à la prison de Fresnes. A peine étais-je entré dans la cellule de Laval et lui avais-je annoncé qu'il y avait lieu pour lui d'avoir du courage qu'il a absorbé le contenu d'une ampoule contenant vraisemblablement de la strychine *[sic]*.
> Depuis une demi-heure, il paraît être entre la vie et la mort. Cependant, à l'instant, on m'annonce que son pouls remonterait un peu. En tout cas, pour l'instant, si l'absorption du poison n'était pas suivie de décès, il me paraît intransportable sur le lieu de l'exécution.
> La question se pose de savoir s'il en sera autrement d'ici quelques heures. Je m'empresserai de vous tenir au courant au fur et à mesure des incidents qui se produiront[2]. »

Pour reconstituer le drame dont le quartier des condamnés à mort de la prison de Fresnes avait été le théâtre, nous possédons le récit concordant des trois avocats. J'ai également en ma possession, et *je pense ces textes inédits,* le long rapport du commissaire de police Pierre

---

1. Le message de Mornet a été répercuté immédiatement en direction du directeur du cabinet du garde des Sceaux, ainsi qu'en direction du directeur du cabinet du ministre de l'Intérieur. Au cabinet du général de Gaulle, M. Palewski fut également prévenu (archives de l'auteur).
Pierre-Henri Teitgen, arrivé à Paris au début de la matinée du 15 octobre, écrit (*Faites entrer le témoin suivant...*, p. 267) : « Ce n'est qu'après que Laval eut été exécuté qu'il m'a été rendu compte de sa tentative d'empoisonnement et de ses suites. » Le directeur de cabinet du garde des Sceaux, alerté dès 9 h 30, a donc gravement failli en ne prévenant son ministre qu'après 12 h 30...
2. Document inédit. Archives de l'auteur.

Pignard, les auditions de Francis Poutrel, interne aux prisons de Fresnes, et des surveillants, Maxime Escoiffier et Lucien Henoux.

Ces documents confirment le plus souvent le récit des avocats. Il arrive qu'ils les contredisent et, dans ce cas, je l'indiquerai.

A 8 h 20, le 15 octobre, au moment de la levée d'écrou, c'est le gardien Lucien Henoux qui ouvre la porte de la cellule 72, celle de Pierre Laval. « Comme d'habitude (l'habitude des matins d'exécution), devait-il préciser au commissaire Pignard, j'ai laissé pénétrer les autorités. »

Elles sont nombreuses. Il y a là le procureur général Mornet, le président Bouchardon, le secrétaire général de la Haute Cour Hollebecque, le préfet de police Luizet, les trois défenseurs de Laval, le directeur de la prison de Fresnes, le directeur de l'administration pénitentiaire Amor, les docteurs Paul, médecin légiste, et Poutrel, le colonel major de La Place, ainsi que des gardiens et des employés du service pénitentiaire. Pour arriver jusqu'à la cellule 72, les autorités ont dû défiler devant des cellules aux judas hermétiquement clos. Un signe qui ne pouvait tromper les autres condamnés à mort à qui la soupe du matin (un signe supplémentaire) n'avait pas été servie.

Silencieux, ils se demandaient qui allait « partir ».

La porte de la cellule 72 ouverte, Lucien Henoux s'est écarté. Mornet est entré.

— A 8 h 30, déclarera-t-il au commissaire Pignard, je suis entré le premier dans la cellule du condamné à mort Pierre Laval. Je lui ai dit ces simples mots : « Ayez du courage. » Laval était couché, accoudé sur son lit, la tête légèrement tournée vers le mur qui se trouvait à droite. Il m'a paru hébété mais, néanmoins, il m'a regardé. Je me suis alors retourné pour sortir et laisser la place à ses défenseurs qui entraient.

Naud devance ses confrères. Comme Laval se recroqueville sous ses couvertures, Naud imagine la scène, insupportable, d'un homme qu'il faudrait traîner au poteau. Il touche alors l'épaule de Laval et lui dit sévèrement :

— Pour vous, pour vos avocats, pour l'Histoire, soyez courageux.

Loin de se relever, la tête de Laval disparaît presque complètement, dans « un mouvement de bête », écrira Naud, qui eut alors ce cri hostile :

— Je vous en prie, monsieur, un peu de dignité ! Il ne vous reste plus qu'à bien mourir.

C'est à cet instant que Laval, les yeux vitreux, la bouche ouverte et gargouillante, tourna la tête vers ses avocats. De sa main gauche, il laissa échapper une petite fiole. Pignard précisera qu'elle était haute de quatre centimètres et contenait d'« assez nombreuses particules d'un corps blanchâtre ».

Le docteur Paul et le docteur Poutrel, qui se trouvaient près de l'entrée de la cellule et avaient entendu dire que « M. Laval venait d'avaler un produit et qu'une ampoule venait de rouler à terre », se précipitèrent. C'est en vain qu'ils demandèrent à Laval, « agité et contracturé[1] », ce qu'il venait d'absorber. Le docteur Poutrel précisera que l'examen sommaire de l'ampoule n'avait pas permis d'en déterminer le contenu, ce qui sera contredit par Naud et Jaffré, selon lesquels le docteur Paul aurait immédiatement laissé tomber le mot « cyanure[1] ».

Le pouls de Laval s'affaiblissant, le docteur Poutrel fit injecter immédiatement du solucamphre et de l'huile camphrée, puis laissa les docteurs Masemonteil, médecin-chef de l'infirmerie de Fresnes, et Leret, chirurgien des Prisons, arrivés depuis quelques secondes, poursuivre les soins.

De ce que furent ces soins — il s'agissait de ranimer pour l'exécuter un homme dont le docteur Paul avait tout d'abord dit : « Il n'en a que pour quelques minutes », puis : « S'il n'est pas mort dans une heure, il restera paralysé jusqu'à la fin de ses jours » —, les avocats, présents dans la cellule, devaient garder un souvenir horrifié. Naud parle du « visage fermé » des bonnes sœurs de l'infirmerie, du long tuyau de caoutchouc planté dans la bouche de Laval, de l'affreuse puanteur dégagée par les vomissures que les bassines, disposées à la hâte, étaient incapables de toutes contenir.

Sur la tablette de la cellule, l'avocat avait découvert deux lettres de Laval. Près du pas de la porte, il en avait donné lecture à voix haute.

---

1. Audition du docteur Poutrel le 15 octobre, à 11 h 30.
2. « Je vous signale qu'un prélèvement opéré sur les restes du contenu de l'ampoule a été envoyé d'urgence à la Faculté de pharmacie de Paris qui a téléphoné peu après qu'il s'agissait de cyanure de potassium. » Audition du docteur Poutrel, à 11 h 30.

« A mes avocats, pour les informer.

A mes bourreaux, pour leur répondre.

Je n'ai maintenant aucun doute sur le sort qui m'attend. Le général de Gaulle n'hésite pas à ordonner mon assassinat. Ce n'est pas une exécution, puisque l'arrêt qui me frappe n'est pas un jugement. On m'a fermé la bouche à l'audience, on veut éteindre ma voix pour toujours, ainsi on ne redoutera plus mes déclarations [...]. Je n'accepte pas la sentence, je n'accepte pas la souillure d'une exécution puisqu'il s'agit d'un meurtre. J'entends mourir à ma manière, par le poison, comme les Romains. C'est mon dernier acte pour protester contre la sauvagerie. Je vais utiliser ce petit paquet de grains qu'aucune fouille n'a pu découvrir. Le poison a voyagé. J'espère qu'il ne sera pas éventé, car il a dû souvent changer de refuge — ma grosse pelisse, dans sa poche intérieure, lui fut souvent hospitalière et ma serviette, qu'on respecte toujours, l'accueillit parfois quand il était mieux empaqueté [...]. Je demande qu'on me laisse mon foulard tricolore, je désire le garder pour le grand voyage. On aura réussi à éteindre ma voix pour toujours, mais mon esprit renaîtra plus vivant et plus fort. J'adresse mon dernier salut à la France que j'ai servie. Ma dernière pensée est pour elle. »

Dans la seconde lettre, Laval, remerciait le personnel de la prison d'avoir été « bon et parfois même touchant ». « Du plus haut au plus humble [...], ils m'ont prouvé qu'ils avaient des sentiments humains. J'ai retrouvé chez eux toute la sensibilité française. Pourquoi n'existe-t-elle pas chez ceux qui me persécutent ? »

Cependant, on s'inquiétait de la provenance du poison. Le commissaire Pignard s'était penché sur Laval qui venait de reprendre connaissance. Voici, extrait du procès-verbal qu'il a dressé, le bref dialogue échangé avec le mourant :

— Depuis combien de temps possédez-vous ce poison ?

— Longtemps.

— Le possédiez-vous avant votre rentrée en France ?

— Oui.

« Plusieurs autres questions lui sont posées quant à la provenance du poison, le condamné ne répond pas. En notre présence, M. Laval s'adresse alors à son avocat, Me Naud, et lui réclame à plusieurs reprises un revolver pour mettre fin à ses jours. »

652

A 11 h 40, agissant en vertu de la commission rogatoire délivrée par M. Jacquinot, juge d'instruction au tribunal de la Seine, Pignard interrogeait à nouveau « le nommé Laval Pierre » qui, « serment préalablement prêté de dire la vérité, toute la vérité, rien que la vérité », attestait, « avant de mourir », que les gardiens et les avocats n'avaient « aucune responsabilité d'aucune sorte... dans cette affaire de poison » et confirmait les termes de « la lettre laissée aux avocats en ce qui concerne la manière dont [il] avait pu le rentrer à l'intérieur de la prison [1] ».

Le surveillant Henoux, qui n'accorde pas foi à la déposition de Laval, ayant déclaré au commissaire Pignard que Laval était fouillé après chaque visite de ses avocats [2] et qu'il avait lui-même « entièrement » fouillé la pelisse, remise au condamné le mercredi 10 octobre, on s'interrogera toujours sur la provenance du poison et sur la façon dont, s'il n'avait pas été introduit dans la cellule, il avait pu être assez bien dissimulé pour échapper aux fouilles nombreuses d'un personnel exercé [3].

Las d'attendre dans le couloir que médecins et bonnes sœurs aient terminé piqûres et lavage d'estomac, les magistrats s'étaient repliés sur le bureau du directeur de la prison. Ils envisageaient les différentes

---

1. Laval signera sa déposition.
2. « La dernière fouille, précisera-t-il, remonte à hier (le 14 octobre) avant midi. »
3. Selon la thèse la plus communément répandue, Laval avait emporté le poison sur lui le 9 novembre 1942, lorsqu'il avait été convoqué à Munich par Hitler. Il craignait, en effet, que Hitler ne l'obligeât à déclarer la guerre aux Anglo-Américains qui venaient de débarquer en Afrique du Nord et voulait se prémunir contre de possibles défaillances, des pressions pouvant être exercées sur lui comme elles l'avaient été sur le chancelier Schuschnigg.
Mais, d'après l'A.F.P., Laval aurait dit à ses avocats qu'il portait le poison depuis son départ pour l'Allemagne en août 1944 (A.F.P., 15 octobre, 16 heures).
Il est également possible que le poison ait été apporté, bien involontairement, la veille par l'un des avocats à qui Josée de Chambrun avait demandé de remettre à son père une boîte de poudre Azim contre les maux d'estomac. Or l'ampoule de poison avait été contenue dans une boîte de poudre Azim. C'est une hypothèse. Il en existe une autre : celle du poison remis par René Bousquet, qui passera une partie de la nuit du 14 au 15 octobre en compagnie de Laval.

mesures à prendre pour « faire fusiller de toute façon le condamné », écrira Jaffré.

Mornet ayant proposé que l'on attachât Laval sur un brancard qui serait appuyé contre le poteau, Naud avait répliqué : « Si vous faites cela, je le dirai, si je puis, au monde entier. Je dirai que c'est vous qui l'avez voulu ainsi. »

Alors pourquoi ne pas fusiller Laval assis sur une chaise ?

Pas davantage.

Les avocats exigeaient que, si Laval dut mourir, ce soit en pleine possession de sa lucidité, conformément d'ailleurs à l'article 377 du Code d'instruction criminelle[3].

Il devait mourir. « Puisqu'il vit, il doit être fusillé », confirme, d'un air gêné, le colonel Bouquet, qui a la charge de faire exécuter la sentence. Il vient d'en recevoir l'ordre après que la voiture du préfet Luizet s'est engouffrée en trombe, à 11 h 15, dans la cour de la prison.

Consulté, de Gaulle avait en effet répondu à Luizet : « S'il est remis debout, que le chef du peloton d'exécution fasse son devoir[1]. »

Laval n'est pas encore « remis debout ».

Après avoir été entendu en confession par l'abbé Mourren, Laval, dont la dernière lecture avait été *La Vie de Jésus,* de François Mauriac, et qui avait écrit à sa femme : « Je veillerai tard, ce soir, dans ma cellule. Je prierai le Dieu de mon enfance, je prierai à ma façon sauvage... », sollicitait de ses avocats de l'eau, toujours davantage d'eau, qu'ils lui donnaient avec un peu de sucre et du citron.

Commence la pénible et triste cérémonie de l'habillement du moribond à qui les religieuses passent difficilement caleçon, chemise, pantalon, mais qui a la force de se peigner seul et de nouer sa cravate de soie blanche.

Les gestes simples de la vie ordinaire ne peuvent que se dérouler lentement. Des nausées, des vomissements les interrompent, mais Laval, à qui il arrive de s'effondrer sur son lit lorsqu'on ne le soutient plus, a encore le regard assez vif pour surprendre le geste d'impatience

---

1. Afin de pouvoir, le cas échéant, faire une révélation avant le moment suprême.

2. La phrase est rapportée par Pierre-Henri Teitgen, *Faites entrer le témoin suivant...*

de M. Amor, directeur des Affaires pénitentiaires, et la voix assez forte pour lui dire :

— Est-ce l'heure du déjeuner qui vous presse, monsieur ?

— Mais sûrement pas.

— Ah !... J'aurais cru... Vous avez bien cinq minutes à me donner pour redevenir décent.

— Certainement, monsieur.

Le cortège s'est ébranlé.

Mornet avait offert à Laval l'assistance de deux gendarmes qui le porteraient assis sur une chaise. Il avait refusé : « Mes avocats sont jeunes et forts, ils m'aideront à marcher. » Mais un gardien s'était chargé de la chaise. Laval l'utilisera tout à l'heure dans le fourgon. Pour l'instant, soutenu par Naud et par Baraduc, suivi par Jaffré, qui s'est muni d'une bouteille d'eau et d'un gobelet, il se traîne, sa jambe droite ne le portant plus, vers le perron de la prison.

« Sept fois, écrit Naud, Laval s'arrête et boit, sept fois il vomit, sept fois le cortège s'immobilise derrière cet homme plié en deux, secoué de spasmes et hoquetant. »

L'exécution était initialement prévue au fort de Châtillon, mais il a été décidé qu'elle aurait lieu dans l'enceinte de la prison de Fresnes, vers laquelle le peloton a donc été rappelé.

S'agit-il d'épargner au condamné les treize kilomètres qui séparent Fresnes du fort de Châtillon ? Non, si l'on en croit une dépêche de l'A.F.P. datée de 19 h 45 : « Cette décision était inspirée par un souci de sécurité. Et effet, sur un parcours de 13 kilomètres jalonné d'agents du service d'ordre, on pouvait craindre des manifestations intempestives. » Lesquelles ? La police était partout. Photographes et journalistes avaient été tenus à plus de cinquante mètres de l'entrée du fort. A Fresnes, où le service d'ordre n'allait cesser de se renforcer, tous les photographes, montés sur les toits des maisons proches, seront, sous la menace des armes, obligés de descendre. Et, lorsque le corps de Laval sera emmené au cimetière de Thiais, une voiture de police armée d'un fusil-mitrailleur fera partie du convoi.

Alors, que craignait-on ? Sur le parcours, la présence d'une foule ameutée, tentant d'arrêter le fourgon pour s'emparer du prisonnier et se « faire justice »? Il se peut. Cela s'était vu ailleurs.

Dans le fourgon où sont montés ses avocats, le docteur Poutrel et le père Mourren, qui le tient par l'épaule, Laval demande :
— C'est loin?
— Non, monsieur le président, répond Jaffré. C'est tout près.
— Tant mieux... Moi, cela m'est égal de mourir. Mais j'ai de la peine pour ma femme et pour ma fille.
C'était en effet tout près.
La voiture s'arrêta brusquement contre le mur d'enceinte clôturant du côté est la prison. Le poteau, simple poutre taillée le matin même par un détenu de droit commun, était planté entre deux peupliers, dans la terre parsemée d'immondices. Le cercueil reposait sur le sol. Le corbillard se trouvait un peu à l'écart. Le peloton (des soldats coiffés de casques anglais) était en place.
Laval avait vainement demandé au colonel Bouquet l'honneur de commander le feu. « Je ne puis vous y autoriser, avait répondu l'officier, un commandement militaire est nécessaire dans votre intérêt, pour que tous les soldats tirent en même temps et que vous ne souffriez pas. »
Ce serait donc un adjudant, monté sur une caisse à savon[1], qui commanderait le feu.
Avant de se diriger vers le poteau, Laval s'était arrêté un instant et avait lancé d'une voix forte :
— Où sont MM. les magistrats?
Mornet et Bouchardon se tenaient entre le corbillard et le mur d'enceinte. Ils s'approchèrent, le chapeau à la main, les yeux baissés, l'air contrit, comme s'ils n'avaient pas voulu ce qui se passait et allait se passer. Et peut-être ne l'avaient-ils pas voulu, même s'ils l'avaient réclamé.
— Messieurs les magistrats, je voulais simplement vous dire que je vous plaignais d'avoir consenti à faire une besogne pareille... Vous avez voulu ce spectacle. Eh bien! acceptez-le jusqu'au bout.

---

1. Jaffré et Baraduc écrivent : « debout sur une chaise ».

Puis il fit signe à Naud et à Baraduc de le soutenir pour marcher jusqu'au poteau. A Jaffré, il demanda s'il devait retirer son pardessus.

— Non, c'est inutile.

— Oui, c'est préférable, peut-être ? Tout à l'heure dans mon cercueil...

Après avoir embrassé le père Mourren et ses avocats à qui il dit de ne pas s'éloigner, car il voulait les regarder en mourant, il s'adossa au poteau. On lui lia les mains d'une « cordelette symbolique », **selon** l'A.F.P. La salve partie, Laval était tombé à genoux, la figure contre terre. L'adjudant donna le coup de grâce à la tempe gauche cependant que, des cellules proches, montait la houle des cris : « Assassins ! Assassins ! »

Il était 12 h 32[1].

On raconte que, dans la journée, le détenu qui avait taillé la poutre en échangea des lambeaux tachés de sang contre des cigarettes.

15 novembre 1945 — Rapport du préfet de l'Isère sur l'évolution de l'opinion publique dans son département :

> « D'aucuns estiment que le procès n'est pas " régulier " du fait qu'il s'est terminé sans la présence de l'accusé. Il faut dire que la tentative de suicide de Laval a constitué un brillant coup de théâtre et a valu au condamné, naguère si méprisé partout, un certain regain de sympathie[2]. »

---

1. D'après le communiqué du ministère de la Justice transmis à l'A.F.P., à 13 heures. Les avocats écrivent 12 h 23.

2. *Cf.* p. 633, le rapport du même préfet de l'Isère sur le procès Laval, mais en date du 15 octobre.

LA PAGE N'EST PAS ENCORE TOURNÉE

Conclusion de Pierre-Henri Teitgen sur l'affaire Laval[1] : « Laval mourut courageusement... Les jurés qui l'ont insulté savent-ils qu'ils ont rendu service à sa mémoire ? Quand, maintenant, l'on évoque l'affaire Laval, ce n'est plus de sa politique qu'il est question, mais des vices de son procès et des circonstances de son exécution ! »

---

1. *Faites entrer le témoin suivant...*

CINQUIÈME PARTIE

LES CONFLITS
DE L'AUTOMNE

17

LE PEUPLE DE DE GAULLE

« Ce jour-là, comme toujours en de telles cérémonies, je quitte, par intervalles, le cortège officiel afin d'aborder la foule et de m'enfoncer dans ses rangs. Serrant les mains, écoutant les cris, je tâche que ce contact soit un échange de pensées. " Me voilà, tel que Dieu m'a fait ! " voudrais-je faire entendre à ceux qui m'entourent. " Comme vous voyez, je suis votre frère, chez lui, au milieu des siens, mais un chef qui ne saurait ni composer avec son devoir, ni plier sous son fardeau. " Inversement, sous les clameurs et à travers les regards, j'aperçois le reflet des âmes. »

Ce jour-là, le 2 avril 1945, place de la Concorde, de Gaulle, qui venait de remettre ses drapeaux à l'armée nouvelle, avait renoué avec la tradition.

Le 5 décembre 1804, en effet, trois jours après son couronnement, Napoléon, au Champ-de-Mars, avait confié les Aigles aux troupes victorieuses.

D'autres cérémonies allaient suivre. Elles avaient notamment marqué, en 1814, le retour de la monarchie et du drapeau blanc, en 1851 le passage de la République à l'Empire. Mais, le 14 juillet 1880, lorsque, devant 300 000 Français enthousiastes, délivrés et fiers, 436 drapeaux avaient été remis aux soldats de la République, la cérémonie avait eu l'ambition d'effacer les souvenirs de la cruelle défaite de 1870 et de faire savoir au monde que la France, son armée ressuscitée, retrouvait ainsi son rang de grande nation.

De toutes les cérémonies qui s'étaient déroulées depuis 1804, sans doute est-ce de celle du 14 juillet 1880 que la journée du 2 avril 1945 sera, par les symboles contenus, la plus proche.

Tout a été fait pour que la « mise en scène » permette aux Parisiens d'oublier les récentes parades allemandes, les drapeaux nazis aux frontons des bâtiments officiels, quatre années, plus de quatre années, d'une humiliante et tragique occupation. Deux colonnes de vingt et un mètres, encadrant l'estrade officielle, portent, sur un grand écusson, ce que les journalistes appelleront « les nouvelles armes de la République » : une croix de Lorraine argentée sur fond bleu roi, surmontée du bonnet phrygien, entourée du grand cordon de l'ordre de la Libération, supportée par les mots « Liberté, Égalité, Fraternité ». Derrière l'estrade, à trente mètres de hauteur, un drapeau tricolore de huit cents mètres carrés que le vent, soufflant en rafales, déchirera tout à l'heure.

Des Invalides sont venus des officiers d'active et de réserve, porteurs de 136 drapeaux et étendards, dont 69 ont été soustraits aux Allemands, pendant ou après la malheureuse bataille de France. Suivent 100 emblèmes parmi les plus illustres de notre histoire militaire.

Il est 9 h 40 lorsque de Gaulle, longuement acclamé, prononce quelques mots que la foule n'entendra pas, car les micros sont tombés en panne. Mais elle entend le premier des 120 coups de canon, qui se succéderont de deux minutes en deux minutes après que de Gaulle eut commandé : « Ouvrez le ban ! »

Les chefs de corps gravissent alors les escaliers qui, à droite et à gauche, mènent à la tribune. Des mains du général de Gaulle, ou des mains du ministre de la Guerre, du ministre de l'Air, du ministre de la Marine, ils reçoivent le drapeau qu'ils iront confier à sa garde d'honneur.

A 10 heures, le général de Gaulle commande : « Fermez le ban ! » puis « Au drapeau ! ». C'est une foule émue qui salue ces drapeaux précédant le défilé des troupes et c'est une foule enthousiaste qui, tôt rassemblée sur les grands boulevards, dont les arbres sont chargés de garçons et de filles, acclame le passage des troupes non motorisées.

Pour parfaire cette journée qui avait vu, alors que la guerre se poursuivait, le premier grand défilé de l'armée française, depuis le défilé du 14 juillet 1939, trompeur étalage d'une force illusoire, de Gaulle allait, dans l'après-midi, remettre à Paris la croix de la Libération.

Ce serait, pour lui, l'occasion d'exalter le rôle joué par Paris dans la résistance, d'accréditer, sans faire mention de la formidable pression exercée par les armées alliées depuis leur victoire de Falaise, la thèse, patriotiquement utile, de la libération de la Ville, « entreprise par elle-même, achevée avec l'appui d'une grande unité française et consacrée par l'immense enthousiasme d'un peuple unanime ». Ce serait l'occasion de donner, de ces huit jours de combats, une image militairement disciplinée et politiquement cohérente qui avait peu à voir avec une réalité naturellement désordonnée, mais qui correspondait à l'image qu'il voulait que l'on se fît d'événements qu'il allait baptiser « chef-d'œuvre complet » et « réussite quelque peu merveilleuse », ce qui était vrai dans la mesure où il parlait au cœur de la plus miraculeusement épargnée (avec Rome) des capitales de l'Europe en guerre.

Ce serait aussi, pour lui, occasion de rappeler, comme dans chacun de ses discours, que les devoirs des Français étaient, désormais, à la mesure de leurs pertes immenses ; de prêcher la discipline nationale ; de lancer un appel pour qu'il soit mis fin « aux surenchères des partis comme aux intérêts particuliers » ; de convier le peuple à l'union. « Parlons peu ! Travaillons ! Et, sans abdiquer ni taire nos justes diversités, aplanissons ce qui nous oppose. »

C'est à la fin de ce discours, prononcé tête nue sous la pluie, que de Gaulle, descendu de la tribune après que la foule, avec lui, eut chanté *La Marseillaise,* allait, à la grande émotion du service d'ordre, partir à la rencontre des spectateurs massés de l'autre côté du pont d'Arcole. Souvenir qui, en 1959, au temps de la rédaction du troisième tome des *Mémoires de guerre,* lui inspirera ces mots : « " Me voilà, tel que Dieu m'a fait ! " voudrais-je faire entendre à ceux qui m'entourent. »

Tel que Dieu l'a fait dans sa passionnante complexité, avec sa connaissance de l'histoire sur laquelle il fonde son don de prophétie, son intelligence du moment comme du rythme auquel bat le cœur des hommes, sa vision soupçonneuse de l'avenir, tel que Dieu l'a fait, il multipliera, aussi bien à Paris qu'en province, dans les sept premiers mois de 1945, ces grands rassemblements qui lui permettent, par le romantisme et l'éclat du verbe, de soulever les auditoires jusqu'aux sommets de la ferveur patriotique, pour les ramener, par la précision et la rigueur des mots, jusqu'à la glaise de l'œuvre à peine commencée.

Pour tenir le peuple en haleine, de Gaulle, qui sent poindre la concurrence des partis ressuscités et, plus forte encore, la concurrence des problèmes quotidiens, se montre inlassable. Orgueilleux de cette activité, il écrira : « Jusqu'au jour de la victoire, je vais trente fois à l'Assemblée. J'y prends vingt fois la parole. Pendant la même période, je m'adresse fréquemment au public par la radio. [...] Mes déplacements sont nombreux : onze visites aux armées, les tournées dans toutes les provinces... »

Après la manifestation parisienne du 2 avril, celle du 18 juin, au cours de laquelle des délégations de déportés, vêtus des pyjamas rayés qu'ils portaient dans les camps, sont accueillies par un silence respectueux, avant la vague des hourras qui ira aux soldats de Leclerc et le défilé du 14 juillet, qui, de la place de la Nation, conduit les soldats de De Lattre à la place de la Bastille, autant d'occasions, pour les Parisiens, de redécouvrir, coude à coude, cœur à cœur, la fierté perdue.

En 1944, dans les jours suivant son arrivée à Paris, de Gaulle avait entrepris, dans les quelques grandes villes où le nouveau pouvoir était encore instable et l'ordre toujours menacé, des voyages de « reprise en main[1] ».

Les voyages de 1945 sont d'un autre type. Les communications demeurant difficiles, la télévision, si elle existe théoriquement, étant loin d'être encore une réalité, la radio n'ayant pas la popularité que nous lui connaissons, la presse, réduite à une feuille[2], limitant toutes

---

1. *Cf. Les Règlements de comptes.*
2. A l'exception du *Monde* qui a préféré réduire son tirage et sa vente et a donc une pagination plus substantielle.

les informations [1], il s'agit, pour le chef du gouvernement provisoire, de « se montrer » à ces foules provinciales auxquelles, provincial lui-même, il prête des vertus de bon sens, d'obéissance et de fidélité, de leur parler pour leur dire des mots qui, adaptés à chaque ville, à son histoire et à ses drames, tissent un discours fondamentalement le même. Il ne comprend que deux thèmes : celui de la célébration de la patrie dans sa grandeur retrouvée ; celui de la nécessité d'un long effort, de la dissipation des querelles absurdes, du respect de l'autorité de l'État, garant de la rénovation politique, sociale et morale du pays.

Qu'il parle à Metz le 11 février ; à Limoges, le 4 mars, où il annonce : « Nous réformerons la société française, nous la referons plus fraternelle et plus efficace [2] » ; à Nice, le 9 avril, où, place Masséna, il fait vibrer la foule en lui jetant : « Ah ! Qu'ils étaient insolents et naïfs en même temps ceux qui avaient prétendu qu'on pouvait arracher Nice à la France », mais refrène un instant plus tard d'ignobles ardeurs : « Il serait indigne de la France, il serait indigne de Nice, n'est-ce pas, que le peuple français, vainqueur, aille s'en prendre à tel ou tel individu [3] » ; qu'il parle à Clermont-Ferrand, le 30 juin, où, place de Jaude, en présence du sultan du Maroc, « du Maroc ami », il le répétera pour en convaincre, il dit ces mots qui sont un programme à contre-courant des programmes révolutionnaires à la mode : « Si nous devons faire des choses neuves, cela ne veut pas dire que nous devons tout balayer », de Gaulle, partout, s'abandonne au lyrisme sans jamais céder à la démagogie. A Béthune, « centre essentiel [...] du travail », il n'hésitera pas, le 11 août, à citer longuement, pour encourager à faire mieux encore, les chiffres de la production de charbon, d'aluminium, de chaux, de ciment...

Il ne refuse aucune halte, aucun public, aussi modeste soit-il. Entre Issoire et Aurillac, le 1er juillet, prenant une heure de retard sur l'horaire, il s'arrête à Massiac, Saint-Flour, Murat, Le Lioran, Vic-sur-Cère.

---

1. Certains journaux réduisent à huit lignes les avis de décès. C'est le cas pour *Le Midi libre*.

2. De Limoges, il se rendra à Périgueux, mais il s'arrêtera à Oradour, à Rouffignac, village incendié le 31 mars par les Allemands, à Azerat sur la tombe du père du ministre Robert Lacoste, que les Allemands ont fusillé.

3. Les excès n'ont en effet pas manqué dans le département, et les Italiens en ont souvent été les premières victimes. *Cf. Les Règlements de comptes.*

En Normandie, où il s'est rendu quelques jours plus tôt[1], villes et villages en ruines étaient pavoisés et, comme à Flers, les prisonniers allemands avaient souvent aidé à suspendre guirlandes et banderoles. Il a parlé à Bayeux, à Saint-Lô, dont les habitants avaient quitté les caves, à Coutances, certes, mais comment n'aurait-il pas serré les mains qui se tendaient à Roncey, Villedieu-les-Poëles, Saint-Hilaire-du-Harcouët, Tinchebray, dans ces villages où les paysans qui se pressaient, entouraient sa voiture, étaient les rescapés des rudes batailles dans lesquelles la 2e D.B. s'était illustrée.

Chef de guerre, de Gaulle ira, à plusieurs reprises, à Strasbourg sauvé, en Alsace et en Lorraine libérées, avant de se rendre, on le verra dans un prochain chapitre, en Allemagne occupée ; il inspectera les troupes qui se battent sur le front des Alpes ; surprendra la paisible population de Cognac[2], qui sort avec retard ses drapeaux alors qu'il est déjà en route pour la plaine des Mathes où défileront les unités disparates qui ont tenu le front de l'Atlantique avant l'assaut contre Royan, Royan dont les ruines ne retiendront qu'un instant l'attention et susciteront bien des commentaires erronés[3].

Un « piper cub », dont Chênebenoit, envoyé spécial du *Monde*[4], écrira (et l'avenir lui donnera raison) que le nom est intraduisible en français, lui permettra de traverser la Gironde pour se rendre à la pointe de Grave où il sera accueilli par Maurice Papon, représentant le commissaire de la République, et par Fernand Audeguil, maire de Bordeaux. Aux troupes rassemblées, il annonce que « tout n'est pas fini », que « les opérations sont loin d'être terminées ».

Infatigable de Gaulle qui demande à un peuple fatigué de se montrer infatigable ! ,

Les voyages en province ont généralement lieu le samedi et le dimanche, ce qui permet au chef du gouvernement provisoire, fidèle à ses convictions, d'assister, sans ostentation, à l'office, au milieu d'un peuple que sa présence recueillie rassure alors.

---

1. Le 10 juin.
2. Le 21 avril.
3. Les ruines de Royan sont attribuées par beaucoup non au bombardement anglais de la nuit du 5 janvier, mais à la résistance allemande. Un journaliste de grande conscience comme Chênebenoit se laissera abuser puisqu'il écrira : « Malédiction du Boche qui souille tout ce qu'il occupe et qui s'accroche si tenacement à ses conquêtes qu'il faut les détruire pour les lui arracher » (*Le Monde*, 24 avril).
4. *Le Monde*, 24 avril.

A l'occasion de chaque voyage, parlant à dix ou vingt reprises, de Gaulle improvise. Dans un ordre différent, autour d'idées invariables : grandeur, sacrifice, ordre, travail en commun, il jette des mots dont seul son entourage sait qu'ils sont bien souvent les mêmes.

Rassemblant ses souvenirs, il écrira, en 1959, qu'improvisant, il se laissait saisir « par une émotion calculée ». Émotion calculée n'est pas émotion feinte. De Gaulle prend, en toute circonstance, la mesure d'un auditoire qu'il s'agit de porter à des sommets qu'il n'aurait jamais songé atteindre. Qu'il entre une part de technique dans l'émotion lorsque, tout au long de la journée, elle doit se renouveler, comment pourrait-il en aller autrement ?

« Mais, souvent, j'écris d'avance le texte et le prononce ensuite sans le lire : souci de précision et amour-propre d'orateur, lourde sujétion aussi car, si ma mémoire me sert bien, je n'ai pas la plume facile [1]. »

Est-ce parce qu'il n'a pas « la plume facile », et que la difficulté l'exhausse, qu'il a écrit, en méditant longuement la place de chaque mot dans la partition de sa pensée, cette grande, lyrique, romantique et parfois romanesque leçon d'histoire des quatre années de guerre et leçon d'histoire du gaullisme faite, le 15 mai [2], aux délégués de l'Assemblée consultative dont on sait, en interrogeant quelques-uns de ceux dont les applaudissements ont interrompu neuf fois son discours, qu'ils ont été sensibles à la beauté des images, à la puissance des formules, à la noblesse de l'inspiration ?

Voici huit jours à peine, Sevez et de Lattre (« nos généraux », dit de Gaulle qui ne citera pas le nom d'un seul chef et ne parlera pas

---

1. *Mémoires de guerre*, t. III, p. 127.
2. Il s'agit d'une séance exceptionnelle. Parlent avant de Gaulle, Félix Gouin, président de l'Assemblée, Gaston Monnerville au nom de la France d'outre-mer, Mme Péri au nom des femmes françaises, Louis Saillant, président du Conseil national de la Résistance.

davantage de lui, même si l'essentiel du discours est l'histoire de son histoire), voici huit jours à peine, Sevez et de Lattre recevaient, à Reims et à Berlin, la reddition sans conditions du Reich et de ses armées. Que de chemin parcouru depuis l'effroyable défaite de juin 40 dans le tourbillon des populations effrayées, des armées disloquées, des énergies égarées !

« ... Le seul chemin qui pût nous mener là [à Berlin] était le chemin des batailles. Il fallait qu'à mesure de la poursuite de la guerre nos forces nouvelles allassent à l'ennemi pour le frapper et le tuer. Il ne pouvait y avoir d'autre ciment de la cohésion nationale, d'autre démonstration de notre volonté de vaincre, d'autres contributions de la France à la lutte commune, que les exploits, le sang des combattants. »

Ces combattants que de Gaulle, soucieux de n'oublier aucun de ceux qui se sont sacrifiés, fera revivre en une page d'anthologie.

« Soldats tombés dans les déserts, les montagnes ou les plaines, marins noyés que bercent pour toujours les vagues de l'océan, aviateurs précipités du ciel pour être brisés sur la terre, combattants de la Résistance tués aux maquis ou aux poteaux d'exécution, vous tous qui, à votre dernier souffle, avez mêlé le nom de France, c'est vous qui avez exalté les courages, sanctifié l'effort, cimenté les résolutions [...].
Votre pensée fut, naguère, la douceur de nos deuils. Votre exemple est, aujourd'hui, la raison de notre fierté. Votre gloire sera, pour jamais, la compagne de notre espérance. »

Terminant ce discours, différent dans sa construction de tous les autres, de Gaulle lancera un : « En avant donc pour l'immense devoir de travail, d'unité, de rénovation ! Que notre nouvelle victoire marque notre nouvel essor ! »

Est-il écouté des Français ce chef du gouvernement provisoire qui ne se contente pas de tenir le peuple sur les hauteurs mais, dans son discours-bilan du 2 mars, lui que l'on accuse volontiers déjà de n'être pas assez « terre à terre », a déclaré qu'il était le premier à savoir « ce qui manqu[ait] en comparaison de ce qu'il faudrait » et reconnu, tout en s'élevant contre l'exploitation « étalée[1] » ou « camouflée[2] » de tous les mécontentements, les erreurs de l'administration, les lenteurs de la justice, le scandale des désordres locaux, les faiblesses du ravitaillement ?

L'examen des rapports préfectoraux sur l'état de l'opinion oblige à répondre par la négative.

Qu'il s'adresse du balcon d'une préfecture à la foule ou passe en revue les troupes victorieuses, de Gaulle soulève l'enthousiasme, mais l'enthousiasme retombe, le vent emporte les applaudissements. Rentré chez soi, chacun retrouve les mêmes problèmes irritants, parfois angoissants.

« L'opinion ne veut plus accepter maintenant de promesses et exige des réalisations prochaines dans le domaine du ravitaillement », écrit, le 9 mars, Lucien Laumet, préfet du territoire de Belfort.

« Tout le monde se plaint, même, bien entendu, ceux qui devraient se taire », selon le préfet du Jura, qui date sa correspondance du 28 mars. « La Libération avait fait naître un grand espoir, constate, le 15 avril, celui de Haute-Savoie ; petit à petit, il s'y est substitué un état d'esprit marquant d'abord de l'étonnement, puis un certain désenchantement, enfin beaucoup de désillusions et une certaine rancœur. » Le même préfet se plaint de ce que, « pour l'ensemble de la population, la situation [soit] mauvaise. D'abord, la politique a repris ses droits, l'union n'est qu'un thème oratoire. Le discours du général de Gaulle n'a pas la résonance prolongée que l'on pouvait attendre ».

De quel discours s'agit-il ?

De ce loyal et solide discours radiodiffusé du 24 mai dans lequel, la victoire assurée, de Gaulle insiste sur les périls qui guettent la France au sein d'un monde que la guerre « a mis en fusion », s'attarde, une fois encore, sur les difficultés quotidiennes de millions de Français atteints dans leur patrimoine, leurs intérêts, leurs besoins vitaux, mais à qui il explique, en quelques phrases limpides et paternelles — « ce que tout le monde sait comme moi » —, que la course entre les prix et

---

1. Cela vaut pour les communistes.
2. Le mot vise les nostalgiques de Vichy.

les salaires conduirait infailliblement « à l'effondrement des finances de l'État et à la misère pour presque tous ».

Alors envolée la leçon d'économie à la portée des intelligences les plus frustes ? Incomprise cette image par laquelle de Gaulle évoquait les marins de Christophe Colomb, prêts à l'abandon, peut-être à la révolte, mais à qui il était accordé, au pire moment « de leur angoisse et de leurs fatigues [...] de découvrir la terre à l'horizon » ! « Nous, Français, ajoutait-il, [...] nous avons maintenant dépassé les plus grands périls et les plus grandes douleurs. Le port s'offre à notre vue. »

Le port s'offrait-il à la vue de ces paysans que le préfet de la Dordogne affirmait « inaccessibles » par « goût de l'argent, esprit d'avarice et vue déformée de [leur] intérêt véritable[1] » ; à ces habitants de l'Indre pour lesquels « les problèmes économiques pren[aient] le pas sur les questions politiques[2] » ; à ces viticulteurs de l'Hérault plus sensibles « à la question du prix du vin de consommation courante » qu'à toute autre question[3] ? Non ! A l'image des autres Français, bercés par la propagande de la radio de Londres, comme par celle des feuilles communistes, selon lesquelles le départ des Allemands représentait l'immédiate solution à tous les maux ; incapables d'avoir une vue exacte des ponctions opérées sur la richesse nationale par l'occupant et des destructions provoquées par le libérateur, ils doutaient et s'impatientaient.

J'ai dit, dans *Les Règlements de comptes,* les souffrances des derniers mois de 1944 et des trois premiers mois de 1945.

Inondations et froid contrariaient les transports, presque tous systématiquement orientés, dans la mesure où ils demeuraient utilisables, en direction du front, et avaient marqué les mois de janvier, février et mars 1945.

Tous les Français avaient souffert du froid.

Dans l'été 1945, beaucoup allaient souffrir d'une implacable chaleur.

---

1. Rapport préfectoral du 15 juillet.
2. Rapport préfectoral du 16 octobre.
3. Rapport préfectoral du 16 juin.

Les ruraux, certes, dans une France où ils représentaient encore près de la moitié de la population, mais également les citadins puisque les fruits de la terre, brûlés par le soleil, ne pourront être remplacés par des produits d'importation.

Sécheresse : le mot revient sous la plume des préfets.

« Le Puy, 14 août.

Du côté agricole, la sécheresse persistante, malgré de maigres pluies d'orage, prend la forme d'une véritable catastrophe. La récolte de fourrage sera à peu près nulle et les bêtes ne trouvent que fort peu à paître au pacage. La moisson des céréales sera d'environ 50 % inférieure à l'an dernier. Et il en va de même pour les lentilles et pommes de terre.

. . . .

Châteauroux, 16 septembre.

Trois mois de sécheresse, les orages d'août n'ont rien arrangé. La récolte de blé est la plus mauvaise jamais connue. Betteraves et pommes de terre sont presque anéanties, il n'y a pas de pousse de regain, l'alimentation du bétail est difficile. Les pommes et les poires sont tombées. »

« La plus mauvaise récolte jamais connue »... Il est vrai que, de toutes les années de guerre, l'année 1945 sera, en France, la plus mauvaise pour la production agricole, qu'il s'agisse du blé : 42 millions de quintaux contre 64 en 1944 ; des pommes de terre, 61 contre 76 en 1944 ; du vin, 28 millions d'hectolitres contre 41 en 1943[1].

Les mauvaises récoltes affligent les paysans, les exigences des services du ravitaillement les exaspèrent. On croyait sottement — on l'avait beaucoup écrit dans les feuilles clandestines — que cette administration, liée au régime de Vichy, disparaîtrait avec lui[2]. Elle était liée à la pénurie et ne disparaîtrait qu'avec elle.

Aussi tatillonne et éloignée des réalités qu'avant la Libération, elle oblige les producteurs à livrer au ravitaillement leurs produits à des prix notoirement insuffisants.

Pour faire comprendre à Paris les raisons de l'exaspération paysanne, Pierre Dumont, préfet du Doubs, cite l'exemple d'un cultiva-

---

1. *Cf.*, pour des chiffres plus complets, *Les Règlements de comptes,* p. 709.
2. « Pour le public, écrit le préfet du Calvados le 27 juin, est considéré comme organisme de Vichy tout ce qui représente une contrainte. »

teur contraint de livrer un bovin de 500 kilos à la commission de réquisition. S'il possède seulement des vaches laitières [1] ou de jeunes animaux qu'il n'entend pas sacrifier, car ils sont l'avenir de l'exploitation, il lui faut acheter à un marchand de bestiaux le bovin qu'il cédera à la commission de contrôle. En échange de ce bovin, payé 15 000 francs (30 francs le kilo), il recevra des services du ravitaillement 6 500 francs (13 francs du kilo) et, lorsqu'il se rendra à la boucherie du village, il paiera la ration de viande, provenant, par pure hypothèse de la même bête, entre 40 et 60 francs le kilo.

Ce manque à gagner [2] est à l'origine de la grogne paysanne. Il explique les incidents fréquents qui mettent aux prises agriculteurs et contrôleurs de l'approvisionnement.

Venu prendre livraison, le 7 juillet, d'un bœuf et d'un mouton saisis par le Ravitaillement chez deux bouchers de Villefranche-de-Lonchat, en Dordogne, M. Chatelain, chef de district de la brigade mobile de Périgueux, sera assailli par cent cinquante personnes qui menaceront de le pendre aux crochets de l'un des bouchers. Le meneur, un adjudant-chef du 50e R.I., en garnison à Périgueux, lui tiendra ce véhément discours : « Espèce de salaud, tu as de la veine que je porte l'habit militaire, sans cela je te donnerais une correction pour t'apprendre à faire un tel métier... » et ajoutera, après avoir confisqué ses papiers : « J'ai ton adresse, on se retrouvera et, comme tu connais la loi du maquis, tu sais ce que ça veut dire. »

Chatelain ne pourra quitter Villefranche-de-Lonchat qu'après avoir rédigé et signé une déclaration par laquelle il s'engageait à autoriser la vente du bœuf et du mouton aux prisonniers de guerre et aux déportés, à ne pas porter plainte contre les deux bouchers et même à faire « tout son possible » pour découvrir « le ou les dénonciateurs » qui avaient

---

1. Il est bien évident que l'envoi à la boucherie de vaches laitières porte préjudice à la production laitière. Dans l'Oise, en mai 1945, le préfet fait remarquer que la collecte de 10 commissions sur 31 a eu pour résultat l'envoi à la boucherie de 305 vaches laitières et qu'il n'est plus possible de continuer ainsi.
2. En juillet, les prix agricoles à la production seront relevés de 20 % pour les légumes à 50 % pour les fruits, le bœuf et le veau sur pied, 100 % pour le porc. Il faut mentionner que l'année 1945 verra (ordonnance du 17 octobre) la modification du statut du fermage. Afin que le fermier ne soit pas, à l'expiration du bail, privé du bien qu'il exploitait, l'ordonnance lui donnait (sous certaines conditions) le droit d'obtenir le renouvellement de ce bail par préférence à tout autre repreneur, sauf s'il s'agissait du propriétaire, de son conjoint, de ses ascendants ou descendants.

attiré l'attention de son service sur les bêtes détournées de leur destination officielle.

Cette affaire ne mérite d'être retenue que parce qu'elle met en scène près du tiers de la population du village. La plupart des observateurs signalent d'ailleurs que, dans tout conflit entre producteurs réticents et contrôleurs exigeants, les consommateurs prennent systématiquement la défense des premiers... qui leur vendront ainsi, à des prix de marché noir, des produits qui, livrés au ravitaillement, pourraient leur être vendus au prix de la taxe !

Par la force des choses, les gendarmes deviennent parfois les complices du système. Le préfet de Haute-Savoie demande qu'il soit tenu compte de la situation difficile de ceux qui résident dans les chefs-lieux de canton. Qu'ils « manifestent trop de zèle » et ils se trouveront « dans l'incapacité absolue de se ravitailler aux prix taxés auprès des producteurs ».

Puisque ceux qui sont chargés de faire strictement *appliquer* la loi s'efforcent officiellement de ne pas « manifester trop de zèle », pourquoi ceux qui sont seulement censés *observer* la loi n'en prendraient-ils pas à leur aise ?

Ainsi, en mars 1945, lorsqu'une camionnette des Postes, qui en est à son troisième voyage, se trouve-t-elle arrêtée dans la région de Dôle avec 1 200 kilos de pommes de terre et 15 sacs postaux remplis de viande, le chef de cabinet du ministre des Postes intervient pour « arranger l'affaire ».

Son explication ? Il s'agit de ravitailler « de petits fonctionnaires parisiens, classés comme résistants particulièrement dignes d'intérêt ».

A Bolbec, c'est pour les communiants et leur famille que le maire arrachera au ravitaillement général cinq des quinze bovins illégalement abattus et qui venaient d'être saisis. Mais il est bien précisé par le sous-préfet du Havre que la viande ne pourra être délivrée que sur présentation des bulletins de communion !

Cette municipalité et ce comité de libération d'un département du Midi, qui interviennent pour que soit levée la saisie, en gare de Lons-le-Saunier, d'un wagon contenant 8 600 kilos de légumes secs, 407 kilos de porc frais, 110 kilos de fromage maigre, 32 kilos de gruyère, du sucre et du saucisson, n'invoquent eux ni la Résistance, ni la religion mais tout simplement — et plus loyalement — les besoins de leurs administrés.

« Tristes signes des temps », remarque le scrupuleux préfet du Jura qui, dans le même rapport[1], signale qu'il va « rappeler à l'ordre » un maire coupable d'avoir fait répartir à ses administrés 50 grammes de beurre « en dehors des règles légales »[2], que l'armée (la plainte est générale) achète à n'importe quel prix, à l'aide de simili-autorisations officielles ; qu'à Arbois, Mouchard, Champagnole, Moirans-en-Montagne, les ménagères sont allées en cortège à la mairie et qu'il a reçu la « visite » — il place le mot entre guillemets — d'une délégation de Montmoret[3].

Face à la multiplication des manifestations, M. Closon, commissaire de la République à Lille, ira, de son côté, jusqu'à écrire que « les problèmes de ravitaillement conditionnent le maintien de l'ordre ».

Il n'y a presque rien à distribuer officiellement. Encore les services du ravitaillement se montrent-ils souvent incapables d'organiser convenablement la distribution de misérables stocks. Saindoux ou savon ? A Paris, en mars, à quelques heures d'intervalle, deux communiqués émanant également de source officielle ont désigné contradictoirement le ticket CD (de février) pour une prochaine distribution de saindoux et pour une prochaine distribution de savon. Finalement, le ticket CD ne donne droit qu'au saindoux. « Quant au savon, écrit *Le Figaro,* il nous faudra l'attendre encore. »

Avec le temps, la situation, contrairement à ce que l'on pouvait espérer, ne s'améliorera pas. A Paris, après une semaine sans viande en mai[4], la viande reviendra en juin : 100 grammes *avec os* pour la semaine du 4 au 10 juin, mais peu de légumes, peu de pommes de terre, beaucoup de fruits, hélas pourris, faute d'avoir été bien conditionnés et transportés avec célérité.

Le vin ? Les Parisiens sont favorisés. En mai 1945, ils auront droit à cinq litres : les quatre litres de la ration, plus un litre pompeusement baptisé « vin de la victoire », mais, de ce « vin de la victoire », les habitants de l'Oise ne connaîtront jamais le goût. En un an — août 1944-août 1945 —, ils n'ont eu droit qu'à dix litres de vin.

On n'en finirait pas d'énumérer ce qui fait défaut ou ce qui n'est que

---

1. 10 mars 1945.
2. Le 2 août, à Lillebonne (Seine-Inférieure, aujourd'hui Maritime), après la collecte du beurre, 600 personnes, rassemblées sur la place, exigèrent et obtinrent du maire la distribution de 100 grammes de beurre par rationnaire, ce qui provoquera une vive réaction des autorités préfectorales.
3. Arrondissement de Lons-le-Saunier.
4 Sauf pour les J3, c'est-à-dire pour les adolescents.

chichement distribué (à Rouen, entre le 1er octobre et la fin de décembre 1945, 8 kilos seulement de pommes de terre par consommateur) ; on n'en finirait pas d'évoquer — *L'Humanité* le fait avec une évidente complaisance politique — ce qui est gâché, souillé, jeté ou détruit (un jour, 600 camemberts avariés sur le trottoir du boulevard Malesherbes, un autre jour 5 tonnes de viande en décomposition aux Halles ; le 12 septembre, 21 024 boîtes de lait concentré perdues pour la consommation), par suite d'erreurs ou de lenteurs administratives.

On n'en finirait pas d'énumérer les villes où des manifestations ont eu lieu : Troyes, où 6 000 personnes se sont rassemblées devant la préfecture pour protester contre la non-distribution des rations ; Bayonne, où 3 000 ménagères ont manifesté en février ; Arras, Nantes, Reims, Clermont-Ferrand, et de nombreuses cités de la banlieue ouvrière parisienne.

Que le Parti communiste, qui dispose, on le sait, de nombreuses organisations satellites, soit « l'inventeur » et le « meneur » de ces manifestations, c'est évident, mais il n'éprouve aucune peine à rassembler une population irritée derrière ses drapeaux et à lui faire acclamer ses orateurs.

Premier adjoint au maire de Rouen, M. Émilien Taté dira, un jour, que les rations permettaient de vivre pendant les *douze* premiers jours du mois. Il faut, pour les *dix-huit* autres jours, se tourner (si on en possède les moyens) vers le marché noir qui se trouve, de plus en plus, entre les mains de « véritables bandes organisées ».

Ces bandes, Mme Alice Delaunay les évoquera, le 21 février 1945, devant l'Assemblée consultative provisoire. Elle parlera de la bande d'Algériens — une vingtaine de membres — qui, conduite en camion jusqu'aux limites du Loir-et-Cher, va ensuite, à bicyclette, collecter beurre et viande ; de la bande de femmes chargées, sous la direction d'un souteneur, de ramener chaque soir à Blois des filets pleins dont le contenu partira en direction de Paris ; de la bande, dirigée par un chef de service de la Société nationale des chemins de fer, qui acheminait ses achats dans de « grandes caisses soigneusement fermées et clouées [...] portées [ensuite] à la gare, étiquetées par le chef de service

675

Matériel de chemin de fer et transportées alors (sans risques) vers Paris ».

Mme Delaunay[1] citera également le cas de ce trafiquant, soi-disant chef du garage du ministre du Ravitaillement, circulant à l'aide d'un ordre de mission portant le cachet du ministre. Une signature faisant défaut, l'homme avait pu être arrêté, mais combien de ses semblables couraient toujours, revendant à Paris le bœuf 340 francs le kilo, le beurre entre 700 et 800 francs, l'huile 850 francs ; les œufs 13 francs pièce, les haricots 65 francs le kilo, le sucre 150 francs[2] quand, dans la capitale, les salaires modestes — ceux des blanchisseuses par exemple — évoluaient entre 2 000 et 2 350 francs et que, dans les filatures du Nord, les garçons de dix-neuf ans touchaient 1 200 francs par mois, les filles 936 francs ; les adolescents, suivant le sexe, 536 ou 350 francs... le prix d'un kilo de bifteck au marché noir[3].

Le docteur Lowys, qui, en avril 1945, a quitté la Savoie pour un voyage de quelques jours à Paris, ne peut, dans le journal qu'il tient scrupuleusement et auquel j'ai déjà fait des emprunts[4], refréner sa stupéfaction devant les prix d'articles qui ne se trouvent *qu'au* marché noir, qu'il s'agisse d'un sac en cuir pour dame (15 à 20 000 francs) ou d'un tailleur (9 000 francs).

Le côte-à-côte, dans les restaurants, du « petit employé [qui] se contente d'un repas à 20-40 francs qui ne le nourrit guère » et d'un convive plus fortuné qui choisit « des plats plus appétissants et plus nutritifs, au prix de 100-200 francs », le choque. « Je ne parle pas, bien entendu, ajoute-t-il, des grands restaurants où l'addition se compte par billets de mille. On me cite un ménage sans enfant qui dépense 30 000 francs par mois rien que pour leurs petits estomacs et je retrouve un homme d'affaires qui me confie naïvement : " Tout ce que je gagne, je le mange ! " »

Lowys est d'autant plus scandalisé par les prix parisiens qu'à la fin

---

1. Mme Alice Delaunay cite le département du Loir-et-Cher qu'elle connaît bien et dans la mesure où une action répressive efficace a pu être engagée.
2. Il s'agit des chiffres de février 1945 pour la région parisienne.
3. Il y a peu de chômeurs : 189 540, dont 130 240 femmes en avril 1945 ; il est vrai que prisonniers, déportés, travailleurs commencent à peine à regagner la France. Les allocations de chômage demeurent toujours faibles, même lorsqu'elles sont portées, en mai, à 22 francs par jour pour le chef de famille, 14 francs pour le conjoint et les personnes à charge, ce qui, pour une famille de cinq personnes, représente 2 340 francs.
4. *Cf.* tome VII, p. 534.

d'une réunion de médecins savoyards il avait fait, quelques jours plus tôt, dans un hôtel proche d'Annecy, un repas fabuleux qui lui avait coûté 350 francs. « Sans le vouloir, notera-t-il, j'ai mangé au " marché noir ". » Le menu, qu'il a noté dans le détail, et ce sont ici les précisions, les adjectifs qui comptent, était le suivant : « Œufs durs, salade verte *(avec huile),* pâté maison pur porc avec un *gros* morceau de beurre à côté, quiche au lard (sorte de tarte salée), un *large* bifteck *recouvert de beurre,* des pommes de terre frites *en quantité,* des petits pois, à nouveau de la salade, un *onctueux* fromage du pays, tarte aux mûres, gâteau de Savoie *(farine blanche, œufs, beurre),* crème fouettée, vin rouge *à discrétion, café* avec sucre, *eau-de-vie*[1]. »

Que les restrictions soient très injustement réparties, qu'elles varient selon la fortune ; selon la profession, beaucoup de fonctionnaires bénéficiant d'ingénieuses cantines et les militaires, ceux qui ne sont pas au combat, se servant plus généreusement que les autres ; qu'elles diffèrent selon les départements, et même à l'intérieur de chaque département, ce qui permettra à Jacques Bounin, commissaire de la République à Montpellier, de donner un jour, à ses lecteurs, connaissance du glorieux menu qu'il dégusta, le 5 août 1945, à l'occasion d'une journée viticole[2], tout cela est trop évident pour qu'il soit besoin d'insister.

Il n'en reste pas moins, comme Bounin aura l'effronterie de l'écrire immédiatement après l'alléchante évocation de friture, garenne, caneton rôti, que, « malgré tout, le rationnement reste la règle ». Auprès de ceux pour qui, effectivement, il est la « règle » et qui n'ont que leur pauvre salaire pour (mal) vivre, le Parti communiste mène une double action. Il les encourage à réclamer de substantielles augmentations des rations ; il les incite à exiger, fût-ce par la grève, puisque des grèves éclatent dans les mines du Nord, une semaine après la fin de la guerre, des augmentations de salaires.

Comment ne serait-il pas entendu ?

---

1. A l'intention du lecteur d'aujourd'hui, ce qui, en 1945, dans semblable menu, paraissait, à juste titre, exceptionnel et extraordinaire à l'immense majorité des Françaises et des Français se trouve en *italiques*.
2. Potage aux perles, hors-d'œuvre variés, friture du Dourdon, garenne du Causse, haricots de Saint-Cyprien, caneton rôti, fromages, fruits du vallon, fouasse de Marcillac, vins, café, vieux marc du pays *(Beaucoup d'imprudences).*

Au cours de l'année 1945, le calme ne revient que lentement dans les départements où, la résistance ayant été la plus active, la répression avait été la plus impitoyable et, à la libération, les règlements de comptes les plus nombreux.

Elle est symptomatique la note que le ministre de l'Intérieur, Adrien Tixier, adresse, le 9 février, au préfet de Haute-Savoie. Après lui avoir reproché la brièveté de ses informations[1], il lui dit avoir appris que « des bandes irrégulières, circulant en auto, échappant à tout contrôle et opérant pour leur compte, se livreraient à des attentats ou à des exactions... Les populations, ajoute-t-il, seraient terrorisées et les gendarmes n'oseraient plus sortir après le coucher du soleil ».

La conclusion de la note de Tixier illustre le souci de De Gaulle. Connus et répercutés par la presse étrangère, les troubles à l'intérieur du pays compromettent l'image du chef du gouvernement provisoire et celle de la France aux yeux d'alliés sans indulgence pour un régime auquel ils reprochent moins de ne pas savoir rétablir l'ordre que d'avoir engendré le désordre.

Le ministre de l'Intérieur place donc le préfet de la Haute-Savoie devant ses responsabilités. « La Suisse, jugeant la France d'après la situation en Haute-Savoie et *toutes les nations du monde entretenant des informateurs à Genève*[2] », le prestige de notre pays se trouverait menacé, si la reprise en main n'était pas immédiate.

Lorsque, le 15 février, le préfet de Haute-Savoie répond au ministre, le bilan de la période allant du 15 janvier au 14 février est franchement mauvais. Deux vols à main armée ont notamment permis l'enlèvement de soixante-dix tenues militaires ; huit bombes ont explosé sans faire de victimes ; des attentats à Chamonix, Passy, La Roche ont provoqué, les 11 et 12 février, la mort de trois personnes ; la gendarmerie de Thonon a été attaquée dans la nuit du 10 au 11 février par des F.F.I. désireux de délivrer un déserteur, mais les assaillants (ivres d'ailleurs) ont été arrêtés.

Tout en réclamant des renforts de police, le préfet signale que les opérations en cours ont toutefois permis d'arrêter « 15 individus

---

1. Cependant, le 15 janvier, le préfet a signalé l'enlèvement du commandant Vernay, ainsi que celui de M. Riand, et dénoncé les désordres créés par des « éléments troubles F.F.I. ».
2. Souligné intentionnellement.

appartenant à la Prévôté », souvent recrutée parmi les anciens des Milices patriotiques, 2 F.F.I., 3 soldats de l'armée régulière et, à Annecy, 10 civils.

Dans le département voisin, en Savoie, les mois de mai et juin connaîtront une augmentation des attentats, augmentation explicable en partie, dans ce département comme dans bien d'autres, par le retour des déportés. Lynchage, en mai, de deux miliciens, dont l'un succombera ; attentats à l'explosif presque quotidiens — on en dénombrera 17 entre le 15 mai et le 6 juin —, tentative d'assassinat, le 24 mai, du curé de Montagnole ; assassinat, le même jour, à La Motte, de Marc et Marie Lemée, ainsi que de leurs deux filles, Inès et Rita ; assassinat, à Chambéry, de Phiquepal d'Harumont.

C'est d'ailleurs à Chambéry qu'a eu lieu, le 15 juin, l'incident le plus grave. A l'appel de la C.G.T., du C.D.L., du Comité France-Espagne, 600 manifestants environ [1], dont beaucoup armés, se sont rassemblés pour empêcher le passage d'un train transportant 470 Espagnols, qui arrive d'Allemagne, après avoir transité par la Suisse. Les instigateurs de l'opération affirment que le convoi est essentiellement composé de soldats de l'ex-division *Azul* [2]. On finira par découvrir qu'ils étaient douze [3]. Il n'importe ; la voie ayant été sabotée à La Ravoire, l'assaut est donné à des wagons dans lesquels se trouvent, en majorité, des familles de diplomates et de travailleurs rapatriés. Ce n'est pas un assaut pour rire, ni simplement pour piller les bagages — en un temps de pénurie, *L'Humanité* [4] s'attardera avec complaisance sur les pâtés de foie, les sardines à l'huile, les boîtes de thon, les bouteilles de champagne découverts dans les valises —, mais un assaut lancé pour tuer et pour blesser.

On discutera du chiffre des victimes. Le correspondant du *Figaro* à Annemasse écrira [5] qu'il y aurait eu 14 morts et une trentaine de disparus. Celui du *Monde* [6] parlera de 61 blessés assez grièvement atteints pour avoir été transportés à l'hôpital cantonal de Genève et de

---

1. *Le Figaro* du 16 juin écrira un millier et ajoutera que, tout le long de la ligne conduisant à Grenoble, « des résistants tous armés étaient massés, prêts à intervenir ».
2. *Cf.* p. 589.
3. Déclaration du consul d'Espagne à Berne.
4. 16 août 1945.
5. 18 juin 1945.
6. 19 juin 1945.

23 disparus. Pour M. Louis Martin, préfet de Savoie « la presse a grossi démesurément les faits. Il n'y a pas eu de morts, mais une cinquantaine de blessés dont quinze environ gravement atteints ». Une fois encore, il faut remarquer que, s'agissant des chiffres, l'époque est à l'incertitude.

C'est au Parti communiste et aux « résistants déportés » que le préfet de Savoie attribuera la responsabilité d'une action appelée à un grand retentissement dans le département, mais également en Suisse (où *L'Humanité, Ce Soir, Le Populaire* sont interdits) et en Espagne, où se dérouleront des manifestations antifrançaises.

Il est certain que le retour des déportés, le récit des souffrances qu'ils ont endurées et auxquelles beaucoup de leurs camarades n'ont pas survécu expliquent souvent des réactions qui paraissent inexplicables près d'un an après la Libération.

En Savoie, le retour des déportés est peut-être à l'origine des onze attentats par explosifs enregistrés entre le 15 juin et le 14 juillet, de l'assassinat d'un prisonnier allemand aux aciéries d'Ugine, de l'assassinat, le 3 juillet, d'Olivier C..., le 5 de Paul K..., détenus l'un et l'autre à la maison d'arrêt de Chambéry.

La découverte, en août, au col du Petit-Saint-Bernard, d'un charnier contenant les restes de vingt et un résistants explique les menaces de représailles contre vingt et un prisonniers de guerre allemands[1]. En septembre, l'exécution, en Haute-Savoie, d'un délateur par l'une de ses six victimes se comprend. La « tonte » de quelques femmes, à Lons-le-Saunier, Salins et Arbois est fatalement liée au retour de prisonniers qui découvrent leur infortune ou de déportés qui apprennent le nom de leur délatrice. Mais pour quelles raisons les époux G..., enlevés au début de juillet, ont-ils été pendus près de Moulins ? pour quelles raisons V... a-t-il été exécuté, à Dôle, sur son lit d'hôpital, dans la nuit du 10 au 11 avril ? pour quelles raisons Mme Fouglon, sa fille et sa petite-fille de trois ans ont-elles été tuées en août, dans les

---

1. Mesures qui ne seront pas mises à exécution. Du 14 juillet au 15 août, on dénombrera, en Haute-Savoie, 16 attentats dont un seul contre un prisonnier allemand.

Vosges ; M. Alfred Kuhlmann, sa femme et ses deux enfants de deux et cinq ans, ont-ils été assassinés, toujours en août, à Hurbache, près de Saint-Dié[1] ?

Dans le Jura, département où 32 fusils-mitrailleurs et 25 mitraillettes ont été dérobés, en décembre 1944, dans une caserne de Lons-le-Saunier, où, en juillet 1945, après de nouveaux vols d'armes à Pontarlier, la reconstitution de maquis est ouvertement évoquée, la vérité est d'autant plus difficile à découvrir que, selon le préfet, « les victimes terrorisées gardent pour elles leurs soupçons de peur de représailles[2] ».

Il arrive toutefois que des arrestations aient lieu.

C'est ainsi qu'en Haute-Loire, C... (commandant T...), responsable d'attentats à Thoras, Saugues, Chanteuges, sera arrêté, en août, à la grande satisfaction de la population, satisfaction exprimée aussi bien par le journal du Front national, *Le Patriote,* que par celui du Mouvement de libération nationale, *La Voix républicaine,* dont le compte rendu illustre les difficultés de certaines opérations de police.

> « Ce n'est pas sans peine que nos vaillants inspecteurs de police avaient découvert la bonne piste. La réticence apeurée des gens ne leur facilitait pas la tâche. Chacun vivait dans la crainte d'être à son tour gratifié d'une bombe et personne ne voulait rien savoir. Exploitant cette situation, la bande continuait ses méfaits et, sous le couvert de la politique, trop de vengeances personnelles cherchaient à s'assouvir, jetant ainsi leur discrédit sur beaucoup d'innocents. Il fallait que le scandale cesse. »

Il cessera avec l'arrestation de C..., alias commandant T... et de ses cinq complices.

Après une semaine de détention, ils seront toutefois relâchés...

---

1. A propos de cet assassinat, *L'Humanité* du 31 août évoque étrangement « des provocations propices à certaines manœuvres du Comité des Forges ».
2. Rapport du 25 avril 1945.

Il existe une explication autre que sordide à la recrudescence des attentats. Dans *Les Règlements de comptes*[1], j'ai consacré un chapitre aux grâces accordées par le général de Gaulle, grâces qui avaient incité, dans l'hiver 1944-1945, certains résistants scandalisés à se faire justice en s'emparant, pour les exécuter, de plusieurs détenus que les portes de leur prison n'avaient pu protéger contre des assaillants déterminés face à des gardiens complices.

A la fin du printemps 1945, de nombreuses réductions de peine étant connues, l'indignation demeurera vive.

Le 2 juin, le comité de libération de la Savoie proteste contre la commutation en deux années de prison des huit ans de travaux forcés du milicien M... ; en huit mois de prison des cinq années de travaux forcés de R... et contre la libération de F..., M... et L..., respectivement condamnés à cinq ans, dix-huit mois et un an de prison.

A Lons-le-Saunier, le 26 juin, la protestation est aussi vigoureuse lorsque est connu l'acquittement, par la cour de Besançon, de trois miliciens, dont un chef de trentaine, précédemment condamnés par la cour de justice du Jura.

Quelques-uns de ces incidents soulèveront la colère de De Gaulle qui ne peut admettre que l'autorité de l'État soit bafouée.

A Tixier, il enverra, le 12 avril, un tract distribué le 28 mars dans les rues de Rodez. A la veille du procès d'« un nommé Ellerbach », la population avait été invitée à manifester. « La salle des séances de la cour, écrit de Gaulle, fut d'ailleurs envahie, au cours de l'audience, par une foule tumultueuse et même menaçante. Ellerbach a été condamné à mort. Ayant examiné son dossier, j'ai prononcé sa grâce. »

Estimant inadmissible que le préfet ait laissé la manifestation se dérouler, de Gaulle demandera à son ministre de l'Intérieur « quelle sanction [il avait] prise ou [se proposait] de prendre à l'égard du préfet de l'Aveyron dont il [lui] parai[ssait] clair qu'il [avait] failli aux devoirs de sa charge ».

Moins de deux mois plus tard — le 3 juin —, Tixier, écrivant au général de Gaulle, exprimera son inquiétude devant des manifestations généralisées et de plus en plus difficilement maîtrisables.

---

1. « Les grâces expliquent-elles les attaques de prison ? », p. 639-676.

Lettre importante pour une bonne connaissance de la situation au milieu de l'année 1945.

« Mon Général,

Je dois vous signaler que, depuis quelques semaines et surtout depuis quelques jours, il devient difficile de maintenir l'ordre public.

1. Des grèves sporadiques, que les dirigeants syndicaux n'arrivent pas à contrôler, éclatent un peu partout, à titre de protestation contre l'insuffisance des salaires et du ravitaillement. Les grévistes prennent souvent des attitudes violentes et l'habitude tend à s'établir d'envahir les préfectures, comme on l'a fait à Vannes, à Lyon et, avant-hier, au Mans.

2. Les manifestations de prisonniers, généralement violentes, se multiplient.

3. Les attaques de prison viennent de recommencer, soit pour délivrer des auteurs d'attentats, comme à Dinan le 2 juin, soit pour exécuter des collaborateurs, comme à Cusset, près de Vichy, également le 2 juin.

La police, dont les effectifs, l'armement et les moyens de transport demeurent cruellement insuffisants, réagit mollement contre les prisonniers et déportés rapatriés ou contre les grévistes ou manifestants. Même après une épuration sévère de la police [1], les policiers répugnent à s'opposer par la violence aux résistants, aux prisonniers et aux déportés rapatriés [2].

Les commissaires de la République et les préfets font appel à la troupe lorsque existent des garnisons, mais, plus encore que la police, l'armée répugne à de telles interventions. Parfois même, elle prend parti pour les manifestants, comme cela vient d'arriver à Cusset. J'ai tout lieu de craindre que nous allions rapidement vers une situation aussi profondément troublée que celle d'octobre et novembre 1944 [3]. »

---

1. Lorsque Tixier parle « d'épuration sévère », il faut comprendre ici élimination des policiers qui avaient été recrutés parmi la Milice patriotique.

2. Sur ce fait, cf. le chapitre 5, « Le grand retour ».

3. *Cf. Les Règlements de comptes,* les pages 639 et suiv., consacrées aux attaques de prison.

Bien que le pessimisme de Tixier soit excessif, il est vrai que l'émotion populaire sera d'autant plus longue à retomber que l'épuration traîne en longueur.

En décembre 1945, en Savoie, à l'annonce de la grâce accordée au milicien C..., condamné à mort par contumace pour des délations ayant entraîné la déportation de nombreux résistants et l'incendie de Coise et Saint-Georges-des-Hurtières, ce sont 4 000 personnes qui, le 15 décembre, se rassembleront à Chambéry pour protester. Les attentats reprendront. La villa de l'académicien Henry Bordeaux, qui n'avait jamais caché ses sentiments favorables au maréchal Pétain, constituera le premier objectif.

Cette année 1945, où les armes françaises ont, avec les armes alliées, décidé, on l'a vu, du destin de l'Allemagne, où ont été entendus, mais mal interprétés, les premiers craquements en Algérie et dans ce qui est toujours l'Empire, où tout se décida, on le verra dans un prochain chapitre, de l'avenir politique de la France à l'instant du référendum et des élections d'octobre, ne la laissons pas historiquement brouillée par les détestables conditions du ravitaillement, les scandales du marché noir, les impatiences et les colères des résistants ou des pseudo-résistants que la justice prive de leurs proies.

Qu'elles s'intensifient, comme les nationalisations, ou qu'elles se mettent en place, comme les comités d'entreprise, qu'elles se développent comme la Sécurité sociale, de grandes réformes engagent notre pays sans doute de façon irréversible.

Songeant à ce qui fut fait en peu de mois, de Gaulle écrira plus tard : « En l'espace d'une année, les ordonnances et les lois promulguées sous ma responsabilité apporteront à la structure de l'économie française et à la condition des travailleurs des changements d'une portée immense dont le régime d'avant-guerre avait délibéré en vain pendant plus d'un demi-siècle. La construction est, semble-t-il, solide, puisque, ensuite, rien n'y sera, ni ajouté, ni retranché [1]. »

---

1. *Mémoires de guerre*. Lorsque de Gaulle écrit ces mots il a raison. Des changements, notamment en ce qui concerne les nationalisations, interviendront beaucoup plus tard.

Les nationalisations dont de Gaulle attendait qu'elles « changent l'état des esprits » ont été amorcées, on le sait, entre septembre et décembre 1944[1] par l'ordonnance instituant les Houillères du Nord et du Pas-de-Calais ; par la mise sous séquestre des biens de la société des usines Renault ; par le vote, le 28 décembre, d'un ordre du jour dans lequel l'Assemblée s'est prononcée, en application du programme du Conseil de la Résistance, pour le retour à la nation « des grands moyens de production monopolisés [...], des sources d'énergie, des richesses du sous-sol, des compagnies d'assurances et, en premier lieu, des grandes banques...[2] ».

« En premier lieu, des grandes banques »... L'opération ne prendrait forme, en réalité, qu'au lendemain des élections d'octobre 1945, élections au cours desquelles les partis de gouvernement n'avaient que succinctement évoqué les nationalisations. Mais, cinq jours après le scrutin, Louis Saillant, président du Comité national de la Résistance, poussera les feux. Le 6 novembre, la délégation des gauches — Parti communiste, Parti socialiste, Parti radical[3], C.G.T. — publiait un programme dont l'importance débordait largement ce problème des nationalisations, puisqu'il proposait des solutions aussi bien pour la politique sociale que pour la politique financière[4]. Sans ordre de priorité, son communiqué énumérait les industries clés « effectivement trustées » qui devaient être retirées au capital privé : grandes banques de dépôts et d'affaires, compagnies d'assurances, électricité, mines de fer et sidérurgie, marine marchande, métaux légers, air liquide, ciment, explosifs, soude, importation et transport des combustibles liquides.

C'est André Malraux qui, en janvier 1945, prenant la parole, et avec quelle éloquence, au congrès du Mouvement de libération nationale, congrès dont il faudra dire l'importance pour l'orientation de la politique française[5], s'écriera :

— La nationalisation du crédit est la clé, l'élément fondamental de

---

1. *Cf. Les Règlements de comptes,* chapitre « Le fer dans l'entreprise capitaliste », p. 566 et suiv.
2. La nationalisation de Gnome et Rhône, décidée en 1944, fut effective le 29 mai 1945, celle des transports aériens le 26 juin 1945, mais le transfert de propriété était effectif depuis le 1er septembre 1944.
3. Qui n'était représenté que par un observateur.
4. Paragraphe 5 du titre I.
5. *Cf.* p. 701 et suiv.

tous les systèmes capitalistes, dans la mesure où c'est le système que nous voulons abattre[1].

Si le Parti communiste demeure réticent face à des nationalisations dans lesquelles il voit des « gesticulations » contribuant finalement (contrairement à ce qu'imagine Malraux) au renforcement du capitalisme, le Mouvement républicain populaire, dont les électeurs allaient bientôt faire l'un des deux grands vainqueurs du scrutin d'octobre, décide, le 8 octobre, que la nationalisation du crédit devait être « la première et la plus urgente » des mesures à prendre et qu'elle passait par « la nationalisation *intégrale* de la Banque de France par expropriation du capital avec indemnité [...] », ainsi que par « la nationalisation du système bancaire privé ».

Au gouvernement de décider.

Dans sa déclaration ministérielle du 23 novembre, le général de Gaulle annonça que le gouvernement saisirait « incessamment l'Assemblée de deux projets de loi concernant l'un la nationalisation du crédit, l'autre celle de l'électricité ». Si les mesures concernant l'électricité allaient être ajournées en raison de la complexité du problème, le Conseil des ministres arrêta, le 27 novembre, les grandes lignes du projet relatif au crédit. Par crainte de dangereux remous boursiers, le projet préparé par M. Pleven, qui prévoyait la nationalisation intégrale de la Banque de France, du Crédit lyonnais, de la Société générale, du Comptoir national d'escompte et de la Banque nationale pour le commerce et l'industrie, ne fut publié que le vendredi 30 novembre, après la clôture de la Bourse.

La discussion devait être menée grand train afin que le vote du projet de loi ait lieu avant la réouverture de la Bourse, le lundi 2 décembre.

Devant la commission des finances, comme à l'Assemblée, le débat porta essentiellement sur le nombre des établissements bancaires à nationaliser, l'organisation du contrôle du crédit et le calcul de l'indemnité à verser aux actionnaires.

Porte-parole de la commission des finances, Christian Pineau plaida pour que la Banque de Paris et des Pays-Bas, ainsi que la Banque de l'Union parisienne soient, elles aussi, nationalisées.

---

1. Villon, qui représente le Front national (fortement influencé par le Parti communiste), se prononcera à ce même congrès du M.L.N. *contre* des nationalisations immédiates.

Toujours au nom de la commission, il demanda que la direction du Crédit soit retirée à René Pleven, ministre des Finances, pour être confiée au ministre de l'Économie nationale, le communiste François Billoux, et que les actions des banques nationalisées soient remplacées par des obligations dont le taux serait calculé sur le dernier dividende payé.

Devant le flot d'amendements susceptibles de donner à la loi un tout autre caractère que celui souhaité par le gouvernement, le général de Gaulle dut intervenir en séance. Le texte, finalement adopté par 517 voix contre 35, avait toutefois pris en compte un certain nombre des propositions de la commission des finances. Joseph Laniel eut beau faire observer que le projet d'indemnisation du gouvernement constituait une « véritable spoliation, car il remplaçait un capital constitué par une valeur réelle par une créance sur l'État amortissable en cinquante ans et libellée dans une monnaie qui, hélas ! se dépréc[iait] », l'indemnisation, loin d'être augmentée, fut diminuée, le taux des obligations étant ramené de 3 à 2 %[1]. Au sein des conseils d'administration des Banques nationalisées et du Conseil national du crédit, le nombre des représentants des organisations syndicales fut augmenté, celui des milieux financiers et industriels diminué, et le ministère de l'Économie obtint des pouvoirs étendus au détriment du ministère des Finances.

Dans le débat, René Pleven avait été amené à déclarer que la nationalisation n'était pas une sanction et qu'il n'y avait rien à reprocher aux dirigeants des établissements bancaires concernés, si ce n'est, parfois, une certaine timidité, qui avait eu, pour contrepartie, « des méthodes sévères et prudentes grâce auxquelles les banques françaises de dépôts [avaient] résisté aux bourrasques ». Mais, ajoutait-il, il fallait bien réaliser, « sans hésitation, ni détours, le programme de rénovation que la nation [venait d'] approuve[r] le 21 octobre dernier », à l'occasion des élections.

Ce n'était pas la première fois que l'idéologie l'emportait.

Ce ne serait pas la dernière.

Dans les jours qui suivirent le vote, la Bourse, sensible depuis plusieurs semaines, allait être profondément affectée par des décisions mal faites pour rassurer les actionnaires.

---

1. Un contre-projet Laniel recueillit 41 voix.

La fin de l'année 1945 a vu la nationalisation du crédit.

Le début de l'année, puisque l'ordonnance avait été publiée au *Journal officiel* du 31 décembre 1944, avait été marqué par des réformes qui visaient à rétablir l'équilibre des assurances sociales, en déficit depuis 1943, s'agissant de l'assurance maladie-maternité, depuis plus longtemps encore s'agissant de l'assurance vieillesse. La loi du 14 mars 1941 avait certes institué la retraite des vieux travailleurs, mais, aucune recette nouvelle n'ayant été prévue, la retraite avait été financée sur les fonds des assurances sociales, fonds rapidement épuisés [1].

Mais il ne s'agissait là que d'aménagements rendus indispensables par la situation financière. La véritable, la grande réforme, socialement l'une des plus importantes du siècle, eut lieu lorsque furent publiées les ordonnances du 4 et du 19 octobre 1945 qui, à quelques détails près, créaient la Sécurité sociale telle que nous la connaissons.

Le plan gouvernemental français s'inspirait du plan auquel l'économiste britannique William Henry Beveridge avait travaillé depuis 1942 et qu'il venait de publier sous le titre *Free Employment in a Free Society*.

C'est dans l'été et l'automne de 1945 — même si l'ordonnance devait seulement entrer en vigueur le 1er juillet 1946 — que furent décidés le principe de la gestion des caisses par les organisations syndicales — majoritaires dans le système [2] ; la disparition des caisses mutualistes ; la survivance de nombreux « régimes spéciaux » ; l'obligation de cotisation faite à tous les salariés, obligation correspondant à l'assurance d'une « couverture » sociale ; l'institution d'une caisse « de longue maladie » pouvant prolonger les prestations pendant une période de trois ans (au lieu de six mois) ; le remaniement enfin de

---

1. Décidée par Vichy, la retraite des vieux travailleurs était de 3 600 francs par an. Elle fut portée, en février 1945, à 7 200 pour les bénéficiaires habitant une commune de plus de 5 000 habitants. Par décision du 30 décembre 1944, la double cotisation ouvrière et patronale était portée de 8 à 12 % et la retraite des vieux travailleurs se trouvait séparée des assurances sociales.

2. Les organisations syndicales étaient notamment chargées « de faire l'éducation des intéressés dans le domaine social ». Il semble que cet aspect des choses ait été quelque peu négligé.

l'assurance vieillesse, le système de répartition remplaçant le système de capitalisation, cependant que l'âge de la retraite, s'il restait théoriquement fixé à soixante ans (avec 20 % du salaire de base calculé sur le salaire moyen annuel des dix dernières années), se trouvait, en réalité, porté à soixante-cinq ans, puisque c'est seulement à cet âge que le retraité pouvait bénéficier d'une pension représentant 40 % du salaire de base. De ces mesures, en partie révolutionnaires, de Gaulle devait écrire : « Ainsi disparaît l'angoisse, aussi ancienne que l'espèce humaine, que la maladie, l'accident, la vieillesse, le chômage faisaient peser sur les laborieux. Il y aura toujours des pauvres parmi nous, mais non plus des misérables[1]. »

Une autre mesure était appelée à avoir, au sein du monde du travail, une importance considérable et durable.

Vichy avait certes créé des comités sociaux d'entreprise, mais leurs possibilités d'intervention étaient restées limitées et leur évanouissement avait correspondu à la disparition de la Charte du travail.

Si, pendant la clandestinité, le Conseil national de la Résistance avait, sans autre précision, réclamé « la participation des travailleurs à la direction de l'économie », le général de Gaulle, parlant à Lille le 1er octobre 1944, avait manifesté le désir que la collaboration « entre ceux qui travaillent et ceux qui dirigent [...] soit établie de manière organique [...] sans naturellement contrarier en rien l'action de ceux qui ont la responsabilité de [la] direction ».

En accord avec ses « arrière-pensées », il souhaitait également gagner de vitesse le Parti communiste, à qui pouvait s'offrir « l'extraordinaire occasion » de confondre « à dessein l'insurrection contre l'ennemi avec la lutte des classes[1] ».

Aussi, le 24 novembre 1944, le gouvernement avait-il déposé auprès de l'Assemblée consultative une demande d'avis sur un projet d'ordonnance relatif à la création de comités d'entreprise dans toutes les entreprises de plus de cent personnes.

Présenté par Alexandre Parodi, ministre du Travail, le projet avait

---

1. *Mémoires de guerre,* t. III, chapitre « L'Ordre ».

été discuté les 12 et 13 décembre 1944, mais c'est seulement le 23 février 1945 (le soin de défendre les revendications des salariés continuant à appartenir aux délégués ouvriers) que le *Journal officiel* publiait un texte favorable non seulement à l'information des travailleurs, mais à leur participation à la vie de l'entreprise dans laquelle, selon le mot de Parodi, ils n'occuperaient pas une place qui fasse seulement d'eux les « rouages d'une machine », mais « une place de réflexion et de pensée qui doit être celle d'un être humain[1] ».

Analysant, le 10 mai, dans un long article du *Figaro*, ce qu'il appelait « un acte révolutionnaire qui peut être, de tous, le plus dangereux ou le plus efficace », l'économiste et grand chef d'entreprise Auguste Detœuf[2] écrivait : « Il ne peut s'agir ici de légaliser des mœurs qui n'existent guère : il s'agit d'un acte de foi. La tentative est singulièrement audacieuse : elle implique une transformation psychologique, une transformation des mœurs qui ne se feront pas sans immenses sacrifices des uns et des autres au bien collectif, mais cette audace est nécessaire. »

Pour Detœuf, patrons et ouvriers français devaient « changer » : le patron, en acceptant de « faire connaître ce qu'il gagne et ce qu'il perd, [de] faire confiance aux autres et à la clarté » ; les membres du comité d'entreprise, « formés comme il est naturel chez les dirigés à revendiquer [...], à se former à l'état d'esprit d'aide à l'employeur ».

Dans son discours radiodiffusé du 24 mai, le général de Gaulle, annonçant trois grandes réformes, avait évoqué la nationalisation du

---

1. La C.G.T. jugeait immédiatement le texte insuffisant (*Cf. L'Humanité* du 24 février 1945). En désaccord avec l'ordonnance sur les comités d'entreprise, la centrale ouvrière affirmait sa volonté de travailler « à l'élargissement des pouvoirs et des moyens d'investigation de ces organismes ».
2. Né en 1883, Auguste Detœuf avait été, en 1912, le premier directeur du port de Strasbourg. Directeur général de la Compagnie française Thomson-Houston, fondateur et administrateur délégué de l'Alsthom, président du syndicat général de la construction électrique, il fut, écrit Yvon Gattaz, en faisant notamment allusion à son livre : *Propos de O. L. Barenton, confiseur,* « le premier chef d'entreprise à avoir manié l'humour avec profondeur et à avoir su faire passer des messages choc avec des formules non conformistes ».

charbon, de l'électricité, du crédit ; la réforme de la fonction publique ; le lancement d'un plan de « repeuplement pour la France ».

En historien, il savait que le rayonnement de la France, au XVIIIe et au début du XIXe siècle, avait coïncidé avec le moment où sa population était la plus nombreuse d'Europe ; en chef de guerre, que le taux de la natalité française, l'un des plus bas du monde avait une influence sur le recrutement ; en responsable des affaires enfin, que le peuple venait de subir « une très grave amputation de ses rares éléments actifs », puisque les 635 000 hommes et femmes qu'il avait perdus étaient « les plus entreprenants, les plus généreux, les plus actifs[1] ». Qui aurait pu aller contre ces terribles vérités ?

Aussi, le 7 février, devant l'Assemblée consultative provisoire, le professeur Francis Perrin, rapporteur du projet de la Santé publique, avait-il pu affirmer, sans être contredit, que la question de la population française, « la plus importante de toutes celles » que les délégués avaient à étudier, « conditionn[ait] toutes les autres ».

Selon ses prévisions — destinées, comme beaucoup de prévisions, à être démenties —, les Français ne se compteraient plus que 35 millions en 1970, 30 millions en 1985, les vieillards représentant, respectivement, 8 millions et demi et 9 millions dans un pays définitivement condamné.

Il manque, à la France, avait dit Perrin « cent mille adolescents chaque année ». Ces cent mille, elle pourrait les obtenir en favorisant « une immigration contrôlée en qualité et en quantité », mais surtout en luttant contre la surmortalité infantile et en multipliant les mesures fiscales et sociales — notamment l'institution du quotient familial, les prêts au mariage[2] et peut-être (Perrin en fera mention) le vote familial — susceptibles de donner aux garçons et aux filles non l'envie, elle existait, mais les moyens de fonder un foyer et de créer une famille.

Les *très bien, très bien* s'étaient élevés de tous les bancs de l'Assemblée lorsque Perrin avait dénoncé les avortements, dit qu'il fallait en diminuer le nombre et « surtout viser à diminuer le nombre

---

1. *Mémoires de guerre*, t. III, p. 235.
2. Le 7 février, dans la suite du débat, M. René Thuillier parlera du rapport établi, au nom de la commission du travail et des affaires sociales, par son collègue Prigent.
Selon ce rapport, 150 000 jeunes ménages pourraient, chaque année, bénéficier d'un prêt moyen de 20 000 francs. La mise de fonds minimum pour fonder un foyer était estimée à 30 000-40 000 francs.

des femmes qui sont tuées ou rendues stériles par suite de ces avortements ». L'interrompant, le socialiste Le Troquer s'était même écrié : « C'est cette action qu'il faut développer ! »

Des applaudissements unanimes avaient accueilli le communiste François Billoux, ministre de la Santé publique, déclarant qu'il considérait les enfants « comme le ciment véritable de la famille ». Après avoir exposé les mesures que le gouvernement comptait prendre en faveur des ménages, Billoux sans rappeler que Vichy, dès l'origine, avait placé la famille au premier rang de ses préoccupations, avait cependant osé déclarer qu'au sein du Commissariat général à la famille, créé par « le soi-disant gouvernement de Vichy » pour faire « la propagande du Maréchal, beaucoup plus que [pour] s'occuper de la famille », de nombreux patriotes [avaient] mené une action utile.

De Gaulle souhaite à la France beaucoup de beaux enfants, « douze millions de beaux bébés en dix ans », a-t-il déclaré le 2 mars.

Le M.R.P. s'appelle et se laisse volontiers appeler « le parti de la famille ». Quant à Maurice Thorez, le 11 avril, il a prononcé, au Vélodrome d'hiver un discours en faveur de la natalité. Quelques mois plus tard, *L'Humanité* publiera une série d'articles de Germaine Vigneron dont le premier, en « ouverture » du journal[1], aura pour titre « *Berceaux vides / Péril pour le pays* ».

La lutte contre la dénatalité conduira certains et certaines à prendre, d'ailleurs, d'étonnantes positions, des positions semblables à quelques-unes de celles qui, un ou deux ans plus tôt, étaient toujours en faveur dans l'Allemagne de Hitler !

C'est ainsi qu'au nom de l'eugénisme l'Union des femmes françaises de Corrèze réclamera, dans le cahier rédigé à l'occasion des États Généraux[2], « la stérilisation des malades incurables et contagieux (tuberculeux, syphilitiques, épileptiques) pour empêcher les naissances d'anormaux héréditaires ».

---

1. Les 7-8 août 1945.
2. Sur les états généraux de la Renaissance française, *cf.* p. 729.

Celles et ceux qui ont vécu, jeunes, les années de l'immédiate après-guerre, qui ont alors fondé un foyer, élevé des enfants, savent que les promesses gouvernementales, surtout dans les régions sinistrées où les difficultés étaient multipliées, ne se transformaient que lentement en réalité.

Le 19 octobre, dans l'une de ses chroniques du *Figaro*, Georges Ravon raconte l'histoire (vraie) de ce prisonnier évadé dont la petite fille a été tuée dans l'un des bombardements de Caen. Une autre fillette étant née, il entre dans un magasin de Neuilly pour se procurer une voiture d'enfant. La voiture coûte 10 500 francs, mais, déclare le propriétaire du magasin, « il me faut aussi deux ou trois kilos de beurre que vous fournirez à vos frais ».

Protestation, discussion. Peine perdue, pas de beurre, pas de voiture.

« La propagande pour le relèvement de la natalité est une chose, écrit Ravon, le commerce en est une autre et le manque de matières grasses une troisième, beaucoup plus sérieuse [...]. C'est avec de petits scandales comme ceux-là que l'on dégoûte les Français " de faire la guerre ", de faire des enfants, que l'on arrive même, à certaines heures, à les dégoûter tout court. »

Ravon a raison.

Les événements lui donneront tort.

Comme le nombre des naissances avait commencé à dépasser celui des décès dans les deux dernières années de l'Occupation, alors que près de deux millions de jeunes Français — prisonniers, déportés, travailleurs — se trouvaient captifs en Allemagne, c'est entre 1946 et 1950, les difficultés matérielles étant loin d'être dissipées, que la moyenne des naissances aura été la plus élevée depuis 1901 : 860 000 pour 537 200 décès.

Plus jamais, en France, les naissances ne l'emporteront aussi largement (+ 322 900) sur les morts.

Que les mesures gouvernementales aient favorisé mariages et naissances, c'est certain ; mais, plus encore, a joué le retour de tous ceux qui, loin de France, certains depuis plus de cinq ans, avaient, dans les champs du Wurtemberg, les usines de Stettin ou de Berlin, à Dachau ou à Buchenwald, rêvé du jour où, épousant leur femme, de cet amour naîtrait un enfant, merveilleuse revanche sur les sacrifices, les misères, les humiliations.

693

Il paraît douteux que les Français de 1945 aient prêté attention à la création de l'École nationale d'administration.

Comment auraient-ils pu deviner que ses anciens élèves occuperaient, bientôt, non seulement la presque totalité des grands postes de la fonction publique, ce qui était dans la logique de l'École, mais qu'à l'ombre des ministres, ou ministres eux-mêmes, ils domineraient la vie politique[1]?

Pensée et voulue par Michel Debré, qui, avant la guerre, avait remarqué que l'État, s'il formait ses militaires, ses ingénieurs, ses instituteurs et ses professeurs, ne formait ni ses administrateurs, ni ses financiers; l'E.N.A. avait été acceptée par le général de Gaulle. Debré, nommé en avril à son cabinet, avait su le convaincre. Et le règlement de l'École avait été élaboré en ces mois exceptionnels du printemps 1945 où, tout ayant été jeté bas, tout était possible[2].

Le 6 juin — comme tout a marché vite! —, le projet d'ordonnance, rédigé par Debré, présenté par le président Jeanneney, est accepté par le Conseil des ministres. Le 9 octobre, l'ensemble du projet adopté, le général de Gaulle peut signer deux ordonnances, douze décrets, un arrêté et, le 15 décembre, dans le grand amphithéâtre de la rue Saint-Guillaume[3], haranguer l'état-major de l'École, entouré de la première promotion.

Si la création de l'E.N.A. était passée inaperçue des Français — on n'en trouve que des traces légères dans la presse —, l'échange des

---

1. En juin 1993 (gouvernement Balladur), 21 des 30 directeurs de cabinet ministériel sont diplômés de l'E.N.A.
2. Dans son livre *Trois républiques pour une France*, Michel Debré cite, au nombre de ceux qui furent ses collaborateurs, Roger Grégoire, Philippe Rivain, René Brouillet, Tomasini, Trouvé. Il bénéficia notamment, auprès du Général, de l'aide de Louis Joxe, de René Capitant et de Gaston Palewski.
3. Ce n'est que beaucoup plus tard que l'E.N.A. s'installera rue de l'Université, beaucoup plus tard encore qu'elle sera « délocalisée » à Strasbourg.

billets allait, des mois durant, occuper les conversations, fournir de la matière aux journalistes et aux politiques, inquiéter les spéculateurs à la recherche du meilleur moyen de « s'en débarrasser ».

Dans l'esprit de Pierre Mendès France, lorsqu'il était à Alger, l'échange des billets devait être la pierre d'angle d'une politique économique volontariste tendant à raréfier les moyens de paiement. Mendès aurait voulu imposer l'échange, sinon dès les premiers jours, du moins dès les premiers mois suivant la Libération. La décision avait longtemps été retardée, autant pour des querelles de principe entre Mendès et Pleven — querelles largement évoquées dans *Les Règlements de comptes*[1] — que pour d'insurmontables motifs techniques et matériels.

L'échange ne devait concerner ni les billets de 20 francs — les Français en possédaient le 1er juin 245 518 931 —, ni les billets de 10 francs (402 683 284), ni ceux de 5 francs (341 392 731), mais il fallait remplacer plus d'un milliard et demi[2] de coupures de 50, 100, 500, 1 000 et 5 000 francs. En mai et juillet 1944, des commandes avaient été passées en Grande-Bretagne et aux États-Unis, mais, ainsi que René Pleven l'expliquera le 25 février 1945 dans une longue note adressée au général de Gaulle, l'examen des premiers billets reçus des États-Unis avait réservé de sérieuses déceptions : papier non filigrané et facile à trouver dans le commerce, couleurs pouvant être aisément sélectionnées par la photographie et reproduites par des procédés lithographiques d'une grande simplicité, numérotage défectueux[3].

Il sera donc nécessaire de veiller d'autant plus sérieusement à la qualité des nouveaux billets que la Banque de France se trouvera dans l'impossibilité de les remplacer tous avant deux ans et que les coupures de médiocre apparence pourraient non seulement susciter la défiance

---

1. Tandis que Mendès songe à un échange partiel (chaque porteur recevant, pour une période à déterminer, une somme « correspondant à ses besoins », 5 000 francs et 2 000 francs par enfant), accompagné d'un blocage des comptes, d'une taxation rigoureuse des enrichissements et d'une confiscation de tous les enrichissements illicites, programme dont il attend une diminution de moitié de la masse monétaire, Pleven (discours du 29 mars devant l'Assemblée consultative) se refuse à ajouter à tous les rationnements « un nouveau rationnement, celui de la monnaie ». *Cf. Les Règlements de comptes,* p. 505-547.
2. 1 595 187 410.
3. Les billets de 1 000 et 500 distribués à partir du 4 juin ont été imprimés en Grande-Bretagne ; ceux de 100 et 50 francs aux États-Unis. Quant à ceux de 5 000 et 300 francs, ils sortaient de l'imprimerie de la Banque de France.

des Français, mais, ce qui serait infiniment plus grave, permettre également à « des gouvernements étrangers [de se servir] d'émissions massives comme moyens d'attaque contre le franc et d'atteinte à l'ordre public en France[1] ».

Le 4 juin, approvisionnés depuis Paris par cinq cents camions, 34 000 guichets attendaient les Français, invités à se présenter dans un ordre fixé par l'alphabet. Aux personnes, dont le nom commençait par A, B, C, étaient affectés le lundi 4 et le mardi 5 juin ; à celles dont le nom débutait par D, E ou F, le mercredi 6 et le jeudi 7 juin. L'opération s'achevait le mardi 12 et le mercredi 13 juin par la convocation des personnes dont le nom débutait par R, S, T, U, V, W, X, Y, Z.

L'échange avait non seulement pour but d'acquérir à l'État la valeur des billets qui ne seraient pas présentés, soit qu'ils aient été emportés par l'ennemi, détruits, perdus, ou encore entassés dans les inavouables « lessiveuses » des trafiquants, d'où l'on espérait bien qu'ils ne sortiraient jamais, mais aussi — et surtout — de « photographier » la fortune des Français afin d'établir l'impôt de péréquation, ou de solidarité nationale destiné à frapper lourdement, puisque Pleven en attendait 80 milliards pour la première année[2], patrimoines et enrichissements.

A l'occasion de l'échange, possible seulement en une seule fois, tous les chefs de famille devaient présenter au guichet d'une banque, avec leur carte d'identité et leur carte d'alimentation, les billets en leur possession classés par coupures de même type. Ils devaient également remplir un bordereau de déclarations des bons du Trésor et valeurs assimilables, immédiatement estampillés ou échangés contre de nouveaux titres.

Si, pendant la période du 4 au 15 juin, les dépositaires ne reçurent qu'une première attribution de 6 000 francs, plus 3 000 francs par personne figurant au bordereau, René Pleven tint sa promesse d'échange sans blocage et « franc contre franc », si bien que l'opéra-

---

1. Note de René Pleven au général de Gaulle, 24 février 1945.
2. L'impôt de solidarité (ordonnance du 15 août 1945) prévoyait un prélèvement sur le patrimoine des personnes physiques ainsi qu'une taxe sur les enrichissements et un prélèvement sur le fonds social des entreprises. Le déficit était estimé à plus de 300 milliards. En quatre années l'impôt exceptionnel de péréquation (qui frappait lourdement la première année) devait rapporter entre 100 et 125 milliards.

tion, qui avait suscité des craintes multiples, se déroula sans incident.

Il est vrai que certains trafiquants et profiteurs de grande envergure avaient pris la fuite, à l'image de ce Szkolnikow, dit Michel, juif d'origine russe qui, alors que tant de juifs mouraient, avait su gagner, notamment par l'intermédiaire de sa maîtresse, Hélène Samson, née Tietz — elle était d'origine allemande —, les faveurs des bureaux d'achat de la Kriegsmarine et de la Gestapo que le couple recevait dans son hôtel de la rue de Presbourg.

En 1944, Szkolnikow, garçon de café trois ans plus tôt dans un établissement des Champs-Élysées, possédait douze des plus fastueux hôtels de Nice, Monte-Carlo et Monaco, plusieurs immeubles à Paris, de vastes domaines en Seine-et-Oise et Saône-et-Loire.

En septembre 1945, Szkolnikow, à qui le 2e comité de confiscation des projets illicites venait de réclamer près de quatre milliards — la vente, à Drouot, des fourrures et du linge de maison découvert rue de Presbourg allait rapporter cinq millions et demi —, se trouvait depuis plus d'un an en Espagne. Le destin — sous forme d'agents du 2e Bureau — le rattrapera, et il finira sa vie dans un caniveau.

Tous les trafiquants, tous les profiteurs de l'occupation n'avaient pas la « surface » de Szkolnikow. Ils ignoraient certes la date exacte du début de l'échange des billets, mais, depuis le début de l'année, n'ignorant rien des intentions du gouvernement, ils avaient « pris leur précautions ».

Le 18 juin paraissait, dans *Le Figaro,* un reportage consacré aux éleveurs d'un canton de Normandie dont la rumeur affirmait qu'ils s'étaient grassement enrichis. A la grande surprise du journaliste, les dépôts en billets s'étaient tous révélés étonnamment faibles. A une exception près. Un cultivateur avait bien déposé 800 000 francs... Une somme ! Mais, comme il était « riche de vieux », c'est-à-dire héritier, la curiosité, à peine éveillée, se trouvait sans objet.

On avait vite appris que les billets de 20, 10 et 5 francs ne seraient pas échangés. Aussi l'information avait-elle donné naissance, dans les derniers jours de mai, à beaucoup d'agitation et à quelques petits trafics. Les billets de 20 francs se vendaient 25 francs et, pour obtenir de petites coupures, des malins réglaient leur apéritif à l'aide d'un billet de 100 francs, achetaient, avec un billet de 50 ou de 100 francs, des timbres-poste, des lacets... en papier, car les lacets en cuir avaient disparu depuis longtemps, un journal à 2 francs, de modestes bouquets, des fruits, des médicaments d'usage courant... mais, comme les commerçants, bientôt, firent l'appoint en tubes de dentifrice, en cachets d'aspirine, voire en cure-dents, les espoirs des gagne-petit s'envolèrent.

Le Trésor avait fait une bonne opération. La circulation monétaire, qui se montait à 580 milliards le 2 mai, n'atteignait plus que 444 milliards le 2 août.

Mais l'année 1945 ne se terminerait pas sans plusieurs mauvaises nouvelles. Les prix officiels français — éloignés d'ailleurs des prix du marché noir, ceux que connaissaient, hélas, les ménagères — avaient quadruplé depuis 1940 quand les prix britanniques n'avaient augmenté que de 70 %, les prix américains de 40 %.

Encore, malgré les exigences allemandes et les innombrables difficultés du moment, les « technocrates[1] » de Vichy, à qui de Gaulle rendra hommage dans ses *Mémoires de guerre* en évoquant leur « incontestable habilité », avaient-ils limité l'inflation puisque de 100, en 1938, l'indice général des prix réglementés des produits alimentaires était passé à 291 en août 1944. Il avait atteint 335 en août 1945, puis, comme pris de vertige, 479 en décembre de la même année, ce qui condamnait les salariés à ne jamais pouvoir suivre, malgré plusieurs augmentations[2], l'infernale hausse de toutes choses.

La sanction d'une mauvaise gestion, et sans doute des malheureux choix faits lorsque Mendès France avait été écarté au profit de Pleven, se manifestera bientôt.

Alors qu'ils s'apprêtent à entrer dans l'année nouvelle, les Français apprennent par les quotidiens du lundi 31 décembre que le franc a été dévalué et que le dollar, qui valait 43 francs à la Libération, en vaudra désormais 119.

De Gaulle, mauvais prophète, mais, dans quelques jours, il ne sera plus aux affaires, dira qu'en dépit de ce qu'elle comportait de « mélancolie » la dévaluation pouvait et devait « procurer la base stable sur laquelle nous pourrions reconstruire [...] et développer

---

1. De Gaulle emploie le mot en 1959. Il est neuf, alors, car il n'a été utilisé qu'à partir de 1957.
2. C'est en septembre 1945 qu'apparaîtra la notion de « salaire minimum » et que les différences entre salaires parisiens et salaires de province seront quelque peu « gommées ».

notre économie bouleversée, mais à condition que nous fassions nous-mêmes ce qu'il faut pour que cette base demeure stable ». On sait ce qu'il en ira...

Vingt-trois ans plus tard, à quelques jours près, le 23 novembre 1968, de Gaulle étant président de la République, un communiqué de l'Élysée faisait savoir aux Français que le Conseil des ministres venait de décider que la parité du franc était maintenue... décision surprenante après les désordres de mai, mais peut-être, chez de Gaulle, était-ce un souvenir des troubles monétaires qui, depuis la Libération, avaient affligé la France.

En ces derniers jours de 1945, plus que la dévaluation, c'est le rétablissement de la carte de pain qui traumatisera le peuple et lui fera douter qu'il se trouve dans le camp vainqueur.

La carte de pain avait été supprimée le 5 octobre. La date n'avait rien d'innocent. Elle s'expliquait par la proximité du référendum et des élections du 21 octobre. La satisfaction populaire s'était manifestée non seulement par des autodafés où, comme à Loches, le dimanche 4 novembre, la foule suivit le cortège des mitrons escortant le cercueil de « Dame carte de pain » et alimenta un brasier de tous les tickets en sa possession, mais encore par un gaspillage éhonté et prévisible[1] Taxation et subventions rendant le pain, fabriqué avec du blé importé à grands frais, moins cher que les céréales secondaires, les pommes de terre ou les tourteaux, il fut libéralement distribué aux animaux de basse-cour. Et, dans les villes, chacun, enfin, put se rassasier.

L'article consacré à la manifestation de Loches se terminait sur le récit du « bal à succès monstre [organisé] pour marquer gaiement que la carte de pain [était] ENFIN morte ».

ENFIN... Quelle illusion !

Un décret du 28 décembre rétablit la carte de pain et la ration fut légèrement diminuée.

Entre le 28 décembre 1945 et le 1er janvier 1946, date à laquelle les boulangers durent reprendre leurs ciseaux pour découper les tickets et leurs boîtes pour les enfermer, il y eut de longues stations devant les

---

1. En mars 1945 le prix théorique d'un kilo de pain était de 6 F. 47, son prix de vente de 4 F. 90.

boutiques et quelques émeutes provoquées par des consommateurs avides de faire des provisions qui seraient vite dévorées.

La décision du gouvernement de supprimer la carte avait été d'autant plus irréaliste que, pour maintenir la vente libre du pain, il aurait fallu importer presque autant de millions de quintaux de blé (30) que la terre de France en avait produit (42) en une année calamiteuse.

Il n'est pas impossible que le rétablissement des tickets ait joué un rôle dans le désenchantement populaire de la fin de l'année. Désenchantement non seulement à l'égard des ministres et de l'administration, mais de De Gaulle lui-même. Lorsqu'il aura quitté le pouvoir, 28 % seulement des personnes interrogées par l'I.F.O.P., entre le 1er et le 12 février 1946, désapprouveront son départ et 40 % le regretteront.

A qui se souvient du 26 août 1944, comme ces chiffres paraîtront faibles ! Mais, déjà, des observateurs notaient l'usure de l'homme du 18 juin 1940 et du 26 août 1944 dans l'esprit de Français, blessés par mille et une misères quotidiennes, auxquelles nul ne pouvait apporter de remède comme dans l'esprit de politiciens impatients de voir disparaître l'obstacle que le Général représentait face à leurs ambitions.

Avec des mots différents, deux hommes aussi différents que Galtier-Boissière et Claude Mauriac enregistraient le reflux de la confiance.

Galtier-Boissière, le 16 janvier 1946, dans son *Journal :* « Sentimentalement, beaucoup de Français restent gaullistes parce que le Général incarna l'espérance pendant les années sombres de l'Occupation, mais les plus fidèles déplorent la carence d'un gouvernement qui, dix-huit mois après la Libération, n'arrive ni à nourrir normalement la population des grandes villes, ni à stabiliser les prix. »

Claude Mauriac, dont le talent d'observateur ému n'est plus à dire, le 1er janvier 1946, à la fin de ce débat où les socialistes — lilliputiens efficaces — sont montés à l'assaut de De Gaulle pour l'obliger, selon le mot d'André Philip et d'Albert Gazier, à « s'incliner devant la volonté parlementaire » : « Le crédit du général de Gaulle — et son prestige — semble, depuis les élections, en nette régression [...]. Bientôt peut-être sera-t-il juste assez déconsidéré *(comme le mot est rude !)* pour que les députés osent le prendre au mot lorsqu'il parlera de départ. »

Les temps sont proches.

Ils auront été précédés de sentimentales batailles entre anciens camarades de la Résistance, d'ardents conflits entre partis gloutons et, surtout, de scrutins décisifs pour l'histoire de notre pays.

18

LES PARTIS CONTRE DE GAULLE

Qui se souvient du M.L.N. ?

Or, il se peut qu'en refusant, en janvier 1945, la fusion organique que le Front national lui proposait avec une enveloppante insistance le Mouvement de libération nationale ait été l'un des premiers obstacles à la marche du Parti communiste vers la conquête légale du pouvoir.

Sans doute, dès son arrivée à Paris, le général de Gaulle avait-il partiellement désarmé les Milices patriotiques, sensiblement affaibli l'autorité des Comités de libération, rétabli l'ordre dans plusieurs de ces départements où l'État ne se réimplantait que difficilement, mais il n'avait jamais été dans les intentions (ni dans les possibilités) du Parti communiste français de prendre le pouvoir par les armes. Maurice Thorez, revenu de Moscou amnistié, avait donc approuvé, soutenu, fait accepter par des partisans souvent désorientés la plupart des mesures voulues par de Gaulle.

Mais pourquoi ne pas demander au vote ce qu'il n'était pas question d'obtenir par les armes ?

Dès l'instant où il avait basculé dans la Résistance, le Parti communiste, adoptant dans tous les domaines, à l'exception de ceux qui concernaient la lutte contre l'ennemi, des positions modérées et prêchant l'union de tous les « bons Français », avait accueilli au Front national des hommes venus de milieux sociaux les plus différents, d'horizons politiques les plus éloignés.

Parallèlement, grâce à de discrets militants, il avait infiltré réseaux et mouvements en un temps, il est vrai, où l'on demandait à ceux qui s'engageaient, moins ce qu'ils avaient fait et pensé par le passé que ce qu'ils voulaient et pouvaient faire contre l'occupant.

En décembre 1943, le Mouvement de libération nationale avait certes été fondé par les responsables des Mouvements unis *(Combat, Libération, Franc-Tireur)*, de *Défense de la France* et de *Résistance* pour coordonner l'action immédiate et préparer l'insurrection mais aussi pour équilibrer l'influence du Front national dont il était visible, aux yeux d'hommes aussi attentifs que Frenay, qu'il représentait, entre les mains du Parti communiste, un puissant levier politique[1].

Accumulant un capital moral et patriotique considérable, le M.L.N. avait prospéré.

A la Libération, ses adhérents se comptaient par centaines de milliers ; le chiffre de un million sera même écrit[2], mais sans doute correspondait-il à ces semaines d'août et de septembre où mouvements et partis recrutaient sans souci de l'authenticité des titres de résistance. Quant à la presse du M.L.N. elle était non seulement la plus nombreuse, mais encore la mieux faite — qu'il s'agisse de *Défense de la France* ou de *Combat* — et la plus solidement implantée.

Selon le mot navré de Philippe Viannay, l'un des inventeurs du M.L.N., et l'un de ceux que tourmenteraient jusqu'à la mort les rêves brisés de sa jeunesse, le Mouvement, une fois la guerre achevée, s'offrait donc « comme une proie » sur laquelle se précipitaient socialistes et communistes.

Tandis que les socialistes, pour qui le M.L.N. devait se transformer en une sorte de « ligue civique », un conservatoire des valeurs de la Résistance, cherchaient seulement à attirer à eux des adhérents, qui ne feraient d'ailleurs que revenir au bercail, les communistes avaient des vues plus larges.

La fusion organique entre le M.L.N. et le Front national leur aurait permis, en effet, de présenter aux élections — elles allaient être nombreuses et décisives en 1945 — des listes uniques de la Résistance,

---

1. Dans son *Histoire de la Résistance en France,* t. 4, p. 192, Noguères écrit que la création du M.L.N. correspondait également au désir de plusieurs mouvements (ceux de la zone Nord) d'être représentés au C.N.R. et que certains dirigeants voyaient, dans la constitution d'un puissant mouvement, une mesure d'autodéfense contre les partis ressuscités à la Libération et qui voudraient s'attribuer toutes les places.

2. Par Jean Lacouture dans *Malraux. L'Année politique* limite les adhésions à 500 000.

assurées de provoquer un véritable raz de marée, dont le Parti communiste aurait été le grand bénéficiaire.

C'est d'ailleurs lorsque commencèrent, le 23 janvier, à Paris, les débats du premier congrès du M.L.N. que l'on put véritablement découvrir l'influence exercée par des communistes, qui arrachaient soudain le masque, sur des hommes que leurs actions d'éclat, selon le mot de Malraux, « ne délivraient pas du sentiment d'infériorité du Girondin devant le Montagnard, du libéral devant l'extrémiste, du menchevik devant quiconque se proclame bolchevik[1] ».

Le rapport d'Eugène Petit (*Claudius*), présentant le M.L.N. comme un mouvement politique qui, pour cette raison, ne pouvait fusionner avec le Front national, allait être suivi d'interventions passionnées. La fusion était défendue par Albert Bayet, dont le fils, ancien secrétaire général de la préfecture de la Loire-Inférieure, se trouvait dans une position difficile[2] ; par Degliame-*Fouché*, Maurice Kriegel-*Valrimont*, Pierre Hervé, Pascal Copeau, d'Astier de La Vigerie, qui révélaient ainsi leur plus ou moins récente adhésion aux volontés communistes, même si l'indulgent Lacouture écrit que, pour certains d'entre eux, il s'agissait moins de renforcer numériquement le Parti que de le « rénover par la greffe de la Résistance », une greffe dont on imagine qu'elle aurait été d'autant plus vite rejetée que les communistes donnaient des leçons de résistance et n'entendaient point en recevoir et qu'au fil du temps ils élimineront, en France et ailleurs, tous ceux qui, chez eux, avaient été trop engagés et sentimentalement compromis dans le combat clandestin.

Contre la fusion se dressaient Petit (*Claudius*), Laboureur, Viannay, André Philip, Jacques Baumel, qui, depuis 1943 — il avait alors vingt-cinq ans —, avait été successivement secrétaire général des Mouvements unis de résistance, puis membre du comité directeur du M.L.N. et bénéficiait d'une autorité qui lui vaudra, en un temps d'illustrations rares, de figurer en première page du *Populaire* du 26 janvier[3].

Contre la fusion se dressait surtout André Malraux.

---

1. *Antimémoires*, p. 119.
2. On reprochait à Yves Bayet d'avoir assisté à la torture de patriotes appréhendés par les services de la police anticommuniste. Dans *Combat* du 11-12 mars, Yves Bayet, qui venait d'être arrêté, sera défendu par Maurice Schumann et par des responsables du journal qui disent l'avoir connu sous le nom de code de Jean-Marie Boucher. Les choses, comme souvent, avaient été plus complexes.
3. Sous le nom de *Rossini,* son dernier pseudonyme.

Dans *Combat,* qui, de tous les quotidiens, sera le plus attentif au Congrès, Pierre Herbart le décrit « animé de la même passion avec laquelle il commande sur le front la brigade Alsace-Lorraine ».

Il arrivait cruellement blessé ; atteint moins par la mort de ses camarades — la guerre est la guerre et il faut bien que la victoire ait un prix — que par la mort de la femme qu'il aimait. L'homme qui avait dit, un soir, à ses soldats : « Je salue ceux qui sont tombés hier et ceux qui tomberont demain », pouvait être ému mais non bouleversé par les pertes de sa brigade dans l'opération vosgienne du Bois-le-Prince, dans la longue et coûteuse marche qui avait conduit à la libération de Dannemarie et dans la part — souvent méconnue — qu'elle avait prise à la défense de Strasbourg, mais le souvenir de la mort de Josette Clotis, qui avait précédé de quelques jours ces événements, le tenaillait. La petite provinciale, simple et gaie, rencontrée en 1932 dans les bureaux de *Marianne,* avec qui il vivait depuis 1934 et qui lui avait donné deux fils, était morte le 11 novembre dans la clinique de Tulle où on l'avait transportée jambes broyées par les roues du train dont elle avait, en gare de Saint-Chamond, maladroitement sauté en marche. Malraux ne l'avait pas revue vivante.

Vareuse de colonel, visage tourmenté et déjà agité de tics, mèche barrant le front, gestes impérieux scandant des phrases déroutantes parfois et romantiques toujours, Malraux avait pris la parole le troisième jour. Stratégiquement, c'était le bon moment. En politique, comme à la guerre, il y a toujours un bon moment.

Au sein du Mouvement, Malraux était sans autre commandement que spirituel. Le plus important.

On l'attendait. Tous ceux qui étaient là, enfin presque tous, se souvenaient du début de *L'Espoir.*

— Allô, Huesca ?

— Qui parle ?

— Le comité ouvrier de Madrid...

On l'attendait avec d'autant plus d'impatience que Robert Lacoste et Henri Frenay avaient reçu de De Gaulle interdiction de prendre la parole, ce qui avait exaspéré des délégués qui avaient voté — puis retiré — une motion demandant aux deux ministres de s'exprimer ou de démissionner du gouvernement.

Combat allait écrire, le 26 janvier, que l'intervention de Malraux avait tranché « moins par l'éclat de la forme que par la sûreté du jugement ». La forme était belle cependant. Pouvait-il en aller autrement ? Elle avait donné du tranchant au jugement.

Même si ce n'est peut-être pas, comme l'écrit Lacouture, l'intervention de Malraux qui a porté « le coup de grâce aux champions de l'unification », elle a entraîné, c'est certain, des hésitants, contribué au succès de la motion qui, pour l'Histoire, sera la motion « Malraux-Baumel ».

A 3 heures du matin, le 26 janvier, la motion « Malraux-Baumel », qui exige que « l'union de la Résistance soit réalisée dans une action conjuguée sur des objectifs précis, sans qu'il soit procédé à aucune fusion organique avec aucun mouvement ni parti politique », l'emporte sur la motion défendue par Pierre Hervé.

Cette motion, dont l'adoption aurait puissamment servi le Parti communiste, réclamait « le renforcement de l'Union de la Résistance par une fédération de mouvements à tous les échelons, l'étude des conditions dans lesquelles la fusion pouvait se faire, la participation du M.L.N. à un véritable travaillisme qui aurait pour base le parti socialiste, le parti communiste et toutes les forces syndicales ».

Comme il sait les fenêtres plus nombreuses que les portes, le Parti communiste, dans l'impossibilité de franchir la porte du M.L.N., tentera de pénétrer par les fenêtres moins bien gardées des sections départementales afin de réaliser, sur le plan local, l'union repoussée sur le plan national.

C'est l'un des mots d'ordre qu'il fera donner, le 3 février, en conclusion du congrès du Front national. Aussi verra-t-on, en juin, le M.L.N. du Rhône décider de fusionner avec le Front national. On verra surtout la minorité du M.L.N., qui, au congrès de janvier, avait obtenu au comité directeur sept des vingt et un postes, faire sécession, en juin toujours, pour former avec le Front national le Mouvement unifié de la renaissance française [1].

La dislocation du M.L.N. s'accélérera. Et les événements donneront rapidement raison à Léon Blum qui, dès le 15 mars 1943, avait écrit à de Gaulle, dont il savait, ou soupçonnait, l'hostilité foncière aux partis politiques : « Rendez-vous compte, bien clairement, je vous en conjure, que les organisations de résistance qui sont sorties du sol français à votre voix ne pourront, à aucun degré, se substituer [aux partis]. Lorsque la France aura recouvré sa souveraineté et retrouvé une stabilité, le rôle utile de ces organisations sera épuisé [2]. »

Après la scission de juin, le M.U.R.F. n'étant plus qu'une filiale du Parti communiste, ceux qui découvrent, pour reprendre le mot de Blum, que « le rôle utile » du M.L.N. semble épuisé rejoindront le parti radical, le parti socialiste, à moins qu'ils ne se retrouvent au sein de cette Union démocratique et socialiste de la Résistance [3] dont la vocation, dans un Parlement où les crises succéderont aux crises, sera de fournir indistinctement à la gauche et à la droite modérée les trente à quarante voix — généreusement payées en postes ministériels — permettant pour quelques semaines, au mieux pour quelques mois, de réunir une majorité.

Avec des moyens parfois identiques, parfois différents, de Gaulle et les communistes s'étaient, depuis des années, lancés à la conquête de « tous les Français et toutes les Françaises de bonne volonté ».

L'emporterait celui qui rassemblerait le plus grand nombre de fidèles sous son drapeau — un drapeau longtemps dissimulé par le Parti communiste.

De cette volonté de camouflage, les élections municipales du 29 avril

---

1. Les adhérents du M.U.R.F. abandonneront le « F » pour ne laisser subsister que les trois premières lettres, ce qui, entretenant le doute, rappellera à beaucoup de résistants les Mouvements unis de résistance (M.U.R.) qui groupaient jadis militants de Combat, Franc-Tireur, Libération.
2. Jean Lacouture, *Léon Blum.*
3. Créée le 25 juin, et dont le comité directeur de 56 membres comprend 22 délégués du M.L.N., 11 de chacun des trois mouvements, « Organisation civile et militaire », « Libération Nord » et « Ceux de la Résistance ». Le groupe « Libérer et Fédérer » ayant un délégué.

et du 13 mai — qui auront lieu alors que déportés, prisonniers, travailleurs ne sont majoritairement pas de retour et ne peuvent, ce qui est presque insultant, ni voter ni être candidats — donneront une bonne illustration.

Après avoir milité pour la formation au premier tour, et dans toutes les communes, d'une liste unique (toujours le thème des « bons Français et bonnes Françaises »), le Parti communiste oubliera son étiquette au profit d'une étiquette de circonstance, « *Union patriotique républicaine antifasciste* » (U.P.R.A.), qui rend possible les vastes rassemblements. Sous la bannière U.P.R.A., on retrouvera, en effet, des communistes en nombre et bien placés sur les listes, des modérés, quelques M.R.P., qui font leur début dans la bataille électorale, des socialistes dans les petites villes, des radicaux et toutes celles, tous ceux qui, du Front national à l'Union des femmes françaises, ne sont que les porte-voix du Parti communiste.

Le 15 mai, *L'Humanité,* sur toute la largeur de sa première page, peut donc annoncer le triomphe, non pas du Parti communiste, mais des forces « *progressives et nationales dont le Parti communiste s'est fait le champion en présentant ou soutenant les listes d'Union patriotique républicaine et antifasciste* ».

Il faudra attendre la publication de la statistique des majorités municipales pour apprendre que les communistes, qui détenaient, en 1935, la majorité dans 310 conseils, la possède désormais dans 1 413, que les socialistes, majoritaires dans 1 376 conseils, le sont désormais dans 4 115 et qu'il existe 4 735 communes politiquement inclassables en raison du nombre des conseillers élus au titre d'organisations de résistance, dans lesquelles les communistes sont présents, de façon encore discrète.

Ces progrès remarquables, puisque, par rapport à 1935, le P.C. a multiplié par 4,6 le nombre des municipalités qu'il contrôle et *surtout* se trouve présent dans la quasi-totalité des communes, ce qui était loin d'être le cas avant guerre, étaient, pour l'essentiel, dus aux listes uniques.

Les 23 et 30 septembre, les élections cantonales, qui auront lieu au scrutin uninominal à deux tours [1], permettront, grâce aux alliances du

---

1. A l'exception de la Seine où 60 conseillers seront élus à la proportionnelle et de Paris où les conseillers municipaux tiendront également le rôle de conseillers généraux.

second tour, dont le M.R.P. est généralement exclu, aux communistes et aux socialistes de passer respectivement de 72 sièges à 328 et de 380 à 811, tandis que l'on assistera à l'effondrement des radicaux et des modérés.

Dans la perspective des élections générales, dont le général de Gaulle avait annoncé, le 2 juin, qu'elles auraient lieu avant la fin de l'année, le Parti communiste allait poursuivre la même profitable politique de large union.

Lorsqu'ils prennent la parole, à l'occasion du Xe Congrès du Parti communiste qui se tient, à partir du 26 juin, à la salle des Expositions de la porte de Versailles, Maurice Thorez, Étienne Fajon et tous les responsables d'un parti qui revendique alors abusivement 906 727 adhérents[1] ont un objectif d'une portée politique considérable : réaliser l'unité avec le parti socialiste.

Entraînant l'unité des deux syndicats alors existants[2] et de la Confédération générale de l'agriculture, des formations de jeunesse socialistes et communistes, des femmes de la Libération (M.L.N.) et de l'Union (communiste) des femmes françaises, cette unité, depuis longtemps poursuivie par les communistes, qui n'en étaient ni à leurs premières tentatives ni à leurs premières tentations[3], exercerait une telle pression sur le gouvernement, une telle influence sur les électeurs qu'elle obligerait, peut-être, le premier à accepter le principe d'élections au scrutin de liste avec représentation proportionnelle *intégrale* sans panachage et *utilisation des « restes » sur le plan national* et conduirait, sans doute, les seconds à se prononcer, lors du référendum, en faveur d'une Assemblée constituante *souveraine*.

---

1. Fauvet, *Histoire du Parti communiste français,* écrit qu'en mars 1945 les effectifs du P.C. étaient de 544 899.
2. Le 4 avril, *Le Populaire* avait annoncé que la C.G.T. (4 500 000 syndiqués revendiqués) proposait l'unité à la Confédération des travailleurs chrétiens.
3. Les socialistes, en novembre 1944, avaient, de leur côté, évoqué « l'offre d'unité faite dans la lutte clandestine », une offre dont les communistes ne se souvenaient manifestement pas.
Le 4 décembre, une réunion commune devait décider de la création d'un « comité permanent d'entente », qui trouva un terrain d'accord sur certains points comme l'épuration et les nationalisations, mais — avant les municipales — ne réussit pas à s'entendre sur le principe des listes uniques.

C'est le 28 juin que Jacques Duclos fit acclamer le projet de Charte, qui devait être soumis pour discussion au parti socialiste, dont le congrès allait se réunir en août.

Étonnant projet, du style : « J'embrasse mon rival, mais c'est pour l'étouffer. » Que l'on en juge.

S'il avait été adopté, Comité directeur du parti socialiste et Comité central du parti communiste, mais aussi, à l'échelon régional, Fédérations socialistes et Régions communistes auraient bimensuellement tenu des réunions communes et il en serait allé de même au niveau local pour les sections. Au sein du gouvernement, ministres socialistes et communistes auraient systématiquement dû adopter les mêmes positions. L'unité de candidature se serait naturellement trouvée réalisée pour les élections d'octobre ; la propagande aurait été élaborée par les spécialistes des deux partis, enfin les lecteurs de *L'Humanité* auraient découvert, dans leur quotidien, des articles de journalistes venus du *Populaire,* ceux du *Populaire* des articles écrits par des journalistes de *L'Humanité,* cet échange de « plumes » étant d'ailleurs étendu à la presse de province qui se trouvait alors possédée, dans des proportions considérables, par socialistes et communistes.

Ainsi toutes les conditions auraient-elles été réunies pour que naisse le Parti ouvrier français auquel les communistes donnaient pour but de « transformer la société capitaliste en une société *collectiviste ou communiste*[1] », transformation qui seule pourrait assurer « *la conquête du pouvoir*[1] par la classe ouvrière ».

Que ce projet soit devenu réalité et le Parti communiste aurait été assuré — même en cas de scission au sein du parti socialiste, une scission inévitable — d'une très large majorité populaire qui lui aurait permis d'obtenir, sans avoir besoin de l'exiger, la direction effective du gouvernement, le contrôle des rouages essentiels de l'État, la mainmise sur la quasi-totalité des moyens d'information, l'alignement sur la politique étrangère de l'Union soviétique[2].

---

1. En italique dans le texte de la « Charte d'unité de la classe ouvrière proposée par le Parti communiste » (13 juin 1945). On trouvera ce texte dans *L'Année politique 1944-1945,* p. 459 et s.
2. « Le Parti ouvrier français, en vue de démontrer la supériorité des principes dont il se réclame, fait connaître aux larges masses les grandioses victoires du socialisme remportées par le Parti communiste bolchevique de l'U.R.S.S., sous la conduite de Lénine et Staline, continuateurs de Marx et Engels. »

En janvier, Malraux, avec d'autres, avait fait barrage à la fusion organique du Mouvement de libération nationale et du Front national.

En août, c'est Léon Blum qui, avec les raisons les plus fortes, celles qui pouvaient être les plus désagréables au Parti communiste, s'opposera à l'unité socialo-communiste.

Le 14 mai, Blum avait été accueilli à Orly. Il arrivait de Buchenwald[1] où, gardé, avec d'autres prisonniers privilégiés, par une vingtaine de SS, il n'avait jamais été maltraité. Ayant la possibilité de beaucoup lire et de beaucoup écrire ; vivant en compagnie de Jeanne Levylier (*Janot*), la femme qu'il aimait et qui, après l'avoir épousé par procuration, avait obtenu l'autorisation de le rejoindre ; ignorant — car sa cellule se trouvait à l'écart du camp central — les souffrances et les agonies des déportés, ses invisibles voisins, il était, cependant, toujours demeuré incertain sur ce que pourrait être son destin. C'est en effet d'une chambre proche de la sienne que Georges Mandel avait été extrait un matin de juillet 1944 pour être remis par la Gestapo aux miliciens qui l'assassineraient en forêt de Fontainebleau, en représailles du meurtre de Philippe Henriot.

Et, dans les derniers jours de l'Allemagne, lorsque les nazis jetaient les déportés sur les routes d'avril, Blum s'était trouvé, avec des millions d'autres, emporté dans un exode qui aurait pu, comme pour tant d'autres, se terminer par une brève « liquidation ».

Reçu par ses amis avec une émotion que Jean Lacouture, dans sa remarquable biographie, juge « un peu infantile[2] », mais l'époque, après avoir été celle de tous les drames, était celle de toutes les émotions, Léon Blum s'était, presque immédiatement, remis au travail...

Non le travail, l'œuvre, que de Gaulle, le recevant immédiatement, aurait voulu lui confier à la tête d'un ministère d'État, mais, au *Populaire,* son travail d'éditorialiste lu, presque religieusement, par

---

1. Prisonnier à Bourassol depuis le 15 septembre 1940, Léon Blum avait été déporté en Allemagne le 31 mars 1945, après que le procès de Riom eut été interrompu sur ordre de Hitler.

2. Lorsque, le 17 mai, Blum arrivera au *Populaire,* le journal parlera, le lendemain, de « femmes aux bras chargés de fleurs », d' « applaudissements frénétiques », de « gens tassés visage contre visage ».

des lecteurs à qui il avait promis de dire *tout* ce qu'il croyait vrai[1] ; son travail de maître à penser d'un parti socialiste sorti mutilé et troublé d'une occupation qu'il n'avait pas toujours bien vécue, d'un parti socialiste sur lequel pesait encore le souvenir de ce scrutin du 10 juillet 1940, où la majorité de ses parlementaires avait accordé les pleins pouvoirs au maréchal Pétain.

A de Gaulle, qui avait reçu avec « froideur et arrogance[2] » son refus d'un ministère d'État : « Je suis vieux, malade, et j'ai été l'homme le plus haï de France », Blum avait dit :

— Je n'ai plus pour très longtemps d'activité[3]. Et je crois que je serai infiniment plus utile en dehors du gouvernement qu'à l'intérieur. Toute ma vie, vous le savez, l'unité nationale a été mon souci essentiel. Avec vous, mon général, la France a une chance extraordinaire d'unité nationale. Et je peux davantage aider cette chance au sein du parti socialiste plutôt qu'en me trouvant dans le gouvernement...

Il avait raison. A des hommes mal préparés à entendre « *tout* ce qui est vrai », il délivrera le 20 mai, à Montrouge, au cours d'une réunion des secrétaires des fédérations du parti socialiste, un message iconoclaste.

Alors que la Résistance continuait à être la justification de la captation des pouvoirs et des profits, comme d'un gigantesque « ôte-toi de là que je m'y mette », Blum osait affirmer que la Résistance n'avait pas « créé au profit de qui que ce soit un droit au pouvoir... Il n'y a pas de droit préalable au pouvoir dans une démocratie. Et le peuple souverain a même le droit de se montrer ingrat[4] ».

---

1. « Je ne leur dirai [aux lecteurs] que ce que je crois vrai, ce qui est facile. Je leur dirai *tout* ce que je crois vrai, ce qui est plus difficile », *Le Populaire,* 16 mai.

2. C'est ce que Léon Blum confiera à Henri Noguères. Il lui dira aussi, parlant de l'attitude de De Gaulle : « Je lui aurais marché sur les pieds qu'il n'aurait pas réagi autrement. »

3. Cinq ans. Léon Blum meurt le 30 mars 1950, quelques jours avant sa 78e année.

4. On a voulu voir dans cette phrase, écrite avant la chute politique de Churchill (juillet 1945), la justification, par anticipation, des assauts, finalement victorieux, que les socialistes lanceront dans quelques mois, à l'Assemblée, contre un de Gaulle découragé. Et c'est bien ainsi que l'a compris François Mauriac qui, dans *Le Figaro,* se montrera sensible à ce qui semblait une invitation à l'ingratitude.

Dans son discours, Blum avait adouci ce que sa phrase comportait d'abrupt par ces mots : « Si le pouvoir que le général de Gaulle exerce aujourd'hui est légitime, avait-il dit, ce n'est pas parce qu'il a été le premier ou le chef des résistants, c'est

Le « peuple souverain » avait, d'ailleurs, petite mine et même triste mine pour l'homme que ses longues prisons — septembre 1940-mai 1945 — avaient coupé des réalités et rempli d'illusions. Alors que de Gaulle, pour hisser le peuple à la hauteur de ses ambitions nationales, lui inventait une résistance de chaque instant, alors que les communistes, pour l'amener à eux, le flattaient outrageusement, Léon Blum en traçait un portrait cruel et désabusé.

> « Depuis huit jours que j'ai touché à nouveau le sol de France, j'avoue que je suis plein de déception et de soucis... Je ne trouve pas ce que j'attendais. J'attendais quelque chose qui se fût à la fois épuré et trempé et, sous bien des rapports, j'ai l'impression de me retrouver au milieu d'un pays, comment dire, corrompu... J'ai le sentiment d'une espèce de convalescence fatiguée, nonchalante, paresseuse, qui est un milieu propre au développement de toutes les infections... »

C'est certainement dans l'espoir d'attirer l'attention sur la plus visible, mais aussi la mieux acceptée, des « infections » du moment que Blum allait, le 15 juin, consacrer le premier des articles, publiés sous le titre « Le cycle infernal », aux ravages du marché noir.

> « Aujourd'hui, ce qui règne, c'est bien la spéculation. Tous les rapports normaux sur lesquels reposait la vie économique semblent rompus. Comme au temps de la rue Quincampoix, comme au temps du Directoire, la vie nationale est livrée à l'agiotage, au jeu... »

Le combat contre le marché noir et contre la décomposition de la conscience publique traduisait la réaction d'un passionné de justice et de morale, blessé par les petites et grandes « combines » qui, après avoir germé et levé haut pendant l'Occupation, s'épanouissaient dans une souriante indifférence ou une profitable complicité.

---

parce qu'il était le seul homme qui pouvait regrouper les forces pures de la France libérée. »

De Gaulle, qui, dans ses *Mémoires* (t. III), garde rancune à Blum d'avoir été « ressaisi par les penchants habituels de la famille socialiste », cite, en la transformant, la phrase sur « le droit à l'ingratitude ». Elle devient, sous sa plume : « Aucun homme n'a le droit au pouvoir. Mais nous avons, nous, le droit à l'ingratitude. »

A son retour de déportation, Christian Pineau avait eu, le premier jour, le premier beau jour, une réaction morale du même ordre en giflant son fils venu lui offrir deux boîtes de sardines achetées « au noir ».

Dans ses articles, Léon Blum giflait la France corrompue.

Mais c'est le 1er août, en préface au congrès qui s'ouvrira le 12 août, que commence le plus important de ses combats : celui qu'il va mener par la plume et l'influence pour que la France, échappant à l'unité du parti socialiste et du Parti communiste, évite ainsi de tomber sous la domination légale d'un Parti communiste à qui son dynamisme, ses méthodes, le nombre et la discipline de ses militants[1], l'absence de scrupules de ses dirigeants auraient assuré rapidement une victoire sur un associé complexé.

Oui, complexé. Ce que Blum dira le 1er septembre 1946 : « Je crois que, dans son ensemble, le parti a peur. Il a peur des communistes. Il a peur du qu'en-dira-t-on communiste », valait pour août 1945.

Blum écrira donc plusieurs articles sur *Le Problème de l'unité*[2]. Dès les premières phrases, il est allé à l'essentiel lorsqu'il a mis en cause la thèse de Boukharine selon laquelle « là où était l'Union soviétique devait être le prolétariat international, là devraient être tous les partis nationaux ».

« Pour déterminer la position du socialisme français dans une crise européenne ou mondiale, poursuit-il, la règle automatique de Boukharine ne suffit pas [...] Il ne s'agit pas de crainte puérile ou de prudence sénile (il a alors soixante-treize ans), nous sommes vraiment au cœur de la question[3]. »

Le 2 août, Blum va plus loin encore : « A compter du moment,

---

1. Au congrès du parti socialiste, il sera dit, le 12 août, que le parti compte 250 000 adhérents, chiffre très inférieur à celui des adhérents communistes (906 000 selon Thorez, 545 000 selon Fauvet).
2. Titre général donné à la série.
3. Nicolaï Boukharine, entré très jeune au parti bolchevique, est élu en 1917 — il a vingt-neuf ans — membre du Comité central. Lénine le désigne alors comme « l'enfant chéri du Parti ».
En 1926, après avoir présenté un très important rapport sur les problèmes internationaux devant le VIIe Plénum élargi du Comité exécutif, il remplace Zinoviev à la tête du Komintern. En conflit masqué avec Staline, il est mis ouvertement en cause en 1937, jugé et condamné à mort au cours du troisième des grands procès de Moscou (mars 1938). *Cf.* Philippe Robrieux, *Histoire intérieure du parti communiste*, t. III.

écrit-il, où la position de l'État français apparaîtrait comme distincte et, à plus forte raison, comme opposée vis-à-vis de la position soviétique, *comment nos camarades communistes résoudraient-ils ce cas de conscience ?* [1] »

Lorsque Léon Blum écrit ces lignes et prend ces positions — quelques jours avant le congrès du parti socialiste, qui doit débattre du problème de l'unité avec les communistes, quelques jours après les séances passionnées des 27 et 28 juillet au cours desquelles, à l'Assemblée consultative, les délégués ont discuté, sans rien décider, de l'élection d'une Assemblée constituante « et de l'organisation provisoire des pouvoirs publics » —, la partie, si elle n'est pas jouée, est bien engagée.

Pascal Copeau, qui, proche des communistes, s'était illustré dans la Résistance, rappellera le 28 juillet, devant l'Assemblée consultative, qu'en juin 1942 « un véritable pacte » avait lié « le comité formé par le général de Gaulle » et les mouvements de résistance. Pacte selon lequel, « une fois l'ennemi chassé du territoire, tous les hommes et toutes les femmes de chez nous élir[aient] une Assemblée nationale, qui décide[rait] *souverainement* [1] des destinées du pays ».

Copeau avait également rappelé — d'autres, avant lui, l'avaient fait, d'autres le feront —, car il est de bonne guerre de mettre en opposition de Gaulle et de Gaulle, l'ordonnance du 21 avril 1944 — elle avait été rédigée en partie par Vincent Auriol, mais de Gaulle l'avait adoptée, signée, puis favorablement commentée — selon laquelle le peuple français devait décider *souverainement* [1] de ses futures institutions. A cet effet, « une Assemblée nationale constituante sera[it] constituée dès que les circonstances permettr[aient] de procéder à des élections régulières et, au plus tard, dans le délai d'un an après la libération complète du territoire. Elle sera[it] élue au scrutin secret, à un seul degré, par tous les Français et toutes les Françaises majeurs ».

Où était le problème ?

Les Français et les Françaises — qui voteraient pour la troisième fois de l'Histoire, puisqu'elles avaient (avec quelque réticence) participé

---

1. Souligné intentionnellement.

aux élections municipales et cantonales — éliraient donc, un an au plus tard après la « libération complète du territoire », une « Assemblée constituante », ce qui scellerait la pierre sur la Constitution de 1875, blessée à mort, en réalité, le 10 juillet 1940, à Vichy.

Le problème n'était pas dans la date des élections. De Gaulle aurait pu les retarder jusqu'au mois de mai 1946, puisque les derniers morceaux de territoire occupés avaient seulement été libérés en mai 1945. Il devançait l'instant du vote. Le problème était dans les mots : « *Assemblée constituante* », dont il était possible de donner de multiples interprétations ; il était dans le rôle que les partis politiques ressuscités entendaient voir jouer à la Constituante, dans l'ampleur des pouvoirs qu'ils ambitionnaient de lui confier, dans le mode d'élection qu'ils jugeaient le plus favorable à leurs intérêts. Le problème était dans le regard que le général de Gaulle, depuis qu'il était revenu triomphalement en France, portait sur l'évolution des événements et des esprits.

L'Assemblée qu'il avait désormais en face de lui — aux débats de laquelle, avec une courtoisie contrainte, il assistait et participait — n'avait rien de commun avec cette Assemblée consultative d'Alger[1] majoritairement composée de représentants de la Résistance qui continuaient à voir en lui leur chef et leur guide, l'homme à qui ils devaient de s'être, un jour, dépassés, surpassés et qu'ils identifiaient à la Patrie. Quant à la vingtaine de parlementaires de la IIIe République — députés et sénateurs ayant voté « non », à Vichy —, qui avaient été accueillis au sein de l'Assemblée d'Alger, s'ils arrachaient sans peine présidences et vice-présidences de commissions à des résistants naïfs, ils ne disposaient, pour les porter plus avant, ni du soutien d'un parti ni des relais de la presse. Leurs souvenirs nourrissaient seuls leurs ambitions.

A Paris, tout était changé.

Le 16 octobre 1944, le gouvernement avait adopté une ordonnance relative au fonctionnement d'une Assemblée consultative notablement élargie. Le nombre des délégués — qui devaient siéger au palais du Luxembourg — était porté à 248. Si la Résistance métropolitaine bénéficiait de 148 sièges[2], ces sièges se trouvaient répartis non

---

1. Dont la session inaugurale avait été ouverte le 3 novembre 1943 par de Gaulle.
2. Et la Résistance extramétropolitaine, de 28.

seulement entre les mouvements de résistance ayant appartenu au C.N.R., mais également entre les partis politiques que la volonté de De Gaulle et celle de Jean Moulin avaient, malgré l'opposition d'Henri Frenay, appelés à y siéger [1].

Ainsi le Parti communiste disposait-il de six délégués au titre de la Résistance métropolitaine. Au cours des débats et lors des votes, ces six délégués recevaient le renfort des douze délégués de la C.G.T., des deux délégués de la Confédération des paysans travailleurs, des six délégués des Forces unies de la jeunesse patriotique, des douze adhérents du Front national et des deux représentantes de l'Union des femmes françaises. Quarante délégués au moins au titre de la Résistance, un chiffre qui témoignait de l'utilité des organisations satellites (et bien camouflées) mises en place par le Parti pendant la clandestinité !

A ces quarante délégués, il était naturellement nécessaire d'ajouter sept délégués parlementaires. Le gouvernement avait en effet décidé que soixante parlementaires — 15 socialistes, 7 communistes, 21 radicaux et démocrates populaires, 17 membres des différents partis de droite — iraient siéger sur les bancs de l'Assemblée consultative provisoire. Il s'agissait des survivants d'une Chambre et d'un Sénat qui, avant la guerre, avaient respectivement compté 618 et 325 membres, des rescapés du grand naufrage de 40.

Comment les additions ne seraient-elles pas faites entre les résistants venus des mouvements, hommes de courage mais d'inexpérience, trouvant naturel, en montant pour la première fois à la tribune, d'exprimer leur inquiétude, de faire référence (et révérence) aux anciens, et ces anciens précisément, rodés à tous les artifices, ayant, par le passé, politiquement subi avec succès l'épreuve du feu, pressés maintenant de trouver la place qu'ils estimaient leur être due, de recruter et d'entraîner des troupes.

Ce n'est pas en prophète mais en homme de longue expérience que Léon Blum avait écrit à de Gaulle le 15 mars 1943 pour lui affirmer que, lorsque la France aurait recouvré liberté, souveraineté, stabilité, le rôle des organisations de résistance serait « épuisé ». « Les hommes qui composent cette élite, poursuivait-il, seront certainement amenés, dans la France nouvelle, à se redistribuer dans des partis différents... »

On en était là.

----

1. Cf. *L'Impitoyable Guerre civile,* p. 487 et s.

A la fin de l'année 1944 et au début de l'année 1945, la multiplication des congrès politiques allait arracher à de Gaulle cette comparaison : « ... Toutes sortes d'instruments qui, depuis des années, n'avaient joué qu'en sourdine déployaient leur activité. » Il la ferait suivre d'une constatation : « Ce qui me frappait surtout dans les partis qui se reformaient, c'était leur désir passionné de s'attribuer en propre, dès qu'ils en auraient l'occasion, tous les pouvoirs de la République et leur incapacité, qu'ils étalaient par avance, de les exercer efficacement... L'Assemblée ne se résignait pas à n'être que consultative. Elle aurait voulu que le pouvoir dépendît d'elle. »

Elle le fit savoir le 19 mars au président du gouvernement provisoire. Une délégation de tous les groupes avait été chargée de demander au Général que le pouvoir exécutif ne prenne plus de décisions contraires aux positions adoptées par l'Assemblée.

Il répondit avec superbe :

— Seul le peuple est souverain. En attendant qu'il soit en mesure d'exprimer sa volonté, j'ai pris sur moi de le conduire [1]

Et, comme les délégués revendiquaient pour cette Résistance, dont ils étaient les ambassadeurs après en avoir été les acteurs, le droit d'exprimer la volonté du peuple « en l'absence de pouvoirs légaux », ils s'attirèrent cette réplique :

— Vous êtes associés à l'action du gouvernement par les questions que vous lui posez, les explications qu'il vous fournit, les avis que vous formulez. Mais je n'irai pas au-delà. Veuillez d'ailleurs considérer que la Résistance française a été plus large que les mouvements et que la France est plus large que la Résistance. Or, c'est au nom de la France tout entière, non d'une fraction, si valable soit-elle, que j'accomplis ma mission. Jusqu'aux futures élections générales, j'ai à répondre du destin du pays devant lui et devant lui seul [1].

Michel Debré, que le général de Gaulle avait appelé auprès de lui [2] et qui prit ses fonctions en avril 1945, écrit que la première conversation qu'il eut avec le Général avait porté sur les institutions futures.

---

1. *Mémoires de guerre*, t. III.
2. Il était alors commissaire de la République à Angers.

Membre influent, pendant l'Occupation, de ce Comité général d'études qui inventait des solutions aux problèmes économiques, juridiques et politiques qui se poseraient à la fin de la guerre, Debré s'était prononcé en faveur d'élections « dans la foulée » de la Libération, afin que cesse le « provisoire » qui rabaissait la France au rang des nations agitées par les déchirements institutionnels, mais il s'était déclaré, dans le même temps, résolument hostile à toute Assemblée constituante souveraine.

Se heurtant à un « véritable tabou républicain », il n'avait pas convaincu ses amis du Comité général d'études.

> « " Rendre la parole au peuple ", ajoute Debré est, en outre, une promesse du Général, bientôt reprise par le Conseil national de la Résistance. Cette belle intention paraît signifier l'élection sur la table rase de représentants qui, emportés par l'idéologie, l'utopie ou l'irrationnel (j'en ai la certitude), feront un déplorable travail constitutionnel[1]. »

Ce qu'il pensait pendant l'Occupation, Debré le pense — plus fortement encore — au lendemain de la Libération. En janvier 1945, accueillant le général de Gaulle à Angers, c'est en vain qu'il lui avait fait part de ses inquiétudes. L'homme qu'il avait en face de lui semblait fermé à tout ce qui n'était pas la guerre à l'Est. Il repoussait aux jours qui suivraient la victoire et le retour des captifs la consultation de la nation.

Le 8 mai, la victoire est carillonnée.

Le 8 mai, prisonniers et déportés marchent vers la France.

Si l'on suit le récit de Debré, c'est au lendemain du 8 mai que de Gaulle aurait « ouvert le dossier », consulté René Capitant, parcouru deux ouvrages de droit constitutionnel : le « Duguit[2] » et le « Joseph Barthélemy[3] ».

---

1. *Trois Républiques pour une France,* p. 212.

2. Il s'agit du *Traité de droit constitutionnel* édité en 1933 (réédité avec une préface de François Goguel en 1985).

3. « Ce dernier (ouvrage), écrit Debré, garde sa valeur malgré la fin malheureuse de son auteur. » Joseph Barthélemy, nommé garde des Sceaux le 21 janvier 1942, après avoir daté du 14 août la loi du 23 qui autorisait une rigueur exceptionnelle contre « les communistes et les anarchistes », avait demandé à la Justice d'en faire, à Paris, une application rétroactive contre six communistes (qui

Le Général hésitait.

On peut toutefois imaginer que ce qu'il écrirait, en 195_
tome III de ses *Mémoires de guerre,* il le pensait fortement ⌐ ₁₃₄₀,
même si les idées n'avaient pas encore trouvé leur forme idéale.

> « Pour moi, la séparation des pouvoirs, l'autorité d'un chef de
> l'État qui en soit un, le recours au peuple par la voie du
> référendum chaque fois qu'il s'agirait de son destin ou de ses
> institutions, c'étaient, dans un pays tel que le nôtre, les bases
> nécessaires de la démocratie. »

Et encore :

> « Suivant moi, il est nécessaire que l'État ait une tête, c'est-
> à-dire un chef, en qui la nation puisse voir, au-dessus des
> fluctuations, l'homme en charge de l'essentiel et le garant de ses
> destinées. Il faut aussi que l'exécutif [...] ne procède pas du
> Parlement qui réunit les délégations des intérêts particuliers. »

Avait-il jamais pensé différemment ?

Il y avait bien longtemps — c'était en 1931 —, rédigeant quelques
pages intitulées *Préparer la guerre, c'est préparer des chefs* [1], il avait
écrit : « Rien ne peut faire que les moyens s'orientent, se lient, se
mettent en œuvre par eux-mêmes. Il n'y a pas d'exemple dans
l'histoire des sociétés humaines qu'une entreprise de guerre ou *de
paix* [2] ait duré, ni même existé, sans que des hommes fussent élevés au-
dessus des autres pour la conduire... »

S'il existait une idée fortement ancrée chez de Gaulle — et ce qu'il
avait vécu pendant ces années de Londres et d'Alger, où il avait dû
lutter contre vents et alliés contraires, n'avait pu que le confirmer dans
ses certitudes — c'était bien, pour l'État comme pour l'armée, la

---

furent condamnés à mort et exécutés, bien que n'étant nullement responsables de
l'attentat contre l'aspirant Moser).

Joseph Barthélemy sera écarté du gouvernement le 26 mars 1943. Son décès
interviendra avant son jugement par la Haute Cour. Ses Mémoires ont paru sous
le titre *Ministre de la Justice : Vichy 1941-1943,* avec une préface de Jean-Baptiste
Duroselle.

1. On trouvera ces pages dans *Articles et écrits.*
2. Souligné intentionnellement.

nécessité d'être dirigés « au-dessus des fluctuations » par un chef « en charge de l'essentiel » et « garant des destinées ».

Lorsque, le 31 mai, le gouvernement se réunit[1] non pas, comme on l'a dit, pour définir les grandes lignes de la politique institutionnelle, mais simplement pour approuver — six lignes de communiqué — la décision du président du gouvernement de « procéder à la consultation générale du pays avant la fin de l'année », il se peut que le Général ait déjà, comme il l'écrira plus tard, « une idée claire des institutions souhaitables ». Cette idée, il ne la dévoile pas. Il ne la dévoilera pas davantage à la fin de cette conférence de presse qui, tout entière, aurait été consacrée aux humiliants événements de Syrie si François Mauriac n'avait demandé au Général s'il était possible de « parler d'autre chose ».

— Oui, avait-il répondu, cela nous détendra !

— Alors, mon général, comment envisagez-vous le relèvement de la France et les élections ? Quelles sont les directives que vous pouvez nous donner à cet égard ?

Mauriac demandait des « directives ». De Gaulle allait se garder d'en donner.

Dans sa réponse — qui ne se trouve pas d'ailleurs dans la partie « Documents » des *Mémoires de guerre* reproduisant l'essentiel de la conférence de presse —, de Gaulle, évoquant les modalités de la prochaine consultation populaire, avait formulé trois hypothèses. Il dira « les uns », il dira « d'autres », il ne dira « je » que pour confier à l'auditoire que le moment de faire connaître son sentiment ne lui semble pas venu.

La partie était donc ouverte. Écoutons-le.

« ... Les uns estiment que la Constitution de 1875 est toujours valable et que, par conséquent, il s'agit [...] d'élire une Chambre

---

1. Il s'agit d'un conseil des ministres extraordinaire. Un remaniement a lieu en effet ce jour-là. François de Menthon, garde des Sceaux, très critiqué par les communistes, Ramadier, ministre du Ravitaillement, très critiqué par tous les Français, étant remplacés respectivement par Pierre-Henri Teitgen et par Christian Pineau, Jacques Soustelle entrait au gouvernement pour remplacer Teitgen au ministère de l'Information.

des députés et un Sénat [qui se réuniraient ensuite] en Assemblée nationale qui pourrait, si elle le jugeait bon, modifier tout ou partie de la Constitution de 1875. D'autres disent que cette constitution est morte et que, par conséquent, il est nécessaire de procéder à des élections pour une Assemblée constituante. D'autres enfin pensent qu'étant sur la table rase il faut consulter le pays sur les termes qui serviraient de base à sa Constitution. [...] J'estime que ce n'est pas le moment de dire mon propre sentiment puisque, de toute façon, les élections n'auront pas lieu incessamment. Nous avons plus d'un million de prisonniers à récupérer encore, nous avons des hommes à démobiliser. [...] Le gouvernement a décidé qu'avant la fin de cette année le pays serait consulté. Il n'a pas arrêté sous quelle forme. Il souhaite que les gens qualifiés étudient la question et expriment leur opinion. »

De Gaulle avait souhaité que les « gens qualifiés » étudient la question et fassent connaître leur opinion. En vérité, même si des hommes comme Michel Debré, René Capitant, Louis Joxe, René Brouillet, Gaston Palewski se réunissaient, affrontaient directement leurs points de vue, le débat avait été immédiatement porté sur la place publique par chefs de parti et éditorialistes — il s'agissait souvent des mêmes personnes — qui avaient parfaitement compris qu'en présentant à l'opinion trois hypothèses le Général s'éloignait de l'esprit de l'ordonnance du 21 avril 1944.

Dans sa simplicité, l'article premier : « Le peuple français décidera souverainement de ses futures institutions. A cet effet, une Assemblée nationale constituante sera convoquée... », n'avait-il pas dit ce qui devait être ?

Il n'était là question ni de la Constitution de 1875, rendue responsable de la défaite de 1940, comme si les institutions ne valaient pas ce que valent les hommes, ni de consultation du pays « sur les termes qui serviraient de base à la Constitution ».

Journaux et partis n'allaient pas tarder à le rappeler au général de Gaulle.

« La seule position conforme à la volonté du pays, écrivait Cachin dans *L'Humanité* du 6 juin, est de faire voter pour une Assemblée constituante, disposant du *pouvoir souverain*[1]. »

---

1. Souligné intentionnellement.

En vérité, il y avait détournement des mots et confusion volontairement entretenue. L'article premier de l'ordonnance du 21 avril 1944 précisait que le peuple déciderait *souverainement* (ce qui signifiait que sa volonté ne serait entravée par aucune pression) de ses futures institutions.

Par un tour de passe-passe, voilà que le mot magique, le mot qui ouvrait la porte à toutes les espérances, mais qui pouvait conduire à toutes les dérives, le mot « souverain » se retrouvait marié au mot « Assemblée ». Cette Constituante, on la voulait « souveraine », libre de prendre l'initiative des lois, de veiller à leur exécution, de s'ériger en censeur des actes gouvernementaux.

Constituante souveraine et *Constituante disposant du pouvoir souverain,* avec le génie de la répétition qui l'habite, le Parti communiste utilisera la formule dans articles et réunions. Son bureau politique ayant fait connaître qu'il avait décidé de « poursuivre sa campagne pour l'élection d'une Constituante souveraine [...], qu'il s'était prononcé contre tout plébiscite couvert, ou non, du titre de référendum », il mènera le combat jusqu'au scrutin d'octobre.

En pointe certes, mais il ne se trouvait pas isolé.

Dans *Le Populaire* du 25 juin, Léon Blum assurait que « l'assemblée issue de cette Constitution [devrait] être nantie, dans sa totalité, de la souveraineté qui lui [était] déléguée, c'est-à-dire qu'elle [devait] exercer le pouvoir législatif en même temps que le pouvoir exécutif ». Il ne faisait que confirmer la notion votée, le 21 juin, par le comité directeur du parti socialiste.

Avec des mots à peine différents, le Comité d'entente socialo-communiste, le Conseil national de la Résistance, la C.G.T., la Ligue des droits de l'homme réclamaient une assemblée unique dotée de tous les pouvoirs et repoussaient avec horreur l'idée du référendum.

Avec des mots plus doux, le Mouvement républicain populaire se montrait, sur le fond, presque aussi intransigeant.

Ayant souffert, au second tour des municipales, de se trouver écarté de toute alliance par la gauche, il réclamait d'ailleurs, plus intrépidement encore que les autres partis, la proportionnelle intégrale. C'était son unique chance de bien figurer dans le prochain scrutin.

Les plaidoyers en faveur d'une Constituante souveraine se feront d'autant plus vigoureux que de Gaulle sera soupçonné d'éprouver quelque attirance pour la Constitution de 1875 qui lui paraîtrait, après un certain nombre de modifications, offrir plus d'avantages que d'inconvénients.

Soupçonné, le mot est faible.

Dans *L'Humanité* du 1ᵉʳ juin, Marcel Cachin avait sonné l'alarme. Dans *Le Populaire* du 25 juin, Léon Blum avait évoqué ces « textes qui se rédigent dans l'ombre » en faveur « de deux assemblées dont l'une aurait la fonction législative, l'autre la fonction constituante ». Deux jours plus tard, dans le même journal, Daniel Mayer donnait pour titre à son éditorial un retentissant : « *1875 ? Non 1945* ». Lui aussi faisait allusion aux rumeurs, « quelques-unes fort précises », selon lesquelles « le général de Gaulle aurait fait son choix dans la controverse ouverte sur les formes par lesquelles la nation reviendra au régime démocratique. Il serait partisan du retour à l'élection de 1875 ».

Moins d'une semaine plus tard, de Gaulle allait, comme par plaisir, donner apparence de crédit aux rumeurs. En voyage en Auvergne, il s'était appliqué à tenir un langage savamment modéré, chaque mot audacieux étant immédiatement équilibré par un mot raisonnable. Mais peut-être, en grand artiste, s'agissait-il seulement de sa faculté d'adaptation à un public changeant. A Clermont, à Aurillac, les foules ouvrières, bourgeoises et paysannes étaient biologiquement et historiquement trop proches des réalités quotidiennes pour se montrer longtemps sensibles au lyrisme. Aussi avaient-elles fait bon accueil à des phrases dans lesquelles « passion » rimait avec « raison », dans lesquelles les « réformes » se trouvaient immédiatement tempérées par le refus des « bouleversements ».

Lues par les journalistes et les hommes politiques parisiens, plus animés par la passion que par la raison, plus avides de bouleversements que de réformes, comment les paroles de De Gaulle : « Il faut faire de nos mains la France nouvelle, mais rattachée solidement à ce qu'elle était[1] », n'auraient-elles pas jeté l'inquiétude sur les intentions du président du gouvernement ?

Selon Georgette Elgey[2], de Gaulle, en ayant l'air de trouver honorable figure au passé, donc à la IIIᵉ République, n'aurait agi que

---

1. Dit à Aurillac.
2. *La République des illusions, 1945-1951.*

pour « porter le conflit sur le terrain de son choix ». Par ruse en quelque sorte. Ayant écrit le mot, Georgette Elgey s'efforcera de le justifier.

Les références de De Gaulle à la Constitution de 1875, la façon dont il lui arrivait de souligner les avantages d'un retour *provisoire* aux textes fondateurs de la IIIe République, non seulement devant des familiers troublés, voire indignés par cette perspective, mais aussi devant les commissaires de la République qui dissimulaient mal leur désapprobation et devant des hommes politiques (Blum, Marin, Colin[1], Saillant[2], Eugène Petit, Thorez, Lebrun, Herriot[3]), qui la manifesteraient hautement, n'auraient donc été qu'un leurre destiné à abuser les partis ! Se battant contre le moulin à vent de la Constitution de 1875, ils auraient ainsi perdu de vue la véritable manœuvre d'un général de Gaulle qui désirait avant tout limiter les pouvoirs de la Constituante.

Il se peut...

Mais la ruse, alors, aura été longuement et savamment cultivée. Elle aura été suffisamment bien déguisée pour que des hommes aussi perspicaces et aussi familiers que Palewski, Brouillet, Claude Mauriac, Vallon se soient laissé prendre[4] ; elle aura suffisamment inquiété la gauche non communiste pour que certains ministres socialistes aient menacé de se retirer, pour que Jeanneney vienne évoquer, devant de Gaulle, la menace de la Convention des Montagnards. Dans la mesure, toutefois, où de Gaulle rusait (« le prestige ne peut aller sans mystère », avait écrit, en 1927, ce virtuose ès secrets), quelle influence pouvait donc avoir, sur son esprit, la marionnette révolutionnaire ?...

Depuis le 17 juin, Michel Debré et René Capitant travaillaient, en effet, sur un projet de texte que le général de Gaulle leur avait demandé de préparer à l'intention du président Jeanneney qui en serait le rapporteur devant le Conseil des ministres.

Les notes rédigées par Debré se plaçaient dans l'hypothèse d'une Assemblée constituante. Rédacteur partial — il ne s'en cache nullement —, Debré œuvrait contre son cœur et sa raison. Personnellement favorable à un référendum immédiat sur une modification des lois de

---

1. Secrétaire général du M.R.P.
2. Reçus le 26 juin.
3. Reçus le 27 juin.
4. « Son obstination quant au principe de deux Chambres, écrira Claude Mauriac, paraît avoir été une feinte... J'avoue en avoir mal compris les ressorts. »

1875, il fera tout, du moins, pour « limiter l'effet nocif [de la Constituante] en l'encadrant de mesures précises[1] » : durée limitée dans le temps et compétence législative restreinte.

Le 7 juillet, à Matignon, de Gaulle, après avoir bousculé ses ministres :

> « J'ai entendu dire que la plupart des partis auxquels vous appartenez désapprouvaient ma position. Quelle position? Je vous le demande, puisque je ne l'ai jamais fait connaître... »,

leur livre ses intentions — c'est-à-dire, pour l'essentiel, le projet Debré-Capitant. Le mandat de l'Assemblée serait limité à sept mois ; elle élirait le chef du gouvernement, mais celui-ci ne serait pas responsable devant elle et les ministres ne le seraient pas davantage ; elle aurait cependant le pouvoir de voter le budget ainsi que les réformes de structure et de ratifier les traités. Enfin, les Français devraient se prononcer par référendum sur le texte concernant les pouvoirs de l'Assemblée constituante.

Cette dernière proposition allait soulever l'hostilité générale des « fractions politiques... la décision directe du pays leur paraiss[ant], à toutes, scandaleuse », écrit de Gaulle, qui ajoute : « Rien ne montrait plus clairement à quelle déformation du sens démocratique menait l'esprit des partis. Pour eux, la République devait être leur propriété et le peuple n'existait, en tant que souverain, que pour déléguer ses droits et jusqu'à son libre arbitre aux hommes qu'ils désignaient[2]. »

Depuis plusieurs jours — *Le Monde* du 5 juillet en porte témoignage —, les bruits les plus divers couraient le Tout-Paris politique. Selon les uns, le général de Gaulle « envisagerait de se retirer du pouvoir plutôt que de renoncer au principe de deux assemblées (comme elle est efficace la " ruse de De Gaulle "!), dont l'une serait [...] la Chambre

---

1. Michel Debré, *Trois Républiques pour une France*. Les notes de Michel Debré ont été publiées par son fils Jean-Louis à la fin de sa thèse sur « les idées constitutionnelles du Général ».
2. *Mémoires de guerre*, t. III, *Division*.

des députés et l'autre un Sénat peut-être légèrement modifié quant à sa composition ». Mais, « selon les autres » — et cette indication se trouve également dans *Le Monde* —, les socialistes se préparaient à « rendre leurs portefeuilles ».

Le comité directeur du parti socialiste, réuni le 5 juillet, avait d'ailleurs envisagé cette éventualité. Ministre de l'Agriculture, Tanguy-Prigent s'était montré ardent partisan du départ. Mais, en quelques mots, Tixier, ministre de l'Intérieur, avait ramené ses camarades à la prudence.

— Quitter le gouvernement à la veille d'élections, quelle erreur !

Sans doute le M.R.P. avait-il fait le même raisonnement. Tenté, lui aussi, par le départ, il avait repoussé ce calice.

D'ailleurs, socialistes et M.R.P. se trouvaient ligotés au mât gouvernemental par la décision du Parti communiste.

Associé au pouvoir pour la première fois de son histoire, le Parti communiste n'était nullement décidé à l'abandonner.

Quitte à se trouver à la fois au gouvernement et dans l'opposition — un exercice dans lequel il excellera —, il avait immédiatement fait connaître son refus de tout conflit ouvert et Cogniot, dans *L'Humanité* du lundi 9 juillet, se félicitera de ce que « les positions divergentes » n'aient pas fait exploser le gouvernement.

On comprend donc qu'aucun ministre ne se soit levé après que de Gaulle eut déclaré :

— Comme vos partis sont en désaccord avec le gouvernement, je ne m'étonnerai pas que plusieurs d'entre vous m'offrent leur démission. Je l'accepte d'avance.

A la suite de l'interminable Conseil des ministres du 9 juillet — il durera six heures —, le bureau politique du Parti communiste se prononcera donc contre l'ouverture d'une crise, mais n'en dénoncera pas moins un « prétendu référendum » qui « aura le caractère absolument net d'un plébiscite sur la personne du titulaire du pouvoir présidentiel[1] ».

De Gaulle a donc le champ libre. Un champ semé de mines, il ne l'ignore pas. Mais, comme ses ministres ont adopté « sans changement, à l'unanimité », remarquera-t-il avec quelque ironie, un texte auquel ils étaient hostiles, il va pouvoir s'adresser au pays.

_____

1. Georges Cogniot dans *L'Humanité* du 10 juillet.

Il le fera le 12 juillet. Son allocution radiophonique, quelque peu négligée par les historiens, est claire, solide, bien argumentée, parfaitement intelligible.

Après avoir rappelé que l'heure approche où les Français auraient à rebâtir des institutions politiques qui, en un siècle et demi, le plus souvent au rythme des malheurs de la patrie, avaient changé treize fois, de Gaulle expliquera les avantages et défauts des trois hypothèses dont, le 2 juin, il avait jeté l'esquisse.

Du régime constitutionnel de la IIIe République, il parlera en historien et en chef de gouvernement. L'historien, pour rendre hommage au régime qui avait permis à la France de rétablir « sa puissance militaire abattue par les désastres de 1870 », de refaire un grand Empire, d'assurer la liberté des citoyens, de gagner la Grande Guerre. Le chef de gouvernement, pour dire que ce régime, « tel qu'il fut conçu en 1875 et tel qu'il avait évolué depuis, ne correspondait plus, depuis des années, aux conditions de notre rude époque ». « Je crois, ajoutera-t-il, qu'il est peu de Français qui n'en soient aujourd'hui convaincus. » Se réservant de faire connaître « prochainement » son opinion, il informe le peuple qu'il lui appartiendra bientôt de dire « si les institutions de la IIIe République ont cessé d'être valables »...

> « Nul n'est qualifié pour décréter maintenant qu'elles sont caduques au départ ou bien qu'elles ne le sont pas, excepté le peuple lui-même. Au mois d'octobre, nous voterons tous et toutes au suffrage universel et direct pour élire une assemblée et nous dirons si cette assemblée est constituante, c'est-à-dire si nous lui donnons le mandat d'élaborer une nouvelle Constitution. Si la majorité des électeurs décide que non, c'est que les institutions antérieures auront, au départ, gardé leur valeur [...]. Si, au contraire, le corps électoral décide, dans sa majorité, que l'Assemblée est constituante, c'est qu'il tient pour caduques, au départ, les institutions d'avant 1940. »

On ne saurait être plus limpide. Le général de Gaulle, aux belles et longues envolées, aux nobles phrases amoureusement écrites, l'admirateur de Chateaubriand, pratique, avec un égal talent, l'art professoral. Admirablement construit, son raisonnement est fait pour progresser dans les esprits. Il a annoncé qu'il ne donnerait pas « publiquement » son opinion. Elle transparaît à travers tout le discours. Si le pays rejette les institutions d'avant 1940, le « gouvernement » (comme il a « bon dos » ce gouvernement dont de Gaulle met en avant l'unanimité hargneuse et contrainte !) « considère, poursuit-il, en effet comme nécessaire que le pays règle en même temps le fonctionnement des pouvoirs de l'État jusqu'au moment où la Constitution nouvelle sera mise en application. *Ne rien régler du tout reviendrait à faire de l'Assemblée un corps omnipotent, absorbant tous les pouvoirs, sans aucun recours et sans aucune limite d'attribution, ni même de durée. Une pareille dictature* (ce mot, repris par des journaux comme *L'Époque* et comme *Le Monde*[1], c'est bien de Gaulle qui le lance au visage des communistes), *une pareille dictature*[2] risquerait d'entraîner les plus graves inconvénients, surtout dans la période très difficile où nous sommes ».

Est-il pensable d'imaginer que Charles de Gaulle puisse préparer le lit d'une dictature parlementaire ? Non, bien sûr, mais, ne révélant officiellement rien de ses transparents sentiments..., c'est « le gouvernement », encore le gouvernement, toujours le gouvernement, qu'il met en avant, avec plus de malice que de machiavélisme.

C'est donc le gouvernement — composé de communistes, de socialistes, de républicains populaires dont les journaux, le lendemain, se déchaîneront à plus ou moins grand bruit contre le projet annoncé — qui propose au peuple que l'Assemblée soit constituante, mais qu'un « régime transitoire » : élection par l'Assemblée du président « qui choisira les ministres et aura, avec eux, la charge de gouverner », délai de sept mois pour l'élaboration de la Constitution, soit mis en place jusqu'au jour où une nouvelle Constitution, adoptée par l'Assemblée, aura été ratifiée par la nation.

Car le « gouvernement », toujours lui (quelle ironie lorsque l'on sait les fureurs journalistiques et parlementaires que suscitera le « référendum-plébiscite »), propose également « au peuple français de décider que la Constitution nouvelle sera ratifiée par la nation ». Ainsi, nos institutions — ajoute de Gaulle — « prendront un caractère d'autorité et de solennité qu'elles n'avaient jamais revêtu ».

---

1. Le 13 juillet, sous la signature de Rémy Roure
2. Souligné intentionnellement.

Dans son numéro du dimanche 15 et du lundi 16 juillet, *L'Humanité* s'abstient de titrer sur les grandioses cérémonies militaires — les premières depuis 1939 — qui, dans un Paris libéré, ont marqué la commémoration, devant des foules enthousiastes, de la Fête nationale.

Le 14 Juillet de *L'Humanité* est celui du « million de Parisiens » qui, de la Concorde à la Bastille, a fait escorte aux « délégués des États généraux de la Résistance française », en même temps qu'il acclamait « la République [et] la Constituante souveraine ».

La décision de réunir ces États généraux avait été prise le 16 décembre 1944 par les présidents des Comités de libération rassemblés à l'Hôtel de Ville de Paris.

Ils étaient censés refléter les aspirations des Français de 1945 comme, cent cinquante-six ans plus tôt, les États généraux, réunis à Versailles, avaient reflété celles des Français de 1788. Mais loin d'être le miroir dans lequel Françaises et Français des bourgs et des villes se retrouveraient, les États généraux de la Renaissance française allaient uniquement servir de machine de guerre contre de Gaulle et contre ses projets constitutionnels.

Le titre de *L'Humanité* du 11 juillet était d'ailleurs sans ambiguïté. Il annonçait que Louis Saillant, président du Conseil national de la Résistance, avait réclamé, lors de la séance d'ouverture des États généraux, « une Constituante devant laquelle le gouvernement soit responsable ».

C'était précisément ce dont de Gaulle ne voulait pas.

Il l'avait dit le 12 juillet à la radio. Il le répétera très fermement encore à Brest où, le samedi 21, place du Château, devant une foule sortie des ruines, il prononce un discours qui vaut engagement

Cette fois, il dit « je ».

> « Pour moi, autant je souhaite que cette Assemblée reçoive le mandat d'élaborer une nouvelle Constitution, autant j'estimerais déplorable qu'elle se trouvât omnipotente, sans aucun frein, aucune limite, système qui, presque toujours, quand il a été appliqué, a conduit aux crises les plus graves.
>
> Comment admettre qu'une Assemblée se voie investie de la faculté et même de l'obligation de faire à son seul gré, de son seul mouvement en vertu de son unique jugement, sans possibilité de révision ni d'amendement, toutes les lois de toutes les sortes ?

[...] Cela serait exactement cette dictature collective, et au surplus anonyme, dont Michelet disait qu'elle est la pire de toutes, qui pourrait nous mener aux plus dangereux abus et sous laquelle la France courrait le risque qu'aucun gouvernement digne de ce nom ne fût pratiquement possible. »

Après avoir expliqué la mécanique du référendum, analysé les deux questions qui seront posées : *L'Assemblée qui va être élue est-elle constituante ? — Si l'Assemblée est constituante, approuvez-vous le projet de loi proposé par le gouvernement et fixant le fonctionnement des pouvoirs publics jusqu'à la mise en vigueur de la Constitution ? »*, le général de Gaulle achève sur ces mots qui lui seront reprochés comme une inadmissible intervention et le feront comparer au « prince-président », puis à l'empereur Napoléon III « appelant le peuple à se prononcer sur l'excellence de ses constitutions, sur le caractère libéral de ses modifications introduites dans les institutions du pays[1] »...

Qu'a dit de Gaulle ?

Ceci :

> « Quant à mon opinion, je l'affirme [...] nettement en disant : *oui*. J'espère et je crois que les Français et les Françaises répondront *oui* à chacune de ces deux questions. »

Le 27 et le 28 juillet, le « discours de Brest » sera évoqué à de nombreuses reprises au cours de ces deux séances de l'Assemblée consultative où de Gaulle — il est présent — paraîtra en position d'accusé.

Il faut relire le *Journal officiel* — une soixantaine de pages — pour avoir une idée exacte de la violence des propos.

Dans ses *Mémoires de guerre*, de Gaulle écrit qu'il avait prévu « un débat animé, plein d'aigreur ». *Aigreur*, le mot est faible, mais peut-être le Général l'a-t-il volontairement choisi pour ne pas laisser à l'Histoire l'image de l'humiliation subie...

---

1. Ces mots seront prononcés le 27 juillet à l'Assemblée consultative provisoire par M. Marcel Plaisant.

Après avoir annoncé que la Commission de la réforme de l'État s'était prononcée par 15 voix contre 5 en faveur d'une Assemblée constituante unique, mais qu'elle avait rejeté, par 14 voix contre 8, le principe du référendum, le rapporteur, l'ancien sénateur Marcel Plaisant, dénoncera en effet, avec une violence encouragée par les applaudissements d'une grande partie de l'Assemblée, « les plébiscites du prince-président » et ces « consultations populaires » organisées par Napoléon III, dont le triste souvenir hante « l'âme des républicains de tradition ».

Puisque, dans la presse communiste, la comparaison déjà est établie entre de Gaulle et Napoléon III, Marcel Plaisant, imaginant que le passé puisse se répéter, va s'écrier :

— En vérité, le peuple est trompé [...] dans la promesse qu'on lui fait lorsqu'on vient lui dire qu'il va avoir la décision. [...] Il est conduit vers la décision que lui suggère un maître qui, *demain, se targuera peut-être de son approbation pour se dresser contre les représentants naturels et les défenseurs permanents de ce peuple même*[1]...

Au général de Gaulle, dont on imagine la fureur contenue, Maurice Schumann donnera l'occasion d'intervenir.

Alors que les applaudissements (*vifs applaudissements à gauche et au centre,* notent les sténographes pour le *Journal officiel*) ont cessé et que M. Marcel Plaisant s'apprête à poursuivre sur un ton toujours plus haut des comparaisons toujours plus osées, l'ancien porte-parole de la France libre, indigné, retrouvant sans peine les frémissants accents de Londres, interroge :

— Est-ce une interpellation, ou un procès d'intention ?

Le président du gouvernement provisoire profitera alors de cette parenthèse dans la philippique pour solliciter du rapporteur la permission de l'interroger.

Après avoir dénoncé « un abus de termes, contre lequel la dignité républicaine du gouvernement de la République a le droit de s'élever formellement », de Gaulle aura ces mots, inventés sur l'instant, mais auxquels l'indignation donne leur force et assure la survie dans la mémoire collective :

« Ce gouvernement, messieurs, qui dirige la nation, qui l'a dirigée dans son effort pour la guerre, *qui a relevé la République,*

---

1. Souligné intentionnellement.

son drapeau, ses lois et jusqu'à son nom[1], ce gouvernement prend aujourd'hui... les dispositions nécessaires pour rendre la parole au peuple, faire désigner une Assemblée qui élira le futur chef du gouvernement [...] Et l'on ose rapprocher cette consultation du pays avec les plébiscites dont vous avez parlé ? Dans une discussion de ce genre, je demande un peu d'équité ! »

Il n'y aura pas d'équité.

Marcel Plaisant, un instant désarçonné, affirmera, au milieu des acclamations indignées des uns, des applaudissements des autres, que, hostile au référendum-plébiscite il ne nourrissait aucune pensée agressive contre le gouvernement... ou contre ceux qu'il appelle hypocritement — car il s'agit surtout de ne pas citer le nom de De Gaulle — « les personnes du jour ».

Mais, ayant repris son discours, Plaisant défendra la toute-puissance de l'Assemblée future qui « jamais ne tolérera une limite quelconque à ses droits ».

Dans sa modération de ton, le sage et compétent Paul Bastid, président de la Commission de la réforme de l'État et de la législation, se montrera infiniment plus sévère encore que Marcel Plaisant.

Lorsque, sans emphase mais avec force, il aura fini de parler du projet gouvernemental et du référendum, qu'il compare — comme l'a fait et le fera la quasi-totalité des orateurs — au premier plébiscite de Louis Napoléon III, il n'en restera pas grand-chose.

C'est en écoutant Paul Bastid, né à la fin du siècle (1892), que l'on comprend mieux la sincérité de plusieurs des orateurs.

Si, pour les communistes et leurs alliés, qui ont soutenu, soutiendront et appellent de leurs vœux des dictatures infiniment plus impitoyables que la dictature de Napoléon III, agiter l'épouvantail du prince-président relève de la pure tactique électorale, il n'en va pas de même pour des hommes que révulse le coup d'État du 2 décembre 1851 et qu'indigne cette Constitution du 14 janvier 1852 qui donnait à Louis Napoléon Bonaparte la maîtrise de la presse et de l'Université, le droit exclusif d'initiative des lois, la possibilité de dissoudre à tout moment le corps législatif devant lequel les ministres n'étaient pas responsables.

---

1. Souligné intentionnellement.

Parce qu'il assure — on le croit — ne pas faire l'injure au général de Gaulle de le comparer à Napoléon III, parce qu'il ne met jamais en cause — au contraire de Marcel Plaisant — les intentions « droites et pures » du Général, Bastid, parlementaire depuis 1924, spécialiste du droit public, agrégé de philosophie, résistant incontestable, qui a très tôt travaillé dans le cadre du Comité général d'études [1], ira loin dans la critique. Il ne craint certes pas les ambitions du général de Gaulle, mais « les souvenirs de l'Histoire qui nous contaminent », l'appel au peuple, « un nom magnifique, une réalité hideuse, une dérisoire duperie », enfin cette « logique interne des événements » qui doit conduire aux « pires aventures ».

Tout en cherchant à concilier la gratitude qu'il doit, comme Français, à de Gaulle et le sentiment républicain, qui est sa foi personnelle, Bastid, qui pourrait reprendre le mot que Shakespeare prête à Brutus : « Ce n'est pas que j'aimasse moins César, mais j'aimais Rome davantage », ira dans sa conclusion, à l'extrême du pessimisme.

> « ... Il y a des conditions toujours semblables dans lesquelles naissent les dictatures. Celles-ci surgissent dans des pays économiquement malheureux, dans des pays en proie à de profondes divisions intestines. [...] C'est dans cette dispersion et dans cette dislocation qu'elles trouvent toujours leur explication et même leur excuse momentanée. Il y a, je le répète, une sorte de poussée spontanée des événements.
>
> Cette poussée, il ne suffit pas, croyez-moi, de ne pas la favoriser ; il faut entrer contre elle en révolte. Et, si le gouvernement n'a pas eu la prudence de le faire, c'est, en dernière analyse, à la coalition des forces démocratiques de ce pays qu'il appartiendra de conjurer le destin. »

Qu'importe, après cette péroraison acclamée, que Cogniot dénonce — comme il le fait et le fera dans *L'Humanité* — « le régime du bon plaisir », le pouvoir personnel, « toutes les traces du fascisme », que Robert-Pimienta évoque les voyages de De Gaulle en Auvergne, en Bretagne et ces autres « voyages triomphants » qui peuvent parfaite-

---

1. Il s'était initialement réuni chez lui.

ment se poursuivre puisqu'il est de coutume, avant un plébiscite, que « le chef du gouvernement ne néglige pas de faire acclamer sa personne avec ses idées à travers le pays », l'essentiel a été dit par Bastid.

Lorsque le général de Gaulle — interrompant Gaston Defferre — reprend la parole, le 28 juillet en fin d'après-midi, il se prête à une concession : le gouvernement de demain pourrait fort bien solliciter un vote de confiance explicite de l'Assemblée élue le 21 octobre mais, au nom de l'intérêt national, il reste ferme et fixe sur deux points essentiels. Son ton est alors celui d'un professeur devant une classe moins indisciplinée que résolue à ne rien écouter.

> « D'abord, déclare de Gaulle, la première tâche d'une assemblée constituante, quelle qu'elle soit, doit être de faire une constitution. Je ne suis pas certain que, dans l'esprit de tous ici, cette notion soit aussi claire que je l'affirme en ce moment.
>
> Le second point, c'est que, tant qu'il n'y a pas d'institutions, il est nécessaire que soit fixé, et fixé par *le seul souverain, c'est-à-dire le peuple, un fonctionnement des pouvoirs publics [...] tant que la Constitution n'en a pas décidé*[1]. »

Cette obstination à vouloir faire du peuple le seul souverain conduira de Gaulle à se répéter : « On parle beaucoup de constituante souveraine. Mais c'est un terme mal choisi. Il n'y a qu'un souverain, le peuple... Oui, le peuple seul est souverain. Il ne faut pas faire d'abus de termes. » Phrases qui, loin de provoquer les applaudissements, suscitent ce qu'il est convenu d'appeler pudiquement des « mouvements divers ».

De Gaulle a beau expliquer les méfaits de l'instabilité ministérielle, dire que, dans le même temps — 1875-1940 — où la France avait eu cent deux ministères, l'Angleterre n'en avait connu que vingt, comment pourrait-il convaincre des hommes politiques, dont plusieurs ne doivent qu'à l'instabilité ministérielle du passé d'être appelés « *Monsieur le Ministre* », et dont nombre de ceux qui se préparent à affronter, pour la première fois, les électeurs savent que leur chance de faire carrière dépend d'une assez rapide succession des ministères ?

---

1. Souligné intentionnellement.

« A des titres divers, tous les partis entendent, en effet, que la Constitution future recrée un régime où les pouvoirs dépendront d'eux directement et exclusivement et où de Gaulle n'aura pas sa place, à moins qu'il ne veuille consentir à n'être qu'un figurant. A cet égard, les leçons du passé, les réalités du présent, les menaces de l'avenir ne changent absolument rien à leur optique et à leurs exigences. »

Il écrit ces mots en 1959. Il les pensait en 1945. « Ce qui me frappe, moi, dira-t-il le 1ᵉʳ août 1945 à Claude Mauriac, c'est qu'il n'y en ait pas eu un, pas un seul pour se placer au point de vue de l'État. »

En vérité, de Gaulle tente de convaincre des hommes dont l'attention est alors tournée vers l'Angleterre où les élections viennent de provoquer un raz de marée politique. Élus au nombre de 387 en 1935, les conservateurs ne se retrouvent plus que 195, les travaillistes passant de 154 à 390. Et, surtout, Winston Churchill a été contraint à la démission.

Historiquement, peut-être n'a-t-on pas assez prêté attention à la coïncidence entre le débat qui se livre à Paris, et dont de Gaulle sortira considérablement ébranlé au point de déclarer à une Assemblée, dont on se demande si elle a su décrypter le message, qu'il ne pourrait « aller au terme » s'il voyait se séparer « fondamentalement » de lui les représentants de ses anciens compagnons, et les événements qui, en Grande-Bretagne, à la surprise générale, et d'abord à la surprise de Churchill, responsable d'élections anticipées viennent de donner une éclatante preuve de l'ingratitude populaire en renvoyant à la rédaction de ses *Mémoires* le héros de juin 1940. Mais le peuple anglais, épuisé par un long effort et par des sacrifices consentis avec discipline jusqu'à la victoire, aspirait à être dirigé désormais par d'autres hommes que des êtres d'exception, à écouter d'autres promesses que de sueur, de sang et de larmes.

Ainsi, pour cause de fatigue des peuples, la victoire pouvait-elle se révéler mortelle pour les « hommes providentiels [1] ».

Comment de Gaulle n'y aurait-il pas songé en apprenant la

---

1. « Sa nature, identifiée à une magnifique entreprise, sa figure, burinée par les feux et les froids des grands événements, devenaient inadéquates au temps de la médiocrité », écrira de Gaulle en évoquant la chute de Churchill.

démission de Churchill, vieux compagnon à qui il devait, dans le dénuement de juin 40, d'avoir été reconnu pour chef des Français libres, constant adversaire dès lors que les intérêts britanniques lui semblaient en contradiction avec les intérêts d'une France que sa défaite — une défaite dont l'ambitieux, intraitable et insupportable de Gaulle s'obstinait à faire qu'elle ne soit qu'une triste parenthèse — avait fait chuter du rang d'éternelle rivale?

Et comment les délégués de l'Assemblée consultative n'y auraient-ils pas songé? Hommes de gauche, voyant, en Angleterre, les travaillistes l'emporter sur les conservateurs et mettre immédiatement en chantier de révolutionnaires réformes sociales, comment n'auraient-ils pas cédé à la tentation?

Le 28 juillet, M. Robert-Pimienta, après avoir évoqué le désaveu infligé à Churchill et rappelé que la France avait malheureusement su se montrer ingrate envers Gambetta, Jules Ferry, Clemenceau, avertissait:

> « Le général de Gaulle ne doit pas se faire d'illusions. Il sait que, tôt ou tard, l'heure de l'ingratitude viendra pour lui, comme elle a fait pour d'autres. »

Le général de Gaulle ne se faisait certainement pas d'illusions, mais il se désolait au spectacle d'une Assemblée incapable de décider, d'une Assemblée à laquelle il lancera, dans un moment d'agacement: « A quelque tendance que nous appartenions, nous sommes tous au gouvernement et tous dans l'opposition. »

Cela fit rire. Le proche avenir devait démontrer la justesse de ce qui n'était nullement une boutade.

« *Tous au gouvernement* »: à l'unanimité, l'Assemblée s'était prononcée en faveur de la responsabilité ministérielle; par 185 voix contre 46, elle avait voté pour une Assemblée constituante souveraine.

« *Tous dans l'opposition* »: par 210 voix contre 19, l'Assemblée avait repoussé le texte gouvernemental, ce qui prouvait soit la totale absence d'influence des ministres sur les délégués, soit plutôt qu'en approuvant, en Conseil, le projet « gouvernemental » présenté par Jeanneney et défendu par de Gaulle, ils allaient contre leurs convictions. L'Assemblée avait également repoussé par 196 voix contre 91 un amendement radical en faveur d'une seconde Chambre. Enfin, par 108 voix, les communistes ayant trouvé le renfort de nombreux modérés, contre 101 (socialistes, M.R.P., U.D.S.R.), elle avait rejeté un contre-projet raisonnable de Vincent Auriol et de Claude Bourdet qui, tout en spécifiant que le gouvernement serait responsable devant l'Assemblée, empêchait qu'il ne fût renversé autrement qu'à la majorité absolue des voix. Jugeant que ce texte méritait « une considération complète tant à la fois dans son esprit et dans son économie », de Gaulle en retiendra partiellement l'esprit dans l'ordonnance du 17 août.

N'étant d'accord sur rien, pourquoi l'Assemblée aurait-elle été d'accord sur la loi électorale dont elle débattit les 2 et 3 août ? Les uns, « les partisans des institutions d'avant-guerre », écrira de Gaulle, qui, dans ses *Mémoires,* consacre trois pages au problème, voulaient revenir au scrutin uninominal d'arrondissement, qui permettrait sans doute à leurs notables, quelque peu défraîchis, de retrouver leur place. Les autres : communistes, socialistes, républicains populaires, réclamaient la proportionnelle intégrale. Peu connus, voire inconnus des électeurs et plus encore des électrices, leurs candidats pouvaient espérer — c'était particulièrement vrai pour les républicains populaires, issus du petit parti démocrate populaire — l'emporter grâce à l'attrait de programmes en concurrence démagogique.

Mais quelle sorte de proportionnelle ?

Comme ils désiraient une constituante *souveraine,* les communistes exigeaient la proportionnelle *intégrale avec report des restes,* les voix n'entrant pas dans les quotients locaux étant, alors, additionnées à l'échelon national. « Grâce à ces restes, qui procuraient un supplément d'élus, chaque parti, écrit de Gaulle, serait assuré de faire passer tel de ses chefs qui aurait mordu la poussière en province ou même ne se serait présenté nulle part. »

Quant à de Gaulle, Les *Mémoires de guerre* portent trace des aller et retour de sa pensée.

L'élection « à la mode de la IIIe République » n'avait pas sa faveur. Elle consacrait l'inégalité de la représentation populaire, tel candidat n'ayant affaire — à Briançon, par exemple — qu'à 7 138 électeurs ; tel autre — à Noisy-le-Sec — à 37 180. Grâce aux désistements du second tour, elle aurait permis l'élection de nombreux communistes et aurait « rivé, par l'intérêt électoral commun, les deux sortes de marxisme [1] ».

Peut-être de Gaulle aurait-il été tenté par l'élection à un seul tour

---

1. De Gaulle, *Mémoires de guerre,* t. III.

comme elle se pratiquait — et venait de se pratiquer — en Angleterre où le système avait assuré, avec une relativement faible différence de voix, le triomphe des travaillistes. Mais, René Brouillet[1] lui ayant fait remarquer qu'avec pareil scrutin le représentant du parti communiste qui aurait en face de lui, dans chaque arrondissement, un socialiste, un radical, un républicain populaire, quelques modérés camouflés sous une étiquette de « centre gauche », la seule alors revendiquée par la droite, un ou deux résistants nostalgiques, serait assuré de l'emporter, le président du gouvernement provisoire renonça.

Que de Gaulle n'ait éprouvé aucun goût pour la proportionnelle intégrale qui aurait fait de chaque député l'élu désincarné de toute la nation, non plus que pour la proportionnelle intégrale avec répartition des restes, c'était l'évidence.

Le 17 août, il choisit donc et imposa — « une fois encore, écrira-t-il, il me fallait trancher d'autorité » — le scrutin de liste et la représentation proportionnelle à *l'échelle départementale,* les départements les plus peuplés (Seine, Nord, Seine-et-Oise, Rhône, Pas-de-Calais, Bouches-du-Rhône) étant divisés en plusieurs circonscriptions[2] puisqu'il était entendu qu'aucune circonscription n'aurait plus de neuf députés.

Le Parti communiste mena grand tapage autour de « la proportionnelle bâtarde », « du référendum bonapartiste et de la fausse proportionnelle », mit directement en cause de Gaulle, félicita Tillon et Billoux, les deux ministres communistes qui, en Conseil, s'étaient seuls prononcés contre « la représentation proportionnelle réactionnaire », découvrit — ce qui ne pouvait que réjouir de Gaulle — que la substitution du système proposé par le gouvernement à celui de l'utilisation des restes dans le cadre national « faisait perdre 40 sièges à l'extrême gauche[3] », dressa des tableaux pour démontrer toute l'injustice d'un scrutin dans lequel le quotient électoral était de 60 698 en Haute-Garonne et de 25 040 dans le territoire de Belfort, rien, naturellement, n'y fit.

De Gaulle était sans doute un apprenti en matière électorale. Mais, lorsqu'il avait pris une décision, il s'y tenait.

---

1. *Cf.* Jean Lacouture, *De Gaulle,* t. II, p. 197.
2. Six circonscriptions pour la Seine, trois pour le Nord, deux pour la Seine-et-Oise, le Rhône, le Pas-de-Calais, les Bouches-du-Rhône.
3. *L'Humanité,* du 7 septembre 1945.

L'ordonnance du 17 août ne précisait pas seulement le mode de scrutin, elle formulait les deux questions du référendum et précisait — dans un texte qui serait imprimé au verso du bulletin de vote — les limitations imposées aux pouvoirs de la future assemblée, si le peuple, en répondant « oui » à la première question, se prononçait pour une Assemblée constituante[1].

Les communistes ne seront pas surpris par les positions de De Gaulle.

Espéraient-ils que le parti socialiste, réuni à Paris du 11 au 15 août pour son XXXVIIe congrès, puisse adopter la Charte d'union présentée, le 28 juin, par Jacques Duclos et adhérer au Parti ouvrier français, qui devait en être la traduction politique ? Ce n'est pas vraisemblable. Ils avaient lu, dans *Le Populaire*, les articles de Blum et de Daniel Mayer, ils avaient éprouvé la rigueur de critiques qui mettaient en cause leur subordination à la patrie soviétique, ils avaient deviné, pardelà cette hostilité de principe, la crainte d'hommes qui, bien que persuadés de se retrouver, le 22 octobre, à la tête du premier parti de

---

1. L'Assemblée était élue pour sept mois au plus. Son rôle essentiel était d'élaborer la nouvelle Constitution qui devrait être approuvée par voie de référendum dans le mois suivant son élection par l'Assemblée. A côté de son pouvoir constituant, l'Assemblée posséderait le pouvoir législatif, le vote du budget, sans l'initiative des dépenses, le contrôle du gouvernement.

Elle devait élire, à la majorité absolue de ses membres, « le président du Gouvernement provisoire de la République » qui constituait son gouvernement et le soumettrait, en même temps que son programme, à l'approbation de l'Assemblée.

Le gouvernement était responsable devant l'Assemblée (voilà la concession au contre-projet Auriol-Bourdet), mais sa démission nécessitera un vote spécial (quarante-huit heures après son dépôt sur le bureau de l'Assemblée) par la majorité absolue des députés.

Si, dans les sept mois requis, l'Assemblée n'a pas élaboré la Constitution ou si le peuple français rejette son projet (ce qui se produira le 5 mai 1946 lorsque le projet élaboré sera rejeté par 10 584 359 « non » contre 9 454 034 « oui »), il sera procédé aussitôt, et dans les mêmes formes, à l'élection d'une nouvelle Assemblée constituante.

Élection du 2 juin 1946 : 146 communistes, 115 socialistes, 160 M.R.P., 36 radicaux, 62 modérés.

France, connaissaient les limites de leur résistance face au dynamisme supérieur de l'appareil et des militants communistes.

La résignation était étrangère au communisme de 1945. Maurice Thorez, parlant, le dimanche 12 août, à Nanteuil-le-Haudouin [1] devant 20 000 personnes [2], lancera cet avertissement : « Si socialistes et communistes continuent à se quereller au lieu de s'unir, nous allons à la catastrophe », avertissement dont il sait qu'il n'a aucune chance d'être entendu par le Congrès socialiste mais dont il a le droit d'espérer qu'il ébranlera des militants.

---

1. Dans l'Oise, arrondissement de Senlis.
2. Il s'agit du chiffre cité par *L'Humanité* du 14 août qui publie un éditorial de Florimond Bonte sur « la nécessité de l'unité ».

19

VOICI NOVEMBRE...

Le congrès socialiste était entré en religion. Blum, momentanement, était son Dieu. Lorsqu'il parut à la tribune, l'encens des vivats l'enveloppa. Mais il y eut aussi bien des larmes. Le « père revenu », le « martyr béatifié [1] », eut toutefois l'élégance de ne pas s'appesantir sur ses prisons, et de se contenter de cette phrase pudique, qui irait loin dans les consciences : « Je suis un homme à qui on a laissé le temps de la réflexion. »

Les thèmes médités dans la solitude des geôles entre septembre 1940 et mai 1945, Blum les reprendra le 13 août avec l'éloquence du prophète. Que certains désapprouvent sa philosophie humaniste, sans doute, mais c'est en cachette, car l'heure est encore aux effusions, aux attendrissements. Aussi les rapports élaborés sous la responsabilité de Daniel Mayer, le très actif secrétaire général du Parti, le militant qui, dès août 1940, avait entrepris de reconstituer, en zone Sud, un parti socialiste dont les parlementaires avaient majoritairement capitulé à Vichy, le fidèle qui était allé rendre visite à Blum, captif à Bourassol mais libre de recevoir quelques visites, seront-ils aisément adoptés par un parti où le monolithisme n'est pas de règle et qui s'offre, parfois, des bouffées d'imprévu.

Ainsi, 8 755 mandats contre 691 pour le rapport moral, 6 104 contre 2 178 en faveur de l'unité d'action avec l'U.D.S.R. et, surtout, 10 112 mandats contre 274 pour une motion de Jules Moch hostile, « *pour*

---

1. Cette image est de Jean Lacouture, *Léon Blum,* p. 515

l'instant », à l'unité organique avec le Parti communiste. Il s'agissait du scrutin le plus important.

Mais il était également important que le Congrès, tout en réclamant la proportionnelle intégrale, ait suivi Vincent Auriol lorsque, reprenant les termes de la motion, vainement défendue en compagnie de Claude Bourdet devant l'Assemblée, il avait montré l'intérêt du double référendum et la nécessité d'un pouvoir exécutif stable.

Un homme qui se ferait un nom mais qui, le 13 août 1945, était inconnu en dehors de la fédération du Pas-de-Calais (la première de France), il est vrai, avait créé la surprise. Il s'appelait Guy Mollet. Bien que battu en commission de résolutions où sa proposition n'avait recueilli qu'une seule voix, la sienne, il s'était obstiné et avait déposé une motion invitant, au nom des déceptions accumulées, « les camarades du parti, membres du gouvernement, à donner immédiatement leur démission ». Daniel Mayer avait répondu que le parti, malgré toutes les déceptions, « n'avait pas voulu plonger le pays dans une crise [...] au moment où la situation extérieure [était] inquiétante ».

Daniel Mayer avait également dit qu'il ne serait pas facile de remplacer le « Churchill français » et avait terminé sur cette mise en garde : « Pouvons-nous quitter le pouvoir en espérant y revenir seuls le 1er novembre ? »

A l'étonnement général, 2 916 mandats étaient allés à la motion du solitaire Mollet contre 7 625 à la motion de Daniel Mayer.

Tout en ne remettant pas en cause la participation des socialistes au gouvernement, ce résultat montrait combien était grande, chez bon nombre de militants, la tentation de ne pas laisser aux communistes le monopole de l'opposition. Elle ne les abandonnera jamais. Et, devenu président du Conseil, Guy Mollet, à son tour, en sera victime.

Le général de Gaulle ne paraît pas avoir attaché grand intérêt au congrès du parti socialiste.

Il est vrai que, le 21 août, en compagnie notamment de Georges Bidault, du général Juin et de Gaston Palewski, le chef du gouvernement provisoire s'était envolé pour Washington où il arrivait, après avoir fait escale aux Açores et aux Bermudes, dans l'après-midi du 22.

Quittant Paris où il se trouvait en butte aux mesquineries de l'Assemblée, aux réticences de ses ministres, à l'impatience du peuple, comment de Gaulle n'aurait-il pas éprouvé une intense satisfaction à la pensée de pouvoir traiter avec le président d'une Amérique que la récente explosion de deux bombes atomiques plaçait, pour un long temps, bien au-dessus de toutes les nations, les seuls problèmes qui, dans son esprit, valaient la peine d'être abordés. Ceux du nouvel équilibre du monde et la place que la France pourrait retrouver et tenir.

Alors, les motions votées, salle de la Mutualité, par les congressistes socialistes...

A Washington, l'hôte de la Maison-Blanche avait changé. Harry Truman remplaçait Franklin Delano Roosevelt, mort en avril 1945.

Dans la logique de leurs précédents rapports, les derniers rapports entre de Gaulle et Roosevelt avaient été marqués par l'aigreur et l'incompréhension. En janvier, la France n'avait pas été invitée à Yalta où Roosevelt, Staline, Churchill, avaient débattu du sort de l'Allemagne, de l'avenir de la Pologne et des nations de l'Europe centrale, ainsi que de la conférence où l'on jetterait les bases de l'Organisation des Nations unies.

La conférence de Yalta achevée, conférence au cours de laquelle, grâce au « patronage » de Churchill, la France avait obtenu le droit à une zone d'occupation ainsi que d'autres avantages rétablissant partiellement son prestige[1], voici que Roosevelt, regagnant les États-Unis à bord du croiseur *Quincy,* « invitait » de Gaulle en rade d'Alger.

A l'ambassadeur Caffery, de Gaulle avait fait savoir qu'il lui était malheureusement impossible de se rendre « à Alger en ce moment et à l'improviste », mais que le président Roosevelt serait toujours le bienvenu en France.

Sous la courtoisie diplomatique des formules transparaissaient les grincements de l'orgueil blessé. Nul ne s'y était trompé et Roosevelt, dans le discours prononcé le 3 mars devant le Congrès, évoqua « telle " prima donna " à qui son caprice de vedette avait fait manquer un utile rendez-vous ». Le rendez-vous eût-il été utile ? L'aigreur manifestée par Roosevelt permet de douter que ses sentiments aient

---

1. Il fut notamment décidé que la France et la Chine seraient puissances invitantes à la conférence constitutive de l'O.N.U. qui se tiendrait à San Francisco.

notablement évolué à l'égard d'un homme qu'il avait longtemps dénoncé comme un « apprenti dictateur » et dont, à Yalta encore, il s'était moqué en affirmant qu'il se comparait à Jeanne d'Arc et à Clemenceau. Quant aux sentiments de De Gaulle, il les a longuement exposés dans une page des *Mémoires* craquante d'amertume.

Comment de Gaulle aurait-il pu accepter d'être accueilli « sur le même navire et dans les mêmes conditions » qu'Ibn Saoud d'Arabie, Farouk d'Égypte, Hailé Sélassié d'Éthiopie et les présidents des Républiques syrienne et libanaise « placés sous le mandat français », personnages sans épaisseur historique et sans responsabilités mondiales ?

Comment aurait-il pu admettre d'être « convoqué *(toujours le choix et le poids des mots)* en un point du territoire national par un chef d'État étranger » ?

Beaucoup de Français, à qui l'étalage de la puissance américaine donnait un complexe d'infériorité, trouvèrent sur l'instant que l'orgueil de De Gaulle était inutile vanité[1].

A travers les malheurs et les servitudes de l'Occupation, comme à travers les bonheurs et les servitudes de la Libération, ils avaient oublié que la grandeur d'un peuple se marquait dans les petites comme dans les grandes choses.

Mais Roosevelt était mort.

Avant de se rendre à la conférence de Potsdam qui s'ouvrirait le 17 juillet et où la France n'était pas conviée — mais cet « oubli » serait le dernier[2] —, Truman avait invité de Gaulle aux États-Unis.

---

1. « La souveraineté, la dignité d'une grande nation, écrira de Gaulle à propos de " l'invitation " de Roosevelt, doivent être intangibles. J'avais en charge celles de la France. »
2. « Qu'aurais-je été faire à Potsdam ? » Telle est l'interrogation de De Gaulle dans ses *Mémoires de guerre*. S'il dit avoir regretté de ne pas s'être trouvé présent à Téhéran (conférence qui s'était tenue du 28 novembre au 2 décembre 1943) « quand il était temps » de défendre « l'équilibre du vieux continent », s'être irrité de « n'avoir pu prendre part à Yalta, parce qu'il restait alors quelques chances d'empêcher que le rideau de fer vînt à couper l'Europe en deux », de Gaulle, faisant aussi contre mauvaise fortune bon visage, écrit qu'à Potsdam « les faits étaient accomplis ».
Les faits, c'est-à-dire la soviétisation de toute l'Europe de l'Est et d'une partie

Se souvenant de l'homme avec qui il avait eu sept heures d'entretien entre le 22 et le 25 août 1945, de Gaulle écrira, en 1959 — et les mots disent bien le soulagement de n'avoir plus Roosevelt pour interlocuteur : « A l'entendre, on se sentait loin des vues d'un vaste idéalisme que déroulait, dans ce même bureau, son illustre prédécesseur. »

Truman sera donc décrit comme un esprit « positif » et « tourné vers le côté pratique des affaires », un chef d'État « bien à sa place », mais « à l'optique simplifiée ».

Le jugement était sans doute superficiel et trop rapide. Et si Truman allait se montrer plein de ces attentions auxquelles de Gaulle était sensible, dès lors qu'au-delà de sa personne elles valaient reconnaissance pour la France, dans le privé il n'accordait qu'un intérêt limité aux problèmes français et plaçait de Gaulle à la même hauteur que « Franco, Tito et tutti quanti [1] ». Mais les craintes de Truman face à l'expansionnisme soviétique, si longtemps favorisé par Roosevelt ; sa volonté affirmée de ne pas se laisser trop influencer, dans les affaires du Levant, par la diplomatie britannique ; enfin, sa relative ignorance de l'histoire tourmentée de l'Europe représentaient comme autant de « bons points » aux yeux de De Gaulle.

Face à son puissant interlocuteur, le Français retrouvait d'ailleurs sa supériorité de manieur de mots et de symboles. A travers invasions, révolutions, dévastations, il allait faire lever, devant ce chef d'État « à l'optique simplifiée », l'Europe dans sa sanglante complexité.

« Il était naturel, écrit de Gaulle dans cette phrase des *Mémoires* marquée de trois mots suprêmement orgueilleux, que le président Truman eût hâte de consulter la France. »

Consulter la France, c'était consulter de Gaulle.

Que le premier entretien ait porté sur le problème des combustibles

---

importante de l'Allemagne, l'engagement de Staline d'intervenir militairement contre le Japon, alors que Truman et Churchill venaient d'apprendre la réussite des expériences atomiques du Nevada, ce qui rendait sans objet (sauf pour l'U.R.S.S. qui allait ainsi, à peu de frais, bénéficier d'avantages territoriaux importants : archipel des Kouriles, Sakhaline, Mongolie extérieure) la prochaine entrée en guerre de la Russie contre le Japon.

1. *Cf.* Merin Gun, *Le Secret des archives américaines.*

et sur l'aide que les États-Unis pourraient apporter à notre pays en un domaine où les effets de la guerre se faisaient toujours sentir, c'est exact, mais ce fut — l'ambassadeur Henri Bonnet le précisera — « à l'initiative insistante du président Truman ».

Le charbon n'intéressait véritablement de Gaulle que dans la mesure où le sujet permettait de parler du charbon du bassin westphalien, dont il demandait qu'une certaine quantité soit remise à la France, à la Hollande, à la Belgique, et surtout d'insister sur le rattachement de la Sarre à la France.

Il n'était pas venu à Washington pour parler boisement des mines et briquet des mineurs. Il était venu parler de l'Allemagne, et l'Allemagne fut l'unique objet de la conversation de deux heures qui, le 22 août, suivit le dîner.

Sur l'Allemagne, l'histoire fondait les réflexions et les exigences de De Gaulle. Grand lecteur de Bainville, admirateur du traité de Westphalie qui avait organisé la division politique de l'Allemagne et contribué à la ruine du Saint Empire, de Gaulle, qui se promène à l'aise à travers les siècles, croit, quatre mois après l'écrasement de l'Allemagne, à sa d'autant plus rapide renaissance qu'Anglais et Américains viennent d'accepter la reconstitution d'un pouvoir central

Un jour, prédit-il à Truman — et, fort heureusement, il fait erreur —, le pays, ayant retrouvé « l'impulsion et l'instrument de ses ambitions », s'alliera « au puissant bloc slave constitué par les décisions de Yalta et de Potsdam ».

Au nom d'un passé dramatique qui laisse grandes ouvertes les portes à un futur dangereux : « C'est par la Rhénanie, dit-il à Truman, que les invasions venues de l'Est ont toujours déferlé sur la France », il réclame donc que la rive gauche du Rhin — composée de « pays » dont il ne conteste pas qu'ils soient allemands, mais dont il précise qu'ils sont « divers » — soit soustraite « à l'autorité du Reich et rattachée à l'Ouest (c'est-à-dire à la France) économiquement et stratégiquement ». Quant à la Ruhr, il la voudrait soumise à un régime international[1].

Les Américains manifestent immédiatement leur désaccord. A l'occasion de son récent séjour à Potsdam, Truman a été frappé par l'étendue des destructions et, plus encore peut-être — Potsdam se

---

1. Le 24 août, la conversation avec le président Truman ayant repris à 15 h 30, de Gaulle répétera ses revendications : Ruhr, rive gauche du Rhin.

trouve en zone d'occupation soviétique —, par la disparition de tous les jeunes hommes. Il ajoute que les mesures décidées par les trois grands conduiront l'industrie allemande à un si bas niveau que tout réarmement s'avérera impossible. Enfin, mieux que par le détachement de la Ruhr et de la Rhénanie, c'est par l'entente entre les Alliés et par la menace de la bombe atomique, dont les États-Unis ont alors le monopole, que la sécurité de l'Europe — donc de la France — sera assurée.

C'est en vain que de Gaulle, prenant 1933 pour référence, évoque la menace d'une Allemagne réarmée et revancharde. Les Américains ne l'écoutent pas. Et l'Histoire leur donnera raison contre de Gaulle, qui avait vu loin avant 1940 et en 1940, mais à qui il arrivera de se tromper de siècle. Un « contrôle [1] » français de la rive gauche du Rhin aurait, pour un mince profit et une garantie illusoire, provoqué de grands troubles ; offert au communisme l'occasion de prendre, dans les revendications patriotiques, la place jadis tenue par le national-socialisme ; retardé, en tout cas, la réconciliation entre les deux peuples [2].

Si les revendications présentées par de Gaulle ne furent pas retenues, il fut cependant « entendu » qu'à la conférence de Londres, qui devait s'ouvrir le 11 septembre, la délégation américaine recommanderait qu'elles soient au moins prises en considération. On verra ce qu'il en sera.

« Nous nous séparâmes en bons termes, écrit de Gaulle. Sans doute ne pouvait-il y avoir entre nos deux États de compréhension ni de confiance sans réserve. Les entretiens de Washington avaient montré, s'il en était besoin, que l'Amérique suivait une route qui n'était pas identique à la nôtre... » Pouvait-il en aller autrement ?

L'insatisfaction relative de De Gaulle allait être momentanément balayée par l'ouragan de l'enthousiasme new-yorkais.

De *La Marseillaise* chantée par Marian Anderson ; du défilé

---

1. Au cours de sa conférence de presse le 24 août, le général de Gaulle précisera que la France ne veut annexer aucun territoire allemand, mais qu'elle entend « contrôler » pour une très longue durée la rive gauche du Rhin et que le bassin minier de la Ruhr doit être placé sous gestion interalliée.

2. « Tout simplement, de Gaulle, qui ne connaissait pas plus l'avenir que ses contemporains, crut-il en un retour à la normale, le « back to normality » des Américains en 1920. Une « normale " améliorée " où l'on ne commettrait plus les erreurs de 1919. Il ne faudra pas quinze ans pour que s'écroulent et la politique antiallemande et la grandeur de l'union française » (Jean-Baptiste Duroselle).

triomphal, le 27 août, sous les confettis « lancés de 100 000 fenêtres » ; du déferlement des cris, « *De Gaulle ! Hurrah !* », « *Hello, Charlie !* » ; des commentaires chaleureux d'une presse — ah ! voilà qui le changeait des journaux français — qui soulignait qu'à plusieurs reprises il avait souri[1] mais, surtout, que l'Amérique accueillait « l'homme qui, durant toute la guerre, avait été un symbole de liberté, de démocratie et de victoire pour notre sorte de monde[2] » et que la France, « restant culturellement et moralement une grande puissance[3] », redeviendrait une grande puissance militaire, oui, de l'accueil de New York, de Gaulle avait conservé un souvenir tel qu'il lui dicta, dans les *Mémoires,* une page alerte, joyeuse, satisfaite enfin.

Après New York, ce fut Chicago, où de Gaulle remarque qu'à l'occasion du banquet « monstre » offert par « l'Association du commerce » et « l'American Legion » il fut entouré d'« une foule où se mêl[aient] toutes les races de la terre mais unanime dans ses clameurs ».

Au Canada, d'Athlone, le gouverneur général, le reçut en lui déclarant que depuis son dernier passage, le 11 juillet 1944, il avait gagné 300 % dans l'opinion car, « de point d'interrogation — allusion aux sentiments longtemps pétainistes de nombreux Québécois —, il était devenu point d'exclamation ».

Sur le chemin du retour, une escale technique étant indispensable à Terre-Neuve, avant le survol de l'Atlantique, de Gaulle eut la surprise d'apercevoir, derrière les barbelés de la base américaine, « une foule de braves gens » qui, par leurs « Vive la France ! », voulaient se rattacher à leurs lointains ancêtres, venus, vers 1660, avec le sieur de Kéréon.

La France retrouvée, ce sont les problèmes constitutionnels et électoraux retrouvés. Le 4 septembre, à l'occasion de l'anniversaire de la naissance de la IIIᵉ République, le chef du gouvernement fit savoir,

---

1. *New York Herald Tribune.*
2. *New York Post.*
3. *New York World Telegram.*

révélation dont on chercherait en vain la référence[1], que, depuis le 18 juin, il avait été « proclamé que la République à refaire serait une République renouvelée, oui, la IVe République ! ».

Occasion pour le Général de rappeler les deux questions qui seront posées le 21 octobre ; occasion pour lui de réaffirmer sa conviction d'une double victoire du « oui » ; occasion pour la presse, hostile dans sa majorité, de multiplier les critiques, car de Gaulle avait refusé de recevoir une délégation désireuse de l'entretenir du « régime prévu pour les prochaines élections ».

A Léon Jouhaux, secrétaire général de la C.G.T. et président de cette délégation[2], un homme qu'il estimait cependant car il avait su montrer qu'« il tenait l'ennemi pour l'ennemi », de Gaulle avait répondu en rappelant l'article 3 de la loi de 1884 bornant l'activité des syndicats à la défense des intérêts économiques industriels et agricoles. Bien que cette fin de non-recevoir ait provoqué l'indignation de *L'Humanité* qui, le 5 septembre, sur toute la largeur de sa première page, appela à la « vigilance, à l'union, à l'action pour la défense de la République », de Gaulle, indifférent au tapage, s'en tint à sa position.

Assuré de gagner la partie du 21 octobre, c'est vers d'autres et plus vastes problèmes que son esprit l'emportait.

Le 11 septembre, les ministres des Affaires étrangères : l'Américain, le Britannique, le Russe et le Français, devaient se réunir à Londres pour une conférence dont beaucoup pensaient qu'elle offrirait aux alliés de la veille une dernière chance pour trouver un accord. Aussi, le 10 septembre, de Gaulle, dans une longue déclaration au correspondant parisien du *Times*[3], avait-il expliqué à son interlocuteur

---

1. Sauf erreur, en effet, ce n'est pas avant le 1er mars 1941 (discours devant les Français de Grande-Bretagne) que le général de Gaulle rendra hommage (sans prononcer le nom) à la IIIe République et à son œuvre, tout en se contentant d'évoquer « une France nouvelle ».

Le 27 mai 1942, dans une conférence de presse faite à Londres, il dira qu'après la victoire le peuple français souhaiterait qu'« une Assemblée nouvelle, une Convention nationale, soit réunie pour exprimer sa volonté [...] Je ne crois pas que la forme de la future Constitution française sera exactement la même que celle d'avant-guerre. Mais c'est là une opinion personnelle... ».

2. La délégation était formée, sous la présidence de Jouhaux, de MM. Kahn (Ligue des droits de l'homme), Mazé (parti radical), Daniel Mayer (S.F.I.O.) et Jacques Duclos (P.C.).

3. Dans *Discours et Messages,* ce texte est présenté comme un entretien. Il donne davantage l'impression d'une réponse écrite à des questions posées par écrit.

— et, par-delà le journaliste, aux hommes d'État britanniques — que la France et l'Angleterre avaient pour tâche de guider « les autres nations vers un plus grand développement matériel, une plus grande maturité politique et un niveau plus élevé de civilisation ».

Flatterie [1] — pour convaincre les Britanniques d'appuyer les revendications françaises sur la rive gauche du Rhin, le charbon de la Ruhr et l'internationalisation du Rhin ?

La chose est vraisemblable mais, à Londres, entre le 11 septembre et le 3 octobre, au cours d'une conférence réunie pour régler le problème des anciennes colonies italiennes [2], mettre au point les traités relatifs à la Hongrie, à la Roumanie, à la Bulgarie [3], et s'entendre sur le sort de l'Allemagne, on ne se mit d'accord sur rien.

Il se peut que la proposition française — de Gaulle l'avait imposée, mais Bidault l'avait défendue avec conviction — de remplacer le Reich par une fédération d'États [4] n'ait pas paru inacceptable aux participants à la conférence ; qu'ils aient fait bon accueil au projet de placer la Ruhr sous un régime international et trouvé légitimes nos ambitions sur la Sarre [5], mais, lorsque Molotov, au nom de l'égalité dans l'internationalisation, exigea le stationnement de troupes soviétiques à Düsseldorf, l'examen des solutions françaises tourna court.

---

1. Plus lucide, Beuve Méry écrivait dans *Le Monde* : « La fièvre mondiale de 1914 a marqué le terme de la prodigieuse ascension que l'Europe avait poursuivie au XIXe siècle. La guerre mondiale de 1939 consacre et accélère le déclin de sa puissance. Et, de même que l'Europe ne peut espérer aujourd'hui régenter le monde, la France ne peut pas espérer régenter l'Europe. » Après la flatterie, la menace. De Gaulle, à la fin de « l'entretien », déclare en effet que, « si un règlement n'est pas trouvé qui mette fin aux difficultés qui ont tendu si fréquemment à se produire entre la Grande-Bretagne et la France [...], l'Angleterre ne pourra conserver le bénéfice de ce sentiment [affectueux] des Français ».
2. Les Russes, qui entendaient être presque partout, avaient revendiqué le mandat sur la Tripolitaine.
3. Les Russes prétendaient que les gouvernements hongrois, roumain, bulgare étaient démocratiques, ce que niaient — avec raison — Britanniques et Américains.
4. De Gaulle mentionne le Palatinat, la Hesse, la Province rhénane.
5. La France réclamait le détachement économique de la Sarre et, forte de l'approbation des États-Unis et de la Grande-Bretagne, le 22 décembre 1946, elle isola la Sarre du reste de sa zone d'occupation par un cordon douanier. Cette mesure fut suivie d'une réforme monétaire, le mark allemand étant remplacé par le mark sarrois, puis d'un projet de constitution (approuvé le 5 octobre 1948 par 91,61 % des votants) proclamant la séparation politique d'avec l'Allemagne et le rattachement économique de la Sarre à la France (*cf.* Jean-Baptiste Duroselle, *Histoire diplomatique de 1919 à nos jours*).

Au grand jour, entre alliés de circonstance qui, selon le mot de Jean Guitton, n'avaient échangé que « des baisers menteurs », apparaissaient les divisions sur lesquelles Hitler avait spéculé jusqu'à l'agonie du IIIe Reich.

LES ZONES D'OCCUPATION
EN OCTOBRE 1945

C'est d'une autre conférence de Londres, celle ouverte le 25 novembre 1947, que l'on daterait le début de la guerre froide mais, en septembre 1945 déjà, toutes les conditions de la rupture étaient réunies.

La perspective d'une fédération allemande s'évanouissant, de Gaulle, au début du mois d'octobre, allait se rendre dans la zone d'occupation qu'Anglais et Américains, taillant dans leurs zones, avaient cédée à la France. C'était l'une des conséquences de Yalta et le résultat de l'une des interventions de Churchill.

Les Anglais nous ayant offert leur place en Sarre, au Palatinat et dans la plus grande partie de la Rhénanie méridionale, les Américains, en se faisant prier car ils trouvaient nos prétentions excessives, ayant abandonné à nos troupes une partie du pays de Bade et du Wurtemberg[1], tout en conservant le contrôle de l'autoroute Ulm-Stuttgart-Karlsruhe, c'est dans une zone d'occupation à la forme étrange — elle ressemblait à un sablier — que de Gaulle se rendit à partir du 3 octobre.

Il parlera à Sarrebruck, Mayence, Neustadt, Coblence, Fribourg, Baden-Baden, et, dans ses *Mémoires,* fera état des « hourras convaincus », des « larmes aux yeux », des applaudissements chaleureux de ces Allemands dont la défaite datait de cinq mois seulement, dont les épreuves étaient loin d'être achevées, les deuils loin d'être oubliés. « Comment croire, écrira-t-il, qu'il y ait jamais eu chez les Germains à l'égard des Gaulois autre chose que cette cordialité dont on m'offre des preuves éclatantes ? »

Mais, ajoute-t-il immédiatement avec bon sens : « Sortant de la cérémonie [c'est à Fribourg que les " hourras " ont fait naître sa réflexion] pour me retrouver dans les rues démolies, au milieu d'une foule douloureuse, je mesure quel désastre ce pays a dû subir pour écouter, enfin, la raison. »

Interprète de la raison, de Gaulle prononçait devant les autorités allemandes du moment : bourgmestres, curés, pasteurs, professeurs, magistrats, représentants du monde de l'économie et du travail, des discours protecteurs et toujours coulés dans le même moule. Les phrases qui suscitent des hourras et provoquent des pleurs sont d'une absolue simplicité. Aux hommes qui lui font face et devant lesquels il n'évoque *jamais* un proche passé, il tient des propos à l'architecture invariable : « Vous avez une immense tâche de reconstruction à accomplir ; ce travail, nous devons le mener ensemble, ce qui réclame une compréhension mutuelle que nous saurons pratiquer, parce que nous sommes des Européens et des Occidentaux. »

Derniers mots : « J'ai bien l'honneur de vous saluer. » Hourras et pleurs ? Oui, parce que de Gaulle parle de l'avenir, ne remue pas les cendres brûlantes, se contente, pour évoquer les agressions de l'Histoire et les crimes de la veille, de deux phrases : « Le temps passera, les blessures se fermeront. Comme les blessures ont été

---

1. La France réclamait également la Hesse-Cassel et la Hesse-Nassau.

graves, le temps sera long. » Phrases répétées à la petite foule des toutes neuves personnalités qui l'écoutent avec « respect et émotion », aux présidents, bourgmestres, évêques, dont il tiendra à citer les noms dans ses *Mémoires*. Comme sont répétées avec plus d'insistance encore ces vérités oubliées : « Nous sortons de la même race... Nous voici, aujourd'hui (un aujourd'hui destiné à effacer tous les " hier " conflictuels) entre Européens et Occidentaux. »

Parce qu'il est porteur de ces mots clefs de l'avenir : « Notre Europe », « Notre Occident », il offre aux Allemands vaincus une image inattendue.

A certains Français, vainqueurs également. *L'Humanité* du 8-9 octobre publie la photo de deux jeunes Allemandes remettant au Général, non les clefs de Neustadt, mais des fleurs et du vin. Geste de soumission de la cité conquise et détruite? geste de réconciliation répondant à des mots de réconciliation? promesse de loyale « collaboration », comment faut-il appeler cette offrande? Pour la presse communiste, il s'agit d'un premier geste en direction de ce « bloc occidental » dont l'U.R.S.S. et ses satellites dénoncent déjà le péril.

Par-delà le discours tenu aux Allemands, veut-on connaître les intentions véritables de De Gaulle et ses projets concernant l'Allemagne? A Baden-Baden, quartier général du général Kœnig qui a remplacé de Lattre, à la grande douleur de l'ancien chef de la Ire armée française, il les expose clairement devant les officiers et les administrateurs français.

> « Que faisons-nous ici au lendemain de notre victoire? Notre action a pour but d'installer la France ici [...] Établir la France ici, cela veut dire d'abord donner à la France la disposition des territoires qui, de par leur nature, font corps avec elle. J'entends par là ceux de la rive gauche du Rhin, le Palatinat, la Hesse, la Prusse rhénane et la Sarre [...] S'agit-il d'une annexion? Non pas; du reste, je ne veux pas jouer sur les mots. Ce doit être une *union économique et morale, une présence, un contrôle indéfini*[1]. Quant aux pays de la rive droite, ces pays qui se trouvent immédiatement sur l'autre rive de cette route européenne qui s'appelle le Rhin, le Bade, à coup sûr, et peut-être le Wurtem-

---

1. Souligné intentionnellement.

berg, et qui ont été moralement, intellectuellement et commercialement unis dans l'histoire de notre pays, pourquoi ne ferions-nous pas en sorte qu'ils se tournent vers nous une fois encore ? »

Après avoir prédit « un triste destin » à cette Allemagne « divisée, ruinée, livrée à des autorités différentes dont chacune a sa conception opposée aux autres », cette Allemagne qu'il appelle, non sans mépris, « le reste des Allemagnes », le général de Gaulle affirme que, pour les États de l'Allemagne rhénane, il n'existe qu'un espoir : se tourner « vers l'Europe occidentale et, avant tout, vers la France ».

Quelques heures plus tard, à Strasbourg où il est arrivé, par le fleuve, à la tête d'un cortège fêté, il célébrera, dans un discours qu'il achèvera par les classiques « Vive l'Alsace française, vive la France ! » et le moins attendu « Vive la France rhénane ! », « le fleuve du Rhin, notre fleuve qui porte sur ses eaux l'un des plus grands destins du monde » et peut, de barrière, de frontière et de ligne de front, « redevenir un lien occidental ».

A Bruxelles, où, les 10 et 11 octobre, ont déferlé « les hommages populaires » — ah ! comme avec scrupule et précision dans le choix des mots, il note tout ce qui, du peuple, des peuples, monte vers lui —, il a également proclamé l'espoir que « pourrait apporter, un jour, au monde entier, l'association de tous les peuples de l'Europe et, dans l'immédiat, un groupement occidental ayant, pour artères, le Rhin, la Manche, la Méditerranée ».

« Chaque fois, écrit-il encore dans les *Mémoires de guerre,* chaque fois, c'est par des transports que l'assistance accueille ce grandiose projet de la France [...] Voilà donc l'idée lancée [...] Mais, si ce vaste dessein me semble susciter l'attention passionnée des autres peuples intéressés, j'ai l'impression que les dirigeants politiques français y sont, en fait, peu sensibles. »

La campagne électorale pour le « oui », pour le « non », mais aussi pour le succès des partis à l'Assemblée constituante, occupait les dirigeants politiques français.

Et les pronostics allaient grand train.

A travers les résultats des élections municipales et cantonales —

seules références proches —, les observateurs prévoyaient le succès parlementaire du parti socialiste ou, tout au moins, ils le plaçaient à la hauteur du parti communiste [1]. Certains audacieux — il s'agissait des dirigeants du journal *Franc-Tireur,* proches des communistes, n'hésitaient pas à prédire 48 % pour le « *non* » à la seconde question du référendum et, franchissant le pas, sa victoire !

Le nombre et la dimension des affiches étant limités par les restrictions de papier, des papillons allaient se poser sur tous les murs et les graffitis se multiplier, les « *oui-non* » du Parti communiste étouffant les « *oui-oui* » du M.R.P., au cours d'une campagne qui, sur le terrain, ne fut marquée par aucun incident notable, à l'exception du boycottage, par le Parti communiste, de toutes les réunions d'Édouard Daladier dans son département du Vaucluse [2].

C'est dans la presse — qui vivait alors de beaux jours — que le débat fut le plus vif.

Les communistes, qui font voter « oui » à la première question et « non » à la seconde, la plus importante, n'attaquent pas directement de Gaulle. Ils l'encerclent en mettant quotidiennement en cause plusieurs de ses ministres : Henri Frenay d'abord, le ministre des Prisonniers et Déportés dont les services, il est vrai, sont souvent mal gérés ; Soustelle, ministre de l'Information ; Teitgen, ministre de la Justice. Quant à la D.G.E.R. [3], ils n'hésitent pas, franchissant les bornes, à comparer cet organisme français de contre-espionnage à la Gestapo !

Les socialistes sont soumis à un autre type de pression. Mettant en cause les dirigeants, qui ont refusé le grand « parti ouvrier » et font voter « *oui-oui* », les communistes s'emploieront à dévoyer leurs militants dont bon nombre adhèrent à des organisations satellites qui, à l'exemple de la C.G.T., ont décidé de voter « *oui-non* ».

Mais c'est au M.R.P. que le Parti communiste réservera ses flèches les plus acérées. Dans *L'Humanité* du 8 octobre, le M.R.P. est devenu : *Machine à ramasser les pétainistes.*

---

1. Dans *France-Soir*, M. Jurgensen prévoira 120 sièges pour le Parti communiste, autant pour la S.F.I.O., 100 sièges pour le parti radical, 80 pour les différentes formations de droite, 70 pour le M.R.P.
2. Où il ne fut d'ailleurs pas élu, la liste radicale n'ayant recueilli que 15 498 voix, ce qui était insuffisant pour obtenir l'un des quatre sièges (élus : 2 S.F.I.O., 1 communiste, 1 M.R.P.).
3. Direction générale des études et renseignements.

La définition comporte une part de vérité. Si les dirigeants nationaux et départementaux du Mouvement républicain populaire ont participé à la Résistance, souvent aux postes les plus importants et les plus exposés (Georges Bidault avait succédé à Jean Moulin), il est certain, les partis de la droite classique s'étant effondrés, que l'on ne pouvait en dire autant d'une bonne partie de ses électeurs incités et invités à « voter utile ».

Mais tous les électeurs communistes du 21 octobre, tous les électeurs socialistes s'étaient-ils comportés en héros ? Cela se serait su, cela se serait vu sur le terrain. En réalité, le cruel *Machine à ramasser les pétainistes* visait à donner mauvaise conscience aux dirigeants du « parti de la fidélité ». Atteindre le M.R.P., le compromettre, c'était indirectement atteindre et compromettre de Gaulle.

En octobre 1945, la radio, pour la première fois, sera utilisée pour une campagne électorale. Aux partis, comme aux mouvements de résistance, le ministre de l'Information avait, en effet, accordé hebdomadairement sept minutes pour leur propagande [1].

Ce temps, des orateurs volubiles ou pompeux le gâcheront souvent. Ils ne savent pas encore se servir de l'instrument mis à leur disposition.

De Gaulle sait.

Aussi, le 17 octobre, à trois jours des élections et du référendum, interviendra-t-il longuement à la radio, lançant un appel à l'élection de députés « objectifs, de bonne foi, dévoués au service de la patrie », et, surtout, un appel en faveur du double « oui ». « Oui » pour une république nouvelle. « Oui » pour « éviter l'arbitraire et l'aventure » grâce à la limitation des pouvoirs de l'Assemblée [2].

Que le Parti communiste réplique le lendemain, en dénonçant la pression exercée, presque au dernier moment — de Gaulle prendra goût à la méthode —, sur des électeurs auxquels le Général a clairement laissé entendre qu'en votant « *oui-oui* » ils l'approuveraient et le soutiendraient, n'a rien de surprenant.

---

1. Et ce à partir du 4 octobre.
2. Les mots ne sont pas dits aussi nettement, mais l'idée s'impose.

Encore les communistes ne savent-ils pas tout.

Quelle aurait été leur indignation s'ils avaient eu connaissance de la lettre par laquelle, le 10 septembre, le chef du gouvernement avait demandé à Tixier, son ministre de l'Intérieur, que des « instructions » fussent d'urgence adressées aux commissaires de la République au sujet de l'attitude qu'ils devaient prendre dans l'affaire du référendum ?

> « La position prise par le gouvernement et, en particulier, par son chef doit être connue des populations et des autorités municipales. Il ne serait pas admissible et même il serait trop bête que les représentants du gouvernement affectent, dans cette grave affaire nationale, l'ignorance ou l'indifférence. »

Voici le dernier paragraphe. Il donne partiellement raison aux délégués qui, en juillet, reprochaient à de Gaulle les méthodes de Napoléon III... sans aller jusqu'à évoquer celles de Persigny, son exigeant ministre de l'Intérieur [1].

> « Quant aux commissaires de la République ou aux préfets (Bounin, Chaintron, Monjauvis) qui prennent une attitude tacite d'opposition, notre devoir est de les liquider. *Je vous le répète.* »

Ce *Je vous le répète,* de Gaulle l'a souligné dans sa lettre à Tixier. Le ministre de l'Intérieur ne « liquidera » personne puisque Bounin, commissaire de la République à Montpellier ; Chaintron, communiste et préfet de la Haute-Vienne ; Monjauvis, communiste et préfet de la Loire, seront toujours en fonction le 21 octobre [2] et dans les mois qui suivront.

Il ne semble d'ailleurs pas que « l'attitude toute d'opposition » de Bounin, Chaintron et Monjauvis ait sensiblement influencé les résultats électoraux. Dans l'Hérault, les communistes obtiendront deux sièges sur six ; dans la Loire, où la liste M.R.P. conduite par Georges

---

1. Qui écrivait aux préfets : « Il faut que le peuple soit mis en mesure de discerner quels sont les amis et quels sont les ennemis du gouvernement. »
2. La lettre du général de Gaulle se trouve reproduite dans *Lettres, Notes et Carnets* (mai 1945-juin 1951), p. 77.

Bidault triomphe avec 40 % des voix, deux sur sept ; en Haute-Vienne, deux sur cinq.

Au soir du 21 octobre, la victoire du *oui-oui* est totale.

Que 96,4 % des Français aient dit « oui » à la première question ne surprend personne. Seul le parti radical — qui n'était plus que l'ombre de lui-même — avait recommandé de voter « non ». Le faible nombre de « non » : 670 672, face à l'écrasante masse des 17 957 868 « oui »[1] sanctionne l'effondrement d'un parti familier des plus grandes heures comme des heures les plus troubles et les plus tristes de la IIIe République.

Le succès du « oui » à la seconde question (12 317 882 voix contre 6 271 512) avait été plus large que prévu par ceux qui craignaient (il s'en trouvait dans l'entourage du Général) l'efficacité de l'appareil communiste. Bien que le « non » ait obtenu 1 267 391 suffrages de plus que les voix qui, le même jour, s'étaient portées sur les listes communistes, le Parti reçut ce résultat comme un cuisant échec. Dans ses titres, *L'Humanité* des 22 et 23 octobre s'abstint d'ailleurs de faire mention du résultat obtenu par la deuxième question du référendum[2]. Il ne pouvait y avoir façon plus claire de reconnaître la gravité de l'échec.

Mais, si le résultat du référendum était, pour le Général, sujet de satisfaction, le résultat des élections ne pouvait que l'inquiéter puisque les partis qui voulaient que « l'État fût faible afin de mieux le manier et d'y conquérir [...] les fonctions et les influences[3] » l'avaient largement emporté.

Battus au référendum, les communistes triomphaient là où l'on attendait les socialistes. De 72 députés en 1936, ils se retrouvaient 160. Ils appartenaient au « premier parti de France » — quel argument et comme ils sauraient, jusqu'au rabâchage, l'utiliser ! — non seulement par le nombre des députés, mais aussi par celui des voix : 5 014 174. A

---

1. Il y a eu 4 968 578 abstentions, pour la plupart féminines.
2. Un seul département — le Gers — avait donné une majorité au « non ». Dix (8 dans l'Ouest, 2 dans l'Est) avaient accordé plus de 80 % au « oui ».
3. *Mémoires de guerre*, t. III, ch. Désunion.

treize exceptions près[1], ils avaient un ou plusieurs élus dans tous les départements métropolitains.

Le parti socialiste n'arrivait qu'en troisième position, battu de peu en voix (4 491 152) et en sièges (142[2]) par le M.R.P. (4 580 222 voix et 152 sièges) dont on n'attendait pas qu'il fît une si extraordinaire percée (plus de 40 % des voix dans dix départements), ni qu'il s'imposât comme un partenaire obligé des communistes et des socialistes qui disposaient bien de la majorité à l'Assemblée, mais ne pouvaient gouverner dès l'instant que le parti socialiste se refusait au tête à tête.

Dans ses *Mémoires de guerre,* de Gaulle ne s'attarde pas sur le résultat des élections se contentant de s'attribuer le mérite d'avoir freiné la poussée, pourtant considérable, du Parti communiste, et de noter que les partis « se souciaient moins que jamais de le suivre » et que les « partisans » jugeaient que « l'homme des tempêtes [...], devait laisser la place ».

Est-ce exact ?

En ce qui concerne le M.R.P. et les modérés — il en restait tout de même quelques-uns (avoués) qui avaient obtenu 61 sièges et plus de trois millions de voix, éparpillés entre six ou sept formations —, certainement pas.

Le M.R.P., par « gaullisme résolu » — le mot est du Général —, les modérés, par terreur du vide, ne souhaitaient ni ne voulaient le départ de Charles de Gaulle : « le meilleur parapluie contre les sauterelles », le mot était de Georges Bidault, mais les modérés le faisaient leur.

La position des socialistes était plus ambiguë. Ils avaient trop cru en une victoire que semblait leur garantir leur succès des municipales pour ne pas ressentir cruellement l'humiliation de se voir dépassés par ce M.R.P. surgi du néant, mais soutenu par l'Église, s'appuyant sur de Gaulle et avec lequel, puisqu'ils repoussaient la cohabitation avec les

---

1. Calvados, Côte-d'Or, Maine-et-Loire, Manche, Mayenne, Meuse, Orne, Haut-Rhin, Sarthe, Savoie (où le parti ne présentait pas de liste, mais soutenait celle de Pierre Cot), Deux-Sèvres, Territoire de Belfort, Vendée. A cette liste, il faut ajouter la première circonscription du Nord.

2. Donc quelques sièges de moins qu'en 1936 (149).

communistes, il leur faudrait composer. Mais comment certains d'entre eux n'auraient-ils pas été tentés d'expliquer leur relatif échec électoral par une trop absolue fidélité à la solidarité gouvernementale ? On se souvient que, lors du congrès du Parti, l'inconnu Guy Mollet[1] avait rallié 2916 mandats sur une motion réclamant la démission des ministres socialistes. Pourquoi ne l'avait-on pas écouté ? On se posait la question dans les fédérations en faisant le compte des sièges arrachés par des listes communistes habiles à profiter du mécontentement populaire ; on se le demandait à Paris où les limites « bonapartistes », imposées par de Gaulle aux pouvoirs de l'Assemblée constituante, indisposaient déjà.

Quant au Parti communiste, il « n'avait qu'un but, écrit Jacques Fauvet[2] : rester au pouvoir ». Avec ou sans de Gaulle ? De préférence avec de Gaulle. Que dit Charles Tillon, le 31 octobre ? « Nous conserverons l'union qui est sortie de la grande consultation électorale entre toutes les forces réunies autour du général de Gaulle. » Propos de circonstance ? Non. Entre le 22 octobre et le 23 novembre, date où le Général présente son gouvernement, le Parti tout en menaçant et surtout en grognant, rabattra constamment ses prétentions.

Pour la forme, il avait tout d'abord réclamé la direction du gouvernement pour Maurice Thorez, puis, plus sérieusement, souhaité la formation d'un gouvernement socialo-communiste, qu'il acceptait, dans un second temps, d'étendre aux radicaux. Après avoir « comme tout le monde », la réflexion teintée d'ironie était de Jacques Duclos, participé, le 13 novembre, à l'élection triomphale du général de Gaulle à la présidence du gouvernement provisoire, il avait, dès le 15, réclamé, pour son parti, un des trois grands ministères : Intérieur, Affaires étrangères, Guerre. Le refus de De Gaulle d'accorder l'un ou l'autre des trois leviers « qui commandent la politique étrangère : la diplomatie qui l'exprime, l'armée qui la protège, la police qui la couvre », n'avait pas entraîné de rupture, contrairement à ce que beaucoup avaient craint... ou espéré. Maurice Thorez ayant évoqué « les 75 000 communistes morts[3] pour la France et pour la liberté », de Gaulle ayant répondu que la conversation qu'il avait eue avec le secrétaire général du Parti ne comportait aucun outrage « pour la

---

1. *Cf.* p. 742.
2. *Histoire du Parti communiste français.*
3. Et non 75 000 « fusillés », contrairement à ce qui est généralement écrit.

mémoire d'aucun Français mort pour la France », puis ayant remis à l'Assemblée constituante le mandat qu'elle lui avait confié, les « marieurs » s'étaient empressés. Et les communistes avaient finalement accepté, la Défense nationale étant divisée, que Charles Tillon reçût le portefeuille de l'Armement[1] dans un gouvernement où Maurice Thorez, escorté de quatre de ses camarades[2], entrait comme ministre d'État.

Aussi, selon la formule de Jacques Fauvet, « réhabilité pour le passé et bien placé pour l'avenir », le parti communiste avait d'autant moins de raisons de provoquer une crise qu'il excellait, et excellerait, à être tout à la fois au gouvernement et dans l'opposition et qu'il ne partirait du pouvoir, en 1947, que chassé par Ramadier.

Le parti socialiste ne voulant pas gouverner sans le MRP (Blum en avait fait une exigence), le parti communiste ne pouvant gouverner sans le parti socialiste, le MRP refusant de gouverner avec des partis qui s'opposeraient ouvertement à de Gaulle, le petit jeu du « Je te tiens, tu me tiens par la barbichette » aurait pu continuer longtemps si de Gaulle n'y avait mis fin.

Il sait que, si les partis ne voulaient pas son départ, ils ne voulaient plus de son pouvoir.

Il sait que ceux qui avaient voté « oui » à la seconde question du référendum saisiraient toutes les occasions d'arracher le bâillon.

Il n'a pas attendu que, le 19 novembre, les socialistes aient fait voter un texte lui donnant le *mandat impératif* de former, « dans les plus brefs délais », un gouvernement « composé essentiellement des trois partis[3] » ; il n'a pas attendu de s'entendre répondre par François de

---

1. Edmond Michelet (MRP) était ministre des armées.
2. Francis Billoux (Économie nationale), Marcel Paul (Production industrielle), Ambroise Croizat (Travail), Charles Tillon (Armement).
3. Le même jour, Jacques Baumel, jeune député UDSR, a, dans une motion qui sera adoptée par 406 voix contre 63, demandé « au président de Gaulle de reprendre ses négociations pour qu'un gouvernement tripartite puisse être formé dans les plus brefs délais ».
Ainsi, Georgette Elgey le fait remarquer, le mot de tripartisme apparaît pour la première fois dans un texte officiel et sous la plume de Jacques Baumel qui sera bientôt un des plus acharnés à dénoncer le « régime des partis ».

Menthon, rapporteur de la Commission de la Constitution, que, « n'étant pas élu du peuple », il n'avait pas à « s'immiscer » — oui, le mot a été prononcé — dans les affaires de la Commission ; il n'a pas attendu qu'André Philip, président de cette même Commission, ait élaboré un projet d'après lequel le futur président de la République, élu par la seule Assemblée ne présiderait ni le Conseil des ministres ni le Comité de défense nationale et serait privé du droit de grâce, pour, en son âme, refuser de devenir ce sous-Albert Lebrun à quoi les partis voulaient le réduire.

Car il s'agissait bien de cela.

« Ayant fait le compte de [ses] possibilités », de Gaulle avait fixé sa conduite. « Il me revenait, écrira-t-il dans les *Mémoires de guerre,* d'être et de demeurer le champion d'une République ordonnée et vigoureuse et l'adversaire de la confusion qui avait mené la France au gouffre et risquerait, demain, de l'y rejeter. Quant au pouvoir, je saurai, en tout cas, quitter les choses avant qu'elles ne me quittent. »

Si de Gaulle, qui est son imagier, offre toujours dans ses *Mémoires* le spectacle d'un homme au cœur résolu et au visage illisible, il suffit de lire Claude Mauriac pour découvrir le tohu bohu qui régnait autour de lui, où l'on parlait non seulement de déménagement rapide de toutes les archives mais aussi « d'armes, de faux papiers [1] », comme si, pour certains, il se fût agi d'entrer dans une nouvelle résistance. Les unes après les autres, en ce mois de novembre 1945, les choses quittaient de Gaulle. « Voici novembre, écrit-il [2], tout annonce que le régime d'antan va reparaître, moins adapté que jamais aux nécessités nationales. Si je garde la direction, ce ne peut être qu'à titre provisoire. Mais, à la France et aux Français, je dois encore quelque chose : partir en homme moralement intact [3]. »

Partir pour revenir ? De Gaulle, depuis juin 1940, avait souvent usé de la menace du départ. Chaque fois, elle lui avait permis de

---

1. *Aimer de Gaulle.*
2. Peut-être de Gaulle a-t-il songé au poème de Verhaeren où revient le lancinant « voici novembre ».
3. *Mémoires de guerre.*

remporter la victoire. Le 20 janvier 1946, il démissionnera, convaincu qu'après un temps de « vachardise » les Français le rappelleraient et que les partis, qui venaient, selon lui, de faire « la preuve éclatante de leur ignorance, de leur mauvaise foi et de leur impéritie[1] », après s'être livrés à « l'euphorie des habitudes retrouvées », lui permettraient de revenir gouverner bientôt, avec toute la liberté de manœuvre et l'indépendance qu'il juge nécessaires.

A Francisque Gay, il a même précisé quel délai — bref — il accordait au défoulement parlementaire.

— Mais voyons, dira-t-il avec condescendance au ministre d'État qui s'inquiète de l'avenir, avant huit jours, en délégation, ils me demanderont de revenir et, cette fois-ci, je reviendrai à mes conditions[2].

Il se trompait.

Sa décision, de Gaulle la date du 1er janvier, au terme de ce débat où, entraînés par André Philip, Albert Gazier, Jean Capdeville, les socialistes heureux de dépasser les communistes sur le terrain de la démagogie[3], ont défendu un amendement visant à réduire de 20 % les crédits de la Défense nationale.

« Ce soir-là, sondant les cœurs et les reins, je reconnus que, décidément, la cause était entendue, qu'il serait vain, et même indigne, d'affecter de gouverner, dès lors que les partis, ayant recouvré leurs moyens, reprenaient leurs jeux d'antan, bref que je devrais maintenant régler mon propre départ[4]. »

---

1. Extrait du message *non publié* mais transmis à l'AFP dans la soirée du 20 janvier 1946. Cr. Jacques Fauvet, *La IVᵉ République*, et Georgette Elgey, *La République des illusions.*
2. Cité par Georgette Elgey, *op. cit.*, qui a obtenu le témoignage de Francisque Gay.
3. Il est vrai que Charles Tillon est ministre de l'Armement.
4. *Mémoires de guerre*, t. III, p. 279.

En vérité, au-delà des motifs d'exaspération légitime, il entrait, dans la décision de De Gaulle, une importante part d'incompatibilité d'humeur.

Ces parlementaires tout neufs et piaffants, il ne les comprenait pas et ne cherchait pas à les comprendre. Eloigné du de Gaulle de 1935, qui n'hésitait pas à solliciter députés et sénateurs pour qu'ils se fissent les avocats des divisions blindées, il les considérait, en 1945, avec un regard désabusé. Il n'avait même pas la ressource de les traiter comme les avait traités Pétain, son premier maître, en juillet 1940.

A ses ministres eux-mêmes il n'épargnait pas d'inutiles et inguérissables blessures d'amour-propre. Comment Georges Bidault aurait-il pu oublier que le chef du gouvernement l'avait fait quérir, le 28 décembre 1945, à la sortie de l'église où venait d'être célébré son mariage avec Mlle Suzy Borel, pour le rappeler aux devoirs de sa charge ?

Dans *L'Aventure incertaine,* Claude Bourdet a finement analysé cette détérioration des rapports et des sentiments. Elle venait de loin.

> « Charles de Gaulle, écrit-il, croyait que sa mission, sa forma-
> tion, sa gloire étaient inséparables de lui-même, dès lors tout ce
> qui tendait à faire apparaître l'autonomie de la Résistance rédui-
> sait d'autant l'autonomie de De Gaulle. La méfiance de De Gaulle
> pour la Résistance, son hostilité souvent acerbe pour la plupart de
> ces hommes souvent proches de lui dès qu'ils se mêlaient d'être
> autre chose que des échos de sa voix ont joué un rôle important
> dans nos relations avec Londres pendant toute l'époque clandes-
> tine, elle en a joué une plus grande encore à partir de la
> Libération. »

Les chronologies fixent à chaque événement une date pour l'Histoire. Pour l'Histoire, c'est donc le 20 janvier 1946 que de Gaulle abandonne le pouvoir.

Mais, dans ses *Mémoires,* il écrit que la cause était « entendue » le 1er janvier, à la fin de ce débat parlementaire au cours duquel André Philip et Albert Gazier avaient affirmé qu'en réclamant une réduction des crédits militaires, ils avaient non la volonté de renverser le gouvernement, mais simplement de l'obliger lui, de Gaulle, « à s'incliner devant la volonté populaire ».

La cause n'était-elle pas « entendue » depuis bien plus longtemps ?

Habité de la volonté d'avoir toujours publiquement raison, du désir de laisser partout sa marque ; nourri de l'ambition : « *Achille n'existe que par Homère*[1] », d'être tout à la fois Achille et Homère ; voulant laisser, comme un portrait reflété par le miroir, le souvenir de cet homme de caractère dont, bien avant 1930, il avait fixé la hiératique définition, pourquoi n'aurait-il pas éprouvé, en dehors des ruses et des retraites simulées, en dehors du jeu du chat avec la souris, des moments de doute et de dégoût des vains combats ?

Que dit-il à Léon Blum, auquel il va proposer sa succession, quelques jours *avant* les élections d'octobre ?

« Le pays est libre, vainqueur, en ordre. Il va parler en toute souveraineté. Pour que je puisse entreprendre à sa tête une nouvelle étape, il faudrait que ses élus s'y prêtent, car, dans l'univers politique, nul ne saurait gouverner en dépit de tout le monde, or, l'état d'esprit des partis me fait douter que j'aie, demain, la faculté de mener les affaires de la France comme je crois qu'elles doivent l'être. J'envisage donc de me retirer[2]... »

Tout est dit. Don Quichotte ne se battra plus contre les moulins à vent.

On entraîne un peuple. On ne maîtrise pas une assemblée bouillante de passions, craquante d'ambitions contradictoires, à moins d'en dominer le parti dominant.

Or, si de Gaulle a pris part à la bataille du référendum il n'a pas voulu s'engager dans la bataille des élections à la Constituante. Le M.R.P. le revendique, il ne revendique pas le M.R.P. Le résultat du 21 octobre le laissera donc seul face à la variable humeur des partis et à leur permanente ambition d'indépendance.

Dès le 15 août 1942, Léon Blum avait prévu pareille conclusion.

---

1. Chateaubriand : « Achille n'existe que par Homère. Ôtez de ce monde l'art d'écrire, il est probable que vous en ôterez la gloire. »
2. *Mémoires de guerre.*

LA PAGE N'EST PAS ENCORE TOURNÉE

Dans une lettre, confiée à Daniel Mayer, chargé de la transmettre aux milieux gaullistes de Londres, n'écrivait-il pas : « La conduite la plus sage serait de conserver au gouvernement constitué par le général de Gaulle le caractère d'un pouvoir de fait, d'un pouvoir de circonstance, correspondant à une situation extraordinaire, imposé par elle et devant prendre fin avec elle... »

On en était là.

Le 8 mai par la victoire, le 21 octobre par les élections, la « situation extraordinaire » prenait fin.

La France sortait ainsi et de l'occupation et des lendemains de la libération.

Une page de notre histoire était tournée.

La page ne l'était pas.

REMERCIEMENTS

Achevant ce dixième tome, je veux remercier tous ceux, toutes celles qui ont contribué à l'enrichir de leurs informations et témoignages. Ils ont pris leur place dans cette chaîne d'amitié qui, depuis 1976, m'a permis de mieux faire revivre les Français sous (et après) l'occupation.

Je remercie tout particulièrement ma femme Colette, pour sa précieuse collaboration, son soutien et ses encouragements dans les moments de doute. Je tiens aussi à remercier chaleureusement Mme Agnès Claverie et Mlle France Mongabure, associées depuis l'origine à une longue aventure.

J'adresse des remerciements particuliers à M. Robert Laffont, à Mme Antoine, à Mme Delbart, à MM. Fixot, Favreul, Peuchmaurd, Audouard, Pélissier, Robert, ainsi qu'à ceux et celles qui, au fil des années, hier place Saint-Sulpice, aujourd'hui avenue Marceau, ont été mes interlocuteurs toujours plus amicaux. Nul ne pouvait prévoir, en 1975, lorsque, avec Robert Laffont, nous nous étions accordés sur le principe de cette série que nous allions, ensemble, effectuer une si longue route.

Enfin, ma gratitude va à Mmes Bernard Ménétrel, et Marie-Claude Vaillant-Couturier, à MM. Jacques Baumel, Carlos de Benavides, René de Chambrun, Georges Coudry, Marcel Dolmaire, Maurice Dumoncel, Pierre Durand, André Force, Henri Fenet, Yves Jaffré, Yvon Gattaz, Jacques de Larosière, Jacques Moallic, Jean Tulard, à qui je dois des documents importants.

A la bibliothèque du Sénat, que dirige M. Philippe Martial, j'ai trouvé presque quotidiennement — il en va ainsi depuis de longues années — une atmosphère sympathique qui a grandement favorisé mes recherches.

Je tiens aussi à remercier mon confrère Jean Favier, inspecteur général des Archives de France, membre de l'Académie des Inscriptions et Belles-Lettres, et Mme Chantal Bonazzi, conservateur général, aux Archives de France, de la section contemporaine; M. Hue, directeur de la Bibliothèque de documentation internationale contemporaine; M. Herpers, documentation Figaro; les responsables du Service historique de l'Armée de terre, de l'Institut national de l'audiovisuel, de l'Institut Charles-de-Gaulle, de l'Institut d'histoire du temps présent, du Centre de documentation juive contemporaine, de l'Agence France-

767

Presse, de la Fédération nationale des déportés et internés de la Résistance, de l'Union nationale des associations de déportés, internés et familles de détenus, MM. et Mmes les conservateurs des Archives départementales des Alpes-Maritimes, Aude, Bas-Rhin, Bouches-du-Rhône, Corrèze, Dordogne, Gard, Haute-Vienne, Hérault, Jura, Manche, Meurthe-et-Moselle, Oise, Rhône, Seine-Maritime, Somme, Vosges. Ainsi que MM. les maires de Cholet, Rouen, Saint-Malo et leurs services de documentation.

Les remerciements qui précèdent et ceux qui suivent comportent sans doute quelque omission. Dans ce cas, un malencontreux hasard en serait seul responsable.

Mes remerciements, donc, pour leur témoignage à :

MM. Albert Acheray, Robert Alaric, Mme Madeleine Allard, Sœur Marie-Clémence Amouroux, MM. H. André, J. Anette, Joseph Apostle, Lucien Audidier, Aurat, M. l'abbé Autric, Louis Avon,

Mme Balguerie, MM. Jean Barbier, Serge Barcellini, Jacques Bariety, Pierre Baudet, Bernard Baudoin, André Bayle, Michel Beaufils, Pierre Becker, Hubert Benedic, Robert Bennes, Lucien Berdasé, Mme Louise Bernasconi, MM. René Bertrand, H. Béthouart, Daniel Binaud, Henri Blouin, Louis Boellinger, Jacques Bois, André Boizard, M. Bonafe, Jean Bonhomme, Jacques Bonnefoi, Gilbert Bouchet, Guy Bourachot, Mme Nicole Bourgain, MM. Jean Bouthier, Roger Boyenval, M. Bramoullé, Maurice Braun, Pasteur Hans F. Breymayer, MM. Jacques Britsch, G. Brochard, Jean-Paul Brunet, Robert Brondel, Jean Burel, Henri Buttin,

MM. Fernand Caire, René Camuzard, M. le général Louis Candille, MM. François Carlioz, M. Caron, Jacques Casalonga, Fernand Castamagna, Jean-Claude Cathala, André Cazaux, M. le colonel Pierre Challan Belval, MM. Henri Champion, Pierre Chanteret, Urbain Chapelle, M. le colonel René Chapon, MM. Justin Charlot, Ferdinand Charon, Maxime Chatelin, Yves Chatelin, Marcel Chatton, M. Chatrousse, Mme Marianne Chevalier, MM. André Chrétien, Mme Geneviève Clément, MM. Henry Clogenson, Yves Cohendet, Jean Combeau, Pierre Cordier, Julien Coudy, Albert Coutelard, Jacques Coutin, M. Couvidoux, René Crespy,

REMERCIEMENTS

MM. Roger Darque, Jean-Marie Dartus, Jacques Dayet, Claude Dean, Jean-Claude Delafon, Marcel Delasnerie, J.-M. Delettrez, Henri Deschamps, Jean Dessens, Bernard Destremeau, Claude Deville, Michel Domenech, Paul-Maxime Donnadieu, Roland Drags, M. Drougard, Lucien Drouot, Guy Dubesset, Marc Dubourg, Charles Duchaine, Mme Denise Dufournier, MM. Robert G. Dupuy, Jean-Henri Duraffourg,

MM. Jean Épois, Louis Érignac, Pierre Escoffier, Pierre Eudes,

Mme Yvette Farreras, MM. J. Fenasse, Léon Fert, Robert Filliat, Claude Fischer, Jean Fleith, Jean Fombonne, Jacques H. Force, Michel Forest, Jacques Fournier, M. Frenkel, Francis Friscourt,

MM. Jean Galabert, Jacques Gale, Pierre Gallois, Jean Ganot, René Garnier, M. le colonel Paul Gaujac, MM. Léon Gaultier, Paul Gaume, P. A. Gautier, Nicolas Geliot, M. le colonel Maurice Geminel, MM. Charles Gérard, Alain Gerbiz, René Gille, Georges Gojat, Pierre Gounand, André Grange, Pierre Granier, Mme Claude du Granrut, M. le général Yves Gras, MM. Werner Groepler, René Guenz, Mme Christiane Guinet, M. le colonel Jean Guiol, M. Louis Guitard,

M. Bernard d'Halluin, Mme Nadine Heflter, MM. Heyndels, Michel Hollard, Marcel Houdard, S.E. l'ambassadeur A. B. Hoytink, MM. Patrick Hubert, André Hugel, Maurice Huillet, M. Hutin,

M. Jacques Ingold,

Maître Marcel Jalin,

MM. Richard Kaempf, Boris Kan, Jean Kauffmann, Guy de Kergommeaux, Mmes C. de Komornicka, Marcelle Kryger,

M. Jean Laborey, Mme Marie-Odile Lacaze, M. André Laffont, Mmes Lajarige, M. Xavier Lamothe, M. le lieutenant-colonel Largeot, Mme Anne Le Bars, MM. Paul Lebret, Georges Leclerc, Georges Leconte, Yves Lecouturier, Jean Legrand, L. Lehman-Kleeman, Albéric Le Lasseur, Roger Le Masne, R. Lemort, Julien Leray, Mme Lise Lesevre, MM. André Levy, Georges Lewandoski, Mme Anne-Marie Liaras, MM. Jacques Longue, René Louistisserand, M. le Dr Lowys, Mme Claire Lucques,

MM. F. Mace, Magnin, M. le général Edmond Mahieu, M. le

Dr Jean Marissal, MM. Jean Maros, Pierre Martin, René Massigli, Jacques Mathieu, Pierre Maurange, Louis Maury, Louis Menghini, M. et Mme Pierre Merle, M. Jacques Mesnard, Mlle J. Métais, Mmes Hélène Meyer, Marie-Thérèse Meyer-Oulif, MM. André Migdal, Henri Minvielle, Mme de Moidrey, MM. Bernard Moreau, Gaston Moreau, René Moreau, Mme André Morillot, M. Jean Mouchet, Mme Joseph Moulin, MM. Léonce Moutardier, Charles Muller,

M. Raymond Nathan, M. le Dr Wolfgang Nissen, MM. Louis Oury, René Paira, Jean-Louis Panicacci, Guy Panici, F. Paqueteau, Daniel Paquette, Gilbert Pautis, André Pechereau, André Pellet, Jacques Peragallo, Pierre Pere, M. Perot, François Perrot, Georges Pescadère, Mme Luce Petrasch, MM. Pierre Picard-Gilbertier, Jacques Picat, René Pinaud, Pierre Pinault, Henri Pitaud, M. le général Étienne Plan, Mme Pointendre, M. Pierre Pointillard, Mlle Anise Postel-Vinay, M. le Dr Claude Pot, MM. Proutchenko, Proux, Paul Pundel,

MM. Ravyts, Émile Raybaud, Jean Renac, Claude Reynaud, J. R. Ribeyrol, Mme Paulette Richomme, MM. Charles Rickard, Pierre Rigoulot, Jean Rivero, Pierre Roche, M. le général A. Rogerie, MM. Wilfrid Rooms, Jacques Romain, Erhard Roth, Mme Louis Rouchy, MM. Jean Roussel, Raymond Ruffin,

MM. Marcel Salagnac, Sabin Salinas, Félix Salvant, Gunther Schild, Jacques Sebe, H. D. Segretain, Bernard Séjourné, André Souyris-Rolland, Kurt Spillmann, Charles Stricker, Bernard, Pierre, François Stroh,

MM. Maurice Taboin, H. Tardivon, Daniel Thomas, Albert Tibodo, Mme Béatrix de Toulouse-Lautrec, MM. René Triscos, Raymond Troussard,

MM. Jean Vanrumbeke, Georges Verdaine, Serge Verdier, M. le colonel Camille Verdin, MM. Georges Vergnes, André Villeret, Gaston Vincent, Maurice Vincent, M. le contre-amiral Vivier, M. Rober-Daniel Vock,

M. H. R. Waddington, Mme G. Wilsdorf, MM. Paul Wilsdorf, Marcel Wittmer,

Mme Cécile Zachar-Davoult.

BIBLIOGRAPHIE

ABETZ (Otto) : *D'une prison*. Précédé du procès Abetz vu par Jean-Bernard Derosne (Amiot-Dumont, 1949).

AGERON (Charles-Robert) : *Histoire de l'Algérie contemporaine. T. II : 1871-1954* (Robert Laffont, 1979).

ALPHAND (Hervé) : *L'Étonnement d'être. Journal 1939-1973* (Fayard, 1977).

AMOUROUX (Henri) : *La Vie des Français sous l'occupation* (Fayard, 1961).

— *La Grande Histoire des Français sous l'occupation*. 9 volumes déjà parus (Robert Laffont).

ANDREU (Pierre) et GROVER (Frédéric) : *Drieu la Rochelle* (Hachette, 1979).

Année (l') politique 1944-1945 (Éditions du Grand Siècle).

Annuaire statistique de la France. Années 1940-45 et suivantes (Imp. Nat. 1946...).

ANTELME (Robert) : *L'Espèce humaine* (Gallimard, 1990).

ARGENLIEU (amiral d') : *Chroniques d'Indochine* (Albin Michel, 1985).

ARON (Raymond) : *Mémoires* (Julliard, 1983).

ARON (Robert) : *Histoire de Vichy* (Fayard, 1954).

— *Histoire de la Libération de la France* (Fayard, 1959).

— *Les Grands Dossiers de l'histoire contemporaine* (Perrin, 1962).

ASSOULINE (Pierre) : *L'Épuration des intellectuels* (Éd. Complexe, 1990).

ASTIER DE LA VIGERIE (Emmanuel d') : *Les Dieux et les Hommes* (Julliard, 1952).

AUPHAN (amiral) : *Histoire élémentaire de Vichy* (France-Empire, 1971).

Auschwitz, camp hitlérien d'extermination. (Éd. Interpress, 1986).

Autopsie d'une victoire morte (Imp. S.A.E.P. Colmar, 1970).

BACQUE (James) : *Morts pour raisons diverses. Enquête sur le traitement des prisonniers de guerre allemands* (Sand, 1990).

BARADUC (Jacques) : *Pierre Laval devant la mort* (Plon, 1970).

BARRÉ (Jean-Luc) : *De Lattre. Documents inédits* (Perrin, 1990).

BARTHÉLEMY (Victor) : *Du communisme au fascisme. L'histoire d'un engagement* (Albin Michel, 1978).

Bataille (la) d'Obenheim, 4-11 janvier 1945 (Fondation BM 24, Obenheim, 1992).

BAUMANN (Denise) : *La Mémoire des oubliés. Grandir après Auschwitz* (Albin Michel, 1988).

BAYLE (André) : *De Marseille à Novossibirsk* (chez l'auteur).

BEAUFILS (Michel) : *Témoignage d'un silencieux* (Impr. Sommier, 1985).

BEAUVOIR (Simone de) : *La Force de l'âge* (Folio, 1989).

BECCARIA (Laurent) : *Hélie de Saint-Marc* (Perrin, 1988).

BÉCHAUX (Antoine) et LAFUMA (Michel) : *Le 2ᵉ Choc, bataillon Janson-de-Sailly* (France-Empire, 1988).

BECHTEL (Guy) : *Laval, vingt ans après* (Robert Laffont, 1963).

BELLEROCHE (Maud de) : *Le Ballet des crabes* (Filipacchi).

BENOIST-MÉCHIN (Jacques) : *A l'épreuve du temps. T. II : 1940-1947* (Julliard, 1989).

BÉRAUD (Henri) : *La Seconde Guerre mondiale dans les Hautes-Alpes et l'Ubaye* (Société d'études des Hautes-Alpes, 1990).

BERGER (Pierre) : *Robert Desnos* (Seghers, 1977).

BERGOT (Erwan) : *La Deuxième D.B.* (Presses de la Cité, 1980).

BERNADAC (Christian) : *Les Sorciers du ciel* (France-Empire)
— *Le Rouge-Gorge* (France-Empire, 1980).

BÉTHOUART (général) : *Cinq années d'espérance* (Plon, 1968).

BILLOTTE (Pierre) : *Le Temps des armes* (Plon, 1972).

BIRNBAUM (Suzanne) : *Une Française juive est revenue* (Hérault Éd., 1991).

BIZIEN (Jean) : *Sous l'habit rayé* (Édition de la Cité, 1987).

BLANCKAERT (Serge) : *Le Siège le plus long. Dunkerque. Sept. 44-mai 45* (Blankaert Frères Éd.).

BLÉCOURT (André) : *De la résistance au bagne* (Nathan, 1945).

BLÉHAUT (Bernard) : *Pas de clairon pour l'Amiral. Henri Bléhaut 1889-1962* (Jean Picollec, 1991).

BLOND (Georges) : *Pétain* (Presses de la Cité, 1966).

BLUM (Suzanne) : *Vivre sans la patrie. 1940-1945* (Plon, 1975).

BODIN (Jérôme) : *Les Officiers français, grandeur et misère* (Perrin, 1992).

BOEGNER (pasteur) : *Carnets. 1940-1945* (Fayard, 1992).

BOISSIEU (général Alain de) : *Pour combattre avec de Gaulle* (Plon, 1981).

BOPP (Marie-Joseph) : *L'Alsace sous l'occupation allemande 1940-1945* (Mappus Éd., 1947).

BOUNIN (Jacques) : *Beaucoup d'imprudences* (Stock, 1974).

BOURDAN (Pierre) : *Carnet de route avec la divison Leclerc* (Éd. Pierre Tremois, 1945).

BOURDET (Claude) : *L'Aventure incertaine* (Stock, 1975).

BOURDREL (Philippe) : *L'Épuration sauvage. T. II. 1944-1945* (Perrin, 1991).

BOURGET (Pierre) : *Témoignages inédits sur le Maréchal Pétain* (Fayard, 1960).
— *Un certain Philippe Pétain* (Castermann, 1964).

BRIAIS (Bernard) : *Le Lochois pendant la guerre. 1939-1945* (Éd. Briais, 1988).

BRIEY (Martin de) : *Que la paix soit avec nous* (Éd. du Fuseau, 1964).

BRINON (Fernand de) : *Mémoires* (Impr. réunies, 1949).

BRISSAUD (André) : *Pétain à Sigmaringen* (Perrin, 1965).

BRITSCH (Jacques) : *Nous n'acceptons pas la défaite* (s.l.n.d.).

BROSSOLETTE (Gilberte) : *Il s'appelait Pierre Brossolette* (Albin Michel, 1976).

BIBLIOGRAPHIE

BRUCKBERGER (R. L.) : *Si grande peine. Chronique des années 1940-1948* (Grasset, 1967).

BRUNEAU (Jacques) : *Les Tribulations d'un gaulliste en Gaule* (La Pensée universelle, 1983).

BRUNET (Jean-Paul) : *Jacques Doriot* (Balland, 1986).

BURG (Joseph) : *Malgré-Nous. A 18 ans en Russie* (Éd. Pierron).

BURG (Joseph) et PIERRON (Marcel) : *Malgré-Nous et autres oubliés. 1940-1945* (Éd. Pierron, 1991).

BUTON (Philippe) : *Le Parti communiste français à la Libération*. Thèse. Université de Paris. I.U.E.R. d'histoire.

CANAUD (Jacques) et BAZIN (Jean-François) : *La Bourgogne dans la Deuxième Guerre mondiale* (Ouest-France, 1986).

Carnets (les) du lieutenant-colonel Brunet de Sairigné présentés et annotés par André-Paul Comor (N.E.L., 1990).

CASSOU (Jean) : *Une vie pour la liberté* (Robert Laffont, 1981).

CATTAUI (Georges) : *Charles de Gaulle, l'homme et son destin* (Fayard, 1960).

CAZAUX (Yves) : *Journal secret de la libération* (Albin Michel, 1975).

CAZENAVE (Michel) : *Une certaine idée de la France* (Criterion, 1990).

CAZENEUVE (Jean) : *La Psychologie du prisonnier de guerre* (P.U.F., 1945).

CÉLINE (Louis-Ferdinand) : *D'un château l'autre* (Gallimard, 1957).

CERNY (Philip G.) : *Une politique de grandeur* (Flammarion, 1986).

CHABAN-DELMAS (Jacques) : *Charles de Gaulle* (Paris-Match-Édition° 1, 1980).
— *L'Ardeur* (Stock, 1975).

CHALET (Jean-Anne) : *Peau de grenouille. Histoire d'un petit village dans la poche de Saint-Nazaire. Août 44-Mai 45* (Éd. Serge Godin, 1980).

CHAMBRUN (René de) : *Pierre Laval devant l'histoire* (France-Empire, 1983).
— *Le « Procès » Laval* (France-Empire, 1984).
— *Mes combats pour Pierre Laval* (Perrin, 1990).
— *Général sorti du rang* (Atelier Marcel Jullian, 1991).

CHARBONNEAU (Henry) : *Les Mémoires de Porthos. T. II. Le Roman noir de la droite française* (La Librairie française, 1981).

CHATELLE (Albert) et MOREEL (Léon) : *Dunkerque libéré* (S.I.L.I.C. Lille).

CHEBEL D'APPOLONIA (Ariane) : *L'Extrême-Droite en France. De Maurras à Le Pen* (Éd. Complexe, 1988).

CHEVANCE-BERTIN (général) : *Vingt mille heures d'angoisse. 1940-1945* (Robert Laffont, 1990).

CHIRON (Yves) : *La Vie de Charles Maurras* (Perrin, 1991).

CHURCHILL (Sir Winston) : *Mémoires sur la Deuxième Guerre mondiale T. V : L'étau se referme* (Plon, 1952). *T. VI : Triomphe et tragédie* (Plon, 1954).

Cinquante ans d'une passion française : de Gaulle et les communistes, sous la direction de Stéphane Courtois et Marc Lazar (Balland, 1991).

CITRON (Pierre) : *Giono* (Seuil, 1990).

CLARE (Georges) : *Berlin après Berlin* (Plon, 1990).

CLARKE (Jeffrey J.) : *La Bataille d'Alsace. Novembre 1944-février 1945*, in *Guerres mondiales et conflits contemporains*, avril 1992.

CLOSON (Louis) : *Commissaire de la République du général de Gaulle* (Julliard, 1980).

COCHET (François) : *Les Exclus de la victoire. Histoire des prisonniers de guerre, déportés et S.T.O. 1945-1985* (S.P.M. et Kronos, 1992).

COINTET (Jean-Paul) : *Pierre Laval* (Fayard, 1993).

COINTET (Michèle) : *Vichy capitale, 1940-1944* (Perrin, 1993).

Colloque des prisonniers de guerre, 18-19 novembre 1988. Organisé par Fernand Caire, fondateur de l'Union de Graudenz.

Colmar au lendemain de la libération (Impr. Braun et Cie, 1947).

COMBELLE (Lucien) : *Liberté à huis clos* (Éd. de la Butte-aux-Cailles, 1983).

COMOR (André-Paul) : *L'Épopée de la 13ᵉ demi-brigade de la Légion étrangère, 1940-1945* (N.E.L., 1988).

CONTE (Arthur) : *Yalta ou le partage du monde* (Robert Laffont, 1964).

COTTA (Michèle) : *La Collaboration* (Armand Collin, 1964).

COURRIÈRE (Yves) : *Normandie-Niemen* (Presses de la Cité, 1992).

COURTOIS (Stéphane) : *Le P.C.F. dans la guerre* (Ramsay, 1980).

COURTOIS (Stéphane), PESCHANSKI (Denis), RAYSKI (Adam) : *Le Sang de l'étranger. Les immigrés de la MOI dans la résistance* (Fayard, 1989).

COURVOISIER (André) : *Un aller et retour en enfer* (France-Empire, 1986).

DAIX (Pierre) : *J'ai cru au matin* (Robert Laffont, 1976).

DALADIER (Édouard) : *Journal de captivité. 1940-1945* (Calmann-Lévy).

DALLOZ (Jacques) : *La Guerre d'Indochine. 1945-1954* (Seuil, 1987).

DAWIDOWICZ (Lucy S.) : *La Guerre contre les juifs. 1933-1945* (Hachette, 1977).

DÉAT (Marcel) : *Mémoires politiques* (Denoël, 1989).

De Batna à Stuttgart. Livre de marche du 4ᵉ escadron du 3ᵉ R.S.A.R.

DEBRÉ (Michel) : *Trois Républiques pour une France* (Albin Michel, 1984).

DEBU-BRIDEL (Jacques) : *De Gaulle et le C.N.R.* (France-Empire, 1978).

DECAUX (Alain) : *Nouveaux Dossiers secrets* (Perrin, 1967).

DECOUX (amiral) : *A la barre de l'Indochine* (Plon, 1949).

DEFRASNE (Jean) : *Histoire de la collaboration* (P.U.F., 1982).

DELARBRE (Léon) : *Dora, Auschwitz, Buchenwald, Bergen-Belsen. Croquis clandestins* (Éd. Michel de Romilly).

DELPERRIE DE BAYAC (Jacques) : *Histoire de la milice* (Fayard, 1969).

DEMEY (Évelyne) : *Paul Reynaud, mon père* (Plon, 1980).

DENIS (général Pierre) : *La Libération de Metz* (Éd. Serpenoise, 1986).

Déportés (les) d'Avon. Enquête autour du film de Louis Malle (P.A.E. du collège d'Avon, 1988).

DEPREUX (Édouard) : *Souvenirs d'un militant* (Fayard, 1972).

DESANTI (Dominique) : *Drieu la Rochelle, ou le séducteur mystifié* (Flammarion, 1978).

DESTREM (Maja) : *L'Aventure de Leclerc* (Fayard, 1984).

DESTREMAU (Bernard) : *Weygand* (Perrin, 1989).

DEVILLERS (P.) : *Histoire du Vietnam de 1940 à 1952* (Seuil, 1952).

DEVILLERS (R.) et LACOUTURE (Jean) : *Vietnam : de la guerre française à la guerre américaine* (Seuil, 1969).

Dictionnaire de la Seconde Guerre mondiale, 2 volumes (Larousse, 1979).

DINFREVILLE (Jacques) : *Le Roi Jean. Vie et mort du maréchal de Lattre de Tassigny* (La Table Ronde, 1964).

Directives et consignes données à la Presse allemande en zone française d'occupa-

tion. Période du 25 août 45 au 15 mars 48. Édité par la régie autonome des publications officielles de Baden-Baden.

Documents pour la révision du procès du Maréchal Pétain. Préface de Jacques Isorni et Jean Lemaire (André Martel, 1948).

DOUCERET (Serge) : *Paul Gandoët général* (Éd. Lavauzelle, 1987).

DREYFUS (François-Georges) : *Histoire de Vichy* (Perrin, 1990).

— *Histoire de la démocratie chrétienne en France* (Albin Michel, 1988).

DRIEU LA ROCHELLE (Pierre) : *Journal 1939-1945* (Gallimard, 1992).

DRONNE (Raymond) : *Carnets de route d'un croisé de la France libre* (France-Empire, 1984).

— *L'Hallali. De Paris à Berchtesgaden. Août 44-45* (France-Empire, 1985).

DROZ (Bernard) et ROWLEY (Anthony) : *Histoire générale du xxe siècle* (Seuil, 1986).

DUCLOS (Jacques) : *Mémoires. T. III : Dans la bataille clandestine 1943-1945* (Fayard, 1970).

DUFOURNIER (Denise) : *La Maison des mortes, Ravensbrück* (Julliard, 1992).

DUQUESNE (Jacques) : *Les Catholiques français sous l'occupation* (Grasset, 1966).

DURAND (Pierre) : *La Résistance des Français à Buchenwald et Dora* (Messidor, 1991).

DURAND (Yves) : *La Captivité* (Fédération nationale des combattants prisonniers de guerre et combattants d'Algérie, Tunisie, Maroc, 1981).

DUROSELLE (Jean-Baptiste) : *Histoire diplomatique de 1919 à nos jours* (Dalloz, 1993).

DUTILLIEUX (Max) : *Le Camp des armes secrètes. Dora, Mittelbau* (Ouest-France, 1993).

EISENHOWER (général Dwight D.) : *Les Opérations en Europe du corps expéditionnaire allié* (Berger-Levrault, 1947).

— *Croisade en Europe* (Robert Laffont, 1949).

ELGEY (Georgette) : *La République des illusions. 1945-1951* (Fayard, 1965).

ENGEL (Vincent) : *Pourquoi parler d'Auschwitz ?* (Éperonniers, 1992).

Entourage (L') et de Gaulle. Ouvrage collectif présenté par Gilbert Pilleul (Plon, 1979).

ÉVRARD (Jacques) : *La Déportation des travailleurs français dans le 3e Reich* (Fayard, 1972).

FABRE-LUCE (Alfred) : *Vingt-cinq années de liberté. T. II : L'épreuve* (Julliard, 1963).

— *Haute Cour* (Julliard, 1962).

— *Le Mystère du Maréchal* (A l'enseigne du cheval ailé, 1945).

FAURE (Petrus) : *Un procès inique* (Flammarion, 1973).

FAUVET (Jacques) : *La IVe République* (Fayard, 1959).

— *Histoire du Parti communiste français : T. II : Vingt-cinq ans de drames. 1939-1945* (Fayard, 1965).

FERRO (Marc) : *Pétain* (Fayard, 1987).

FERRO (Maurice) : *De Gaulle et l'Amérique : une amitié tumultueuse* (Plon, 1973).

FESSARD (Gaston) : *Au temps du prince esclave. Écrits clandestins. 1940-1945* (Criterion, 1989).

FIGUERAS (André) : *Pétain et la résistance* (Publications A. Figueras, 1989).

FOLIN (Jacques de) : *Indochine 1940-1955. La fin d'un rêve* (Perrin 1993).

FONDE (Jean-Julien) : *Les Loups de Leclerc* (Plon, 1982).

FOUCHET (Christian) : *Au service du général de Gaulle* (Plon, 1971).

FOULON (Charles-Louis) : *Le Pouvoir en province, à la Libération. Les commissaires de la République. 1943-1946* (Armand Colin, 1975).

Françaises (Les) à Ravensbrück (Denoël, 1971).

FRANKL (Viktor) : *Un psychiatre déporté témoigne* (Éd. du Chalet, 1973).

FRIANG (Brigitte) : *Regarde-toi qui meurs* (Plon, 1978).

FRIDE (Bernard) : *Une mauvaise histoire juive* (Ramsay, 1991).

FROSSARD (André) : *Excusez-moi d'être français* (Fayard, 1992).

GACHIGNARD (Christiane) : *La Rochelle, poche de l'Atlantique. Août 1944-mai 1945* (Rumeur des âges, 1987).

GALTIER-BOISSIÈRE (Jean) : *Mon journal depuis la Libération* (La Jeune Parque, 1945).

— *Journal. 1940-1950* (Edima, Quai Voltaire, 1992).

GARBARZ (Moshé et Élie) : *Un survivant* (Plon, 1984).

GASCAR (Pierre) : *Histoire de la captivité des Français en Allemagne. 1939-1945* (Gallimard, 1967).

GATTI (Armand) : *Le Monde concave* (Éther vague, Toulouse, 1991).

GAUCHER (Roland) : *Histoire secrète du Parti communiste français* (Albin Michel, 1974).

GAULLE (Charles de) : *Mémoires de guerre. Le salut, 1944-1946* (Plon, 1959).

— *Discours et messages pendant la guerre* (Plon, 1959).

— *Lettres, notes et carnets* (Plon, 1983).

GAULTIER (Léon) : *Siegfried et le Berrichon. Le parcours d'un collabo* (Perrin, 1991).

GAYOT (Henri) : *Charente-Maritime. Occupation, résistance, libération* (Comité d'histoire de la 2ᵉ Guerre Mondiale).

GÉLEZEAU (André) : *Le Cinquième Siège de La Rochelle. Sept. 1944-mai 1945* (Impr. Rochelaise, 1952).

GENET (Christian) : *La Libération des deux Charentes. Soldats en sabots* (Aubin, 1965).

Génie (le) dans la campagne de France et d'Allemagne. Historique (Iʳᵉ armée française, commandement du génie).

GEORIS (Michel) : *Nuts! La bataille des Ardennes* (France-Empire, 1969).

GERMAIN-THOMAS (Olivier) et BARTHELET (Philippe) : *Charles de Gaulle, jour après jour* (Nathan, 1990).

GILBERT (Charles) : *La Montagne héroïque. 2 volumes* (Le Cercle d'or, 1981).

GILLOIS (André) : *Le Mensonge historique* (Robert Laffont, 1990).

GIRAUD (Henri-Christian) : *De Gaulle et les communistes. T. II : Le piège. Mai 1943-janvier 1946* (Albin Michel, 1989).

GMELINE (Patrick de) : *Commandos d'Afrique* (Presses de la Cité, 1980).

GOUNAND (Pierre) : *La Déportation en Côte-d'Or* (Impr. coopérative ouvrière, Dijon, 1975).

— *Une ville française sous l'occupation : Dijon*. Thèse de doctorat d'État. Université de Dijon, 1988.

GOUNELLE (Claude) : *Le Dossier Laval* (Plon, 1969).

BIBLIOGRAPHIE

GRAS (Yves) : *La 1re D.F.L. Les Français libres au combat* (Presses de la Cité, 1983).

GRELLET (Henri) : *Sous les feux des miradors* (Michel Dansel, éditeur, 1984).

GRENIER (Fernand) : *Ce bonheur-là* (Éditions sociales, 1974).

GRIMMER (Robert) : *Écoliers-Soldats* (Éd. Pierron, 1989).

GROS (général) : *Histoire de la guerre d'Indochine* (Plon, 1979).

GROSSER (Alfred) : *Affaires extérieures. La politique de la France 1944-1989* (Flammarion 1989).

GUÉNA (Yves) : *Le Temps des certitudes. 1940-1969* (Flammarion, 1982).

Guerre (la) d'Algérie par les documents. T. I : L'avertissement. (Service historique de l'Armée de terre, Vincennes, 1990).

GUERY (L.) : *L'Abbé René Giraudet. Curé en France, ouvrier à Berlin. 1907-1945* (Impr. Lussaud, 1979).

GUICHARD (Olivier) : *Mon général* (Grasset, 1980).

GUILLARD (Marcel) : *Marigny, mille ans d'histoire* (Impr. Bellée, Coutances, 1968).

GUILLEMIN (Henri) : *Parcours* (Seuil, 1989).

GUITTON (Jean) : *Un siècle, une vie* (Robert Laffont, 1988).

GUN (Nerin) : *Le Secret des archives américaines. T. II : Ni de Gaulle, ni Thorez* (Albin Michel, 1983).

HAMON (Léo) : *Vivre ses choix* (Robert Laffont, 1991).

HARCOURT (Pierre d') : *Journal de Buchenwald* (P.U.F., 1988).

HART (Liddell) : *Histoire de la Seconde Guerre mondiale* (Fayard, 1970).

HAUTECLOQUE (Louis de) : *La Pointe de Grave ou la dernière bataille du maquis* (Éd. Bière, 1946).

HEILBRONN (Max) : *Galeries Lafayette-Buchenwald-Galeries Lafayette* (Economica, 1989).

HEISER (Eugène) : *La Tragédie lorraine.* 3 volumes (Impr. Pierron, Sarreguemines, 1983).

HÉROLD-PAQUIS (Jean) : *Mémoires. Des illusions, désillusions* (Bourgoin, 1948).

HÉRUBEL (Michel) : *Berlin. Les murs de braise. Janvier-mai 45* (Jean Picollec, 1990).

HETTIER DE BOISLAMBERT (Claude) : *Les Fers de l'espoir* (Plon, 1978).

HEYDECKER (Joe J.) et LEEB (Johannes) : *Le Procès de Nuremberg* (Buchet-Chastel, 1959).

HILLEL (Marc) : *Vie et mœurs des GI's en Europe. 1942-1947* (Balland, 1981).

— *L'Occupation française en Allemagne* (Balland, 1983).

Hommage à Jean Baillou (Impr. Danpeley-Gouverneur, 1993).

HOSTACHE (René) : *De Gaulle 1944. Une victoire de la légitimité* (Plon, 1978).

ISORNI (Jacques) : *Souffrance et mort du Maréchal* (Flammarion, 1951).

— *Lui qui les juge* (Flammarion, 1961).

— *C'est un péché de la France* (Flammarion, 1962).

— *Philippe Pétain* (La Table Ronde, 1973).

— *Mémoires* (Robert Laffont, 1984).

JÄCKEL (Eberhard) : *La France dans l'Europe de Hitler* (Fayard, 1968).

JACOB (Madeleine) : *Quarante ans de journalisme* (Julliard, 1970).

JACQUEMIN (Gaston) : *La Vie publique de Pierre Laval* (Plon, 1973).

JAFFRÉ (Yves-Frédéric) : *Les Derniers Propos de Pierre Laval* (Éd. André Bonne, 1953).

Jawischowitz, annexe d'Auschwitz. Ouvrage collectif. 45 déportés, 8 mineurs polonais témoignent pour l'avenir (Éd. Amicale d'Auschwitz).

Journal de marche 3ᵉ Cie, 19ᵉ B.C.P. (s.l.n.d.).

Journal de marche 5ᵉ R.C.A. (s.l.n.d.).

Journal de marche 5ᵉ Cie, 9ᵉ D.I.C., 23ᵉ R.I.C. (s.l.n.d.).

JULIEN (Charles-André) : *L'Afrique du Nord en marche* (Julliard, 1962).

KAHN (Anette) : *Robert et Jeanne* (Payot, 1990).

— *Personne ne voudra nous croire* (Payot, 1991).

KASPI (André) : *Les Juifs pendant l'occupation* (Seuil, 1991).

— *La Deuxième Guerre mondiale. Chronologie commentée* (Perrin, 1990).

KAUFMANN (Sylvain) : *Au-delà de l'enfer* (Garamont, 1987).

KEEGAN (John) : *La Deuxième Guerre mondiale* (Perrin, 1989).

KERSAUDY (François) : *De Gaulle et Churchill* (Plon, 1982).

KESSELRING (maréchal) : *Soldat jusqu'au dernier jour* (Lavauzelle, 1956).

KLARSFELD (Serge) : *Vichy-Auschwitz. Le rôle de Vichy dans la solution finale* (Fayard, 1983).

— *Le calendrier de la persécution des juifs en France, 1940-1944* (Éd. Les fils et filles des déportés juifs de France, 1993).

KOCK (Erich) : *L'Abbé Franz Stock* (Castermann, 1966).

KOGON (Engen) : *L'État SS* (Seuil, 1970).

KOGON (Engen), LANGBEIN (Hermann), RUCKERL (Adalbert) : *Les Chambres à gaz, secret d'État* (Éd. de Minuit, 1984).

Koumia (la). Bulletin de liaison. Association des anciens des goum marocains et des A.I. en France.

KRIEGEL (Annie) : *Les Communistes français 1920-1970.* Avec la collaboration de Guillaume Bourgeois (Seuil, 1985).

— *Ce que j'ai cru comprendre* (Robert Laffont, 1991).

KRIEGEL-VALRIMONT (Maurice) : *La Libération. Les archives du C.O.M.A.C.* (Éd. de Minuit, 1964).

KUPFERMAN (Fred) : *Les Premiers Beaux Jours 1944-1946* (Calmann-Lévy 1985).

— *Pierre Laval* (Balland, 1987).

LABAT (Eric) : *Les places étaient chères* (La Table Ronde, 1969).

LACOUTURE (Jean) : *De Gaulle. T. I : Le rebelle. T. II : Le politique. T. III : Le souverain* (Seuil, 1986).

— *Léon Blum* (Seuil, 1977).

— *André Malraux. Une vie dans le siècle* (Seuil, 1973).

LACOUTURE (Jean) et MEHL (Roland) : *De Gaulle ou l'éternel défi* (Seuil 1988).

LAFFARGUE (André) : *Le Général Dentz* (Les Îles d'or).

LANGLADE (général Paul de) : *En suivant Leclerc* (Au fil d'Ariane, 1964).

LANTIER (Maurice) : *Saint-Lô au bûcher* (Impr. Jacqueline, 1969).

LAPIE (Pierre-Olivier) : *De Léon Blum à de Gaulle. Le caractère et le pouvoir* (Fayard, 1971).

LARMINAT (général de) : *Chroniques irrévérencieuses* (Plon, 1962).

LATTRE DE TASSIGNY (maréchal Jean de) : *Histoire de la Première Armée française. Rhin et Danube* (Plon, 1949).

BIBLIOGRAPHIE

— *Ne pas subir. Écrits. 1914-1952* (Plon, 1984).
— *Reconquérir. Écrits. 1944-1945* (Plon, 1985).
LATTRE (Simone de) : *Jean de Lattre mon mari. T. II* (Presses de la Cité, 1972).
LA VAISSIÈRE (Jacques de) : *Silésie morne plaine*. Préface de Jean Guitton (France-Empire, 1991).
Laval parle. Notes et mémoires rédigés par Pierre Laval dans sa cellule. Préface de sa fille, Josée Laval de Chambrun. (La Diffusion du Livre, s.d.).
LE DOUAREC (François) : *Félix Gaillard, 1919-1970* (Economica).
LEDWIGE (Bernard) : *De Gaulle* (Flammarion, 1984).
LEFÉBURE (Antoine) : *Les Conversations secrètes des Français sous l'Occupation* (Plon, 1993).
LEFEBVRE (Denis) : *Guy Mollet. Le mal-aimé* (Plon, 1992).
LEFRANC (Pierre) : *La France dans la guerre. 1940-1945* (Plon, 1990).
— *Le Vent de la liberté* (Plon, 1976).
LE GOUPIL (Paul) : *La Route des crématoires* (L'Amitié par le livre, s.d.).
LE GROIGNEC (Jacques) : *Pétain, gloire et sacrifice* (N.E.L., 1988).
LÉON-JOUHAUX (Augusta) : *Prison pour hommes d'État* (Denoël-Gonthier, 1973).
LETAMENDIA (Pierre) : *Le M.R.P.* Thèse pour le doctorat d'État en science politique (Université de Bordeaux, 1975).
LE TROQUER (André) : *La parole est à André Le Troquer* (La Table Ronde, 1962).
LEVI (Primo) : *Si c'est un homme* (Julliard, 1987).
— *La Trêve* (Grasset, 1991).
LÉVY (Claude) : *Les Nouveaux Temps et l'idéologie de la collaboration* (Armand Colin, 1974).
LÉVY (Claude) et TILLARD (Paul) : *La Grande Rafle du Vel' d'Hiv.* (Robert Laffont, 1992).
LÉVY (Gilles) : *A nous Auvergne* (Presses de la Cité, 1974).
LEWIN (Christophe) : *Le Retour des prisonniers de guerre français* (Publications de la Sorbonne, 1986).
LHEUREUX (Jean-Charles) : *La Forteresse de la mort lente. Graudenz* (J.-C. Lheureux, 1985).
Libération (la) de l'Est de la France. Le département de la Moselle (1975).
LICHTLE (Francis) : *Les Combats. Libération de Kayserberg* (Publication archives municipales de Kayserberg, 1984).
LIMAGNE (Pierre) : *Éphémérides de quatre années tragiques* (Bonne Presse, réédité en 3 volumes par les éditions de Candide en 1987).
LINDON (Raymond) et AMSON (Daniel) : *La Haute Cour. 1789-1987* (P.U.F., 1987).
Livre de marche, 4e escadron, 3e R.S.A.R.
LONDON (Géo) : *Le Procès du général Dentz*.
— *Le Procès Laval* (Roger Bonnefon, 1946).
— *Le Procès de Charles Maurras* (Roger Bonnefon, 1945).
LORMIER (Dominique) : *L'Épopée du corps franc Pommiès des Pyrénées à Berlin* (Jacques Grancher, éditeur, 1990).
LOTTMAN (Herbert R.) : *L'Épuration 1943-1953* (Fayard, 1986).

779

— *Pétain* (Seuil, 1984).

MABIRE (Jean) : *La Brigade Frankreich* (Fayard, 1973).

— *Mourir à Berlin* (Fayard, 1975).

— *Chasseurs alpins, des Vosges au Djebel. 1914-1964* (Presses de la Cité, 1984).

MADJARIAN (Grégoire) : *Conflits, pouvoirs et société à la Libération* (Union générale d'éditions, 1980).

MAGGIAR (amiral) : *Les Fusiliers marins de Leclerc* (France-Empire, 1984).

MANSON (Jean) : *De la Résistance à la déportation* (Atelier d'impression d'art, 1990).

MARTEAUX (Jacques) : *Les Catholiques dans la tourmente* (La Table Ronde, 1959).

MARTELLI (Roger) : *Communisme français. Histoire sincère du P.C.F. 1920-1984* (Messidor, Éditions sociales, 1984).

MARTIN-CHAUFFIER (Louis) : *L'Homme et la bête* (N.R.F., 1948).

MASSON (Philippe) : *Une guerre totale. 1939-1945* (Tallandier, 1990).

MASSU (Jacques) : *Sept ans avec Leclerc* (Plon, 1974).

MASSU (Suzanne) : *Quand j'étais Rochambelle* (Grasset, 1969).

MAUCLÈRE (Jean) : *Marins de France au combat* (Berger-Levrault, 1945).

MAURIAC (Claude) : *Aimer de Gaulle* (Grasset, 1978).

MAURIAC (François) : *De Gaulle* (Grasset, 1964).

MAURY (Louis) : *Quand la haine élève ses temples* (Impr. Gutenberg, s.d.).

MAYER (Daniel) : *Les Socialistes dans la Résistance* (P.U.F., 1968).

MAYER (René) : *Études, témoignages, documents* (P.U.F., 1983).

MAZEAUD (H.L.J.P.) : *Visages dans la tourmente* (Albin Michel, 1946).

MENDÈS FRANCE (Pierre) : *Œuvres complètes. T. II : Une politique de l'économie. 1943-1954* (Gallimard, 1985).

MERCADET (Léon) : *La Brigade Alsace-Lorraine* (Grasset, 1984).

MESSMER (Pierre) : *Après tant de batailles* (Albin Michel, 1992).

MEYER (Hubert) : *Entre marins* (Robert Laffont, 1966).

MIALET (Jean) : *Le Déporté* (Fayard, 1981).

MICHEL (Henri) : *Histoire de la Résistance en France* (P.U.F., 1950).

MICHEL (Jean) : *De l'enfer aux étoiles. Dora, le temps de la nuit* (Plon, 1986).

MICHELET (Claude) : *Mon père, Edmond Michelet* (Presses de la Cité, 1971).

MICHELET (Edmond) : *Rue de la Liberté. Dachau. 1943-1945* (Seuil, 1955).

MIGDAL (André) : *Poésies d'un autre monde. Fresnes, 1941. Neuengamme, 1945* (Seghers, 1975).

MOLETTE (Charles) : *En haine de l'Évangile* (Fayard, 1993).

MONNET (colonel Henri) : *Mémoires d'un éclectique* (Garnier, 1980).

MONNIER (Pierre) : *Les Pendules à l'heure* (Le Flambeau, 1992).

MONTANGON (Jean de) : *Un Saint-Cyrien des années quarante* (France-Empire, 1987).

MONTGOMERY (maréchal) : *De la Normandie à la Baltique* (Lavauzelle, 1948).

MORDAL (Jacques) : *Les poches de l'Atlantique* (Presses de la Cité, 1965).

MOREY (Bernard) : *Le Voyageur égaré* (s.l.n.d.).

MOULIN DE LABARTHÈTE (Jean du) : *Des marins dans la tourmente* (N.E.L., 1990).

BIBLIOGRAPHIE

MUELLE (Raymond) : *Le Premier Bataillon de choc* (Presses de la Cité, 1977).
— *La 2ᵉ D.B.* (Presses de la Cité, 1990).
MUNIG (Étienne) : *Sevan, un autre goulag pour « incorporés de force »* (Éd. Fédération des anciens de Tambow).
MUS (P.) : *Vietnam, sociologie d'une guerre* (Seuil, 1952).
NAUD (Albert) : *Pourquoi je n'ai pas défendu Pierre Laval* (Fayard, 1948).
NAY (Catherine) : *Le Noir et le Rouge, ou l'histoire d'une ambition* (Grasset, 1984).
NOBÉCOURT (Jacques) : *Le Dernier Coup de dés de Hitler* (Robert Laffont, 1962).
NOGUÈRES (Henri) en collaboration avec DEGLIAME-FOUCHÉ (Marcel) : *Histoire de la Résistance en France*. 5 volumes (Robert Laffont, 1961-1985).
NOGUÈRES (Louis) : *Le Véritable Procès du maréchal Pétain* (Fayard, 1955).
— *La Dernière Étape, Sigmaringen* (Fayard, 1956).
— *La Haute Cour de la Libération* (Éd. de Minuit, 1965).
NOIREAU (Robert) : *Le Temps des partisans* (Flammarion, 1978).
NOVICK (Peter) : *L'Épuration française. 1944-1949* (Balland, 1985).
ODIC (C. J.) : *Demain Buchenwald* (Buchet-Chastel, 1972).
ORY (Pascal) : *Les Collaborateurs. 1940-1945* (Seuil, 1976).
PAILLAT (Claude) : *Le Guêpier* (Robert Laffont, 1969).
— *Le Monde sans la France. 1944-1945, Le prix de la liberté* (Robert Laffont, 1991).
PAIRA (René) : *Affaires d'Alsace. Souvenirs d'un préfet* (Mémoire d'Alsace, s.d.).
PANGE (Jean de) : *Nous en avons tant vu. 1940-1945*. Préface de Pierre Messmer (Serpenoise, 1991).
PANNEQUIN (Roger) : *Ami si tu tombes* (Sagittaire, 1976).
— *Adieu camarades* (Sagittaire, 1977).
PASSY (colonel) : *Missions secrètes en France* (Plon, 1951).
PASTHIER (Louis) : *L'Affaire des parachutés de Limoges* (chez l'auteur, 1987).
PAXTON (Robert O.) : *La France de Vichy* (Seuil, 1976).
PÉCHEREAU (André) : *Les Enfants du brigand* (Hérault Éd., 1990).
PEYROUTON (Marcel) : *Du service public à la prison commune* (Plon, 1950).
PIAT (Jean) : *Veille de fête* (Flammarion, 1992).
PIERRE-BLOCH (Jean) : *De Gaulle ou le temps des méprises* (La Table Ronde, 1969).
PIERQUIN (Bernard) : *Journal d'un étudiant parisien sous l'occupation. 1939-1945* (1983).
PIGUET (Mgr Gabriel) : *Prison et déportation. Témoignage d'un évêque français* (Éd. SPES, 1949).
PINEAU (Christian) : *La Simple Vérité. 1940-1945* (Julliard, 1960).
PLUYMENE (Jean) : *Pétain* (Seuil, 1964).
PONIATOWSKI (Michel) : *Cartes sur table* (Fayard, 1972).
POZNER (Vladimir) : *Descente aux enfers* (Julliard, 1980).
PRESSAC (Jean-Claude) : *Les crématoires d'Auschwitz, la machinerie du meurtre de masse* (Éd. du CNRS, 1993).
PRIEUR (Félix) : *Mémorial de guerre et de captivité* (Éd. Fides, s.d.).
PRINTZ (Adrien) : *Soldats sans emploi* suivi de *Chronique littéraire* (Impr. Gérard Klopp, 1989).

Prisons de l'épuration, L'épuration vécue. Fresnes 1944-1947 (Le Portulan, 1947).

Procès (Le) de Charles Maurras (Albin Michel, 1946).

Procès (Les) de la collaboration. Fernand de Brinon, Joseph Darnand, Jean Luchaire. Compte rendu sténographique (Albin Michel, 1948).

Procès de Haute Cour. Avant-propos de Alfred Fabre-Luce (Julliard, 1964).

Procès (Les) de la radio. Ferdonnet et Jean Hérold-Paquis (Albin Michel, 1947).

Procès (Le) du maréchal Pétain. Compte rendu sténographique (Albin Michel, 1945) et *Journal officiel.*

Procès (Le) Laval. Compte rendu sténographique (Albin Michel, 1946).

PUAUX (Gabriel) : *Deux années au Levant. 1939-1940* (Hachette, 1952).

QUEREILLHAC (J. L.) : *J'étais S.T.O.* (France-Empire, 1958).

QUILLIOT (René) : *La S.F.I.O. et l'exercice du pouvoir. 1944-1958* (Fayard, 1972).

RAÏSSAC (Guy) : *Un soldat dans la tourmente* (Albin Michel, 1963).

— *Un combat sans merci. L'affaire Pétain-De Gaulle* (Albin Michel, 1966).

— *De la marine à la justice. Un magistrat témoigne.* (Albin Michel, 1972).

RAPHAËL-LEYGUES (Jacques) : *Chronique des années incertaines. 1935-1945* (France-Empire, 1977).

RAQUIN (Suzanne) : *Bastilles. Poèmes* (Altaïr, s.d.).

RASSINIER (Paul) : *Le Mensonge d'Ulysse* (La Vieille Taupe, 1979).

REBATET (Lucien) : *Les Mémoires d'un fasciste. T. II* (Pauvert, 1976).

RÉMOND (René) : *Notre siècle 1918-1988* in *Histoire de France* sous la direction de Jean Favier (Fayard, 1988).

RÉMY (colonel) : *Dix ans avec de Gaulle. 1940-1950* (France-Empire, 1971).

— *La Justice et l'opprobe* (Éditions Confrérie Castille, 1991).

RIBET (Maurice) : *Le Procès de Georges Claude* (Jean Vignau, 1946).

RIGOULOT (Paul) : *L'Opération Sonnewende 7-16 janvier 1945.*

RIGOULOT (Pierre) : *La Tragédie des Malgré-Nous. Tambow, le camp des Français* (Denoël, 1990).

— *Les Enfants de l'épuration* (Plon, 1993).

RIMBAUD (Christiane) : *Pinay* (Perrin, 1990).

RIOUX (Jean-Pierre) : *La France de la Quatrième République T. I : L'ardeur et la nécessité. 1944-1952* (Seuil, 1980).

RIST (Charles) : *Une saison gâtée* (Fayard, 1983).

ROBRIEUX (Philippe) : *Histoire intérieure du Parti communiste T. I : 1920-1945 T. II : 1945-1972* (Fayard, 1980, 1981).

— *Thorez, vie secrète, vie publique* (Fayard, 1975).

RODRIGUES (Georges) : *La Poche de Royan 1940-1945* (Impr. I.C.R.T., 1991).

ROGERIE (général) : *Vivre c'est vaincre* (Hérault Éd.).

ROUSSET (David) : *L'Univers concentrationnaire* (Éd. du Pavois, 1946).

ROUSSO (Henry) : *Le Syndrome de Vichy. 1944-198...* (Seuil, 1987).

— *Pétain et la fin de la collaboration. Sigmaringen 1944-1945* (Complexe, 1984).

ROVAN (Joseph) : *Contes de Dachau* (Julliard, 1987).

ROY (Jules) : *Le Grand Naufrage* (Julliard, 1966).

RUFFIN (Raymond) : *La Vie des Français au jour le jour, 1944-1945* (Presses de la Cité, 1986).

SABLIER (Édouard) : *La Création du « Monde »* (Plon, 1984).

BIBLIOGRAPHIE

Sajer (Guy) : *Le Soldat oublié* (Robert Laffont, 1976).

Sainteny (Jean) : *Au Viêt-nam, face à Hô Chi Minh* (Seghers, 1970).

Saint-Germain (Philippe) : *Les Prisons de l'épuration* (Librairie française, 1975).

Saint-Loup : *Renault de Billancourt* (Éd. du Trident, 1987).

— *Les Hérétiques* (Presses de la Cité, 1965).

Saint-Nazaire et le mouvement ouvrier, de 1939 à 1945 (A.R.E.M.O.R.S.).

Salomon (Ernst von) : *Les Réprouvés* (Plon, 1951).

Sattler (André) : *Légendes à détruire. Mémoires de guerre d'un lampiste* (chez l'auteur).

Sauvy (Alfred) : *De Paul Reynaud à Charles de Gaulle, scènes, tableaux, et souvenirs* (Castermann, 1972).

— *La Vie économique des Français de 1939 à 1945* (Flammarion, 1978).

Savournin (Henri) : *Parachutiste de la France combattante* (Barré et Dayez, 1985).

Scapini (Georges) : *Mission sans gloire* (Morgan, 1960).

Schild (Günther) : *La France sans billet de retour* (Sator, 1992).

Schlumberger (Jean) : *Le Procès Pétain* (Gallimard, 1949).

Schoenbrun (David) : *Les Trois Vies de Charles de Gaulle* (Julliard, 1965).

Schumann (Maurice) : *Honneur et Patrie* (Éditions du Livre français, 1946).

— *Les Voix du couvre-feu* (Plon, 1964).

Séguéla (Mathieu) : *Pétain-Franco. Les secrets d'une alliance* (Albin Michel, 1992).

Sérant (Paul) : *Les Vaincus de la Libération* (Robert Laffont, 1964).

— *Les Grands Déchirements des catholiques français. 1870-1988* (Perrin, 1989).

Sérigny (Alain de) : *Échos d'Alger. 1940-1945* (Presses de La Cité).

Serrano Suner (Ramon) : *Espagne 1931-1945* (La Table Ronde, 1984).

Servent (Pierre) : *Le Mythe Pétain. Verdun ou les tranchées de la mémoire* (Payot, 1992).

Shipley White (Dorothy) : *Les Origines de la discorde : de Gaulle, la France libre et les Alliés* (Trévise, 1967).

Sigot (Jacques) : *Un camp pour les Tziganes et les autres. Montreuil-Bellay 1940-1945* (Éd. Vallada, 1983).

Simier (Lucienne) : *Deux ans au bagne de Ravensbrück.* (Hérault Éd., 1992).

Simiot (Bernard) : *De Lattre* (Flammarion, 1953).

Singer (Claude) : *Vichy, l'Université et les Juifs* (Les Belles Lettres, 1992).

Speer (Albert) : *Au cœur du Troisième Reich* (Fayard, 1971).

Stahl (Peter W.) : *Commandos secrets* (Albin Michel, 1989).

Steinert (Marlis) : *Hitler* (Fayard, 1991).

Stéphane (Roger) : *André Malraux, entretiens et précisions* (Gallimard, 1984).

Stucki (Walter) : *La Fin du régime de Vichy* (Éd. de la Baconnière, 1947).

Teitgen (Pierre-Henri) : *Faites entrer le témoin suivant. 1940-1958. De la Résistance à la Ve République* (Ouest-France, 1988).

Testyler (Jo) : *Les Enfants de Slawkow. Une jeunesse dans les camps nazis* (Albin Michel, 1990).

Thalmann (Rita) : *La Mise au pas* (Fayard, 1991).

Tillon (Charles) : *Les F.T.P.* (Julliard, 1962).

TILLION (Germaine) : *Ravensbrück* (Seuil, 1973).

TOLAND (John) : *Hitler* (Robert Laffont, « Bouquins », 1983).

TOULOUSE-LAUTREC (Béatrix de) : *J'ai eu vingt ans à Ravensbrück* (Perrin, 1991).

TOURNOUX (Jean-Raymond) : *Pétain et de Gaulle* (Plon, 1964).

— *Le Royaume d'Otto. France 1939-1945. Ceux qui ont choisi l'Allemagne* (Flammarion, 1982).

Tragédie de la déportation. Témoignages de survivants. 1940-1945 (Hachette, 1954).

TRIBOULET (Raymond) : *Un gaulliste de la IV*^{e} (Plon, 1985).

TROUSSARD (Raymond) : *L'Armée de l'ombre. Le maquis charentais Bir-Hakeim* (Angoulême, impr. S.A.J.I.C., 1981).

Un village martyr au cœur de la poche de Colmar. Bennwihr du 3 au 24 décembre 1944 (réalisé par le Club des retraités).

VAILLAND (Roger) : *Chronique des années folles à la Libération. 1928-1945* (Messidor, 1984).

VALLAT (Xavier) : *Le Nez de Cléopâtre. Souvenirs d'un homme de droite 1918-1945* (Éd. Les Quatre Fils Aymon, 1957).

VARAUT (Jean-Marc) : *Le Procès de Nuremberg* (Perrin, 1992).

VENDROUX (Jacques) : *Cette chance que j'ai eue* (Plon, 1974).

VENNER (Dominique) : *Baltikum* (Robert Laffont, 1974).

VIANNAY (Philippe) : *Du bon usage de la France* (Ramsay, 1988).

Vie (la) de la France sous l'Occupation. 3 volumes (Hoover Institute, 1957).

Vie et mort des Français. 1939-1945 sous la direction de Jacques Meyer (Tallandier, 1980).

VOGEL (Raymond) : *Lieutenant malgré lui. Souvenirs.* (La Nuée bleue. Dernières Nouvelles d'Alsace, 1990).

WELLERS (Georges) : *Les chambres à gaz ont existé* (Gallimard, 1981).

— *L'Étoile jaune à l'heure de Vichy* (Fayard, 1973).

WEYGAND (Jacques) : *Weygand, mon père* (Flammarion, 1970).

WEYGAND (général Maxime) *Mémoires, T. III : Rappelé au service* (Flammarion, 1950).

WIEVIORKA (Annette) : *Déportation et génocide* (Plon, 1992).

WOLF (Dieter) . *Doriot. Du communisme à la collaboration* (Fayard, 1969).

WOLFGANG (Paul) : *La fin du III*^{e} *Reich* (Presses de la Cité, 1978).

WORMSER-MIGOT (Olga) : *Quand les Alliés ouvrirent les portes* (Robert Laffont, 1965).

TABLE DES MATIÈRES

TABLE DES MATIÈRES

III. LE PRINTEMPS DES GUERRIERS

véritable catastrophe — Manifestations populaires contre le ravitaillement détestable — Reprise des attentats et des attaques de prison — Les nationalisations — Sécurité sociale et comités d'entreprise — L'échange des billets — Une difficile fin d'année.

Malraux empêche la fusion entre le M.L.N. et le Front National — Les élections municipales, un succès pour le Parti communiste — Le projet d'union entre Parti communiste et parti socialiste — Léon Blum refuse d'entrer au gouvernement ... — ... il s'oppose à l'unité avec les communistes — Débats autour des mots « assemblée constituante souveraine » — De Gaulle formule trois hypothèses ... mais ne prend pas parti — Serait-il favorable à un retour à la Constitution de 1875 ? — Finalement il se prononce pour une Assemblée constituante aux pouvoirs limités — Le discours de Brest — Violentes attaques à l'Assemblée contre les projets du gouvernement et contre de Gaulle — La chute de Churchill est-elle un signe avant-coureur de la chute de De Gaulle ? — Le choix du mode de scrutin.

Léon Blum et Daniel Mayer font repousser par le Congrès socialiste l'unité avec les communistes — De Gaulle rencontre Truman à Washington — Il lui parle de l'Allemagne mais Truman ne veut pas d'une division de l'Allemagne — Visite de De Gaulle dans la zone d'occupation française — Ses projets sur la rive gauche du Rhin, le Palatinat, la Hesse, la Sarre — Le résultat des votes du 21 octobre : le « oui-oui » l'emporte — Les communistes, avec 160 députés, deviennent le premier parti de France — De Gaulle en butte à l'hostilité des partis — Il décide de partir...

Achevé d'imprimer le 20 décembre 1993
sur presse CAMERON
dans les ateliers de B.C.A.
à Saint-Amand-Montrond (Cher)
pour le compte des éditions Robert Laffont
24, avenue Marceau, 75008 Paris

Nᵒ d'édition : 35186. Nᵒ d'impression : 93/788.
Dépôt légal : novembre 1993.

Imprimé en France